Feynman
The Feynman Lectures on Physics

LIÇÕES DE FÍSICA

A edição do **NOVO MILÊNIO**
VOLUME I: MECÂNICA, RADIAÇÃO E CALOR

```
F435l    Feynman, Richard P.
             Lições de física de Feynman : a edição do novo milênio /
         Richard P. Feynman, Robert B. Leighton, Matthew Sands ;
         tradução: Adriana Válio Roque da Silva... [et al.] ; revisão
         técnica: Adalberto Fazzio. – Porto Alegre : Bookman, 2019.
             3 v. (x, 574 p.; x, 606 p.; x, 406 p.) : il. ; 28 cm.

             ISBN 978-85-8260-500-4 (obra completa). – ISBN 978-85-
         8260-502-8 (v. 1). – ISBN 978-85-8260-503-5 (v. 2). – ISBN
         978-85-8260-504-2 (v. 3)

             1. Física. 2. Mecânica. 3. Radiação. 4. Calor. 5.
         Eletromagnetismo. 6. Matéria. 7. Mecânica Quântica. I.
         Leighton, Robert B. II. Sands, Matthew. III. Título.
                                                             CDU 53
```

Catalogação na publicação: Karin Lorien Menoncin – CRB 10/2147.

Richard P. Feynman
Professor Richard Chace Tolman de Física Teórica, California Institute of Technology

Robert B. Leighton
Professor de Física, California Institute of Technology

Matthew Sands
Professor de Física, California Institute of Technology

The Feynman Lectures on Physics

LIÇÕES DE FÍSICA

A edição do **NOVO MILÊNIO**

VOLUME I: MECÂNICA, RADIAÇÃO E CALOR

Tradução:
Adriana Válio Roque da Silva
Doutora em Astronomia pela University of California at Berkeley
Professora adjunta da Universidade Presbiteriana Mackenzie

Kaline Rabelo Coutinho
Doutora em Física pela Universidade de São Paulo
Professora da Universidade de São Paulo

Revisão técnica:
Adalberto Fazzio
Doutor em Física pela Universidade de São Paulo
Professor Titular da Universidade de São Paulo
Membro da Academia Brasileira de Ciências

2019

Obra originalmente publicada sob o título
The Feynman's Lectures on Physics: The New Millenium Edition, Volumes 1, 2, and 3.
ISBN 9780465023820

Copyright ©2011, Perseus Books, LLC.. All rights reserved.

Gerente editorial: *Arysinha Jacques Affonso*

Colaboraram nesta edição:

Editora: *Denise Weber Nowaczyk*

Capa: *Márcio Monticelli*

Leitura final: *Amanda Jansson Breitsameter*

Editoração: *Clic Editoração Eletrônica Ltda.*

Reservados todos os direitos de publicação, em língua portuguesa, à
BOOKMAN EDITORA LTDA., uma empresa do GRUPO A EDUCAÇÃO S.A.
Av. Jerônimo de Ornelas, 670 – Santana
90040-340 Porto Alegre RS
Fone: (51) 3027-7000 Fax: (51) 3027-7070

Unidade São Paulo
Rua Doutor Cesário Mota Jr., 63 – Vila Buarque
01221-020 São Paulo SP
Fone: (11) 3221-9033

SAC 0800 703-3444 – www.grupoa.com.br

É proibida a duplicação ou reprodução deste volume, no todo ou em parte, sob quaisquer formas ou por quaisquer meios (eletrônico, mecânico, gravação, fotocópia, distribuição na Web e outros), sem permissão expressa da Editora.

IMPRESSO NO BRASIL
PRINTED IN BRAZIL

Sobre o autor

Richard Feynman

Nascido em 1918 no Brooklyn, Nova York, Richard P. Feynman recebeu seu Ph.D. de Princeton em 1942. Apesar de jovem, desempenhou um importante papel no Projeto Manhattan, em Los Alamos, durante a Segunda Guerra Mundial. Posteriormente, lecionou em Cornell e no California Institute of Technology. Em 1965, recebeu o Prêmio Nobel de Física, junto com Sin-Itiro Tomanaga e Julian Schwinger, por seu trabalho na área da eletrodinâmica quântica.

Feynman conquistou o Prêmio Nobel por resolver com sucesso problemas relacionados à teoria da eletrodinâmica quântica. Além disso, criou uma teoria matemática que explica o fenômeno da superfluidez no hélio líquido. A partir daí, com Murray Gell-Mann, realizou um trabalho fundamental na área de interações fracas, como o decaimento beta. Em anos posteriores, desempenhou um papel-chave no desenvolvimento da teoria dos *quarks*, ao elaborar seu modelo de processos de colisão de prótons de alta energia.

Além desses feitos, Feynman introduziu no universo da física técnicas computacionais e notações novas e básicas, sobretudo os onipresentes diagramas de Feynman, que, talvez mais que qualquer outro formalismo na história científica recente, mudaram a maneira como os processos físicos básicos são conceitualizados e calculados.

Feynman foi um educador notadamente eficaz. De todos os seus numerosos prêmios, orgulhava-se especialmente da Medalha Oersted de Ensino, que ganhou em 1972. *As Lições de Física de Feynman*, originalmente publicado em 1963, foi descrito por um resenhista da *Scientific American* como "difícil, mas nutritivo e cheio de sabor. Passados 25 anos, é ainda *o guia* para os professores e os melhores estudantes principiantes". Procurando facilitar a compreensão da física entre o público leigo, Feynman escreveu *The Character of Physical Law* e *QED.: The Strange Theory of Light and Matter*. Ademais, foi autor de uma série de publicações avançadas que se tornaram uma referência clássica e de livros-texto destinados a pesquisadores e estudantes.

Richard Feynman foi um homem público dotado de espírito construtivo. Seu trabalho na comissão do Challenger é notório, especialmente sua famosa demonstração da suscetibilidade dos *O-rings* ao frio, uma elegante experiência que exigiu nada além de um copo com água gelada. Menos conhecidos foram seus esforços no California State Curriculum Committee, na década de 1960, onde protestou contra a mediocridade dos livros-texto.

Uma exposição de suas inumeráveis realizações científicas e educacionais não capta adequadamente a essência do homem. Como sabe qualquer leitor até mesmo de suas publicações mais técnicas, a personalidade viva e multifacetada de Feynman brilha através de sua obra. Além de físico, foi por vezes restaurador de rádios, colecionador de cadeados, artista, dançarino, tocador de bongô e mesmo decifrador de hieróglifos maias. Eternamente curioso de seu mundo, foi um empírico exemplar.

Richard Feynman morreu em 15 de fevereiro de 1988, em Los Angeles.

Prefácio à Edição do Novo Milênio

Quase 50 anos se passaram desde que Richard Feynman ministrou o curso de introdução à física no Caltech que deu origem a estes três volumes, *Lições de Física de Feynman*. Nessas cinco décadas, nossa compreensão do mundo físico mudou significativamente, mas as *Lições de Feynman* sobreviveram. Graças aos *insights* sobre física e à pedagogia singulares de Feynman, elas permanecem tão vigorosas quanto o foram em sua primeira publicação. De fato, as *Lições* têm sido estudadas no mundo inteiro tanto por físicos principiantes quanto experientes e foram vertidas para no mínimo 12 línguas, com 1,5 milhão de exemplares impressos só em inglês. Possivelmente nenhuma outra coleção de livros de física tenha exercido impacto tão grande e duradouro.

Esta nova edição conduz as *Lições de Física de Feynman* a uma nova era: a era do século XXI, da publicação eletrônica. Este livro foi convertido para sua versão digital, com o texto e as equações expressos em LATEX e todas as figuras refeitas usando software moderno de desenho.

As consequências para a versão *impressa* não são impactantes; ela é muito parecida com os livros vermelhos originais que os estudantes de física conhecem e amam há décadas. As principais diferenças são um índice aumentado e melhorado, a correção de 885 erros encontrados por leitores ao longo de cinco anos desde a publicação da edição anterior e a facilidade de corrigir futuros erros que venham a ser encontrados. Voltaremos a isso adiante.

A versão eletrônica desta edição é uma inovação. Em comparação com outros eBooks técnicos do século XX, cujas equações, figuras e por vezes até mesmo o texto ficam pixelados quando aumentados, o uso de LATEX na *Edição do Novo Milênio* possibilitou criar eBooks da melhor qualidade, nos quais todos os componentes da página (com exceção das fotografias) podem ser aumentados sem modificar ou comprometer seus formato e nitidez. E a *Versão Eletrônica Melhorada,* com seus áudios e fotos dos quadros-negros das palestras originais de Feynman e seus links para outros recursos, é uma inovação que teria dado a Feynman uma enorme satisfação.

Recordações das palestras de Feynman

Estes três volumes constituem um tratado pedagógico completo e independente. Constituem também um registro histórico das palestras proferidas por Feynman no período de 1961 a 1964, curso exigido a todos os calouros e secundaristas do Caltech, independentemente de suas especializações.

Os leitores talvez se perguntem, como eu mesmo faço, de que modo as palestras de Feynman afetavam os estudantes. Feynman, em seu Prefácio a estes volumes, apresenta uma visão um tanto negativa: "Não acho que tenha me saído bem com os estudantes". Matthew Sands, em seu texto *As Origens* nas páginas iniciais do suplemento *Dicas de Física,* manifesta uma opinião bem mais otimista. Por curiosidade, na primavera de 2005 enviei *e-mails* ou conversei com um grupo quase aleatório de 17 estudantes (de cerca de 150) daquela classe de 1961-63 – alguns que enfrentaram enormes dificuldades com as aulas e outros que as superaram com facilidade; especialistas em biologia, química, engenharia, geologia, matemática e astronomia, assim como em física.

É possível que os anos intervenientes tenham revestido suas lembranças com matizes de euforia, mas a verdade é que quase 80% deles recordam as palestras de Feynman como o ponto alto de seus anos acadêmicos. "Era como ir à igreja." As palestras eram "uma experiência transformacional", "a experiência de uma vida, provavelmente a coisa mais importante que recebi do Caltech". "Minha especialização era em biologia, mas as palestras de Feynman sobressaíram como o ponto alto de minha experiência como estudante de graduação... embora eu deva admitir que naquela época eu não conseguia fazer o dever de casa e mal conseguia entender alguma coisa." "Eu estava entre os estudantes menos promissores do curso, mas mesmo assim jamais perdia uma palestra... Lembro e ainda posso sentir a alegria da descoberta no rosto de Feynman... Suas palestras tinham um... impacto emocional que provavelmente se perdeu na versão impressa."

Em contrapartida, vários estudantes guardam lembranças negativas, devido em grande parte a duas questões: (i) "Não se podia aprender a fazer o dever de casa simplesmente frequentando as palestras. Feynman era muito engenhoso – conhecia os truques e as aproximações que podiam ser feitas, além de ter uma intuição baseada na experiência e um gênio que um calouro não possui". Feynman e seus colegas, cientes dessa falha no curso, enfrentaram-na em parte com os materiais hoje incorporados no *Suplemento*: os problemas e as respostas de Robert B. Leighton e Rochus Vogt e as palestras de Feynman dedicadas à solução de problemas. (ii) "A insegurança de não saber o que seria discutido na palestra seguinte, a falta de um livro-texto ou de uma referência que estabelecesse alguma ligação com o material preletivo e nossa consequente incapacidade de avançar na leitura eram extremamente frustrantes... No auditório, as palestras me pareciam estimulantes e compreensíveis, mas fora dali [quando eu tentava remontar os detalhes] eram sânscrito." Esse problema foi, evidentemente, solucionado por estes três volumes, a versão escrita de *As Lições de Física de Feynman*. Eles passaram a ser o livro-texto com o qual os alunos do Caltech estudariam a partir daí, e hoje sobrevivem como um dos maiores legados de Feynman.

A história da errata

Os três volumes originais de *As Lições de Física de Feynman* foram produzidos com extrema rapidez por Feynman e seus coautores, Robert B. Leighton e Matthew Sands, trabalhando a partir de gravações de áudio e ampliando fotos dos quadros-negros usados por Feynman em suas palestras de 1961-63.[1] Devido à velocidade da produção por parte dos autores, era inevitável que contivessem erros. Nos anos subsequentes, Feynman acumulou longas listas de reclamações nesse sentido – erros identificados por estudantes e professores do Caltech, bem como por leitores do mundo todo. Nos anos 1960 e início dos 1970, ele reservou um tempo de sua vida intensa para verificar a maior parte dos equívocos reportados dos Volumes I e II, corrigindo-os nas impressões subsequentes. Entretanto, seu senso de dever jamais superou o prazer das novas descobertas a ponto de fazê-lo reparar os erros do Volume III[2]. Assim, após sua morte prematura, em 1988, listas de erros que não haviam sido verificados foram depositadas nos arquivos do Caltech, onde permaneceram esquecidas.

Em 2002, Ralph Leighton (filho do falecido Robert Leighton e compatriota de Feynman) informou-me desses antigos erros e de uma nova lista compilada por seu amigo Michael Gottlieb. Leighton propôs ao Caltech que produzisse uma nova edição das *Lições de Feynman* com todos os erros corrigidos e a publicasse juntamente ao volume suplementar que ele e Gottlieb preparavam, o *Dicas de Física*.

Richard Feynman foi meu herói e amigo íntimo. Tão logo me deparei com as listas de erros e o conteúdo do *Dicas*, prontamente concordei em supervisionar este projeto em nome do Caltech (o lar acadêmico de longa data de Feynman, a quem ele, Leighton e Sand confiaram todos os direitos e responsabilidades das *Lições de Feynman*). Após um ano e meio de trabalho meticuloso de Gottlieb e o exame minucioso do Dr. Michael Hartl (um admirável pós-doutor do Caltech que examinou todas as erratas e o novo volume), a *Lições de Física de Feynman – Edição Definitiva* nascia, em 2005, com cerca de 200 erratas corrigidas e acompanhada do suplemento *Dicas de Física*, de Feynman, Gottlieb e Leighton.

Eu *achei* que aquela edição seria a "Definitiva". O que eu não previ foi a resposta entusiasmada dos leitores ao redor do mundo ao pedido de Gottlieb para que identificassem possíveis erros e os enviassem por meio do site que Gottlieb criou e segue mantendo, o *Website das Lições de Física de Feynman*, www.feynmanlectures.info. Nos cinco anos

---

[1] Para descrições sobre a gênese das palestras de Feynman e destes três volumes, ver o Prefácio de Feynman e a Apresentação a cada um dos três volumes, além da seção As Origens, de Matt Sands, no *Dicas de Física*, e o Prefácio Especial escrito em 1989 por David Goodstein e Gerry Neugebauer, que também está presente na *Edição Definitiva*, de 2005.

[2] Em 1975, Feynman pôs-se a checar os erros do Volume III, mas acabou se distraindo com outras coisas e jamais concluiu a tarefa, de modo que nenhuma correção foi feita.

depois disso, 965 novas erratas foram enviadas e passaram pelo escrutínio meticuloso de Gottlieb, Hartl e Nate Bode (um notável estudante pós-graduado em física do Caltech que seguiu no lugar de Hartl como o examinador de erratas do Caltech). Dessas 965 erratas, 80 foram corrigidas na 4ª impressão da *Edição Definitiva* (agosto de 2006) e as 885 restantes foram corrigidas na primeira impressão da *Edição do Novo Milênio* (332 no Volume I, 263 no Volume II e 200 no Volume III). Para mais detalhes sobre as erratas, veja www.feynmanlectures.info.

Claramente, fazer de *Lições de Física de Feynman* um livro sem erros transformou-se em um projeto comunitário mundial. Em nome do Caltech, agradeço aos 50 leitores que contribuem desde 2005 e aos muitos mais que devem contribuir nos próximos anos. Os nomes dos que ajudaram estão em www.feynmanlectures.info/flp_errata.html.

Quase todos os erros corrigidos são basicamente de três tipos: (i) erros tipográficos contidos no texto; (ii) erros tipográficos e matemáticos em equações, tabelas e figuras – erros de sinal, números incorretos (p.ex., 5 em lugar de 4) e ausência, nas equações, de subscritos, sinais de adição, parênteses e termos; (iii) referências cruzadas incorretas a capítulos, tabelas e figuras. Erros dessa espécie, embora não sejam graves para um físico experiente, podem frustrar e confundir os estudantes, público que Feynman pretendia atingir.

É incrível que, dentre os 1165 erros corrigidos sob minha direção, apenas alguns são considerados verdadeiros erros de física. Por exemplo, no Volume II, página 5-10, agora se lê "...nenhuma distribuição estática de cargas no interior de um condutor *aterrado* fechado pode produzir um campo [elétrico] exterior" (a palavra aterrado fora omitida nas edições anteriores). Esse erro foi apontado a Feynman por numerosos leitores, entre os quais Beulah Elizabeth Cox, estudante do College of William and Mary, que se valera dessa passagem equivocada ao prestar um exame. À Sra. Cox, Feynman escreveu em 1975[3]: "Seu professor acertou em não lhe dar nenhum ponto, pois sua resposta estava errada, conforme ele demonstrou usando a lei de Gauss. Em ciência, devemos acreditar na lógica e em argumentos deduzidos cuidadosamente, não em autoridades. De mais a mais, você leu o livro corretamente e o compreendeu. Acontece que cometi um erro, de modo que o livro também está errado. Provavelmente eu pensava numa esfera condutora aterrada, ou então no fato de que deslocar as cargas em diferentes locais no lado de dentro não afeta as coisas do lado de fora. Não sei ao certo como, mas cometi um erro crasso. E você também, por ter acreditado em mim".

Como nasceu esta edição

Entre novembro de 2005 e julho de 2006, 340 erros foram submetidos ao site Feynman Lectures (www.feynmanlectures.info). Notavelmente, a maior parte deles veio de uma pessoa: Dr. Rudolf Pfeiffer, então um pós-doutor em física da Universidade de Viena, na Áustria. A editora, Addison Wesley, corrigiu 80 erros, mas recusou-se a corrigir os demais devido ao custo: os livros estavam sendo impressos por um processo de foto--offset, trabalhado a partir de imagens fotográficas das páginas da década de 1960. A correção de um erro envolvia a digitação da página inteira e, para garantir que nenhum novo erro fosse adicionado, a página era redigitada duas vezes, por duas pessoas diferentes, comparada e revisada por várias outras pessoas – um processo muito caro, de fato, quando centenas de correções estão envolvidas.

Gottlieb, Pfeiffer e Ralph Leighton estavam desgostosos com isso, então pensaram em um plano destinado a facilitar a reparação dos erros e também visando à produção de versões eletrônicas do *Lições de Física de Feynman*. Eles apresentaram seu plano a mim, como representante do Caltech, em 2007. Eu estava entusiasmado, mas cauteloso. Depois de ver mais detalhes, recomendei que o Caltech cooperasse com Gottlieb, Pfeiffer e Leighton na execução de seu plano. O plano foi aprovado por três diretores sucessivos da Divisão de Física, Matemática e Astronomia do Caltech – Tom Tombrello, Andrew

---

[3] Páginas 288-289 de *Perfectly Reasonable Deviations from the Beaten Track, The Letters of Richard P. Feynman*, ed. Michelle Feynman (Basic Books, New York, 2005).

Lange e Tom Soifer –, e os complexos detalhes legais e contratuais foram elaborados pelo Conselheiro de Propriedade Intelectual do Caltech, Adam Cochran. Com a publicação da *Edição do Novo Milênio*, o plano foi executado com sucesso, apesar da sua complexidade. Mais especificamente, foi feito o seguinte:

Pfeiffer e Gottlieb converteram para LaTeX os três volumes (e também mais de 1.000 exercícios do curso de Feynman para incorporar nas *Dicas de Física*). As figuras foram redesenhadas na forma eletrônica moderna na Índia, sob orientação do tradutor para o alemão, Henning Heinze, para uso na edição alemã. Gottlieb e Pfeiffer trocaram o uso não exclusivo de suas equações LaTeX na edição alemã (publicado por Oldenbourg) pelo uso não exclusivo das figuras de Heinze na *Edição do Novo Milênio*, em inglês. Pfeiffer e Gottlieb verificaram meticulosamente todos os textos e as equações em LaTeX e todas as figuras redesenhadas, fazendo correções conforme necessário. Nate Bode e eu, em nome do Caltech, realizamos verificações pontuais de texto, equações e figuras; e notavelmente, não encontramos erros. Pfeiffer e Gottlieb são incrivelmente meticulosos e precisos; eles conseguiram que John Sullivan, na Biblioteca Huntington, digitalizasse as imagens dos quadros de Feynman de 1962 a 64 e que a empresa George Blood Audio digitalizasse as fitas das lições – com apoio financeiro e estímulo do professor do Caltech Carver Mead, suporte logístico do arquivista do Caltech Shelley Erwin e suporte legal de Cochran.

As questões legais eram graves: o Caltech concedeu, na década de 1960, os direitos para a Addison Wesley de publicação da obra impressa e, na década de 1990, os direitos de distribuição do áudio das palestras de Feynman e uma variante de uma edição eletrônica. Na década de 2000, por meio de uma sequência de aquisições dessas licenças, os direitos de impressão foram transferidos para o grupo de publicação Pearson, enquanto os direitos sobre o áudio e a versão eletrônica foram transferidos para o grupo de publicação Perseus. Cochran, com a ajuda de Ike Williams, advogado especializado em publicações, conseguiu unir todos esses direitos com a Perseus (Basic Books), tornando possível esta *Edição do Novo Milênio*.

Agradecimentos

Em nome do Caltech, agradeço a muitas pessoas que tornaram possível a *Edição do Novo Milênio*. Mais especificamente, agradeço a pessoas essenciais mencionadas anteriormente: Ralph Leighton, Michael Gottlieb, Tom Tombrello, Michael Hartl, Rudolf Pfeiffer, Henning Heinze, Adam Cochran, Carver Mead, Nate Bode, Shelley Erwin, Andrew Lange, Tom Soifer, Ike Williams e às 50 pessoas que apresentaram erratas (listadas em www.feynmanlectures.info). E agradeço também a Michelle Feynman (filha de Richard Feynman) por seu apoio e conselho contínuos, Alan Rice, por assistência e aconselhamento nos bastidores do Caltech, Stephan Puchegger e Calvin Jackson, pela assistência e pelos conselhos de Pfeiffer sobre a conversão da obra para a LaTeX, Michael Figl, Manfred Smolik e Andreas Stangl pelas discussões sobre correções de errata; e à equipe da Perseus/Basic Books, e (pelas edições anteriores) ao pessoal da Addison Wesley.

Kip S. Thorne
Professor Feynman de Física Teórica
California Institute of Technology
Outubro de 2010

Feynman
The Feynman Lectures on Physics

LIÇÕES DE FÍSICA

MECÂNICA, RADIAÇÃO E CALOR

Prefácio de Feynman

Estas são as palestras de física que proferi nos últimos dois anos para as turmas de calouros e segundanistas do Caltech. As palestras, é claro, não estão aqui reproduzidas *ipsis verbis*. Elas foram revisadas, algumas vezes de maneira extensa e outras nem tanto, e respondem apenas por uma parte do curso. Para ouvi-las, o grupo formado por 180 alunos reunia-se duas vezes por semana num grande auditório de conferências e, depois, dividia-se em pequenos grupos de 15 a 20 estudantes em sessões de recitação sob a orientação de um professor assistente. Além disso, havia uma sessão de laboratório semanal.

O principal objetivo que procurávamos atingir com estas palestras era manter o interesse dos entusiasmados e inteligentíssimos estudantes vindos da escola para o Caltech, os quais haviam ouvido uma porção de coisas sobre o quão interessante e empolgante é a física, a teoria da relatividade, a mecânica quântica, entre tantas outras ideias modernas. Ocorre que, depois de frequentarem dois anos de nosso curso anterior, muitos deles já se achavam bastante desestimulados, visto que pouquíssimas ideias grandiosas, novas e modernas haviam sido apresentadas a eles. Durante esse período, viam-se obrigados a estudar planos inclinados, eletrostática e assim por diante, algo que após dois anos de curso era muito entediante. A questão era saber se conseguiríamos elaborar um curso que pudesse salvar os estudantes mais adiantados e empolgados, conservando o seu entusiasmo.

As palestras aqui apresentadas, embora muito sérias, não pretendem ser um curso de pesquisa. Minha ideia era dedicá-las aos mais inteligentes da classe e, se possível, garantir que mesmo o aluno mais brilhante não conseguisse abarcar inteiramente o seu conteúdo – acrescentando, para tanto, sugestões de aplicação das ideias e dos conceitos em várias direções fora da linha principal de pensamento. Por essa razão, contudo, esforcei-me um bocado para conferir aos enunciados a máxima precisão, para destacar em cada caso no qual as equações e ideias se encaixavam no corpo da física e – quando eles aprendiam mais – de que modo as coisas seriam modificadas. Também senti que, para esses estudantes, era importante indicar o que eles deveriam – se fossem suficientemente inteligentes – ser capazes de entender, por dedução, do que havia sido dito antes e do que estava sendo exposto como algo novo. Sempre que surgia uma nova ideia, eu procurava deduzi-la, se fosse dedutível, ou explicar que se tratava de uma concepção nova, sem nenhuma base no que já havia sido aprendido, e que não deveria ser demonstrável, apenas acrescentada.

No início destas palestras, parti do princípio de que, tendo saído da escola secundária, os alunos possuíam algum conhecimento, como óptica geométrica, noções básicas de química e assim por diante. Além disso, não via o menor motivo para organizar as conferências dentro de uma ordem definida, no sentido de não poder mencionar determinado tópico até que estivesse pronto para discuti-lo em detalhe. Desse modo, houve uma série de menções a assuntos futuros, sem discussões completas. Essas discussões mais completas viriam posteriormente, quando o terreno estivesse mais preparado. Exemplos disso são as discussões sobre indutância e níveis de energia, a princípio introduzidas de maneira bastante qualitativa e depois desenvolvidas de forma mais completa.

Ao mesmo tempo em que tinha em mente os alunos mais ativos, queria também cuidar daquele sujeito para quem o brilhantismo extra e as aplicações secundárias eram nada mais que fontes de inquietação e cuja expectativa de aprender a maior parte do material das palestras era muito pequena. Para estudantes com tal perfil, minha intenção era proporcionar no mínimo um núcleo central, ou espinha dorsal, que eles *pudessem* aprender. Ainda que não tivessem total compreensão do conteúdo exposto, eu esperava que ao menos não ficassem nervosos. Não esperava que compreendessem tudo, apenas os aspectos centrais e mais diretos. É preciso, naturalmente, alguma inteligência para identificar quais são os teoremas e as ideias centrais e quais são as questões e aplicações secundárias mais avançadas que só poderão ser entendidas num momento posterior.

Ao proferir estas palestras, deparei com uma séria dificuldade: em razão da maneira como o curso foi ministrado, não houve retorno dos estudantes indicando ao conferencista quão bem tudo estava sendo conduzido. Essa é de fato uma séria dificuldade, e não sei até que ponto as palestras são realmente boas. A coisa toda era essencialmente experimental. E se tivesse de fazer tudo de novo, não faria do mesmo jeito – espero *não* ter de fazê-lo de novo! De qualquer forma, acredito que, até onde diz respeito à física, as coisas funcionaram de modo muito satisfatório no primeiro ano.

No segundo ano, não fiquei tão satisfeito. Na primeira parte do curso, que tratava de eletricidade e magnetismo, não consegui pensar em uma forma que fosse realmente especial ou diferente – ou particularmente mais empolgante que a habitual – de apresentá-los. Em vista disso, não acho que tenha me saído muito bem nas palestras sobre esses temas. No final do segundo ano, minha intenção original era prosseguir, após os conteúdos de eletricidade e magnetismo, com mais algumas palestras sobre as propriedades dos materiais, mas principalmente retomar coisas como modos fundamentais, soluções da equação da difusão, sistemas vibratórios, funções ortogonais, etc., desenvolvendo os primeiros estágios do que comumente se conhece por "métodos matemáticos da física". Em retrospecto, creio que, se tivesse de fazer tudo de novo, voltaria àquela ideia original. No entanto, como não estava previsto ministrar novamente essas palestras, sugeriu-se que seria interessante tentar apresentar uma introdução à mecânica quântica – o que o leitor encontrará no Volume III.

Sabe-se perfeitamente que os estudantes que desejam se especializar em física podem esperar até o terceiro ano para se iniciar em mecânica quântica. Por outro lado, argumentou-se que muitos dos alunos de nosso curso estudam física como base para seus interesses prioritários em outros campos. E a maneira habitual de lidar com a mecânica quântica torna essa matéria praticamente inacessível para a grande maioria dos estudantes, já que precisam de muito tempo para aprendê-la. Contudo, em suas aplicações reais – sobretudo em suas aplicações mais complexas, como na engenharia elétrica e na química –, não se utiliza realmente todo o mecanismo da abordagem da equação diferencial. Assim, procurei descrever os princípios da mecânica quântica de um modo que não exigisse conhecimento prévio da matemática das equações diferenciais parciais. Mesmo para um físico, penso que é interessante tentar apresentar a mecânica quântica dessa maneira inversa – por várias razões que podem transparecer nas próprias conferências. Entretanto, creio que a experiência na parte da mecânica quântica não foi inteiramente bem-sucedida – em grande parte, pela falta de tempo no final (precisaria, por exemplo, de três ou quatro palestras adicionais para tratar mais completamente tópicos como bandas de energia e a dependência espacial das amplitudes). Além disso, jamais havia apresentado o tema dessa forma, de modo que a falta de retorno por parte dos alunos foi particularmente grave. Hoje, acredito que a mecânica quântica deva ser ensinada mais adiante. Talvez eu tenha a chance de voltar a fazer isso algum dia. Farei, então, a coisa da maneira certa.

A razão pela qual não constam nesta obra palestras sobre como resolver problemas é que houve sessões de recitação. Ainda que no primeiro ano eu tenha introduzido três conferências sobre solução de problemas, elas não foram incluídas aqui. Além disso, houve uma palestra sobre orientação inercial que certamente deveria seguir a palestra sobre sistemas rotacionais, mas que infelizmente foi omitida. A quinta e a sexta palestras devem-se, na verdade, a Matthew Sands, já que eu me encontrava fora da cidade.

A questão que se apresenta, naturalmente, é saber até que ponto esta experiência foi bem-sucedida. Meu ponto de vista – que não parece ser compartilhado pela maioria das pessoas que trabalharam com os alunos – é pessimista. Não acho que tenha me saído muito bem com os estudantes. Quando paro para analisar o modo como a maioria deles lidou com os problemas nos exames, vejo que o sistema é um fracasso. Amigos meus, é claro, asseguram-me que uma ou duas dezenas de estudantes – coisa um tanto surpreendente – entenderam quase tudo das palestras e se mostraram bastante diligentes ao trabalhar com o material e ao preocupar-se com seus muitos pontos com entusiasmo e interesse. Hoje, creio que essas pessoas contam com uma excelente formação em física – e são, afinal, aquelas a quem eu queria alcançar. Por outro lado, "O poder da instrução raramente é de grande eficácia, exceto naquelas felizes disposições em que é quase supérfluo" (Gibbon).

Ainda assim, não pretendia deixar alunos para trás, como talvez tenha feito. Acredito que uma maneira de ajudarmos mais os estudantes é nos dedicarmos com maior afinco ao desenvolvimento de um conjunto de problemas que venham a elucidar algumas das ideias contidas nas palestras. Problemas proporcionam uma boa oportunidade de preencher o material das palestras e tornar as ideias expostas mais realistas, completas e solidificadas na mente dos estudantes.

Acredito, porém, que não há solução para esse problema de ordem educacional, a não ser abrir os olhos para o fato de que o ensino mais adequado só poderá ser levado a cabo nas situações em que houver um relacionamento pessoal direto entre o aluno e o bom professor – situações nas quais o estudante discuta as ideias, reflita e converse sobre elas. É impossível aprender muita coisa simplesmente comparecendo a uma palestra ou mesmo limitando-se a resolver os problemas determinados. Mesmo assim, nesses tempos modernos, são tantos os alunos que temos para ensinar que precisamos encontrar algum substituto para o ideal. Espero que minhas conferências possam contribuir de alguma forma. Talvez em algum lugarejo, onde haja professores e estudantes individuais, eles possam obter alguma inspiração ou ideias destas conferências. Talvez se divirtam refletindo sobre elas – ou desenvolvendo algumas delas.

Richard P. Feynman
Junho de 1963

Apresentação

Este livro baseia-se numa série de palestras de introdução à física proferidas pelo professor R. P. Feynman no California Institute of Technology, durante o ano acadêmico de 1961-62; ele abrange o primeiro dos dois anos do curso introdutório frequentado por calouros e segundanistas do Caltech, seguido, em 1962-63, por um volume similar correspondente ao segundo ano. Essas conferências constituem parte precípua de uma revisão fundamental do referido curso, ministrado em um período de quatro anos.

A necessidade de uma revisão básica surgiu tanto pelo rápido desenvolvimento da física nas últimas décadas quanto pelo fato de que os calouros que ingressavam na universidade demonstravam um sólido aprimoramento de suas habilidades matemáticas, resultado das melhorias promovidas no conteúdo de matemática do ensino secundário. Esperamos tirar proveito dessa melhor formação matemática, bem como apresentar matérias de estudo suficientemente modernas para tornar o curso mais desafiador, interessante e representativo da física contemporânea.

No intuito de contar com diferentes ideias sobre qual material incluir e como apresentá-lo, incentivamos um número substancial de professores da faculdade de física a dar suas sugestões na forma de esboços tópicos para a revisão do curso. Várias dessas ideias foram apresentadas e discutidas criteriosa e criticamente. Concordou-se, quase de imediato, que a simples adoção de um outro livro-texto, ou mesmo a composição de um *ab initio*, não bastariam para empreender uma revisão básica do curso e que, em vez disso, o novo curso deveria centrar-se numa série de palestras, a serem apresentadas na base de duas ou três vezes por semana; à medida que o curso se desenvolvesse, seria então publicado, como atividade secundária, material didático apropriado e seriam preparadas experiências laboratoriais compatíveis com o material das palestras. Assim, estabeleceu-se um esboço aproximado do curso, que no entanto foi considerado incompleto, experimental e sujeito a consideráveis modificações por quem quer que tivesse a responsabilidade de realmente preparar as conferências.

No tocante ao mecanismo pelo qual o curso finalmente viria à luz, vários planos foram considerados. Em sua maioria, eram planos bastante semelhantes entre si, envolvendo o esforço cooperativo de um sem-número de professores que dividiriam simétrica e uniformemente a responsabilidade total da tarefa: cada qual se encarregaria de $1/N$ do material, proferiria as conferências e redigiria o material relativo à sua parte. Entretanto, a indisponibilidade de pessoal suficiente para tanto e a dificuldade de se manter um ponto de vista uniforme – esta ocasionada pelas diferenças de personalidade e filosofia dos participantes – fizeram com que esses planos parecessem inexequíveis.

A compreensão de que de fato dispúnhamos dos meios necessários para criar não apenas um novo e diferente curso de física, mas possivelmente um curso sem igual, ocorreu como uma feliz inspiração ao professor Sands. Ele sugeriu ao professor Feynman que preparasse e ministrasse as conferências, e que estas fossem registradas em áudio. Uma vez transcritas e editadas, elas passariam a constituir o livro-texto do novo curso. Esse foi essencialmente o plano adotado.

Esperava-se que a necessidade de edição fosse mínima, consistindo basicamente da inclusão de figuras complementares e revisões gramaticais e de pontuação; seria realizada por um ou dois estudantes de pós-graduação durante meio período. Infelizmente, porém, essa expectativa teve vida curta. O que se deu, na verdade, foi uma grande operação editorial para dar à transcrição *ipsis litteris* uma forma legível, mesmo sem a reorganização ou revisão, por vezes necessária, da matéria de estudo. Ademais, esse não era um trabalho da competência de um editor técnico ou de um estudante de pós-graduação, mas algo que exigia a atenção rigorosa de um físico profissional ao longo de 10 a 20 horas por palestra!

As dificuldades do processo editorial, somadas à necessidade de colocar o material nas mãos dos estudantes o quanto antes, restringiram estritamente o "polimento" que se poderia dar a ele, de modo que fomos obrigados a almejar um produto preliminar, mas tecnicamente correto, capaz de ser utilizado imediatamente, em vez de outro que se pudesse considerar definitivo ou acabado. Pela urgente necessidade de mais exemplares para nossos alunos, e pelo interesse estimulante por parte de professores e estudantes de outras instituições, decidimos publicar o material nesse mesmo formato preliminar, em vez de esperar por uma revisão mais meticulosa que talvez jamais fosse feita. Logo, não guardamos ilusões quanto à sua completude, uniformidade ou organização lógica; na verdade, pretendemos, para o futuro imediato, fazer algumas modificações menores no curso, na esperança de que ele não se torne estático em sua forma ou conteúdo.

Além das conferências, que constituem parte central do curso, era também necessário fornecer exercícios adequados para o desenvolvimento da experiência e da habilidade dos estudantes, bem como experimentos convenientes que lhes permitissem ter contato direto com o material preletivo no laboratório. Nenhum desses aspectos encontra-se em estágio tão avançado quanto o material das conferências, embora consideráveis progressos tenham sido feitos. À medida que as palestras avançavam, alguns exercícios eram elaborados, desenvolvidos e ampliados para uso no ano seguinte. Entretanto, ainda não satisfeitos com o fato de eles poderem ser aplicados ao material das conferências de modo suficientemente variado e profundo, levando o estudante à plena consciência do enorme poder à sua disposição, decidimos publicá-los separadamente, de uma forma menos definitiva, a fim de estimular revisões frequentes.

Uma série de novas experiências para o novo curso foi desenvolvida pelo professor H. V. Neher. Entre elas há muitas que utilizam a fricção extremamente baixa exibida por um mancal a gás: uma nova e linear cuba pneumática, com a qual se podem medir o movimento unidimensional, os impactos e o movimento harmônico, e um Pião de Maxwell pneumático e movido a ar, com o qual podem ser estudados o movimento rotacional acelerado e a precessão e nutação giroscópicas. Espera-se que o desenvolvimento de novos experimentos laboratoriais continue por muito tempo.

O programa de revisão estava sob a direção dos professores R. B. Leighton, H. V. Neher e M. Sands. Dentre seus participantes oficiais constavam os professores R. P. Feynman, G. Neugebauer, R. M. Sutton, H. P. Stabler[1], F. Strong e R. Vogt, do departamento de Física, Matemática e Astronomia, e os professores T. Caughney, M. Plesset e C. H. Witts, do departamento de Ciências da Engenharia. Agradecemos o apoio daqueles que contribuíram para o programa. Estamos particularmente em dívida com a Fundação Ford, sem cuja assistência financeira não teria sido possível levar nosso projeto adiante.

Robert B. Leighton
Julho de 1963

---

[1] De 1961 a 1962, em licença do Williams College, Williamstown, Massachusetts.

Sumário

Capítulo 1   Átomos em Movimento
- 1–1   Introdução   1–1
- 1–2   A matéria é feita de átomos   1–2
- 1–3   Processos atômicos   1–5
- 1–4   Reações químicas   1–7

Capítulo 2   Física Básica
- 2–1   Introdução   2–1
- 2–2   A física antes de 1920   2–3
- 2–3   Física quântica   2–6
- 2–4   Núcleos e partículas   2–8

Capítulo 3   A Relação da Física com Outras Ciências
- 3–1   Introdução   3–1
- 3–2   Química   3–1
- 3–3   Biologia   3–2
- 3–4   Astronomia   3–6
- 3–5   Geologia   3–7
- 3–6   Psicologia   3–8
- 3–7   Como as coisas evoluíram?   3–9

Capítulo 4   Conservação da Energia
- 4–1   O que é energia?   4–1
- 4–2   Energia potencial gravitacional   4–2
- 4–3   Energia cinética   4–5
- 4–4   Outras formas de energia   4–6

Capítulo 5   Tempo e Distância
- 5–1   Movimento   5–1
- 5–2   Tempo   5–1
- 5–3   Tempos curtos   5–2
- 5–4   Tempos longos   5–3
- 5–5   Unidades e padrões de tempo   5–5
- 5–6   Distâncias longas   5–6
- 5–7   Distâncias curtas   5–8

Capítulo 6   Probabilidade
- 6–1   Chance e possibilidade   6–1
- 6–2   Flutuações   6–3
- 6–3   O caminho aleatório   6–5
- 6–4   Uma distribuição de probabilidade   6–8
- 6–5   O princípio da incerteza   6–10

Capítulo 7   A Teoria da Gravitação
- 7–1   Movimentos planetários   7–1
- 7–2   Leis de Kepler   7–1
- 7–3   Desenvolvimento da dinâmica   7–2
- 7–4   Lei da gravitação de Newton   7–3
- 7–5   Gravitação universal   7–5
- 7–6   A experiência de Cavendish   7–8
- 7–7   O que é gravidade?   7–9
- 7–8   Gravidade e relatividade   7–11

Capítulo 8   Movimento
- 8–1   Descrição de movimento   8–1
- 8–2   Velocidade   8–2
- 8–3   Velocidade como uma derivada   8–5
- 8–4   Distância como uma integral   8–7
- 8–5   Aceleração   8–8

Capítulo 9   As Leis de Newton da Dinâmica
- 9–1   Momento e força   9–1
- 9–2   Velocidade e vetor velocidade   9–2
- 9–3   Componentes de velocidade, aceleração e força   9–3
- 9–4   O que é força?   9–4
- 9–5   O significado das equações da dinâmica   9–5
- 9–6   Soluções numéricas das equações   9–5
- 9–7   Movimentos planetários   9–6

Capítulo 10   Conservação de Momento
- 10–1   A terceira lei de Newton   10–1
- 10–2   Conservação de momento   10–2
- 10–3   O momento *é* conservado!   10–5
- 10–4   Momento e energia   10–7
- 10–5   Momento relativístico   10–8

Capítulo 11   Vetores
- 11–1   Simetria em física   11–1
- 11–2   Translações   11–1
- 11–3   Rotações   11–3
- 11–4   Vetores   11–5
- 11–5   Álgebra vetorial   11–6
- 11–6   Leis de Newton na notação vetorial   11–8
- 11–7   Produto escalar de vetores   11–9

CAPÍTULO 12   CARACTERÍSTICAS DA FORÇA
- 12–1   O que é força?   12–1
- 12–2   Atrito   12–3
- 12–3   Forças moleculares   12–6
- 12–4   Forças fundamentais. Campos   12–7
- 12–5   Pseudoforças   12–11
- 12–6   Forças nucleares   12–12

CAPÍTULO 13   TRABALHO E ENERGIA POTENCIAL (A)
- 13–1   Energia de um corpo em queda   13–1
- 13–2   Trabalho realizado pela gravidade   13–4
- 13–3   Soma de energia   13–6
- 13–4   Campo gravitacional de grandes objetos   13–8

CAPÍTULO 14   TRABALHO E ENERGIA POTENCIAL (CONCLUSÃO)
- 14–1   Trabalho   14–1
- 14–2   Movimento restrito   14–3
- 14–3   Forças conservativas   14–3
- 14–4   Forças não conservativas   14–6
- 14–5   Potenciais e campos   14–7

CAPÍTULO 15   A TEORIA DA RELATIVIDADE RESTRITA
- 15–1   O princípio da relatividade   15–1
- 15–2   As transformações de Lorentz   15–3
- 15–3   O experimento de Michelson-Morley   15–3
- 15–4   A transformação do tempo   15–5
- 15–5   A contração de Lorentz   15–7
- 15–6   Simultaneidade   15–8
- 15–7   Quadrivetores   15–8
- 15–8   Dinâmica relativística   15–9
- 15–9   Equivalência entre massa e energia   15–10

CAPÍTULO 16   ENERGIA E MOMENTO RELATIVÍSTICO
- 16–1   A relatividade e os filósofos   16–1
- 16–2   O paradoxo dos gêmeos   16–3
- 16–3   A transformação de velocidade   16–4
- 16–4   Massa relativística   16–6
- 16–5   Energia relativística   16–8

CAPÍTULO 17   ESPAÇO-TEMPO
- 17–1   A geometria do espaço-tempo   17–1
- 17–2   Intervalos de espaço-tempo   17–2
- 17–3   Passado, presente e futuro   17–4
- 17–4   Mais sobre quadrivetores   17–5
- 17–5   Álgebra de quadrivetores   17–7

CAPÍTULO 18   ROTAÇÕES EM DUAS DIMENSÕES
- 18–1   O centro de massa   18–1
- 18–2   Rotação de um corpo rígido   18–3
- 18–3   Momento angular   18–5
- 18–4   Conservação do momento angular   18–7

CAPÍTULO 19   CENTRO DE MASSA; MOMENTO DE INÉRCIA
- 19–1   Propriedades do centro de massa   19–1
- 19–2   Localização do centro de massa   19–4
- 19–3   Achando o momento de inércia   19–5
- 19–4   Energia cinética rotacional   19–7

CAPÍTULO 20   ROTAÇÃO NO ESPAÇO
- 20–1   Torques em três dimensões   20–1
- 20–2   As equações de rotação usando produto vetorial   20–5
- 20–3   O giroscópio   20–6
- 20–4   Momento angular de um corpo sólido   20–8

CAPÍTULO 21   O OSCILADOR HARMÔNICO
- 21–1   Equações diferenciais lineares   21–1
- 21–2   O oscilador harmônico   21–1
- 21–3   Movimento harmônico e movimento circular   21–4
- 21–4   Condições iniciais   21–5
- 21–5   Oscilações forçadas   21–6

CAPÍTULO 22   ÁLGEBRA
- 22–1   Adição e multiplicação   22–1
- 22–2   Operações inversas   22–2
- 22–3   Abstração e generalização   22–3
- 22–4   Aproximação de números irracionais   22–4
- 22–5   Números complexos   22–7
- 22–6   Expoentes imaginários   22–9

CAPÍTULO 23   RESSONÂNCIA
- 23–1   Números complexos e o movimento harmônico   23–1
- 23–2   O oscilador forçado com amortecimento   23–3
- 23–3   Ressonância elétrica   23–5
- 23–4   Ressonância na natureza   23–7

CAPÍTULO 24   TRANSIENTES
- 24–1   A energia de um oscilador   24–1
- 24–2   Oscilações amortecidas   24–3
- 24–3   Transientes elétricos   24–5

CAPÍTULO 25   SISTEMAS LINEARES E REVISÃO
- 25–1   Equações diferenciais lineares   25–1
- 25–2   Superposição de soluções   25–2
- 25–3   Oscilações em sistemas lineares   25–5
- 25–4   Análogos em física   25–7
- 25–5   Impedâncias em série e em paralelo   25–9

CAPÍTULO 26   ÓPTICA: O PRINCÍPIO DO MÍNIMO TEMPO
- 26–1   Luz   26–1
- 26–2   Reflexão e refração   26–2
- 26–3   Princípio de Fermat do mínimo tempo   26–3
- 26–4   Aplicação do princípio de Fermat   26–5
- 26–5   Uma definição mais precisa do princípio de Fermat   26–7
- 26–6   Como funciona   26–8

Capítulo 27 Óptica Geométrica
- 27–1 Introdução 27–1
- 27–2 A distância focal de uma superfície esférica 27–1
- 27–3 Distância focal de uma lente 27–4
- 27–4 Ampliação 27–5
- 27–5 Lentes compostas 27–6
- 27–6 Aberrações 27–7
- 27–7 Poder de resolução 27–8

Capítulo 28 Radiação Eletromagnética
- 28–1 Eletromagnetismo 28–1
- 28–2 Radiação 28–3
- 28–3 O radiador de dipolo 28–5
- 28–4 Interferência 28–6

Capítulo 29 Interferência
- 29–1 Ondas eletromagnéticas 29–1
- 29–2 Energia da radiação 29–2
- 29–3 Ondas senoidais 29–2
- 29–4 Dois dipolos radiadores 29–3
- 29–5 A matemática da interferência 29–6

Capítulo 30 Difração
- 30–1 A amplitude resultante devido a n osciladores idênticos 30–1
- 30–2 A grade de difração 30–3
- 30–3 Poder de resolução de uma grade 30–6
- 30–4 A antena parabólica 30–6
- 30–5 Filmes coloridos; cristais 30–7
- 30–6 Difração por anteparos opacos 30–8
- 30–7 O campo de um plano de cargas oscilantes 30–10

Capítulo 31 A Origem do Índice de Refração
- 31–1 O índice de refração 31–1
- 31–2 O campo devido ao material 31–4
- 31–3 Dispersão 31–6
- 31–4 Absorção 31–8
- 31–5 A energia transportada por uma onda elétrica 31–9
- 31–6 Difração da luz por um anteparo 31–10

Capítulo 32 Amortecimento da Radiação. Espalhamento de Luz
- 32–1 Resistência de radiação 32–1
- 32–2 A taxa da energia de radiação 32–2
- 32–3 Amortecimento de radiação 32–3
- 32–4 Fontes independentes 32–5
- 32–5 Espalhamento da luz 32–6

Capítulo 33 Polarização
- 33–1 O vetor elétrico de luz 33–1
- 33–2 Polarização de luz espalhada 33–2
- 33–3 Birefringência 33–3
- 33–4 Polarizadores 33–5
- 33–5 Atividade ótica 33–6
- 33–6 A intensidade da luz refletida 33–7
- 33–7 Refração anômala 33–9

Capítulo 34 Efeitos Relativísticos na Radiação
- 34–1 Fontes em movimento 34–1
- 34–2 Encontrando o movimento "aparente" 34–2
- 34–3 Radiação síncrotron 34–4
- 34–4 Radiação síncrotron cósmica 34–5
- 34–5 Bremsstrahlung 34–7
- 34–6 O efeito Doppler 34–7
- 34–7 O quadri-vetor ω, k 34–9
- 34–8 Aberração 34–10
- 34–9 O momento da luz 34–11

Capítulo 35 Visão em Cores
- 35–1 O olho humano 35–1
- 35–2 A cor depende da intensidade 35–2
- 35–3 Medindo a sensação de cor 35–3
- 35–4 O diagrama de cromaticidade 35–6
- 35–5 O mecanismo da visão em cores 35–7
- 35–6 Fisioquímica da visão em cores 35–9

Capítulo 36 Mecanismos da Visão
- 36–1 A sensação de cor 36–1
- 36–2 A fisiologia do olho 36–3
- 36–3 As células bastonetes 36–6
- 36–4 O olho composto (dos insetos) 36–6
- 36–5 Outros olhos 36–9
- 36–6 Neurologia da visão 36–10

Capítulo 37 Comportamento Quântico
- 37–1 Mecânica atômica 37–1
- 37–2 Um experimento com projéteis 37–2
- 37–3 Um experimento com ondas 37–3
- 37–4 Um experimento com elétrons 37–5
- 37–5 A interferência de ondas de elétrons 37–6
- 37–6 Observação de elétrons 37–7
- 37–7 Primeiros princípios da mecânica quântica 37–10
- 37–8 O princípio da incerteza 37–11

Capítulo 38 A Relação dos Pontos de Vista de Partícula e de Onda
- 38–1 Amplitudes da onda de probabilidade 38–1
- 38–2 Medidas de posição e de momento 38–2
- 38–3 Difração em cristais 38–4
- 38–4 O tamanho de um átomo 38–5
- 38–5 Níveis de energia 38–7
- 38–6 Implicações filosóficas 38–8

Capítulo 39 Teoria Cinética dos Gases
- 39–1 Propriedades da matéria 39–1
- 39–2 A pressão de um gás 39–2
- 39–3 Compressibilidade da radiação 39–6

- 39–4 Temperatura e energia cinética 39–7
- 39–5 A lei de gás ideal 39–10

Capítulo 40 Os Princípios da Mecânica Estatística
- 40–1 A atmosfera exponencial 40–1
- 40–2 A lei Boltzmann 40–2
- 40–3 Evaporação de um líquido 40–3
- 40–4 A distribuição das velocidades moleculares 40–4
- 40–5 O calor específico dos gases 40–7
- 40–6 O fracasso da física clássica 40–9

Capítulo 41 O Movimento Browniano
- 41–1 Equipartição de energia 41–1
- 41–2 Equilíbrio térmico da radiação 41–3
- 41–3 Equipartição e o oscilador quântico 41–6
- 41–4 Passeio aleatório 41–8

Capítulo 42 Aplicações da Teoria Cinética
- 42–1 Evaporação 42–1
- 42–2 Emissão termiônica 42–4
- 42–3 Ionização térmica 42–5
- 42–4 Cinética química 42–7
- 42–5 As leis da radiação de Einstein 42–8

Capítulo 43 Difusão
- 43–1 Colisões entre moléculas 43–1
- 43–2 O livre caminho médio 43–3
- 43–3 A velocidade de arraste 43–4
- 43–4 Condutividade iônica 43–6
- 43–5 Difusão molecular 43–7
- 43–6 Condutividade térmica 43–10

Capítulo 44 As Leis da Termodinâmica
- 44–1 Máquinas de calor; a primeira lei 44–1
- 44–2 A segunda lei 44–3
- 44–3 Máquinas reversíveis 44–4
- 44–4 A eficiência de uma máquina ideal 44–7
- 44–5 A temperatura termodinâmica 44–9
- 44–6 Entropia 44–10

Capítulo 45 Exemplos da Termodinâmica
- 45–1 Energia interna 45–1
- 45–2 Aplicações 45–4
- 45–3 A equação Clausius-Clapeyron 45–6

Capítulo 46 Catraca e Lingueta
- 46–1 Como funciona uma catraca 46–1
- 46–2 A catraca como um motor 46–2
- 46–3 Reversibilidade em mecânica 46–4
- 46–4 Irreversibilidade 46–5
- 46–5 Ordem e entropia 46–7

Capítulo 47 Som. A Equação de Onda
- 47–1 Ondas 47–1
- 47–2 A propagação do som 47–2
- 47–3 A equação de onda 47–4
- 47–4 Soluções da equação de onda 47–6
- 47–5 A velocidade do som 47–7

Capítulo 48 Batimento
- 48–1 Soma de duas ondas 48–1
- 48–2 Notas de batimento e modulação 48–3
- 48–3 Bandas laterais 48–4
- 48–4 Trens de onda localizados 48–5
- 48–5 Amplitude de probabilidade para partículas 48–8
- 48–6 Ondas em três dimensões 48–9
- 48–7 Modos normais 48–10

Capítulo 49 Modos
- 49–1 A reflexão de ondas 49–1
- 49–2 Ondas confinadas, com frequências naturais 49–2
- 49–3 Modos em duas dimensões 49–4
- 49–4 Pêndulos acoplados 49–6
- 49–5 Sistemas lineares 49–7

Capítulo 50 Harmônicos
- 50–1 Tons musicais 50–1
- 50–2 A série de Fourier 50–2
- 50–3 Qualidade e consonância 50–3
- 50–4 Os coeficientes de Fourier 50–5
- 50–5 O teorema da energia 50–8
- 50–6 Respostas não lineares 50–8

Capítulo 51 Ondas
- 51–1 Ondas de proa 51–1
- 51–2 Ondas de choque 51–2
- 51–3 Ondas em sólidos 51–4
- 51–4 Ondas de superfície 51–7

Capítulo 52 Simetria nas Leis Físicas
- 52–1 Operações de simetria 52–1
- 52–2 Simetria no espaço e no tempo 52–1
- 52–3 Simetria e as leis de conservação 52–4
- 52–4 Reflexões de espelho 52–4
- 52–5 Vetores polares e axiais 52–7
- 52–6 Qual é a mão direita? 52–8
- 52–7 A paridade não é conservada! 52–9
- 52–8 Antimatéria 52–10
- 52–9 Quebra de simetrias 52–12

Índice

Índice de Nomes

Lista de Símbolos

1

Átomos em Movimento

1–1 Introdução

Este curso de dois anos de física é apresentado considerando que você, leitor, vai ser um físico. Isso não é necessariamente o caso, naturalmente, mas é o que todo professor em toda matéria supõe! Se você vai ser um físico, vai ter de estudar bastante: duzentos anos do campo de conhecimento que mais rapidamente se desenvolveu. Tanto conhecimento que, de fato, você pode pensar que não vai aprender tudo em quatro anos, e realmente não vai; você terá que fazer uma pós-graduação também!

Surpreendentemente, apesar da tremenda quantidade de trabalho que foi feito durante todo esse tempo, é possível condensar a enorme quantidade de resultados em um grande volume – ou seja, achar *leis* que resumam todo o nosso conhecimento. Mesmo assim, as leis são tão difíceis de compreender que é injusto começar a explorar esse assunto sem nenhum tipo de mapa ou resumo das suas relações com outras partes da ciência. Seguindo essas considerações iniciais, os três primeiros capítulos vão, portanto, resumir as relações da física com o resto das ciências, as relações das ciências entre si e o significado da ciência, para nos ajudar a desenvolver uma "noção" do assunto.

Você pode perguntar por que não podemos ensinar física apenas escrevendo as leis básicas em uma página e então mostrando como elas funcionam em todas as possíveis circunstâncias, tal qual fazemos na geometria Euclideana, na qual enunciamos os axiomas e fazemos todo o tipo de deduções. (Então, não satisfeito em aprender física em quatro anos, você gostaria de aprendê-la em quatro minutos?) Não podemos fazê-lo dessa forma por dois motivos. Primeiro, ainda não *conhecemos* todas as leis básicas: existe uma fronteira de ignorância em expansão. Segundo, o enunciado correto das leis da física envolve algumas ideias pouquíssimo familiares que exigem uma matemática avançada para sua descrição. Portanto, é necessária uma grande preparação até mesmo para entender o que as *palavras* significam. Não, não é possível fazê-lo daquela forma. Só podemos fazê-lo passo a passo.

Cada pedaço, ou parte, da natureza inteira é sempre meramente uma *aproximação* da verdade completa, ou a verdade completa até onde a conhecemos. De fato, tudo que conhecemos é apenas algum tipo de aproximação, porque *sabemos que não conhecemos todas as leis* até o momento. Portanto, as coisas devem ser aprendidas só para serem desaprendidas ou, mais provavelmente, para serem corrigidas.

O princípio da ciência, quase sua definição, é o seguinte: *O teste de todo o conhecimento é o experimento*. O experimento é o *único juiz* da "verdade" científica. Qual é a origem do conhecimento? De onde vêm as leis que serão testadas? Experimentos, por si só, ajudam a produzir essas leis, no sentido de que nos dão dicas, mas também é preciso *imaginação* para criar, a partir dessas dicas, as grandes generalizações – para adivinhar os padrões belos e simples, mas muito estranhos, que estão por baixo delas e depois experimentar para checar novamente se fizemos as suposições corretas. Esse processo de imaginação é tão difícil que existe uma divisão de trabalho na física: existem os físicos *teóricos*, que imaginam, deduzem e sugerem as novas leis, mas não fazem experimentos; e os físicos *experimentais*, que experimentam, imaginam, deduzem e sugerem.

Dizemos que as leis da natureza são aproximadas: primeiro encontramos as "erradas" e depois encontramos as "corretas". Ora, como um experimento pode estar "errado"? Primeiro, na forma trivial: se algo estiver errado no equipamento que passou despercebido, mas essas coisas são facilmente consertadas e checadas várias vezes. Então, sem se apegar a esses detalhes secundários, como os resultados de um experimentos *podem* estar errados? Só sendo imprecisos. Por exemplo, a massa de um objeto nunca parece mudar: um pião girando tem o mesmo peso quando está parado. Então, uma "lei" foi inventada: a massa é constante, independentemente da velocidade. Essa "lei" é agora tida como incorreta. Sabe-se que a massa aumenta com a velocidade, porém aumentos apreciáveis requerem velocidades próximas à da luz. A *verdadeira* lei é: se um objeto

1–1	Introdução
1–2	A matéria é feita de átomos
1–3	Processos atômicos
1–4	Reações químicas

se move com velocidade menor que 160 quilômetros por segundo, a massa é constante em uma parte em um milhão. Nessa forma, com tal aproximação, essa é uma lei correta. Portanto, na prática pode-se pensar que a nova lei não fez mudanças significativas. Bem, sim e não. Para velocidades comuns, podemos certamente esquecê-la e usar a lei simples de massa constante como uma boa aproximação, mas para altas velocidades estamos errados, e quanto maior a velocidade mais errados estaremos.

Por fim, e mais interessante, *filosoficamente estamos completamente errados* com a lei aproximada. Toda nossa visão do mundo deve ser alterada mesmo que a massa só mude um pouquinho. Isso é uma coisa muito peculiar da filosofia, ou das ideias, atrás das leis. Mesmo um efeito muito pequeno algumas vezes requer profundas mudanças em nossas ideias.

Agora, o que devemos ensinar primeiro? Devemos ensinar a lei *correta*, mas pouco usual, com essas ideias conceituais estranhas e difíceis, por exemplo, a Teoria da Relatividade, espaço-tempo quadridimensional e assim por diante? Ou devemos ensinar a simples lei de "massa-constante", que é apenas aproximada, mas não envolve tais ideias difíceis? A primeira é mais empolgante, mais maravilhosa e mais divertida, porém a segunda é mais fácil para se ver antes e é um passo inicial para uma real compreensão da primeira ideia. Esse dilema surge sempre no ensino de física. Em diferentes tempos, teremos de resolver isso de diferentes formas, mas em cada estágio é válido aprender o que é conhecido agora, quão preciso é, como isso se encaixa em todo resto e como pode mudar quando aprendermos mais.

Vamos agora continuar com nosso resumo ou mapa geral da nossa compreensão da ciência de hoje (em particular, física, mas também de outras ciências afins), de forma que, quando nos concentrarmos em algum ponto particular, vamos ter algumas ideias globais de por que este ponto particular é interessante e de como isto se encaixa na estrutura maior. Então, qual *é* nossa visão global do mundo?

1–2 A matéria é feita de átomos

Se, em algum cataclisma, todo o conhecimento científico for destruído e só uma frase for passada para a próxima geração, qual seria a afirmação que conteria a maior quantidade de informação na menor quantidade de palavras? Eu acredito que seria a *hipótese atômica* (ou o *fato* atômico ou como quiser chamá-lo) de que *todas as coisas são feitas de átomos – pequenas partículas que se movem em constante movimento, atraindo-se umas às outras quando separadas por pequenas distâncias, mas repelindo-se ao serem comprimidas umas sobre as outras*. Nessa única frase, você verá, existe uma *enorme* quantidade de informação sobre o mundo, se aplicarmos apenas uma pequena quantidade de imaginação e raciocínio.

Para ilustrar o poder da ideia atomística, suponha que temos uma gota de água de aproximadamente cinco milímetros de tamanho. Se olharmos para ela bem de perto, não veremos nada a não ser água – água uniforme, contínua. Mesmo que a ampliemos no melhor microscópio ótico disponível – aproximadamente duas mil vezes –, então a gota de água pareceria ter aproximadamente dez metros, quase do tamanho de uma grande sala, e se olhássemos bem de perto, *ainda* veríamos uma água relativamente uniforme – mas aqui e ali veríamos pequenas coisas no formato de bola de futebol americano nadando de um lado para outro. Muito interessante. Existem paramécias. Você pode parar neste ponto e ficar tão curioso sobre as paramécias com seus cílios se ondulando e corpos se contorcendo que você não irá adiante, exceto talvez para ampliar ainda mais a paramécia e vê-la por dentro. Isso, é claro, é um assunto para biologia, mas vamos continuar olhando ainda mais de perto para o próprio material aquoso e, ampliando-o mais duas mil vezes. Agora a gota de água se estende por cerca de vinte quilômetros, e se olharmos muito próximo veremos uma espécie de granulação, algo que não tem mais uma aparência uniforme – se parece com uma multidão em um jogo de futebol vista de uma distância muito grande. Na tentativa de ver do que essa granulação é feita, iremos ampliá-la mais duzentos e cinquenta vezes e veremos algo similar ao que é mostrado na Fig. 1-1. Isso é uma imagem da água ampliada um bilhão de vezes, mas idealizada em

ÁGUA AMPLIADA UM BILHÃO DE VEZES.

Figura 1–1

vários aspectos. Em primeiro lugar, as partículas são desenhadas de uma forma simples com as bordas bem definidas, o que é inexato. Segundo, por simplificação, elas são desenhadas quase que esquematicamente num arranjo bidimensional, mas é claro que elas estão se movendo em três dimensões. Note que existem dois tipos de "bolhas" ou círculos para representar os átomos de oxigênio (preto) e hidrogênio (branco) e que cada oxigênio tem dois hidrogênios ligados a ele. (Cada pequeno grupo de um oxigênio com seus dois hidrogênios é chamado de uma molécula.) A imagem é ainda mais idealizada pelo fato de que as partículas reais na natureza estão continuamente dançando e pulando, girando e rodando ao redor umas das outras. Você vai ter que imaginar isso como uma imagem dinâmica ao invés de estática. Outra coisa que não pode ser ilustrada em um desenho é o fato de que as partículas são "unidas" – que elas se atraem mutuamente, uma sendo puxada pela outra. O grupo todo está "grudado", por assim dizer. Por outro lado, as partículas não se comprimem umas sobre as outras. Se você tentar comprimir duas delas muito próximas uma da outra, elas se repelem.

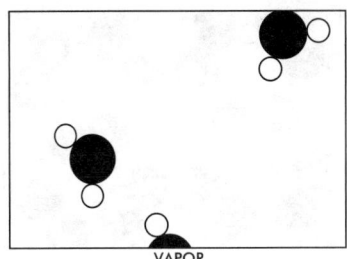

Figura 1–2

Os átomos têm 1 ou 2×10^{-8} cm de raio. Ora, 10^{-8} cm é chamado de *Angstrom* (apenas mais um nome), então dizemos que eles têm 1 ou 2 Angstroms (Å) de raio. Uma outra forma de lembrar do tamanho deles é essa: se uma maçã for aumentada até ficar com o tamanho da Terra, então os átomos da maçã serão aproximadamente do tamanho original da maçã.

Agora imagine essa grande gota de água com todas essas partículas dançando grudadas e colando umas nas outras. A água mantém seu volume; ela não cai em pedaços, por causa da atração das moléculas umas pelas outras. Se a gota está em um declive, onde pode se mover de um lugar para outro, a água vai fluir, mas não desaparecerá – as coisas não saem voando por aí – por causa da atração molecular. Ora, o movimento de dança é o que representamos por *calor*: quando aumentamos a temperatura, aumentamos o movimento. Se aquecermos a água, a dança aumenta e o volume entre os átomos aumenta e se continuarmos aquecendo, chegará um momento em que os puxões entre as moléculas não serão suficientes para mantê-las unidas e elas *irão* voar por aí e ficarão separadas umas das outras. É claro, essa é a forma como produzimos vapor a partir da água – através do aumento da temperatura; as partículas voam por aí por causa do aumento do movimento.

Na Fig. 1-2, temos uma imagem do vapor. Essa imagem falha em um aspecto: na pressão atmosférica usual certamente não existiriam tantas moléculas, como três, nessa figura. A maioria dos retângulos desse tamanho não conteria nenhuma molécula – mas acidentalmente temos duas e meia ou três nessa imagem (apenas para que não fosse inteiramente vazia). Agora, no caso do vapor, visualizamos as características das moléculas mais claramente que no caso da água. Por simplificação, as moléculas são desenhadas de forma que exista um ângulo de 120° entre os átomos de hidrogênio. De fato, o ângulo é de 105°3′ e a distância entre o centro de um hidrogênio e o centro do oxigênio é 0,957 Å, portanto conhecemos essa molécula muito bem.

Vamos ver algumas das propriedades do vapor ou de qualquer outro gás. As moléculas, que estão separadas umas das outras, vão rebater contra as paredes. Imagine uma sala com um número de bolas de tênis (centenas ou mais) pulando em perpétuo movimento. Quando elas bombardearem uma parede, isso irá empurrar a parede para fora. (Claro que teremos que empurrar a parede de volta.) Isso significa que o gás exerce uma força de agitação, que nosso senso comum (já que não fomos, nós mesmos, aumentados um bilhão de vezes) sente apenas como um *empurrão médio*. Dessa forma, para confinar um gás devemos aplicar uma pressão. A Fig. 1-3 mostra um recipiente padrão para confinar gases (usado em todos os livros-texto): um cilindro com um pistão sobre ele. Agora, não faz diferença qual é a forma das moléculas de água, então por simplicidade as desenhamos como bolas ou pequenos pontos. Esses pontos estão em movimento perpétuo em todas as direções. Assim, muitos deles estão batendo no pistão durante todo o tempo, de forma que, para que ele fique parado mesmo sendo empurrado para fora devido a esse tiroteio contínuo, devemos ficar segurando-o com uma certa força, a qual chamamos de *pressão* (realmente, a pressão vezes a área do pistão é a força). Claramente, a força é proporcional à área, pois se aumentarmos a área, mas mantivermos o mesmo número

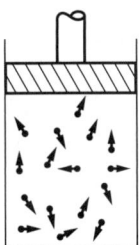

Figura 1–3

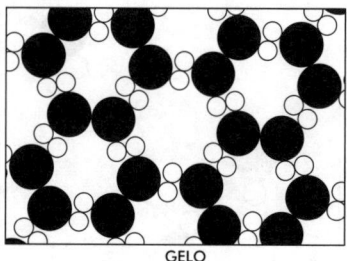

Figura 1-4

de moléculas por centímetro cúbico, aumentaremos o número de colisões com o pistão na mesma proporção em que a área foi aumentada.

Agora vamos colocar o dobro de moléculas nesse recipiente, para duplicar a densidade, e deixá-las na mesma velocidade, ou seja, na mesma temperatura. Nesse caso, em uma boa aproximação, o número de colisões será duplicado, e desde que cada uma seja tão "energética" como antes, a pressão é proporcional à densidade. Se considerarmos a verdadeira natureza das forças entre os átomos, esperaríamos uma pequena diminuição na pressão por causa da atração entre os átomos e um pequeno aumento por causa do volume finito que eles ocupam. Todavia, em uma excelente aproximação, se a densidade é baixa o suficiente de modo que existem poucos átomos, *a pressão é proporcional à densidade.*

Também podemos ver algo diferente: se aumentarmos a temperatura sem mudarmos a densidade do gás, ou seja, se aumentarmos a velocidade dos átomos, o que irá acontecer com a pressão? Bem, os átomos batem mais fortemente porque eles se movem de maneira mais rápida e, adicionalmente, eles batem mais vezes, então a pressão aumenta. Veja como são simples as ideias da teoria atômica.

Vamos considerar outra situação. Suponha que o pistão se mova para dentro, de forma que os átomos são lentamente comprimidos em um espaço menor. O que acontece quando um átomo bate no pistão em movimento? Evidentemente, ele adquire velocidade da colisão. Você pode testar isto batendo em uma bola de ping-pong contra uma raquete se movendo para frente, por exemplo; você verá que ela sai com mais velocidade do que antes de bater na raquete. (Exemplo especial: se um átomo estiver parado e o pistão bater nele, ele irá certamente mover.) Então, os átomos estão "mais quentes" quando se afastam do pistão do que antes de atingi-lo. Portanto, todos os átomos, que estão no recipiente, irão adquirir mais velocidade. Isso significa que *quando comprimimos um gás lentamente a temperatura dele aumenta.* Assim, sob *compressão* lenta, um gás irá *aumentar* de temperatura e sob uma *expansão* lenta, ele irá *diminuir* de temperatura.

Agora vamos retornar para a nossa gota de água e olhar em outra direção. Suponha que diminuamos a temperatura da nossa gota de água. Suponha que a dança dos átomos das moléculas de água seja lentamente reduzida. Sabemos que existem forças atrativas entre os átomos; portanto, depois de algum tempo eles não serão capazes de dançar tão bem. O que irá acontecer a uma temperatura muito baixa está indicado na Fig. 1-4: as moléculas ficam presas em um novo padrão que é o *gelo*. Esse diagrama esquemático do gelo é errado porque ele está em duas dimensões, mas é qualitativamente certo. O ponto interessante é que a matéria tem *posições definidas para todos os átomos*, e você poderia ver isso facilmente se de alguma forma pudéssemos manter todos os átomos de uma extremidade da gota em um dado arranjo, cada átomo em uma certa posição, então por causa da estrutura de interconexões, que é rígida, a outra extremidade que ficará a quilômetros de distância (na nossa escala ampliada) terá uma localização definida. Sendo assim, se segurarmos uma agulha de gelo em uma extremidade, a outra extremidade resistirá a nossos empurrões, diferentemente ao caso da água, cuja estrutura é quebrada devido ao aumento da dança das moléculas que faz com que todas elas se movam em diferentes caminhos. A diferença entre sólido e líquido é, portanto, que no sólido os átomos são arranjados em um tipo de rede, chamada de *rede cristalina*, e eles não têm posições aleatórias a longas distâncias; a posição dos átomos em um lado do cristal é determinada por milhões de outros átomos da rede em outro lado do cristal. A Fig. 1-4 é um arranjo inventado para o gelo e embora contenha muitos aspectos corretos sobre ele, esse não é o arranjo verdadeiro. Um dos aspectos corretos é que existe uma parte da simetria que é hexagonal. Você pode ver que, se rotacionarmos a imagem em 60°, ela volta a ser a mesma. Sendo assim, existe uma *simetria* no gelo, a qual contribui para a aparência de seis lados de flocos de neve. Outra coisa que podemos ver na Fig. 1-4 é por que o gelo encolhe quando derrete. O padrão particular do cristal de gelo mostrado aqui tem muitos "buracos", como ocorre na estrutura verdadeira do gelo. Quando a organização se desfaz, esses buracos podem ser ocupados por moléculas. A maioria das substâncias mais simples, com exceção da água e alguns tipos de metal, *expande* ao derreter, porque os átomos estão proximamente empacotados em um sólido cristalino e ao derreter esses átomos precisam de mais espaço para dançarem, porém uma estrutura aberta, com muitos buracos, fecha ao derreter, como é o caso da água.

    Embora o gelo tenha uma forma cristalina "rígida", sua temperatura pode mudar – o gelo possui calor. Se quisermos, podemos mudar a quantidade de calor no gelo. O que é o calor no caso de gelo? Os átomos não estão parados. Eles estão dançando e vibrando. Então mesmo que exista uma ordem definida no cristal – uma estrutura definida – todos os átomos estão vibrando "no lugar". Aumentando a temperatura, eles vibrarão com maior e maior amplitude, até que eles se agitem tanto que saiam do lugar. Chamamos isso de *derretimento*. Diminuindo a temperatura, as vibrações diminuem cada vez mais até que, no zero absoluto, existe uma quantidade mínima de vibração que os átomos podem ter, porém *não pode ser zero*. Essa menor quantidade de movimento que os átomos podem ter não é suficiente para derreter uma substância, com uma exceção: o hélio. O hélio meramente diminui o movimento dos átomos tanto quanto possível, porém mesmo no zero absoluto ainda existe movimento suficiente para impedir o congelamento. Hélio, mesmo no zero absoluto, não congela, a menos que a pressão seja tão grande que comprima os átomos. Se aumentarmos a pressão, *podemos* fazê-lo solidificar.

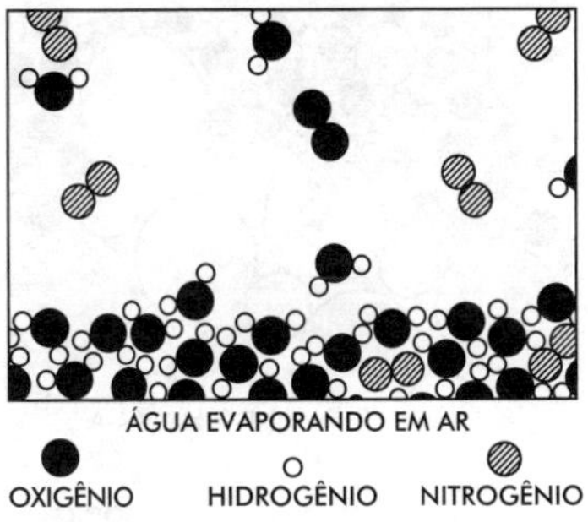

Figura 1-5

1–3 Processos atômicos

Descrevemos assim os sólidos, líquidos e gases sob o ponto de vista atômico. Contudo a hipótese atômica também descreve *processos* e, portanto, veremos agora uma quantidade de processos sob uma visão atômica. O primeiro processo está associado à superfície da água. O que acontece com a superfície da água? Vamos fazer uma imagem mais complicada – e mais realista – imaginando que a superfície é com o ar. A Fig. 1-5 mostra a superfície da água com o ar. Vemos as moléculas de água como antes, formando o corpo do líquido, mas agora também vemos a superfície da água. Sobre a superfície encontramos várias coisas: primeiro de tudo existem moléculas de água, como no vapor. Isso é *vapor de água*, o qual é sempre encontrado sobre um líquido de água. (Existe um equilíbrio entre o vapor de água e a água líquida que será discutido posteriormente.) Adicionalmente, encontramos outras moléculas – aqui dois átomos de oxigênio ligados formam uma *molécula de oxigênio* e dois átomos de nitrogênio também ligados formam uma molécula de nitrogênio. O ar consiste quase que inteiramente de nitrogênio, oxigênio, algum vapor de água e em menor quantidade dióxido de carbono, argônio e outras coisas. Então acima da superfície de água está o ar, um gás contendo algum vapor de água. Agora, o que está acontecendo nessa imagem? As moléculas de água estão sempre dançando. De tempos em tempos, uma molécula na superfície é atingida mais fortemente que o usual e acaba se desprendendo da superfície. Isso é difícil de visualizar na imagem pois ela está *estática*, mas podemos imaginar que uma ou outra molécula próxima à superfície acabou de ser atingida e esteja voando para fora da superfície. Então, molécula por molécula, a água desaparece – ela evapora. Porém, se *fecharmos* o recipiente acima, depois de um tempo encontraremos uma grande quantidade de moléculas de água entre as moléculas do ar. De tempos em tempos, uma dessas moléculas vem voando em direção à água e fica capturada pela superfície novamente. Vemos que algo que parece dormente, uma coisa desinteressante – um copo de água tampado, que pode ficar imutável durante talvez vinte anos –, realmente contém um fenômeno dinâmico e interessante, o qual está ocorrendo todo o tempo. Para nossos olhos, nossos olhos nus, nada está mudando, mas se pudéssemos vê-lo com uma ampliação de um bilhão de vezes, veríamos que as coisas estão mudando: moléculas estão se soltando da superfície e moléculas estão retornando para ela.

    Por que *não* vemos *mudanças*? Porque tantas moléculas estão saindo da superfície, quantas estão voltando! No longo prazo, "nada está acontecendo". Se retirarmos a tampa do recipiente e soprarmos o ar úmido substituindo-o por um ar seco, então o número de moléculas deixando a superfície continua o mesmo que antes, porque isso depende da dança da água, mas o número de moléculas voltando é largamente reduzido, porque existem bem poucas moléculas de água sobre a superfície. Sendo assim, haverá mais

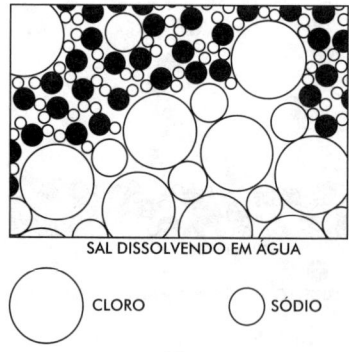

Figura 1–6

moléculas saindo que voltando, e a água evapora. Consequentemente, se você deseja evaporar a água, então ligue o ventilador!

Existem mais algumas coisas: quais moléculas saem? Quando uma molécula sai da superfície, é devido a um acidental acúmulo extra de energia que é preciso para quebrar a atração entre as moléculas vizinhas. Portanto, como aquelas que saem têm energia maior que a média, aquelas que ficam têm *menor* movimento médio que as anteriores. Dessa forma, o líquido gradualmente *esfria* se há evaporação. É claro que quando uma molécula de vapor vem do ar para a água, existe subitamente uma grande atração à medida que ela se aproxima da superfície. Isso acelera a molécula que está se aproximando da superfície e resulta em geração de calor. Assim, quando elas saem, levam calor embora; quando elas voltam, geram calor. É claro que quando não existe uma rede de evaporação o resultado é nulo – a água não muda de temperatura. Se soprarmos a água de forma a manter a evaporação continuamente, então a água esfriará, como se sopra numa sopa para esfriá-la!

Claro que você deve perceber que os processos que acabamos de descrever são mais complicados do que mostrados. Não só moléculas de água vão para o ar, mas também, de tempos em tempos, moléculas de oxigênio ou nitrogênio vão para água e "se perdem" na massa de água. Portanto o ar dissolve na água: moléculas de oxigênio e nitrogênio vão se difundir na água e ela vai conter ar. Se tirarmos subitamente o ar do recipiente, então as moléculas de ar vão sair da água mais rapidamente que entrar e isso irá produzir bolhas, o que é muito ruim para mergulhadores, como você deve saber.

Agora vamos para outro processo. Na Fig. 1-6 vemos, sob o ponto de vista atômico, um sólido dissolvendo em água. Se colocarmos um cristal de sal em água, o que acontecerá? O sal é um sólido, um cristal, um arranjo organizado de "átomos de sal". A Fig. 1-7 é uma ilustração da estrutura tridimensional de um sal comum, cloreto de sódio. Estritamente falando, o cristal não é feito de átomos, mas do que denominamos de *íons*. Um íon é um átomo que tem alguns elétrons a mais ou a menos. Em um cristal de sal, encontramos íons de cloro (átomos de cloro com um elétron extra) e íons de sódio (átomos de sódio com um elétron a menos). No sal sólido, os íons ficam todos juntos devido à atração elétrica, porém quando colocados em água, observamos que alguns íons se soltam do cristal, devido à atração dos íons pelo oxigênio negativo e pelo hidrogênio positivo das moléculas de água. Na Fig. 1-6, vemos um íon de cloro se soltando e outros átomos flutuando na água na forma de íons. Essa imagem foi feita com alguns cuidados. Note, por exemplo, que os átomos de hidrogênio das moléculas de água estão mais próximos dos íons de cloro, enquanto que os átomos de oxigênio estão mais próximos dos íons de sódio, porque o íon de sódio é positivo e o oxigênio da água é negativo, e eles se atraem eletricamente. Dessa imagem podemos dizer que o sal está se *dissolvendo* na água ou está sendo *cristalizado fora* da água? Claro que *não podemos* dizer, porque enquanto alguns átomos estão deixando o cristal, outros átomos estão se juntando a ele novamente. O processo é *dinâmico*, como no caso da evaporação, e isso depende de quanto sal tem na água, se mais ou menos do que a quantidade necessária para o equilíbrio. Por equilíbrio, queremos dizer a situação em que a taxa de átomos que deixam o sal é a mesma que a taxa de átomos que voltam a se juntar a ele. Se quase não existe sal na água, mais átomos vão deixar o sal que retornar, e o sal se dissolve. Se, por outro lado, existirem muitos "átomos de sal" na água, mais átomos retornam do que saem, e o sal se cristaliza.

A propósito, é interessante mencionar que o conceito de *molécula* de uma substância é apenas aproximado e existe apenas para uma certa classe de substâncias. Isso fica claro no caso da água, que tem três átomos ligados. Entretanto, isso não é claro no caso do sólido de cloreto de sódio. Existe apenas um arranjo de íons de sódio e cloro em um padrão cúbico. Não existe uma forma natural de agrupá-los como uma "molécula de sal".

Voltando para nossa discussão de solução e precipitação, se aumentarmos a temperatura da solução salina, então a taxa em que os átomos deixam o sólido é aumentada, de mesmo modo que a taxa em que os átomos retornam. Isso torna

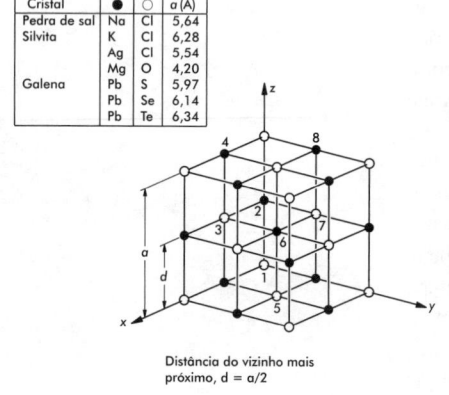

Figura 1–7

mais difícil, em geral, predizer qual o caminho que prevalecerá, se mais ou menos do sólido se dissolverá. Algumas substâncias se dissolvem mais ao aumentar a temperatura, mas outras dissolvem menos.

1–4 Reações químicas

Em todos os processos descritos até o momento, os átomos e íons não mudaram de parceiros, mas é claro que existem circunstâncias em que os átomos mudam de associação, formando novas moléculas. Isso é ilustrado na Fig. 1-8. Um processo no qual o reagrupamento de parceiros dos átomos ocorre é o que chamamos de uma *reação química*. Os outros processos descritos até agora são chamados de processos físicos, entretanto não existe uma distinção rígida entre ambos. (A natureza não se importa como os chamamos, ela apenas continua agindo.) Assumimos que essa figura representa carbono queimando em oxigênio. No caso do oxigênio, *dois* átomos de oxigênio se ligam muito fortemente. (Por que não *três* ou até mesmo *quatro* se ligam? Isso é uma das características muito peculiar desses tipos de processos atômicos. Os átomos são muito especiais: eles gostam de certos companheiros específicos, certas direções específicas e assim por diante. Cabe à física analisar por que cada átomo quer o que quer. Em qualquer proporção, dois átomos de oxigênio formam uma molécula estável e feliz.)

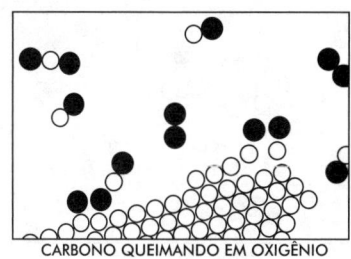

Figura 1–8

Supõe-se que os átomos de carbonos estão na forma de sólido cristalino (que pode ser grafite ou diamante[1]). Agora, por exemplo, uma molécula de oxigênio pode se aproximar do carbono, cada átomo pegar um átomo de carbono e se afastar em uma nova combinação – "carbono-oxigênio" –, o que é uma molécula de gás chamado monóxido de carbono, ao qual é dado o nome químico de CO. Isso é muito simples: as letras "CO" são praticamente a imagem dessa molécula. Todavia, carbono atrai oxigênio muito mais que oxigênio atrai oxigênio ou carbono atrai carbono. Portanto, nesse processo, o oxigênio pode chegar com apenas um pouco de energia, mas o oxigênio e o carbono vão se ligar com um tremendo ímpeto e comoção, e tudo ao redor deles vai ganhar energia. Uma grande quantidade de energia de movimento, energia cinética, é então gerada. É claro que isso está *queimando*; está havendo ganho de *calor* na formação da ligação oxigênio e carbono. Esse calor aparece habitualmente na forma de movimento das moléculas de um gás quente, mas em certas circunstâncias ele pode ser tão grande que gera *luz*. Isso é como aparecem as *chamas*.

Adicionalmente, o monóxido de carbono não está totalmente satisfeito. É possível para ele se ligar com outro átomo de oxigênio, então teríamos uma reação muito mais complicada, na qual o oxigênio estaria se ligando ao carbono, enquanto ao mesmo tempo estaria ocorrendo uma colisão com uma molécula de monóxido de carbono. Um átomo de oxigênio poderia se ligar ao CO e formar uma molécula, composta por um carbono e dois oxigênios, que é nomeada CO_2 e chamada de dióxido de carbono. Se queimarmos carbono muito rapidamente com uma pequena quantidade de oxigênio (por exemplo, em um motor de automóvel, no qual a explosão é tão rápida que não há tempo para produzir dióxido de carbono), uma grande quantidade de monóxido de carbono será formada. Em muitos casos, rearranjos desse tipo liberam uma grande quantidade de energia produzindo explosões, chamas, etc., dependendo das reações. Químicos têm estudado esse arranjo dos átomos e observaram que toda substância é algum tipo de *arranjo de átomos*.

Para ilustrar essa ideia, vamos considerar outro exemplo. Se formos em um campo de pequenas violetas, sabemos o que é "aquele aroma". Isso é algum tipo de *molécula*, ou arranjo de átomos, que percorre o caminho até nosso nariz. Primeiro de tudo, *como* ele percorreu esse caminho? Isso é muito fácil. Se o aroma é algum tipo de molécula no ar que dança livremente e sofre colisões eventuais, ela pode *acidentalmente* percorrer um caminho até o nariz. Certamente, ela não tem nenhum desejo particular de chegar ao nosso nariz, mas é meramente uma molécula perdida de uma multidão de moléculas agitada e, em um caminho sem destino, esse pedaço específico de matéria, se encontrará no nariz.

---

[1] É *possível* queimar diamante em ar.

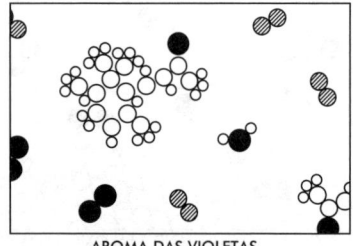

Figura 1–9

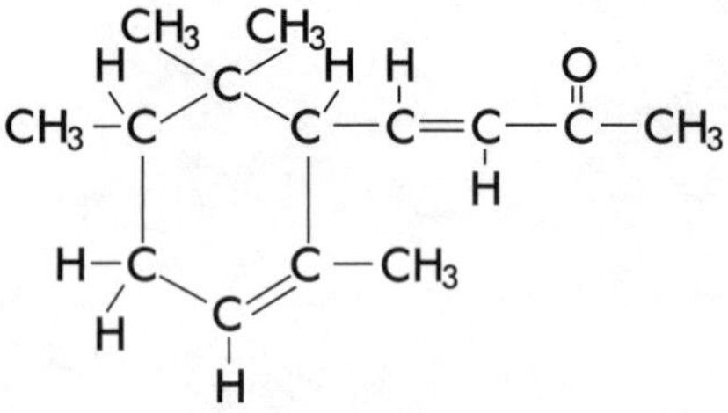

Os químicos podem pegar uma molécula qualquer, como a do aroma das violetas, e analisá-la para nos informar o *arranjo exato* dos átomos no espaço. Sabemos que a molécula de dióxido de carbono é linear e simétrica: O–C–O. (Isso pode ser determinado facilmente, também, por métodos físicos.) Mesmo para a vasta quantidade de moléculas, existente na química, que tem um arranjo atômico muito complicado, há um longo e extraordinário trabalho de detetive para descobrir os arranjos dos átomos. A Fig. 1-9 é uma imagem ilustrativa do ar nas vizinhanças de violetas; novamente encontramos oxigênio e nitrogênio no ar e vapor de água. (Por que existe vapor de água? Porque as violetas são *úmidas*. Todas as plantas transpiram.) Entretanto, também encontramos um "monstro" composto de átomos de carbono, hidrogênio e oxigênio que se combinou em um arranjo particular. Esse é um arranjo muito mais complicado que o do dióxido de carbono; de fato, esse é um arranjo imensamente complicado. Infelizmente, não podemos ilustrar tudo que é quimicamente sabido sobre essa molécula, porque o arranjo preciso dos átomos é dado por uma imagem em três dimensões, enquanto nossa imagem só tem duas dimensões. Os seis carbonos que formam um anel não formam um anel planar, e sim um tipo de anel "dobrado". Todos os ângulos e distâncias são conhecidos. Então uma *fórmula* química é meramente uma imagem da molécula (veja Fig. 1-10). Quando um químico escreve esse tipo de coisa em um quadro-negro, ele tenta "desenhar" em duas dimensões. Por exemplo, observamos um "anel" de seis carbonos e uma "cadeia" de carbonos pendurada em uma extremidade, com um oxigênio na penúltima posição, três hidrogênios ligados ao último carbono, dois carbonos e três hidrogênios colocados aqui, etc.

Como o químico descobre qual é o arranjo? Ele mistura garrafas cheias de substâncias e, se ficar vermelho, isso informa a ele que na composição existe um hidrogênio e dois carbonos ligados; por outro lado, se ficar azul, informa outra composição. Trata-se de um dos mais fantásticos trabalhos de detetive já realizados – a química orgânica. Para descobrir o arranjo dos átomos nessa rede extraordinariamente complicada, o químico examina o que acontece quando ele mistura duas substâncias diferentes. Os físicos nunca acreditaram completamente que os químicos sabiam do que estavam falando quando eles descreviam arranjos de átomos. Por cerca de vinte anos foi possível, em alguns casos, analisar alguns tipos de moléculas (não tão complicadas como esta, mas algumas que contêm partes dela) através de métodos físicos e foi possível localizar cada átomo, não olhando as cores, mas *medindo onde eles estão*. E, pasmem, os químicos estão quase sempre certos.

Figura 1–10 A substância ilustrada é α-irona.

De fato, foi descoberto que no aroma das violetas existem três moléculas ligeiramente diferentes, que diferem apenas no arranjo de alguns átomos de hidrogênio.

Um problema da química é como dar nomes às substâncias, de forma a saber o que ela é. Pense em um nome para essa forma! Ele não deve apenas informar a forma da molécula, mas também deve informar que aqui tem o oxigênio e ali um hidrogênio – exatamente qual é e onde cada átomo está. Então percebemos que a nomenclatura química deve ser complexa a fim de ser completa. Para perceber como o nome de uma dessas moléculas pode ter uma forma complicada, mostraremos que o nome da estrutura é 4-(2, 2, 3, 6 tetrametil-5-ciclohexanil)-3-buteno-2-um e seu arranjo é o mostrado na Fig. 1-10. Podemos perceber a dificuldade que o químico tem e também a razão desses nomes tão grandes. Não é porque eles desejam ser obscuros, mas porque eles têm um problema extremamente difícil que é o de descrever as moléculas em palavras!

Como *sabemos* que existem átomos? Por meio de um dos truques mencionado antes: levantamos a *hipótese* de que eles existem e analisamos se um a um dos resultados saem na forma que predissemos, como eles devem ser se as coisas *forem* feitas de átomos. Também existem algumas evidências mais diretas. Um bom exemplo disso é: os átomos são tão pequenos que não podemos vê-los com um microscópio ótico – de fato, nem mesmo com um microscópio *eletrônico*. (Com microscópio ótico podemos ver só coisas muito maiores.) Agora, se os átomos estão sempre em movimento, como na água, e colocarmos uma grande bola de alguma coisa na água, uma bola muito maior que os átomos, a bola se moverá por aí – igual àquele jogo de empurrar a bola, em que uma bola enorme é empurrada por muitas pessoas. Elas empurram em várias direções, e a bola se move no campo numa forma irregular. Então, dessa mesma forma, a "bola grande" vai se mover por causa das desigualdades das colisões de um lado para o outro, de um instante para o outro. Portanto, se olharmos para partículas minúsculas (coloides) em água por um microscópio excelente, vamos observar um movimento perpétuo das partículas, que é o resultado do bombardeamento dos átomos. Isso é chamado de *movimento Browniano*.

Além disso, podemos ver evidências dos átomos na estrutura de cristais. Em vários casos, as estruturas obtidas por análise de raios X concordam na "forma" espacial com a forma encontrada por meio de cristais como achados na natureza. Os ângulos entre várias "faces" de um cristal concordam, em segundos de arcos, com os ângulos obtidos na suposição de que um cristal é feito de muitas "camadas" de átomos.

Tudo é feito de átomos. Essa é a hipótese essencial. A hipótese mais importante em toda a biologia é, por exemplo, que *tudo que animais fazem, átomos também fazem*. Em outras palavras, *não existe nada que os seres vivos façam que não possa ser entendido do ponto de vista de que eles são feitos de átomos aginndo de acordo com as leis da física*. Isso não era sabido no início: precisamos de algumas experimentações e teorizações para sugerir essa hipótese, mas agora ela é aceita e é a teoria mais usada para produzir novas ideias no campo da biologia.

Se um pedaço de aço ou um pedaço de sal, compostos de átomos uns próximos dos outros, podem ter propriedades tão interessantes; se a água – que não passa de pequenas gotas, quilômetros e quilômetros da mesma coisa sob a Terra – pode formar ondas e espuma e produzir impetuosos sons e estranhos padrões como o gerado quando ela cai sobre o cimento; se tudo isso, toda a vida em uma corrente de água, pode ser nada mais que um montão de átomos, *o que mais é possível?* Se em vez de arranjar os átomos em um padrão definitivo que se repete várias vezes ou até mesmo em pequenos agrupamentos complexos, como o que provoca o aroma de violetas, pudéssemos arranjá-los em forma que seriam *sempre diferentes* com diferentes tipos de átomos arrumados de qualquer forma, mudando-as continuamente, nunca repetindo, quão mais maravilhoso seriam as possibilidades de forma e comportamento das coisas? É possível que aquela "coisa" que anda de lá para cá diante de você, conversando com você, seja uma grande quantidade desses átomos em um arranjo tão complexo que confunde a imaginação quanto ao que pode fazer? Quando dizemos que somos uma pilha de átomos, não queremos dizer que somos *meramente* uma pilha de átomos, porque uma pilha de átomos que não se repete de uma para outra poderia muito bem ter as possibilidades que você vê diante de si no espelho.

2

Física Básica

2–1 Introdução

Neste capítulo, vamos examinar as ideias mais profundas que temos sobre física – a natureza das coisas como as vemos atualmente. Não vamos discutir a história de como sabemos que todas essas ideias são verdadeiras; vamos aprender esses detalhes no devido tempo.

As coisas com que nos preocupamos na ciência aparecem em inúmeras formas e com uma abundância de atributos. Por exemplo, se pararmos na praia e olharmos para o mar, veremos a água, as ondas quebrando, a espuma, o movimento de agitação da água, o som, o ar, o vento e as nuvens, o sol e o azul do céu e a luz; existe areia e existem rochas de diferentes dureza, firmeza, cores e texturas. Existem animais e algas, fome e doença, e o observador na praia; pode até existir felicidade e pensamento. Qualquer outro ponto na natureza tem a mesma variedade de coisas e influências. É sempre assim tão complicado, sem importar onde seja. A curiosidade exige que façamos perguntas e que tentemos associar as coisas e compreender essa abundância de aspectos como talvez resultante da ação de um número relativamente pequeno de coisas elementares e forças atuando em uma variedade infinita de combinações.

Por exemplo: a areia é algo que difere das rochas? Ou melhor, será que a areia não passa talvez de um grande número de pedras muito pequenas? A lua é uma grande rocha? Se entendermos as rochas, também deveríamos entender a areia e a lua? O vento é uma agitação do ar analogamente ao movimento de agitação da água no mar? Que aspectos comuns têm diferentes movimentos? O que é comum em diferentes tipos de sons? Quantas cores diferentes existem? E assim por diante. Dessa forma, tentamos gradualmente analisar todas as coisas, associar coisas que à primeira vista parecem diferentes, com a esperança de talvez sermos capazes de *reduzir* o número de coisas *diferentes* e assim entendê-las melhor.

A poucas centenas de anos atrás, um método foi concebido para encontrar partes das respostas de tais questões. *Observação*, *razão* e *experiência* constituem o que chamamos de *método científico*. Teremos de nos limitar a uma descrição simplificada de nossa visão básica do que às vezes é chamado de *física fundamental*, ou ideias fundamentais que surgiram da aplicação do método científico.

O que queremos dizer por "compreender" algo? Podemos imaginar que esse conjunto complicado de coisas em movimento que constitui "o mundo" seja algo parecido com uma grande partida de xadrez jogada pelos deuses, e nós somos observadores do jogo. Não conhecemos as regras do jogo; tudo que nos é permitido fazer é *observar*. Claro que, se observarmos por um bom tempo, poderemos eventualmente aprender algumas regras. *As regras do jogo* são o que queremos dizer por *física fundamental*. Entretanto, mesmo que conheçamos todas as regras, poderemos não entender por que uma jogada específica foi feita, meramente porque isso pode ser muito complicado, e nossas mentes são limitadas. Se você joga xadrez, deve saber que é fácil aprender todas as regras, porém frequentemente é muito difícil selecionar a melhor jogada ou entender por que um jogador fez aquela jogada. Assim também é a natureza, só que em nível muito maior; porém podemos ser capazes, pelo menos, de descobrir todas as regras. Na verdade, ainda não temos todas as regras. (De vez em quando, ocorre algo como o roque, que ainda não entendemos.) Além de não conhecermos todas as regras, o que realmente podemos explicar em termos dessas regras é muito limitado, porque quase todas as situações são tão complicadas que não conseguimos seguir os lances do jogo usando as regras e muito menos prever o que irá ocorrer em seguida. Devemos, portanto, nos limitar à questão mais básica das regras do jogo. Se conhecermos as regras, consideraremos que "entendemos" o mundo.

Como podemos dizer que as regras que "supomos" estão realmente certas se não podemos analisar muito bem o jogo? Grosseiramente falando, existem três maneiras. Primeiro, podem existir situações em que a natureza se organizou, ou organizamos a natureza, de modo a ser simples e ter tão poucas partes que conseguimos prever exata-

2–1	Introdução
2–2	A física antes de 1920
2–3	Física quântica
2–4	Núcleos e partículas

mente o que ocorrerá e, assim, podemos verificar como nossas regras funcionam. (Em um canto do tabuleiro há apenas algumas peças de xadrez em ação, e assim podemos entender exatamente.)

Uma segunda boa maneira de verificar regras é em termos de regras menos específicas deduzidas das primeiras. Por exemplo, a regra do movimento de um bispo no tabuleiro de xadrez é que ele anda apenas na diagonal. Pode-se deduzir, não importando quantos movimentos possam ter sido feitos, que determinado bispo estará sempre em uma casa branca. Assim, mesmo sendo incapazes de entender os detalhes, podemos sempre verificar nossa ideia sobre o movimento do bispo descobrindo se ele sempre está em uma casa branca. É claro que o bispo estará na casa branca por um longo tempo até de repente descobrirmos que está em uma casa *preta* (o que aconteceu, na verdade, é que nesse ínterim ele foi capturado, outro peão atravessou o tabuleiro e foi promovido a bispo em uma casa preta). É assim que ocorre na física. Por um longo tempo, teremos uma regra que funciona excelentemente de forma geral, mesmo quando não podemos compreender os detalhes, e então num certo momento poderemos descobrir uma *nova regra*. Do ponto de vista da física básica, os fenômenos mais interessantes estão, é claro, nos *novos* momentos, os momentos quando as regras não funcionam – não nos momentos nos quais *funcionam*! Essa é a forma como descobrimos novas regras.

A terceira forma de saber se nossas ideias estão certas é relativamente grosseira, mas provavelmente a mais poderosa de todas. Isto é, por mera *aproximação*. Embora não sejamos capazes de dizer por que Alekhine move *esta peça específica*, talvez possamos entender *grosseiramente* que ele está reunindo suas peças ao redor do rei para protegê-lo, mais ou menos, uma vez que essa seja a coisa mais sensata a fazer nas circunstâncias. Da mesma forma, muitas vezes podemos entender a natureza, mais ou menos, sem sermos capazes de ver o que *cada pequena peça* está fazendo, em termos de nossa compreensão do jogo.

Em um primeiro momento, os fenômenos da natureza eram grosseiramente divididos em classes, como calor, eletricidade, mecânica, magnetismo, propriedades das substâncias, fenômenos químicos, luz ou óptica, raios X, física nuclear, gravitação, fenômenos dos mésons, etc. Contudo, o objetivo é ver a *natureza completa* como aspectos diferentes de *um conjunto* de fenômenos. Esse é o problema atual da física teórica básica – *encontrar as leis por trás do experimento*; *amalgamar essas classes*. Historicamente, fomos sempre capazes de amalgamá-las, mas à medida que o tempo passa novas coisas são descobertas. Vínhamos amalgamando muito bem, quando de repente foram descobertos os raios X. Então, amalgamamos um pouco mais e os mésons foram descobertos. Portanto, em qualquer estágio do jogo, isso sempre parece um tanto confuso. Uma grande quantidade é amalgamada, mas sempre existem muitos fios ou linhas pendurados em todas as direções. Essa é a situação atual, a qual tentaremos descrever.

Alguns exemplos históricos de amalgamação são os seguintes. Primeiro, consideremos *calor* e *mecânica*. Quando os átomos estão em movimento, quanto mais movimento, mais calor o sistema contém, e assim *calor e todos os efeitos da temperatura podem ser descritos pelas leis da mecânica*. Outra tremenda amalgamação foi a descoberta da relação entre eletricidade, magnetismo e luz, os quais foram descobertos como sendo aspectos diferentes da mesma coisa, que chamamos atualmente de *campo eletromagnético*. Outra amalgamação é a unificação dos fenômenos químicos, das diferentes propriedades de diferentes substâncias e do comportamento das partículas atômicas, na *mecânica quântica da química*.

A questão é, naturalmente, se será possível amalgamar *tudo* e meramente descobrir que este mundo representa diferentes aspectos de *uma* coisa? Ninguém sabe. Tudo que sabemos é que, à medida que avançamos, descobrimos que podemos amalgamar peças e depois descobrimos algumas peças que não se encaixam e continuamos tentando montar o quebra-cabeça. Se existe um número finito de peças, ou mesmo se existe um limite para o quebra-cabeça, isso é naturalmente um mistério. Nunca saberemos até terminarmos o quadro, se terminarmos. O que pretendemos ver aqui é até onde foi esse processo de amalgamação e qual é a situação atual na compreensão dos fenômenos básicos em termos do menor conjunto de princípios. Para expressá-lo numa maneira simples, *de que são feitas as coisas e quantos elementos existem*?

2–2 A física antes de 1920

É um pouco difícil começar outrora com a visão atual, então primeiro veremos como as coisas eram por volta de 1920 e depois extrairemos algumas coisas desse contexto. Antes de 1920, nossa visão do mundo era algo assim: o "palco" no qual o universo atua é o *espaço* tridimensional da geometria, como descrito por Euclides, e as coisas mudam em um meio chamado *tempo*. Os elementos no palco são *partículas*, por exemplo, os átomos, que têm certas *propriedades*. Primeiro, a propriedade da inércia: se uma partícula estiver se movendo, continuará se movendo na mesma direção a menos que *forças* atuem sobre ela. O segundo elemento, então, são *forças*, que se pensava serem de duas variedades: primeiro, um tipo de força de interação enormemente complicada e detalhada, que mantinha os diferentes átomos em diferentes combinações de uma forma complicada, que determinava se o sal dissolveria mais rápida ou mais vagarosamente quando aumentávamos a temperatura. A outra força, que era conhecida, era uma interação de longo alcance – uma suave e tranquila atração – que variava inversamente proporcional ao quadrado da distância e foi chamada de *gravitação*. Essa lei era conhecida e era muito simples. *Por que* as coisas permanecem em movimento quando elas estão se movendo, ou *por que* existe uma lei da gravitação era, naturalmente, desconhecido.

Uma descrição da natureza é o que nos interessa aqui. Desse ponto de vista, um gás – aliás, *toda* matéria – é uma quantidade incontável de partículas em movimento. Então, muitas das coisas que vimos quando estávamos sentados na praia podem ser imediatamente relacionadas. Primeiro, a pressão: ela resulta das colisões dos átomos com as paredes ou qualquer outra coisa; o rumo dos átomos, caso se movam todos na mesma direção em média, é o vento; os movimentos *aleatórios* internos são o *calor*. Existem ondas com excesso de densidade, onde muitas partículas se acumularam e, ao se dispersarem, empurram pilhas de partículas e assim por diante. Essa onda com excesso de densidade é o *som*. Esse é um progresso complicado de entender. Algumas dessas coisas foram descritas no capítulo anterior.

Que *tipos* de partículas existem? Considerava-se que fossem 92 naquela época: 92 tipos diferentes de átomos foram descobertos no fim das contas. Eles tinham nomes diferentes associados às suas propriedades químicas.

A próxima parte do problema era: *quais são as forças de curto alcance?* Por que o carbono atrai um oxigênio ou talvez dois oxigênios, mas não três oxigênios? Qual é o mecanismo de interação entre átomos? É gravitacional? A resposta é não. A gravidade, por si só, é fraca demais. No entanto, imagine uma força análoga à gravidade, variando com o inverso do quadrado da distância, mas enormemente mais poderosa e com uma diferença. Na gravidade tudo atrai todo o resto, mas agora imagine que existem *duas espécies* de "coisas" e que essa nova força (que é a força elétrica, é claro) tem a propriedade de que semelhantes *se repelem* mas diferentes *se atraem*. A "coisa" que carrega essa forte interação é chamada de *carga*.

Então, o que temos? Suponhamos que temos dois diferentes que se atraem um ao outro, um positivo e outro negativo, e que eles se grudam muito próximos. Suponhamos que temos outra carga a uma certa distância. Ela sentiria alguma atração? Ela não sentiria *praticamente nenhuma*, porque se as duas primeiras forem do mesmo tamanho, a atração de uma e a repulsão da outra se balancearão. Portanto, há pouquíssima força a qualquer distância apreciável. Por outro lado, se chegarmos *muito perto* com a carga extra, surgirá *atração*, porque a repulsão das semelhantes e a atração das diferentes vão tender a aproximar as diferentes e a afastar as semelhantes. Então, a repulsão será *menor* do que a atração. Essa é a razão pela qual os átomos, que são constituídos de cargas elétricas positivas e negativas, sentem pouquíssima força quando estão separados por uma distância apreciável (afora a gravidade). Quando se aproximam, eles podem "ver dentro" uns dos outros e rearranjar suas cargas, de forma a resultar em uma interação fortíssima. A base fundamental de uma interação entre os átomos é *elétrica*. Já que essa força é tão grande, todos os positivos e todos os negativos vão normalmente se juntar em uma combinação tão íntima quanto possível. Todas as coisas, inclusive nós, somos compostos de finos grãos de partes positivas e negativas que interagem enormemente, todas perfeitamente balanceadas. De vez em quando, por acaso, podemos expulsar alguns negativos ou alguns positivos (em geral, é mais fácil expulsar negativos), e nessas circunstâncias encontramos a força da eletricidade *desequilibrada* e podemos ver os efeitos dessas atrações elétricas.

Para dar uma ideia de quão mais forte é a eletricidade do que a gravitação, considere dois grãos de areia, com um milímetro de diâmetro e a 30 metros de distância. Se a força entre eles não estiver equilibrada, se tudo atrair todo o resto ao invés de repelir os semelhantes, de modo que não houvesse cancelamento, quanta força haveria? Haveria uma força de *três milhões de toneladas* entre os dois! Veja bem, existe pouco, *pouquíssimo* excesso ou déficit no número de cargas negativas ou positivas necessárias para produzir efeitos elétricos apreciáveis. Essa é, claro, a razão pela qual você não consegue ver a diferença entre algo eletricamente carregado ou não carregado – tão poucas partículas estão envolvidas que dificilmente fazem diferença no peso ou no tamanho de um objeto.

Com essa imagem, os átomos são mais fáceis de entender. Pensou-se que eles teriam um "núcleo" no centro, que é carregado positivamente e tem muita massa, e é cercado por certo número de "elétrons", que são muito leves e carregados negativamente. Agora vamos avançar um pouco em nossa narrativa para observar que no próprio núcleo foram encontrados dois tipos de partículas, prótons e nêutrons, quase do mesmo peso e muito pesadas. Os prótons são eletricamente carregados e os nêutrons são neutros. Se tivermos um átomo com seis prótons dentro do núcleo e esse estiver cercado por seis elétrons (as partículas negativas no mundo normal da matéria são todas elétrons, os quais são muito leves comparados com os prótons e os nêutrons que compõem os núcleos), ele será o átomo número seis na tabela periódica e será chamado de carbono. O átomo número oito é chamado de oxigênio, etc., porque as propriedades químicas dependem dos elétrons de *fora* e, de fato, apenas de *quantos* elétrons existem. Portanto, as propriedades *químicas* de uma substância dependem apenas de um número, o número de elétrons. (Toda a lista de elementos dos químicos poderia realmente ter se chamado 1, 2, 3, 4, 5, etc. Em vez de dizer "carbono" poderíamos dizer "elemento seis", significando seis elétrons, mas é claro que, quando os elementos foram inicialmente descobertos, não se sabia que poderiam ser numerados dessa maneira e, adicionalmente, isso faria com que tudo parecesse mais complicado. É melhor ter nomes e símbolos para essas coisas, em vez de chamar tudo por um número.)

Descobriu-se mais sobre a força elétrica. A interpretação natural da interação elétrica é que dois objetos simplesmente se atraem um ao outro: positivo contra negativo. Entretanto, descobriu-se que essa era uma representação inadequada. Uma representação mais adequada da situação é dizer que a existência da carga positiva, em certo sentido, distorce ou cria uma "condição" no espaço, de modo que quando colocamos uma carga negativa nele, ela sente uma força. Essa potencialidade de produzir uma força é chamada de um *campo elétrico*. Quando colocarmos um elétron em um campo elétrico, dizemos que ele é "puxado". Temos então duas regras: (a) cargas produzem um campo e (b) cargas em campos têm forças que são exercidas sobre elas e se movem. A razão disso se tornará clara quando discutirmos o seguinte fenômeno: se carregarmos eletricamente um corpo, como um pente, e em seguida colocarmos um pedaço de papel carregado a certa distância e movermos o pente para lá e para cá, o papel vai reagir apontando sempre para o pente. Se o movermos rapidamente, observaremos que o papel estará um pouco atrasado, *haverá um retardo* na ação. (No primeiro estágio, quando movemos o pente mais lentamente, encontramos uma complicação que é o *magnetismo*. Influências magnéticas estão associadas a *cargas em movimento relativo*, então forças magnéticas e forças elétricas podem realmente ser atribuídas a um campo, como dois aspectos diferentes exatamente da mesma coisa. Uma mudança no campo elétrico não pode existir sem magnetismo.) Se afastarmos ainda mais o papel carregado, o retardo será maior. Então, algo interessante é observado. Embora as forças entre dois objetos carregados devam ser inversamente proporcionais ao *quadrado* da distância, observa-se que quando agitamos uma carga, a influência se estende para *muito mais longe* do que imaginamos a princípio. Ou seja, o efeito diminui mais lentamente do que o inverso do quadrado.

Aqui está uma analogia: se estamos em uma piscina de água e existe uma rolha flutuando bem perto, podemos movê-la "diretamente" empurrando a água com outra rolha. Se você olhou apenas para as duas *rolhas*, tudo que verá é que uma se move imediatamente em resposta ao movimento da outra – existe algum tipo de "*interação*" entre elas. Está claro que o que realmente fizemos foi agitar a *água*; a *água* então agita a outra rolha. Poderíamos formular uma "lei" que se empurrarmos a água um pouco, um objeto próximo na água se moverá. Se estivesse mais distante, é claro que a segunda rolha se moveria muito pouco, pois deslocamos a água *localmente*. Por outro lado, se agitarmos a rolha, um novo fenômeno estará envolvido, no qual o movimento da água desloca a água ali, etc. e *ondas* se propagarão, então pela agitação, existirá uma influência de *muito maior alcance*, uma influência oscilatória que não pode ser entendida a partir da interação direta. Portanto, a ideia de interação direta deve ser substituída pela existência da água ou, no caso elétrico, pelo que chamamos de *campo eletromagnético*.

O campo eletromagnético pode transportar ondas; algumas dessas ondas são *luz*, outras são usadas em *transmissões de rádio*, mas o nome geral é *ondas eletromagnéticas*. Essas ondas oscilatórias podem ter várias *frequências*. A única diferença real de uma onda para outra é a *frequência de oscilação*. Se agitarmos uma carga de lá para cá cada vez mais e mais rapidamente e olharmos os efeitos, teremos uma série inteira de diferentes tipos de efeitos, todos unificados pela especificação de um só número, o número de oscilações por segundo. A "captação" normal das correntes elétricas nos circuitos nas paredes de um prédio têm uma frequência de aproximadamente cem ciclos por segundo. Se aumentarmos a frequência para 500 ou 1.000 quilociclos (1 quilociclo = 1.000 ciclos) por segundo, estaremos "no ar", pois essa é a faixa de frequência usada para transmissões de rádio. (Claro que não tem nada a ver com o *ar*! Podemos ter transmissões de rádio sem nenhum ar.) Se novamente aumentarmos a frequência, entraremos na faixa que é usada para transmissões em FM e de TV. Indo além, usamos certas ondas curtas, por exemplo para *radar*. Ainda mais, e não precisamos de um instrumento para "ver" a coisa, podendo vê-la com o olho humano. Na faixa de frequência de 5×10^{14} a 10^{15} ciclos por segundo, nossos olhos veriam a oscilação do pente carregado, se conseguíssemos agitá-lo tão rápido, como luz vermelha, azul ou violeta, dependendo da frequência. As frequências abaixo dessa faixa são chamadas de infravermelhas, e acima dessa são ultravioletas. O fato de que podemos ver numa faixa de frequência particular não torna essa parte do espectro eletromagnético mais impressionante do que as demais do ponto de vista do físico, embora do ponto de vista humano, essa *é* obviamente a mais interessante. Se aumentarmos ainda mais a frequência, obtemos os raios X. Os raios X não passam de luz de frequência muito alta. Aumentando ainda mais, obtemos os raios gama. Esses dois termos, raios X e raios gama, são usados quase como sinônimos. Geralmente, raios eletromagnéticos advindos de núcleos são chamados de raios gama, enquanto que os de alta energia de átomos são chamados raios X, mas à mesma frequência eles são fisicamente indistinguíveis, não importando qual seja a fonte. Se formos para frequências ainda mais altas, digamos, 10^{24} ciclos por segundo, verificamos que podemos produzir tais ondas artificialmente; por

Tabela 2–1
O espectro eletromagnético

Frequência em oscilações/s	Nome	Comportamento aproximado
10^2	Interferência elétrica	Campo
$5 \times 10^5 - 10^6$	Transmissão de rádio	Ondas
10^8	FM–TV	
10^{10}	Radar	
$5 \times 10^{14} - 10^{15}$	Luz	
10^{18}	Raios X	Partículas
10^{21}	Raios γ, nucleares	
10^{24}	Raios γ, "artificiais"	
10^{27}	Raios γ, em raios cósmicos	

exemplo com o síncrotron aqui no Caltech. Podemos encontrar ondas eletromagnéticas com frequências estupendamente altas – com oscilação até mil vezes mais rápida – nas ondas encontradas em *raios cósmicos*. Essas ondas não podem ser controladas por nós.

2–3 Física quântica

Tendo apresentado a ideia do campo eletromagnético e que esse campo pode transportar ondas, logo aprenderemos que essas ondas na verdade se comportam de uma forma estranha que parece muito não ondulatória. Em altas frequências, elas comportam-se muito mais como *partículas!* É a *mecânica quântica*, descoberta logo após 1920, que explica esse comportamento estranho. Nos anos anteriores a 1920, a imagem do espaço como tridimensional e do tempo como algo separado foi modificada por Einstein, primeiro em uma combinação que chamamos espaço-tempo e depois em um espaço-tempo *curvo* para representar a gravitação. Então, o "palco" muda para espaço-tempo, e a gravitação é presumivelmente uma modificação do espaço-tempo. Depois, também foi descoberto que as regras para os movimentos de partículas estavam incorretas. As regras mecânicas de "inércia" e "forças" estão *erradas* – as leis de Newton estão *erradas* – no mundo dos átomos. Ao contrário, foi descoberto que as coisas em uma escala pequena comportam-se de forma *nada semelhante* às coisas em uma escala grande. É isso que torna a física difícil – e muito interessante. É difícil porque o modo como as coisas se comportam em uma escala pequena é completamente "antinatural"; nós não temos experiência direta com isso, pois as coisas se comportam como nada que conhecemos, tornando impossível descrever esse comportamento de outra forma que não seja a analítica. Isso é difícil e requer muita imaginação.

A mecânica quântica tem vários aspectos. Em primeiro lugar, a ideia de que uma partícula tem uma localização definida e uma velocidade definida não é mais permitida; está errada. Para dar um exemplo de quão errada está a física clássica, existe uma regra na mecânica quântica que diz que não se pode saber ambos, onde algo está nem com que velocidade se move, simultaneamente. A incerteza no momento e a incerteza na posição são complementares e o produto das duas é limitado por uma pequena constante. Podemos escrever a lei desta forma: $\Delta x\, \Delta p \geq h/2$, mas iremos explicá-la detalhadamente depois. Essa regra é a explicação de um paradoxo muito misterioso: se os átomos são compostos de cargas positivas e negativas, por que as cargas negativas simplesmente não ficam sobre as cargas positivas (elas se atraem mutuamente) e se aproximam tanto que até se cancelarem completamente? *Por que os átomos são tão grandes?* Por que o núcleo está no centro com os elétrons ao redor? Pensou-se inicialmente que era devido ao núcleo ser tão grande; mas não era, pois o núcleo é *muito pequeno*. Um átomo tem um diâmetro de cerca de 10^{-8} cm. O núcleo tem um diâmetro de cerca de 10^{-13} cm. Se tivéssemos um átomo e quiséssemos ver o núcleo, teríamos de ampliá-lo até que o todo o átomo tivesse o tamanho de uma sala grande e mesmo assim, o núcleo seria um pontinho que mal se conseguiria enxergar a olho nu, mas *quase todo o peso* do átomo está nesse *núcleo* infinitesimal. O que impede os elétrons de simplesmente colapsarem? Este princípio: se eles estivessem no núcleo, saberíamos suas posições precisamente e o princípio da incerteza exigiria então que eles tivessem um momento muito *grande* (mas incerto), isto é, uma *energia cinética* muito grande. Com essa energia, eles escapariam do núcleo. Eles fazem um compromisso: eles deixam para si um pouco de espaço para essa incerteza e com isso se agitam com a certa quantidade de mínimo movimento em concordância com essa regra. (Lembre-se de que quando um cristal é esfriado a zero absoluto, dissemos que os átomos não param de se mover, eles continuam dançando. Por quê? Se eles parassem de se mover, saberíamos onde estariam e que teriam movimento nulo, o que contrariaria o princípio da incerteza. Não se pode saber onde eles estão e quão rapidamente se movem, portanto eles devem estar em contínuo movimento!)

Outra mudança bastante interessante nas ideias e na filosofia da ciência trazida pela mecânica quântica é esta: não é possível prever *exatamente* o que acontecerá em qualquer circunstância. Por exemplo, é possível arrumar um átomo pronto para emitir luz, e podemos medir quando ele emitiu luz captando uma partícula de fóton, que descreveremos em breve. Porém não podemos prever *quando* emitirá a luz ou, entre vários átomos, *qual* deles o fará. Pode-se dizer que isso se deve a certas "engrenagens" internas que ainda não examinamos com detalhamento suficiente. Não, não existem engrenagens internas; a natureza, como a entendemos hoje, comporta-se de tal modo que é *fundamentalmente impossível* fazer uma previsão precisa *do que acontecerá exatamente* em um dado experimento. Isso é horrível; de fato, os filósofos afirmaram antes que um dos requisitos fundamentais da ciência é que, sempre que se estabelecem as mesmas condições, deve ocorrer a mesma coisa. Isso simplesmente *não é verdade*, essa *não* é uma condição fundamental da ciência. O fato é que a mesma coisa não acontece, que só podemos encontrar uma média estatística do que acontece. Contudo, a ciência não desmoronou por completo. Os filósofos, consequentemente, dizem muita coisa sobre o que é *absolutamente necessário* para a ciência e é sempre, pelo que se pode ver, bastante ingênuo e provavelmente errado. Por exemplo, um ou outro filósofo diz que é fundamental para o avanço científico que, se um experimento for realizado, digamos, em Estocolmo, e depois for repetido em, digamos, Quito, os *mesmos resultados* sejam obtidos. Isso é falso. Não é necessário que a *ciência* faça isso; pode até ser um *fato experimental*, mas não é necessário. Por exemplo, se um experimento for olhar para o céu e observar a aurora boreal em Estocolmo, você não a verá em Quito; é um fenômeno diferente. "Mas", você dirá, "isso é algo que se deve ao ambiente externo; e se você se trancar em uma sala em Estocolmo e fechar a cortina, obterá alguma diferença?" Certamente. Se pegarmos um pêndulo em uma junta universal, o empurrarmos e o deixarmos oscilar, então ele oscilará quase em um plano, mas não exatamente. Lentamente, o plano irá mudar em Estocolmo, mas não em Quito. As cortinas também estão fechadas. O fato disso acontecer não implica na destruição da ciência. Qual *é* a hipótese fundamental da ciência, a filosofia fundamental? Nós a enunciamos no primeiro capítulo: *o único teste de validade de qualquer ideia é o experimento*. Se for revelado que vários experimentos funcionam da mesma forma em Quito e em Estocolmo, então esses "vários experimentos" serão usados para formular alguma lei geral; aqueles experimentos que não funcionaram da mesma forma, diremos que foram resultado do ambiente perto de Estocolmo. Inventaremos algum modo de resumir os resultados do experimento e não precisamos ser informados de antemão como será. Se nos disserem que o mesmo experimento sempre dará o mesmo resultado, tudo bem, mas se quando tentarmos isso *não* ocorrer, então *não* ocorre. Apenas temos de reunir o que vimos e depois formular todo o resto de nossas ideias em termos de nossa experiência real.

Voltando novamente à mecânica quântica e à física fundamental, não podemos entrar nos detalhes dos princípios da mecânica quântica agora, é claro, porque são bastante difíceis de compreender. Vamos assumir que eles existem e vamos prosseguir para descrever quais são algumas das consequências. Uma das consequências é que coisas que costumávamos considerar como ondas também se comportam como partículas, e partículas se comportam como ondas; na verdade, tudo se comporta da mesma maneira. Não existe distinção entre uma onda e uma partícula. Assim, a mecânica quântica *unifica* a ideia do campo e suas ondas e as partículas em uma ideia só. É verdade que quando a frequência é baixa, o aspecto de campo do fenômeno é mais evidente, ou mais útil como uma descrição aproximada em termos das experiências do dia a dia. Contudo, com o aumento da frequência, os aspectos de partícula do fenômeno tornam-se mais evidentes com o equipamento com que costumamos fazer as medidas. Na verdade, embora mencionássemos várias frequências, nenhum fenômeno envolvendo diretamente uma frequência acima de cerca de 10^{12} ciclos por segundo já foi detectado. Apenas *deduzimos* as frequências maiores da energia das partículas por meio de uma regra que assume que a ideia de partícula-onda da mecânica quântica é válida.

Assim, temos uma nova visão da interação eletromagnética. Temos um novo tipo de *partícula* para adicionar ao elétron, ao próton e ao nêutron. Essa nova partícula é chamada de *fóton*. A nova visão da interação de elétrons e fótons que é teoria eletromagnética, mas com tudo corrigido quantum-mecanicamente, é chamada de *eletrodinâmica quântica*. Essa teoria fundamental da interação de luz e matéria, ou campo elétrico e cargas, é nosso maior sucesso até agora na física. Nessa única teoria, temos as regras básicas para todos os fenômenos comuns, exceto para gravitação e processos nucleares. Por exemplo, da eletrodinâmica quântica vêm todas as leis elétricas, mecânicas e químicas conhecidas:

as leis para a colisão de bolas de bilhar, o movimento de fios em campos magnéticos, o calor específico do monóxido de carbono, a cor de letreiros de néon, a densidade do sal e as reações de hidrogênio e oxigênio para formar água são todas consequências dessa lei específica. Todos esses detalhes podem ser analisados se a situação for suficientemente simples para que façamos uma aproximação, o que quase nunca ocorre, mas frequentemente podemos compreender mais ou menos o que está acontecendo. Até o presente momento, nenhuma exceção foi encontrada às leis da eletrodinâmica quântica fora dos núcleos, e lá não sabemos se há uma exceção, porque simplesmente não sabemos o que está acontecendo no núcleo.

Em princípio, então, a eletrodinâmica quântica é a teoria de toda a química e da vida, se a vida for fundamentalmente reduzida à química e, portanto, simplesmente à física, porque a química já está reduzida (a parte da física envolvida na química já sendo conhecida). Além disso, a mesma eletrodinâmica quântica, essa maravilha, prevê muitas coisas novas. Em primeiro lugar, ela determina as propriedades de fótons de alta energia, raios gama, etc. Previu outra coisa notável: além do elétron, deveria haver outra partícula de mesma massa, mas de carga oposta, chamada de *pósitron*, e as duas, ao se encontrarem, deveriam se aniquilar uma à outra com a emissão de luz ou raios gama. (Afinal, luz e raios gama são a mesma coisa, eles são apenas pontos diferentes em uma escala de frequência.) A generalização disso, que para cada partícula existe uma antipartícula, revela-se verdadeira. No caso dos elétrons, a antipartícula possui outro nome – ela é chamada de pósitron, mas para a maioria das outras partículas é chamada de antifulana, como antipróton ou antinêutron. Na eletrodinâmica quântica, *dois números* são colocados e a maioria dos outros números do mundo resulta desses. Esses dois números colocados são chamados de massa do elétron e carga do elétron. Na verdade, isso não é totalmente verdadeiro, pois temos todo um conjunto de números na química que nos informam o quão pesados são os núcleos. Isso nos leva à próxima parte.

2–4 Núcleos e partículas

De que é constituído o núcleo e como ele fica coeso? Foi descoberto que a coesão do núcleo se deve a forças enormes. Quando tais forças são liberadas, a energia é muito maior comparada com a energia química, na mesma proporção da explosão de uma bomba atômica para uma explosão de uma TNT, porque, é claro, a bomba atômica diz respeito a mudanças dentro do núcleo, enquanto que a explosão de TNT diz respeito a mudanças dos elétrons no exterior dos átomos. A questão é: quais são as forças que mantêm os prótons e os nêutrons unidos no núcleos? Assim como a interação elétrica pode ser associada a uma partícula, um fóton, Yukawa sugeriu que as forças entre nêutrons e prótons também têm alguma espécie de campo e que, quando esse campo se agita, ele se comporta como uma partícula. Portanto, poderiam existir outras partículas no mundo além de prótons e nêutrons, e ele foi capaz de deduzir as propriedades dessas partículas a partir das características já conhecidas das forças nucleares. Por exemplo, ele previu que elas deveriam ter uma massa duzentas ou trezentas vezes maior que a do elétron; e veja só que nos raios cósmicos foi descoberta uma partícula com a massa certa! No entanto, mais tarde, foi descoberto que era a partícula errada. Ela foi chamada de méson μ, ou múon.

Entretanto, pouco depois, em 1947 ou 1948, outra partícula foi encontrada, o méson π, ou píon, que satisfez ao critério de Yukawa. Portanto, além do próton e do nêutron, para obter forças nucleares precisamos acrescentar o píon. Agora você diz: "Ótimo! Com essa teoria fazemos a nucleodinâmica quântica usando os píons exatamente como Yukawa queria fazer, veremos se funciona e tudo será explicado." Que azar. Acontece que os cálculos envolvidos nessa teoria são tão difíceis que ninguém jamais conseguiu descobrir quais são as consequências da teoria ou verificá-la experimentalmente, e isso vem se estendendo por quase vinte anos!

Então estamos emperrados com uma teoria e não sabemos se ela está certa ou errada, mas sabemos que ela está um *pouco* errada ou pelo menos incompleta. Enquanto estamos vagando teoricamente, tentando calcular as consequências dessa teoria, os físicos experimentais têm feito algumas descobertas. Por exemplo, eles já haviam descoberto esse múon, e ainda não sabemos onde ele se encaixa. Adicionalmente, nos raios cósmicos, uma grande quantidade de outras partículas, "extras" foi encontrada. Até hoje foram descobertas cerca de trinta partículas, e é muito difícil entender as relações de todas elas e o que a natureza quer delas ou quais são as conexões entre elas. Não compreendemos hoje essas várias partículas como aspectos diferentes da mesma coisa, e o fato de termos tantas partículas desconexas é uma representação do fato de que temos tantas informações desconexas sem uma boa teoria. Após os grandes sucessos da eletrodinâmica quântica, existe uma certa quantidade de conhecimentos da física nuclear que são conhecimentos aproximados, uma espécie de meia experiência e meia teoria, assumindo um tipo de força entre prótons e nêutrons, e vendo o que acontecerá, mas sem realmente entender a origem das forças. Além disso, fizemos pouquíssimo progresso. Coletamos um número enorme de elementos químicos. No caso da química, rapidamente apareceu uma relação entre esses elementos, que era inesperada, e que tomou corpo na tabela periódica de Mendeleev. Por exemplo, o sódio e o potássio são quase semelhantes em suas propriedades químicas e se encontram na mesma coluna na tabela de Mendeleev. Temos procurado uma tabela como a de Mendeleev para as novas partículas. Uma dessas tabelas das novas partículas foi preparada independentemente por Gell-Mann, nos Estados Unidos, e Nishijima, no Japão. A base dessas classificações é um novo número, como a carga elétrica, que pode ser atribuída a cada partícula, chamada de "estranheza", S. Esse número é conservado, como a carga elétrica, em reações que ocorrem devido às forças nucleares.

Na Tabela 2-2, estão listadas todas as partículas. Não podemos discuti-las muito neste estágio, mas a tabela mostrará pelo menos o quanto não sabemos. Abaixo de cada partícula está sua massa em uma certa unidade chamada MeV. Um MeV é igual a cerca de $1{,}783 \times 10^{-27}$ gramas. A razão da escolha dessa unidade é histórica, e não a discutiremos agora. As partículas mais massivas foram colocadas na parte superior da tabela; vemos que um nêutron e um próton têm quase a mesma massa. Nas colunas verticais, colocamos as partículas com mesma carga elétrica, todas as partículas neutras em uma coluna (a do meio), todas as positivamente carregadas à direita da primeira e todas as negativamente carregadas à esquerda.

As partículas são mostradas com uma linha cheia e as "ressonâncias", com uma linha pontilhada. Várias partículas foram omitidas da tabela. Elas incluem as importantes partículas de massa zero e carga zero, o fóton e o gráviton, que não se enquadram no sistema de classificação bárion-méson-lépton, e também algumas das ressonâncias mais novas (K*, φ, η). As antipartículas dos mésons são listadas na tabela, mas as antipartículas dos léptons e dos bárions teriam de ser listadas em outra tabela, que pareceria exatamente igual a essa refletida na coluna de carga zero. Embora todas as partículas, exceto elétron, neutrino, fóton, gráviton e próton, sejam instáveis, os produtos da desintegração só foram mostrados para as ressonâncias. A atribuição da estranheza não é aplicável aos léptons, uma vez que eles não interagem fortemente com núcleos.

Todas as partículas que estão junto a nêutrons e prótons são chamadas de *bárions*, e as listadas a seguir existem: "lambda" com massa de 1115 MeV e três outras chamadas de sigmas, negativa, neutra e positiva, com várias massas quase iguais. Existem grupos ou multipletos com quase a mesma massa, com 1% ou 2%. Cada partícula em um multipleto possui a mesma estranheza. O primeiro multipleto é o dubleto próton-nêutron, depois vem um singleto (lambda), depois o tripleto sigma e, finalmente, o dubleto xi. Muito recentemente, em 1961, algumas novas partículas foram descobertas. Ou *serão* mesmo partículas? Elas têm vida tão breve, desintegrando-se quase instantaneamente assim que se formam, que não sabemos se devem ser considerados como novas partículas ou algum tipo de interação de "ressonância" de uma certa energia definida entre os produtos Λ e π em que se desintegram.

Tabela 2–2
Partículas elementares

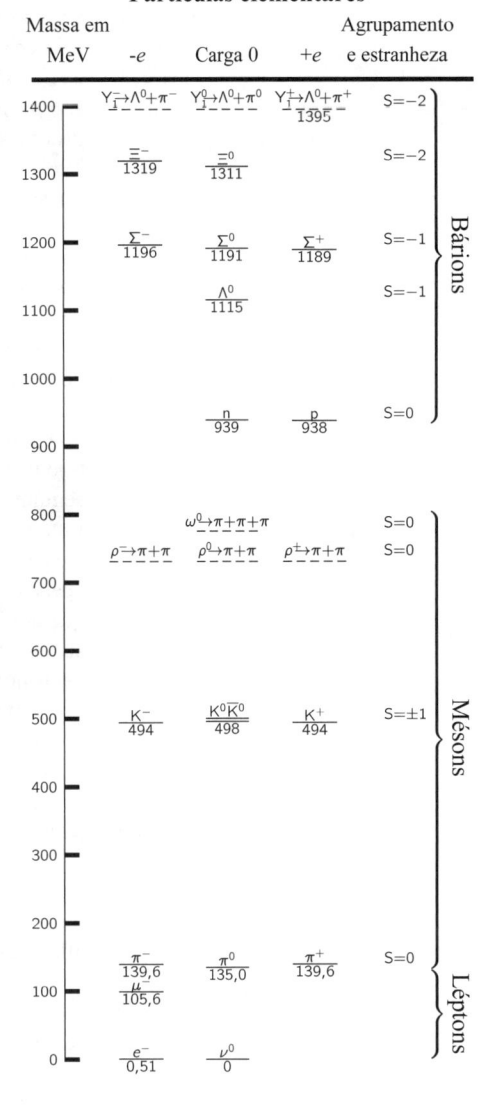

Massa em MeV	$-e$	Carga 0	$+e$	Agrupamento e estranheza	
1400	$Y_1^- \to \Lambda^0 + \pi^-$	$Y_1^0 \to \Lambda^0 + \pi^0$	$Y_1^+ \to \Lambda^0 + \pi^+$ (1395)	$S=-2$	
1300	Ξ^- / 1319	Ξ^0 / 1311		$S=-2$	Bárions
1200	Σ^- / 1196	Σ^0 / 1191	Σ^+ / 1189	$S=-1$	
1100		Λ^0 / 1115		$S=-1$	
1000					
900		n / 939	p / 938	$S=0$	
800		$\omega^0 \to \pi+\pi+\pi$		$S=0$	
700	$\rho^- \to \pi+\pi$	$\rho^0 \to \pi+\pi$	$\rho^+ \to \pi+\pi$	$S=0$	Mésons
600					
500	K^- / 494	$K^0 \bar{K}^0$ / 498	K^+ / 494	$S=\pm 1$	
400					
300					
200					
100	π^- / 139,6 ; μ^- / 105,6	π^0 / 135,0	π^+ / 139,6	$S=0$	Léptons
0	e^- / 0,51	ν^0 / 0			

Adicionalmente aos bárions, as outras partículas que são envolvidas na interação nuclear são chamadas de *mésons*. Primeiramente existem os píons, que vêm em três variedades: positivo, negativo e neutro; eles formam outro multipleto. Também descobrimos alguns tipos novos chamados de mésons K, que ocorrem como um dubleto, K^+ e K^0. Além disso, cada partícula tem sua antipartícula, a não ser que uma partícula *seja sua própria* antipartícula. Por exemplo, o π^- e o π^+ são antipartículas, mas o π^0 é sua própria antipartícula. K^- e K^+ são antipartículas, bem como K^0 e $\overline{K}^0$. Adicionalmente, em 1961, descobrimos também alguns outros mésons ou *talvez* mésons que se desintegram quase imediatamente. Uma coisa chamada ω que se transforma em três píons tem uma massa de 780 nessa escala, e um pouco mais incerto é uma partícula que se desintegra em dois píons. Essas partículas, chamadas mésons e bárions, e as antipartículas dos mésons, estão na mesma tabela, mas as antipartículas dos bárions devem ser colocadas em outra tabela, "refletida" através da coluna de carga zero.

Como a tabela de Mendeleev era muito boa, exceto pelo fato de que alguns elementos de terras-raras ficavam pendurados fora dela, também temos várias coisas penduradas fora dessa tabela – partículas que não interagem fortemente nos núcleos, que não estão relacionadas com a interação nuclear e que não têm uma interação forte (me refiro ao tipo de interação poderosa da energia nuclear). Essas são chamadas de léptons e são as seguintes: elétron, que tem uma massa muito pequena nessa escala, apenas 0,510 MeV. Então, existe o múon, com uma massa muito maior, 206 vezes mais pesado do que um elétron. Por todas as experiências até agora, a única diferença entre o elétron e o múon é apenas a massa. Tudo funciona exatamente igual para o múon como para o elétron, exceto que um é mais pesado do que o outro. Por que existe outra partícula mais pesada e qual sua utilidade? Não sabemos. Além disso, existe um lépton, que é neutro, chamado de neutrino, e essa partícula possui massa zero. Na verdade, é sabido agora que existem *dois* tipos diferentes de neutrinos, um relacionado aos elétrons e outro relacionado aos múons.

Finalmente, temos duas outras partículas que não interagem fortemente com as nucleares: uma é o fóton, e talvez, se o campo da gravidade também tiver um análogo mecânico-quântico (uma teoria da gravitação quântica está por ser elaborada), então haverá uma partícula, um gráviton, que terá massa zero.

O que é essa "massa zero"? As massas dadas aqui são as massas das partículas *em repouso*. O fato de que uma partícula possui massa zero significa, de certa forma, que não pode *estar* em *repouso*. Um fóton nunca está em repouso, ele está sempre se movendo a 300 mil quilômetros por segundo. Entenderemos melhor o que significa massa quando entendermos a teoria da relatividade, que virá no devido tempo.

Então, nós nos defrontamos com um grande número de partículas, que juntas parecem ser os constituintes fundamentais da matéria. Felizmente, essas partículas não são *todas* diferentes em suas *interações* mútuas. Na verdade, parece haver apenas *quatro tipos* de interações entre partículas, que, em ordem decrescente de força, são a força nuclear, as interações elétricas, a interação de decaimento beta e a gravidade. O fóton está acoplado a todas as partículas carregadas, e a força da interação é medida por um certo número, 1/137. A lei detalhada desse acoplamento é conhecida, que é a eletrodinâmica quântica. A gravidade está acoplada a toda *energia*, mas esse acoplamento é extremamente fraco,

Tabela 2–3
Interações elementares

Acoplamento	Intensidade*	Lei
Fóton a partículas carregadas	$\sim 10^{-2}$	Lei conhecida
Gravidade a toda energia	$\sim 10^{-40}$	Lei conhecida
Decaimentos fracos	$\sim 10^{-5}$	Lei parcialmente conhecida
Mésons a bárions	~ 1	Lei desconhecida (algumas regras conhecidas)

*A "intensidade" é uma medida adimensional da constante de acoplamento envolvida em cada interação ($\sim$ significa "da ordem de").

muito mais fraco do que o da eletricidade. Essa lei também é conhecida. Depois existem as denominadas decaimentos fracos – decaimento beta, que faz o nêutron se desintegrar em próton, elétron e neutrino de forma relativamente devagar. Essa lei só é conhecida em parte. A chamada interação forte, a interação méson-bárion, tem uma intensidade de 1 nessa escala, e a lei é completamente desconhecida, embora se conheçam algumas regras, como a de que o número de bárions não se altera em qualquer reação.

Esta é, portanto, a terrível condição de nossa física atual. Para resumi-la, eu diria isto: fora dos núcleos, parece que sabemos de tudo; dentro deles, a mecânica quântica é válida – os princípios da mecânica quântica não parecem falhar. O palco, onde colocamos todo o nosso conhecimento, diríamos que é o espaço-tempo relativístico; talvez a gravidade esteja envolvida no espaço-tempo. Não sabemos como começou o universo e nunca fizemos experiências que verifiquem nossas ideias de espaço e tempo precisamente, abaixo de certa distância minúscula, de modo que *conhecemos* apenas que nossas ideias funcionam acima dessa distância. Devemos acrescentar também que as regras do jogo são os princípios da mecânica quântica e esses princípios aplicam-se, tão longe quanto sabemos, às novas partículas como também às antigas. A origem das forças nos núcleos nos levam às novas partículas, mas infelizmente elas aparecem em grande profusão e nos falta uma compreensão completa das suas inter-relações, embora já saibamos que existem algumas relações surpreendentes entre elas. Parece que estamos gradualmente tateando rumo a uma compreensão do mundo das partículas subatômicas, mas na verdade não sabemos até onde ainda temos de ir nessa tarefa.

3

A Relação da Física com Outras Ciências

3–1 Introdução

A física é a mais fundamental e abrangente das ciências e teve um profundo efeito em todo o desenvolvimento científico. Na verdade, a física é atualmente correspondente ao que se costumava chamar *filosofia natural*, da qual surgiu a maioria de nossas ciências modernas. Estudantes de vários campos se pegam estudando física devido ao papel básico que ela tem em todos os fenômenos. Neste capítulo, tentaremos explicar quais são os problemas fundamentais nas outras ciências, mas é claramente impossível, em um espaço tão pequeno, lidar realmente com os temas complexos, sutis e bonitos desses outros campos. A falta de espaço também nos impede de discutir a relação da física com engenharia, indústria, sociedade e guerra, ou até mesmo a relação mais notável entre matemática e física. (A matemática não é uma ciência de nosso ponto de vista, no sentido de que não é uma ciência *natural*. O teste de sua validade não é a experiência.) Devemos, consequentemente, deixar claro desde o princípio que algo que não é uma ciência não é necessariamente ruim. Por exemplo, o amor não é uma ciência. Então, se algo não for considerado uma ciência, isso não significa que tenha algo de errado com ele; significa apenas que não é uma ciência.

3–1	Introdução
3–2	Química
3–3	Biologia
3–4	Astronomia
3–5	Geologia
3–6	Psicologia
3–7	Como as coisas evoluíram?

3–2 Química

A ciência que é talvez a mais profundamente afetada pela física é a química. Historicamente, nos primórdios da química, tratava-se quase que inteiramente do que chamamos hoje de química inorgânica, a química das substâncias que não são associadas aos seres vivos. Uma análise considerável foi necessária para descobrir a existência dos diferentes elementos e de suas relações – como constituem os diferentes compostos relativamente simples encontrados nas rochas, na terra, etc. Essa química inicial foi muito importante para a física. A interação entre as duas ciências foi muito grande porque a teoria dos átomos foi confirmada em grande parte por experimentos na química. A teoria da química, ou seja, das próprias reações, foi sintetizada em grande parte na tabela periódica de Mendeleev, que revela muitas relações estranhas entre vários elementos, e foi o conjunto de regras de como as substâncias se combinam com outras que constituiu a química inorgânica. Todas essas regras acabaram sendo explicadas em princípio pela mecânica quântica, de modo que a química teórica é na verdade física. Por outro lado, deve ser enfatizado que essa explicação é *em princípio*. Já discutimos a diferença entre conhecer as regras do jogo de xadrez e ser capaz de jogar. Assim, é possível que conheçamos as regras, mas não saibamos jogar muito bem. Foi revelado que é muito difícil prever precisamente o que vai acontecer em uma dada reação química; entretanto, a parte mais profunda da química teórica tem de acabar na mecânica quântica.

Existe também um ramo da física e da química que foi desenvolvido pelas duas ciências juntas e que é de extrema importância. Esse é o método da estatística aplicado em uma situação em que há leis mecânicas, que foi apropriadamente chamado de *mecânica estatística*. Em qualquer situação química, um número muito grande de átomos está envolvido, e discutimos que os átomos estão dançando de forma muito aleatória e complicada. Se pudéssemos analisar cada colisão e fôssemos capazes de seguir em detalhe o movimento de cada molécula, talvez pudéssemos descobrir o que aconteceria; porém, os muitos números necessários para rastrear todas essas moléculas excedem tão enormemente a capacidade de qualquer computador, e certamente a capacidade da mente, que foi importante desenvolver um método para lidar com situações tão complicadas. A mecânica estatística é, então, a ciência dos fenômenos do calor ou termodinâmica. A química inorgânica é, como uma ciência, reduzida agora essencialmente ao que é chamado de físico-química e química quântica; físico-química para estudar as velocidades com que as reações ocorrem e o que está acontecendo em detalhe (como as moléculas colidem? Que parte é liberada primeiro? etc.), e química quântica para nos ajudar a entender o que acontece em termos das leis físicas.

O outro ramo da química é a *química orgânica*, a química das substâncias que são associadas aos seres vivos. Por algum tempo, acreditou-se que as substâncias associadas aos seres vivos eram tão maravilhosas que não poderiam ser feitas à mão a partir de materiais inorgânicos. Isso não é de forma alguma verdade – elas são análogas às substâncias criadas na química inorgânica, porém com arranjos de átomos mais complicados. A química orgânica obviamente tem uma relação muito estreita com a biologia, que fornece suas substâncias, e com a indústria. Adicionalmente, grande parte da físico-química e da mecânica quântica pode ser aplicada aos compostos orgânicos tanto quanto aos compostos inorgânicos. Entretanto, os problemas principais da química orgânica não estão nesses aspectos, mas principalmente na análise e na síntese das substâncias que são formadas em sistemas biológicos, em seres vivos. Isso nos leva imperceptivelmente e passo a passo à bioquímica e em seguida à própria biologia ou à biologia molecular.

3–3 Biologia

Então, chegamos à ciência da *biologia*, que estuda os seres vivos. Nos primeiros momentos da biologia, os biólogos tiveram de lidar com o problema puramente descritivo de descobrir *quais* tipos de seres vivos existiam, e para isso eles tinham de contar coisas como os pêlos dos membros das pulgas. Depois que essas questões foram solucionadas com grande interesse, os biólogos passaram para o funcionamento dos corpos vivos, primeiro de um ponto de vista global, pois naturalmente é necessário um certo esforço para chegar aos pequenos detalhes.

Inicialmente, existiu uma interessante relação entre a física e a biologia, por meio da qual a biologia ajudou a física na descoberta da *conservação da energia*, que foi demonstrada primeiro por Mayer em conexão com a quantidade de calor recebida e liberada por um ser vivo.

Se examinarmos mais detalhadamente os processos biológicos dos animais vivos, veremos *muitos* fenômenos físicos: circulação do sangue, bombas, pressão, etc. Existem nervos: sabemos o que está ocorrendo ao pisarmos em uma pedra afiada e que de alguma forma a informação segue perna acima. É interessante como isso acontece. Os biólogos, em seu estudo dos nervos, chegaram à conclusão de que esses nervos são tubos muito finos com uma parede complexa que também é muito fina; através dessa parede a célula bombeia íons, de forma a existirem íons positivos no exterior e íons negativos no interior, como um capacitor. Portanto, essa membrana possui uma propriedade interessante; se ela "descarregar-se" num lugar, isto é, se alguns dos íons forem capazes de se deslocar por um lugar de modo que a voltagem elétrica seja reduzida ali, então essa influência elétrica se fará sentir nos íons na vizinhança e isso afetará a membrana de tal forma que deixará os íons passarem por pontos vizinhos também. Esse ambiente afetará a membrana ainda mais longe, etc., e dessa forma existirá uma onda de "penetrabilidade" da membrana que percorre a fibra quando ela for "excitada" em uma extremidade, ao se pisar na pedra afiada. Essa onda é, de algum modo, análoga a uma longa sequência de dominós verticais; se o de uma extremidade for derrubado, ele derrubará o próximo e assim por diante. É claro que isso transmitirá apenas uma única mensagem, a menos que os dominós sejam levantados novamente; similarmente, na célula nervosa, existem processos que bombeiam os íons lentamente de novo, para preparar o nervo para o próximo impulso. Então, é assim que sabemos o que estamos fazendo (ou pelo menos onde estamos). Certamente, os efeitos elétricos associados a esse impulso nervoso podem ser captados com instrumentos elétricos, e porque *existem* de fato efeitos elétricos, obviamente a física dos efeitos elétricos teve uma enorme influência na compreensão do fenômeno.

O efeito oposto é que, de algum ponto do cérebro, uma mensagem é enviada ao longo de um nervo. O que acontece na extremidade do nervo? Ali o nervo se ramifica em finas e pequenas terminações, conectadas a uma estrutura próxima de um músculo, chamadas placas terminais. Por razões que não são exatamente compreendidas, quando o impulso atinge a extremidade do nervo, pequenos pacotes de uma substância química chamada acetilcolina são disparados (cinco ou dez moléculas de uma vez) e elas afetam a fibra do músculo e o fazem contrair – tão simples! O que faz um músculo contrair? Um músculo é um grande número de fibras próximas entre si, contendo duas substâncias diferentes, miosina e actomiosina, mas o mecanismo pelo qual a reação química induzida pela acetilcolina pode modificar as dimensões do músculo ainda não é conhecido. Assim, os processos fundamentais no músculo que provocam movimentos mecânicos não são conhecidos.

A biologia é um campo tão vasto que existem inúmeros problemas que não conseguiríamos mencionar de forma alguma – problemas de como funciona a visão (o que a luz faz no olho), como funciona a audição, etc. (A forma como funciona o *pensamento* discutiremos adiante, com a psicologia.) Agora, sob o ponto de vista biológico, esses temas da biologia que acabamos de discutir não são realmente fundamentais para a base da vida, no sentido de que mesmo que os entendêssemos continuaríamos sem entender a própria vida. Para ilustrar: as pessoas que estudam os nervos acham que seu trabalho é muito importante, porque apesar de tudo não pode haver animais sem nervos. No entanto, *pode* haver *vida* sem nervos. As plantas não têm nervos nem músculos, mas estão funcionando, estão vivas do mesmo modo. Então, para os problemas fundamentais da biologia, devemos olhar mais profundamente; ao fazermos isso, descobrimos que todos os seres vivos têm muitas características comuns. O aspecto mais comum é que são constituídos de *células*, cada uma com um mecanismo complexo para efetuar processos químicos. Nas células das plantas, por exemplo, existe um mecanismo que capta a luz e gera sacarose, que é consumida no escuro para manter a planta viva. Quando a planta é comida, a própria sacarose gera no animal uma série de reações químicas muito intimamente relacionadas à fotossíntese (e seu efeito oposto no escuro) nas plantas.

Nas células de sistemas vivos ocorrem muitas reações químicas elaboradas em que um composto é transformado em outro e depois em outro. Para dar uma ideia dos imensos esforços no estudo da bioquímica, o diagrama na Fig. 3-1 resume nosso conhecimento atual de apenas uma pequena parte das várias séries de reações que ocorrem nas células, talvez uma pequena porcentagem delas.

Aqui vemos toda uma série de moléculas que se transformam em outras em uma sequência ou um ciclo de pequenos passos. Isso é chamado de Ciclo de Krebs, o ciclo respiratório. Cada uma das substâncias químicas e cada um dos passos é razoavelmente simples em termos da mudança feita na molécula, mas – e essa é uma descoberta importantíssima na bioquímica – essas mudanças são *relativamente difíceis de ocorrer em um laboratório*. Se tivermos uma substância e outra muito similar, uma não se transformará simplesmente na outra, porque as duas formas costumam estar separadas por uma barreira de energia ou um "monte". Considere esta analogia: se quiséssemos levar um objeto

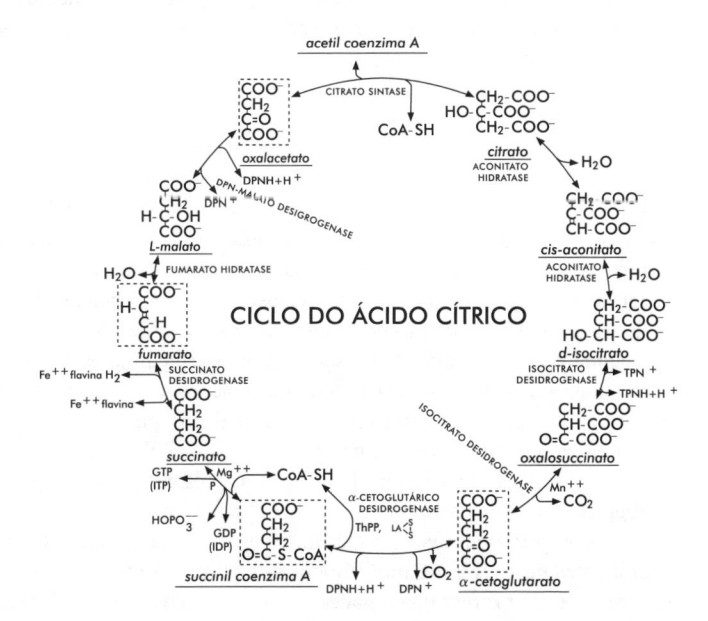

Figura 3-1 O Ciclo de Krebs.

de um lugar para outro, no mesmo nível mas do outro lado de um monte, poderíamos empurrá-lo por cima do monte, mas isso requer um acréscimo de certa energia. Portanto, a maioria das reações químicas não ocorre, porque existe o que chamamos de *energia de ativação* no caminho. Para adicionarmos um átomo em uma substância química é necessário que o *aproximemos* o suficiente para que possa ocorrer uma reorganização; então ele se ligará. Se não conseguimos dar a ele a energia suficiente para que se aproxime o bastante, ele não irá até o fim, só subirá um pouco do "monte" e descerá de novo. Entretanto, se pudéssemos literalmente pegar as moléculas em nossas mãos e empurrar e puxar os átomos de modo a abrir um buraco para deixar o novo átomo entrar, e depois deixá-lo saltar de volta, teríamos encontrado outro caminho *ao redor* do monte que não requereria energia extra, e a reação ocorreria facilmente. Na verdade, *existem* nas células moléculas *muito* grandes, bem maiores do que aquelas cujas mudanças estamos descrevendo, que de certa forma complicada seguram as moléculas menores da forma certa para que a reação possa ocorrer com facilidade. Essas moléculas enormes e complicadas são chamadas de *enzimas*. (Elas foram primeiramente chamadas de fermentos, porque foram originalmente descobertas na fermentação do açúcar. Na verdade, algumas das primeiras reações do ciclo foram descobertas ali.) Na presença de uma enzima, a reação ocorrerá.

Uma enzima é feita de uma outra substância chamada *proteína*. As enzimas são muito grandes e complicadas, e cada uma é diferente, cada uma é construída para controlar certa reação especial. Os nomes das enzimas estão escritos na Fig. 3-1, em cada reação. (Algumas vezes, a mesma enzima pode controlar duas reações.) Enfatizamos que as próprias enzimas não estão envolvidas diretamente na reação. Elas não se transformam; elas apenas deixam um átomo ir de um lugar para outro. Feito isso, a enzima está pronta para fazê-lo com a próxima molécula, como uma máquina em uma fábrica. É claro que deve haver um suprimento de certos átomos e uma forma de desfazer-se de outros átomos. Tomemos o hidrogênio, por exemplo: enzimas que possuem unidades especiais que transportam o hidrogênio para todas as reações químicas. Por exemplo, existem três ou quatro enzimas redutoras de hidrogênio que são usadas em todo o nosso ciclo em diferentes lugares. É interessante que o mecanismo que libera certo hidrogênio em um lugar levará esse hidrogênio e o usará em outro lugar.

A característica mais importante do ciclo da Fig. 3-1 é a transformação de GDP em GTP (guanosina-difosfato em guanosina-trifosfato), porque uma substância tem muito mais energia do que a outra. Assim como existe uma "caixa" em certas enzimas para transportar átomos de hidrogênio, existem "caixas" especiais transportadoras de *energia* que envolvem o grupo trifosfato. Portanto, GTP possui mais energia do que GDP e, se o ciclo evoluir em uma direção, estaremos produzindo moléculas com energia extra e que poderão controlar algum outro ciclo que *requeira* energia, a exemplo da contração do músculo. O músculo não se contrai a menos que exista GTP. Podemos pegar uma fibra de músculo, mergulhá-la na água, adicionar GTP e a fibra se contrairá, transformando GTP em GDP se as enzimas certas estiverem presentes. Dessa forma, o verdadeiro sistema está na transformação de GDP-GTP; no escuro, o GTP, que foi armazenado durante o dia, é usado para acionar todo o ciclo na direção contrária. Uma enzima não se importa com a direção da reação, pois se o fizesse estaria violando uma das leis da física.

A física é de grande importância na biologia e em outras ciências por ainda outra razão, que tem a ver com as *técnicas experimentais*. Na verdade, não fosse o grande desenvolvimento da física experimental, esses ciclos bioquímicos não seriam conhecidos até hoje. A razão é que a ferramenta mais útil para analisar esse sistema fantasticamente complexo é *marcar* os átomos que são usados nas reações. Então, se pudéssemos introduzir no ciclo algum dióxido de carbono com uma "marca verde" nele e em seguida medir após três segundos onde a marca verde está e novamente medir após dez segundos e assim por diante, conseguiríamos rastrear o rumo das reações. Que são as "marcas verdes"? São diferentes *isótopos*. Lembremos que as propriedades químicas dos átomos são determinadas pelo número de *elétrons* e não pela massa do núcleo. Podem existir, por exemplo, no carbono, seis ou sete nêutrons junto aos seis prótons que todos os núcleos de carbono possuem. Quimicamente, os átomos C^{12} e C^{13} são os mesmos, mas diferem no peso e têm diferentes propriedades nucleares, de modo que são distinguíveis. Usando esses isótopos de diferentes pesos, ou mesmo isótopos radioativos como C^{14}, que oferecem um meio mais sensível de rastrear quantidades muito pequenas, é possível rastrear as reações.

Agora, retornemos à descrição de enzimas e proteínas. Nem toda proteína é uma enzima, mas todas as enzimas são proteínas. Existem muitas proteínas, como as proteínas nos músculos, as proteínas estruturais que estão presentes, por exemplo, em cartilagens, cabelos, pele, etc., e que não são enzimas. Entretanto, as proteínas são substâncias muito características da vida: em primeiro lugar, constituem todas as enzimas e, em segundo, constituem grande parte do restante do material vivo. As proteínas têm uma estrutura muito interessante e simples. Elas são uma série, ou cadeia, de diferentes *aminoácidos*. Existem *vinte* diferentes aminoácidos e todos eles podem se combinar entre si para formar cadeias cuja espinha dorsal é CO-NH, etc. As proteínas não passam de cadeias de vários desses vinte aminoácidos. Cada aminoácido provavelmente tem um propósito especial. Alguns, por exemplo, possuem um átomo de enxofre em certo lugar; quando dois átomos de enxofre estão na mesma proteína, formam uma ligação, ou seja, eles amarram a cadeia em dois pontos e formam um laço (*loop*). Outro tem átomos extras de oxigênio que o tornam uma substância ácida, outro tem uma característica básica. Alguns deles têm grandes grupos pendendo em um lado, de modo que ocupam muito espaço. Um dos aminoácidos, chamado de prolina, não é realmente um aminoácido, mas um iminoácido. Há uma diferença sutil, com o resultado de que quando uma prolina está na cadeia, forma uma dobra nela. Se quiséssemos produzir uma proteína específica, daríamos as seguintes instruções: ponha um desses ganchos de enxofre aqui; depois, acrescente algo para tomar espaço; em seguida anexe algo para pôr uma dobra na cadeia. Desse modo, obteremos uma cadeia de aspecto complicado, agregada e com certa estrutura complexa; essa é presumivelmente a maneira como todas as várias enzimas são feitas. Um dos grandes triunfos nos tempos recentes (desde 1960) foi descobrir enfim o arranjo atômico espacial exato de certas proteínas, que envolve cerca de 56 ou 60 aminoácidos enfileirados. Mais de mil átomos (cerca de dois mil, se contarmos os átomos de hidrogênio) foram localizados em um padrão complexo em duas proteínas. A primeira foi a hemoglobina. Um dos aspectos tristes dessa descoberta foi que não conseguimos concluir nada do padrão; não entendemos por que funciona do modo que funciona. Sem dúvida, esse será o próximo problema a ser abordado.

Outro problema é definir como as enzimas sabem o que devem ser. Uma mosca de olhos vermelhos gera um bebê mosca de olhos vermelhos e assim a informação para todo padrão de enzimas de produzir pigmento vermelho deve ser transmitida de uma mosca para a próxima. Isso se dá através de uma substância no núcleo da célula, que não é uma proteína, chamada DNA (abreviatura de ácido desoxirribonucleico). Essa é uma substância-chave que é passada de uma célula para a outra (por exemplo, as células do espermatozoide consistem principalmente em DNA) e carrega a informação de como produzir as enzimas. O DNA é o "projeto". Qual é o aspecto do projeto e como ele funciona? Primeiro, o projeto deve ser capaz de se reproduzir. Segundo, deve ser capaz de instruir as proteínas. Quanto à reprodução, podemos pensar que se assemelha à reprodução celular. As células simplesmente crescem e em seguida se dividem na metade. Isso deve ocorrer também com as moléculas de DNA, crescer e se dividir pela metade? Cada *átomo* certamente não cresce e nem se divide pela metade! Não, esse mecanismo é impossível para reproduzir uma molécula, certamente deve existir um mecanismo mais inteligente que esse.

A estrutura da substância DNA foi estudada por muito tempo, primeiro quimicamente, para se descobrir a composição, e em seguida com raios X, para se descobrir o padrão no espaço. O resultado foi a seguinte descoberta extraordinária: a molécula de DNA é um par de cadeias, trançada uma na outra. A espinha dorsal de cada uma dessas cadeias, que são análogas às cadeias de proteínas porém quimicamente diferentes, é uma série de açúcares e grupos de fosfato, como mostra a Fig. 3-2. Agora vemos como a cadeia consegue conter instruções, pois se pudéssemos dividir essa cadeia ao meio, teríamos uma série *BAADC...* e todo ser vivo poderia ter uma série diferente. Então talvez, de certa forma, as *instruções* específicas para a produção de proteínas estejam contidas na *série* específica do DNA.

Anexado a cada açúcar ao longo da linha e unindo as duas cadeias entre si estão certos pares de elos cruzados. Porém, eles não são todos do mesmo tipo; existem quatro tipos, chamados de adenina, timina, citosina e guanina,

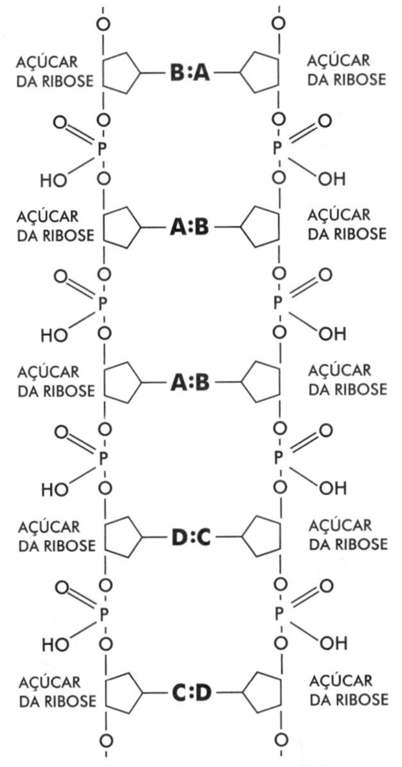

Figura 3-2 Diagrama esquemático do DNA.

mas vamos chamá-los de A, B, C e D. O interessante é que apenas certos pares podem se formar, por exemplo: A com B e C com D. Esses pares são colocados nas duas cadeias de modo a "se combinarem" e terem uma forte energia de interação. Entretanto, C não combina com A e B não combina com C; eles só combinam em pares, A com B e C com D. Portanto, se um for C, o outro deve ser D, etc. Quaisquer que sejam as letras em uma cadeia, cada uma deverá ter sua letra complementar específica na outra cadeia.

E quanto à reprodução? Suponhamos que dividimos essa cadeia em duas. Como podemos fazer outra exatamente igual? Se, nas substâncias das células, existir um departamento de fabricação que produza fosfato, açúcar e unidades A, B, C, D não conectadas em uma cadeia, as únicas que irão se ligar à nossa cadeia dividida serão as corretas, os complementos de $BAADC$... serão $ABBCD$.... Sendo assim, o que ocorre é que a cadeia se divide pela metade durante a divisão da célula, uma metade fica com uma célula, a outra metade acaba ficando na outra célula; quando separadas, uma nova cadeia complementar é produzida por cada metade de cadeia.

Então, vem a pergunta: precisamente como a ordem das unidades A, B, C e D determina o arranjo dos aminoácidos na proteína? Esse é o problema central e não resolvido até hoje na biologia. As primeiras pistas, ou partes de informação, são estas: existem nas células pequeninas partículas chamadas de ribossomos e é sabido que é nelas onde as proteínas são feitas. Contudo, os ribossomos não estão no núcleo, onde estão o DNA e suas instruções. Algo parece estar errado. Entretanto, também é sabido que pequenas partes de molécula vêm do DNA – não tão longos como a grande molécula de DNA que carrega todas as informações, mas como uma pequena seção dela. Essas são chamadas de RNA, mas isso não é essencial. É uma espécie de cópia do DNA, uma cópia pequena. O RNA, que de alguma forma carrega uma mensagem como o tipo de proteína a produzir, vai para o ribossomo; isso é sabido. Quando ele chega lá, a proteína é sintetizada no ribossomo. Isso também se sabe. Entretanto, os detalhes de como os aminoácidos entram e são dispostos de acordo com um código que está no RNA ainda são desconhecidos. Não sabemos interpretá-lo. Se conhecêssemos, por exemplo, a sequência A, B, C, C, A, não saberíamos dizer qual proteína deve ser produzida.

Certamente, nenhum tema ou campo fez mais progresso em tantas frentes no presente momento do que a biologia, e se tivéssemos de nomear a mais poderosa de todas as hipóteses, que nos faz avançar cada vez mais na tentativa de entender a vida, seria a de que *todas as coisas são constituídas de átomos* e que todas as ações dos seres vivos podem ser compreendidas em termos da dança e do balanço dos átomos.

3–4 Astronomia

Nesta explicação a jato do mundo inteiro, devemos nos voltar agora à astronomia. A astronomia é mais antiga do que a física. De fato, ela deu origem à física ao mostrar a bela simplicidade do movimento das estrelas e dos planetas. A compreensão disso foi o *início* da física. Ainda assim, a descoberta mais incrível em toda a astronomia é que *as estrelas são feitas de átomos do mesmo tipo daqueles na Terra*.[1] Como se chegou a isso? Os átomos liberam luz com frequências definidas, algo como o timbre de um

---

[1] Como estou com pressa para terminar isto! Quanta informação está contida em cada frase desta breve narrativa. "As estrelas são feitas dos mesmos átomos que a Terra". Normalmente, eu escolho um pequeno tema como esse para dar uma palestra. Os poetas dizem que a ciência retira a beleza das estrelas – meros globos de gases atômicos. Nada é "mero". Eu também posso contemplar as estrelas em uma noite no deserto e senti-las, mas será que vejo menos ou mais? A vastidão do firmamento expande minha imaginação – preso nesse carrossel, meus pequenos olhos conseguem captar luz de um milhão de anos atrás. Um vasto padrão – do qual faço parte –, talvez minha matéria tenha sido expelida por alguma estrela esquecida, como uma está expelindo ali. Ou vê-las com o olho maior do observatório de Palomar afastando-se de algum ponto inicial comum onde estiveram talvez todas reunidas. Qual o padrão, o significado, o *porquê*? Não faz mal ao mistério saber um pouco sobre ele. Pois a verdade é muito mais maravilhosa do que qualquer artista do passado tenha imaginado! Por que os poetas do presente não falam mais disso? Os poetas são capazes de falar de Júpiter como se ele fosse um indivíduo, mas se eles soubessem que Júpiter não passa de uma imensa esfera de metano e amônia que está girando, será que eles se calariam?

instrumento musical, que tem definidos tons ou frequências de som. Quando escutamos diferentes tons, podemos distingui-los, mas quando enxergamos com nossos olhos uma mistura de cores, não conseguimos distinguir as partes das quais foi feita, porque o olho está muito longe da precisão de discernimento que o ouvido tem. Entretanto, com um espectrômetro, *podemos* analisar as frequências das ondas luminosas e, desse modo, enxergar os vários tons dos átomos que estão nas diferentes estrelas. Na verdade, dois dos elementos químicos foram descobertos em uma estrela antes de serem detectados na Terra. O hélio foi descoberto no Sol, daí seu nome, e o tecnécio foi descoberto em certas estrelas frias. Isso, é claro, permite-nos avançar na compreensão das estrelas, porque elas são feitas dos mesmos tipos de átomos que estão na Terra. Considerando que sabemos muito sobre o comportamento dos átomos, especialmente quanto ao seu comportamento sob condições de alta temperatura e numa densidade não muito grande, podemos, por meio da mecânica estatística, analisar o comportamento da substância estelar. Apesar de não podermos reproduzir as condições estelares na Terra, usando as leis básicas da físicas podemos com frequência prever precisamente, ou muito proximamente, o que acontecerá. É assim que a física ajuda a astronomia. Por estranho que pareça, entendemos a distribuição de matéria no interior do Sol bem melhor do que entendemos a do interior da Terra. O que acontece *dentro* de uma estrela é mais bem compreendido do que se poderia imaginar pela dificuldade de examinar um pontinho de luz com o auxílio de um telescópio, porque podemos *calcular* o que os átomos nas estrelas deveriam fazer na maioria das circunstâncias.

Uma das descobertas mais impressionantes foi a origem da energia das estrelas, o que as faz continuar queimando. Um dos homens que descobriu isso estava passeando com sua namorada uma noite após ter compreendido que as *reações nucleares* devem estar sempre ocorrendo nas estrelas para fazê-las brilhar. Então a namorada disse: "Olhe que lindo o brilho das estrelas!" E ele respondeu: "Sim, e neste momento eu sou o único homem do mundo que sabe *por que* elas brilham". Ela simplesmente riu dele, não ficou impressionada em estar saindo com o único homem que, naquele momento, sabia por que as estrelas brilham. Bem, é triste estar só, mas é assim que as coisas são no mundo.

É a "queima" nuclear do hidrogênio que fornece a energia do Sol; o hidrogênio é convertido em hélio. Além disso, no final das contas, a produção de vários elementos químicos ocorre nos centros das estrelas a partir do hidrogênio. O material de que *nós* somos constituídos foi "cozido" a muito tempo atrás em uma estrela e expelido. Como sabemos? Porque existe uma pista. A proporção dos diferentes isótopos – considerando que a quantidade de C^{12}, de C^{13}, etc., é algo que nunca se modifica por meio de reações *químicas*, porque essas reações químicas são idênticas para ambos. As proporções são puramente o resultado de reações *nucleares*. Examinando as proporções dos isótopos nas cinzas frias e mortas que nós somos, podemos descobrir como foi a *fornalha* em que se formou o material de que somos constituídos. Essa fornalha foi como as estrelas, sendo portanto muito provável que nossos elementos fossem "produzidos" nas estrelas e expelidos nas explosões que chamamos de novas e supernovas. A astronomia está tão próxima da física que estudaremos vários temas astronômicos ao avançarmos neste nosso curso.

3–5 Geologia

Agora falaremos sobre o que é chamado de *ciências da terra*, ou *geologia*. Primeiro, a meteorologia e o tempo. É claro que os *instrumentos* da meteorologia são instrumentos físicos e o desenvolvimento da física experimental tornou possíveis esses instrumentos, como já foi explicado. Entretanto, a teoria da meteorologia nunca foi satisfatoriamente formulada pelos físicos. "Bem", você dirá, "não há nada a não ser ar, e conhecemos as equações dos movimentos do ar". Sim, conhecemos. "Então, se conhecemos a condição do ar hoje, por que não conseguimos descobrir a condição do ar amanhã?" Primeiro, não sabemos *realmente* qual é a condição hoje, porque o ar está rotacionando e girando por toda parte. O que se revelou muito sensível e até mesmo instável. Se você já viu água fluindo suavemente sobre uma represa e em seguida transformando-se em um grande número de bolhas e gotas ao cair, você entenderá o que quero dizer por instável. Você conhece a condição da água antes de transpor o desaguadouro; ela está perfeitamente tranquila; mas no momento em que começa a cair, em que ponto começam as gotas? O que determina quão grandes serão as massas d'água e onde estarão? Isso não se sabe, porque a água é instável. Mesmo uma massa de ar em movimento suave sobre uma montanha transforma-se em complexos redemoinhos e turbilhões. Em muitos campos, encontramos essa situação de *fluxo turbulento* que hoje ainda não sabemos analisar. Rapidamente, deixemos o tema do clima para discutir geologia!

A questão básica da geologia é: o que faz a Terra ser do jeito que é? Os processos mais óbvios estão diante de nossos olhos, os processos de erosão dos rios, os ventos, etc. É fácil o suficiente para entendê-los, mas para cada pedaço de erosão ocorre uma quantidade igual de outra coisa. As montanhas não são mais baixas atualmente, em média, do que eram no passado. Devem existir processos de *formação* de montanhas. Você descobrirá, se estudar geologia, que *existem* processos de formação de montanhas e vulcanismo que ninguém compreende, mas que constituem metade da geologia. O fenômeno dos vulcões realmente não é compreendido. O que provoca um terremoto também não é compreendido no final das contas. É conhecido que, se alguma coisa estiver empurrando outra coisa, essa se desprenderá e deslizará – até aqui, tudo bem, mas o que empurra e por quê? A teoria é que existem correntes dentro da Terra – correntes em circulação, devido à diferença de temperatura dentro e fora – que, em seu movimento, empurram ligeiramente a superfície. Assim, se houver duas circulações opostas próximas entre si, a matéria se acumulará na região onde elas se encontram e formará faixas de montanhas que estarão em condições infelizes de estresse, o que produzirá vulcões e terremotos.

E sobre o interior da Terra? Muito se sabe sobre a velocidade das ondas de terremotos através da Terra e a densidade de distribuição da Terra. Entretanto, os físicos não conseguiram obter uma boa teoria sobre quão densa uma substância deveria ser às pressões que seriam esperadas no centro da Terra. Em outras palavras, não conseguimos desvendar muito bem as propriedades da matéria nessas circunstâncias. Temos menos conhecimento sobre a Terra do que sobre as condições da matéria nas estrelas. A matemática envolvida parece um pouco difícil demais até hoje, mas talvez não decorra muito tempo até alguém perceber que esse é um problema importante e realmente tentar solucioná-lo. O outro aspecto, certamente, é que mesmo que saibamos a densidade, não conseguiríamos desvendar as correntes em circulação. Nem mesmo conseguiríamos realmente solucionar as propriedades das rochas a alta pressão. Não sabemos dizer nem com que rapidez as rochas devem "ceder"; tudo isso terá de ser descoberto por experiência.

3–6 Psicologia

Agora vamos considerar a ciência da *psicologia*. Aliás, a psicanálise não é uma ciência; na melhor das hipóteses, é um processo médico e talvez se aproxime mais do curandeirismo. Ela tem uma teoria sobre a causa da doença – vários "espíritos" diferentes, etc. O curandeiro tem uma teoria de que uma doença como a malária é causada por um espírito que aparece no ar; ela não é curada agitando-se uma cobra sobre ele, mas o quinino* pode ajudar a curar a malária. Então, se você estiver doente, eu recomendaria que procurasse o curandeiro, pois ele é o homem da tribo que conhece melhor as doenças; por outro lado, seu conhecimento não é ciência. A psicanálise não foi verificada cuidadosamente por experimentos e não há como obter uma lista do número de casos em que funciona, o número de casos em que não funciona, etc.

Os outros ramos da psicologia, que envolvem coisas como a fisiologia da sensação – o que acontece no olho, o que acontece no cérebro – são, dependendo do nosso gosto, menos interessantes. Entretanto, algum progresso pequeno mas real tem sido feito em estudá-los. Um dos problemas técnicos mais interessantes pode, ou não, ser chamado de psicologia. O problema central da mente, ou do sistema nervoso, é este: quando um animal aprende algo, ele pode fazer algo diferente do que fazia antes, e suas

---

* N. de T.: Droga usada no tratamento de febres como a malária.

células cerebrais devem ter mudado também, se são feitas de átomos. *De que forma são diferentes?* Não sabemos onde procurar ou o que procurar quando algo é memorizado. Não sabemos o que significa ou que mudanças provocam no sistema nervoso, quando um fato é aprendido. Esse é um problema muito importante que ainda não foi resolvido. Assumindo, entretanto, que exista algum tipo de local da memória, o cérebro é uma massa tão enorme de fios e nervos interligados que provavelmente não poderá ser analisado de maneira direta. Existe uma analogia disso com os computadores e os elementos da computação, que também têm muitas linhas e algum tipo de elemento semelhante talvez à sinapse, a conexão de um nervo com outro. Esse é um assunto muito interessante que não temos tempo de discutir mais detalhadamente – a relação entre o pensamento e os computadores. Deve-se reconhecer, é claro, que esse assunto pouco nos informará sobre as verdadeiras complexidades do comportamento humano normal. Todos os seres humanos são diferentes. Muito tempo passará até chegarmos lá. Temos de começar muito aquém. Se pudéssemos ao menos descobrir como funciona um *cão*, teríamos ido bem longe. Os cães são mais fáceis de entender, mas ninguém sabe ainda como funcionam os cães.

3–7 Como as coisas evoluíram?

Para que a física seja útil às outras ciências de forma *teórica*, e não apenas na invenção de instrumentos, a ciência em questão deve fornecer aos físicos uma descrição do problema na linguagem do físico. Alguém pode perguntar "Por que um sapo pula?" e o físico não pode responder, mas se for dito o que é um sapo, que existem tantas moléculas, existe um nervo aqui, etc., isso é diferente. Se nos disserem, mais ou menos, como são a Terra e as estrelas, então podemos tentar entendê-las. Para a física teórica ter alguma utilidade, devemos saber onde os átomos estão localizados. Para entender a química, devemos saber exatamente quais átomos estão presentes, caso contrário não conseguiremos analisá-la. Essa é apenas uma das limitações, é claro.

Existe outro *tipo* de problema nas ciências afins que não existe na física; poderíamos chamá-lo, na falta de um termo melhor, de questão histórica. Como as coisas evoluíram? Se entendermos tudo sobre biologia, ainda gostaríamos de saber como todas as coisas que estão na Terra chegaram lá. Existe a teoria da evolução, uma parte importante da biologia. Na geologia, não queremos saber apenas como as montanhas foram formadas, mas como toda a Terra foi formada no início, a origem do sistema solar, etc. Isso, é claro, nos leva a querer saber que tipo de matéria existia no universo. Como as estrelas evoluíram? Quais eram as condições iniciais? Esse é o problema da história astronômica. Muita coisa foi descoberta sobre a formação das estrelas, a formação dos elementos dos quais fomos constituídos e mesmo um pouco sobre a origem do universo.

Não existe questão histórica sendo estudada na física no momento. Não temos questões como: "Aqui estão as leis da física. Como elas evoluíram?" Não imaginamos, no momento, que as leis da física estejam de algum forma mudando com o tempo, que foram diferentes no passado. Na verdade, elas *podem* estar mudando e no momento em que descobrirmos que *estão*, a questão histórica da física será pesquisada com o restante da história do universo e os físicos falarão dos mesmos problemas como os astrônomos, geólogos e biólogos.

Finalmente, existe um problema físico comum a vários campos, que é bem antigo e que ainda não foi resolvido. Não é o problema de encontrar novas partículas fundamentais, mas algo deixado para trás há muito tempo – mais de cem anos. Ninguém da física conseguiu analisá-lo matematicamente de forma satisfatória, apesar de sua importância para as ciências afins. É a análise dos *fluidos circulantes ou turbulentos*. Se analisarmos a evolução de uma estrela, chegará um ponto em que poderemos deduzir que ela irá para uma convecção estelar e a partir daí não conseguiremos mais deduzir o que deverá acontecer. Após alguns milhões de anos, essa estrela explodirá, mas não conseguimos descobrir a razão. Não conseguimos analisar o clima. Não conhecemos os padrões dos movimentos que devem existir dentro da Terra. A forma mais simples do problema é apanhar um tubo bem comprido e fazer jorrar água por ele a alta velocidade. Perguntamos: para jorrar uma certa quantidade de água pelo tubo, quanta pressão é necessária? Ninguém consegue analisar isso a partir de primeiros princípios e das propriedades da água. Se a água fluir muito lentamente, ou se usarmos uma substância viscosa como o mel, então podemos fazê-lo perfeitamente. Você achará isso nos livros-texto. O que realmente não conseguimos lidar é com água, real e molhada, correndo por um tubo. Esse é o problema central que devemos resolver um dia e ainda não o fizemos.

Uma poeta disse uma vez: "Todo o universo está em um copo de vinho". Provavelmente, nunca saberemos o que ele quis dizer com isso, pois os poetas não escrevem para ser entendidos, mas é verdade que, se olharmos um copo de vinho suficientemente de perto, veremos todo o universo. Existem muitas coisas da física: o líquido que evapora dependendo do vento e do clima, os reflexos no copo, e nossa imaginação acrescenta os átomos. O copo é a essência das rochas da Terra e, em sua composição, vemos os segredos da idade do Universo e a evolução das estrelas. Que estranho arranjo de substâncias químicas existem no vinho? Como elas vieram à existência? Existem os fermentos, as enzimas, os substratos e os produtos. Ali no vinho é encontrada a maior generalização: toda vida é fermentação. Ninguém pode descobrir a química do vinho sem chegar, como Louis Pasteur, à causa de muitas doenças. Como é vivo o vinho tinto, impondo sua existência à consciência de quem o observa! Se nossas pequenas mentes, por alguma conveniência, dividem esse copo de vinho, esse universo, em partes – física, biologia, geologia, astronomia, psicologia e assim por diante – lembre-se de que a natureza não sabe disso! Dessa forma, vamos juntar tudo de volta, sem esquecer afinal para que serve. Que nos dê mais um prazer final: bebê-lo e esquecer tudo isso!

4

Conservação da Energia

4–1 O que é energia?

Neste capítulo, começamos nosso estudo mais detalhado dos diferentes aspectos da física, tendo terminado nossa descrição mais geral. Para ilustrar as ideias e o tipo de raciocínio que podem ser usados na física teórica, examinaremos agora uma das leis mais básicas da física, a conservação da energia.

Existe um fato, ou se você preferir, uma *lei*, que governa todos os fenômenos naturais conhecidos até hoje. Não se conhece nenhuma exceção a essa lei – ela é exata até onde sabemos. A lei é chamada de *conservação da energia*. Nela enuncia-se que existe uma certa quantidade, que chamamos de energia, que não muda nas múltiplas modificações pelas quais a natureza passa. Essa é uma ideia muito abstrata, por que é um princípio matemático; ela diz que existe uma quantidade numérica que não muda quando algo acontece. Não é a descrição de um mecanismo ou algo concreto; é apenas um estranho fato de que podemos calcular algum número e, quando terminamos de observar a natureza fazer seus truques e calculamos o número novamente, ele é o mesmo. (Algo como o bispo na casa branca que, após um número de lances – sem sabermos os detalhes –, continua na casa branca. Essa é uma lei da natureza dele.) Uma vez que essa é uma ideia abstrata, ilustraremos seu significado por uma analogia.

Imagine uma criança, talvez "Dênis, o Pimentinha" que possui blocos que são absolutamente indestrutíveis e não podem ser divididos em pedaços. Todos são iguais entre si. Vamos supor que ele possui 28 blocos. A mãe dele o coloca numa sala com os 28 blocos no início do dia. No final do dia, sendo curiosa, ela conta os blocos muito cuidadosamente e descobre uma lei fenomenal – não importa o que ele faça com os blocos, sempre restam 28! Isso continua por vários dias, até que um dia só há 27 blocos, mas uma pequena busca mostra que um deles estava debaixo do tapete – ela deve procurar em todos os lugares para se assegurar de que o número de blocos não mudou. Um outro dia, porém, o número parece ter mudado – só há 26 blocos. Uma outra busca cuidadosa indica que a janela estava aberta e, após uma olhada lá fora, os outros dois blocos foram encontrados. Num dia seguinte, uma contagem cuidadosa indica que há 30 blocos! Isso causa um choque considerável, até que ela se lembrou que Bruce fez uma visita, trazendo consigo seus blocos, e deixou alguns na casa de Dênis. Depois de se desfazer dos blocos extras, a mãe fecha a janela, não deixa Bruce entrar e, então, tudo vai bem até que um dia ela os conta e só encontra 25 blocos. Entretanto, existe uma caixa de brinquedos na sala, e a mãe vai abrir a caixa, quando o menino grita: "Não, não abra minha caixa de brinquedos". A mãe não pode abrir a caixa de brinquedos. Sendo extremamente curiosa e um tanto engenhosa, ela inventa um plano! Ela sabe que um bloco pesa 30 gramas (g); então, ela pesa a caixa nesse dia, quando tinha achado os 28 blocos, e descobre que seu peso é de 160 g. Da próxima vez em que ela quiser verificar os blocos, ela pesará a caixa de novo, subtrairá os 160 g e dividirá por 30. Ela descobre o seguinte:

$$\begin{pmatrix} \text{blocos} \\ \text{achados} \end{pmatrix} + \frac{(\text{peso da caixa}) - 160 \text{ g}}{30 \text{ g}} = \text{constante}. \qquad (4.1)$$

Daí, aparentemente surgem novos desvios, mas uma análise cuidadosa indica que a água suja na banheira está mudando de nível. O menino está jogando blocos na água; ela não consegue vê-los pois a água está muito suja, mas consegue descobrir quantos blocos estão na água acrescentando outro termo à sua fórmula. Uma vez que a altura original da água era de 15 cm e cada bloco eleva a água 1/2 cm, a nova fórmula é:

4–1	O que é energia?
4–2	Energia potencial gravitacional
4–3	Energia cinética
4–4	Outras formas de energia

$$\begin{pmatrix} \text{blocos} \\ \text{achados} \end{pmatrix} + \frac{(\text{peso da caixa}) - 160\,\text{g}}{30\,\text{g}}$$

$$+ \frac{(\text{altura da água}) - 15\,\text{cm}}{1/2\,\text{cm}} = \text{constante}. \quad (4.2)$$

No aumento gradual da complexidade do mundo dela, encontra-se uma série de termos representando as formas de calcular quantos blocos estão em lugares onde ela não consegue ver. Como resultado, ela encontra uma fórmula complexa, uma quantidade que *tem de ser calculada* e que sempre permanece com o mesmo valor independente da situação.

Qual a analogia disso com a conservação da energia? O aspecto mais notável que deve ser abstraído dessa situação apresentada é que *não existem blocos*. Retire o primeiro termo das equações (4.1) e (4.2) e perceberemos que estamos calculando coisas mais ou menos abstratas. A analogia tem os seguintes pontos. Primeiro, quando calculamos a energia, às vezes parte dela sai do sistema e vai embora ou, outras vezes, parte entra no sistema. Para verificarmos a conservação da energia, devemos ter cuidado para não colocarmos ou retirarmos energia do sistema. Segundo, a energia tem um grande número de *formas diferentes*, e existe uma fórmula para cada uma. Elas são: energia gravitacional, energia cinética, energia térmica, energia elástica, energia elétrica, energia química, energia da radiação, energia nuclear e energia da massa. Se totalizarmos as fórmulas para cada uma dessas contribuições, ela não mudará, exceto quanto à energia que entra e sai.

É importante perceber que, na física atual, não temos conhecimento do que *é* a energia. Não temos um quadro de que a energia vem em pequenas gotas de magnitude definida. Não é desse jeito. Entretanto, existem fórmulas para calcular certas quantidades numéricas e, ao somarmos tudo, o resultado é "28" – sempre o mesmo número. É algo abstrato no sentido de que não nos informa o mecanismo ou a *razão* para as várias fórmulas.

4–2 Energia potencial gravitacional

A conservação da energia só pode ser compreendida se tivermos a fórmula para todas as suas formas. Gostaria de discutir a fórmula para a energia gravitacional perto da superfície da Terra e de deduzir essa fórmula de uma forma que não tem nada a ver com a história, mas é simplesmente uma linha de raciocínio inventada para esta palestra em particular, a fim de ilustrar o fato notável de que muito sobre a natureza pode ser extraído de uns poucos fatos e de um raciocínio cuidadoso. Essa é uma ilustração do tipo de trabalho com que os físicos teóricos se envolvem. É o exemplo do excelente argumento do Sr. Carnot da eficiência das máquinas a vapor.[1]

Consideremos as máquinas de levantar peso – máquinas que têm a propriedade de levantar um peso abaixando um outro. Vamos fazer uma hipótese: *não existe esse tipo de coisa como o movimento perpétuo* nessas máquinas de levantar peso. (De fato, não existe nenhum tipo de movimento perpétuo, é um enunciado geral da lei da conservação da energia.) Devemos ser cuidadosos ao definir o movimento perpétuo. Primeiro, vamos fazê-lo para máquinas de levantar peso. Se, após tivermos levantado e abaixado muitos pesos e restaurado a máquina à condição inicial, descobrirmos que o resultado final foi o *levantamento de um peso*, então teremos uma máquina de movimento perpétuo, porque poderemos usar aquele peso levantado para acionar outra coisa. Ou seja, *contanto* que a máquina que levantou o peso seja trazida de volta exatamente à mesma *condição inicial* e, adicionalmente, que seja completamente *independente* – que não tenha recebido a energia para levantar aquele peso de uma fonte externa – a exemplo dos blocos de Bruce.

Uma máquina muito simples de levantar peso é mostrada na Fig. 4-1. Essa máquina levanta pesos "pesados" de três unidades. Colocamos três unidades em um prato da balança e uma unidade no outro. Entretanto, para que funcione realmente, devemos tirar um pequeno peso do prato da esquerda. Por outro lado, poderíamos levantar um peso de

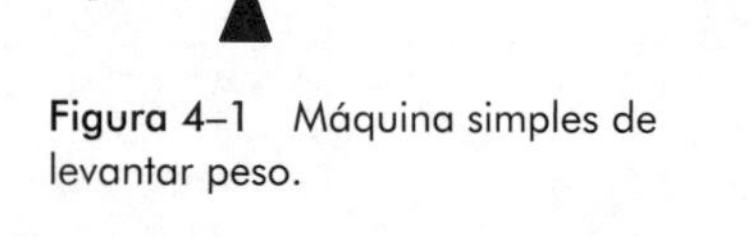

Figura 4–1 Máquina simples de levantar peso.

---

[1] Nosso ponto aqui não é tanto o resultado da eq. (4.3), que o leitor talvez já conheça, mas sim a possibilidade de chegar a ele por meio de argumentos teóricos.

uma unidade abaixando o peso de três unidades, se trapacearmos um pouco tirando um pequeno peso do outro prato. É claro que percebemos que, com qualquer máquina de levantar peso *real*, devemos acrescentar um pequeno extra para fazê-la funcionar. Vamos desprezar esse fato *temporariamente*. Máquinas ideais, embora elas não existam, não necessitam de nada extra. Uma máquina que realmente podemos usar, num certo sentido, é *quase* reversível: ou seja, se vamos levantar o peso de três abaixando um peso de um, então também levantaremos quase o peso de um à mesma altura abaixando o peso de três.

Vamos imaginar que existem duas classes de máquinas, aquelas que *não* são reversíveis, que incluem todas as máquinas reais, e aquelas que *são* reversíveis, que de fato não são obteníveis, não importando o quão cuidadoso sejamos no projeto dos suportes, alavancas, etc. Suponhamos, entretanto, que existe tal coisa – uma máquina reversível – que abaixa uma unidade de peso (um quilo (kg), ou qualquer outra unidade) a uma unidade de distância e, ao mesmo tempo, levanta um peso de três unidades. Chame essa máquina reversível de Máquina A. Suponha que essa máquina reversível específica levante o peso de três unidades por uma distância X. Adicionalmente, suponhamos que temos outra máquina, a Máquina B, que não é necessariamente reversível e que também abaixa uma unidade de peso por uma unidade de distância, mas que levanta três unidades por uma distância Y. Podemos provar agora que Y não é mais alto do que X; ou seja, é impossível construir uma máquina que levante um peso *mais alto* do que será levantado por uma máquina reversível. Vamos ver por quê. Vamos supor que Y é maior do que X. Tomamos um peso de uma unidade e o abaixamos por uma altura de uma unidade com a Máquina B e isso levanta o peso de três unidades por uma distância Y. Então, poderíamos abaixar o peso de Y para X, *obtendo uma potência livre*, e usar a Máquina A reversível, funcionando ao contrário, para abaixar o peso de três unidades por uma distância X e levantar o peso de uma unidade por uma altura de uma unidade. Isso colocará o peso de uma unidade de volta ao local anterior e deixará ambas as máquinas prontas para serem usadas novamente! Desta forma, teríamos um movimento perpétuo se Y fosse mais alto do que X, o que assumimos ser impossível. Com essas suposições, deduzimos então que Y não é mais alto do que X, de modo que, dentre todas as máquinas que podem ser projetadas, a reversível é a melhor.

Podemos também observar que todas as máquinas reversíveis têm de levantar *exatamente à mesma altura*. Suponha que B também fosse realmente reversível. O argumento de que Y não é mais alto que X continua, é claro, tão válido quanto antes, mas também podemos inverter o argumento, usando as máquinas na ordem oposta e provar que X não é *mais alto do que Y*. Isso é portanto uma observação incrível, pois nos permite analisar a altura em que diferentes máquinas levantarão algo *sem examinarmos o mecanismo interior*. Sabemos, de antemão, que se alguém produzir uma série demasiadamente elaborada de alavancas que levantam três unidades por certa distância abaixando uma unidade por uma unidade de distância e a compararmos com uma alavanca simples, que faz a mesma coisa e é essencialmente reversível, a máquina desse alguém não levantará mais alto, mas talvez menos alto que a reversível. E se a máquina dele for reversível, também sabemos exatamente *quão* alto ela levantará. Para resumir: toda máquina reversível, não importa como funcione, que abaixa 1 kg por um metro (m) e levanta um peso de 3 kg, sempre o elevará à mesma distância, X. Isso é claramente uma lei universal de grande utilidade. A próxima pergunta, naturalmente, é: quanto é X?

Suponha que temos uma máquina reversível que levantará três pesos a essa distância X, abaixando um peso. Arrumamos três bolas em compartimentos que não se movem, como mostrado na Fig. 4-2. Uma bola é mantida em uma plataforma a uma distância de 1 m acima do solo. A máquina consegue levantar as três bolas, abaixando uma bola, que está na plataforma, por uma distância de 1 m. Sabendo que a plataforma, está ligada a um grupo de três prateleiras, espaçadas exatamente por uma distância X e, adicionalmente, que o compartimento que contém as bolas é também espaçado por uma distância X (a). Primeiro, rolamos as bolas horizontalmente do compartimento para as prateleiras (b) e supomos que isso não consome nenhuma energia porque não mudamos a altura. Em seguida, a máquina reversível funciona: ela abaixa a bola individual até o solo e levanta o compartimento por uma distância X (c). Neste ponto, o compartimento foi habilidosamente posicionado de forma que as bolas estejam novamente niveladas

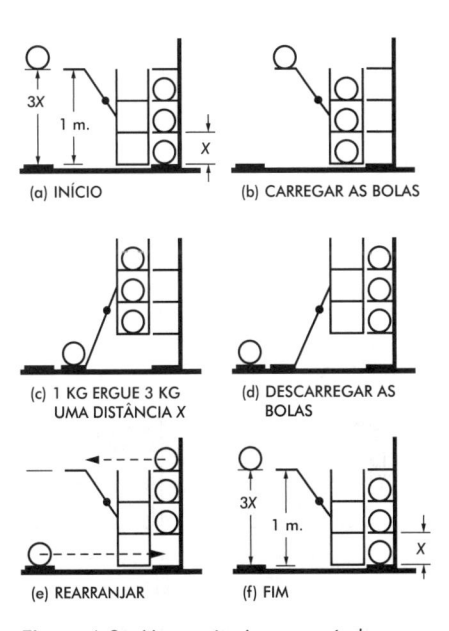

Figura 4–2 Uma máquina reversível.

com as plataformas. Assim, descarregamos as bolas para dentro do compartimento (d); tendo descarregado as bolas (e), podemos restaurar a máquina à condição inicial (f). Agora, temos três bolas nas três prateleiras superiores e uma no solo, mas o estranho é que, em certo sentido, não levantamos *duas* delas porque, afinal, já havia bolas nas prateleiras 2 e 3 antes. O efeito resultante foi de levantar *uma bola* por uma distância $3X$. No entanto, se $3X$ exceder 1 m, então deveremos *abaixar* a bola para reverter a máquina à condição inicial (f) e fazer o aparato funcionar novamente. Portanto, $3X$ não pode exceder 1 m, senão poderemos criar um movimento pertétuo. De forma semelhante, podemos provar que *1 m não pode exceder 3X*, fazendo a máquina toda funcionar de forma inversa, pois é uma máquina reversível. Assim, $3X$ não é nem *maior nem menor que 1 m*, e descobrimos portanto, por argumento tão-somente, a lei de que $X = 1/3$ m. A generalização é clara: 1 kg cai certa distância devido ao funcionamento de uma máquina reversível; daí, a máquina pode levantar p kg pela mesma distância dividida por p. Outra maneira de formular o resultado é que 3 kg vezes a altura elevada, que em nosso problema foi X, é igual a 1 kg vezes a distância abaixada, que é 1 m nesse caso. Se pegarmos todos os pesos e os multiplicarmos pelas alturas em que estão agora, acima do solo, deixarmos a máquina funcionar e, depois, multiplicarmos todos os pesos por todas as alturas de novo, *não existirá mudança*. (Temos de generalizar o exemplo em que deslocamos apenas um peso para o caso em que, quando abaixamos um, levantamos vários diferentes – mas isso é fácil.)

Chamamos a soma dos pesos multiplicados pelas alturas de *energia potencial gravitacional* – a energia que um objeto tem devido a sua posição no espaço relativo à Terra. Então, a fórmula da energia gravitacional, desde que não estejamos longe demais da Terra (a força diminui à medida que subimos), é:

$$\begin{pmatrix} \text{energia potencial} \\ \text{gravitacional} \\ \text{para um objeto} \end{pmatrix} = (\text{peso}) \times (\text{altura}). \qquad (4.3)$$

Essa é uma belíssima linha de raciocínio. O único problema é que talvez não seja verdadeira. (Afinal, a natureza não *tem* de concordar com nosso raciocínio.) Por exemplo, talvez o movimento perpétuo seja, de fato, possível. Algumas das hipóteses podem estar erradas ou podemos ter cometido um erro de raciocínio, de modo que é sempre necessário verificar. De fato, *foi mostrado experimentalmente* que *essa fórmula* está correta.

O nome geral da energia que está relacionada à posição relativa a outra coisa é energia *potencial*. Neste caso específico, é claro, chamamos de *energia potencial gravitacional*. Se for uma questão de forças elétricas contra as quais estamos trabalhando, ao invés de forças gravitacionais, se estivermos "levantando" cargas para longe de outras cargas com muitas alavancas, então a energia contida é chamada de *energia potencial elétrica*. O princípio geral é que a mudança na energia é a força multiplicada pela distância em que a carga é empurrada, e que essa é uma mudança na energia em geral:

$$\begin{pmatrix} \text{mudança} \\ \text{na energia} \end{pmatrix} = (\text{força}) \times \begin{pmatrix} \text{distância em} \\ \text{que a força atua} \end{pmatrix}. \qquad (4.4)$$

Voltaremos a muitos desses outros tipos de energia à medida que avançarmos no curso.

O princípio da conservação da energia é muito útil para deduzir o que acontecerá em um grande número de circunstâncias. No ensino médio, aprendemos várias leis sobre roldanas e alavancas usadas de diferentes maneiras. Podemos ver agora que essas "leis" são *todas a mesma coisa* e que não precisamos decorar 75 regras para descobri-la. Um exemplo simples é um plano inclinado que é, felizmente, um triângulo 3-4-5 (Fig. 4-3). Penduramos um peso de 1 kgf* no plano inclinado com uma roldana e, do outro lado da roldana, um peso W. Queremos saber quão pesado deve ser W para equilibrar o peso de 1 kgf no plano. Como podemos descobrir? Se dissermos que está exatamente equilibrado, ele é reversível e portanto pode mover para cima e para baixo, então podemos considerar a seguinte situação. Na circunstância inicial (a), o peso de 1 kgf está embaixo e o peso W está em cima. Quando W deslizar para baixo de forma

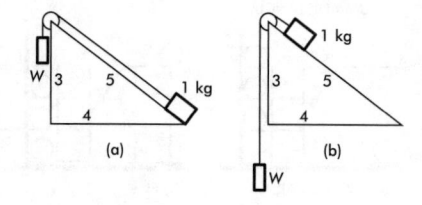

Figura 4-3 Plano inclinado.

reversível, (b) teremos o peso de 1 kgf em cima e o peso W descido uma distância no plano inclinado, ou a 5 m abaixo no plano em relação à posição anterior. *Levantamos* o peso de 1 kgf apenas 3 m e abaixamos W por 5 m. Portanto, $W = 3/5$ kgf. Note que deduzimos esse resultado da *conservação da energia*, e não de componentes da força. A inteligência, porém, é relativa. Esse resultado pode ser obtido de uma forma ainda mais brilhante, descoberta por Stevinus e gravada em sua lápide. A Fig. 4-4 explica que tem de ser 3/5 kgf, porque a corrente não roda. É evidente que a parte inferior da corrente está equilibrada por si mesma, de modo que o peso dos cinco pesos de um lado deve contrabalançar o peso dos três pesos do outro, ou qualquer que seja a razão entre os lados. Você vê, olhando para esse diagrama, que W deve ter 3/5 de um peso. (Se você ganhar um epitáfio desse em sua lápide, você está bem!)

Vamos agora ilustrar o princípio da energia com um problema mais complicado, o macaco de rosca mostrado na Fig. 4-5. Uma alavanca com 20 cm de comprimento é usada para girar o parafuso, que tem 10 roscas/cm. Queremos saber quanta força seria necessária na alavanca para levantar 1 tonelada (1000 kgf). Se quisermos levantar a tonelada 1 cm, então teremos de girar a alavanca dez vezes. Ao girar uma vez, ela percorre cerca de 126 cm. A alavanca deve portanto percorrer 1260 cm e, se usássemos várias roldanas, etc., estaríamos levantando nossa tonelada com um peso W desconhecido bem menor aplicado à extremidade da alavanca. Então, descobrimos que W é cerca de 0,8 kgf. Esse é um resultado da conservação da energia.

Veja agora o exemplo mais complicado mostrado na Fig. 4-6. Uma haste ou barra, com 8 cm de comprimento, está apoiada em uma das extremidade. No meio da barra está um peso de 60 kgf e, a uma distância de 2 cm do apoio, está um peso de 100 kgf. Com que força temos de levantar a outra extremidade da barra para mantê-la em equilíbrio, desprezando o peso da barra? Suponha que colocamos uma roldana nessa extremidade e penduramos um peso na roldana. Quão grande deve ser o peso W para equilibrar o sistema? Imaginando que o peso cai uma distância arbitrária – para facilitar nosso estudo, vamos supor que ele desce 4 cm –, quão alto deveriam subir os dois pesos? O central sobe 2 cm, e o ponto a um quarto de distância da extremidade fixa sobe 1 cm. Portanto, o princípio de que a soma das alturas vezes os pesos não se altera nos informa que o peso W vezes 4 cm para baixo, somado 60 kgf vezes 2 cm para cima e 100 kgf vezes 1 cm, deve ser igual a zero:

$$-4W + (2)(60) + (1)(100) = 0, \quad W = 55 \text{ kgf} \quad (4.5)$$

Então, devemos ter um peso de 55 kgf para equilibrar a barra. Dessa forma, podemos chegar nas leis do "equilíbrio" – a estática de estruturas de pontes complicadas e assim por diante. Esse enfoque é chamado de *princípio do trabalho virtual*, porque para aplicar esse argumento temos de *imaginar* que a estrutura se move um pouco – embora a estrutura não esteja *realmente* se movendo nem mesmo seja *móvel*. Usamos um movimento imaginário muito pequeno para aplicar o princípio da conservação da energia.

4–3 Energia cinética

Para ilustrar outro tipo de energia, vamos considerar um pêndulo (Fig. 4-7). Se puxarmos a massa para o lado e a soltarmos, ela irá balançar para frente e para trás. Nesse movimento, ela perderá altura ao ir de qualquer extremidade ao centro. Para onde vai a energia potencial? A energia gravitacional desaparece quando está embaixo; entretanto, ela aumentará novamente. A energia gravitacional deve ter se transformado em outra forma. Evidentemente, é em virtude de seu *movimento* que ela consegue subir novamente, assim temos a conversão de energia gravitacional em alguma outra forma quando atinge a parte mais baixa.

Devemos ter uma fórmula para a energia do movimento. Então, relembrando nossos argumentos sobre máquinas reversíveis, podemos ver facilmente que no movimento na parte mais baixa deve existir uma quantidade de energia que permita à massa subir a

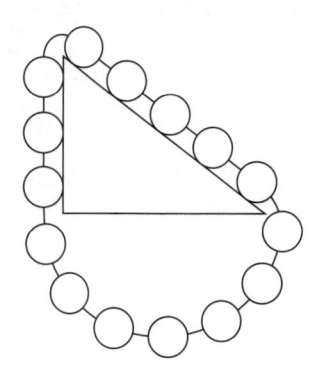

Figura 4–4 O epitáfio de Stevinus.

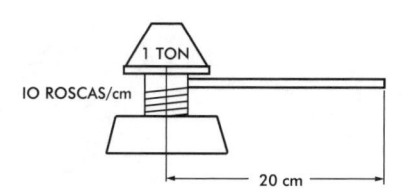

Figura 4–5 Um macaco de rosca.

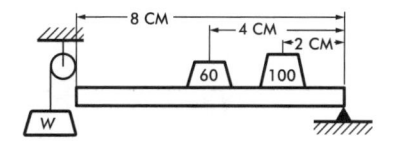

Figura 4–6 Haste com pesos apoiada em uma extremidade.

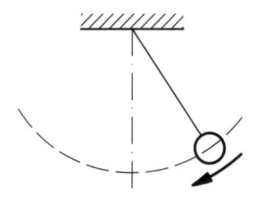

Figura 4–7 Pêndulo.

---

* N. de T.: kgf é definida como a magnitude da força exercida em 1 kg de massa por um campo gravitacional de 9,80665 m/s^2.

certa altura, que não tem relação com o *mecanismo* através do qual ela sobe ou o *caminho* através do qual ela sobe. Dessa forma, temos uma fórmula de equivalência parecida com a que escrevemos para os blocos da criança. Temos outra forma de representar a energia. É fácil dizer qual é. A energia cinética na parte inferior se iguala ao peso vezes a altura que ela pode atingir, correspondendo à sua velocidade: $E_C = WH$. O que precisamos é de uma fórmula que nos informe a altura por alguma regra que tem relação com o movimento de objetos. Se iniciarmos o movimento de algo com uma certa velocidade, digamos para cima, ele atingirá uma certa altura; não sabemos quanto será ainda, mas dependerá da velocidade – existe uma fórmula para isso. Assim, para encontrar a fórmula da energia cinética de um objeto se movendo com velocidade v, precisamos calcular a altura que poderia atingir e multiplicá-la pelo peso. Logo, descobriremos que podemos escrevê-la desta forma:

$$E_C = W v^2 / 2g. \tag{4.6}$$

Claro está que o fato de o movimento possuir energia nada tem a ver com o fato de que estamos em um campo gravitacional. Não faz diferença de *onde* veio o movimento. Essa é uma fórmula geral para várias velocidades. As equações (4.3) e (4.6) são fórmulas aproximadas, a primeira por ser incorreta a grandes alturas, ou seja, quando as alturas são tão altas que a gravidade é enfraquecida; a segunda, devido à correção relativística para altas velocidades. Entretanto, quando obtivermos finalmente a fórmula exata para a energia, a lei da conservação da energia estará correta.

4–4 Outras formas de energia

Podemos continuar nesta direção para ilustrar a existência de outras formas de energia. Primeiro, vamos considerar a energia elástica. Se puxarmos uma mola para baixo, teremos de realizar algum trabalho, mas quando ela estiver embaixo, poderemos levantar pesos com ela. Portanto, na condição esticada, ela tem capacidade de realizar algum trabalho. Se calcularmos as somas dos pesos vezes as alturas, o resultado não iria conferir – temos de acrescentar algo mais para levar em conta que a mola está sob tensão. A energia elástica será usada quando uma mola estiver esticada. Quanta energia é essa? Se soltarmos a mola, a energia elástica é convertida em cinética, enquanto vai indo para o ponto de equilíbrio, e isso vai e vem entre compressão ou estiramento da mola e a energia cinética do movimento. (Também há alguma energia gravitacional entrando e saindo do sistema, mas podemos fazer essa experiência "à parte" se quisermos.) Isso vai se repetindo até parar – Aha! Durante todo o tempo fomos trapaceando um pouco, colocando pequenos pesos para mover coisas ou dizendo que as máquinas são reversíveis ou que elas continuam para sempre, mas podemos ver que as coisas acabam parando, eventualmente. Onde está a energia quando a mola para sua movimentação para cima e para baixo? Isso introduz *outra* forma de energia: a *energia térmica*.

Dentro de uma mola ou alavanca existem cristais feitos de um monte de átomos, e com grande cuidado e delicadeza no arranjo das partes alguém pode tentar ajustar as coisas de forma que, ao fazer alguma coisa rodar sobre outra, nenhum dos átomos se agite. No entanto, é preciso ter muito cuidado. Normalmente, quando coisas rodam, existem pancadas e agitação devido às irregularidades do material e os átomos começam a se agitar no interior. Assim, perdemos o rastro dessa energia; encontramos os átomos se agitando no material de forma aleatória e confusa, depois o movimento vai diminuindo. Tudo bem que ainda existe energia cinética, mas ela não está associada a um movimento visível. Que viagem! Como *sabemos* que ainda há energia cinética? Descobriu-se que com termômetros é possível observar, na verdade, que a mola ou alavanca está *mais quente* e, portanto, existe realmente um aumento da energia cinética por uma quantidade definida. Chamamos essa forma de energia de *energia térmica*, mas sabemos que, de fato, ela não é uma nova forma, é apenas energia cinética – movimento interno. (Uma das dificuldades de todas essas experiências com a matéria que fazemos em larga escala é que não conseguimos realmente demonstrar a conservação da energia nem realmente fazer nossas máquinas reversíveis, porque sempre que movemos um grande pedaço de algo, os átomos não permanecem absolutamente não perturbados e, assim, certa quantidade de movimento aleatório vai para o sistema atômico. Não podemos ver isso, mas podemos medi-lo com termômetros, etc.)

Existem muitas outras formas de energia e é claro que não podemos descrevê-las em detalhes agora. Existe a energia elétrica, que tem a ver com o empurrar e puxar das cargas elétricas. Existe a energia radiativa, a energia da luz, que sabemos ser uma forma de energia elétrica porque a luz pode ser representada como agitações no campo eletromagnético. Existe a energia química, a energia que é liberada nas reações químicas. Na verdade, a energia elástica é, até certo ponto, semelhante à energia química, porque energia química é a energia da atração dos átomos uns pelos outros, e da mesma forma é a energia elástica. Nossa compreensão atual é a seguinte: a energia química tem duas partes, energia cinética dos elétrons dentro dos átomos, então parte dela é cinética, e energia elétrica da interação de elétrons e prótons – o resto dela, portanto, é elétrica. Depois chegamos à energia nuclear, a energia que está envolvida com o arranjo das partículas dentro do núcleo, para a qual temos fórmulas, mas não temos as leis fundamentais. Sabemos que ela não é elétrica, nem gravitacional, nem puramente cinética, mas não sabemos o que é. Parece ser uma forma adicional de energia. Finalmente, associada à teoria da relatividade, existe uma modificação nas leis da energia cinética, ou como quiser chamá-la, de modo que essa energia cinética é combinada com outra coisa chamada de *energia de massa*. Um objeto tem energia a partir de sua pura *existência*. Se tivermos um pósitron e um elétron parados, sem fazer nada – não importa a gravidade, não importa nada –, e eles se aproximarem e desaparecerem, uma energia radiativa será liberada em uma quantidade definida que pode ser calculada. Tudo que precisamos saber é a massa do objeto. Ela não depende da natureza dos objetos – fazemos duas coisas desaparecerem e teremos uma certa quantidade de energia. A fórmula foi originalmente descoberta por Einstein; ela é $E = mc^2$.

Fica óbvio, a partir da nossa discussão, que a lei da conservação da energia é enormemente útil em análises, como ilustramos em alguns exemplos sem conhecer todas as fórmulas. Se tivéssemos todas as fórmulas para todas as formas de energia, poderíamos analisar o funcionamento de muitos processos sem ter de entrar em detalhes. Portanto, as leis da conservação são muito interessantes. A questão natural que surge é quais outras leis da conservação existem na física. Existem outras duas leis da conservação que são análogas à conservação da energia. Uma é chamada de conservação do momento linear e a outra é chamada de conservação do momento angular. Falaremos mais sobre elas adiante. Em uma última análise, não compreendemos profundamente as leis da conservação. Não compreendemos a conservação da energia, não compreendemos a energia como um certo número de pacotinhos. Você talvez tenha ouvido que os fótons surgem em pacotes e que a energia de um fóton é a constante de Planck multiplicada pela frequência. Isso é verdade, mas como a frequência da luz pode ser qualquer uma, não existe uma lei que diz que a energia tem de ser certa quantidade definida. Ao contrário dos blocos de Dênis, pode haver qualquer quantidade de energia, pelo menos dentro da compreensão atual. Assim, não entendemos essa energia como a contagem de algo no momento, mas apenas como uma grandeza matemática, que é uma circunstância abstrata e um tanto peculiar. A mecânica quântica mostra que a conservação da energia está intimamente relacionada a outra propriedade importante do mundo, *as coisas não dependem do tempo absoluto*. Podemos realizar uma experiência em dado momento e então realizarmos a mesma experiência em um momento posterior e ela se comportará exatamente da mesma maneira. Não sabemos se isso é rigorosamente verdadeiro ou não. Se supusermos que é verdadeiro e acrescentarmos os princípios da mecânica quântica, então poderemos deduzir o princípio da conservação da energia. Isso é algo um tanto sutil e interessante e não é fácil de explicar. As outras leis da conservação também estão inter-relacionadas. A conservação do momento está associada, na mecânica quântica, com a proposição de que não faz diferença *onde* se realize a experiência, os resultados serão sempre os mesmos. Da mesma forma que a independência no espaço se relaciona à conservação do momento, a independência do tempo se relaciona à conservação da energia, e finalmente, se *girarmos* nosso aparato, isso não fará diferença, de modo que a invariância do mundo à orientação angular se relaciona à conservação do *momento angular*. Além dessas, existem três outras leis da conservação que são exatas, pelo que sabemos atualmente, e *são* muito mais simples de entender porque elas têm a mesma natureza de blocos de contar.

A primeira das três é a *conservação da carga*, e significa meramente que a quantidade de cargas elétricas positivas menos as negativas que você tiver nunca se altera. Você pode se livrar de uma carga positiva por meio de uma negativa, mas não cria nenhum excesso líquido de cargas positivas em relação às negativas. Duas outras leis são análogas a essa – uma é chamada de *conservação dos bárions*. Existe um número de partículas estranhas, nêutrons e prótons são exemplos, que são chamadas de bárions. Em uma reação de qualquer natureza, se contarmos o número de bárions[2] que entram no processo, o número é exatamente igual ao número de bárions que saem. Existe outra lei, a *conservação dos léptons*. Podemos dizer que o grupo de partículas chamadas léptons são: elétron, méson mu e neutrino. Existe o antielétron que é o pósitron, ou seja, um –1 lépton. A contagem do número total de léptons em uma reação revela que o número dos que entram e saem nunca muda, pelo menos é o que sabemos até hoje.

Essas são as seis leis de conservação, três delas sutis, envolvendo espaço e tempo, e três delas simples, no sentido de contar algo.

No que diz respeito à conservação da energia, devemos observar que a energia *disponível* é outro assunto – existe muita agitação nos átomos da água do mar, porque o mar tem certa temperatura, mas é impossível arrebanhá-los em um movimento definido sem extrair energia de outro lugar. Ou seja, embora saibamos que a energia é conservada, a energia disponível para utilização humana não é conservada tão facilmente. As leis que governam quanta energia está disponível são chamadas de *leis da termodinâmica* e envolvem um conceito chamado entropia para processos termodinâmicos irreversíveis.

Finalmente, uma observação sobre a questão de onde obter nossos suprimentos de energia atualmente. Nossos suprimentos de energia vêm do sol, chuva, carvão, urânio e hidrogênio. O sol produz a chuva e também o carvão, de modo que todos eles vêm do sol. Embora a energia seja conservada, a natureza não parece interessada nela; ela libera muita energia vinda do sol, mas apenas uma parte em dois bilhões cai na Terra. A natureza tem conservação da energia, mas nem liga; despende grandes quantidades dela em todas as direções. Já conseguimos obter energia do urânio; podemos também obter energia do hidrogênio, mas no momento somente de forma explosiva e perigosa. Se ela puder ser controlada em reações termonucleares, veremos que a energia que pode ser obtida de 10 litros de água por segundo equivale a toda a energia elétrica gerada nos Estados Unidos. Com 570 litros de água corrente por minuto, temos combustível suficiente para suprir toda a energia usada atualmente nos Estados Unidos! Logo, cabe aos físicos descobrir como nos libertar da necessidade de energia. É possível.

---

[2] Contando os antibárions como –1 bárion.

5

Tempo e Distância

5–1 Movimento

Neste capítulo, vamos considerar alguns aspectos dos conceitos de *tempo* e *distância*. Foi enfatizado anteriormente que a física, como todas as outras ciências, depende da *observação*. Pode-se também dizer que o desenvolvimento da ciência física na sua presente forma tem dependido, em sua grande maioria, da ênfase que tem sido dada em fazer observações *quantitativas*. Apenas com observações quantitativas torna-se possível fazer relações quantitativas, que são a essência da física.

Muitas pessoas gostam de situar o começo da física no trabalho feito 350 anos atrás por Galileu, considerando este o primeiro físico. Até aquele tempo, o estudo do movimento era do tipo filosófico, baseado em argumentos que poderiam ser imaginados pela mente de alguém. A maior parte dos argumentos foi apresentada por Aristóteles e outros filósofos gregos e foi tida como "demonstrada". Galileu era cético e fez uma experiência com movimento que foi essencialmente o seguinte: ele deixou uma bola rolar trilho abaixo sob um plano inclinado e observou o movimento. Ele, entretanto, não apenas observou; ele mediu *quão longe* a bola foi em *quanto tempo*.

A forma de medir a distância era bem conhecida muito antes de Galileu, mas não havia forma precisa de medir o tempo, particularmente tempos curtos. Embora ele tenha projetado posteriormente relógios mais satisfatórios (ainda bem diferentes dos que conhecemos), o primeiro experimento de Galileu sobre movimento foi feito usando sua pulsação para contar intervalos iguais de tempo. Vamos fazer o mesmo.

Vamos contar as batidas da pulsação enquanto a bola rola trilho abaixo: "um… dois… três… quatro… cinco… seis… sete… oito…". Pedimos a um amigo para fazer uma pequena marca na localização da bola a cada contagem nossa; então podemos medir a *distância* que a bola viajou do ponto em que foi liberada até o ponto um, ou dois, ou três, etc., em intervalos de tempo iguais (Figura 5–1). Galileu colocou os resultados de *sua* observação da seguinte forma: se a localização da bola estiver marcada por 1, 2, 3, 4,… unidades de tempo desde o instante em que foi liberada, essas marcas estarão distantes do ponto inicial em proporção aos números 1, 4, 9, 16,… Hoje, diríamos que a distância é proporcional ao quadrado do tempo:

$$D \propto t^2.$$

O estudo do *movimento*, que é a base de toda a física, trata das questões: onde? e quando?

5–2 Tempo

Vamos considerar primeiro o que entendemos por *tempo*. O que *é* tempo? Seria legal se achássemos uma boa definição para tempo. O dicionário Webster define "um tempo" como "um período" e este último como "um tempo"; isso não parece ser de muita utilidade. Talvez devêssemos dizer: "Tempo é o que ocorre quando nada mais está ocorrendo", o que também não nos leva muito longe. Possivelmente isso é tão bom quanto encararmos o fato de que tempo é uma das coisas que provavelmente não podemos definir (no sentido de dicionário), e apenas dizer que ele é, o que já sabemos que é: é o quanto esperamos!

O que realmente importa não é como *definimos* tempo, mas como o medimos. Uma forma de medir o tempo é utilizando como base coisas que se repetem de forma regular – algo que seja *periódico*. Por exemplo, um dia. Um dia aparentemente se repete sempre. Contudo, quando começamos a pensar sobre isso, alguém pode perguntar: "Os dias são periódicos; eles são regulares? Todos os dias têm o mesmo tamanho?"

5–1	Movimento
5–2	Tempo
5–3	Tempos curtos
5–4	Tempos longos
5–5	Unidades e padrões de tempo
5–6	Distâncias longas
5–7	Distâncias curtas

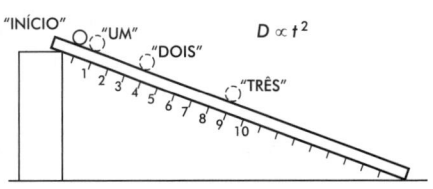

Figura 5–1 Uma bola rola trilho abaixo.

Certamente, sabe-se que os dias no verão são mais longos que no inverno. É claro que alguns dias no inverno parecem ser terrivelmente longos se estivermos chateados. Você certamente já ouviu alguém dizer: "Bem, esse foi um dia longo!".

Aparentemente, entretanto, os dias são quase do mesmo tamanho *na média*. Existe alguma forma com a qual podemos testar se os dias têm o mesmo tamanho – de um dia para o outro ou pelo menos na média? Uma forma é comparar com outro fenômeno periódico. Vamos ver como tal comparação pode ser feita com uma ampulheta. Com uma ampulheta, podemos "criar" uma ocorrência periódica, se alguém ficar parado ao lado dela, dia e noite, virando-a sempre que o último grão de areia cair.

Podemos, então, contar as viradas da ampulheta de uma manhã para a seguinte. Vamos descobrir, desta vez, que o número de "horas" (isto é, de viradas da ampulheta) não é o mesmo para cada "dia". Deveríamos desconfiar do Sol, ou da ampulheta, ou de ambos. Depois de pensarmos um pouco, podemos ter a ideia de contar as "horas" de meio-dia a meio-dia. (Meio-dia *não* é definido aqui como 12 horas, mas sim o instante em que o Sol está mais alto no céu.) Veremos, desta vez, que o número de "horas" de cada dia é o mesmo.

Agora temos segurança de que as "horas" e os "dias" têm uma periodicidade regular, isto é, marcam sucessivos intervalos de tempo iguais, apesar de não termos *provado* que nenhum deles é "realmente" periódico. Alguém pode questionar se não poderia existir um ser onipotente que diminuiria o fluxo de areia toda noite e o aumentasse durante o dia. Nosso experimento não responderia a esse tipo de questão, é claro. Tudo que podemos dizer é que a regularidade de uma das coisas se ajusta com a regularidade da outra. Só podemos dizer que baseamos nossa *definição* de tempo em repetições de algum evento aparentemente periódico.

5–3 Tempos curtos

Devemos notar que, no processo de checar a reprodutibilidade dos dias, tivemos um importante subproduto. Achamos uma forma de medir, mais precisamente, *frações* de um dia, uma forma de contar o tempo em pedaços menores. Podemos estender esse processo e aprender a medir intervalos de tempo ainda menores?

Galileu concluiu que um dado pêndulo sempre balança para frente e para trás em intervalos iguais de tempo tão longamente quanto o tamanho do balanço seja mantido pequeno. Um teste comparando o número de balanços de um pêndulo em uma "hora" mostra que isso é de fato verdadeiro. Então, dessa forma, podemos marcar frações de horas. Se usarmos um dispositivo mecânico para contar os balanços – e mantê-los continuamente – teremos o relógio de pêndulo do nosso avô.

Concordamos que se nosso pêndulo oscila 3.600 vezes em uma hora (e se existem 24 horas em um dia), devemos chamar o período desse pêndulo de um "segundo". Então, dividimos nossa unidade de tempo original em aproximadamente 10^5 partes. Podemos aplicar o mesmo princípio para dividir o segundo em partes menores e menores. Você vai perceber que não é prático fazer pêndulos mecânicos que sejam arbitrariamente mais rápidos, mas podemos, agora, fazer pêndulos *elétricos*, chamados de osciladores, que podem fornecer ocorrências periódicas com um período bem pequeno de balanço. Nesses osciladores eletrônicos, existe uma corrente elétrica que oscila de um lado para outro, de forma análoga ao balanço do prumo de um pêndulo.

Podemos fazer uma série desses osciladores elétricos, cada um com um período 10 vezes menor que o anterior. Podemos, também, "calibrar" cada oscilador com o próximo mais lento contando o número de balanços que ele faz, para um balanço do oscilador mais lento. Quando o período de oscilação do nosso relógio é menor que uma fração de segundo, não podemos contar as oscilações sem a ajuda de algum dispositivo que expanda nosso poder de observação. Um dispositivo desse tipo é um osciloscópio de feixe eletrônico, que atua como uma espécie de microscópio para tempos curtos. Esse dispositivo desenhe numa tela fluorescente um gráfico da corrente elétrica (ou voltagem) *versus* tempo. Conectando o osciloscópio em dois de nossos osciladores em sequência, de forma que ele desenhe primeiro um gráfico de uma corrente em um dos osciladores e depois a corrente no outro, teremos gráficos semelhantes aos da Figura 5–2. Podemos determinar prontamente o número de períodos do oscilador mais rápido em um período do oscilador mais lento.

Com técnicas eletrônicas modernas, osciladores têm sido construídos com períodos tão pequenos quanto cerca de 10^{-12} segundos e têm sido calibrados (por métodos comparativos como esse que descrevemos) em termos da nossa unidade padrão de tempo, o segundo. Com a invenção e o aperfeiçoamento do "laser", ou luz amplificada, nos últimos anos, tornou-se possível fazer osciladores com períodos ainda menores que 10^{-12} segundos, mas ainda não foi possível calibrá-los com métodos, que já descrevemos, apesar de que isso não será mais uma incerteza brevemente.

Tempos mais curtos que 10^{-12} segundos têm sido medidos, porém com uma tecnologia diferente. De fato, uma *definição* diferente de "tempo" tem sido usada. Uma forma tem sido observar a *distância* entre dois eventos de um objeto em movimento. Se, por exemplo, os faróis de um carro em movimento são ligados e depois desligados, podemos descobrir *quanto tempo* a luz ficou ligada se conhecemos *onde* eles foram ligados e desligados e quão rapidamente o carro está se movendo. O tempo é a distância na qual a luz estava ligada dividida pela velocidade.

Nos últimos anos, esse tipo de técnica foi usado para medir o tempo de vida do méson π^0. Através da observação num microscópio do minuto de rastro deixado em uma emulsão fotográfica, na qual um méson π^0 foi criado, percebeu-se que ele (o méson π^0 é conhecido por viajar com uma certa velocidade próxima à da luz) percorreu uma distância de cerca de 10^{-7} metros, na média, antes de se desintegrar. Ele existe por cerca de apenas 10^{-16} segundos. Deve-se enfatizar aqui que foi usada uma definição um pouco diferente de "tempo" da anterior. Então, desde que não exista inconsistência em nossa compreensão, sentimo-nos razoavelmente confiantes de que nossas definições são suficientemente equivalentes.

Ampliando nossas técnicas – e se necessário nossas definições – para ainda mais longe, podemos inferir o tempo de duração de fenômenos físicos ainda mais rápidos. Podemos falar do período de vibração de um núcleo. Podemos até falar do tempo de vida de estranhas ressonâncias (partículas) recentemente descobertas e mencionadas no Capítulo 2. A existência completa delas ocupa uma extensão de tempo de apenas 10^{-24} segundos, aproximadamente o tempo que a luz (que se move com a maior velocidade que conhecemos) levaria para cruzar o núcleo de hidrogênio (o menor objeto que conhecemos).

Que tal tempos ainda menores? O "tempo" existe numa escala ainda menor? Faz sentido falar em tempo menor se não podemos medir – ou talvez nem mesmo pensar sensatamente sobre – algo que ocorra em um tempo tão curto? Talvez não. Existem algumas questões em aberto que você estará fazendo e a que talvez esteja respondendo nos próximos vinte ou trinta anos.

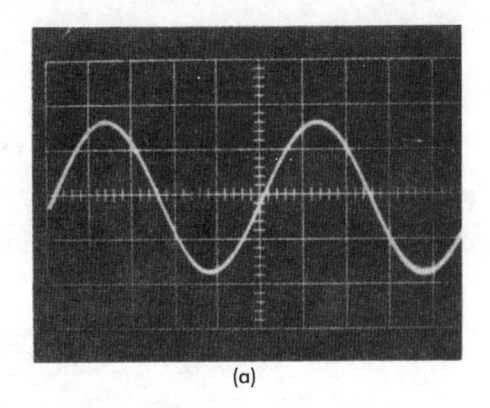

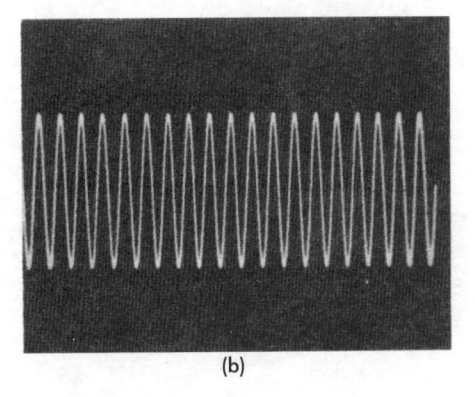

Figura 5–2 Duas telas de um osciloscópio. Em (a) o osciloscópio está conectado a um oscilador, em (b) está conectado em outro oscilador com um período de um décimo do primeiro.

5–4 Tempos longos

Vamos considerar agora tempos mais longos que um dia. A medida de tempos longos é fácil; só precisamos contar os dias – considerando que exista alguém por perto para efetuar a contagem. Primeiro, descobrimos que existe uma outra periodicidade natural: o ano, cerca de 365 dias. Também descobrimos que a natureza, algumas vezes, tem proporcionado a contagem dos anos, na forma de anéis nos troncos das árvores ou sedimentos no fundo de rios. Em alguns casos, podemos usar essas marcas naturais para determinar o tempo que se passou desde que algum evento aconteceu anteriormente.

Quando não podemos contar os anos para a determinação de um tempo longo, devemos buscar outras formas de medida. Um dos métodos mais bem-sucedidos é usar materiais radioativos como um "relógio". Nesse casos, não temos uma ocorrência periódica, como os dias ou os pêndulos, mas um novo tipo de "regularidade". Descobrimos que a radioatividade de uma amostra material, em particular, diminui uma mesma *fração* em iguais incrementos sucessivos de tempo à sua idade. Se fizermos o gráfico da radioatividade observada como uma função do tempo (digamos dias), obtemos uma curva como a

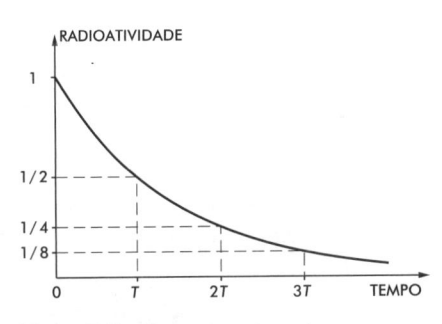

Figura 5–3 O decaimento no tempo da radioatividade. A atividade decresce à metade em cada tempo de "meia-vida", T.

		TEMPOS	
ANOS	SEGUNDOS		MEIA-VIDA DE
		????????	
	10^{18}	Idade do universo	
		Idade da Terra	U^{238}
10^9			
	10^{15}		
10^6		Homem mais antigo	
	10^{12}	Idade das pirâmides	
10^3			Ra^{226}
		Idade dos EUA	
	10^9	Vida de um homem	H^3
1			
	10^6		
		Um dia	
	10^3	A luz vai do Sol para a Terra	Nêutron
	1	Uma batida de coração	
	10^{-3}	Período de uma onda sonora	
	10^{-6}	Período de uma onda de rádio	Múon
			Mésons $\pi^{\pm}$
	10^{-9}	A luz atravessando um palmo	
	10^{-12}	Período de rotação de moléculas	
	10^{-15}	Período de vibração de átomos	
			Mésons π^0
	10^{-18}	A luz atravessando um átomo	
	10^{-21}		
		Período de vibração de núcleos	
	10^{-24}	A luz atravessando um núcleo	Partícula estranha
		????????	

mostrada na Figura 5–3. Observamos que se a radioatividade diminui para a metade em T dias (chamado de tempo de "meia-vida"), então ela irá diminuir para um quarto em uma outra quantidade de T dias e assim em diante. Em um intervalo de tempo t arbitrário existem t/T "meias-vidas", e a fração restante depois desse tempo t é de $(1/2)^{t/T}$.

Se soubéssemos que um pedaço de matéria, digamos um pedaço de madeira, contém uma quantidade A de material radioativo quando ele foi criado e descobrimos através de uma medida direta que agora contém uma quantidade B, então podemos calcular a idade do objeto, t, resolvendo a seguinte equação

$$(\tfrac{1}{2})^{t/T} = B/A.$$

Felizmente, existem casos nos quais podemos conhecer a quantidade de material radioativo que havia em um objeto quando ele foi criado. Sabemos, por exemplo, que o dióxido de carbono no ar tem uma certa fração pequena do isótopo de carbono C^{14} radioativo (suprido continuamente por meio da ação dos raios cósmicos). Se medirmos o *total* de carbono contido em um objeto, sabemos que uma certa fração dessa quantidade foi originalmente C^{14} radioativo; sabemos, portanto, a quantidade inicial A para usar a equação acima. C^{14} tem uma meia-vida de 5 mil anos. Com experimentos cuidadosos, podemos medir quantidades restantes após até 20 meias-vidas aproximadamente e, dessa forma, podemos "datar" objetos orgânicos que cresceram a 100 mil anos atrás.

Gostaríamos de saber, e acreditamos que sabemos, datar coisas ainda mais velhas. Muito de nosso conhecimento é baseado na medida de outros isótopos radioativos que têm meias-vidas diferentes. Se fizermos medidas com um isótopo com meia-vida mais longa, então somos capazes de medir tempos mais longos. Urânio, por exemplo, tem um isótopo cuja meia-vida é cerca de 10^9 anos, então se algum material foi formado de urânio em 10^9 anos atrás, apenas a metade do urânio deve restar hoje. Quando o urânio se desintegra, ele se transforma em chumbo. Considere um pedaço de rocha que foi formado muito tempo atrás por alguns processos químicos. O chumbo, sendo de uma natureza química diferente do urânio, deveria aparecer em um pedaço da rocha, e o urânio deveria aparecer em outro pedaço da rocha. O urânio e o chumbo devem estar separados. Se olharmos aquele pedaço de rocha hoje, onde antes só havia urânio, vamos encontrar uma certa fração de urânio e uma certa fração de chumbo. Comparando essas frações, podemos dizer qual percentual de urânio desapareceu e virou chumbo. Por esse método, a idade de certas rochas tem sido determinada em sendo vários bilhões de anos. Uma extensão desse método, não usando uma rocha em particular, mas olhando para o urânio e o chumbo nos oceanos e usando médias sobre a Terra, foi usada para determinar (nos últimos anos) que a idade da Terra é aproximadamente 4,5 bilhões de anos.

É encorajador que a idade da Terra tenha sido encontrada como sendo a mesma idade de meteoros que caíram na Terra, como determinado com o método de urânio. Parece que a Terra foi formada a partir de rochas flutuando no espaço e que os meteoritos são, muito provavelmente, alguns desses materiais que sobraram. Há mais de 5 bilhões de anos, o universo começou. Acredita-se hoje que pelo menos nossa parte do universo teve seu começo cerca de 10 ou 12 bilhões de anos atrás. Não sabemos o que ocorreu antes. De fato, podemos perguntar novamente: a questão faz algum sentido? Um tempo anterior tem algum sentido?

5–5 Unidades e padrões de tempo

Deixamos subentendido que é conveniente começarmos com alguma unidade de tempo, digamos um dia ou um segundo, e referir todos os outros tempos em algum múltiplo ou fração dessa unidade. Qual deveria ser o nosso padrão básico de tempo? Deveríamos usar a pulsação humana? Se compararmos pulsações, veremos que elas parecem variar demais. Ao comparar dois relógios, podemos verificar que eles não variam tanto. Você pode então dizer, "Bem, vamos usar o relógio", mas o relógio de quem? Existe uma lenda de um garoto suíço que queria que todos os relógios da sua cidade marcassem meio-dia ao mesmo tempo. Então, ele saiu tentando convencer a todos da relevância disso. Todos acharam essa ideia maravilhosa, assim logo todos os relógios marcavam meio-dia ao mesmo tempo que o dele! O difícil é decidir qual relógio devemos escolher como o padrão. Felizmente, todos dividimos um relógio – a Terra. Por muito tempo o período de rotação da Terra foi adotado como o padrão básico de tempo. Entretanto, como as medidas têm sido feitas de forma mais e mais precisa, observou-se que a rotação da terra não é exatamente periódica, quando medida na precisão dos melhores relógios. Esses "melhores" relógios são aqueles que temos razão para acreditar que são precisos porque concordam uns com os outros. Acreditamos que, por várias razões, alguns dias são mais longos que outros, alguns são mais curtos e, na média, o período da Terra se torna um pouco mais longo à medida que os séculos passam.

Até muito recentemente, não tínhamos achado nada melhor que o período da Terra, então todos os relógios estavam relacionados com a duração do dia, e o segundo foi definido como 1/86.400 de um dia médio. Recentemente, ganhamos experiência com alguns osciladores naturais que, agora, acreditamos que devem prover uma referência de tempo mais constante e que também são baseados em fenômenos naturais disponíveis para todos. Existem os chamados "relógios atômicos". O período interno básico deles é aquele de uma vibração atômica que é muito insensível à temperatura ou outros efeitos externos. Esses relógios mantêm o tempo com uma precisão de uma parte em 10^9 ou melhor. Nos últimos dois anos, um relógio atômico melhorado, que funciona com a vibração de um átomo de hidrogênio, foi desenvolvido e construído pelo professor Norman Ramsey na Universidade de Harvard. Ele acredita que esse relógio deve ser 100 vezes ainda mais preciso. Medidas atualmente em andamento deverão mostrar se isso está certo ou não.

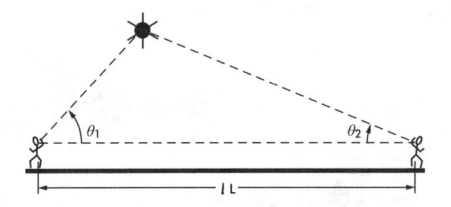

Figura 5–4 A altura do Sputnik é determinada por triangulação.

Podemos esperar que, desde que seja possível construir relógios muito mais precisos que tempos astronômicos, seja possível em breve uma concordância entre os cientistas para definir a unidade de tempo em termos de um dos relógios atômicos padrão.

Na Tabela 5-1, está mostrada a escala de tempo de fenômenos naturais e alguns tempos de meia-vida.

5–6 Distâncias longas

Vamos agora nos voltar para a questão de *distância*. Quão distante, ou quão grande, são as coisas? Todos sabem que a forma de medirmos distância é começarmos com uma régua e contarmos. Ou começamos com o palmo e contamos. Começamos com uma unidade e contamos. Como se mede coisas menores? Como se subdivide distância? Da mesma forma que subdividimos tempo: pegamos uma unidade menor e contamos o número de vezes que essa unidade leva para completar a unidade mais longa. Então podemos medir distâncias menores e menores.

No entanto, nem sempre queremos dizer por distância o que se conta com uma régua de metro. Deve ser difícil medir a distância horizontal entre dois picos de montanhas usando apenas uma régua de metro. Descobrimos por experiência que distância também pode ser medida de outra forma: por triangulação. Embora isso signifique que estamos usando uma definição de distância realmente diferente, quando ambas podem ser usadas elas concordam uma com a outra. Espaço é mais ou menos o que Euclides pensou que era, então os dois tipos de definição de distância concordam. Uma vez que eles concordam na Terra, isso nos dá segurança em usar triangulação para distâncias ainda maiores. Por exemplo, fomos capazes de usar triangulação para medir a altura do primeiro Sputnik (Figura 5–4). Descobrimos que ele tinha aproximadamente 5×10^5 metros de altura. Com medições mais cuidadosas, a distância da Lua pode ser medida dessa mesma forma. Dois telescópios em diferentes localidades na Terra podem nos fornecer os dois ângulos necessários. Foi descoberto, dessa forma, que a Lua está a 4×10^8 metros de distância.

Não podemos fazer a mesma coisa com o Sol, ou pelo menos ninguém foi capaz de fazê-lo ainda. A precisão com a qual se pode focar um dado ponto no Sol e com ele conseguir medir ângulos não é boa o suficiente para nos permitir medir a distância do Sol. Então, como podemos medir a distância ao Sol? Devemos inventar uma extensão da ideia de triangulação. Medimos a distância relativa de todos os planetas por observações astronômicas de onde os planetas parecem estar e temos uma imagem do sistema solar com a verdadeira distância *relativa* de tudo, mas sem nenhuma distância *absoluta*. Uma medida absoluta é, então, necessária e pode ser obtida de algumas formas. Uma delas, que se acreditou até recentemente ser a mais precisa, foi medir a distância da Terra até Eros, um dos menores planetoides que passa próximo à Terra de vez em quando. Por triangulação nesse pequeno objeto, pode-se ter uma escala de medida necessária. Sabendo a distância relativa dos restantes, podemos então dizer a distância, por exemplo, da Terra para o Sol ou da Terra para Plutão.

Nos últimos anos, houve um grande avanço em nosso conhecimento da escala do sistema solar. No Laboratório de Propulsão a Jato, a distância da Terra à Vênus foi medida com muito boa precisão por uma observação direta de radar. Isso, é claro, é outro modo diferente de medir distância. Dizemos que conhecemos a velocidade com que a luz viaja (e, portanto, a que velocidade cada onda de radar viaja) e assumimos que ela tem a mesma velocidade em todos os lugares entre a Terra e Vênus. Mandamos uma onda de rádio e contamos quanto tempo leva até a onda refletida voltar. Do *tempo* inferimos a *distância*, assumindo que sabemos a velocidade. Temos realmente outra definição de medida de distância.

Como medimos a distância a uma estrela, que é mais distante ainda? Felizmente, podemos voltar ao nosso método de triangulação, porque a Terra se move ao redor do Sol nos dando uma linha de base maior para medidas de objetos fora do sistema solar. Se focamos um telescópio numa estrela no verão e no inverno, esperamos determinar os dois ângulos (Figura 5–5) com precisão suficiente para medirmos a distância à estrela.

Figura 5–5 A distância de uma estrela próxima pode ser medida por triangulação, usando o diâmetro da órbita da Terra como linha de base.

O que fazer se as estrelas estiverem longe demais para usarmos triangulação? Os astrônomos estão sempre inventando novas formas de medir distâncias. Eles acharam, por exemplo, que podem estimar o tamanho e o brilho de uma estrela por meio da sua cor. A cor e o brilho de muitas estrelas próximas – cujas distâncias são conhecidas por triangulação – foram medidas, e se descobriu uma excelente relação entre a cor e o brilho intrínseco da estrela (na maioria os casos). Se medirmos agora a cor de uma estrela distante, pode-se usar essa relação de cor-brilho para determinar o brilho intrínseco da estrela. Medindo o quão brilhante uma estrela *parece* ser para nós aqui na Terra (ou talvez devêssemos dizer quão *ofuscada* ela aparece), podemos calcular o quão longe ele está. (Para um dado brilho intrínseco, o brilho aparente diminui com o quadrado da distância.) Uma bela confirmação da precisão desse método de medir distâncias estelares é dada pelo resultado obtido para grupos de estrelas conhecidos como aglomerados globulares. Uma fotografia de tal grupo aparece na Figura 5–6. Apenas olhando a fotografia, pode-se convencer alguém de que essas estrelas estão todas juntas. O mesmo resultado é obtido de distâncias medidas pelo método de cor-brilho.

Um estudo de muitos aglomerados globulares fornece outra informação importante. Foi descoberto que existe uma alta concentração desse tipo de aglomerado em uma certa parte do céu e que a maioria deles está aproximadamente à mesma distância de nós. Juntando essa informação com outra evidência, concluímos que essa concentração de aglomerados é o centro da nossa galáxia. Dessa forma, sabemos a distância ao centro da nossa galáxia – cerca de 10^{20} metros.

Conhecendo o tamanho da nossa galáxia, temos a chave para a medida de distâncias ainda maiores – a distância de outras galáxias. A Figura 5–7 é uma fotografia de uma galáxia que tem quase a mesma forma da nossa. Provavelmente, ela tem o mesmo tamanho também. (Outra evidência apoia a ideia de que galáxias são todas quase do mesmo tamanho.) Se ela é do mesmo tamanho que a nossa, podemos determinar sua distância. Medimos o ângulo subtendido por ela no céu; conhecemos o seu diâmetro e calculamos a distância – triangulação novamente!

Fotografias de galáxias extraordinariamente distantes foram obtidas recentemente com o telescópio gigante Palomar. Uma é mostrada na Figura 5–8. Acredita-se hoje que algumas dessas galáxias estão cerca de meio caminho para o limite do universo – 10^{26} metros –, a maior distância que podemos contemplar.

Figura 5–6 Um aglomerado de estrelas próximas do centro de nossa galáxia. A distância delas para a Terra é de 30 mil anos-luz, ou cerca de 3×10^{20} metros.

Figura 5–7 Um espiral galáctico semelhante ao nosso. Supondo que o diâmetro é similar ao da nossa galáxia, podemos calcular sua distância a partir do tamanho aparente. Ela está a 30 milhões de anos-luz (3×10^{23} m) da Terra.

5–7 Distâncias curtas

Agora vamos pensar em pequenas distâncias. Subdividir o metro é fácil. Sem muita dificuldade, podemos marcar 1.000 espaços iguais que somados dão um metro. Com mais dificuldade, mas de forma similar (usando um bom microscópio), podemos marcar 1.000 subdivisões iguais de um milímetro para fazer um escala de mícron (milionésimo do metro). É difícil de continuar em escalas menores, porque não podemos "ver" objetos menores que o comprimento de onda da luz visível (cerca de 5×10^{-7} metros).

Não precisamos parar, contudo, no que podemos ver. Com um microscópio eletrônico, podemos continuar o processo fazendo fotografias em escalas ainda menores, indo até 10^{-8} metros (Figura 5–9). Por medidas indiretas – por um tipo de triangulação em uma escala microscópica –, podemos continuar a medir escalas cada vez menores. Primeiro, de uma observação de como a luz de pequeno comprimento de onda (raios X) é refletida de um padrão de marcar de separação conhecida, determinamos o comprimento de onda da vibração da luz. Portanto, do padrão de espalhamento da mesma luz

Figura 5–8 O objeto mais distante, 3C295 em BOOTES (indicado com a seta), medido pelo telescópio de 200 polegadas em 1960.

Figura 5–9 Micrografia eletrônica de algum vírus molecular. A esfera "maior" é para calibração e é sabido que tem o diâmetro de 2×10^{-7} m (2000 Å).

de um cristal, podemos determinar uma localização relativa de átomos em um cristal, obtendo resultados que concordam com o espaçamento atômico também determinado por medidas químicas. Dessa forma, descobrimos que átomos têm diâmetros de cerca de 10^{-10} metros.

Existe um "intervalo" nos tamanhos físicos entre as dimensões tipicamente atômicas, cerca de 10^{-10} metros, e as dimensões nucleares, 10^{-15} metros, ou seja 10^{-5} vezes menor. Para tamanhos nucleares, um modo diferente de medir tamanhos se tornou conveniente. Medimos a *área aparente*, σ, chamada de *seção de choque* efetiva. Se quisermos o raio, podemos obtê-lo de $\sigma = \pi r^2$, uma vez que os núcleos são aproximadamente esféricos.

Medidas da seção de choque de núcleos podem ser feitas passando um feixe de partículas de alta energia através de uma placa muito fina do material e observando o número de partículas que não atravessam. Essas partículas de alta energia vão atravessar diretamente através da tênue nuvem de elétrons e irão parar ou voltar apenas se elas atingirem os concentrados e pesados núcleos. Suponha que temos um pedaço de material de 1 centímetro de espessura. Irá existir cerca de 10^8 camadas de átomos, mas os núcleos são tão pequenos que existe uma pequena chance de que qualquer núcleo esteja atrás de outro. Vamos *imaginar* que uma ampliação muito grande da situação – olhando ao longo do feixe de partículas – deve parecer como mostrado na Figura 5–10.

A chance de uma partícula muito pequena atingir um núcleo em sua viajem através do material é justamente a área total coberta pelo perfil dos núcleos dividida pela área total do material. Suponha que sabemos que na área A da nossa placa de material existem N átomos (cada um com um núcleo, é claro). Então, a fração da área total "coberta" pelos núcleos é $N\sigma/A$. Agora, sabendo que o número de partículas do nosso feixe que chega à placa é de n_1 e o número que sai do outro lado é de n_2, a fração de partículas que *não* passa é $(n_1 - n_2)/n_1$, que deve ser justamente igual à fração de área coberta pelos núcleos. Podemos obter o raio do núcleo pela equação[1]

$$\pi r^2 = \sigma = \frac{A}{N} \frac{n_1 - n_2}{n_1}.$$

Desse tipo de experiência, descobrimos que os raios dos núcleos são de cerca de 1 a 6 vezes 10^{-15} metros. A unidade de comprimento 10^{-15} metros é chamada de *fermi*, em homenagem a Enrico Fermi (1901-1954).

O que acharemos se formos para distâncias menores? Podemos medir distâncias menores? Esse tipo de pergunta não pode ser respondido ainda. Foi sugerido que os mistérios

---

[1] Essa equação só é exata se a área coberta pelos núcleos for uma pequena fração da total, isto é, se $(n_1 - n_2)/n_1$ for muito menor que 1. Caso contrário, devemos fazer uma correção para o fato de que muitos núcleos estarão parcialmente obstruídos por núcleos que estão na frente deles.

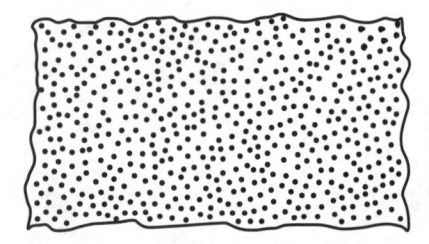

Figura 5–10 Uma imagem pictórica de um bloco de carbono de 1 cm de espessura se apenas os núcleos fossem observados.

ainda não resolvidos sobre as forças nucleares podem ser esclarecidos apenas por alguma modificação da nossa ideia de espaço, ou medida, de distâncias tão pequenas.

Pode-se pensar que seria uma boa ideia usar algum comprimento natural como nossa unidade de comprimento – digamos o raio da Terra ou uma fração dele. O metro foi originalmente planejado para ser essa unidade e foi definido por $(\pi/2) \times 10^{-7}$ vezes o raio da Terra. No entanto, não é nem conveniente nem muito preciso determinar uma unidade de medida dessa forma. Durante muito tempo foi acordado internacionalmente que um metro seria definido como uma distância entre duas extremidades de uma barra mantida em um laboratório específico na França. Mais recentemente, percebeu-se que essa definição não é tão precisa quanto é útil, nem permanente ou universal quanto gostaríamos que fosse. Atualmente, está sendo considerado que uma nova definição deve ser adotada, um acordo (arbitrário) de um número de comprimentos de onda de uma linha espectral escolhida.

Na tabela a seguir, temos uma escala de distâncias naturais.

ANOS-LUZ	METROS	DISTÂNCIAS
		?????????
	10^{27}	
		Limite do universo
10^9		
	10^{24}	
10^6		À galáxia mais próxima
	10^{21}	
		Ao centro da nossa galáxia
10^3		
	10^{18}	
		À estrela mais próxima
1		
	10^{15}	
		Raio da órbita de Plutão
	10^{12}	
		Ao Sol
	10^9	
		À Lua
	10^6	
		Altura do Sputnik
	10^3	
		Altura de uma antena de torre de TV
	1	Altura de uma criança
	10^{-3}	
		Um grão de sal
	10^{-6}	
		Um vírus
	10^{-9}	
		Raio de um átomo
	10^{-12}	
	10^{-15}	Raio de um núcleo
		?????????

Medidas de distâncias e tempo fornecem resultados que dependem do observador. Dois observadores se movendo entre si não mediriam a mesma distância e tempo quando medissem o que aparentemente é a mesma coisa. Distâncias e intervalos de tempo têm diferentes magnitudes, dependendo do sistema de coordenadas (ou "sistema de referência") usado para fazer a medida. Vamos estudar esse assunto em mais detalhes em capítulos posteriores.

Medidas de distância ou tempo perfeitamente precisas não são permitidas pelas leis da natureza. Mencionamos anteriormente que os erros nas medidas de uma posição de um objeto devem ser, pelo menos, tão grandes quanto

$$\Delta x \geq \hbar/2\Delta p,$$

onde $\hbar$ é uma pequena constante física fundamental chamada de *constante reduzida de Planck* e Δp é o erro no nosso conhecimento do momento (massa vezes velocidade) do objeto cuja posição estamos medindo. Também foi mencionado que a incerteza na medida da posição está relacionada à natureza ondulatória das partículas.

A relatividade do espaço e do tempo implica que a medida de tempo também tem um erro mínimo, dado pelo fato de

$$\Delta t \geq \hbar/2\Delta E,$$

onde ΔE é o erro em nosso conhecimento da energia do processo cujo período de tempo está sendo medido. Se desejamos conhecer *mais* precisamente *quando* algo aconteceu, devemos conhecer menos sobre *o que* aconteceu, pois nosso conhecimento da energia envolvida será menor. A incerteza no tempo é também relacionada com a natureza ondulatória da matéria.

6

Probabilidade

"A verdadeira lógica deste mundo está no cálculo de probabilidades."
— James Clerk Maxwell

6–1 Chance e possibilidade

"Chance" é uma palavra comumente usada em coisas diárias. As notícias no rádio falando da previsão do tempo para amanhã podem dizer: "Existe uma chance de sessenta porcento de chover". Você pode dizer: "Existe uma pequena chance de que eu viva até os cem anos". Os cientistas também usam a palavra chance. Um sismologista pode estar interessado na questão: "Qual é a chance de acontecer um terremoto em certa região da Califórnia do Sul no próximo ano?" Um físico pode perguntar: "Qual é a chance de um determinado contador geiger registrar vinte contagens nos próximos dez segundos?" Um político ou homem do governo pode estar interessado na questão: "Qual é a chance de acontecer uma guerra nuclear nos próximos dez anos?" Você pode estar interessado na chance de aprender alguma coisa neste capítulo.

Por *chance*, queremos dizer algo como uma suposição. Por que fazemos suposições? Fazemos suposições quando queremos emitir uma sentença mas temos informação incompleta ou conhecimento incerto. Queremos fazer uma suposição sobre o que as coisas são ou sobre coisas prováveis de acontecer. Frequentemente desejamos fazer uma suposição porque temos de tomar uma decisão. Por exemplo: devo levar minha capa de chuva amanhã? Para qual movimento da terra eu devo projetar um novo prédio? Devo construir um abrigo nuclear? Devo mudar minha posição em negociações internacionais? Devo ir à aula hoje?

Algumas vezes, fazemos suposições porque desejamos, com o nosso conhecimento limitado, dizer o máximo que *podemos* sobre alguma situação. Realmente, qualquer generalização está na natureza da suposição. Qualquer teoria física é um tipo de trabalho de suposição. Existem suposições boas e suposições ruins. A teoria de probabilidade é um sistema para fazer suposições melhores. A linguagem da probabilidade nos permite falar quantitativamente sobre alguma situação que pode ser altamente variável, mas que tem algum comportamento médio consistente.

Vamos considerar uma moeda sendo jogada. Se o jogador – e a moeda – são "honestos", não temos como saber o que esperar como resultado de nenhuma jogada em particular. Ainda assim sentiríamos que em um grande número de jogadas deveria existir um número igual de caras (H) e coroas (T). Dizemos: "A probabilidade de que uma jogada dê coroa é 0,5".

Falamos em probabilidade somente para observações que pensamos que serão feitas no futuro. *Por "probabilidade" de um resultado em particular de uma observação queremos dizer nossa estimativa da fração mais provável de um número repetido de observações que levarão a um resultado específico*. Se imaginarmos a repetição de uma observação – tal como olhar para uma moeda recentemente jogada – N vezes, e se chamarmos de N_A nossa estimativa do número mais provável de nossas observações que darão um resultado em específico A, digamos o resultado "cara", então por $P(A)$, a probabilidade de observar A, queremos dizer

$$P(A) = N_A / N. \qquad (6.1)$$

Nossa definição requer muitos comentários. Primeiro, podemos falar da probabilidade de alguma coisa acontecer somente se o evento for um resultado possível de alguma observação *reproduzível*. Não faria sentido perguntar: "Qual é a probabilidade de existir um fantasma naquela casa?"

6–1 Chance e possibilidade
6–2 Flutuações
6–3 O caminho aleatório
6–4 Uma distribuição de probabilidade
6–5 O princípio da incerteza

Você pode argumentar que nenhuma situação é *exatamente* reprodutível. Isso é verdade. Cada observação diferente deve pelo menos estar em um tempo ou espaço diferente. Tudo o que podemos dizer é que as observações "reprodutíveis" devem, para os nossos propósitos, *parecer ser equivalentes*. Devemos assumir, ao menos, que cada observação foi feita a partir de uma situação equivalentemente preparada, e especialmente com o mesmo grau de desconhecimento no começo. (Se espiarmos a mão do nosso oponente em um jogo de cartas, nossa estimativa de nossas chances de ganhar serão diferentes do que se não olharmos!)

Devemos enfatizar que N e N_A na Eq. (6.1) *não* pretendem representar números baseados em observações reais. N_A é nossa melhor *estimativa* do que *aconteceria* em N observações *imaginárias*. A probabilidade depende, dessa maneira, do nosso conhecimento e da nossa habilidade em fazer estimativas. De fato, do nosso bom senso! Felizmente, existe uma certa quantidade de consenso no bom senso em relação a muitas coisas, tal que pessoas diferentes farão a mesma estimativa. As probabilidades, no entanto, não precisam ser números "absolutos". Como elas dependem da nossa ignorância, podem se tornar diferentes se o nosso conhecimento muda.

Você pode ter notado outro aspecto bastante "subjetivo" de nossa definição de probabilidade. Referimo-nos a N_A como "nossa estimativa de número mais provável...". Não queremos dizer que esperamos observar *exatamente* N_A, mas que esperamos um número *próximo* de N_A, e que o número N_A é *mais provável* que qualquer outro número na vizinhança. Se jogarmos uma moeda, digamos, 30 vezes, devemos esperar que o número de caras não seja provavelmente 15, mas algum número próximo de 15, digamos 12, 13, 14, 15, 16 ou 17. No entanto, se *devemos* escolher, decidiríamos que 15 caras é *mais provável* que qualquer outro número. Escreveríamos $P(\text{caras}) = P(H) = 0,5$.

Por que escolhemos 15 como mais provável do que qualquer outro número? Devemos argumentar da seguinte maneira: se o número mais provável de caras é N_H em um total de jogadas N, então o número mais provável de coroas N_T, é $(N - N_H)$. (Estamos assumindo que toda jogada dá *ou* cara *ou* coroa e nenhum "outro" resultado!) Se a moeda for "honesta", não existe preferência por cara ou coroa. Até que tenhamos alguma razão para pensar que a moeda (ou jogador) seja desonesta, devemos dar iguais possibilidade para cara ou coroa. Então devemos colocar $N_T = N_H$. Segue-se que $N_T = N_H = N/2$, ou $P(H) = P(T) = 0,5$.

Podemos generalizar nosso raciocínio para *qualquer* situação na qual existam m resultados diferentes mas "equivalentes" (isto é, igualmente similares) possíveis de uma observação. Se uma observação pode levar a m resultados diferentes, e temos razões para acreditar que qualquer um deles é igualmente provável, então a probabilidade de uma saída A em *particular* é $P(A) = 1/m$.

Se existem sete bolas de cores diferentes em uma caixa opaca e pegamos uma "aleatoriamente" (isto é, sem olhar), a probabilidade de pegar uma bola de uma cor em particular é $\frac{1}{7}$. A probabilidade de que uma "tirada cega" de um maço de baralho de 52 cartas mostre o dez de copas é de $\frac{1}{52}$. A probabilidade de jogar duas vezes o número um com um dado é $\frac{1}{36}$.

No Capítulo 5, descrevemos o tamanho de um núcleo em termos de sua área aparente, ou "seção de choque". Quando fizemos isso, estávamos na verdade falando sobre probabilidades. Quando atiramos uma partícula de alta energia em uma folha fina de material, existe uma chance de ela passar direto e alguma chance de ela bater em um núcleo. (Já que o núcleo é tão pequeno que não podemos *vê-lo*, não podemos mirar diretamente no núcleo. Devemos "atirar no escuro.") Se existem n átomos na nossa folha e o núcleo de cada átomo tem uma área de seção de choque σ, então a área total "sombreada" pelos núcleos é $n\sigma$. Em um grande número N de tiros aleatórios, esperamos que o número de acertos N_C de *algum* núcleo seja a razão com N como a relação da área sombreada com a área total da folha:

$$N_C/N = n\sigma/A. \tag{6.2}$$

Podemos dizer, dessa maneira, que a *probabilidade* de alguma partícula do projétil sofrer colisão ao passar pela folha é

$$P_C = \frac{n}{A}\sigma, \quad (6.3)$$

onde n/A é o número de átomos por unidade de área na nossa folha.

6–2 Flutuações

Gostaríamos agora de usar nossas ideias sobre probabilidade para considerar com mais detalhes a questão: "Quantas caras eu realmente *espero* obter se jogar uma moeda N vezes?" Antes de responder à questão, no entanto, vamos olhar o que realmente acontece em tal "experimento". A Figura 6–1 mostra os resultados obtidos nas três primeiras "rodadas" de tal experimento no qual $N = 30$. A sequência de "caras" e "coroas" está mostrada da maneira como foram obtidas. A primeira jogada deu 11 caras; a segunda também 11; a terceira 16. Em três tentativas, não obtivemos nenhuma vez 15 caras. Devemos começar a suspeitar da moeda? Ou estávamos errados em pensar que o número mais provável de "caras" em tal jogo é 15? Noventa e sete novas rodadas foram feitas para obter um

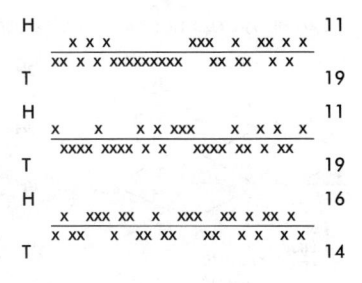

Figura 6–1 Sequências observadas de caras (H) e coroas (T) em três rodadas de 30 jogadas cada.

Tabela 6–1
Número de caras em sucessivas rodadas de 30 jogadas de uma moeda

11	16	17	15	17	16	19	18	15	13
11	17	17	12	20	23	11	16	17	14
16	12	15	10	18	17	13	15	14	15
16	12	11	22	12	20	12	15	16	12
16	10	15	13	14	16	15	16	13	18
14	14	13	16	15	19	21	14	12	15
16	11	16	14	17	14	11	16	17	16
19	15	14	12	18	15	14	21	11	16
17	17	12	13	14	17	9	13	19	13
14	12	15	17	14	10	17	17	12	11

} 100 rodadas

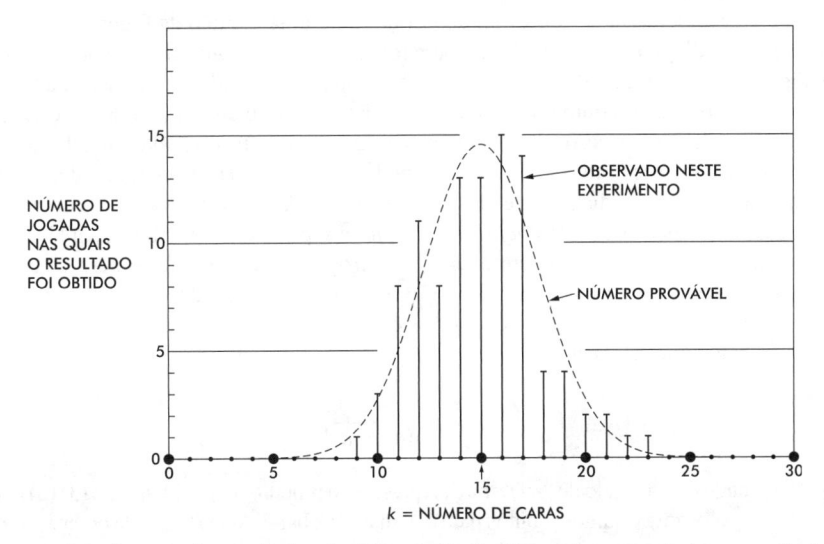

Figura 6–2 Resumo dos resultados de 100 rodadas de 30 jogadas cada. As barras verticais mostram o número de rodadas em cada resultado k de caras obtidas. A linha pontilhada mostra os números esperados de jogadas com o resultado k obtido por cálculos de probabilidade.

---

[1] Depois das três primeiras rodadas, o experimento foi realmente feito sacudindo 30 moedas de um centavo violentamente em uma caixa e então contando o número de caras que apareceram.

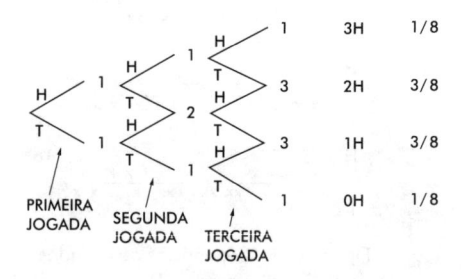

Figura 6–3 Um diagrama mostrando o número de formas como um resultado de 0, 1, 2 ou 3 caras (H) pode ser obtido em uma rodada de três jogadas.

Figura 6–4 Um diagrama como o da Figura 6–3 para uma rodada de 6 jogadas.

total de 100 experimentos de 30 jogadas cada. Os resultados dos experimentos estão dados na Tabela 6-1.[1]

Olhando os números na Tabela 6-1, vemos que a maioria dos resultados está "próximo" de 15, variando entre 12 e 18. Podemos obter uma noção melhor dos detalhes desses resultados se desenharmos um gráfico de *distribuição* dos resultados. Contamos o número de jogadas nas quais um resultado de k foi obtido e desenhamos esse número para cada k. Tal gráfico é mostrado na Figura 6–2. Um resultado de 15 caras foi obtido em 13 jogadas. Um resultado de 14 caras foi obtido também 13 vezes. Resultados de 16 e 17 foram, cada um, obtidos *mais* de 13 vezes. Vamos concluir que existe algum preconceito contra caras? Nossa "melhor estimativa" não foi boa o suficiente? Devemos concluir agora que o resultado "mais provável" para uma sequência de 30 jogadas é realmente 16 caras? Mas espere! Em todas as rodadas juntas, foram 3000 jogadas. E o número total de caras obtidas foi 1493. A fração de jogadas que dão cara é 0,498, muito próximo, mais um pouco *menos* que a metade. Certamente *não* devemos assumir que a probabilidade de obtermos caras é maior que 0,5! O fato de que um conjunto em *particular* de observações deu 16 caras com mais frequência é uma *flutuação*. Ainda esperamos que o número *mais provável* de caras seja 15.

Podemos fazer a pergunta: "Qual *é* a probabilidade de uma rodada de 30 jogadas levar a 15 caras – ou 16, ou qualquer outro número?" Estamos dizendo que em uma rodada de uma moeda, a probabilidade de obter *uma* cara é 0,5, e a probabilidade de não obter nenhuma cara é 0,5. Em uma rodada de duas jogadas existem *quatro* possíveis saídas: *HH, HT, TH, TT*. Já que cada uma dessas sequências é igualmente provável, concluímos que (a) a probabilidade de um resultado de duas caras é $\frac{1}{4}$, (b) a probabilidade de um resultado de uma cara é $\frac{2}{4}$, (c) a probabilidade de um resultado de zero é $\frac{1}{4}$. Existem *duas* maneiras de obter uma cara, mas somente uma de obter ou zero ou duas caras.

Considere agora uma rodada de 3 jogadas. A terceira jogada é igualmente provável de ser cara ou coroa. Existe somente uma maneira de obter 3 caras: *devemos* ter obtido 2 caras nas duas primeiras jogadas e, então, cara na última. Existem, no entanto, *três* maneiras de obter 2 caras. Poderíamos obter coroa depois de duas caras (uma maneira) ou poderíamos obter cara depois de obter somente uma cara nas duas primeiras jogadas (duas maneiras). Então, para resultados de 3-*H*, 2-*H*, 1-*H*, 0-*H*, temos que o número de maneiras igualmente prováveis é 1, 3, 3, 1, com um total de 8 sequências diferentes possíveis. As probabilidades são $\frac{1}{8}, \frac{3}{8}, \frac{3}{8}, \frac{1}{8}$.

Esse argumento pode ser resumido por um diagrama como o da Figura 6–3. Fica claro como o diagrama deve continuar para rodadas com um número maior de jogadas. A Figura 6–4 mostra tal diagrama para uma rodada de 6 jogadas. O número de "maneiras" para qualquer ponto no diagrama é apenas o número de "caminhos" diferentes (sequências de caras e coroas) que podem ser obtidos a partir do ponto inicial.

A posição vertical nos dá um número total de caras jogadas. O conjunto de números que aparece em tal diagrama é conhecido como o *triângulo de Pascal*. Os números também são conhecidos como *coeficientes binomiais*, porque eles também aparecem na expansão de $(a + b)^n$. Se chamarmos n de número de jogadas e k de número de caras obtidas, então os números no diagrama são usualmente designados pelo símbolo $\binom{n}{k}$.

Podemos citar de passagem que os coeficientes binomiais podem também ser calculados a partir de

$$\binom{n}{k} = \frac{n!}{k!(n-k)!}, \tag{6.4}$$

onde $n!$, chamado de "n fatorial", representa o produto $(n)(n-1)(n-2)\ldots(3)(2)(1)$.

Agora estamos prontos para calcular a probabilidade $P(k, n)$ de obter k caras em n jogadas, usando a nossa definição eq. (6.1). O número total de sequências possíveis é 2^n (já que existem 2 saídas para cada jogada), e o número de maneiras de obter k caras é $\binom{n}{k}$, todas igualmente prováveis; então temos

$$P(k, n) = \frac{\binom{n}{k}}{2^n}. \tag{6.5}$$

Já que $P(k, n)$ é a fração de rodadas que esperamos levar a k caras, então em 100 rodadas devemos esperar achar k caras $100 \cdot P(k, n)$ vezes. A curva pontilhada da Figura 6–2 passa pelos pontos calculados de $100 \cdot P(k, 30)$. Vemos que *esperávamos* obter um resultado de 15 caras em 14 ou 15 jogadas, mas esse resultado foi observado em 13 rodadas. *Esperávamos* um resultado de 16 em 13 ou 14 rodadas, mas obtivemos esse resultado em 16 rodadas. Tais flutuações são "parte do jogo".

O método que acabamos de usar pode ser aplicado para uma situação mais geral na qual existem somente dois resultados possíveis de uma única observação. Vamos chamar os dois resultados de W (ganhar) e L (perder). No caso geral, a probabilidade de W ou L em um único evento não precisa ser igual. Vamos chamar p a probabilidade de obter o resultado W. Então q, a probabilidade de L, é necessariamente $(1-p)$. Em um conjunto de n tentativas, a probabilidade $P(k, n)$ que W será obtido k vezes é

$$P(k, n) = \binom{n}{k} p^k q^{n-k}. \tag{6.6}$$

Essa função de probabilidade é chamada de *Bernoulli* ou, também, de probabilidade *binomial*.

6–3 O caminho aleatório

Existe outro problema interessante no qual a ideia de probabilidade é necessária. É o problema do "caminho aleatório". Na sua versão simples, imaginamos um "jogo" no qual um "jogador" começa no ponto $x = 0$ e, a cada "movimento", é solicitado a dar um passo *ou* para frente (na direção $+x$) *ou* para trás (na direção $-x$). A escolha deve ser feita *aleatoriamente*, determinada, por exemplo, ao jogar uma moeda. Como devemos descrever o movimento resultante? Na sua forma geral, o problema está relacionado com o movimento dos átomos (ou outras partículas) em um gás – chamado de movimento browniano – e também à combinação de erros nas medidas. Você verá que o problema do caminho aleatório está proximamente relacionado ao problema de jogar uma moeda, que já discutimos.

Primeiro, vamos olhar alguns exemplos de caminho aleatório. Podemos caracterizar o progresso do caminhante pela distância resultante D_N viajada em N passos. Mostramos no gráfico da Figura 6–5 três exemplos de caminho para um caminhante aleatório. (Usamos para a sequência aleatória de escolhas os resultados da moeda jogada mostrados na Figura 6–1.)

O que podemos dizer sobre o movimento? Podemos primeiro perguntar: "O quão longe ele chega na média?" Devemos *esperar* que seu progresso médio seja zero, já que ele tem probabilidades iguais de ir para frente ou para trás, mas temos a sensação de que,

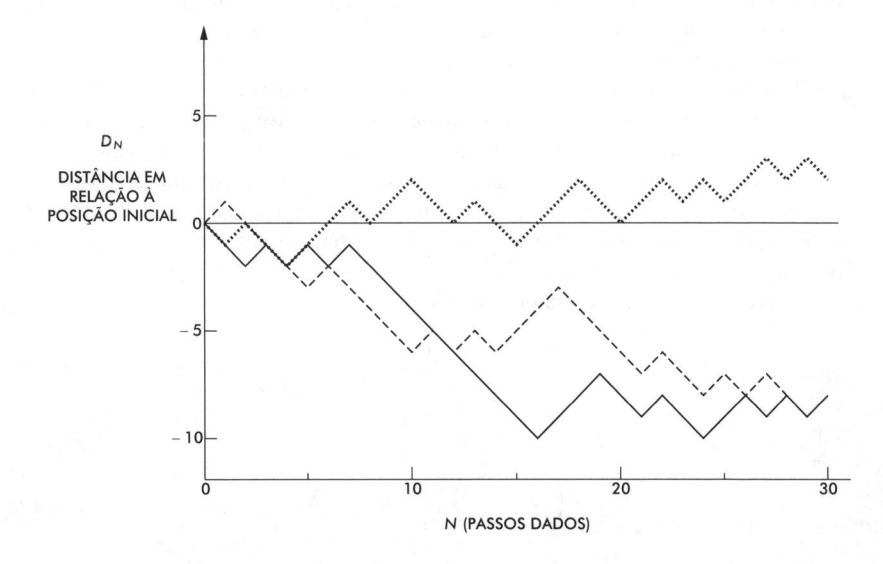

Figura 6–5 O progresso feito em um caminho aleatório. A coordenada horizontal N é o número total de passos dados; a coordenada vertical D_N é a distância resultante em relação à posição inicial.

conforme N aumenta, é mais provável que ele se distancie do ponto inicial. Podemos, dessa maneira, perguntar qual é a sua distância média viajada em *valores absolutos*, isto é, qual é a média de $|D|$. É, no entanto, mais conveniente lidar com uma outra medida do "progresso", o quadrado da distância: D^2 é um positivo para movimentos positivos e negativos e, assim, é uma *medida* razoável de tal caminho aleatório.

Podemos mostrar que o valor esperado de $\boldsymbol{D}_N^2$ é apenas N, o número de passos dados. Por "valor esperado" queremos dizer o valor provável (nossa melhor suposição), que podemos pensar como sendo o comportamento médio *esperado* em *muitas* sequências *repetidas*. Representamos tal valor esperado por $\langle \boldsymbol{D}_N^2 \rangle$, e podemos nos referir a ele também como a "distância média quadrática." Depois de um passo, D^2 é sempre $+1$, então temos certamente $\langle D_1^2 \rangle = 1$. (Todas as distâncias serão medidas em termos da unidade de um passo. Não devemos continuar a escrever as unidades de distância.)

O valor esperado de $\boldsymbol{D}_N^2$ para $N > 1$ pode ser obtido de D_{N-1}. Se, depois de $(N-1)$ passos, temos D_{N-1}, então depois de N passos temos $D_N = D_{N-1} + 1$ *ou* $D_N = D_{N-1} - 1$. Para os quadrados,

$$D_N^2 = \begin{cases} D_{N-1}^2 + 2D_{N-1} + 1, \\ \quad\quad\quad ou \\ D_{N-1}^2 - 2D_{N-1} + 1. \end{cases} \quad (6.7)$$

Em um número de sequências independentes, esperamos obter cada valor na metade do tempo, então nossa expectativa média é apenas a metade dos dois valores possíveis. O valor esperado de $\boldsymbol{D}_N^2$ é, então, $D_{N-1}^2 + 1$. *Em geral*, deveríamos *esperar* por $\boldsymbol{D}_{N-1}^2$ seu "valor esperado" $\langle \boldsymbol{D}_{N-1}^2 \rangle$ (por definição!). Então

$$\langle \boldsymbol{D}_N^2 \rangle = \langle \boldsymbol{D}_{N-1}^2 \rangle + 1. \quad (6.8)$$

Já mostramos que $\langle D_1^2 \rangle = 1$; segue-se então que

$$\langle \boldsymbol{D}_N^2 \rangle = N, \quad (6.9)$$

um resultado particularmente simples!

Se desejamos um número como a distância, em vez da distância ao quadrado, para representar o "progresso feito a partir da origem" no caminho aleatório, podemos usar a "raiz da distância média quadrática", D_{rms}:

$$\boldsymbol{D}_{\mathbf{rms}} = \sqrt{\langle D^2 \rangle} = \sqrt{N}. \quad (6.10)$$

Indicamos que o passeio aleatório é similar na sua matemática ao fato de jogarmos uma moeda, que consideramos no começo deste capítulo. Se imaginarmos a direção de cada passo como sendo correspondente com a aparição de caras ou coroas em uma moeda jogada, então D é apenas $N_H - N_T$, a diferença no número de caras e coroas. Já que $N_H + N_T = N$, o número total de passos (e jogadas), temos $D = 2N_H - N$. Tínhamos deduzido antes uma expressão para a distribuição esperada de N_H (também chamado de k) e obtido o resultado da Eq. (6.5). Já que N é apenas uma constante, temos a distribuição correspondente a D. (Já que para cada cara a mais do que $N/2$ existe uma coroa "faltando", temos o fator de 2 entre N_H e D.) O gráfico da Figura 6–2 representa a distribuição de distâncias que podemos obter em 30 passos aleatórios (onde $k = 15$ é para ser lido como $D = 0$; $k = 16$, $D = 2$; etc.).

A variação de N_H do seu valor esperado $N/2$ é

$$N_H - \frac{N}{2} = \frac{D}{2}. \quad (6.11)$$

O desvio rms é

$$\left(N_H - \frac{N}{2}\right)_{\text{rms}} = \tfrac{1}{2}\sqrt{N}. \quad (6.12)$$

De acordo com nosso resultado para D_{rms}, esperamos que a distância "típica" em 300 passos seja $\sqrt{30} \approx 5{,}5$, ou um k típico deveria ser em torno de $5{,}5/2 = 2{,}75$ unidades de 15. Vemos que a "largura" da curva na Figura 6–2, medida do centro, é justamente em torno de 3 unidades, de acordo com esse resultado.

Agora estamos em uma posição para considerar a questão que temos evitado até o momento. Como devemos dizer se uma moeda é "honesta" ou "trapaceira"? Podemos dar agora pelo menos uma resposta parcial. Para uma moeda honesta, esperamos que a fração de vezes que aparecem caras seja 0,5, isto é,

$$\frac{\langle N_H \rangle}{N} = 0{,}5. \tag{6.13}$$

Também esperamos um N_H efetivo que desvie de $N/2$ por aproximadamente $\sqrt{N}/2$, ou a *fração* desvie por

$$\frac{1}{N} \frac{\sqrt{N}}{2} = \frac{1}{2\sqrt{N}}.$$

Quanto maior for o N, mais próximo *esperamos* que a fração N_H / N seja de meio.

Na Figura 6–6, traçamos o gráfico da fração N_H / N para a moeda discutida anteriormente. Vemos a tendência de a fração de caras se aproximar de 0,5 para grandes N. Infelizmente, para qualquer jogada ou combinações de jogadas, não existe nenhuma *garantia* de que o desvio observado será *próximo* do desvio *esperado*. Sempre existe uma chance finita de que uma grande flutuação – uma longa cadeia de caras ou coroas – dê um desvio arbitrariamente grande. Tudo o que podemos dizer é que *se* o desvio for próximo do esperado $1/2\sqrt{N}$ (digamos com um fator de 2 ou 3), não temos razão para suspeitar da honestidade da moeda. Se ele for muito grande, podemos suspeitar, mas não podemos provar, que a moeda está viciada (ou que o jogador é esperto!).

Também não consideramos como deveríamos tratar o caso de uma "moeda" ou algum objeto aleatório similar (digamos uma pedra que sempre cai em uma de duas posições) que temos boas razões para acreditar que *deve* ter uma probabilidade diferente para caras e coroas. Definimos $P(H) = \langle N_H \rangle / N$. Como devemos saber o que *esperar* para N_H? Em alguns casos, o melhor que podemos fazer é observar o número de caras obtidas em um grande número de jogadas. No desejo de algo melhor, devemos colocar $\langle N_H \rangle = N_H$(observado). (Como poderíamos esperar algo diferente?) Devemos entender, no entanto, que em tal caso um experimento diferente, ou um observador diferente, pode concluir que $P(H)$ era diferente. *Esperaríamos*, no entanto, que as várias respostas concordassem entre si com um desvio de $1/2\sqrt{N}$ (se $P(H)$ for próximo de meio). Um físico experimental normalmente diz que uma probabilidade "determinada experimentalmente" tem um "erro", e escreve

$$P(H) = \frac{N_H}{N} \pm \frac{1}{2\sqrt{N}}. \tag{6.14}$$

Existe uma implicação em tal expressão de que existe uma probabilidade "verdadeira" ou "correta" que *poderia* ser calculada se conhecêssemos o suficiente, e que a observação pode estar dentro do "erro" devido à flutuação. Não existe, no entanto, nenhuma maneira

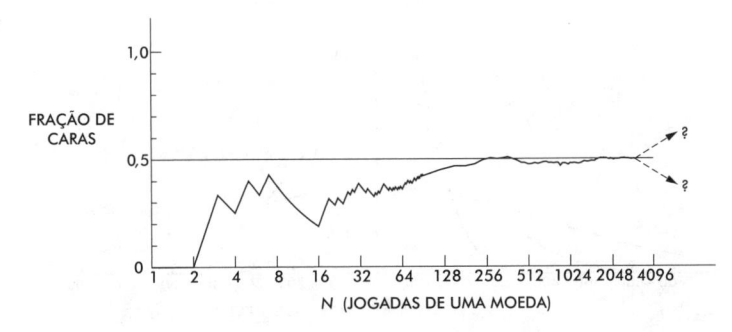

Figura 6–6 A fração de jogadas que deram caras em uma sequência em particular de N jogadas de uma moeda.

de fazer tal pensamento logicamente consistente. Provavelmente, é melhor perceber que o conceito de probabilidade é em certo sentido subjetivo, que ele é sempre baseado em conhecimento incerto e que sua avaliação quantitativa está sujeita a mudanças conforme obtemos mais informações.

6–4 Uma distribuição de probabilidade

Vamos voltar agora ao caminho aleatório e considerar uma modificação nele. Suponha que adicionado à escolha aleatória de *direção* (+ ou –) de cada passo, o *comprimento* de cada passo também varie de alguma maneira imprevisível, a única condição sendo que *na média* o comprimento de cada passo seja uma unidade. Este caso é mais representativo de algo como o movimento térmico de uma molécula em um gás. Se chamarmos o comprimento de um passo de S, então S pode ter qualquer valor, mas será frequentemente "próximo" de 1. Para ser específico, devemos deixar $\langle S^2 \rangle = 1$ ou, equivalentemente, $S_{rms} = 1$. Nosso desvio para $\langle D^2 \rangle$ seria como antes, exceto que a Eq. (6.8) seria alterada agora para

$$\langle D_N^2 \rangle = \langle D_{N-1}^2 \rangle + \langle S^2 \rangle = \langle D_{N-1}^2 \rangle + 1. \tag{6.15}$$

Temos, como antes, que

$$\langle D_N^2 \rangle = N. \tag{6.16}$$

O que esperaríamos agora para a distribuição de distâncias D? Qual é, por exemplo, a probabilidade de que $D = 0$ depois de 30 passos? A resposta é zero! A probabilidade é zero de que D seja *qualquer* valor *em particular*, já que não existe nenhuma chance de que a soma de passos para trás (de comprimentos variados) seja exatamente igual à soma de passos para frente. Não podemos desenhar um gráfico como o da Figura 6–2. Podemos, no entanto, obter uma representação similar à da Figura 6–2 se perguntarmos não qual é a probabilidade de obter D exatamente igual a 0, 1 ou 2, mas qual é a probabilidade de obtermos D *próximo* de 0, 1 ou 2. Vamos definir $P(x, \Delta x)$ como a probabilidade de que D esteja em um intervalo Δx localizado em x (digamos de x a $x+\Delta x$). Esperamos que, para Δx pequenos, a chance de D estar no intervalo é proporcional a Δx, a largura do intervalo. Então podemos escrever

$$P(x, \Delta x) = p(x)\, \Delta x. \tag{6.17}$$

A função $p(x)$ é chamada de *densidade de probabilidade*.

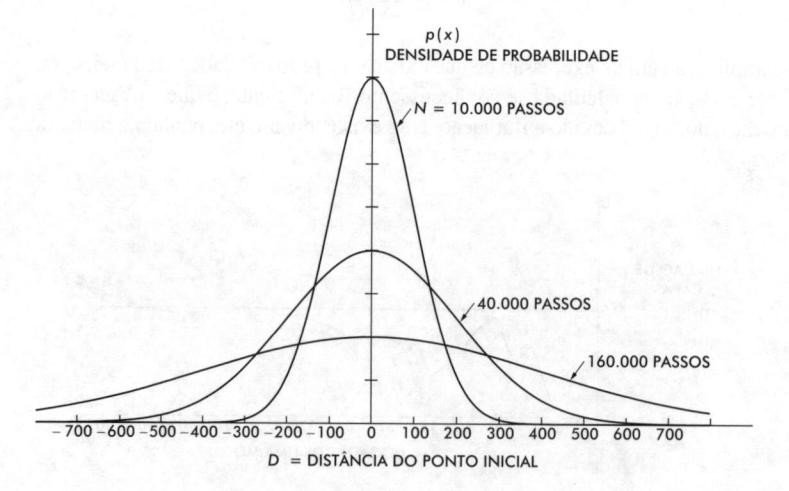

Figura 6–7 A densidade de probabilidade de parar em uma distância D do ponto inicial em um caminho aleatório de N passos. (D é medido em unidade do comprimento do passo rms.)

A forma de $p(x)$ dependerá de N, o número de passos dados, e também da distribuição de comprimentos dos passos individuais. Não podemos demonstrar as provas aqui, mas para N grandes, $p(x)$ é *a mesma* para todas as distribuições razoáveis em comprimentos individuais de passos, e depende somente de N. Traçamos o gráfico de $p(x)$ para três valores de N na Figura 6–7. Você notará que as "larguras a meia altura" (distânciamento típico do $x = 0$) destas curvas é $\sqrt{N}$, como tínhamos mostrado que deveria ser.

Você também pode ter notado que o valor de $p(x)$ próximo do zero é inversamente proporcional a $\sqrt{N}$. Isso acontece porque as curvas são todas com uma forma parecida e as áreas embaixo da curva devem ser iguais. Já que $p(x)\Delta x$ é a probabilidade de achar D em Δx quando Δx é pequeno, podemos determinar a chance de achar D *em algum lugar* dentro de um intervalo arbitrário de x_1 até x_2, cortando o intervalo em um número de incrementos Δx e avaliando a soma dos termos $p(x)\Delta x$ para cada incremento. A probabilidade de que D esteja em algum lugar entre x_1 e x_2, que podemos escrever $P(x_1 < D < x_2)$, é igual à área sombreada na Figura 6–8. Quanto menor tomamos os incrementos Δx, mais correto é o nosso resultado. Podemos escrever, dessa maneira,

$$P(x_1 < D < x_2) = \sum p(x)\,\Delta x = \int_{x_1}^{x_2} p(x)\,dx. \qquad (6.18)$$

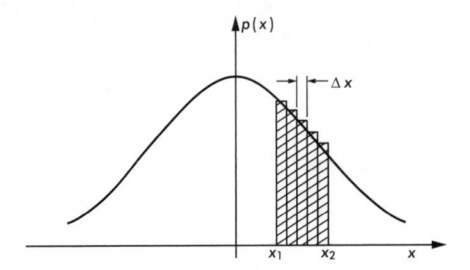

Figura 6–8 A probabilidade de que a distância D percorrida em um caminho aleatório esteja entre x_1 e x_2 é a área embaixo da curva de $p(x)$ de x_1 até x_2.

A área embaixo de toda a curva é a probabilidade de que D esteja em algum lugar (isto é, tenha *algum* valor entre $x = -\infty$ e $x = +\infty$). Essa probabilidade é com certeza 1. Devemos ter que

$$\int_{-\infty}^{+\infty} p(x)\,dx = 1. \qquad (6.19)$$

Já que as curvas na Figura 6–7 ficam cada vez mais largas em relação a $\sqrt{N}$, suas alturas devem ser proporcionais a $1/\sqrt{N}$ para manter a área total igual a 1.

A função densidade de probabilidade que temos descrito é uma encontrada com mais frequência. Ela é conhecida como a densidade de probabilidade *normal* ou *Gaussiana*. Ela tem a forma matemática dada por

$$p(x) = \frac{1}{\sigma\sqrt{2\pi}}\,e^{-x^2/2\sigma^2}, \qquad (6.20)$$

onde σ é chamado de *desvio padrão* e é dado, no nosso caso, por $\sigma = \sqrt{N}$, ou, se o tamanho do passo rms for diferente de 1, por $\sigma = \sqrt{N}\,S_{\text{rms}}$.

Mencionamos antes que o movimento de uma molécula, ou de qualquer partícula, em um gás é como um caminho aleatório. Suponha que abrimos uma garrafa de um composto orgânico e deixamos um pouco do seu vapor escapar para o ar. Se existirem correntes de ar, tais que o ar está circulando, as correntes também carregarão o vapor com elas. Contudo, mesmo em um *ar perfeitamente parado*, o vapor irá gradualmente se espalhar – se difundir – até que ele tenha penetrado a sala toda. Podemos detectá-lo por seu odor e cor. As moléculas individuais do vapor orgânico se espalham no ar parado devido aos movimentos moleculares causados por colisões com outras moléculas. Se soubermos o tamanho do "passo" médio e o número de passos dados por segundo, podemos achar a probabilidade de uma ou mais moléculas serem achadas em alguma distância do seu ponto inicial depois de qualquer intervalo de tempo. Conforme o tempo passa, mais passos são dados e o gás se espalha como nas curvas sucessivas da Figura 6–7. Em um próximo capítulo, devemos achar como o tamanho dos passos e suas frequências estão relacionados com a temperatura e com a pressão de um gás.

Antes, dissemos que a pressão de um gás se deve às moléculas colidindo com as paredes do recipiente. Quando voltamos para fazer uma descrição mais quantitativa, gostaríamos de saber o quão rapidamente as moléculas estão quando colidem, já que o impacto que elas fazem dependerá de sua velocidade. Não podemos, no entanto, falar *da* velocidade de moléculas. É necessário usar a descrição de probabilidade. Uma molécula pode ter qualquer velocidade, mas algumas velocidades são mais prováveis do

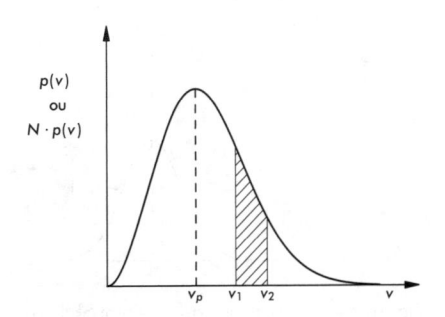

Figura 6–9 A distribuição das velocidades das moléculas em um gás.

que outras. Descrevemos o que está acontecendo dizendo que a probabilidade de que qualquer molécula em particular tenha uma velocidade entre v e $v+\Delta v$ é $p(v)\,\Delta v$, onde $p(v)$, uma densidade de probabilidade, é uma dada função da velocidade v. Devemos ver mais para frente como Maxwell, usando o bom senso e as ideias de probabilidade, foi capaz de achar uma expressão matemática para $p(v)$. A forma[2] da função $p(v)$ é mostrada na Figura 6–9. As velocidades podem ter qualquer valor, mas é mais provável que elas sejam próximas do valor mais provável ou esperado v_p.

Frequentemente pensamos na curva da Figura 6–9 de uma maneira diferente. Se considerarmos as moléculas em um recipiente típico (com um volume de, digamos, um litro), então existe um grande número N de moléculas presentes ($N \approx 10^{22}$). Já que $p(v)\Delta v$ é a probabilidade de que *uma* molécula tenha sua velocidade em Δv, pela nossa definição de probabilidade queremos dizer que o número *esperado* $\langle \Delta N \rangle$ a ser achado com a velocidade no intervalo Δv é dado por

$$\langle \Delta N \rangle = Np(v)\,\Delta v. \qquad (6.21)$$

Chamamos $Np(v)$ de "distribuição de velocidade". A área embaixo da curva entre duas velocidades v_1 e v_2 – por exemplo, a área sombreada na Figura 6–9 – representa [para a curva $Np(v)$] o número esperado de moléculas com velocidade entre v_1 e v_2. Já que dentro de um gás normalmente estamos tratando com um grande número de moléculas, esperamos que os desvios em relação aos valores esperados sejam pequenos (como $1/\sqrt{N}$), então frequentemente não dizemos o valor "esperado", e sim: "O número de moléculas com velocidades entre v_1 e v_2 é a área embaixo da curva". Devemos lembrar, no entanto, que tais afirmações são sempre sobre números *prováveis*.

6–5 O princípio da incerteza

As ideias de probabilidade são certamente úteis para descrever o comportamento de 10^{22} ou mais moléculas em uma amostra de um gás, pois é claramente impraticável até mesmo tentar escrever a posição ou a velocidade de cada molécula. Quando a probabilidade foi pela primeira vez aplicada a tais problemas, ela foi considerada como sendo uma *conveniência* – uma maneira de lidar com situações mais complicadas. Agora acreditamos que as ideias de probabilidade são *essenciais* para uma descrição dos acontecimentos atômicos. De acordo com a mecânica quântica, a teoria matemática das partículas, existe sempre alguma incerteza na *determinação* de posição e velocidade. Podemos, da melhor maneira, dizer que existe uma certa probabilidade de que qualquer partícula tenha a posição próxima de alguma coordenada x.

Podemos dar uma densidade de probabilidade $p_1(x)$, tal que $p_1(x)\Delta x$ é a probabilidade de a partícula ser achada entre x e $x+\Delta x$. Se a partícula está razoavelmente bem localizada, digamos próxima de x_0, a função $p_1(x)$ pode ser dada por um gráfico como o da Figura 6–10(a). Similarmente, devemos especificar a velocidade de uma partícula por meio de uma função de probabilidade $p_2(v)$, com $p_2(v)\Delta v$ sendo a probabilidade de a velocidade ser achada entre v e $v+\Delta v$.

Um dos resultados fundamentais da mecânica quântica é que as funções $p_1(x)$ e $p_2(v)$ não podem ser escolhidas independentemente e, em particular, não podem, ambas, ser feitas arbitrariamente estreitas. Se chamarmos a "largura" típica da curva $p_1(x)$ de $[\Delta x]$, e a da curva $p_2(v)$ de $[\Delta v]$ (como mostrado na Figura 6–10), a natureza ordena que o *produto* das duas larguras seja no mínimo maior que o número $\hbar/2m$, onde m é a massa da partícula. Podemos escrever esta relação básica como

$$[\Delta x] \cdot [\Delta v] \geq \hbar/2m. \qquad (6.22)$$

A equação é uma afirmação do *princípio da incerteza de Heisenberg* que mencionamos anteriormente.

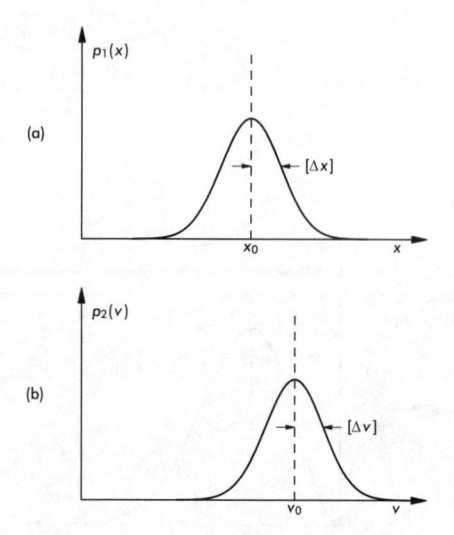

Figura 6–10 As densidade de probabilidade para observação da posição e da velocidade de uma partícula.

---

[2] A expressão de Maxwell é $p(v) = Cv^2 e^{-av^2}$, onde a é uma constante relacionada com a temperatura e C é escolhido para que a probabilidade total seja um.

Figura 6–11 Uma maneira de visualizar um átomo de hidrogênio. A densidade (em branco) da nuvem representa a densidade de probabilidade de observar um elétron.

Já que o lado direto da Eq. (6.22) é uma constante, essa equação diz que se tentamos "pegar" uma partícula forçando-a a ficar em um lugar específico, ela acaba tendo uma alta velocidade. Ou se a forçamos a ir bem devagar, ou em uma velocidade precisa, ela "se espalha" de tal maneira que não sabemos muito bem onde ela está. As partículas se comportam de uma maneira engraçada!

O princípio da incerteza descreve uma indistinção inerente que deve existir em qualquer tentativa de descrever a natureza. Nossa descrição mais precisa da natureza *deve* ser em termos de *probabilidades*. Existem algumas pessoas que não gostam desta maneira de descrever a natureza. Elas acham que de alguma forma se elas pudessem somente dizer o que *realmente* está acontecendo com a partícula, elas poderiam saber a sua velocidade e posição simultaneamente. No começo do desenvolvimento da mecânica quântica, Einstein estava muito preocupado com esse problema. Ele costumava balançar a cabeça e dizer, "Certamente Deus não joga dados para determinar como os elétrons devem andar!" Ele se preocupou com esse problema por muito tempo e provavelmente nunca se adaptou realmente ao fato de que essa é a melhor descrição da natureza que se pode dar. Existem ainda um ou dois físicos que estão trabalhando nesse problema tendo uma convicção intuitiva de que é possível de alguma forma descrever o mundo de uma maneira diferente e de que todas estas incertezas sobre como as coisas são podem ser removidas. Ninguém ainda foi bem-sucedido!

A incerteza necessária em nossas condições de posição de uma partícula se torna mais importante quando desejamos descrever a estrutura de um átomo. No átomo de hidrogênio, que tem um núcleo de um próton com um elétron no exterior do núcleo, a incerteza na posição do elétron é tão grande quanto o próprio átomo. Não podemos, dessa maneira, falar propriamente de um elétron se movendo em uma "órbita" ao redor do próton. O máximo que podemos dizer é que existe uma certa *chance* $p(r)\Delta V$ de observar o elétron em um elemento de volume ΔV a uma certa distância r do próton. A densidade de probabilidade $p(r)$ é dada pela mecânica quântica. Para um átomo de hidrogênio não perturbado $p(r) = Ae^{-2r/a}$. O número a é um raio típico, onde a função decresce rapidamente. Como existe uma pequena probabilidade de achar o elétron a distâncias do núcleo muito maiores que a, podemos pensar em a como sendo "o raio de um átomo", em torno de 10^{-10} metros.

Podemos formar uma imagem do átomo de hidrogênio imaginando uma "nuvem" cuja densidade é proporcional à densidade de probabilidade de observarmos um elétron. Um exemplo de tal nuvem é mostrado no Figura 6–11. Assim, nossa melhor "foto" de um átomo de hidrogênio é um núcleo cercado por uma "nuvem eletrônica" (apesar de *realmente* pensarmos em uma "nuvem de probabilidade"). O elétron está lá em algum lugar, mas a natureza nos permite conhecer apenas a *chance* de achá-lo em um lugar específico.

No seu esforço de aprender o máximo possível sobre a natureza, a física moderna tem achado que certas coisas nunca poderão ser "conhecidas" com certeza. Muito do nosso conhecimento deve sempre se manter incerto. O *máximo* que podemos saber é em termos de probabilidades.

7

A Teoria da Gravitação

7–1 Movimentos planetários

Neste capítulo, discutiremos uma das generalizações de mais longo alcance da mente humana. Enquanto admiramos a mente humana, devemos reservar algum tempo para nos assombrarmos com uma *natureza* que foi capaz de apreender com tamanha abrangência e generalidade um princípio tão elegantemente simples como a lei da gravitação. O que é essa lei da gravitação? É que cada objeto no universo atrai todos os outros objetos com uma força que, para dois corpos quaisquer, é proporcional à massa de cada um e varia inversamente com o quadrado da distância entre eles. Essa afirmação pode ser matematicamente expressa pela equação

$$F = G\frac{mm'}{r^2}.$$

Se a isso acrescentarmos o fato de que um objeto responde a uma força acelerando na mesma direção e sentido, com uma intensidade que é inversamente proporcional à massa do objeto, teremos dito todo o necessário para um matemático suficientemente talentoso, que conseguiria então deduzir todas as consequências desses dois princípios. Contudo, uma vez que você não é considerado suficientemente talentoso ainda, discutiremos as consequências em detalhes, e não vamos deixá-lo apenas com esses dois princípios. Vamos relatar brevemente a narrativa da descoberta da lei da gravitação e discutiremos alguma das consequências, seus efeitos sobre a história, os mistérios que tal lei encerra e alguns refinamentos da lei feitos por Einstein; discutiremos também as relações desta com outras leis da física. Tudo isso não cabe em um capítulo, mas esses temas serão tratados no devido tempo em capítulos subsequentes.

A história começa com os antigos observando os movimentos dos planetas entre as estrelas e, finalmente, deduzindo que eles giravam em torno do Sol, um fato que foi redescoberto mais tarde por Copérnico. Exatamente *como* os planetas giravam em torno do Sol, com precisamente *que movimento*, levou um pouco mais de tempo para ser descoberto. No início do século XV existiam grandes debates sobre se realmente eles giravam em torno do Sol ou não. Tycho Brahe teve uma ideia que foi diferente de qualquer coisa proposta pelos antigos: a ideia dele foi que esses debates sobre a natureza dos movimentos dos planetas seriam mais bem resolvidos se as posições reais dos planetas no céu fossem medidas com precisão suficiente. Se a medida mostrasse exatamente como os planetas se moviam, então talvez fosse possível estabelecer um ou outro ponto de vista. Essa foi uma grande ideia – de que para descobrir algo é melhor realizar algumas experiências cuidadosas, do que prosseguir com profundos argumentos filosóficos. Desenvolvendo essa ideia, Tycho Brahe estudou as posições dos planetas durante vários anos em seu observatório na ilha de Hven, perto de Copenhagen. Ele fez tabelas extensas, que depois foram estudadas pelo matemático Kepler, após a morte de Tycho. Kepler descobriu, a partir desses dados, algumas leis muito bonitas e notáveis, embora simples, sobre o movimento planetário.

7–2 Leis de Kepler

Em primeiro lugar, Kepler descobriu que cada planeta gira ao redor do Sol em uma curva chamada *elipse*, com o Sol em um dos focos da elipse. Uma elipse não é apenas uma oval, mas uma curva muito específica e precisa que pode ser obtida usando-se duas tachinhas, uma em cada foco, um pedaço de barbante e um lápis; ou, mais matematicamente, é a linha gerada por todos os pontos cuja soma das distâncias a dois pontos fixos (os focos) é uma constante. Ou, se você preferir, é um círculo encurtado (Figura 7–1).

A segunda observação de Kepler foi que os planetas não giram ao redor do Sol com velocidade uniforme, porém movem-se mais rapidamente quando estão mais próximos

7–1	Movimentos planetários
7–2	Leis de Kepler
7–3	Desenvolvimento da dinâmica
7–4	Lei da gravitação de Newton
7–5	Gravitação universal
7–6	A experiência de Cavendish
7–7	O que é gravidade?
7–8	Gravidade e relatividade

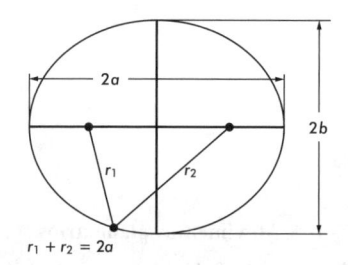

Figura 7–1 Uma elipse.

do Sol e mais lentamente quando estão mais longe, precisamente deste modo: suponha que um planeta é observado em dois momentos sucessivos quaisquer, digamos, com uma diferença de uma semana, e que se trace o raio vetor[1] até o planeta para cada posição observada. O arco de órbita percorrido pelo planeta durante a semana e os dois raios vetores delimitam certa área plana, a área sombreada mostrada na Figura 7–2. Se duas observações similares são feitas com uma semana de intervalo, em uma parte da órbita mais distante do Sol (onde o planeta se desloca mais lentamente), a área delimitada, de mesma forma, será exatamente igual à do primeiro caso. Então, de acordo com a segunda lei, a velocidade orbital de cada planeta é tal que o raio "varre" áreas iguais em intervalos de tempo iguais.

Finalmente, uma terceira lei foi descoberta por Kepler muito depois; essa lei é de uma categoria diferente das outras duas, porque não lida apenas com um planeta individual, mas relaciona um planeta a outro. Essa lei diz que, quando o período orbital e o tamanho da órbita de dois planetas quaisquer são comparados, os períodos são proporcionais à potência 3/2 do tamanho da órbita. Nessa afirmação, o período é o intervalo de tempo que um planeta leva para percorrer completamente sua órbita e o tamanho é medido pelo comprimento do maior diâmetro da órbita elíptica, tecnicamente conhecido como o eixo maior. Mais simplesmente, se os planetas girassem em círculos, como quase fazem, o tempo necessário para percorrer o círculo seria proporcional à potência 3/2 do diâmetro (ou raio). Portanto, as três leis de Kepler são:

I. Cada planeta se desloca ao redor do Sol em uma elipse, com o Sol em um foco.
II. O raio vetor do Sol ao planeta percorre áreas iguais em intervalos de tempo iguais.
III. Os quadrados dos períodos de dois planetas quaisquer são proporcionais aos cubos dos semieixos maiores de suas respectivas órbitas: $T \propto a^{3/2}$.

7–3 Desenvolvimento da dinâmica

Enquanto Kepler descobria essas leis, Galileu estudava as leis do movimento. O problema era: o que faz os planetas girarem? (Naquela época, uma das teorias propostas era que os planetas giravam porque atrás deles existiam anjos invisíveis batendo suas asas e impelindo os planetas para frente. Você verá que essa teoria está agora modificada! Foi descoberto que, para manter os planetas girando, os anjos invisíveis devem voar em uma direção diferente e eles não têm asas. Afora isso, é uma teoria bem parecida.) Galileu descobriu um fato notável sobre o movimento, que foi essencial para a compreensão dessas leis. É o princípio da *inércia* – se algo estiver se movendo, sem nada o tocando e totalmente imperturbado, ele se moverá para sempre, viajando com velocidade uniforme e em linha reta. (*Por que* ele continuará viajando? Não sabemos, mas isso é o que acontece.)

Newton modificou essa ideia, dizendo que o único modo de mudar o movimento de um corpo é aplicar *força*. Se o corpo acelera, uma força foi aplicada *na direção do movimento*. Por outro lado, se o movimento muda para uma nova *direção*, uma força foi aplicada *lateralmente*. Newton, então, acrescentou a ideia de que é necessária uma força para mudar a velocidade *ou a direção* do movimento de um corpo. Por exemplo, se uma pedra for presa a um fio e estiver girando em círculo, será necessária uma força para mantê-la no círculo. Teremos de *puxar* o fio. Na verdade, a lei é que a aceleração produzida pela força é inversamente proporcional à massa, ou a força é proporcional à massa vezes a aceleração. Quanto mais massivo for um objeto, maior será a força necessária para produzir uma dada aceleração. (A massa pode ser medida prendendo-se outras pedras na ponta do mesmo fio e fazendo-as percorrer o mesmo círculo à mesma velocidade. Desse modo, descobre-se que mais ou menos força é necessária, pois o objeto mais massivo exigirá mais força.) A ideia brilhante resultante dessas considerações é que não é necessária nenhuma força *tangencial* para manter um planeta em sua órbita (os anjos não precisam voar tangencialmente), porque os planetas viajariam naquela

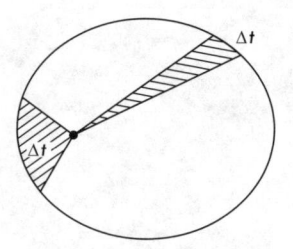

Figura 7–2 Leis das áreas de Kepler.

[1] Um raio vetor é uma linha traçada do Sol a qualquer ponto na órbita de um planeta.

direção de qualquer maneira. Se não existisse nada para o perturbar, o planeta deveria ir em uma *linha reta*, mas o movimento real desvia-se da linha, que o corpo percorreria se não houvesse força, o desvio sendo essencialmente *em ângulos retos* ao movimento, não na direção do movimento. Em outras palavras, devido ao princípio da inércia, a força necessária para controlar o movimento de um planeta ao redor do Sol não é uma força *ao redor* do Sol, mas *em direção* ao Sol. (Se existe uma força em direção ao Sol, ele próprio poderia ser o anjo, é claro!)

7–4 Lei da gravitação de Newton

A partir da melhor compreensão da teoria do movimento, Newton reconheceu que *o Sol poderia ser a sede ou a organização das forças que governam o movimento dos planetas*. Newton provou para si (e talvez consigamos prová-lo em breve) que o fato de que áreas iguais são percorridas em tempos iguais é um sinal da proposição de que todos os desvios são precisamente *radiais* – que a lei das áreas é uma consequência direta da ideia de que todas as forças se dirigem exatamente *em direção ao Sol*.

Em seguida, analisando-se a terceira lei de Kepler, é possível mostrar que, quanto mais afastado o planeta, mais fracas são as forças. Se dois planetas a distâncias diferentes do Sol são comparados, a análise mostra que as forças são inversamente proporcionais aos quadrados das respectivas distâncias. Com a combinação das duas leis, Newton concluiu que deve existir uma força, inversamente proporcional ao quadrado da distância, na direção de uma linha entre os dois objetos.

Sendo um homem com um considerável sentimento para generalização, Newton supôs, é claro, que essa relação se aplicava de forma mais geral do que apenas ao Sol segurando os planetas. Já se sabia, por exemplo, que o planeta Júpiter tinha luas girando à seu redor, como a Lua da Terra gira em volta dela, e Newton teve certeza de que cada planeta prendia suas luas com uma força. Ele já conhecia a força que *nos* prende sobre a Terra, então ele propôs que essa era uma força *universal – que tudo atrai todo o resto*.

O próximo problema foi se a atração da Terra sobre seus habitantes era a "mesma" que a sobre a Lua, ou seja, inversamente proporcional ao quadrado da distância. Se um objeto na superfície da Terra cai 5 metros no primeiro segundo após liberado do repouso, que distância cai a Lua no mesmo tempo? Poderíamos dizer que a Lua não cai, mas se nenhuma força agisse sobre a Lua, ela se afastaria em linha reta; em vez disso, ela percorre um círculo, então realmente *cai* em relação a onde estaria se nenhuma força atuasse. Podemos calcular, a partir do raio da órbita da Lua (de cerca de 386 mil quilômetros) e do tempo que ela leva para circundar a Terra (aproximadamente 29 dias), qual distância a Lua percorre em sua órbita em um segundo e, depois, calcular quanto cai em um segundo.[2] Essa distância se revela como de cerca de 7/5 milímetros em um segundo. Isso se ajusta bem à lei do inverso do quadrado, porque o raio da Terra é de 6,4 mil quilômetros e, se algo a 6,4 mil quilômetros do centro da Terra cai 4,9 metros em um segundo, algo equivalente a 386 mil quilômetros, ou 60 vezes mais distante, deveria cair apenas $1/(60)^2$ de 5 metros, que também é cerca de 7/5 milímetros. Colocando essa teoria da gravitação a teste por meio de cálculos similares, Newton fez seus cálculos com muito cuidado e encontrou uma discrepância tão grande que considerou a teoria contestada pelos fatos e não publicou os resultados. Seis anos depois, uma nova determinação do tamanho da Terra mostrou que os astrônomos vinham usando uma distância incorreta até a Lua. Quando Newton soube disso, ele refez os cálculos com os valores corretos e obteve uma bela concordância.

Essa ideia de que a Lua "cai" é meio confusa porque, como você vê, ela não chega mais *perto*. A ideia é interessante o suficiente para merecer uma explicação adicional: a Lua cai no sentido de que *se afasta da linha reta que percorreria se não existissem forças*. Vamos tomar um exemplo na superfície da Terra. Um objeto solto perto da superfície da Terra cairá 4,9 metros no primeiro segundo. Um objeto atirado *horizontalmente* também cairá 4,9 metros; mesmo que esteja se movendo horizontalmente, ele cai os mesmos 4,9 metros no mesmo tempo. A Figura 7–3 mostra um experimento que demonstra isso. Em

---

[2] Ou seja, que distância o círculo da órbita da Lua fica abaixo da linha reta tangente a ele, no ponto onde a Lua estava um segundo antes.

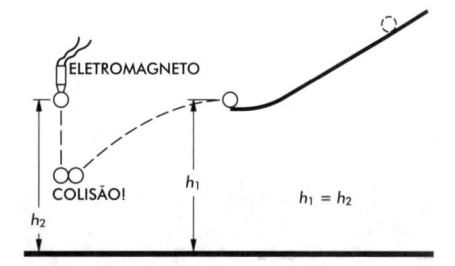

Figura 7–3 Experimento para mostrar a independência entre os movimentos vertical e horizontal.

uma rampa inclinada está uma bola que será impelida uma pequena distância à frente e sairá com um movimento horizontal. Na mesma altura está uma bola que cairá verticalmente, e existe um circuito elétrico arrumado de forma que no momento em que a primeira bola deixar a rampa, a segunda bola será liberada. O fato de que elas chegam à mesma altura no mesmo momento é testemunhado por elas colidirem em pleno ar. Um objeto como uma bala, disparado horizontalmente, poderia ir longe em um segundo – talvez 600 metros –, mas continuará caindo 4,9 metros se disparado horizontalmente. O que acontece se dispararmos uma bala cada vez mais rápido? Não se esqueça de que a superfície da Terra é curva. Se a dispararmos com rapidez suficiente, ao cair 4,9 metros poderá estar exatamente à mesma altura anterior em relação ao solo. Como isso é possível? Ela continua caindo, mas a Terra está curvada, de forma que a bala cai "ao redor" da Terra. A pergunta é, quanto a bala deve percorrer horizontalmente em um segundo para que a Terra esteja 4,9 metros abaixo? Na Figura 7–4, vemos a Terra com seu raio de 6.400 quilômetros e o caminho tangencial, retilíneo, que a bala deveria percorrer se não existisse força. Agora, se usarmos um daqueles maravilhosos teoremas da geometria, que diz que nossa tangente é a média proporcional entre as duas partes do diâmetro cortado por um segmento igual, veremos que a distância horizontal percorrida é a média proporcional entre os 4,9 metros caídos e os 12.800 quilômetros de diâmetro da Terra. A raiz quadrada de (4,9/1.000) × 12.800 resulta em aproximadamente 8 quilômetros. Então, vemos que, se uma bala se move 8 quilômetros por segundo, ela continuará caindo em direção à Terra os mesmos 4,9 metros por segundo, mas nunca ficará mais próxima, porque a Terra continuará curva, o que faz ela se afastar da bala. Portanto, foi assim que o Sr. Gagarin se manteve no espaço enquanto percorreu 40.000 quilômetros ao redor da Terra a aproximadamente 8 quilômetros por segundo. (Ele levou um pouco mais de tempo porque estava um pouco mais alto.)

Qualquer grande descoberta de uma nova lei só é útil se conseguirmos extrair mais do que introduzimos. Agora, Newton *usou* a segunda e a terceira leis de Kepler para deduzir sua lei da gravitação. O que ele *previu*? Primeiro, sua análise do movimento da Lua foi uma previsão, porque relacionou a queda de objetos na superfície da Terra com a da Lua. Segundo, a pergunta é: *a órbita é uma elipse?* Veremos em um capítulo posterior como é possível calcular exatamente o movimento, e de fato pode-se provar que deveria ser uma elipse,[3] de modo que nenhum fato extra é necessário para explicar a *primeira* lei de Kepler. Então, Newton fez sua primeira previsão poderosa.

A lei da gravitação explica muitos fenômenos antes não compreendidos. Por exemplo, a atração da Lua sobre a Terra causa as marés, até então misteriosas. A Lua puxa para cima a água sobre ela e provoca as marés – algumas pessoas já haviam pensado nisso antes, mas não eram tão inteligentes como Newton e então acharam que deveria haver uma só maré durante o dia. O raciocínio era de que a Lua puxa para cima a água que está abaixo dela, provocando uma maré alta e uma maré baixa, e como a Terra gira embaixo da Lua, isso faria a maré em um lugar subir e descer a cada 24 horas. Na verdade, a maré sobe e desce em 12 horas. Outra escola de pensamento alegava que a maré alta deveria estar do outro lado da Terra, porque, como eles argumentavam, a Lua atrai a Terra para longe da água! Ambas essas teorias estão erradas. Na verdade, a coisa funciona assim: a atração da Lua sobre a Terra e sobre a água está "equilibrada" no centro. Porém, a água mais próxima da Lua é atraída *mais* do que a média, e a água mais afastada é atraída *menos* do que a média. Adicionalmente, a água consegue fluir, ao contrário da Terra, que é mais rígida. O verdadeiro quadro é uma combinação dessas duas coisas.

O que queremos dizer por "equilibrado"? O que se equilibra? Se a Lua atrai toda a Terra em sua direção, por que esta não cai direto "em cima" da Lua? Porque a Terra faz o mesmo truque da Lua, percorre um círculo ao redor de um ponto que está dentro da Terra, mas não no seu centro. A Lua não se move simplesmente ao redor da Terra; Terra e Lua giram, ambas, ao redor de uma posição central, cada uma caindo rumo a essa posição comum, como mostra a Figura 7–5. Esse movimento ao redor do centro comum é o que equilibra a queda de cada uma. Então, a Terra também não se move em uma linha reta;

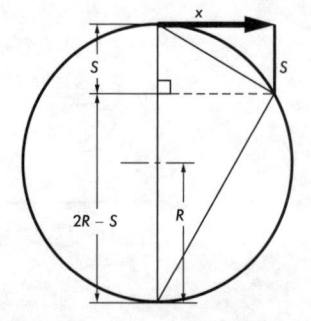

Figura 7–4 Aceleração em direção ao centro de uma trajetória circular. Da geometria plana, $x/S = (2R - S)/x \approx 2R/x$, onde R é o raio da Terra, 6.400 quilômetros; x é a distância "percorrida horizontalmente" em um segundo; e S é a distância "de queda" em um segundo (4,9 metros).

---
[3] A comprovação não está incluída nesta palestra.

ela viaja em um círculo. A água do lado oposto está "desbalanceada", porque a atração da Lua é mais fraca ali do que no centro da Terra, onde ela exatamente equilibra a "força centrífuga". O resultado desse desbalanço é que a água se eleva, afastando-se do centro da Terra. No lado próximo, a atração da Lua é mais forte, e o desbalanço é na direção oposta no espaço, mas de novo *afastando-se* do centro da Terra. O resultado final é que obtemos *duas* elevações de maré.

7–5 Gravitação universal

O que mais conseguimos compreender quando entendemos a gravidade? Todos sabem que a Terra é redonda. Por que a Terra é redonda? Isso é fácil: devido à gravitação. A Terra pode ser compreendida como redonda simplesmente porque tudo atrai todo o resto e isso faz com que tudo se junte o máximo possível! Se formos ainda mais além, a Terra não é *exatamente* uma esfera porque ela está rodando, e isso traz efeitos centrífugos que tendem a se opor à gravidade perto do equador. Descobre-se que a Terra deveria ser elíptica, e chegamos a obter a forma certa da elipse. Portanto, podemos deduzir que o Sol, a Lua e a Terra deveriam ser (quase) esferas, baseados apenas na lei da gravitação.

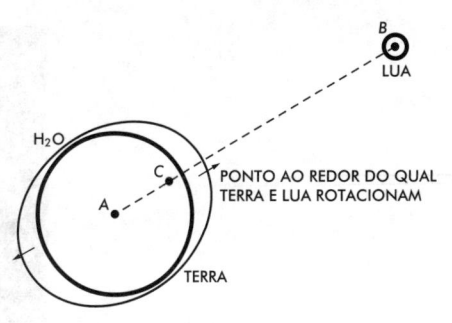

Figura 7–5 Sistema Terra-Lua, com as marés.

O que mais se pode fazer com a lei da gravitação? Se examinarmos as luas de Júpiter, poderemos compreender tudo sobre o modo como giram ao redor do planeta. Aliás, houve certa dificuldade com as luas de Júpiter que vale a pena mencionar. Esses satélites foram estudados com muito cuidado por Rømer, que observou que as luas às vezes pareciam estar adiantadas do horário e outras vezes, atrasadas. (É possível descobrir seus horários esperando um longo tempo e descobrindo o tempo médio gasto pelas luas em suas órbitas.) Elas estavam *adiantadas* quando Júpiter estava particularmente *próximo* da Terra e *atrasadas* quando Júpiter estava *afastado* da Terra. Isso seria muito difícil de explicar pela lei da gravitação – seria, na verdade, o fim dessa maravilhosa teoria se não existisse outra explicação. Se uma lei não funciona ainda que em um *único lugar* onde deveria, ela está simplesmente errada. No entanto, a razão da discrepância foi muito simples e bonita: levava um pouco mais de tempo para *ver* as luas de Júpiter devido ao tempo que a luz leva para viajar de Júpiter à Terra. Quando Júpiter está mais perto da Terra, esse tempo é um pouco menor, e quando está mais distante, ele é maior. Por isso, as luas parecem estar, em média, um pouco adiantadas ou um pouco atrasadas, dependendo de estarem mais próximas ou mais distantes da Terra. Esse fenômeno mostrou que a luz não se desloca instantaneamente e forneceu a primeira estimativa da velocidade da luz. Isso se deu em 1676.

Se todos os planetas se atraem e repelem uns aos outros, a força que controla, digamos, a rotação de Júpiter ao redor do Sol não é apenas a do Sol; existe também uma atração de, digamos, Saturno. Essa força não é realmente forte, uma vez que o Sol é muito mais massivo do que Saturno, mas existe *alguma* atração, então a órbita de Júpiter não deve ser uma elipse perfeita, e não é; ela é ligeiramente diferente e "treme" em torno da órbita elíptica correta. Tal movimento é um pouco mais complicado. Tentativas foram feitas para analisar os movimentos de Júpiter, Saturno e Urano com base na lei da gravitação. Os efeitos de cada um desses planetas sobre os outros foram calculados para se verificar se os pequenos desvios e irregularidades nesses movimentos poderiam ser completamente compreendidos com base nessa única lei. Para Júpiter e Saturno, tudo funcionou bem, mas Urano se tornou um "mistério". Ele se comportava de forma muito peculiar: não percorria uma elipse exata, o que era compreensível, devido às atrações de Júpiter e Saturno. No entanto, mesmo levando em conta essas atrações, Urano *continuava* não indo bem, então as leis da gravitação corriam o risco de serem destruídas, uma possibilidade que não podia ser descartada. Dois homens, Adams e Le Verrier, na Inglaterra e na França, independentemente, chegaram a outra possibilidade: talvez exista *outro* planeta, escuro e invisível, que os homens ainda não viram. Esse planeta, *N*, poderia atrair Urano. Eles calcularam onde tal planeta teria de estar para causar as perturbações observadas. Enviaram mensagens aos respectivos observatórios dizendo: "Cavalheiros, apontem seu telescópio para tal e tal lugar e verão um novo planeta". Isso depende frequentemente de com quem se está trabalhando, pois as pessoas podem ou não prestar atenção no que

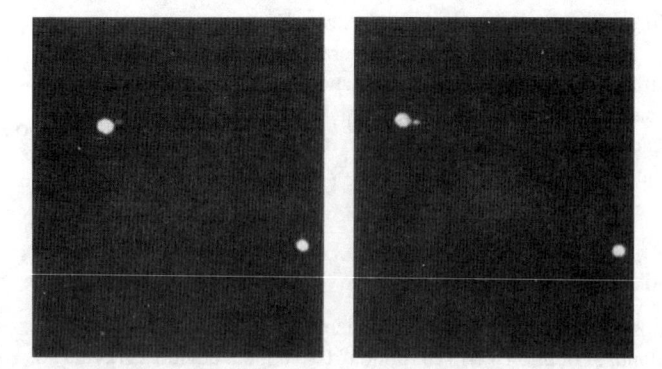

Figura 7–6 Um sistema de estrela dupla.

você está dizendo. Eles deram atenção a Le Verrier; olharam, e ali estava o planeta *N*! O outro observatório, então, também olhou rapidamente após alguns dias e também o viu.

Essa descoberta mostra que as leis de Newton estão absolutamente certas no sistema solar; mas será que se estendem além das distâncias relativamente pequenas dos planetas mais próximos? O primeiro teste está na pergunta, as *estrelas* atraem-se *umas às outras* tanto quanto os planetas? Tivemos uma prova definitiva de que sim com *estrelas duplas*. A Figura 7–6 mostra uma estrela dupla – duas estrelas muito próximas entre si (existe também uma terceira estrela na imagem para que saibamos que a fotografia não foi virada). As estrelas também são mostradas como apareceram vários anos depois. Vemos que, em relação à estrela "fixa", o eixo do par foi rotacionado, ou seja, as duas estrelas estão girando ao redor uma da outra. Será que giram segundo as leis de Newton? Medidas cuidadosas das posições relativas de um desses sistemas de estrela dupla são mostradas na Figura 7–7. Vemos ali uma bela elipse, as medidas começando em 1862 e indo durante todo o caminho até 1904 (até hoje elas devem ter dado mais uma volta). Tudo coincide com as leis de Newton, exceto o fato de que a estrela Sirius A *não está no foco*. Por que isso acontece? Porque o plano da elipse não está no "plano do céu". Não estamos olhando para o plano da órbita em ângulos retos, e quando uma elipse é vista inclinada, ele permanece uma elipse, mas o foco fica no mesmo lugar. Então, podemos analisar estrelas duplas, deslocando-se uma ao redor da outra, de acordo com as exigências da lei gravitacional.

O fato de a lei da gravitação ser válida mesmo a distâncias maiores está indicado na Figura 7–8. Se alguém não enxerga a ação da gravitação aqui, é porque não tem alma. Essa figura mostra uma das coisas mais belas no céu – um aglomerado estelar globular. Todos os pontos são estrelas. Embora eles pareçam como se tivessem empacotados como um sólido na parte central, isso é devido à falta de resolução dos nossos instrumentos. Na verdade, as distâncias mesmo entre as estrelas mais centrais são muito grandes, e elas raramente colidem. Existem mais estrelas no interior do que nas extremidades, e à medida que vamos nos afastando para fora, existem cada vez menos estrelas. É óbvio que existe uma atração entre essas estrelas. Está claro que a gravitação existe nessas dimensões enormes, talvez 100 mil vezes o tamanho do sistema solar.

Vamos mais além agora e vamos olhar uma *galáxia inteira*, mostrada na Figura 7–9. A forma dessa galáxia indica uma tendência óbvia de sua matéria de se aglomerar. Claro que não podemos provar que a lei aqui é precisamente o inverso quadrado, apenas que ainda existe uma atração nessa dimensão enorme que une todas essas coisas. Alguém poderia dizer: "Bem, tudo isso é bem inteligente, mas por que ela não é simplesmente uma bola?" Porque ela está *girando* e tem *momento angular* que não pode ser deixado de fora ao se contrair; ela deve se contrair preferencialmente em um plano. (Aliás, se você estiver atrás de um bom problema, os detalhes exatos de como se formam os braços e o que determina as formas dessas galáxias ainda não foram estudados.) Entretanto, está claro que a forma da galáxia se deve à gravitação, apesar das complexidades de sua estrutura não terem nos permitido analisá-la completamente. Em uma galáxia, temos uma escala de talvez 50 mil a 100 mil anos-luz. A distância da Terra ao Sol é de 8 1/3 *minutos-luz*, então você pode ver quão grande são essas dimensões.

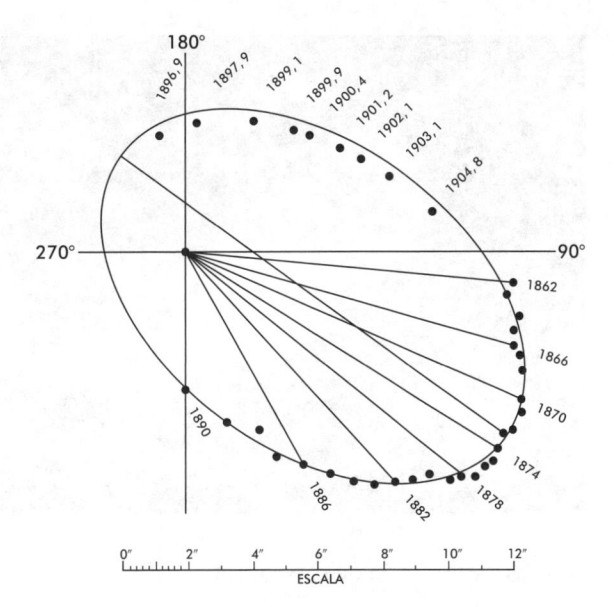

Figura 7-7 A órbita de Sirius B em relação a Sirius A.

A gravidade parece existir em dimensões ainda maiores, como indica a Figura 7–10, que mostra várias coisas "pequenas" aglomeradas. Isso é um *aglomerado de galáxias*, como um aglomerado estelar. Então, as galáxias se atraem entre si a tais distâncias que também se juntam em aglomerados. Talvez a gravitação exista até a distâncias de *dezenas de milhões* de anos-luz: até onde sabemos, a gravidade parece estender-se para sempre na forma inversamente proporcional ao quadrado da distância.

Não apenas podemos compreender as nebulosas, mas da lei da gravitação podemos até obter algumas ideias sobre a origem das estrelas. Se tivermos uma grande nuvem de poeira e gás, como mostra a Figura 7–11, as atrações gravitacionais dos pedaços de poeira entre si poderiam fazê-los formar pequenos conjuntos. Escassamente visíveis na figura estão "pequenos" pontos negros que podem ser o começo das acumulações de poeira e gases que, devido à sua gravitação, começam a formar estrelas. Se já chegamos a ver a formação de uma estrela, ou não, isso ainda é discutível. A Figura 7–12 mostra um indício que sugere que sim. À esquerda vemos uma foto de uma região de gás com algumas estrelas, tirada em 1947, e à direita está outra foto, tirada apenas sete anos depois, que mostra dois novos pontos brilhantes. Será que o gás se acumulou e a gravidade agiu com força o suficiente para reuni-lo em uma bola grande o bastante para que a reação nuclear estelar comece no interior e a transforme em uma estrela? Talvez sim, ou talvez não. Não é razoável que em apenas sete anos tivéssemos a sorte de ver uma estrela tornar-se visível; é ainda menos provável que tenhamos visto *duas*!

Figura 7-8 Um aglomerado estelar globular.

Figura 7–9 Uma galáxia.

7–6 A experiência de Cavendish

A gravitação, portanto, estende-se por enormes distâncias. Se existe uma força entre *qualquer* par de objetos, deveria ser possível medir a força entre nossos próprios objetos. Em vez de ter de observar as estrelas rodarem umas ao redor das outras, por que não podemos tomar uma bola de chumbo e uma bolinha de gude e observar esta última ir ao encontro da primeira? A dificuldade dessa experiência quando realizada de forma tão simples é a própria fraqueza e delicadeza da força. Isso deve ser feito com extremo cuidado, o que significa cobrir o experimento para manter o ar do lado de fora, certificar-se de que ele não está eletricamente carregado e só então seguir adiante; então a força pode ser medida. Isso foi medido, pela primeira vez, por Cavendish, com um experimento que está esquematicamente mostrado na Figura 7–13. Essa experiência demonstrou, pela primeira vez, a força direta entre duas grandes bolas fixas de chumbo e duas bolas menores de chumbo nas extremidades de um braço preso por uma fibra muito fina, chamada de fibra de torção. Medindo quanto a fibra se torcia, podia-se obter a intensidade da força, verificando que ela é inversamente proporcional ao quadrado da distância e determinando quão forte ela é. Então, pode-se determinar precisamente o coeficiente G na fórmula

$$F = G\frac{mm'}{r^2}.$$

Todas as massas e distâncias são conhecidas. Você diz então: "Já sabíamos isso para a Terra". Sim, mas não conhecíamos a *massa* da Terra. Conhecendo G a partir dessa

Figura 7–10 Um aglomerado de galáxias.

Figura 7-11 Uma nuvem de poeira interestelar.

experiência e conhecendo quão forte é a atração da Terra, podemos descobrir indiretamente o valor da massa da Terra! Essa experiência foi chamada de "pesagem da Terra" por algumas pessoas e pode ser usada para determinar o coeficiente G da lei da gravidade. Essa é a única forma de determinar a massa da Terra. G apresentou o valor de

$$6{,}670 \times 10^{-11} \text{ newton} \cdot \text{m}^2/\text{kg}^2.$$

É difícil exagerar a importância do efeito sobre a história da ciência produzido por esse grande sucesso da teoria da gravitação. Compare a confusão, a falta de confiança, o conhecimento incompleto que prevaleceu nos períodos anteriores, quando existiam intermináveis debates e paradoxos, com a clareza e a simplicidade dessa lei – esse fato de que todas as luas, os planetas e as estrelas têm uma *regra tão simples* que os governam, e que, além disso, o ser humano consegue *entendê-la* e deduzir como deveriam se deslocar os planetas! Essa é a razão do sucesso das ciências nos anos posteriores, pois deu esperança de que os outros fenômenos do mundo também poderiam ter leis tão belamente simples.

7-7 O que é gravidade?

Será que essa lei é tão simples assim? E quanto ao seu mecanismo? Tudo que fizemos foi descrever *como* a Terra se move ao redor do Sol, mas não dissemos *o que a faz se mover*. Newton não formulou nenhuma hipótese sobre isso; ele ficou satisfeito em descobrir *o*

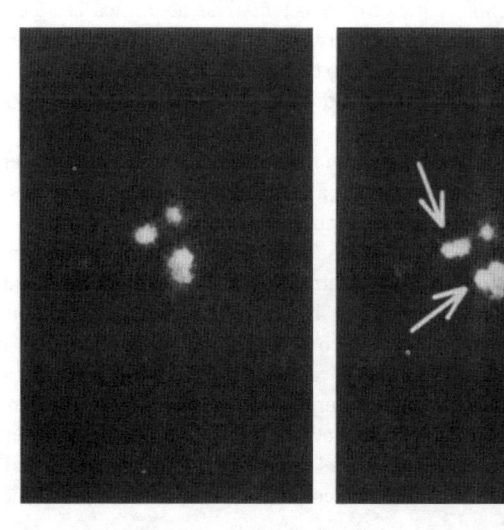

Figura 7-12 A formação de novas estrelas?

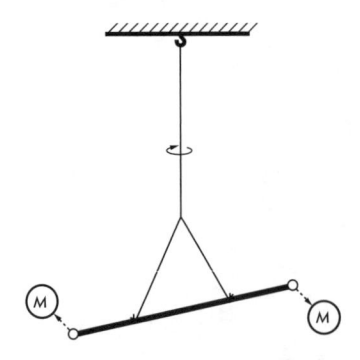

Figura 7-13 Um diagrama simplificado do experimento usado por Cavendish para verificar a lei da gravitação universal para pequenos objetos e medir a constante gravitacional G.

$$\frac{\text{Atração gravitacional}}{\text{Repulsão elétrica}} = 1/4{,}17 \times 10^{42}$$

$$= 1/4{,}170{,}000.$$

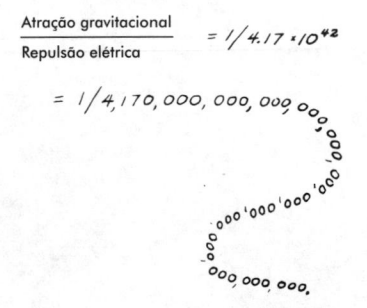

Figura 7-14 A intensidade relativa das interações elétrica e gravitacional entre dois elétrons.

que ela fazia sem investigar seu mecanismo. *Ninguém desde então forneceu qualquer mecanismo*. Isso é uma característica das leis físicas, elas têm esse caráter abstrato. A lei da conservação da energia é um teorema envolvendo quantidades que têm de ser calculadas e somadas, sem menção ao mecanismo; de forma análoga, as grandes leis da mecânica são leis matemáticas quantitativas para as quais nenhum mecanismo está disponível. Por que conseguimos usar a matemática para descrever a natureza sem um mecanismo por trás dela? Ninguém sabe. Temos de continuar avançando porque assim fazemos mais descobertas.

Muitos mecanismos para a gravitação têm sido sugeridos. É interessante examinar um deles, no qual muitas pessoas têm pensado de tempos em tempos. No início, fica-se muito entusiasmado e contente ao "descobri-lo", mas logo se verifica que não está correto. Ele foi descoberto em torno de 1750. Suponha que existissem muitas partículas movendo-se pelo espaço a altíssima velocidade, em todas as direções, e sendo só levemente absorvidas ao atravessar a matéria. Quando elas *são* absorvidas, dão um impulso à Terra. Entretanto, uma vez que a quantidade de partículas em uma direção é a mesma que na direção contrária, os impulsos se equilibram, mas, quando o Sol está próximo, as partículas que vêm na direção da Terra passando pelo Sol são parcialmente absorvidas, então menos partículas vêm do Sol do que do outro lado. Portanto, a Terra sente um impulso total em direção ao Sol, e não se leva muito tempo para notar que é inversamente proporcional ao quadrado da distância – em razão da variação do ângulo sólido que o Sol subtende ao variarmos a distância. O que está errado nesse mecanismo? Ele envolve algumas consequências novas que *não são verdadeiras*. Essa ideia específica tem o seguinte problema: a Terra, ao girar em torno do Sol, colidiria com mais partículas vindas da frente do que vindas de trás (quando você corre na chuva, as gotas no rosto são mais fortes do que na parte de trás da cabeça!). Portanto, a Terra receberia mais impulso da frente e sentiria uma *resistência ao movimento*, que reduziria a velocidade em sua órbita. Pode-se calcular quanto tempo a Terra levaria para parar como resultado dessa resistência, e em pouco tempo a Terra estaria parada na órbita, de modo que esse mecanismo não funciona. Nenhum mecanismo jamais foi inventado que "explique" a gravidade sem também prever algum outro fenômeno que *não* existe.

Em seguida, discutiremos a possível relação da gravitação com outras forças. Não existe nenhuma explicação da gravitação em termos de outras forças até o presente momento. Ela não é um aspecto da eletricidade ou de qualquer outra coisa desse tipo, de modo que não temos nenhuma explicação. Porém, a gravitação e outras forças são muito semelhantes, e é interessante observar analogias. Por exemplo, a força da eletricidade entre dois objetos carregados se parece à lei da gravitação: a força da eletricidade é uma constante, com um sinal negativo, vezes o produto das cargas, e varia inversamente com o quadrado da distância. Ela é no sentido contrário – os semelhantes se repelem. Mesmo assim, não é notável que as duas leis envolvam a mesma função da distância? Talvez a gravitação e a eletricidade estejam muito mais intimamente relacionadas do que imaginamos. Várias foram as tentativas de unificá-las; a chamada teoria do campo unificado é apenas uma tentativa muito elegante de combinar eletricidade e gravitação; mas, ao comparar a gravitação com a eletricidade, o mais interessante são as *intensidades relativas* das forças. Qualquer teoria que contenha ambas deve também obter quão forte a gravidade é.

Se considerarmos, em alguma unidade natural, a repulsão entre dois elétrons (carga universal da natureza) devido à eletricidade e a atração de dois elétrons devido às suas massas, poderemos medir a razão entre a repulsão elétrica e a atração gravitacional. A razão é independente da distância e é uma constante fundamental da natureza. Ela é mostrada na Figura 7-14. A atração gravitacional em relação à repulsão elétrica entre dois elétrons é 1 dividido por $4{,}17 \times 10^{42}$! A pergunta é: de onde vem um número tão grande? Ele não é acidental, como a razão entre o volume da Terra e o volume de uma pulga. Consideramos dois aspectos naturais da mesma coisa, um elétron. Esse número fantástico é uma constante natural, então ele envolve algo profundo na natureza. De onde viria tal número tão espantoso? Há quem diga que descobriremos um dia a "equação universal"; e uma de suas raízes será este número. É muito difícil encontrar uma equação com um número tão fantástico como raiz natural. Outras possibilidades foram imaginadas;

uma é relacioná-lo à idade do universo. Claramente, temos de encontrar *outro* número grande em outra parte; mas nos referimos à idade do universo em *anos*? Não, porque os anos não são "naturais"; eles foram concebidos pelos humanos. Como exemplo de algo natural, consideremos o tempo levado pela luz para atravessar um próton, 10^{-24} segundo. Se compararmos esse tempo com a *idade do universo*, 2×10^{10} anos, a resposta é 10^{-42}. Ele tem quase o mesmo número de zeros, então foi proposto que a constante gravitacional está relacionada à idade do universo. Se isso fosse verdade, a constante gravitacional mudaria com o tempo, pois, à medida que o universo envelhecesse, a razão entre a idade do universo e o tempo levado pela luz para atravessar um próton gradualmente aumentaria. É possível que a constante gravitacional *esteja* mudando com o tempo? Sem dúvida, as mudanças seriam tão pequenas que é difícil saber ao certo.

Um teste em que se pode pensar é determinar qual teria sido o efeito da mudança nos últimos 10^9 anos, que é aproximadamente o período da vida terrestre mais primitiva até agora e um décimo da idade do universo. Nesse período, a constante gravitacional teria aumentado cerca de 10%. A partir disso, revelou-se que considerando a estrutura do Sol – o equilíbrio entre o peso de seu material e a taxa em que energia radioativa é gerada dentro dele – podemos deduzir que, se a gravidade fosse 10% mais forte, o Sol seria muito mais do que 10% mais brilhante – por meio da *sexta potência* da constante gravitacional! Se calcularmos o que acontece com a órbita da Terra quando a gravidade está mudando, descobriremos que a Terra estava então *mais próxima* do Sol. De modo geral, a Terra seria cerca de 100°C mais quente, e toda a sua água não estaria no mar, mas sim vaporada no ar, assim a vida não teria começado no mar. Sendo assim, *não* acreditamos agora que a constante gravitacional esteja mudando com a idade do universo, mas argumentos como esse que acabamos de dar não são muito convincentes, e a discussão não está totalmente encerrada.

É um fato que a força da gravitação é proporcional à *massa*, a quantidade que é fundamentalmente uma medida da *inércia* – de quão difícil é deter algo que está girando em círculo. Portanto, dois objetos, um pesado e o outro leve, girando em torno de um objeto maior no mesmo círculo e à mesma velocidade devido à gravidade permanecerão juntos porque girar em círculo *requer* uma força que é mais forte para uma massa maior. Ou seja, a gravidade é mais forte para uma dada massa, *justamente na proporção certa* para que os dois objetos girem juntos. Se um objeto estivesse dentro do outro, *permaneceria* dentro; é um equilíbrio perfeito. Portanto, Gagarin ou Titov achariam coisas "sem peso" dentro de uma espaçonave; se por acaso soltassem um pedaço de giz, por exemplo, este giraria ao redor da Terra exatamente da mesma maneira que toda a espaçonave, e então pareceria suspenso diante deles no espaço. É muito interessante que essa força seja *exatamente* proporcional à massa com grande exatidão, porque, se não o fosse, haveria algum efeito pelo qual inércia e peso diferiam. A ausência de tal efeito foi testada com grande precisão por uma experiência realizada primeiro por Eötvös, em 1909, e mais recentemente por Dicke. Para todas as substâncias testadas, as massas e os pesos são exatamente proporcionais com 1 parte em 1.000.000.000, ou menos. Essa é uma experiência extraordinária.

7–8 Gravidade e relatividade

Outro tema que merece discussão é a modificação de Einstein da lei da gravitação de Newton. Apesar de todo o entusiasmo criado, a lei da gravitação de Newton não está correta! Ela foi modificada por Einstein no intuito de levar em conta a teoria da relatividade. Segundo Newton, o efeito gravitacional é instantâneo, ou seja, se deslocássemos determinada massa, sentiríamos imediatamente uma nova força devido à nova posição daquela massa; desse modo, poderíamos enviar sinais com velocidade infinita. Einstein apresentou argumentos que sugerem que *não podemos enviar sinais acima da velocidade da luz*, então a lei da gravitação deve estar errada. Ao corrigi-la, para levar em conta esse atraso, obtemos uma nova lei, chamada de lei da gravitação de Einstein. Uma característica dessa nova lei, que é bem fácil de compreender, é que, na teoria da relatividade de Einstein, qualquer coisa que tem *energia,* tem massa – massa no sentido de ser gravitacionalmente atraído. Mesmo a luz, que tem uma energia, possui "massa". Quando um feixe de luz, que contém energia, passa pelo Sol, é atraído por ele. Então, a luz não segue reta, mas é desviada. Durante o eclipse do Sol, por exemplo, as estrelas que estão redor dele devem aparecer deslocadas de onde estariam se o Sol não estivesse ali, e isso foi observado.

Finalmente, vamos comparar a gravitação com outras teorias. Nos últimos anos, descobrimos que toda massa é constituída de minúsculas partículas e que existem várias formas de interações, como forças nucleares, etc. Nenhuma dessas forças, nuclear ou elétrica, relaciona-se para explicar a gravitação. Os aspectos quânticos da natureza ainda não foram transportados para a gravitação. Quando a escala é tão pequena que precisamos dos efeitos quânticos, os efeitos gravitacionais são tão fracos que ainda não surgiu a necessidade de se desenvolver uma teoria quântica da gravitação. Por outro lado, para termos consistência em nossas teorias físicas, seria importante verificar se a lei de Newton modificada na lei de Einstein poderá ser ainda mais modificada para se tornar consistente com o princípio da incerteza. Esta última modificação ainda não foi completada.

8

Movimento

8–1 Descrição de movimento

Com o objetivo de achar as leis que governam as várias mudanças que acontecem nos corpos conforme o tempo passa, devemos ser capazes de *descrever* as mudanças e ter alguma maneira de gravá-las. A mudança mais simples que pode ser observada em um corpo é a aparente mudança de sua posição com o tempo, que chamamos de movimento. Vamos considerar algum objeto sólido com uma marca permanente, que devemos chamar de um ponto, que podemos observar. Devemos discutir o movimento da pequena marca, que pode ser a tampa do radiador de um automóvel ou o centro de bola caindo, e devemos tentar descrever o fato de que ele se move e como ele se move.

Esses exemplos podem parecer triviais, mas muitas sutilezas entram na descrição da mudança. Algumas mudanças são mais difíceis de serem descritas do que o movimento de um ponto em um objeto sólido; por exemplo, a velocidade de arrasto de uma nuvem que está se deslocando muito lentamente, mas rapidamente se formando e evaporando, ou as mudanças na mente de uma mulher. Não conhecemos uma maneira simples de analisar as mudanças na mente, mas já que a nuvem pode ser representada ou descrita por muitas moléculas, talvez possamos descrever o movimento de uma nuvem, a princípio, pela descrição do movimento de todas as suas moléculas individualmente. Igualmente, talvez até mudanças na mente possam ter uma mudança paralela nos átomos dentro do cérebro, mas não temos tal conhecimento ainda.

De qualquer maneira, é por isso que começamos com o movimento de pontos; talvez devêssemos pensar neles como átomos, mas é provavelmente melhor ser mais grosseiro no começo e simplesmente pensar em algum tipo de objeto pequeno – pequeno, isto é, comparado com a distância movida. Por exemplo, ao descrever o movimento de um carro que está andando a 160 Km/h, não precisamos distinguir entre a frente e a traseira do carro. Para ter certeza, existem pequena diferenças, mas para propósitos mais práticos dizemos "o carro", e igualmente não importa que nossos pontos não sejam absolutamente pontos; para os nossos presentes propósitos não é necessário ser extremamente preciso. Também, enquanto damos uma primeira olhada nesse assunto, vamos esquecer as três dimensões do mundo. Devemos nos concentrar em nos mover em uma direção, como um carro em uma rodovia. Devemos voltar para as três dimensões depois de vermos como descrever o movimento em uma dimensão. Agora, você pode dizer, "Tudo isso é uma trivialidade", e realmente é. Como podemos descrever tal movimento em uma dimensão – digamos, de um carro? Nada poderia ser mais simples. Dentro de muitas maneiras possíveis, uma seria o seguinte. Para determinar a posição do carro em tempos diferentes, medimos sua distância do ponto inicial e registramos todas as observações. Na Tabela 8-1, *s* representa a distância do carro, em metros, do ponto inicial, e *t* representa o tempo em minutos. A primeira linha na tabela representa a distância zero e o tempo zero – o carro ainda não começou. Depois de um minuto ele já começou e andou 1.200 metros. Então em dois minutos, ele vai mais longe – note que ele andou uma distância maior no segundo minuto – ele ganhou velocidade; mas algo aconteceu entre 3 e 4 e ainda mais até o 5 – ele talvez tenha parado em um farol? Então ele anda mais rápido novamente e vai até 13.000 metros ao final de 6 minutos, 18.000 metros ao final de 7 minutos e 23.500 metros em 8 minutos; no minuto 9, ele avançou somente para 24.000 metros, porque no último minuto ele foi parado por um policial.

Essa é uma maneira de descrever o movimento. Outra maneira é por meio de um gráfico. Se traçarmos o gráfico com o tempo horizontalmente e a distância verticalmente, obtemos uma curva parecida com a mostrada na Figura 8–1. Conforme o tempo aumenta, a distância aumenta, no começo lentamente e depois mais rapidamente, e muito lentamente novamente por pouco tempo em torno de 4 minutos; então ela aumenta novamente por alguns minutos e finalmente, aos 9 minutos, parece que ela parou de aumentar. Essas observações podem ser feitas a partir do gráfico, sem uma tabela. Obviamente, para uma descrição completa teríamos de conhecer onde o carro está nas marcas de metades dos

8–1	Descrição de movimento
8–2	Velocidade
8–3	Velocidade como uma derivada
8–4	Distância como uma integral
8–5	Aceleração

Tabela 8–1

t (min)	s (m)
0	0
1	1.200
2	4.000
3	9.000
4	9.500
5	9.600
6	13.000
7	18.000
8	23.500
9	24.000

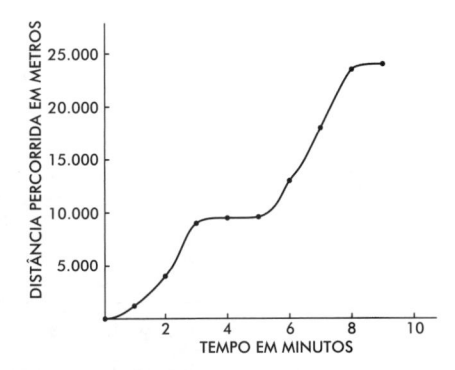

Figura 8–1 Gráfico da distância *versus* tempo para um carro.

Tabela 8–2

t (seg)	s (m)
0	0
1	4,9
2	19,6
3	44,1
4	78,4
5	122,5
6	176,4

minutos, também, mas supomos que o gráfico signifique algo, que o carro tem alguma posição em todos os tempos intermediários.

O movimento do carro é complicado. Como outro exemplo, tomamos algo que se move de uma maneira mais simples, seguindo leis mais simples: uma bola caindo. A Tabela 8-2 dá o tempo em segundos e a distância em metros para um corpo caindo. Em zero segundo a bola começa em zero metro, e ao final de 1 segundo ela caiu 4,9 metros. Ao final de 2 segundos, ela caiu 19,6 metros e, ao final de 3 segundos, 44,1 metros e assim por diante; se os números tabelados são colocados em um gráfico, obtemos uma bela curva parabólica mostrada na Figura 8–2. A fórmula dessa curva pode ser escrita como

$$s = 4,9\, t^2 \tag{8.1}$$

Essa fórmula nos permite calcular a distância em qualquer tempo. Você pode dizer que deve existir uma fórmula para o primeiro gráfico também. Na verdade, pode-se escrever tal fórmula abstratamente, como

$$s = f(t), \tag{8.2}$$

significando que *s* é uma quantidade que depende de *t* ou, na linguagem matemática, *s* é uma função de *t*. Como não sabemos que função é esta, não existe uma maneira na qual possamos escrevê-la na sua forma algébrica definitiva.

Vimos até agora dois exemplos de movimento, adequadamente descritos com ideias muito simples, sem sutilezas. No entanto, *existem* sutilezas – muitas delas. Em primeiro lugar, o que queremos dizer com *tempo* e *espaço*? Essas profundas questões filosóficas têm de ser analisadas com muito cuidado na física, e isso não é tão fácil de ser feito. A teoria da relatividade mostra que nossas ideias de espaço e tempo não são tão simples como podemos pensar em um primeiro momento. No entanto, para os nossos propósitos atuais, para a precisão que necessitamos no começo, não é necessário sermos tão cuidadosos sobre definir as coisas precisamente. Talvez você diga, "Isso é uma coisa terrível – eu aprendi que em ciência temos que definir *tudo* precisamente". Não podemos definir *nada* precisamente! Se tentarmos, chegamos àquela paralisia mental que os filósofos têm, eles sentam um de frente ao outro, e o primeiro diz: "Você não sabe sobre o que você está falando!" O segundo diz, "O que você quer dizer com *saber*? O que você quer dizer com *falar*? O que você quer dizer com *você*?" e assim por diante. Com o objetivo de falar construtivamente, apenas temos de concordar que estamos falando aproximadamente sobre a mesma coisa. Você sabe tanto sobre o tempo quanto precisamos para o presente estudo, mas lembre que existem algumas sutilezas que têm de ser discutidas; devemos discuti-las mais adiante.

Outra sutileza envolvida, e já mencionada, é que deveria ser possível imaginar que o ponto se movendo, o qual estamos observando, está sempre localizado em algum lugar. (Obviamente quando estamos olhando para ele, lá está ele, mas talvez quando olharmos para outro lado ele não esteja.) No movimento dos átomos, essa ideia também é falsa – não podemos achar uma marca em um átomo e vê-lo se mover. Lidamos com essa sutileza em mecânica quântica, mas vamos primeiro aprender o que os problemas são antes de introduzirmos as complicações, e *então* devemos estar em uma posição melhor para fazer correções, sob a luz de um maior conhecimento recente sobre o objeto. Devemos, dessa maneira, tomar um ponto de vista simples sobre tempo e espaço. Sabemos o que esses conceitos significam de maneira aproximada, e aqueles que já dirigiram um carro sabem o que velocidade significa.

8–2 Velocidade

Apesar de sabermos aproximadamente o que "velocidade" significa, existem algumas poucas sutilezas mais profundas; considere que os sábios gregos nunca foram capazes de descrever adequadamente problemas envolvendo velocidades. As sutilezas aparecem quando tentamos compreender exatamente o que se quer dizer por "velocidade". Os gregos ficaram muito confusos sobre isso, e um novo ramo

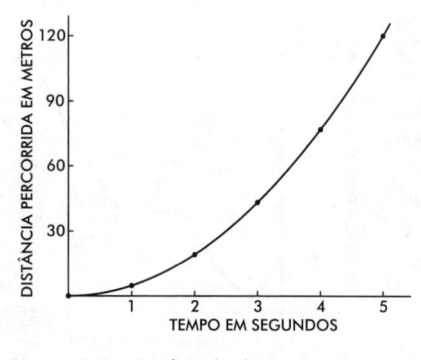

Figura 8–2 Gráfico da distância *versus* tempo para um corpo caindo.

da matemática teve de ser descoberto além da geometria e álgebra dos gregos, árabes e babilônios. Como uma ilustração da dificuldade, tente resolver o seguinte problema com pura álgebra: um balão está sendo inflado tal que o volume do balão está aumentando na taxa de 100 cm^3 por segundo; a que velocidade o raio está aumentando quando o volume é 1.000 cm^3? Os gregos estavam de alguma forma confusos com tais problemas, sendo ajudados, obviamente, por alguns gregos muito confusos. Para mostrar que existem problemas em argumentar sobre velocidade em um tempo, Zeno produziu um grande número de paradoxos, dos quais devemos mencionar um para ilustrar seu ponto de que existem dificuldades óbvias em pensar sobre o movimento. "Escutem", ele diz, "o seguinte argumento: Aquiles corre 10 vezes mais rápido que uma tartaruga, no entanto ele nunca consegue pegar a tartaruga. Suponha que eles comecem uma corrida na qual a tartaruga está 100 metros na frente de Aquiles; então quando Aquiles corre os 100 metros para o lugar onde a tartaruga estava, a tartaruga já progrediu 10 metros, tendo corrido um décimo mais rápido. Agora, Aquiles tem de correr outros 10 metros para alcançar a tartaruga, mas ao chegar no final desta corrida, ele descobre que a tartaruga ainda está 1 metro na sua frente; correndo outro metro, ele descobre a tartaruga 10 centímetros na sua frente e assim por diante, *ad infinitum*. Assim, em qualquer momento, a tartaruga está sempre à frente de Aquiles, e Aquiles nunca pode alcançar a tartaruga". O que está errado com isso? É que uma quantidade finita de tempo pode ser dividida em uma infinidade de pedaços, assim como o comprimento de uma linha pode ser dividido em um infinito número de pedaços pela sua repetida divisão por dois. E assim, apesar de existir um número infinito de passos (no argumento) para o ponto no qual Aquiles alcança a tartaruga, não significa que exista uma quantidade infinita de *tempo*. Podemos ver por esse exemplo que existem algumas sutilezas ao argumentar sobre velocidade.

Com o objetivo de obter as sutilezas de um modo mais claro, vamos recordar uma brincadeira que certamente você já ouviu. Um policial para um carro e diz ao motorista, "Senhora, você estava andando a 100 quilômetros por hora!" Ela diz, "Isso é impossível, senhor, eu estava viajando por apenas sete minutos. Isso é ridículo – como eu podia estar andando 100 quilômetros por hora se eu não andei uma hora?" Como responderia para ela se você fosse o policial? Obviamente, se você realmente fosse o policial, nenhuma sutileza estaria envolvida; é muito simples: você diria, "Diga isto ao juiz!" Vamos supor que não temos essa escapatória e fazemos um ataque mais intelectual e honesto do problema, tentando explicar para a senhora o que queremos dizer com a ideia de que ela estava indo a 100 quilômetros por hora. O que *queremos* dizer? Dizemos, "O que queremos dizer, senhora, é isto: se você continuasse indo da mesma maneira como estava indo agora, na próxima hora andaria 100 quilômetros". Ela poderia dizer, "Bem, meu pé estava fora do acelerador e o carro estava ficando cada vez mais devagar, então se eu continuasse deste modo não iria andar 100 quilômetros". Ou considere a bola caindo e suponha que queremos saber sua velocidade no tempo de três segundos se a bola mantivesse o seu caminho. O que isto significa – continuasse *acelerando* e indo cada vez mais rápido? Não – continuasse indo com a mesma *velocidade*. Isso é o que estamos tentando definir! Pois se a bola continuar a ir do modo como está indo, ela simplesmente continuará indo no modo como ela está indo. Assim precisamos definir melhor velocidade. O que deve ser mantido igual? A senhora pode também argumentar desta maneira: "Se eu continuasse indo da maneira como estava por mais uma hora, eu entraria naquele muro no final da rua!" Não é fácil explicar o que queremos dizer.

Muitos físicos pensam que a medida é a única definição de qualquer coisa. Obviamente, então, deveríamos usar o instrumento que mede velocidade – o velocímetro – e dizer, "Olhe, senhora, o seu velocímetro mostra 100". Então ela diz, "Meu velocímetro está quebrado e não mostra nada". Isso significa que o carro está parado? Acreditamos que existe algo para ser medido antes de construir um velocímetro. Somente depois podemos dizer, por exemplo, "O velocímetro não está funcionando direto", ou "O velocímetro está quebrado". Essa seria uma frase sem sentido se a velocidade não tivesse significado independentemente do velocímetro. Então temos em nossas mentes, obviamente, uma ideia que é independente do velocímetro, e o velocímetro tem objetivo de medir essa ideia. Então vamos ver se conseguimos obter uma melhor definição de ideia. Dizemos, "Sim, obviamente, antes de você andar uma hora, bateria naquele muro, mas se andasse um segundo, iria percorrer 27,8 metros; senhora, você estava indo a 27,8 metros por segundo e, se continuasse indo, o próximo segundo seriam mais 27,8 metros, e o muro no final está mais longe do que isso". Ela diz, "Sim, mas não existe nenhuma lei contra andar a 27,8 metros por segundo! Existe apenas uma lei contra ir a 100 quilômetros por hora". "Mas", respondemos, "é a mesma coisa". Se é a mesma coisa, não deveria ser necessário entrar nesse rodeio sobre 27,8 metros por segundo. De fato, a bola caindo não poderia continuar indo da mesma maneira nem mesmo por um segundo porque ela estaria mudando a sua velocidade, e devemos definir velocidade de alguma maneira.

Agora parece que estamos no caminho certo; é algo mais ou menos assim: se a senhora continuasse a andar por outro 1/1.000 de hora, ela andaria 1/1.000 de 100 quilômetros. Em outras palavras, ela não tem de continuar andando por toda uma hora; o ponto é que *por um momento* ela está andando com essa velocidade. Agora o que isso significa é que se ela for apenas um pouco a mais no tempo, a distância extra que ela andaria seria a mesma do que a de um carro que anda com velocidade *constante* de 100 quilômetros por hora. Talvez a ideia dos 27,8 metros por segundo esteja certa; vemos o quão longe ela foi no último segundo, dividimos por 27,8 metros e, se obtivermos 1, a velocidade era de 100 quilômetros por hora. Em outras palavras, podemos achar a velocidade desta maneira: perguntamos o quão longe vamos em um curto período de tempo, dividimos a distância pelo tempo e isso nos dá a velocidade. O tempo tem de ser o mais curto possível, quanto mais curto melhor, porque alguma mudança pode acontecer durante esse tempo. Se pegarmos o tempo de um corpo caindo como sendo uma hora, a ideia é ridícula. Se pegarmos como sendo um segundo, o resultado é muito bom para um carro, porque não há muitas mudanças na velocidade, mas não para um corpo caindo; então, com objetivo de obter a velocidade cada vez mais precisa, deveríamos tomar intervalos de tempo cada vez menores. O que deveríamos fazer é tomar um *milionésimo* de segundo, descobrir quão longe o carro foi e dividir essa distância por um milionésimo de segundo. O resultado fornece a distância por segundo, que é o que queremos dizer com a velocidade, então podemos defini-la dessa maneira. Essa é uma resposta satisfatória para a senhora, ou melhor, essa é a definição que vamos usar.

A definição anterior envolve uma nova ideia, uma ideia que não estava disponível para os gregos de uma forma geral. Essa ideia era pegar uma *distância infinitesimal* e o *tempo infinitesimal* correspondente, fazer a razão e ver o que acontece com a razão conforme o tempo que usamos se torna cada vez menor. Em outras palavras, tomar o limite da distância percorrida dividida pelo tempo necessário, conforme o tempo se torna cada vez menor, *ad infinitum*. Essa ideia foi inventada por Newton e por Leibniz, independentemente, e é o começo de um novo ramo da matemática chamado de *cálculo diferencial*. O cálculo foi inventado com o objetivo de descrever o movimento, e a sua primeira aplicação foi no problema de definir o que significa ir a "100 quilômetros por hora".

Vamos tentar definir velocidade um pouco melhor. Suponha que em um curto período de tempo, ϵ, o carro ou outro corpo anda uma pequena distância x; então a velocidade, v, é definida como

$$v = x/\epsilon,$$

uma aproximação que se torna melhor conforme ϵ é tomado menor. Se uma expressão matemática é pretendida, podemos dizer que a velocidade é igual ao limite conforme ϵ é feito cada vez menor na expressão x/ϵ, ou

$$v = \lim_{\epsilon \to 0} \frac{x}{\epsilon}. \tag{8.3}$$

Não podemos fazer a mesma coisa com a senhora no carro, porque a tabela está incompleta. Sabemos onde ela estava apenas em intervalos de um minuto; podemos ter uma ideia grosseira de que ela estava indo a 25,4 m/s durante o 7º minuto, mas não sabemos, exatamente no momento de 7 minutos, se ela estava ganhando velocidade e a velocidade era de 24,9 m/s no começo do 6º minuto, e agora é 25,9 m/s, ou qualquer outra coisa, porque não temos os detalhes exatos entre esse dois tempos. Então somente se a tabela estivesse completa com um infinito número de entradas poderíamos realmente calcular a velocidade a partir de tal tabela. Por outro lado, quando temos uma fórmula matemática completa, como no caso de um corpo caindo (Eq. 8.1), é possível calcular a velocidade, porque podemos calcular a posição em qualquer tempo.

Vamos pegar como exemplo o problema de determinar a velocidade de uma bola caindo no tempo particular de 5 segundos. Uma maneira de fazer isso é ver na Tabela 8-2 o que ela fez no 5º segundo; ela foi 78,4 – 44,1 = 34,3, então ela está indo a 34,3 m/s; no entanto, isso está errado, porque a velocidade está mudando; *na média* ela é 34,3 m/s durante esse intervalo, mas a bola está ganhando velocidade e está na verdade indo mais rapidamente do que 34,3 m/s. Queremos achar *exatamente o quão rápido*. A técnica envolvida nesse processo é a seguinte: sabemos onde a bola estava no segundo 5. Em 5,1 s, a distância que ela andou no total é $4,9(5,1)^2 = 127,449$ m (ver Eq. 8.1). Em 5 vemos que ela já tinha caído 122,5; no último décimo de segundo, ela caiu 127,449 – 122,5 = 4,949 m. Já que 4,949 m em 0,1 s é o mesmo que 49,49 m/s, essa é a velocidade mais ou menos, mas não está exatamente correta. Essa é a velocidade em 5 ou em 5,1, ou na metade do caminho em 5,05 s, ou quando *é* essa a velocidade? Não importa – o problema era achar a velocidade *em 5 segundos*, e não temos exatamente isso; temos de fazer um trabalho melhor. Então pegamos um milésimo de segundo a mais que 5, ou 5,001 s, e calculamos a queda total como

$$s = 4,9(5,001)^2 = 4,9(25,010001) = 122,5490049 \text{ m}.$$

No último 0,001 s, a bola caiu 0,0490049 m, e se dividirmos esse número por 0,001 s obtemos a velocidade como 49,0049 m/s. Isso é próximo, muito próximo, mas *ainda não está exato*. Agora deveria ser evidente o que devemos fazer para achar a velocidade exatamente. Para desenvolver a matemática, exprimimos o problema um pouco mais abstratamente: para achar a velocidade em um tempo em especial, t_0, que no problema original era de 5 s. Agora a distância em t_0, que chamamos de s_0, é $4,9t_0^2$, ou 122,5 m neste caso. Com o objetivo de achar a velocidade, perguntamos, "No tempo t_0 + (um pouquinho), ou $t_0+\epsilon$, onde está o corpo?" A nova posição é $4,9(t_0+\epsilon)^2 = 4,9t_0^2 + 9,8t_0\epsilon + 4,9\epsilon^2$. Então isso é mais distante do que foi antes, porque antes era apenas $4,9t_0^2$. Essa distância devemos chamar de s_0+ (um pouquinho), ou s_0+x (se x é pequeno). Agora se subtraímos a distância de t_0 da distância de $t_0+\epsilon$, obtemos x, a distância extra percorrida, sendo $x = 9,8t_0 \cdot \epsilon + 4,9\epsilon^2$. Nossa primeira aproximação para a velocidade é

$$v = \frac{x}{\epsilon} = 9,8t_0 + 4,9\epsilon. \tag{8.4}$$

A velocidade verdadeira é o valor dessa razão, x/ϵ, quando ϵ se torna tão pequeno a ponto de desaparecer. Em outras palavras, depois de fazer a razão, tomamos o limite de ϵ se tornando cada vez menor, isto é, se aproximando de 0. A equação se reduz a,

$$v \text{ (no tempo } t_0) = 9,8t_0.$$

No nosso problema, $t_0 = 5$ s, então a solução é $v = 9,8 \times 5 = 49$ m/s. Algumas linhas acima, onde pegamos ϵ como 0,1 e 0,001 s sucessivamente, o valor que obtivemos para v foi um pouco maior que isso, mas agora vemos que a velocidade real é precisamente 49 m/s.

8–3 Velocidade como uma derivada

O procedimento que acabamos de executar é feito com tanta frequência na matemática que, por conveniência, notações especiais foram desenvolvidas para nossas quantidades ϵ e x. Nesta notação, o ϵ usando acima se torna Δt e o x se torna Δs. Esse Δt significa "um pouco a mais de t" e carrega uma implicação de que pode ser tomado ainda menor. O prefixo Δ não é um multiplicador, nada a mais do que sen θ significa s · e · n θ – ele simplesmente define um incremento no tempo e nos lembra do seu caráter especial. Δs tem um significado análogo para a distância s. Já que Δ não é um fator, ele não pode ser cancelado na razão $\Delta s/\Delta t$ para dar s/t; nada a diferir da razão sen θ/sen 2θ que não pode ser reduzida a 1/2 por cancelamento. Nessa notação, a velocidade é igual ao limite de $\Delta s/\Delta t$ quando Δt fica menor, ou

$$v = \lim_{\Delta t \to 0} \frac{\Delta s}{\Delta t}. \tag{8.5}$$

Essa é realmente a mesma que a nossa expressão anterior (8.3) com ϵ e x, mas tem a vantagem de mostrar que alguma coisa está mudando e monitorar o que está mudando.

Consequentemente, para uma boa aproximação temos uma outra lei, que diz que a mudança na distância de um ponto se movendo é a velocidade vezes o intervalo de tempo, ou $\Delta s = v \, \Delta t$. Essa afirmação é verdadeira somente se a velocidade não estiver mudando durante o intervalo de tempo, e essa condição é verdadeira somente no limite de Δt indo a 0. Os físicos gostam de escrevê-la como $ds = v \, dt$, porque por dt eles querem dizer Δt em circunstâncias nas quais esse valor é muito pequeno; com esse entendimento, a expressão é válida com uma boa aproximação. Se Δt for muito grande, a velocidade pode mudar durante o intervalo, e a aproximação se tornaria menos precisa. Por um tempo dt, aproximando zero, $ds = v \, dt$ precisamente. Nesta notação, podemos escrever (8.5) como

$$v = \lim_{\Delta t \to 0} \frac{\Delta s}{\Delta t} = \frac{ds}{dt}.$$

A quantidade ds/dt que achamos acima é chamada de "derivada de s em relação a t" (essa linguagem ajuda a monitorar o que está mudando), e o processo complicado de achá-la é chamado de derivada, ou diferenciação. Os dss e dts que aparecem separadamente são chamados de *diferenciais*. Para você se familiarizar com as palavras, dizemos que achamos a derivada da função $4{,}9t^2$ ou que a derivada (em relação a t) de $4{,}9t^2$ é $9{,}8t$. Quando nos acostumamos com as palavras, as ideias são mais facilmente entendidas. Para praticar, vamos achar a derivada de uma função mais complicada. Devemos considerar a fórmula $s = At^3 + Bt + C$, que pode descrever o movimento de um ponto. As letras A, B e C representam números constantes, como na familiar forma geral de uma equação quadrática. Começando com a fórmula de movimento, desejamos achar a velocidade em qualquer tempo. Para achar a velocidade de uma maneira mais elegante, mudamos t para $t + \Delta t$ e notamos que s é então mudado para $s +$ algum Δs; achamos Δs em função de Δt. Isto é,

$$s + \Delta s = A(t + \Delta t)^3 + B(t + \Delta t) + C$$
$$= At^3 + Bt + C + 3At^2 \, \Delta t + B \, \Delta t + 3At(\Delta t)^2 + A(\Delta t)^3,$$

mas já que

$$s = At^3 + Bt + C,$$

achamos que

$$\Delta s = 3At^2 \, \Delta t + B \, \Delta t + 3At(\Delta t)^2 + A(\Delta t)^3.$$

Contudo, não queremos Δs – queremos Δs dividido por Δt. Dividimos a equação anterior por Δt, obtendo

$$\frac{\Delta s}{\Delta t} = 3At^2 + B + 3At(\Delta t) + A(\Delta t)^2.$$

Conforme Δt vai para 0, o limite de $\Delta s/\Delta t$ é ds/dt e é igual a

$$\frac{ds}{dt} = 3At^2 + B.$$

Tabela 8–3
Uma pequena tabela de derivadas
s, u, v, w são funções arbitrárias de t; a, b, c e n são constantes arbitrárias

Função	Derivada
$s = t^n$	$\dfrac{ds}{dt} = nt^{n-1}$
$s = cu$	$\dfrac{ds}{dt} = c\dfrac{du}{dt}$
$s = u + v + w + \cdots$	$\dfrac{ds}{dt} = \dfrac{du}{dt} + \dfrac{dv}{dt} + \dfrac{dw}{dt} + \cdots$
$s = c$	$\dfrac{ds}{dt} = 0$
$s = u^a v^b w^c \ldots$	$\dfrac{ds}{dt} = s\left(\dfrac{a}{u}\dfrac{du}{dt} + \dfrac{b}{v}\dfrac{dv}{dt} + \dfrac{c}{w}\dfrac{dw}{dt} + \cdots\right)$

Este é o processo fundamental do cálculo, diferenciar funções. O processo é ainda mais simples do que parece. Observe que quando estas expansões contêm algum termo com uma potência quadrática, cúbica ou maior de Δt, tais termos podem ser descartados logo no começo, já que eles irão para 0 quando o limite é tomado. Depois de um pouco de prática, o processo se torna mais fácil porque se sabe o que deixar de fora. Existem muitas regras ou fórmulas para diferenciar vários tipos de funções, as quais podem ser memorizadas ou consultadas em tabelas. Uma pequena lista está na Tabela 8-3.

8–4 Distância como uma integral

Agora temos de discutir o problema inverso. Suponha que em vez de uma tabela de distâncias, temos uma tabela de velocidades em diferentes tempos, começando do zero. Para a bola caindo, tais velocidade e tempos estão mostrados na Tabela 8-4. Uma tabela similar poderia ser construída para a velocidade do carro, marcando a leitura do velocímetro a cada minuto ou meio minuto. Se soubermos o quão rápido o carro está indo em qualquer momento, podemos determinar o quão longe ele vai? Esse problema é simplesmente o inverso do problema resolvido anteriormente; é dada a velocidade e perguntada a distância. Como podemos achar a distância se conhecemos a velocidade? Se a velocidade do carro não é constante, e a senhora vai a 100 quilômetros por hora por um momento, depois perde velocidade, depois ganha e assim por diante, como podemos determinar o quão longe ela vai? É fácil. Usamos a mesma ideia, e expressamos a distância em termos de infinitesimais. Vamos dizer, "No primeiro segundo sua velocidade era tal e tal, e da fórmula $\Delta s = v\Delta t$ podemos calcular o quão longe o carro foi no primeiro segundo naquela velocidade". Agora no próximo segundo sua velocidade é quase a mesma, mas um pouco diferente; podemos calcular o quão longe ela foi no próximo segundo tomando a nova velocidade vezes o tempo. Procedemos da mesma maneira para cada segundo, até o fim da corrida. Agora temos um número de pequenas distâncias, e a distância total será a soma de todos esses pequenos pedaços. Isto é, a distância será a soma das velocidades vezes os tempos, ou $s = \Sigma v \Delta t$, onde a letra grega Σ (sigma) é usada para denotar a adição. Para ser mais preciso, é a soma da velocidade em um certo tempo, vamos dizer o i-ésimo tempo, multiplicada por Δt.

$$s = \sum_i v(t_i)\,\Delta t. \qquad (8.6)$$

Tabela 8–4
Velocidade de uma bola caindo

t (seg)	v (m/s)
0	0
1	9,8
2	19,6
3	29,4
4	39,2

As regras para os tempos é que $t_{i+1} = t_i + \Delta t$. No entanto, a distância que obtemos por esse método não será correta, porque a velocidade muda durante o intervalo de tempo Δt. Se pegarmos um tempo suficientemente curto, a soma será precisa, então os tomamos cada vez menores até obtermos a precisão desejada. O verdadeiro s é

$$s = \lim_{\Delta t \to 0} \sum_i v(t_i) \, \Delta t. \tag{8.7}$$

Os matemáticos inventaram um símbolo para esse limite, análogo ao símbolo da diferencial. O Δ se transforma em d para nos lembrar que o tempo é tão pequeno quanto puder; a velocidade é então chamada de v no tempo t e a adição é escrita como uma soma com um grande "s", $\int$ (do latim, *summa*), que ficou distorcido e agora é infelizmente apenas chamado de um sinal de integral. Então escrevemos

$$s = \int v(t) \, dt. \tag{8.8}$$

O processo de adicionar todos esses termos juntos é chamado de integração e é o oposto do processo de diferenciação. A derivada desta integral é v, então um operador (d) desfaz o outro ($\int$). É possível obter fórmulas para as integrais tomando as fórmulas para derivadas e executando a operação inversa, porque elas estão relacionadas uma com o inverso da outra. Então, pode-se trabalhar sua própria tabela de integrais pela diferenciação de todos os tipos de funções. Para cada fórmula com uma diferencial, obtemos uma fórmula de integral se virarmos ao contrário.

Cada função pode ser diferenciada analiticamente, isto é, o processo pode ser realizado algebricamente, e leva a uma função definida. Contudo, não é possível de uma maneira simples escrever um valor analítico para qualquer integral que se deseje. Você pode calculá-la, por exemplo, fazendo a soma acima e então fazendo novamente com um intervalo menor de Δt e novamente com um intervalo menor de Δt até que você tenha o resultado aproximadamente certo. Em geral, dada uma função em particular, não é possível achar, analiticamente, qual é a integral. Sempre se pode tentar achar uma função que, quando diferenciada, dá alguma função desejada; mas pode-se não achá-la, e ela pode não existir, no sentido de ser expressível em termo de funções que foram nomeadas.

8–5 Aceleração

O próximo passo no desenvolvimento das equações de movimento é introduzir outra ideia que vai além do conceito de velocidade para o conceito de *mudança* de velocidade, e perguntamos agora, "Como a velocidade *muda*?". Nos capítulos anteriores, tínhamos discutido casos nos quais forças produzem mudanças na velocidade. Você pode ter ouvido com grande entusiasmo sobre algum carro que pode chegar do repouso a 100 quilômetros por hora em dez segundos cravados. A partir de tal desempenho, podemos ver o quão rapidamente a velocidade muda, mas somente na média. O que devemos discutir agora é o próximo nível de complexidade, que é o quão rapidamente a velocidade está mudando. Em outras palavras, de quantos metros por segundo a velocidade muda em um segundo, isto é, quantos metros por segundo, por segundo? Anteriormente, derivamos a fórmula para a velocidade de um corpo caindo como sendo $v = 9,8t$, o que está mostrado na Tabela 8-4, e agora queremos achar o quanto a velocidade muda por segundo; essa quantidade é chamada de aceleração.

A aceleração é definida como a taxa temporal de mudança da velocidade. Da discussão anterior já sabemos o suficiente para escrever a aceleração como uma derivada de dv/dt, da mesma maneira que a velocidade é a derivada da distância. Se derivarmos a fórmula $v = 9,8t$ obtemos, para um corpo caindo,

$$a = \frac{dv}{dt} = 9,8 \tag{8.9}$$

[Para diferenciar o termo 9,8*t* podemos utilizar o resultado obtido no problema anterior, no qual achamos que a derivada de *Bt* é simplesmente *B* (uma constante). Então colocando *B* = 9,8, temos logo que a derivada de 9,8*t* é 9,8.] Isso significa que a velocidade de um corpo caído está mudando de 9,8 metros por segundo, por segundo sempre. Também vemos na Tabela 8-4 que a velocidade aumenta de 9,8 em cada segundo. Esse é um caso muito simples, pois acelerações não são normalmente constantes. A razão da aceleração ser constante aqui é que a força no corpo caindo é constante, e a lei de Newton diz que a aceleração é proporcional à força.

Como um exemplo extra, vamos achar a aceleração no problema que já tínhamos resolvido para a velocidade. Começando com

$$s = At^3 + Bt + C$$

obtemos, para $v = ds/dt$,

$$v = 3At^2 + B.$$

Já que a aceleração é uma derivada da velocidade em relação ao tempo, precisamos diferenciar a última expressão acima. Relembrando a regra de que a derivada dos dois termos da direita é igual à soma das derivadas dos termos individuais. Para diferenciar o primeiro desses termos, em vez de irmos através do processo fundamental novamente notamos que já diferenciamos o termo quadrático quando diferenciamos $4,9t^2$, e o efeito foi dobrar o coeficiente numérico e mudar o t^2 para t; vamos assumir que a mesma coisa acontecerá desta vez, e você pode verificar esse resultado você mesmo. A derivada de $3At^2$ será, então, $6At$. Depois vamos diferenciar *B*, um termo constante; mas, pela regra colocada antes, a derivada de *B* é zero; assim esse termo não contribui para a aceleração. O resultado final, desse modo, é $a = dv/dt = 6At$.

Por referência, descrevemos duas fórmulas muito úteis, que podem ser obtidas por integração. Se um corpo começa do repouso e se move com uma aceleração constante, g, sua velocidade v em qualquer tempo t é dada por

$$v = gt.$$

A distância que ele percorre no mesmo tempo é

$$s = \tfrac{1}{2}gt^2.$$

Várias notações matemáticas são usadas para escrever as derivadas. Já que a velocidade é ds/dt e a aceleração é a derivada temporal da velocidade, também podemos escrever

$$a = \frac{d}{dt}\left(\frac{ds}{dt}\right) = \frac{d^2s}{dt^2}, \tag{8.10}$$

que são maneiras comuns de escrever a segunda derivada.

Temos uma outra lei que a velocidade é igual à integral da aceleração. É simplesmente o oposto de $a = dv/dt$; já vimos que a distância é a integral da velocidade, então a distância pode ser achada integrando duas vezes a aceleração.

Na discussão anterior, o movimento era somente em uma dimensão, e o espaço aqui permite apenas uma pequena discussão do movimento em três dimensões. Considere uma partícula *P* que está se movendo em três dimensões de qualquer modo possível. No começo deste capítulo, abrimos nossa discussão no caso unidimensional de um carro se movendo pela observação da distância do carro do seu ponto inicial em vários tempos. Então discutimos a velocidade em termos dessas distâncias com o tempo, e a aceleração em termo de mudanças da velocidade. Podemos tratar o movimento em três dimensões analogamente. Será mais simples ilustrar o movimento em um diagrama em duas dimensões e, então, estender as ideias para três dimensões. Definimos um par de eixos em ângulo reto um com o outro e determinamos a posição da partícula em qualquer momento medindo o quão longe ela está de cada um dos dois eixos. Assim, cada posição está dada em termos de uma distância x e uma distância y, e o movimento pode ser descrito pela construção de uma tabela na qual ambas as distâncias são dadas como função do tempo. (A extensão desse processo para três dimensões necessita somente de um outro eixo, que forme um ângulo reto com os dois anteriores, e da mediação da terceira distância, a distância z. As distâncias agora são medidas em relação a *planos* de coordenadas no lugar de linhas.) Tendo construído uma tabela com as distâncias x e y, como podemos determinar a velocidade? Primeiro achamos as componentes da velocidade em cada direção. A parte horizontal da velocidade, ou componente x, é a derivada da distância x em relação ao tempo, ou

$$v_x = dx/dt. \tag{8.11}$$

Similarmente, a parte vertical da velocidade, ou componente y, é

$$v_y = dy/dt. \tag{8.12}$$

Na terceira dimensão,

$$v_z = dz/dt. \tag{8.13}$$

Agora, dadas as componentes da velocidade, como podemos achar a velocidade ao longo do verdadeiro caminho do movimento? No caso bidimensional, considere duas posições sucessivas da partícula, separadas por uma curta distância Δs e um curto intervalo de tempo $t_2 - t_1 = \Delta t$. No tempo Δt a partícula se move horizontalmente uma distância $\Delta x \approx v_x \Delta t$, e verticalmente uma distância $\Delta y \approx v_y \Delta t$. (O símbolo $\approx$ é lido como "é aproximadamente".) A distância real percorrida é aproximadamente

$$\Delta s \approx \sqrt{(\Delta x)^2 + (\Delta y)^2}, \tag{8.14}$$

como mostrado na Figura 8–3. A velocidade aproximada durante esse intervalo pode ser obtida dividindo por Δt e fazendo Δt ir à zero, como no início do capítulo. Então obtemos a velocidade como sendo

$$v = \frac{ds}{dt} = \sqrt{(dx/dt)^2 + (dy/dt)^2} = \sqrt{v_x^2 + v_y^2}. \tag{8.15}$$

O resultado tridimensional é

$$v = \sqrt{v_x^2 + v_y^2 + v_z^2}. \tag{8.16}$$

Da mesma maneira que definimos velocidade, podemos definir aceleração: temos a componente x da aceleração a_x, que é a derivada de v_x, a componente x da velocidade (que é, $a_x = d^2x/dt^2$, a segunda derivada de x em relação a t) e assim por diante.

Vamos considerar um bom exemplo de movimento composto em um plano. Devemos tomar um movimento no qual uma bola se move horizontalmente com uma velocidade constante u, e ao mesmo tempo ela anda verticalmente para baixo com uma aceleração constante $-g$, qual é o movimento? Podemos dizer que $dx/dt = v_x = u$. Já que a velocidade v_x é constante,

$$x = ut, \tag{8.17}$$

e já que a aceleração para baixo $-g$ é constante, a distância y que o objeto cai pode ser escrita como

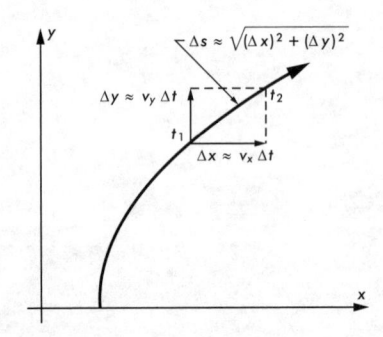

$$y = -\tfrac{1}{2}gt^2. \tag{8.18}$$

Figura 8–3 Descrição do movimento de um corpo em duas dimensões e o cálculo de sua velocidade.

Qual é a curva do seu caminho, isto é, qual a relação entre y e x? Podemos eliminar t da Eq. (8.18), já que $t = x/u$. Quando fazemos essa substituição, temos que

$$y = -\frac{g}{2u^2} x^2. \tag{8.19}$$

Esta relação entre y e x pode ser considerada como a equação de trajetória da bola se movendo. Quando essa equação é colocada em um gráfico, obtemos uma curva que é chamada de parábola; qualquer objeto caindo livremente que é jogado em qualquer direção andará em uma parábola, como mostrado na Figura 8–4.

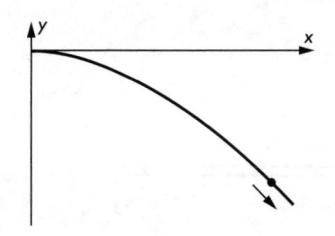

Figura 8–4 A parábola realizada por um corpo caindo com uma velocidade inicial horizontal.

9

As Leis de Newton da Dinâmica

9–1 Momento e força

A descoberta da lei da dinâmica, ou lei de movimento, foi um momento dramático na história da ciência. Antes do tempo de Newton, o movimento de coisas como os planetas era um mistério, mas depois de Newton existiu um entendimento completo. Mesmo os pequenos desvios das leis de Kepler, devido às perturbações dos planetas, eram calculados. Os movimentos dos pêndulos, osciladores com molas e pesos neles, e assim por diante, todos podiam ser analisados completamente depois que as leis foram enunciadas. Assim será com este capítulo: antes deste capítulo não podíamos calcular como uma massa em uma mola se moveria; ainda menos poderíamos calcular as perturbações no planeta Urano produzidas por Júpiter e Saturno. Depois deste capítulo, *seremos* capazes de calcular não somente o movimento de uma massa oscilando, mas também as perturbações no planeta Urano produzidas por Júpiter e Saturno!

Galileu fez um grande avanço em entender o movimento quando descobriu o *princípio da inércia*: se um objeto é deixado sozinho e não é perturbado, ele continua a se mover com uma velocidade constante em uma linha reta se originalmente estava se movendo assim, ou continua parado se estava parado. Obviamente, esse nunca parece ser o caso na natureza, pois se deslizamos um bloco através de uma mesa ele para, mas isso acontece porque ele *não* foi deixado sozinho – ele está se atritando com a mesa. É necessário uma certa imaginação para achar a regra certa, e essa imaginação foi fornecida por Galileu.

Obviamente, a próxima coisa necessária é a regra para descobrir como um objeto *muda* a sua velocidade se alguma coisa o *está* afetando. Esta foi a contribuição de Newton. Ele escreveu três leis: A Primeira Lei era uma simples reafirmação do princípio da inércia de Galileu, descrito acima. A Segunda Lei forneceu uma maneira específica de determinar como a velocidade muda sobre as diferentes influências chamadas de *forças*. A Terceira Lei descreve as forças em uma certa extensão, e devemos discuti-la em outro momento. Aqui, vamos discutir apenas a Segunda Lei, que afirma que o movimento de um objeto é modificado por forças da seguinte maneira: a *taxa-de-mudança-temporal de uma quantidade chamada momento é proporcional à força*. Em breve, vamos estabelecer isso matematicamente, mas primeiro vamos explicar a ideia.

Momento não é a mesma coisa que *velocidade*. Muitas palavras são usadas em física, e todas elas têm um significado muito preciso, apesar de não terem tal significado preciso na linguagem diária. O momento é um exemplo, e devemos defini-lo precisamente. Se exercermos um certo empurrão com nossos braços em um objeto que é leve, ele se move facilmente; se empurrarmos na mesma quantidade um outro objeto que é muito mais pesado no senso comum, então ele se move muito menos rapidamente. Na verdade, devemos mudar as palavras "leve" e "pesado" para *menos massivo* e *mais massivo*, respectivamente, porque existe uma diferença a ser entendida entre *peso* de um objeto e sua *inércia*. (O quão difícil é colocar um objeto em movimento é uma coisa, o quanto ele pesa é outra coisa.) Peso e inércia são *proporcionais*, e na superfície da Terra são muitas vezes numericamente iguais, o que causa uma certa confusão para os estudantes. Em Marte, pesos poderiam ser diferentes mas a quantidade de força necessária para superar a inércia seria a mesma.

Usamos o termo *massa* como uma medida quantitativa da inércia, e podemos medir massa, por exemplo, ao balançar um objeto em um círculo em uma certa velocidade e medindo quanta força é necessária para mantê-lo no círculo. Dessa maneira, achamos uma certa quantidade de massa para cada objeto. Agora o *momento* de um objeto é o produto de duas partes: sua *massa* e sua *velocidade*. Assim, a Segunda Lei de Newton pode ser escrita matematicamente desta maneira:

$$F = \frac{d}{dt}(mv). \tag{9.1}$$

9–1 Momento e força
9–2 Velocidade e vetor velocidade
9–3 Componentes de velocidade, aceleração e força
9–4 O que é força?
9–5 O significado das equações da dinâmica
9–6 Soluções numéricas das equações
9–7 Movimentos planetários

Agora, existem muitos pontos a serem considerados. Ao escrever qualquer lei como essa, usamos muitas ideias, implicações e suposições intuitivas que são, em um primeiro momento, combinadas aproximadamente na nossa "lei". Depois podemos ter de voltar e estudar com mais detalhe exatamente o que cada termo significa, mas se tentarmos fazer isso muito cedo podemos ficar confusos. Então, no começo tomamos muitas coisas como certas. Primeiro, que a massa de um objeto é *constante*; isso não é verdade, mas devemos começar com a aproximação de Newton de que a massa é constante, a mesma em todos os tempos, e que, no futuro, quando colocarmos dois objetos juntos, suas massas se *somam*. Essas ideias foram obviamente implementadas por Newton quando ele escreveu sua equação, pois de outra maneira ela é insignificante. Por exemplo, suponha que a massa varia inversamente com a velocidade; o momento *nunca mudaria* em nenhuma circunstância, então a lei não significa nada a menos que você conheça como a massa muda com a velocidade. Por ora, dizemos que *ela não muda*.

Então existem algumas implicações em relação à força. Como uma aproximação grosseira, pensamos em um tipo de empurrão ou puxão que fazemos com nossos músculos, mas podemos defini-la com maior precisão agora que temos essa lei de movimento. A coisa mais importante a se perceber é que a relação não envolve somente mudanças na *magnitude* do momento ou da velocidade, mas também nas suas *direções*. Se a massa for constante, então a Eq. (9.1) pode também ser escrita como

$$F = m\frac{dv}{dt} = ma. \tag{9.2}$$

A aceleração a é a taxa de mudança da velocidade, e a Segunda Lei de Newton diz mais do que o efeito de uma dada força varia inversamente com a massa; ela também diz que a *direção* da mudança na velocidade e a *direção* da força são as mesmas. Assim devemos entender que uma mudança em uma velocidade, ou uma aceleração, tem um significado mais amplo do que na linguagem comum. A velocidade de um objeto se movendo pode mudar pelo aumento da sua velocidade, pela sua diminuição (quando diminui dizemos que acelerou com uma aceleração negativa) ou mudando a sua direção de movimento. Uma aceleração em ângulos retos com a velocidade foi discutida no Capítulo 7. Lá vimos que um objeto se movendo em um círculo de raio R com uma certa velocidade v ao longo do círculo cai em um caminho em linha reta por uma distância igual a $\frac{1}{2}(v^2/R)t^2$ se t for muito pequeno. Então, a fórmula para a aceleração em ângulos retos ao movimento é

$$a = v^2/R, \tag{9.3}$$

e a força em ângulos retos com a velocidade levará um objeto em um caminho curvo cujo raio de curvatura pode ser achado pela divisão da força pela massa para obter uma aceleração, e então usar (9.3).

9–2 Velocidade e vetor velocidade

Com o objetivo de tornar nossa linguagem mais precisa, devemos fazer uma definição no uso das palavras *velocidade* e *vetor velocidade**. Ordinariamente pensamos como velocidade sendo uma coisa só, mas em física essa palavra pode significar duas ideias diferentes e por isso vamos chamar uma delas de vetor velocidade. Cuidadosamente distinguimos o vetor velocidade, que tem magnitude e direção, da velocidade, que escolhemos apenas para significar a magnitude do vetor velocidade, mas que não inclui a direção. Podemos fórmular isso mais precisamente pela descrição de como as coordenadas x, y e z de um objeto mudam com o tempo. Suponha, por exemplo, que

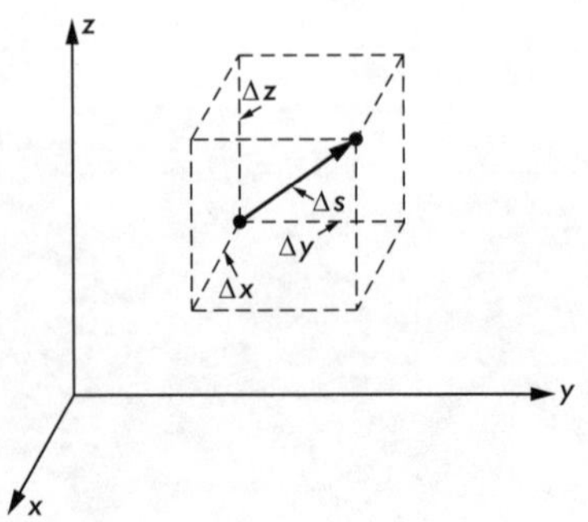

Figura 9–1 Um pequeno deslocamento de um objeto.

---

* N. de T.: Em inglês, existem as palavras *speed* e *velocity*; na física, a primeira é utilizada para representar apenas a magnitude da velocidade, enquanto que a segunda representa o vetor velocidade com magnitude e direção. Por isso, o autor sentiu a necessidade de escrever esta seção 9.2, na qual discute a diferença na utilização dessas duas palavras. Na língua portuguesa, essa discussão não se faz necessária, uma vez que temos apenas uma palavra: *velocidade*.

em uma certa distância um objeto está se movendo como mostrado na Figura 9–1. Em um dado intervalo de tempo Δt, ele se move uma certa distância Δx na direção x, Δy na direção y e Δz na direção z. O efeito total dessas mudanças nas três coordenadas é um deslocamento Δs ao longo da diagonal de um paralelepípedo cujos lados são Δx, Δy e Δz. Em termo do vetor velocidade, o deslocamento Δx é a componente x da velocidade vezes o tempo Δt, e similarmente para Δy e Δz:

$$\Delta x = v_x \Delta t, \qquad \Delta y = v_y \Delta t, \qquad \Delta z = v_z \Delta t. \tag{9.4}$$

9–3 Componentes de velocidade, aceleração e força

Na Eq. (9.4), *separamos a velocidade em componentes* ao dizer o quão rapidamente o objeto está se movendo na direção x, na direção y e na direção z. A velocidade é completamente especificada, como a magnitude e a direção, se dermos os valores numéricos de suas componentes retangulares:

$$v_x = dx/dt, \qquad v_y = dy/dt, \qquad v_z = dz/dt. \tag{9.5}$$

Por outro lado, a velocidade do objeto é

$$ds/dt = |v| = \sqrt{v_x^2 + v_y^2 + v_z^2}. \tag{9.6}$$

A seguir, suponha que, devido à ação da força, a velocidade muda para alguma outra direção e uma magnitude diferente, como mostrado na Figura 9–2. Podemos analisar essa situação aparentemente complexa de um modo simples se avaliarmos as mudanças nas componentes x, y e z da velocidade. A mudança na componente da velocidade na direção x com o tempo Δt é $\Delta v_x = a_x \Delta t$, onde a_x é o que chamamos de componente x da aceleração. Similarmente, vemos que $\Delta v_y = a_y \Delta t$ e $\Delta v_z = a_z \Delta t$. Nesses termos, vemos que a Segunda Lei de Newton, ao dizer que a força tem a mesma direção que a aceleração, é na verdade três leis, no sentido de que a componente da força na direção x, y ou z é igual à massa vezes a taxa de mudança da componente correspondente da velocidade:

$$\begin{aligned} F_x &= m(dv_x/dt) = m(d^2x/dt^2) = ma_x, \\ F_y &= m(dv_y/dt) = m(d^2y/dt^2) = ma_y, \\ F_z &= m(dv_z/dt) = m(d^2z/dt^2) = ma_z. \end{aligned} \tag{9.7}$$

Assim como o vetor velocidade e a aceleração foram separados em componentes ao projetar um segmento linear representando a quantidade e sua direção em três eixos de coordenadas, então, do mesmo modo, uma força em uma dada direção é representada por certas componentes nas direções x, y e z:

$$\begin{aligned} F_x &= F \cos(x, F), \\ F_y &= F \cos(y, F), \\ F_z &= F \cos(z, F), \end{aligned} \tag{9.8}$$

onde F é a magnitude da força e (x, F) representa o ângulo entre o eixo x e a direção de F, etc.

A Segunda Lei de Newton é dada na forma completa na Eq. (9.7). Se conhecermos as forças de um objeto e as separamos em componentes z, y e z, podemos achar o movimento do objeto a partir dessas equações. Vamos considerar um exemplo simples. Suponha que não exista força atuando nas direções y e z, somente na direção x, digamos verticalmente. A Equação (9.7) nos diz que existiriam mudanças na velocidade na direção vertical, mas nenhuma mudança na direção horizontal. Isso foi demonstrado com um sistema no Capítulo 7 (veja Figura 7-3). Um corpo caindo se move horizontalmente sem nenhuma mudança no movimento horizontal, enquanto ele se move verticalmente da mesma maneira que ele se

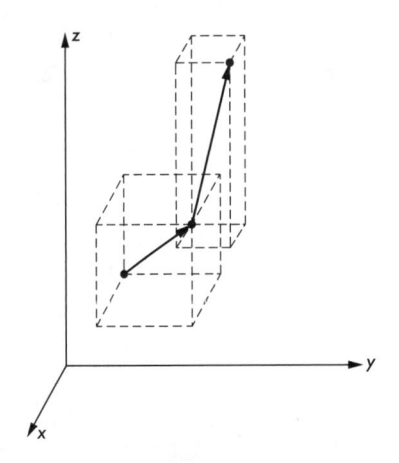

Figura 9–2 Um mudança na velocidade na qual ambas, magnitude e direção, mudam.

moveria se o movimento horizontal fosse zero. Em outras palavras, os movimentos nas direções x, y e z são independentes se as *forças* não estão conectadas.

9–4 O que é força?

Com o objetivo de usar as leis de Newton, temos de possuir algumas fórmulas para força; essas leis dizem *preste atenção nas forças*. Se um objeto está acelerando, algum agente está trabalhando; ache-o. Nosso programa para o futuro da dinâmica deve ser *achar as leis para força*. O próprio Newton foi adiante e deu alguns exemplos. No caso da gravidade, ele deu uma fórmula específica para a força. No caso de outras forças, ele deu parte da informação na sua Terceira Lei, que vamos estudar no próximo capítulo, estando relacionada com a igualdade da ação e da reação.

Estendendo nosso exemplo anterior, quais são as forças em objetos próximos à superfície da Terra? Perto da superfície da Terra, a força na direção vertical devido à gravidade é proporcional à massa do objeto e é quase independente da altura, para alturas pequenas comparadas com o raio da Terra R: $F = GmM/R^2 = mg$, onde $g = GM/R^2$ é chamado de *aceleração da gravidade*. Então, a lei da gravidade nos diz que o peso é proporcional à massa; a força é na direção vertical e é a massa vezes g. Novamente constatamos que o movimento na direção horizontal se dá a uma velocidade constante. O movimento que nos interessa é na direção vertical, e a Segunda Lei de Newton nos diz

$$mg = m(d^2x/dt^2). \tag{9.9}$$

Cancelando os ms, achamos que a aceleração na direção x é constante e igual a g. Essa é obviamente a bem conhecida lei de queda livre sob a ação da gravidade, que leva as equações

$$\begin{aligned} v_x &= v_0 + gt, \\ x &= x_0 + v_0 t + \tfrac{1}{2}gt^2. \end{aligned} \tag{9.10}$$

Como um outro exemplo, vamos supor que fomos capazes de construir um sistema (Figura 9–3) que aplica uma força proporcional à distância e diretamente oposta – uma mola. Se esquecermos a gravidade, que é obviamente balanceada pelo estiramento inicial da mola, e falarmos apenas do *excesso* de força, vemos que se puxarmos a massa para baixo, a mola empurra para cima, enquanto que se empurrarmos a massa para cima, a mola puxa para baixo. Essa máquina foi desenvolvida cuidadosamente para que a força seja maior quanto mais empurrarmos, na exata proporção do deslocamento da condição de equilíbrio, e a força para cima é similarmente proporcional a quanto puxamos para baixo. Se olharmos a dinâmica dessa máquina, vemos um movimento muito bonito – para cima, para baixo, para cima, para baixo... A questão é, as equações de Newton vão descrever corretamente esse movimento? Vamos ver se podemos calcular exatamente como ela se move com esse movimento periódico ao aplicarmos a lei de Newton (9.7). Na presente situação, a equação é

$$-kx = m(dv_x/dt). \tag{9.11}$$

Aqui, temos uma situação em que a velocidade na direção x muda em uma taxa proporcional a x. Não ganharemos nada em manter muitas constantes numéricas, então imaginemos que, ou a escala temporal mudou ou que existiu uma casualidade nas unidades, de forma que acabamos tendo $k/m = 1$. Assim devemos tentar resolver a equação

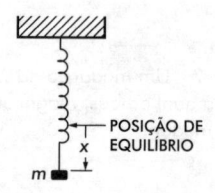

$$dv_x/dt = -x. \tag{9.12}$$

Figura 9–3 Uma massa em uma mola.

Para continuarmos, devemos conhecer o que é v_x, mas obviamente sabemos que a velocidade é a taxa de mudança da posição.

9–5 O significado das equações da dinâmica

Agora, vamos tentar analisar apenas o que a Eq. (9.12) significa. Suponha que, em um dado tempo t, o objeto tem uma certa velocidade v_x e uma posição x. Quais são a velocidade e a posição em um tempo um pouco depois $t + \epsilon$? Se pudermos responder a essa questão, nosso problema está resolvido, para isso podemos começar com uma dada condição e calcular como ela muda para o primeiro instante, para o próximo instante, para o próximo e para o seguinte e assim por diante, e dessa maneira gradualmente desenvolvemos o movimento. Para ser específico, vamos supor que no tempo $t = 0$ foi dado que $x = 1$ e $v_x = 0$. Por que o objeto se move? Porque existe uma *força* atuando nele quando ele está em qualquer posição que não seja $x = 0$. Se $x > 0$, a força é para cima. Dessa maneira, a velocidade que era zero começa a mudar devido às leis de movimento. Assim que ele começa a ganhar velocidade, o objeto começa a se mover para cima e assim por diante. Agora em qualquer tempo t, se ϵ for muito pequeno, podemos expressar a posição no tempo $t + \epsilon$ em termos da posição no tempo t e a velocidade no tempo com uma boa aproximação como

$$x(t + \epsilon) = x(t) + \epsilon v_x(t). \qquad (9.13)$$

Quanto menor ϵ, mas precisa é essa equação, mas ela ainda é muito utilmente precisa mesmo que ϵ não seja extremamente pequeno. Agora, e a velocidade? Com o objetivo de obter a velocidade mais adiante, a velocidade no tempo $t + \epsilon$, precisamos conhecer como a velocidade muda com a *aceleração*. E como vamos achar a aceleração? É aqui que a lei da dinâmica entra em cena. A lei dinâmica nos diz o que é a aceleração. Ela (Eq. 9.12) diz que a aceleração é $-x$.

$$v_x(t + \epsilon) = v_x(t) + \epsilon a_x(t) \qquad (9.14)$$
$$= v_x(t) - \epsilon x(t). \qquad (9.15)$$

A Equação (9.14) é meramente cinemática; ela diz que a velocidade muda devido à presença da aceleração. No entanto, a Eq. (9.15) é *dinâmica*, porque ela relaciona a aceleração à força; ela diz que neste tempo, em particular, para esse problema em particular, podemos substituir a aceleração por $-x(t)$. Desta maneira, se conhecemos x e v em um dado tempo, conhecemos a aceleração, que nos diz a nova velocidade, e conhecemos a nova posição – é assim que o maquinário funciona. A velocidade muda um pouco devido à força, e a posição muda um pouco devido à velocidade.

9–6 Soluções numéricas das equações

Agora vamos realmente resolver o problema. Suponha que tomamos $\epsilon = 0{,}100$ s. Depois de fazermos todas as contas, se descobrirmos que esse valor não é suficientemente pequeno, talvez precisemos voltar e fazer tudo de novo com $\epsilon = 0{,}010$ s. Começando com nosso valor inicial $x(0) = 1{,}00$, o que é $x(0{,}1)$? É a posição antiga mais a velocidade (que é zero) vezes 0,10 s. Então, $x(0{,}1)$ é ainda 1,00, porque o movimento ainda não começou, mas a nova velocidade em 0,10 s será a velocidade antiga $v(0) = 0$ mais ϵ vezes a aceleração. A aceleração é $-x(0) = -1{,}00$. Então,

$$v(0{,}1) = 0{,}00 - 0{,}10 \times 1{,}00 = -0{,}10.$$

Agora em 0,20 s

$$x(0{,}2) = x(0{,}1) + \epsilon v(0{,}1)$$
$$= 1{,}00 - 0{,}10 \times 0{,}10 = 0{,}99$$

e

$$v(0{,}2) = v(0{,}1) + \epsilon a(0{,}1)$$
$$= -0{,}10 - 0{,}10 \times 1{,}00 = -0{,}20.$$

E assim por diante, podemos calcular o resto do movimento, e isso é o que devemos fazer. No entanto, por motivos práticos, existem mais alguns truques com os quais podemos aumentar a precisão. Se continuarmos esse cálculo como começamos, acharemos o movimento somente de uma maneira grosseira, porque ϵ = 0,100 s é muito grosseiro, e teríamos de ir para um intervalo ainda menor, digamos ϵ = 0,01 s. Então, para irmos para um intervalo de tempo total razoável, teríamos de fazer muitos ciclos de cálculos. Daí, devemos organizar o trabalho de uma maneira que aumentará a precisão de nossos cálculos, usando o mesmo intervalo grosseiro ϵ = 0,10 s. Isso pode ser feito se fizermos uma mudança sutil na técnica de análise.

Note que a nova posição é a posição antiga mais o intervalo de tempo ϵ vezes a velocidade, mas a velocidade *quando*? A velocidade no começo do intervalo de tempo é uma e no final do intervalo é outra. Nossa mudança é usar a velocidade no *meio do intervalo*. Se conhecermos a velocidade agora, mas a velocidade está mudando, então não vamos obter a resposta correta se usarmos a mesma velocidade de agora. Devemos usar alguma velocidade entre a velocidade de "agora" e a velocidade de "depois" no final do intervalo. As mesmas considerações também se aplicam à velocidade: para calcular as mudanças na velocidade, devemos usar a aceleração no meio do caminho entre os dois tempos nos quais a velocidade deve ser achada. Assim, as equações que devemos realmente usar serão algo como isto: a posição posterior é igual à posição anterior mais ϵ vezes a velocidade *no meio do intervalo de tempo*. Igualmente, a velocidade nesse ponto, no meio do intervalo, é a velocidade em um tempo ϵ antes (que é no meio do intervalo anterior) mais ϵ vezes a aceleração no tempo t. Isto é, usamos as equações

$$x(t + \epsilon) = x(t) + \epsilon v(t + \epsilon/2),$$
$$v(t + \epsilon/2) = v(t - \epsilon/2) + \epsilon a(t), \quad (9.16)$$
$$a(t) = -x(t).$$

Sobra somente um pequeno problema: o que é $v(\epsilon/2)$? No começo, foi nos dado $v(0)$, não $v(-\epsilon/2)$. Para começar as nossas contas, devemos usar uma equação especial, sendo, $v(\epsilon/2) = v(0) + (\epsilon/2)a(0)$.

Agora estamos prontos para continuar nossos cálculos. Por conveniência, podemos arrumar este trabalho na forma de uma tabela, com colunas para o tempo, a posição, a velocidade e a aceleração, e as linhas no meio para a velocidade, como mostrado na Tabela 9-1. Tal tabela é, obviamente, somente uma maneira conveniente de representar valores numéricos obtidos com o conjunto de Equações (9.16), de fato as próprias equações não precisam nunca ser escritas. Apenas preenchemos os vários espaços na tabela um a um. Essa tabela agora nos dá uma ótima ideia do movimento: ele começa do repouso, primeiro pega um pouco de velocidade para cima (negativa) e perde um pouco de sua distância. A aceleração é então um pouco menor mas ainda está ganhando velocidade, mas conforme ele continua, ganha velocidade mais e mais lentamente, até que passa por $x = 0$ em aproximadamente $t = 1,50$ s podemos confiantemente prever que ele continuará indo, mas agora estará do outro lado; a posição x se tornará negativa, a aceleração deste modo será positiva. É interessante comparar esses números com a função $x = \cos(t)$, o que é feito na Figura 9-4. A concordância está dentro de três algarismos significativos de precisão dos nossos cálculos! Devemos ver mais tarde que $x = \cos(t)$ é a solução matemática exata para a nossa equação de movimento, mas é uma ilustração impressionante do poder da análise numérica o fato de que esses cálculos tão fáceis fornecem resultados tão precisos.

Tabela 9–1
Solução de $dv_x/dt = -x$.
Intervalo: $\epsilon = 0,10$ s

t	x	v_x	a_x
0,0	1,000	0,000	−1,000
		−0,050	
0,1	0,995		−0,995
		−0,150	
0,2	0,980		−0,980
		−0,248	
0,3	0,955		−0,955
		−0,343	
0,4	0,921		−0,921
		−0,435	
0,5	0,877		−0,877
		−0,523	
0,6	0,825		−0,825
		−0,605	
0,7	0,764		−0,764
		−0,682	
0,8	0,696		−0,696
		−0,751	
0,9	0,621		−0,621
		−0,814	
1,0	0,540		−0,540
		−0,868	
1,1	0,453		−0,453
		−0,913	
1,2	0,362		−0,362
		−0,949	
1,3	0,267		−0,267
		−0,976	
1,4	0,169		−0,169
		−0,993	
1,5	0,070		−0,070
		−1,000	
1,6	−0,030		+0,030

9–7 Movimentos planetários

A análise acima é muito boa para o movimento de uma mola oscilando, mas podemos analisar o movimento de um planeta ao redor do Sol? Vamos ver quando podemos chegar a uma aproximação de uma elipse para a órbita. Devemos supor que o Sol é infinitamente pesado, de modo que não devemos incluir o seu movimento. Suponha que um planeta começa em uma certa posição e está se movendo com uma certa velocidade; ele vai ao redor do Sol em uma curva, e devemos tentar analisar, pelas leis de Newton do movimento e sua lei da gravitação, que curva é essa. Como? Em um dado momento, o planeta está em alguma posição no espaço. Se a distância radial do Sol a essa posição é chamada de r, então sabemos que existe uma força diretamente nele que, de acordo com a lei da gravidade, é igual a uma constante vezes o produto da massa do Sol e a massa do planeta dividida pelo quadrado da distância. Para continuar a analisar isso, devemos achar que aceleração será produzida por esta força. Vamos precisar das *componentes* da aceleração ao longo das duas direções, que chamamos de x e y. Assim, se especificarmos a posição do planeta em um dado momento ao darmos x e y (devemos supor que z é sempre zero porque não existe força na direção z, e se não existe velocidade inicial v_z, não existirá nada a ser feito com z a não ser colocá-lo igual a zero), a força está direcionada ao longo da linha que junta o planeta ao Sol, como na Figura 9–5.

Dessa figura, vemos que a componente horizontal da força está relacionada à força total do mesmo modo que a distância horizontal x está relacionada à hipotenusa total r, porque os dois triângulos são semelhantes. Também, se x é positivo, F_x é negativo. Isto é, $F_x/|F| = -x/r$, ou $F_x = -|F|x/r = -GMmx/r^3$. Agora, usamos as leis da dinâmica para descobrir que essa componente da força é igual à massa do planeta vezes a taxa de mudança de sua velocidade na direção x. Assim, achamos as seguintes leis:

$$m(dv_x/dt) = -GMmx/r^3,$$
$$m(dv_y/dt) = -GMmy/r^3, \quad (9.17)$$
$$r = \sqrt{x^2 + y^2}.$$

Esse, então, é o conjunto de equações que devemos resolver. Novamente, com o objetivo de simplificar o trabalho numérico, devemos supor que a unidade de tempo, ou a massa do Sol, foi ajustada (ou estamos com sorte) tal que $GM \equiv 1$. Para o nosso exemplo específico, devemos supor que a posição inicial do planeta é em $x = 0,500$ e $y = 0,000$, e que a velocidade está toda na direção y no começo e é de magnitude 1,630. Agora, como fazemos os cálculos? Novamente fazemos uma tabela com as colunas de tempo, posição x, velocidade x v_x e a aceleração a_x; então, separadas por uma linha dupla, três colunas para posição, velocidade e aceleração na direção y. Com o objetivo de obter as acelerações, vamos precisar da Eq. (9.17); ela nos diz que a aceleração na direção x é $-x/r^3$, e a aceleração na direção y é $-y/r^3$, e que r é a raiz quadrada de $x^2 + y^2$. Assim, dado x e y, devemos fazer um pouco de cálculo, pegando a raiz quadrada da soma dos quadrados, achar r e nos preparar para calcular as duas acelerações, é também útil calcular $1/r^3$. Esse trabalho pode ser feito de forma relativamente fácil com o uso de uma tabela de potências quadradas, cúbicas e seus inversos: então precisamos somente multiplicar x por $1/r^3$, o que fazemos facilmente.

Nossos cálculos então continuam seguindo os seguintes passos, usando os intervalos de tempos $\epsilon = 0,100$: valores iniciais em $t = 0$.

$$x(0) = 0,500 \qquad y(0) = 0,000$$
$$v_x(0) = 0,000 \qquad v_y(0) = +1,630$$

Disso achamos:

$$r(0) = 0,500 \qquad 1/r^3(0) = 8,000$$
$$a_x(0) = -4,000 \qquad a_y(0) = 0,000$$

Assim podemos calcular as velocidades $v_x(0,05)$ e $v_y(0,05)$:

$$v_x(0,05) = 0,000 - 4,000 \times 0,050 = -0,200;$$
$$v_y(0,05) = 1,630 + 0,000 \times 0,050 = 1,630.$$

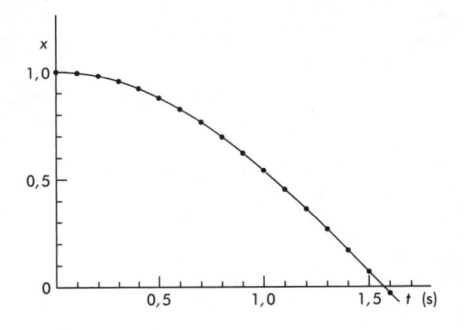

Figura 9–4 Gráfico do movimento de uma massa em uma mola.

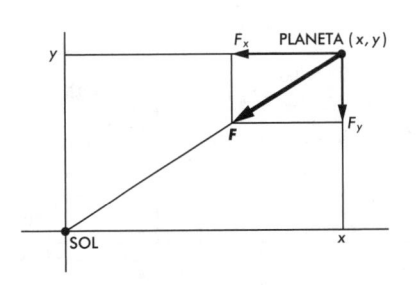

Figura 9–5 A força da gravidade em um planeta.

Agora nosso cálculo principal começa:

$$x(0,1) = 0,500 - 0,20 \times 0,1 = 0,480$$
$$y(0,1) = 0,0 + 1,63 \times 0,1 = 0,163$$
$$r(0,1) = \sqrt{0,480^2 + 0,163^2} = 0,507$$
$$1/r^3(0,1) = 7,677$$
$$a_x(0,1) = -0,480 \times 7,677 = -3,685$$
$$a_y(0,1) = -0,163 \times 7,677 = -1,250$$
$$v_x(0,15) = -0,200 - 3,685 \times 0,1 = -0,568$$
$$v_y(0,15) = 1,630 - 1,250 \times 0,1 = 1,505$$
$$x(0,2) = 0,480 - 0,568 \times 0,1 = 0,423$$
$$y(0,2) = 0,163 + 1,505 \times 0,1 = 0,313$$
$$\text{etc.}$$

Dessa maneira, obtemos os valores dados na Tabela 9-2, e em mais ou menos 20 passos seguimos o planeta em metade de sua órbita ao redor do Sol! Na Figura 9–6, estão apresentados gráficos das coordenadas x e y dadas na Tabela 9-2. Os pontos representam as posições em tempos sucessivos separados por um décimo de uma unidade; vemos que no começo o planeta se move rapidamente e ao final ele se move lentamente, e então o formato da curva é determinado. Assim, vemos que *realmente sabemos* como calcular o movimento dos planetas!

Agora vamos ver como podemos calcular o movimento de Netuno, Júpiter, Urano ou qualquer outro planeta. Se tivermos um grande número de planetas e deixarmos o Sol se mover também, podemos fazer a mesma coisa? Obviamente podemos. Calculamos a força em um planeta em particular, vamos dizer o planeta número i, que tem uma posição x_i, y_i, z_i ($i = 1$ pode representar o Sol, $i = 2$ Mercúrio, $i = 3$ Vênus e assim por diante). Devemos saber a posição de todos os planetas. A força atuando em um se deve a todos os outros corpos que estão localizados, vamos dizer, nas posições x_j, y_j, z_j. Desta maneira, as equações são

$$m_i \frac{dv_{ix}}{dt} = \sum_{j=1}^{N} - \frac{Gm_i m_j (x_i - x_j)}{r_{ij}^3},$$
$$m_i \frac{dv_{iy}}{dt} = \sum_{j=1}^{N} - \frac{Gm_i m_j (y_i - y_j)}{r_{ij}^3}, \quad (9.18)$$
$$m_i \frac{dv_{iz}}{dt} = \sum_{j=1}^{N} - \frac{Gm_i m_j (z_i - z_j)}{r_{ij}^3}.$$

Depois, definimos r_{ij} como a distância entre dois planetas i e j; isso é igual a

$$r_{ij} = \sqrt{(x_i - x_j)^2 + (y_i - y_j)^2 + (z_i - z_j)^2}. \quad (9.19)$$

Também, Σ significa a soma sobre todos os valores de j – todos os outros corpos – exceto, obviamente para $j = i$. Assim, tudo o que temos de fazer é mais colunas, *muito* mais colunas. Precisamos de nove colunas para o movimento de Júpiter, nove para o movimento de Saturno e assim por diante. Então, quando tivermos todas as posições e velocidades iniciais, podemos calcular todas as acelerações a partir da Eq. (9.18) por meio primeiro do cálculo de todas as distâncias, usando a Eq. (9.19). Quanto tempo irá demorar? Se você fizer isso em casa, irá levar um tempo enorme, mas em tempos modernos temos máquinas que fazem a aritmética muito rapidamente; uma boa máquina de calcular pode levar 1 microssegundo, isto é, um milionésimo de segundo, para fazer uma adição. Para fazer uma multiplicação demora mais, digamos, 10 microssegundos. Pode ser que em um ciclo de cálculo, dependendo do problema, teremos 30 multiplicações, ou algo do

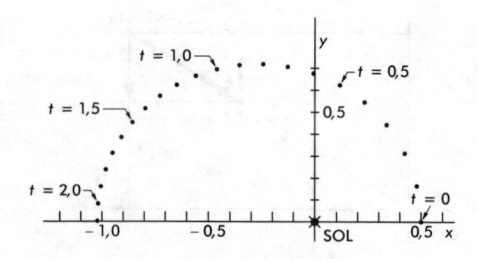

Figura 9–6 O movimento calculado de um planeta ao redor do Sol.

Tabela 9–2

Solução de $dv_x/dt = -x/r^3$, $dv_y/dt = -y/r^3$, $r = \sqrt{x^2 + y^2}$.
Intervalo: $\epsilon = 0,100$
Órbita $v_y = 1,63$ $v_x = 0$ $x = 0,5$ $y = 0$ em $t = 0$

t	x	v_x	a_x	y	v_y	a_y	r	$1/r^3$
0,0	0,500		−4,000	0,000		0,000	0,500	8,000
		−0,200			1,630			
0,1	0,480		−3,685	0,163		−1,251	0,507	7,677
		−0,568			1,505			
0,2	0,423		−2,897	0,313		−2,146	0,527	6,847
		−0,858			1,290			
0,3	0,337		−1,958	0,443		−2,569	0,556	5,805
		−1,054			1,033			
0,4	0,232		−1,112	0,546		−2,617	0,593	4,794
		−1,165			0,772			
0,5	0,115		−0,454	0,623		−2,449	0,634	3,931
		−1,211			0,527			
0,6	−0,006		+0,018	0,676		−2,190	0,676	3,241
		−1,209			0,308			
0,7	−0,127		+0,342	0,706		−1,911	0,718	2,705
		−1,175			0,117			
0,8	−0,244		+0,559	0,718		−1,646	0,758	2,292
		−1,119			−0,048			
0,9	−0,356		+0,702	0,713		−1,408	0,797	1,974
		−1,048			−0,189			
1,0	−0,461		+0,796	0,694		−1,200	0,833	1,728
		−0,969			−0,309			
1,1	−0,558		+0,856	0,664		−1,019	0,867	1,536
		−0,883			−0,411			
1,2	−0,646		+0,895	0,623		−0,862	0,897	1,385
		−0,794			−0,497			
1,3	−0,725		+0,919	0,573		−0,726	0,924	1,267
		−0,702			−0,569			
1,4	−0,795		+0,933	0,516		−0,605	0,948	1,174
		−0,608			−0,630			
1,5	−0,856		+0,942	0,453		−0,498	0,969	1,100
		−0,514			−0,680			
1,6	−0,908		+0,947	0,385		−0,402	0,986	1,043
		−0,420			−0,720			
1,7	−0,950		+0,950	0,313		−0,313	1,000	1,000
		−0,325			−0,751			
1,8	−0,982		+0,952	0,238		−0,230	1,010	0,969
		−0,229			−0,774			
1,9	−1,005		+0,953	0,160		−0,152	1,018	0,949
		−0,134			−0,790			
2,0	−1,018		+0,955	0,081		−0,076	1,022	0,938
		−0,038			−0,797			
2,1	−1,022		+0,957	0,002		−0,002	1,022	0,936
		+0,057			−0,797			
2,2	−1,017		+0,959	−0,078		+0,074	1,020	0,944
					−0,790			
2,3								

Eixo x cruzado em 2,101 s, ∴ período = 4,20 s.
$v_x = 0$ em 2,086 s
x foi cruzado em −1,022, ∴ semieixo maior = $\frac{1,022 + 0,500}{2} = 0,761$.
$v_y = -0,797$.
Tempo previsto $\pi(0,761)^{3/2} = \pi(0,663) = 2,082$.

tipo, então um ciclo demorará 300 microssegundos. Isso significa que podemos fazer 3.000 ciclos de cálculo por segundo. Com o objetivo de obter precisão, de, digamos, uma parte em um bilhão, precisaríamos de 4×10^5 ciclos para corresponder a uma revolução ao redor do Sol. Isso corresponde a um cálculo de 130 segundos ou mais ou menos dois minutos. Assim, leva apenas dois minutos para seguir Júpiter ao redor do Sol, com todas as perturbações de todos os planetas corretas com uma parte em um bilhão, por este método! (No final das contas, o erro varia em relação ao quadrado do intervalo ϵ. Se pegarmos um intervalo mil vezes menor, o resultado será um milhão de vezes mais preciso. Então, vamos fazer o intervalo 10.000 vezes menor.)

Portanto, como dizemos, começamos este capítulo sem saber como calcular até mesmo o movimento de uma massa em uma mola. Agora, armados com o poder das leis de Newton, podemos não somente calcular um movimento simples mas também, dado somente o maquinário para lidar com a aritmética, calcular até movimentos bastante complexos como o dos planetas, com o grau de precisão que desejarmos!

10

Conservação de Momento

10–1 A terceira lei de Newton

Com base na terceira lei de movimento de Newton, que dá a relação entre a aceleração de qualquer corpo e a força que atua sobre ele, qualquer problema de mecânica pode ser resolvido em princípio. Por exemplo, para determinar o movimento de umas poucas partículas, pode-se usar o método numérico desenvolvido no capítulo anterior. Ainda assim, há bons motivos para se estudar mais profundamente as leis de Newton. Primeiro, há casos bem simples de movimentos que podem ser analisados não apenas por métodos numéricos, mas também por análise matemática direta. Por exemplo, embora saibamos que a aceleração de um corpo em queda seja 9,8 m/s^2, e a partir desse fato pudéssemos calcular o movimento por meio de métodos numéricos, é muito mais fácil e mais satisfatório analisar o movimento e achar a solução geral, $s = s_0 + v_0 t + 4,9t^2$. Da mesma forma, embora possamos trabalhar as posições de um oscilador harmônico por métodos numéricos, também é possível mostrar analiticamente que a solução geral é uma simples função cosseno do tempo t e, portanto, é desnecessário ter todo aquele trabalho aritmético quando há uma maneira simples e mais precisa de obter o resultado. Da mesma maneira, embora o movimento de um corpo em torno do Sol, determinado pela gravitação, possa ser calculado ponto a ponto pelos métodos numéricos do Capítulo 9, o qual mostra o formato geral da órbita, também é legal obter o formato exato, cuja análise revela uma elipse perfeita.

Infelizmente, existem pouquíssimos problemas que podem ser resolvidos exatamente por análise. No caso do oscilador harmônico, por exemplo, se a força da mola não for proporcional ao deslocamento, mas for alguma coisa mais complicada, precisa-se voltar ao método numérico. Ou, se houver dois corpos circundando o Sol, de modo que o número total de corpos é três, então a análise não pode produzir uma fórmula simples para o movimento, e na prática o problema precisa ser resolvido numericamente. Este é o famoso problema de três corpos, que por tanto tempo tem desafiado o poder de análise humano; é bastante interessante o tempo que levou para as pessoas compreenderem o fato de que talvez os poderes da análise matemática fossem limitados e fosse necessário usar métodos numéricos. Hoje, um número enorme de problemas que não podem ser resolvidos analiticamente é resolvido por métodos numéricos, e o velho problema de três corpos, que era supostamente tão difícil, é resolvido por meio de uma rotina exatamente da mesma maneira que foi descrita no capítulo anterior, ou seja, com bastante aritmética. Entretanto, existem situações em que ambos os métodos falham: os problemas simples podem ser resolvidos por análise e os moderadamente difíceis, por métodos numéricos aritméticos, mas os problemas muito complicados não podem ser resolvidos por nenhum desses métodos. Um problema complicado é a colisão de dois automóveis, por exemplo, ou mesmo o movimento das moléculas de um gás. Existem incontáveis partículas em um milímetro cúbico de gás, e seria ridículo tentar fazer cálculos com tantas variáveis (em torno de 10^{17} – cem milhões de bilhões). Qualquer coisa como o movimento das moléculas ou átomos de um gás ou de um bloco de ferro, ou o movimento de estrelas em um aglomerado globular, ao invés de apenas dois ou três planetas ao redor do Sol – tais problemas não podemos resolver diretamente, então precisamos procurar outros meios.

Nas situações em que não podemos acompanhar os detalhes, precisamos conhecer algumas propriedades gerais, ou seja, teoremas ou princípios gerais que sejam conseqüências das leis de Newton. Um desses princípios é a conservação de energia, que foi discutida no Capítulo 4. Outro é o princípio de conservação de momento, o assunto deste capítulo. Outra razão para estudar mecânica mais profundamente é que há certos padrões de movimento que são repetidos em muitas circunstâncias diferentes, portanto é bom estudar esses padrões em uma circunstância particular. Por exemplo, vamos estudar colisões; diferentes tipos de colisões têm muito em comum. No fluxo de fluidos, não faz muita diferença o que é o fluido, as leis do fluxo são similares. Outros problemas que

10–1 A terceira lei de Newton
10–2 Conservação de momento
10–3 O momento *é* conservado!
10–4 Momento e energia
10–5 Momento relativístico

iremos estudar são as vibrações e oscilações e, em particular, o fenômeno peculiar das ondas mecânicas – sons, vibrações de hastes e assim por diante.

Em nossa discussão das leis de Newton, foi explicado que essas leis são uma espécie de programa que diz "Preste atenção nas forças", e que Newton nos disse apenas duas coisas a respeito da natureza das forças. No caso da gravitação, ele nos deu a lei completa da força. No caso das forças muito complicadas entre os átomos, ele não estava ciente das leis certas das forças; entretanto, ele descobriu uma regra, uma propriedade geral das forças, que é expressa na sua Terceira Lei, e esse é todo o conhecimento que Newton tinha a respeito da natureza das forças – a lei da gravitação e esse princípio, mas sem mais detalhes.

Esse princípio é que *a ação é igual à reação*.

Qual é o significado de uma coisa desse tipo? Suponha que tenhamos dois corpos pequenos, digamos partículas, e suponha que a primeira exerça uma força sobre a segunda, empurrando-a com uma certa força. Então, simultaneamente, de acordo com a Terceira Lei de Newton, a segunda partícula irá empurrar a primeira com uma força igual na direção oposta; mais ainda, essas forças atuam na mesma linha. Essa é a hipótese, ou lei, que Newton propôs, e parece ser bastante precisa, embora não exata (vamos discutir os erros depois). Por enquanto, vamos tomar como verdadeiro que a ação é igual à reação. É claro que, se existe uma terceira partícula não colinear com as outras duas, a lei *não* significa que a força total na primeira é igual à força total na segunda, já que a terceira partícula, por exemplo, exerce sua própria força em cada uma das outras duas. O resultado é que o efeito total nas duas primeiras está em uma outra direção, e as forças nas duas primeiras partículas não são, em geral, nem iguais nem opostas. Entretanto, as forças em cada partícula podem ser resolvidas em partes, havendo uma contribuição ou parte devido a cada uma das outras partículas interagentes. Então cada *par* de partículas têm componentes correspondentes de interação mútua que são iguais em magnitude e opostas em direção.

10–2 Conservação de momento

Quais são as consequências interessantes da relação acima? Suponha, por simplicidade, que temos apenas duas partículas interagentes, possivelmente de massas diferentes e numeradas como 1 e 2. As forças entre elas são iguais e opostas; quais são as consequências? De acordo com a Segunda Lei de Newton, a força é a variação do momento com o tempo, então concluímos que a razão de mudança do momento p_1 da partícula 1 é igual a menos a razão de mudança do momento p_2 da partícula 2, ou

$$dp_1/dt = -dp_2/dt. \tag{10.1}$$

Agora, se a *razão de mudança* é sempre igual e oposta, segue que a *mudança total* no momento da partícula 1 é igual e oposta à *mudança total* no momento da partícula 2; isso significa que se *adicionarmos* o momento da partícula 1 ao momento da partícula 2, a mudança na soma deles, devido às forças mútuas (chamadas de forças internas) entre as partículas, é zero; ou seja

$$d(p_1 + p_2)/dt = 0. \tag{10.2}$$

Assume-se que não há outra força no problema. Se a razão de mudança dessa soma é sempre zero, isso é só uma outra maneira de dizer que a quantidade $(p_1 + p_2)$ não muda. (Essa quantidade também é escrita como $m_1v_1 + m_2v_2$ e é chamada de *momento total* das duas partículas.) Obtivemos agora o resultado que o momento total de duas partículas não muda por causa de qualquer interação mútua entre elas. Essa sentença expressa a lei de conservação de momento nesse exemplo particular. Concluímos que se existe qualquer tipo de força, não importa o quão complicada, entre duas partículas, e medimos ou calculamos $m_1v_1 + m_2v_2$, ou seja, a soma dos dois momentos, tanto antes como depois de as forças agirem, os resultados devem ser iguais, isto é, o momento total é uma constante.

Se estendermos o argumento para três ou mais partículas interagentes em circunstâncias mais complicadas, é evidente que até onde as forças internas são consideradas, o momento total de todas as partículas permanece constante, já que um aumento no momento de uma, devido à outra, é exatamente compensado pelo decréscimo da segunda, devido à primeira. Ou seja, todas as forças internas se compensam e, portanto, não podem mudar o momento total das partículas. Então, se não existem forças vindas de fora do sistema (forças externas), não existem forças que possam mudar o momento total; assim o momento total é uma constante.

Vale a pena descrever o que acontece quando existem forças que *não* vêm das ações mútuas das partículas em questão: suponha que isolamos as partículas interagentes. Se existem apenas forças mútuas, então, como antes, o momento total das partículas não muda, não importa quão complicadas são as forças. Por outro lado, suponha que existam também forças vindas de partículas de fora do grupo isolado. A qualquer força exercida por corpos externos em corpos internos chamamos de força *externa*. Vamos demonstrar mais tarde que a soma de todas as forças externas é igual à razão da mudança do momento total de todas as partículas internas, um teorema muito útil.

A conservação do momento total de um número de partículas interagentes pode ser expressa como

$$m_1v_1 + m_2v_2 + m_3v_3 + \cdots = \text{uma constante}, \quad (10.3)$$

se não existe força externa resultante. Aqui as massas e velocidades correspondentes das partículas são numeradas 1, 2, 3, 4,... A sentença geral da Segunda Lei de Newton para cada partícula,

$$F = \frac{d}{dt}(mv), \quad (10.4)$$

é verdadeira especificamente para as *componentes* da força e momento em qualquer direção dada; portanto a componente x da força em uma partícula é igual à componente x da razão da mudança do momento daquela partícula, ou

$$F_x = \frac{d}{dt}(mv_x), \quad (10.5)$$

e de forma semelhante para as direções y e z. Portanto, a Eq. (10.3) é realmente três equações, uma para cada direção.

Adicionalmente à lei de conservação de momento, existe uma outra consequência interessante da Segunda Lei de Newton, que será provada depois, mas simplesmente afirmada agora. Esse princípio é que as leis da física serão as mesmas quer estejamos parados ou nos movendo com velocidade uniforme em linha reta. Por exemplo, uma criança quicando uma bola em um avião acha que a bola quica da mesma forma como se estivesse no chão. Mesmo o avião se movendo com uma velocidade muito alta, a menos que ele mude a sua velocidade, as leis serão as mesmas para a criança como o são quando o avião está parado. Esse é o chamado *princípio da relatividade*. Como a usamos aqui devemos chamá-la de "relatividade Galileana", para distingui-la da análise mais cuidadosa feita por Einstein, a qual estudaremos posteriormente.

Acabamos de derivar a lei de conservação de momento das leis de Newton, e poderíamos continuar daqui para encontrar as leis especiais que descrevem impactos e colisões. No entanto, para variar um pouco – e também como uma ilustração de um tipo de raciocínio que pode ser usado em física em outras circunstâncias em que, por exemplo, pode-se não saber as leis de Newton e usar uma aproximação diferente –, discutiremos as leis de impactos e colisões de um ponto de vista completamente diferente. Iremos basear nossa discussão no princípio da relatividade Galileana, enunciada acima, e finalizaremos com a lei de conservação de momento.

Começaremos assumindo que a natureza teria a mesma aparência se corrêssemos a uma certa velocidade e a observássemos assim como se estivéssemos parados. Antes de discutir as colisões nas quais dois corpos colidem e ficam juntos ou se encontram e rebatem se separando, consideraremos primeiro dois corpos que são mantidos juntos por uma mola ou alguma outra coisa e são, então, repentinamente soltos e empurrados pela mola ou talvez por uma pequena explosão. Além disso, consideraremos o movimento em apenas uma direção. Primeiro, vamos supor que os dois objetos são exatamente iguais, são objetos regulares e simétricos, e então temos uma pequena explosão entre eles. Após a explosão, um dos corpos se moverá, digamos na direção à direita, com velocidade v. Então, parece razoável que o outro objeto esteja se movendo na direção à esquerda com uma velocidade v, porque se os objetos são semelhantes, não existe razão para preferência pela direita ou esquerda, e então os corpos fariam alguma coisa simétrica. Essa é uma ilustração de um tipo de pensamento que é muito útil em muitos problemas, mas não surgiria se simplesmente começássemos com as fórmulas.

O primeiro resultado do nosso experimento é que objetos iguais terão velocidades iguais, mas agora suponha que temos dois objetos feitos de materiais diferentes, como cobre e alumínio, e fazemos as duas *massas* iguais. Vamos supor agora que se fizermos o experimento com duas massas iguais, muito embora os objetos não sejam idênticos, as velocidades serão iguais. Alguém pode questionar: "Você poderia fazer de trás para frente, você não tinha que *supor* isso. Você poderia *definir* massas iguais como sendo duas massas que adquirem velocidades iguais nesse experimento". Seguimos essa sugestão e fazemos uma pequena explosão entre o cobre e um pedaço bem grande de alumínio, tão pesado que o cobre sai voando e o alumínio mal se mexe. Isso é muito alumínio, então reduzimos a quantidade até que haja apenas um pedaço bem pequeno, então quando fazemos a explosão o alumínio sai voando e o *cobre* mal se mexe. Isso não é alumínio suficiente. Evidentemente existe alguma quantidade intermediária correta; então continuamos ajustando as quantidades até que as velocidades sejam iguais. Muito bem então – vamos contornar isso e dizer que quando as velocidades são iguais, as massas também sejam iguais. Isso parece ser apenas uma definição, e é notável que possamos transformar leis físicas em meras definições. No entanto, *existem* algumas leis físicas envolvidas, e se aceitarmos essa definição de massas iguais, imediatamente encontramos uma das leis, como segue.

Suponha que saibamos da experiência que acabamos de descrever que dois pedaços de matéria, A e B (de cobre e alumínio), têm massas iguais, e comparamos um terceiro corpo, digamos um pedaço de ouro, com o cobre da mesma maneira acima, certificando-nos de que sua massa é igual à massa do cobre. Se agora fizermos a experiência entre o alumínio e o ouro, não existe nada na lógica que diga que *essas* massas devem ser iguais; entretanto, a *experiência* mostra que elas realmente são. Então agora, através da experiência, encontramos uma nova lei. Uma sentença dessa lei pode ser: se duas massas são iguais a uma terceira massa (como determinadas por velocidades iguais nesse experimento), então elas são iguais entre si. (Essa sentença *não* segue de maneira alguma de uma sentença semelhante usada como postulado para quantidades *matemáticas*.) Desse exemplo podemos ver quão rapidamente começamos a inferir coisas se formos descuidados. *Não* é apenas uma definição que diz que as massas são iguais quando as velocidades são iguais, porque dizer que as massas são iguais é implicar nas leis matemáticas de igualdade, que por sua vez fazem uma predição sobre um experimento.

Como um segundo exemplo, suponha que descobrimos que A e B são iguais fazendo a experiência com uma força de explosão que dá uma certa velocidade; se usarmos uma explosão mais forte, será verdade, ou não, que agora as velocidades obtidas são iguais? Novamente, na lógica não existe nada que possa decidir essa questão, mas a experiência mostra que isso *é* verdade. Então, aqui vai uma outra lei, que pode ser sentenciada: se dois corpos têm massas iguais, assim medidas por velocidades iguais, para uma certa velocidade, eles terão massas iguais quando medidas em uma outra velocidade. Desses exemplos, vemos que o que parecia ser apenas uma definição, realmente envolvia algumas leis físicas.

No desenvolvimento que segue, vamos assumir que é verdade que massas iguais têm velocidades iguais e opostas quando ocorre uma explosão entre elas. Vamos fazer outra suposição no caso inverso: se dois objetos idênticos se movendo em direções opostas com velocidades iguais colidem e permanecem juntos por meio de alguma cola, então de que maneira eles se moverão após a colisão? Isso é novamente uma situação simétrica, sem preferência entre esquerda e direita, então assumimos que eles ficam parados. Vamos também supor que dois objetos quaisquer de mesma massa, mesmo se os objetos são feitos de materiais diferentes, que colidem e se juntam, quando se movem com a mesma velocidade em direções opostas irão ficar em repouso após a colisão.

Figura 10–1 Visão da extremidade de uma vala de ar linear.

10–3 O momento *é* conservado!

Podemos verificar as suposições acima experimentalmente: primeiro aquela que se dois objetos estacionários de mesma massa são separados por uma explosão, eles vão se distanciar com a mesma velocidade, e segundo que se dois objetos de mesma massa se encontram com a mesma velocidade, colidindo e ficando grudados, eles vão parar. Podemos fazer isso por meio de uma maravilhosa invenção chamada de "vala de ar"[1], que se livra da fricção, aquilo que continuamente incomodava Galileu (Figura 10–1). Ele não podia fazer experimentos deslizando objetos porque eles não deslizavam livremente, mas, adicionando um toque mágico, podemos nos livrar da fricção. Nossos objetos irão deslizar sem dificuldade a uma velocidade constante, como predisse Galileu. Isso é feito apoiando os objetos no ar. Como o ar tem uma fricção bem baixa, um objeto desliza com velocidade praticamente constante quando não existe força aplicada. Primeiro, usamos os dois blocos deslizantes que fizemos cuidadosamente para terem o mesmo peso, ou massa (seus pesos foram medidos na verdade, mas sabemos que o peso é proporcional à massa), e colocamos um pequeno explosivo em um cilindro fechado entre os dois blocos (Figura 10–2). Vamos tirar os blocos do repouso no centro do trilho e forçá-los em direções opostas com uma pequena explosão ativada por uma faísca elétrica. O que deveria acontecer? Se as velocidades forem iguais quando se separam, eles deveriam chegar nas extremidades da vala ao mesmo tempo. Ao alcançar a extremidade, ambos vão rebater para trás com velocidades praticamente opostas e vão se juntar e parar no centro onde começaram. É um bom teste; quando é realmente feito o resultado é exatamente como descrevemos (Figura 10–3).

Agora a próxima coisa que gostaríamos de descobrir é o que acontece em uma situação menos simples. Suponha que temos duas massas iguais, uma se movendo com velocidade v e a outra parada, e elas colidem e se grudam; o que vai acontecer? Existe uma massa total $2m$ após a colisão, vagando com uma velocidade desconhecida. Qual velocidade? Esse é o problema. Para achar a resposta, fazemos a suposição de que se andamos de carro lateralmente, a física será a mesma como se estivéssemos parados. Começamos com o conhecimento de que duas massas iguais se movendo em direções opostas com velocidades iguais v vão parar quando colidirem. Agora suponha que enquanto isso acontece, estamos andando em um automóvel a uma velocidade $-v$. Então como isso se mostra? Como estamos andando juntamente a uma das duas massas que estão se aproximando, essa massa nos parece ter velocidade zero. A outra massa, entretanto, indo na outra direção com velocidade v parecerá estar vindo na nossa direção com velocidade $2v$ (Figura 10–4). Finalmente, as massas combinadas depois da colisão parecerão estar passando com velocidade v. Então, concluímos que um objeto com velocidade $2v$, se chocando com um objeto igual em repouso acabará com velocidade v, ou o que é matematicamente o mesmo, um objeto com velocidade v se chocando e grudando em um outro em repouso produzirá um objeto com velocidade $v/2$. Note que se multiplicarmos as massas e as velocidades antes da colisão e somarmos os termos, $mv + 0$, obtemos a mesma resposta de quando multiplicamos a massa e a velocidade depois da colisão, $2m$ vezes $v/2$. Então, isso nos diz o que acontece quando uma massa de velocidade v se choca com uma massa parada.

Exatamente da mesma maneira podemos deduzir o que acontece quando objetos iguais tendo *quaisquer* duas velocidades se chocam.

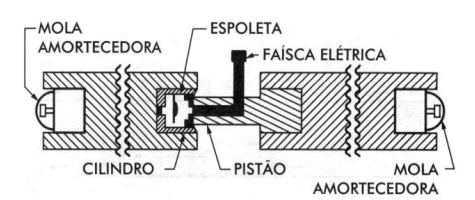

Figura 10–2 Visão dos módulos dos objetos deslizantes com o cilindro explosivo de interação.

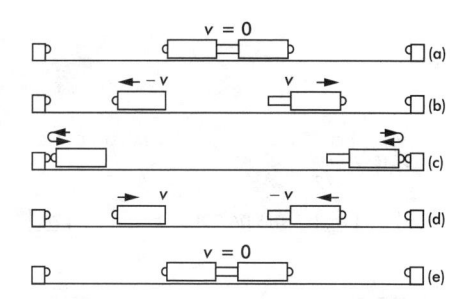

Figura 10–3 Visão esquemática do experimento de ação e reação com massas iguais.

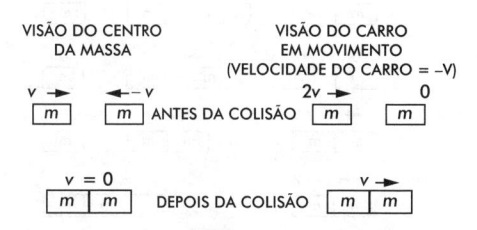

Figura 10–4 Duas visões de uma colisão inelástica entre duas massas iguais.

---
[1] H. V. Neher e R. B. Leighton, *Amer. Jour. of Phys.*, **31**, 255 (1963).

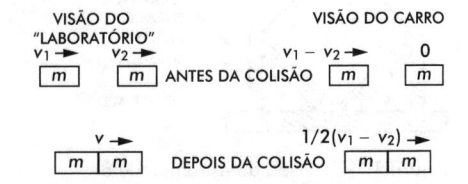

Figura 10–5 Duas visões de outra colisão inelástica entre massas iguais.

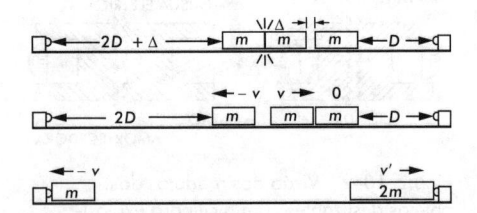

Figura 10–6 Um experimento para verificar que a massa m com velocidade v atingindo uma massa m com velocidade zero resulta em 2m com velocidade v/2.

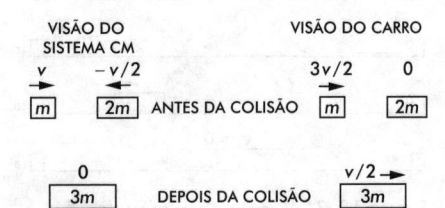

Figura 10–7 Duas visões de uma colisão inelástica entre m e 2m.

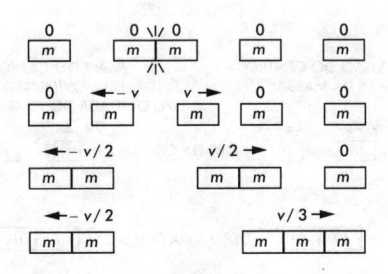

Figura 10–8 Ação e reação entre 2m e 3m.

Suponha que temos dois corpos iguais com velocidades v_1 e v_2, respectivamente, que colidem e se grudam. Qual é sua velocidade v depois da colisão? Novamente andamos de automóvel, digamos à velocidade v_2, de modo que um dos corpos parece estar no repouso. O outro então parece ter uma velocidade $v_1 - v_2$, e temos o mesmo caso de antes. Quando tudo termina, eles estarão se movendo a $(v_1 - v_2)/2$ em relação ao carro. Qual é a velocidade com relação ao chão? É $v = \frac{1}{2}(v_1 - v_2) + v_2$ ou $\frac{1}{2}(v_1 + v_2)$ (Figura 10–5). Novamente notamos que

$$mv_1 + mv_2 = 2m(v_1 + v_2)/2. \tag{10.6}$$

Portanto, usando esse princípio, podemos analisar qualquer tipo de colisão na qual dois corpos de mesma massa colidem e se grudam. De fato, embora tenhamos trabalhado em apenas uma dimensão, podemos descobrir muito sobre colisões bem mais complicadas imaginando que estamos andando em um carro em alguma direção oblíqua. O princípio é o mesmo, mas os detalhes ficam um pouco complicados.

Para testar experimentalmente se um objeto se movendo com velocidade v, colidindo com um objeto igual em repouso, forma um objeto se movendo com velocidade $v/2$, podemos fazer o seguinte experimento com nosso aparato vala-de-ar. Colocamos na vala três objetos igualmente massivos, dois dos quais estão inicialmente juntos ao nosso dispositivo cilíndrico explosivo e o terceiro bem próximo a um dos objetos, mas com alguma separação, e provido de um para-choque adesivo, de modo que ele grude com um outro objeto com o qual se choque. Agora, um momento após a explosão, temos dois objetos de massa m se movendo com velocidades iguais e opostas v. Um momento após isso, um dos objetos colide com o terceiro objeto e faz um objeto de massa $2m$ se movendo, assim acreditamos, com velocidade $v/2$. Como testamos se é mesmo $v/2$? Arranjando as posições iniciais das massas na vala de modo que as distâncias às extremidades não são iguais, mas sim numa razão 2:1. Então nossa primeira massa que continua a se mover a velocidade v deve cobrir duas vezes mais distância num dado tempo que os dois que estão grudados (considerando a pequena distância percorrida pelo segundo objeto antes de colidir com o terceiro). A massa m e a massa $2m$ devem alcançar as extremidades ao mesmo tempo; quando tentamos isso, vemos que elas realmente assim o fazem (Figura 10–6).

O próximo problema que queremos trabalhar é o que acontece se temos duas massas diferentes. Vamos tomar uma massa m e uma massa $2m$ e aplicar nossa interação explosiva. O que acontecerá então? Se, como resultado da explosão, m se move com velocidade v, com qual velocidade $2m$ se move? O experimento que acabamos de fazer pode ser repetido com separação zero entre as massas segunda e terceira; quando tentamos obtemos o mesmo resultado, ou seja, as massas m e $2m$ adquirem velocidades $-v$ e $v/2$. Então a reação direta entre m e $2m$ dá o mesmo resultado que a reação simétrica entre m e m, seguida da colisão entre m e uma terceira massa m na qual elas se grudam. Ainda mais, encontramos que as massas m e $2m$ voltando das extremidades da vala, com suas velocidades (quase) exatamente revertidas, param totalmente em caso de se grudarem.

Agora, a próxima questão que podemos fazer é a seguinte. O que acontecerá se a massa m com velocidade v, digamos, colide e se gruda em outra massa $2m$ em repouso? Isso é muito fácil de responder usando nosso princípio Galileano de relatividade, pois simplesmente observamos a colisão que acabamos de descrever de um carro se movendo com velocidade $-v/2$ (Figura 10–7). Do carro, as velocidades são

$$v'_1 = v - v(\text{carro}) = v + v/2 = 3v/2$$

e

$$v'_2 = -v/2 - v(\text{carro}) = -v/2 + v/2 = 0.$$

Depois da colisão, a massa $3m$ nos parece estar movendo com velocidade $v/2$. Então temos a resposta, isto é, a razão das velocidades antes e depois da colisão é 3 para 1: se um objeto com massa m colide com um objeto estacionário de massa $2m$, então a coisa toda se move junto com 1/3 da velocidade. A regra geral novamente é que a soma dos produtos das massas e velocidades permanece a mesma: $mv + 0$ é igual a 3*m* vezes *v*/3, então estamos gradualmente construindo o teorema de conservação de energia, parte por parte.

Agora temos um contra dois. Usando os mesmos argumentos, podemos predizer o resultado de um contra três, dois contra três, etc. O caso de dois contra três, começando do repouso, é mostrado na Figura 10–8.

Em cada caso, encontramos que a massa do primeiro objeto vezes a sua velocidade mais a massa do segundo objeto vezes sua velocidade é igual à massa total do objeto final vezes sua velocidade. Esses são todos exemplos, então, da conservação do momento. Começando de casos simples e simétricos, demonstramos a lei para casos mais complexos. Poderíamos, de fato, fazê-lo para qualquer razão racional de massas, e como qualquer razão está extremamente próxima de uma razão racional, podemos fazer todas as razões tão precisamente quanto quisermos.

10–4 Momento e energia

Todos os exemplos mencionados são casos simples em que os corpos colidem e grudam entre si, ou foram inicialmente juntados e depois separados por uma explosão. Entretanto, há situações em que os corpos *não* se unem, como, por exemplo, dois corpos de mesma massa que colidem com velocidades iguais e são rebatidos. Por um breve momento, eles estão em contato e ambos estão comprimidos. No instante de máxima compressão, ambos têm velocidade zero, e a energia é guardada em corpos elásticos, como em uma mola comprimida. Essa energia vem da energia cinética que os corpos tinham antes da colisão, que se torna zero no instante em que as velocidades são zero. A perda de energia cinética é apenas momentânea, entretanto. A condição comprimida é análoga ao pequeno explosivo que libera energia em uma explosão. Os corpos são imediatamente descomprimidos em uma espécie de explosão e voam para longe um do outro novamente; mas já conhecemos esse caso – os corpos se afastam com velocidades iguais. Entretanto, essa velocidade de rebatida é menor, em geral, que a velocidade inicial, porque nem toda a energia está disponível para a explosão, dependendo do material. Se o material é macio, nenhuma energia cinética é recuperada, mas se é algo mais rígido, ganha-se alguma energia cinética de volta. Na colisão, o resto da energia cinética é transformado em calor e energia vibracional – os corpos ficam quentes e vibrando. A energia vibracional também é rapidamente transformada em calor. É possível fazer os corpos, que colidirão, de materiais altamente elásticos, como aço, com para-choques de mola cuidadosamente desenhados, de modo que a colisão gere muito pouco calor e vibração. Nessas circunstâncias, as velocidades de rebatimento são praticamente iguais às velocidades iniciais; tal colisão é chamada de *elástica*.

Que as velocidades *antes* e *depois* de uma colisão elástica são iguais não é uma questão de conservação de momento, mas uma questão de conservação de *energia cinética*. Que as velocidades dos corpos rebatidos depois de uma colisão simétrica são iguais *entre si*, entretanto, é uma questão de conservação de momento.

Podemos analisar de forma semelhante colisões entre corpos de massas diferentes, velocidades iniciais diferentes e vários graus de elasticidade, e determinar as velocidades finais e a perda de energia cinética, mas não vamos entrar nos detalhes desses processos.

Colisões elásticas são especialmente interessantes para sistemas que não têm "engrenagens, rodas ou partes" internas. Então quando existe uma colisão não há lugar para a energia ser apreendida, pois os objetos que se distanciam estão na mesma condição de quando colidiram. Portanto, entre objetos muito elementares, as colisões são sempre elásticas ou muito aproximadamente elásticas. Por exemplo, as colisões entre átomos ou moléculas em um gás são ditas perfeitamente elásticas. Embora essa seja uma aproximação excelente, mesmo tais colisões não são *perfeitamente* elásticas; de outro modo não se poderia entender como energia em forma de radiação de luz ou calor pode sair de um gás. De vez em quando, em uma colisão em um gás, um raio infravermelho de baixa energia é emitido, mas essa ocorrência é muito rara e a energia emitida é bem pequena. Assim, para a maioria dos propósitos, colisões de moléculas em gases são consideradas perfeitamente elásticas.

Como um exemplo interessante, vamos considerar uma colisão *elástica* entre dois objetos de *massa igual*. Se eles se encontram com a mesma velocidade, eles se distanciariam com a mesma velocidade, por simetria. No entanto, olhe essa outra circunstância, em que um deles está se movendo com velocidade v e o outro está em repouso. O que acontece? Já passamos por isso antes. Observamos a colisão simétrica de um carro se movendo lateralmente junto a um dos objetos e descobrimos que se um corpo estacionário é atingido por outro corpo com exatamente a mesma massa, o corpo em movimento para e o outro que estava parado agora se move com a mesma velocidade que o primeiro tinha; os corpos simplesmente trocam velocidades. Esse comportamento pode ser facilmente demonstrado com um aparelho de impacto apropriado. Mais generalizadamente, se ambos os corpos estão se movendo com diferentes velocidades, eles simplesmente trocam de velocidades no impacto.

Outro exemplo de uma interação quase elástica é o magnetismo. Se arranjarmos um par de ímãs em forma de U em nossos blocos deslizantes, de forma que eles se repilam, quando um desliza em direção ao outro, ele o empurra para frente e fica perfeitamente parado, enquanto o outro vai embora, sem fricção.

O princípio de conservação de momento é muito útil, pois nos permite resolver muitos problemas sem saber os detalhes. Não soubemos os detalhes dos movimentos do gás na pequena explosão e mesmo assim pudemos predizer as velocidades com que os corpos saíram, por exemplo. Outro exemplo interessante é a propulsão de um foguete. Um foguete de massa grande M ejeta um pedaço pequeno de massa m com uma velocidade impressionante V com relação ao foguete. Depois disso, o foguete, se estiver inicialmente parado, vai se mover com uma velocidade pequena v. Usando o princípio da conservação de momento, podemos calcular essa velocidade como

$$v = \frac{m}{M} \cdot V.$$

Enquanto material estiver sendo ejetado, o foguete continua ganhando velocidade. Propulsão de foguete é essencialmente o mesmo que o coice de uma arma de fogo: não há necessidade de nenhum ar para empurrá-lo.

10–5 Momento relativístico

Nos tempos modernos, a lei de conservação de momento sofreu algumas modificações. Entretanto, ela ainda é válida hoje, sendo as modificações principalmente nas definições das coisas. Na teoria da relatividade, temos a conservação de momento; as partículas têm massa, e o momento ainda é dado por mv, a massa vezes a velocidade, *mas a massa muda com a velocidade*, portanto o momento também muda. A massa varia com a velocidade de acordo com a lei

$$m = \frac{m_0}{\sqrt{1 - v^2/c^2}}, \tag{10.7}$$

onde m_0 é a massa do corpo em repouso e c é a velocidade da luz. É fácil ver, a partir da fórmula, que existe uma diferença desprezível entre m e m_0 a menos que v seja muito grande e que, para velocidades ordinárias, a expressão para o momento se reduz à fórmula antiga.

As componentes do momento para uma única partícula são escritas como

$$p_x = \frac{m_0 v_x}{\sqrt{1 - v^2/c^2}}, \quad p_y = \frac{m_0 v_y}{\sqrt{1 - v^2/c^2}}, \quad p_z = \frac{m_0 v_z}{\sqrt{1 - v^2/c^2}}, \tag{10.8}$$

onde $v^2 = v_x^2 + v_y^2 + v_z^2$. Se as componentes x são somadas sobre todas as partículas interagentes, tanto antes quanto depois de uma colisão, as somas são iguais; ou seja, o momento é conservado na direção x. O mesmo vale para as outras direções.

No Capítulo 4, vimos que a lei de conservação de energia não é válida a menos que reconheçamos que a energia aparece em diferentes formas, energia elétrica, energia mecânica, energia radiativa, energia do calor e assim por diante. Em alguns desses casos, energia do calor, por exemplo, pode-se dizer que a energia está "escondida". Esse exemplo pode sugerir a questão, "Existem também formas escondidas de momento – talvez momento do calor?" A resposta é que é muito difícil esconder momento pelas seguintes razões.

Os movimentos aleatórios dos átomos em um corpo fornecem uma medida da energia do calor, se os *quadrados* das velocidades forem somados. Essa soma dará um resultado positivo, não tendo nenhum caráter direcional. O calor está lá, quer o corpo se mova ou não como um todo, e a conservação de energia na forma de calor não é muito óbvia. Por outro lado, se alguém somar as *velocidades*, que têm direção, e encontrar um resultado que não é zero, isso significa que há um movimento do corpo como um todo em alguma direção particular, e esse momento total será prontamente observado. Assim, não há momento interno aleatório escondido, pois o corpo tem um momento líquido quando se move como um todo. Portanto, momento, enquanto quantidade mecânica, é difícil de se esconder. No entanto, momento *pode* ser escondido – no campo eletromagnético, por exemplo. Esse caso é um outro efeito da relatividade.

Uma das proposições de Newton era que interações à distância são instantâneas. Acontece que não ocorre assim; em situações envolvendo forças elétricas, por exemplo, se uma carga elétrica em um lugar se move repentinamente, os efeitos em uma outra carga em um outro lugar não aparecem instantaneamente – existe um pequeno atraso. Nessas circunstâncias, mesmo se as forças forem iguais, o momento não vai bater; haverá um pequeno tempo durante o qual haverá problemas, porque por um instante a primeira carga sentirá uma certa força de reação, digamos, e ganhará um certo momento, mas a segunda carga não sentiu nada e ainda não mudou seu momento. Leva tempo para a influência atravessar a distância entre as cargas, o que ela faz a 300.000 quilômetros por segundo. Naquele minúsculo tempo, o momento das partículas não é conservado. É claro que após a segunda carga sentir o efeito da primeira e tudo se acalmar, a equação do momento vai se verificar correta, mas durante aquele pequeno intervalo o momento não é conservado. Representamos isso dizendo que durante esse intervalo existe algum outro tipo de momento além daquele da partícula, mv, e que é momento no campo eletromagnético. Se somarmos o momento do campo com o momento das partículas, então o momento é conservado em qualquer instante de tempo. O fato de que o campo eletromagnético pode possuir momento e energia torna esse campo muito real; assim, para melhor entendimento, a ideia original de que existem apenas forças entre as partículas tem de ser modificada para a ideia de que uma partícula produz um campo, e um campo age em uma outra partícula, e o próprio campo tem propriedades familiares como energia e momento, assim como as partículas podem ter. Para tomar um outro exemplo: um campo eletromagnético tem ondas, que chamamos de luz; acontece que a luz também carrega momento consigo, então quando a luz incide sobre um objeto, ela transmite uma certa quantidade de momento por segundo; isso é equivalente a uma força porque se o objeto iluminado está ganhando uma certa quantidade de momento por segundo, seu momento está mudando e a situação é exatamente a mesma que se existisse uma força nele.

Agora, na mecânica quântica ocorre que momento é uma coisa diferente – não é mais mv. É difícil definir exatamente o que significa a velocidade de uma partícula, mas momento ainda existe. Em mecânica quântica a diferença é que quando as partículas são representadas como partículas, o momento ainda é mv, mas quando as partículas são representadas como ondas, o momento é medido pelo número de ondas por centímetro: quanto maior esse número de ondas, maior o momento. A despeito das diferenças, a lei de conservação de momento vale também na mecânica quântica. Embora a lei $F = ma$ seja falsa e todas as derivações de Newton estivessem erradas para a conservação de momento, na mecânica quântica, contudo, no fim, essa lei particular se mantém!

11

Vetores

11–1 Simetria em física

Neste capítulo, apresentamos um assunto tecnicamente conhecido em física como *simetria nas leis físicas*. A palavra "simetria" é usada aqui com um sentido especial e, portanto, precisa ser definida. Como podemos definir quando algo é simétrico? Quando temos um quadro que é simétrico, um lado é de algum modo igual ao outro lado. O professor Hermann Weyl deu esta definição de simetria: uma coisa é simétrica se for possível submetê-la a uma operação e ela parecer exatamente igual após a operação. Por exemplo, se olhamos para o contorno de um vaso que é simétrico dos lados esquerdo e direito e então girarmos 180° em torno do eixo vertical, ele parece não ter mudado. Adotaremos a definição de simetria na forma mais geral de Weyl e nessa forma, e discutiremos a simetria das leis físicas.

Suponha que construímos uma máquina complexa em um certo lugar, com muitas interações complicadas, bolas pulando com forças entre si e assim por diante. Agora, suponha que construímos exatamente o mesmo tipo de equipamento em algum outro lugar, coincidindo peça por peça, com as mesmas dimensões e a mesma orientação, tudo igual, só que deslocado lateralmente em uma certa distância. Então, se ligarmos as duas máquinas nas mesmas circunstâncias iniciais, em uma exata coincidência, perguntamos: uma das máquinas se comportará exatamente como a outra? Elas seguirão todos os movimentos em um paralelismo exato? Claro que a resposta pode perfeitamente ser *não*, porque se escolhermos o lugar errado para a nossa máquina, ela poderá estar entre paredes, e interferências das paredes poderiam impedi-la de funcionar.

Todas as nossas ideias em física exigem uma certa dose de senso comum em sua aplicação; elas não são ideias puramente matemáticas ou abstratas. Temos de entender o que queremos dizer quando afirmamos que os fenômenos são os mesmos quando movemos o equipamento para uma nova posição. Queremos dizer que movemos tudo que acreditamos ser relevante; se o fenômeno não for o mesmo, sugerimos que algo relevante não foi movido, e vamos procurar por isso. Se nunca o encontramos, então alegamos que as leis da física não têm essa simetria. Por outro lado, podemos encontrá-lo – esperamos encontrá-lo – se as leis da física tiverem essa simetria; olhando à nossa volta, podemos descobrir, por exemplo, que a parede está pressionando o equipamento. A questão básica é, se definirmos as coisas suficientemente bem, se todas as forças essenciais forem incluídas dentro do equipamento, se todas as peças relevantes forem movidas de um lugar para o outro, as leis serão as mesmas? O mecanismo funcionará da mesma maneira?

Está claro que o que queremos fazer é mover o equipamento inteiro e as influências *essenciais*, mas não *tudo* no mundo – planetas, estrelas e o resto –, pois se fizermos isso, temos o mesmo fenômeno novamente, pelo motivo trivial de que estamos de volta ao ponto de partida. Não, não podemos mover *tudo*, mas, na prática, constatamos que, com certa dose de inteligência sobre o que mover, o mecanismo funcionará. Em outras palavras, se não formos para um lugar entre paredes, se soubermos a origem das forças externas e fizermos com que também sejam movidas, o mecanismo *irá* funcionar em um local da mesma forma que em outro.

11–2 Translações

Limitaremos nossa análise apenas à mecânica, da qual temos agora conhecimento suficiente. Em capítulos anteriores, vimos que as leis da mecânica podem ser resumidas por um conjunto de três equações para cada partícula:

$$m(d^2x/dt^2) = F_x, \qquad m(d^2y/dt^2) = F_y, \qquad m(d^2z/dt^2) = F_z. \qquad (11.1)$$

Isso significa que existe um meio de medir x, y e z em três eixos perpendiculares e as forças ao longo dessas direções, de forma que essas leis sejam verdadeiras. Elas

11–1 Simetria em física
11–2 Translações
11–3 Rotações
11–4 Vetores
11–5 Álgebra vetorial
11–6 Leis de Newton na notação vetorial
11–7 Produto escalar de vetores

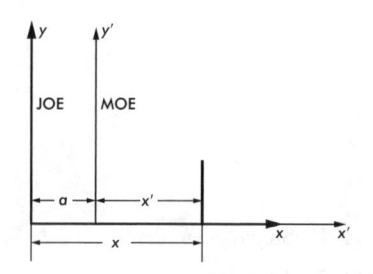

Figura 11-1 Dois sistemas paralelos de coordenadas.

devem ser medidas a partir de alguma origem, mas *onde colocamos a origem*? Tudo o que Newton podia nos informar, a princípio, é que *existe* algum lugar a partir do qual podemos medir, talvez o centro do universo, de modo que essas leis sejam corretas, mas podemos mostrar imediatamente que jamais conseguimos encontrar o centro, porque, se usarmos alguma outra origem, isso não faria diferença. Em outras palavras, suponha que existam duas pessoas: Joe, com uma origem em um lugar, e Moe, com um sistema paralelo cuja origem está em outro lugar (Figura 11-1). Agora, quando Joe mede a localização do ponto no espaço, ele o encontra em x, y e z (usualmente deixaremos z de fora porque é confuso demais desenhá-lo em uma figura). Moe, por outro lado, quando medir o mesmo ponto, obterá um x diferente (para distingui-lo, o chamaremos de x') e, em princípio, um y diferente, embora em nosso exemplo eles sejam numericamente iguais. Então temos

$$x' = x - a, \quad y' = y, \quad z' = z. \tag{11.2}$$

Agora, para completar nossa análise, precisamos saber o que Moe obteria para as forças. Supõe-se que a força atue ao longo de alguma linha, e por força na direção x queremos dizer a parte do total que está na direção x, que é a magnitude da força multiplicada pelo cosseno de seu ângulo com o eixo x. Já Moe, vemos que usaria exatamente as mesmas projeções de Joe, assim temos um conjunto de equações

$$F_{x'} = F_x, \quad F_{y'} = F_y, \quad F_{z'} = F_z. \tag{11.3}$$

Essas seriam as relações entre as grandezas vistas por Joe e Moe.

A pergunta é, se Joe conhece as leis de Newton, e se Moe tenta escrever as leis de Newton, elas também estarão corretas para Moe? Será que faz alguma diferença a partir de qual origem medimos os pontos? Em outras palavras, supondo que as Equações (11.1) sejam verdadeiras e que as Equações (11.2) e (11.3) ofereçam a relação entre as medidas, será ou não verdadeiro que

(a) $m(d^2x'/dt^2) = F_{x'}$,
(b) $m(d^2y'/dt^2) = F_{y'}$,   (11.4)
(c) $m(d^2z'/dt^2) = F_{z'}$?

Para testar essas equações, diferenciaremos duas vezes a fórmula para x'. Em primeiro lugar,

$$\frac{dx'}{dt} = \frac{d}{dt}(x - a) = \frac{dx}{dt} - \frac{da}{dt}.$$

Agora, suponhamos que a origem de Moe seja fixa (não está se movendo) em relação à de Joe; portanto, a é uma constante e $da/dt = 0$, então descobrimos que

$$dx'/dt = dx/dt$$

e, portanto,

$$d^2x'/dt^2 = d^2x/dt^2;$$

desta forma, sabemos que a Equação (11.4a) torna-se

$$m(d^2x/dt^2) = F_{x'}.$$

(Também supomos que as massas medidas por Joe e Moe são iguais.) Então, a aceleração vezes a massa é igual à do outro sujeito. Encontramos também a fórmula para $F_{x'}$, para substituir na Equação (11.1), e descobrimos que

$$F_{x'} = F_x.$$

Portanto, as leis vistas por Moe parecem ser as mesmas. Ele também pode escrever as leis de Newton, com coordenadas diferentes, e elas continuarão corretas. Isso significa que não existe uma forma única para definir a origem do mundo, porque as leis parecerão as mesmas de qualquer posição em que sejam observadas.

Isto também é verdadeiro: se houver um equipamento em um lugar com certo tipo de mecanismo, o mesmo equipamento em outro lugar se comportará da mesma maneira. Por quê? Porque uma máquina, quando analisada por Moe, tem exatamente as mesmas equações da outra, analisada por Joe. Uma vez que as *equações* são as mesmas, os *fenômenos* também parecem os mesmos. Então, a prova de que um equipamento, em uma nova posição, comporta-se como na posição antiga é idêntica à prova de que as equações, quando deslocadas no espaço, reproduzem-se. Portanto, dizemos que *as leis da física são simétricas para deslocamentos translacionais*, simétricas no sentido de que as leis não mudam quando fazemos uma translação de nossas coordenadas. Claro que é intuitivamente óbvio que isso seja verdadeiro, mas é interessante e divertido discutir a matemática relacionada.

11–3 Rotações

A discussão acima é a primeira de uma série ainda mais complicada de proposições envolvendo a simetria de uma lei física. A próxima proposição é que não deveria fazer nenhuma diferença em qual *direção* escolhemos os eixos. Em outras palavras, se construirmos um equipamento em um certo lugar e observarmos seu funcionamento, e perto dali construirmos o mesmo tipo de equipamento, mas o girarmos por um ângulo, ele funcionará da mesma maneira? Obviamente não, se for um relógio da época dos nossos avós, por exemplo! Se um relógio de pêndulo está em posição vertical, ele funciona corretamente, mas se o inclinamos, o pêndulo cai em direção à caixa e nada acontece. O teorema é, portanto, falso no caso do relógio de pêndulo, a menos que incluamos a Terra, que está atraindo o pêndulo. Portanto, podemos fazer uma previsão sobre relógios de pêndulo se acreditamos na simetria de leis físicas sob uma rotação: algo mais está envolvido no funcionamento de um relógio de pêndulo além do mecanismo do relógio, algo externo que devemos identificar. Podemos também prever que relógios de pêndulo não funcionarão da mesma forma quando situados em pontos diferentes em relação a esta fonte misteriosa de assimetria, talvez a Terra. De fato, sabemos que um relógio de pêndulo, num satélite artificial, por exemplo, também não funcionaria, porque não existe uma força efetiva, e, em Marte, ele funcionaria numa velocidade diferente. Relógios de pêndulo *envolvem* algo além de simplesmente o mecanismo interno; eles envolvem algo externo. Uma vez que reconheçamos esse fator, vemos que precisamos girar a Terra junto com o equipamento. Claro que não precisamos nos preocupar com isso, é fácil fazer: simplesmente esperamos um momento ou dois, e a Terra gira; aí o relógio de pêndulo volta a funcionar na nova posição da mesma forma que antes. Enquanto giramos no espaço, nossos ângulos estão sempre mudando, absolutamente; essa mudança não parece nos incomodar muito, pois na posição nova parecemos estar na mesma condição que na antiga. Isso nos provoca uma certa confusão, porque é verdade que na nova posição as leis são as mesmas que na posição antes de girar, mas *não* é verdade que, *enquanto giramos um objeto*, ele segue as mesmas leis de quando não o estamos girando. Se realizamos experimentos suficientemente delicados, podemos dizer que a Terra *está girando*, mas não que ela *havia girado*. Em outras palavras, não podemos localizar sua posição angular, mas podemos saber que ela está mudando.

Agora podemos discutir os efeitos da orientação angular sobre as leis físicas. Vamos descobrir se o mesmo esquema com Joe e Moe funciona novamente. Desta vez, para evitar complicações desnecessárias, vamos supor que Joe e Moe usam a mesma origem (já mostramos que os eixos podem ser movidos por translação para outro lugar). Assumimos que os eixos de Moe giraram em relação aos de Joe por um ângulo θ. Os dois sistemas de coordenadas são mostrados na Figura 11–2, que está restrita a duas dimensões. Consideremos qualquer ponto P com as coordenadas (x, y) no sistema de Joe e (x', y') no sistema de Moe. Começaremos, como no caso anterior, expressando

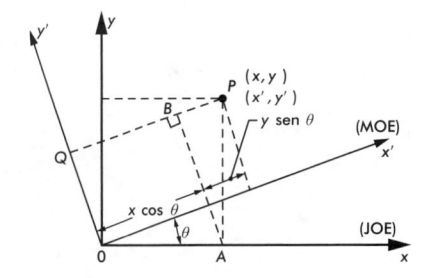

Figura 11–2 Dois sistemas de coordenadas com orientações angulares diferentes.

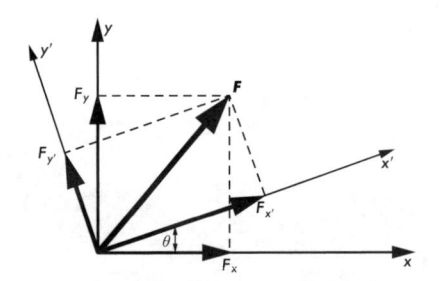

Figura 11-3 Componentes de uma força nos dois sistemas.

as coordenadas x' e y' em termos de x, y e θ. Para isso, primeiro traçamos linhas perpendiculares de P até todos os quatro eixos e traçamos AB perpendicular a PQ. Uma análise da figura mostra que x' pode ser escrito como a soma de dois comprimentos ao longo do eixo x' e y' como a diferença entre dois comprimentos ao longo de AB. Todos esses comprimentos são expressos em termos de x, y e θ nas Equações (11.5), às quais acrescentamos uma equação para a terceira dimensão.

$$\begin{aligned} x' &= x\cos\theta + y\,\text{sen}\,\theta, \\ y' &= y\cos\theta - x\,\text{sen}\,\theta, \\ z' &= z. \end{aligned} \quad (11.5)$$

O próximo passo é analisar a relação entre as forças vistas pelos dois observadores, seguindo o mesmo método geral de antes. Vamos assumir que uma força $\boldsymbol{F}$, que já foi analisada como tendo as componentes F_x e F_y (vistas por Joe), está atuando sobre uma partícula de massa m, localizada no ponto P da Figura 11–2. Para maior simplicidade, vamos mover os dois conjuntos de eixos de modo que a origem esteja em P, como mostra a Figura 11–3. Moe vê as componentes de $\boldsymbol{F}$ ao longo de seus eixos como $F_{x'}$ e $F_{y'}$. F_x possui componentes ao longo dos eixos x' e y', e F_y também possui componentes ao longo desses dois eixos. Para expressar $F_{x'}$ em termos de F_x e F_y, somamos essas componentes ao longo do eixo x' e, da mesma forma, podemos expressar $F_{y'}$ em termos de F_x e F_y. Os resultados são

$$\begin{aligned} F_{x'} &= F_x \cos\theta + F_y\,\text{sen}\,\theta, \\ F_{y'} &= F_y \cos\theta - F_x\,\text{sen}\,\theta, \\ F_{z'} &= F_z. \end{aligned} \quad (11.6)$$

É interessante observar uma casualidade, que é de extrema importância: as fórmulas (11.5) e (11.6) para coordenadas de P e componentes de $\boldsymbol{F}$, respectivamente, *têm a mesma forma*.

Como antes, supõe-se que as leis de Newton sejam verdadeiras no sistema de Joe, sendo expressas pelas Equações (11.1). A questão, novamente, é se Moe pode aplicar as leis de Newton – os resultados serão corretos para seu sistema de eixos rotacionados? Em outras palavras, se assumirmos que as Equações (11.5) e (11.6) dão a relação entre as medidas, é verdade ou não que

$$\begin{aligned} m(d^2x'/dt^2) &= F_{x'}, \\ m(d^2y'/dt^2) &= F_{y'}, \\ m(d^2z'/dt^2) &= F_{z'}? \end{aligned} \quad (11.7)$$

Para testar essas equações, calculamos os lados esquerdos e direitos independentemente e comparamos os resultados. Para calcular os lados esquerdos, multiplicamos as Equações (11.5) por m, e diferenciamos duas vezes em relação ao tempo, assumindo que o ângulo θ seja constante. Isso nos dá

$$\begin{aligned} m(d^2x'/dt^2) &= m(d^2x/dt^2)\cos\theta + m(d^2y/dt^2)\,\text{sen}\,\theta, \\ m(d^2y'/dt^2) &= m(d^2y/dt^2)\cos\theta - m(d^2x/dt^2)\,\text{sen}\,\theta, \\ m(d^2z'/dt^2) &= m(d^2z/dt^2). \end{aligned} \quad (11.8)$$

Calculamos os lados direitos das Equações (11.7), substituindo as Equações (11.1) nas Equações (11.6). Isso nos dá

$$\begin{aligned} F_{x'} &= m(d^2x/dt^2)\cos\theta + m(d^2y/dt^2)\,\text{sen}\,\theta, \\ F_{y'} &= m(d^2y/dt^2)\cos\theta - m(d^2x/dt^2)\,\text{sen}\,\theta, \\ F_{z'} &= m(d^2z/dt^2). \end{aligned} \quad (11.9)$$

Veja! O lado direito das Equações (11.8) e (11.9) são idênticos; portanto, concluímos que, se as leis de Newton são corretas em um conjunto de eixos, elas também são válidas em qualquer outro conjunto de eixos. Este resultado, que agora foi estabelecido para translação e rotação de eixos, tem certas consequências: primeira, ninguém pode alegar que seus eixos específicos são únicos, mas é claro que eles podem ser mais *convenientes* para certos problemas em particular. Por exemplo, é conveniente ter a direção da gravidade como um eixo, mas isso não é fisicamente necessário. Segunda, isso significa que qualquer equipamento que seja completamente autocontido, com todo o equipamento gerador de força completamente dentro do aparato, funcionaria da mesma maneira quando girado por certo ângulo.

11–4 Vetores

Não apenas as leis de Newton, mas também as outras leis da física, até onde sabemos hoje, têm as duas propriedades que chamamos invariância (ou simetria) sob a translação e a rotação de eixos. Essas propriedades são tão importantes que uma técnica matemática foi desenvolvida para tirar proveito delas na formulação e utilização de leis físicas.

A análise anterior envolveu um trabalho matemático bem tedioso. Para reduzir ao mínimo os detalhes na análise de tais questões, um mecanismo matemático muito poderoso foi elaborado. Este sistema, chamado de *análise vetorial*, dá nome a este capítulo; estritamente falando, entretanto, este é um capítulo sobre a simetria das leis físicas. Pelos métodos da análise anterior, conseguimos fazer tudo que foi necessário para obter os resultados que buscávamos, mas, na prática, gostaríamos de fazer as coisas mais fácil e rapidamente, então empregamos a técnica vetorial.

Começamos analisando algumas características de dois tipos de grandezas que são importantes em física. (Na verdade, existem mais de dois, mas vamos começar com dois.) Uma delas, como o número de batatas em um saco, chamamos de grandeza comum, uma grandeza sem direção ou um *escalar*. A temperatura é um exemplo desse tipo de grandeza. Outras grandezas que são importantes em física têm direção; por exemplo, a velocidade: precisamos saber a direção em que um corpo está indo, não apenas a sua velocidade. O momento e a força também têm direção, como o deslocamento: quando alguém anda de um lugar para outro no espaço, podemos saber quão longe ele foi, mas se quisermos saber *aonde* ele foi, precisamos especificar uma direção.

Todas as grandezas que têm direção, como um deslocamento no espaço, são chamadas de *vetores*.

Um vetor é formado por três números. Para representar um deslocamento no espaço, por exemplo da origem até certo ponto particular P cuja localização é (x, y, z), realmente precisamos de três números, mas vamos inventar um único símbolo matemático, **r**, que é diferente de qualquer outro símbolo matemático que usamos até agora.[1] Ele *não* é um único número, ele representa *três* números: x, y e z. Ele significa três números, mas não realmente apenas *aqueles* três números, porque se fôssemos usar um sistema de coordenadas diferente, os três números seriam mudados para x', y' e z'. Entretanto, queremos manter a nossa matemática simples, então iremos usar o *mesmo símbolo* para representar os três números (x, y, z) e os três números (x', y', z'). Ou seja, usamos o mesmo símbolo para representar o primeiro conjunto de três números em um sistema de coordenadas, e o segundo conjunto de três números, se estivermos usando o outro sistema de coordenadas. Isso tem a vantagem de que, quando mudamos o sistema de coordenadas, não precisamos mudar as letras de nossas equações. Se escrevemos uma equação em termos de x, y, z e depois usamos outro sistema, temos de mudar para x', y', z', mas escreveremos apenas **r**, com a convenção de que representa (x, y, z) se usarmos um conjunto de eixos ou (x', y', z') se usarmos outro conjunto de eixos, e assim por diante. Os três números que descrevem a grandeza em um dado sistema de coordenadas são chamados de *componentes* do vetor na direção dos eixos coordenados daquele sistema. Isto é, usamos o mesmo símbolo para as três letras que correspondem ao *mesmo objeto, visto de diferentes eixos*. O próprio fato de podermos dizer "o mesmo objeto" implica

---

[1] Em textos impressos, os vetores são representados em negrito; em texto manuscrito, uma seta é usada: $\vec{r}$.

uma intuição física sobre a realidade de um deslocamento no espaço, que é independente das componentes em termos das quais nós o medimos. Assim, o símbolo **r** representará a mesma coisa, não importa como giramos os eixos.

Agora suponhamos que haja outra quantidade física com direção, qualquer outra grandeza, também com três números associados a ela, como força, e esses três números mudam para outros três números, segundo uma certa regra matemática, se mudarmos os eixos. Deve ser a mesma regra que muda (x, y, z) para (x', y', z'). Em outras palavras, qualquer quantidade física associada a três números que se transforma como as componentes de um deslocamento no espaço é um vetor. Uma equação como

$$\mathbf{F} = \mathbf{r}$$

deveria, então, ser verdade em *qualquer* sistema de coordenadas, se fosse verdade em um. Esta equação, é claro, representa as três equações

$$F_x = x, \quad F_y = y, \quad F_z = z,$$

ou, alternativamente,

$$F_{x'} = x', \quad F_{y'} = y', \quad F_{z'} = z'.$$

O fato de uma relação física poder ser expressa como uma equação vetorial nos assegura que a relação fica inalterada por uma mera rotação do sistema de coordenadas. Essa é a razão por que vetores são tão utilizados na física.

Agora, vamos examinar algumas das propriedades dos vetores. Como exemplos de vetores, podemos mencionar velocidade, momento, força e aceleração. Para muitos propósitos, é conveniente representar uma grandeza vetorial por uma seta que indica a direção em que ela está agindo. Por que podemos representar a força, por exemplo, por uma seta? Porque ela tem as mesmas propriedades de transformação matemática de um "deslocamento no espaço". Então, representamos em um diagrama como se fosse um deslocamento, usando uma escala de modo que uma unidade de força, ou um newton, corresponda a certo comprimento conveniente. Uma vez feito isso, todas as forças podem ser representadas como comprimentos, porque uma equação como

$$\mathbf{F} = k\mathbf{r},$$

onde k é alguma constante, é uma equação perfeitamente legítima. Assim, podemos sempre representar forças por linhas, o que é muito conveniente, porque, uma vez tenhamos desenhado a linha, não precisamos mais dos eixos. É claro que podemos rapidamente calcular como as três componentes mudam com a rotação dos eixos, porque este é apenas um problema geométrico.

11–5 Álgebra vetorial

Agora, devemos descrever as leis, ou regras, para combinar os vetores de várias formas. A primeira dessas combinações é a *adição* de dois vetores: suponha que **a** seja um vetor que, em algum sistema de coordenadas particular, tem as três componentes (a_x, a_y, a_z), e que **b** seja outro vetor que tem três componentes (b_x, b_y, b_z). Agora, vamos inventar três números novos $(a_x+b_x, a_y+b_y, a_z+b_z)$. Eles formam um vetor? "Bem", poderíamos dizer, "são três números e quaisquer três números formam um vetor". Não, nem sempre três números formam um vetor! Para que ele seja um vetor, não só devem existir três números, mas eles devem estar associados a um sistema de coordenadas de tal forma que, se girarmos o sistema de coordenadas, os três números "rodam" um sobre o outro, se "misturando" um com o outro por meio de leis precisas que descrevemos anteriormente. Então, a questão é: se agora rotacionarmos o sistema de coordenadas de modo que (a_x, a_y, a_z) se torne $(a_{x'}, a_{y'}, a_{z'})$ e (b_x, b_y, b_z) se torne $(b_{x'}, b_{y'}, b_{z'})$, então $(a_x+b_x, a_y+b_y, a_z+b_z)$ se tornará o quê? Ele se tornará $(a_{x'}+b_{x'}, a_{y'}+b_{y'}, a_{z'}+b_{z'})$ ou não? A resposta é, obviamente, sim, porque as transformações protótipo da Equação (11.5) constituem o que chamamos uma transformação *linear*. Se aplicamos essas transformações a a_x e b_x para obter $a_{x'} + b_{x'}$, achamos que a $a_x + b_x$ transformada é, de fato, idêntica a $a_{x'} + b_{x'}$. Quando **a** e **b** são "somados" neste sentido, eles vão formar um vetor que podemos chamar de **c**. Vamos escrever isso como

$$\mathbf{c} = \mathbf{a} + \mathbf{b}.$$

Agora, **c** possui a propriedade interessante

$$\mathbf{c} = \mathbf{b} + \mathbf{a},$$

como podemos ver imediatamente a partir de suas componentes. Então, também,

$$\mathbf{a} + (\mathbf{b} + \mathbf{c}) = (\mathbf{a} + \mathbf{b}) + \mathbf{c}.$$

Podemos somar vetores em qualquer ordem.

Qual é o significado geométrico de **a**+**b**? Suponha que **a** e **b** são representados por linhas em uma folha de papel, qual seria o aspecto de **c**? Isso é mostrado na Figura 11-4. Vemos que podemos somar as componentes de **b** a aquelas de **a** mais convenientemente se colocarmos o retângulo representando as componentes de **b** junto daquele representando as componentes de **a** da maneira indicada. Como **b** simplesmente "se encaixa" em seu retângulo, como ocorre com **a** em seu retângulo, isso é o mesmo que colocar a "origem" de **b** no "final" de **a**; a seta, da "origem" de **a** até o "final" de **b**, sendo o vetor **c**. Claro que se somássemos **a** em **b** na ordem inversa, colocaríamos a "origem" de **a** no "final" de **b**, e pelas propriedades geométricas dos paralelogramos teríamos o mesmo resultado para **c**. Note que os vetores podem ser somados dessa maneira, sem referência a quaisquer eixos coordenados.

Suponha que multipliquemos um vetor por um número α, o que isso significa? *Definimos* isso para significar um novo vetor cujas componentes são αa_x, αa_y e αa_z. Deixamos como um problema para um estudante provar que isso *é* um vetor.

Agora, vamos considerar a subtração de vetores. Podemos definir a subtração da mesma forma que a adição, mas ao invés de somar, subtraímos as componentes. Ou poderíamos definir a subtração definindo um vetor negativo, $-\mathbf{b} = -1\mathbf{b}$, e depois somaríamos as componentes. Isso seria a mesma coisa. O resultado está mostrado na Figura 11-5. Essa figura mostra que $\mathbf{d} = \mathbf{a} - \mathbf{b} = \mathbf{a} + (-\mathbf{b})$; também notamos que a diferença $\mathbf{a} - \mathbf{b}$ pode ser encontrada muito facilmente a partir de **a** e **b**, usando a relação equivalente $\mathbf{a} = \mathbf{b} + \mathbf{d}$. Então, a diferença é ainda mais fácil de encontrar que a soma: simplesmente traçamos o vetor de **b** até **a**, para obter $\mathbf{a} - \mathbf{b}$!

Em seguida, discutiremos a velocidade. Por que a velocidade é um vetor? Se a posição é dada pelas três coordenadas (x, y, z), o que é a velocidade? A velocidade é dada por dx/dt, dy/dt e dz/dt. Isso é um vetor, ou não? Podemos descobrir derivando as expressões na Equação (11.5) para verificar se dx'/dt se *transforma* da maneira certa. Vemos que os componentes dx/dt e dy/dt *se transformam* de acordo com a mesma lei de x e y, portanto a derivada em relação ao tempo é um vetor. Assim, a velocidade *é* um vetor. Podemos escrever a velocidade de uma forma interessante como

$$\mathbf{v} = d\mathbf{r}/dt.$$

O que é a velocidade, e por que é um vetor, também pode ser entendido mais pictoricamente: quanto uma partícula se desloca em um curto período de tempo Δt? Resposta: $\Delta \mathbf{r}$, então se uma partícula está "aqui" em um instante e "ali" em outro instante, a diferença vetorial entre as posições $\Delta \mathbf{r} = \mathbf{r}_2 - \mathbf{r}_1$, que está na direção do movimento mostrado na Figura 11-6, dividida pelo intervalo de tempo $\Delta t = t_2 - t_1$, é o vetor "velocidade média".

Em outras palavras, por velocidade vetorial queremos dizer o limite, quando Δt tende a zero, da diferença entre os vetores posição no tempo $t + \Delta t$ e no tempo t, dividido por Δt:

$$\mathbf{v} = \lim_{\Delta t \to 0} (\Delta \mathbf{r}/\Delta t) = d\mathbf{r}/dt. \quad (11.10)$$

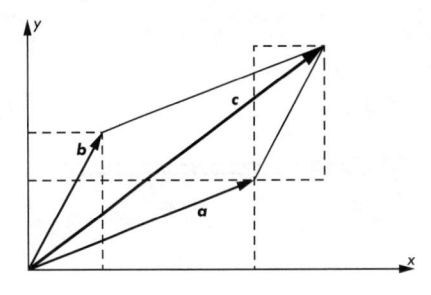

Figura 11-4 A adição de vetores.

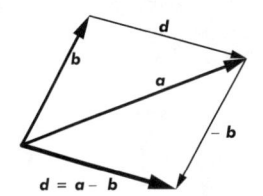

Figura 11-5 A subtração de vetores.

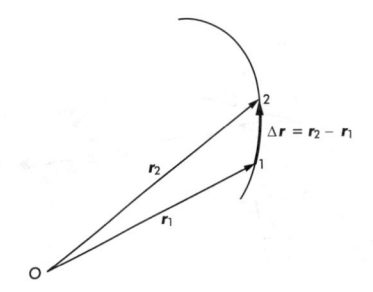

Figura 11-6 O deslocamento de uma partícula em um intervalo de tempo curto $\Delta t = t_2 - t_1$.

Então, velocidade é um vetor, porque ela é a diferença entre dois vetores. Essa é também a definição correta de velocidade, porque suas componentes são dx/dt, dy/dt e dz/dt. De fato, vemos desse argumento que, se diferenciarmos *qualquer* vetor em relação ao tempo, produzimos um novo vetor. Portanto, temos várias maneiras de produzir novos vetores: (1) multiplicar por uma constante, (2) diferenciar em relação ao tempo, (3) somar ou subtrair dois vetores.

11–6 Leis de Newton na notação vetorial

Para escrever as leis de Newton em forma vetorial, temos de dar um passo adiante e definir o vetor aceleração. Ele é a derivada em relação ao tempo do vetor velocidade, e é fácil demonstrar que suas componentes são as segundas derivadas de x, y e z com respeito a t:

$$\mathbf{a} = \frac{d\mathbf{v}}{dt} = \left(\frac{d}{dt}\right)\left(\frac{d\mathbf{r}}{dt}\right) = \frac{d^2\mathbf{r}}{dt^2}, \tag{11.11}$$

$$a_x = \frac{dv_x}{dt} = \frac{d^2x}{dt^2}, \quad a_y = \frac{dv_y}{dt} = \frac{d^2y}{dt^2}, \quad a_z = \frac{dv_z}{dt} = \frac{d^2z}{dt^2}. \tag{11.12}$$

Com esta definição, então, as leis de Newton podem ser escritas como:

$$m\mathbf{a} = \mathbf{F} \tag{11.13}$$

ou

$$m(d^2\mathbf{r}/dt^2) = \mathbf{F}. \tag{11.14}$$

Agora o problema de provar a invariância das leis de Newton sob a rotação de coordenadas é este: provar que $\mathbf{a}$ é um vetor; acabamos de fazer isso. Provar que $\mathbf{F}$ é um vetor; *supomos* que seja. Portanto, se a força for um vetor, então, uma vez que sabemos que a aceleração é um vetor, a Equação (11.13) irá parecer a mesma em qualquer sistema de coordenadas. Escrevê-la na forma que não contenha explicitamente x, y e z tem a vantagem de que, de agora em diante, não precisamos escrever *três* leis sempre que escrevemos as equações de Newton ou outras leis da física. Escrevemos o que parece ser *uma* só lei, mas realmente, é claro, são as três leis para qualquer conjunto de eixos particulares, porque qualquer equação vetorial envolve a afirmação de que *cada uma das componentes é igual*.

O fato de que a aceleração é a taxa de variação do vetor velocidade nos ajuda a calcular a aceleração em algumas circunstâncias bem complicadas. Suponha, por exemplo, que uma partícula esteja se movendo em uma curva complicada (Figura 11–7) e que, em um dado instante t_1, ela tenha uma certa velocidade $\mathbf{v}_1$, mas quando mudamos para outro instante t_2 um pouco depois, ela tenha uma velocidade $\mathbf{v}_2$ diferente. Qual é a aceleração? Resposta: a aceleração é a diferença das velocidades dividida pelo pequeno intervalo de tempo, então precisamos da diferença entre as duas velocidades. Como obtemos a diferença entre as velocidades? Para subtrair dois vetores, desenhamos os vetores $\mathbf{v}_2$ e $\mathbf{v}_1$, um passando pela extremidade do outro; isto é, traçamos $\Delta \mathbf{v}$ como a diferença entre dois vetores, certo? *Não!* Isso só funciona quando as *origens* dos vetores estão no mesmo lugar! Não faz sentido movermos um dos vetores para outro lugar e depois traçar uma linha por seus extremos, então, cuidado! Temos de traçar um diagrama novo para subtrair os vetores. Na Figura 11–8, $\mathbf{v}_2$ e $\mathbf{v}_1$ são traçados paralelamente e iguais aos seus equivalentes na Figura 11–7, e agora podemos discutir a aceleração. Claro que a aceleração é simplesmente $\Delta\mathbf{v}/\Delta t$. É interessante notar que podemos compor a diferença de velocidades a partir de duas partes; podemos imaginar a aceleração como tendo *duas componentes*: $\Delta\mathbf{v}_\parallel$ na direção tangente à trajetória e $\Delta\mathbf{v}_\perp$ formando ângulos retos (perpendicular) com a trajetória, como indicado na Figura 11-8. Claro que a ace-

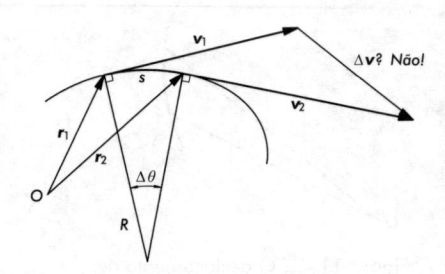

Figura 11–7 Uma trajetória curva.

leração tangente à trajetória é exatamente a mudança no *comprimento* do vetor, ou seja, a mudança no módulo da *velocidade v*:

$$a_{\parallel} = dv/dt. \tag{11.15}$$

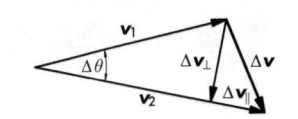

Figura 11-8 Diagrama para calcular a aceleração.

A outra componente da aceleração, que forma um ângulo reto com a curva, é fácil de calcular, usando as Figuras 11-7 e 11-8. No tempo curto Δt, seja a mudança de ângulo entre $\mathbf{v}_2$ e $\mathbf{v}_1$ o ângulo pequeno $\Delta\theta$. Se a magnitude da velocidade é chamada v, claro que

$$\Delta v_{\perp} = v\, \Delta\theta$$

e a aceleração a será

$$a_{\perp} = v\, (\Delta\theta/\Delta t).$$

Agora precisamos saber $\Delta\theta/\Delta t$, que pode ser encontrado desta forma: se, no dado momento, a curva for aproximada como um círculo com certo raio R, então, no tempo Δt, a distância s claramente é $v\Delta t$, onde v é a velocidade.

$$\Delta\theta = (v\, \Delta t)/R, \quad \text{ou} \quad \Delta\theta/\Delta t = v/R.$$

Portanto, encontramos

$$a_{\perp} = v^2/R, \tag{11.16}$$

como já vimos.

11–7 Produto escalar de vetores

Agora, vamos examinar um pouco mais as propriedades dos vetores. É fácil ver que o *comprimento* de um deslocamento no espaço seria o mesmo em qualquer sistema de coordenadas. Isto é, se um deslocamento particular, $\mathbf{r}$, é representado por x, y, z em um sistema de coordenadas e por x', y', z' em outro sistema de coordenadas, com certeza a distância $r = |\mathbf{r}|$ seria a mesma em ambos. Agora,

$$r = \sqrt{x^2 + y^2 + z^2}$$

e também

$$r' = \sqrt{x'^2 + y'^2 + z'^2}.$$

Então, o que queremos verificar é se essas duas grandezas são iguais. É bem mais conveniente não se incomodar de extrair a raiz quadrada, sendo assim, vamos falar sobre o quadrado da distância; ou seja, vamos descobrir se

$$x^2 + y^2 + z^2 = x'^2 + y'^2 + z'^2. \tag{11.17}$$

É melhor que sejam iguais – e se substituirmos a Equação (11.5), descobrimos realmente que são. Então, vemos que existem outros tipos de equações que são verdadeiras para dois sistemas de coordenadas quaisquer.

Algo novo está envolvido nisso. Podemos produzir uma nova grandeza, uma função de x, y e z chamada de *função escalar*, uma grandeza que não tem direção, mas que é a mesma em ambos os sistemas. A partir de um vetor, podemos gerar um escalar. Temos que encontrar uma regra geral para isso. É claro qual é a regra para o caso acima considerado: somar os quadrados das componentes. Vamos agora definir algo novo, que chamamos de $\mathbf{a} \cdot \mathbf{a}$. Isso não é um vetor, mas um escalar; é um número que é o mesmo em todos os sistemas de coordenadas e é definido como sendo a soma dos quadrados das três componentes do vetor:

$$\mathbf{a} \cdot \mathbf{a} = a_x^2 + a_y^2 + a_z^2. \tag{11.18}$$

Agora você diz: "Mas com quais eixos?" Isso não depende dos eixos, a resposta é a mesma para *qualquer* conjunto de eixos. Então, temos um novo *tipo* de grandeza, um novo *invariante* ou *escalar* produzido por um vetor "elevado ao quadrado". Se, agora, definirmos a seguinte grandeza para dois vetores quaisquer, **a** e **b**:

$$\mathbf{a} \cdot \mathbf{b} = a_x b_x + a_y b_y + a_z b_z, \tag{11.19}$$

acharemos que essa grandeza, calculada nos sistemas com linhas (x', y', z') e sem linhas (x, y, z), também permanece a mesma. Para prová-lo, notemos que o seguinte é verdade: $\mathbf{a} \cdot \mathbf{a}$, $\mathbf{b} \cdot \mathbf{b}$ e $\mathbf{c} \cdot \mathbf{c}$, onde $\mathbf{c} = \mathbf{a} + \mathbf{b}$. Portanto, a soma dos quadrados $(a_x + b_x)^2 + (a_y + b_y)^2 + (a_z + b_z)^2$ será invariante:

$$(a_x + b_x)^2 + (a_y + b_y)^2 + (a_z + b_z)^2 = (a_{x'} + b_{x'})^2 + (a_{y'} + b_{y'})^2 + (a_{z'} + b_{z'})^2. \tag{11.20}$$

Se os dois lados dessa equação são expandidos, haverá produtos cruzados exatamente do tipo que aparece na Equação (11.19), bem como as somas dos quadrados das componentes de **a** e **b**. A invariância de termos, na forma da Equação (11.18), leva então aos termos do produto cruzados (11.19) invariantes também.

A quantidade $\mathbf{a} \cdot \mathbf{b}$ é chamada de *produto escalar* de dois vetores, **a** e **b**, e possui muitas propriedades interessantes e úteis. Por exemplo, é facilmente provado que

$$\mathbf{a} \cdot (\mathbf{b} + \mathbf{c}) = \mathbf{a} \cdot \mathbf{b} + \mathbf{a} \cdot \mathbf{c}. \tag{11.21}$$

Também, existe uma forma geométrica simples de calcular $\mathbf{a} \cdot \mathbf{b}$, sem ter que calcular as componentes de **a** e **b**: $\mathbf{a} \cdot \mathbf{b}$ é o produto do comprimento de **a** pelo comprimento de **b**, multiplicado pelo cosseno do ângulo entre eles. Por quê? Suponha que escolhemos um sistema de coordenadas especial em que o eixo x está ao longo de **a**; nessas circunstâncias, a única componente de **a** que existirá será a_x, que é obviamente o comprimento inteiro de **a**. Então, a Equação (11.19) reduz-se a $\mathbf{a} \cdot \mathbf{b} = a_x b_x$ para esse caso, e este é o comprimento de **a** vezes o componente de **b** na direção de **a**, ou seja, $b \cos \theta$:

$$\mathbf{a} \cdot \mathbf{b} = ab \cos \theta.$$

Portanto, nesse sistema de coordenadas especial, provamos que $\mathbf{a} \cdot \mathbf{b}$ é o comprimento de **a** vezes o comprimento de **b** vezes $\cos \theta$. No entanto, *se isto é verdade em um sistema de coordenadas, é verdade em todos*, porque $\mathbf{a} \cdot \mathbf{b}$ é independente do sistema de coordenadas; este é nosso argumento.

Para que serve o produto escalar? Existem casos na física em que precisamos dele? Sim, precisamos dele o tempo todo. Por exemplo, no Capítulo 4 a energia cinética é tida como $\frac{1}{2}mv^2$, mas se o objeto está se movendo no espaço, deve ser a velocidade elevada ao quadrado na direção x, direção y e direção z, então a fórmula para a energia cinética, de acordo com a análise vetorial, é

$$E_C = \tfrac{1}{2}m(\mathbf{v} \cdot \mathbf{v}) = \tfrac{1}{2}m(v_x^2 + v_y^2 + v_z^2). \tag{11.22}$$

A energia não tem direção. O momento tem direção; ele é um vetor, e é a massa vezes o vetor velocidade.

Outro exemplo de um produto escalar é o trabalho realizado por uma força quando algo é empurrado de um lugar para outro. Ainda não definimos trabalho, mas ele é equivalente à mudança de energia, os pesos levantados, quando uma força **F** age por uma distância **s**:

$$\text{Trabalho} = \mathbf{F} \cdot \mathbf{s} \tag{11.23}$$

Às vezes, é muito conveniente falar sobre a componente de um vetor em uma certa direção (digamos, na direção vertical, porque essa é a direção da gravidade). Para tais propósitos, é útil inventar o que chamamos de *vetor unitário* na direção que queremos estudar. Por vetor unitário queremos dizer aquele cujo produto escalar por si mesmo é igual à unidade. Vamos chamar esse vetor unitário de **i**; então **i** · **i** = 1. Portanto, se quisermos a componente de algum vetor na direção de **i**, vemos que o produto escalar **a** · **i** será $a \cos \theta$, ou seja, a componente de **a** na direção de **i**. Essa é uma boa maneira de obter uma componente; de fato, isso nos permite obter *todas* as componentes e escrever uma fórmula bem divertida. Suponhamos que, em um dado sistema de coordenadas, x, y e z, inventamos três vetores: **i**, um vetor unitário na direção x; **j**, um vetor unitário na direção y, e **k**, um vetor unitário na direção z. Note primeiro que **i** · **i** = 1. O que é **i** · **j**? Quando dois vetores formam um ângulo reto, o produto escalar deles é zero. Portanto,

$$\begin{aligned}\mathbf{i}\cdot\mathbf{i} &= 1 \\ \mathbf{i}\cdot\mathbf{j} &= 0 \quad \mathbf{j}\cdot\mathbf{j} = 1 \\ \mathbf{i}\cdot\mathbf{k} &= 0 \quad \mathbf{j}\cdot\mathbf{k} = 0 \quad \mathbf{k}\cdot\mathbf{k} = 1\end{aligned} \qquad (11.24)$$

Agora, com essas definições, qualquer vetor pode ser escrito como:

$$\mathbf{a} = a_x\mathbf{i} + a_y\mathbf{j} + a_z\mathbf{k}. \qquad (11.25)$$

Dessa maneira, podemos partir das componentes de um vetor e chegar ao vetor propriamente dito.

Esta discussão sobre vetores pode não estar completa. Entretanto, em vez de tentar aprofundar o tema agora, vamos primeiro aprender a usar, em situações físicas, algumas das ideias discutidas até então. Assim, quando tivermos dominado apropriadamente este material básico, vamos achar mais fácil entrar mais profundamente no assunto sem ficarmos muito confusos. Vamos descobrir mais tarde que é útil definir outro tipo de produto entre dois vetores, chamado de produto vetorial, e escrito como **a** × **b**. Porém, vamos deixar a discussão dessas questões para um capítulo posterior.

12

Características da Força

12–1 O que é força?

Apesar de ser interessante e valer a pena estudar as leis físicas simplesmente porque elas nos ajudam a entender e a fazer uso da natureza, devemos parar de tempos em tempos e pensar, "O que elas realmente significam?" O sentido de qualquer afirmação é um assunto que tem interessado e atormentado filósofos desde tempos imemoriais, e o significado das leis físicas é ainda mais interessante, porque geralmente acredita-se que essas leis representam alguma forma de conhecimento real. O sentido do conhecimento é um profundo problema na filosofia, e é sempre importante perguntar, "O que significa isto?".

Então perguntemos, "Qual é o significado das leis físicas de Newton, que escrevemos como $F = ma$? Qual é o significado de força, massa e aceleração?" Bem, podemos perceber intuitivamente o significado da massa, e podemos *definir* aceleração se sabemos os significados de posição e tempo. Não discutiremos esses significados, mas iremos nos concentrar no novo conceito de *força*. A resposta é igualmente simples: "Se um corpo está acelerando, então existe uma força sobre ele". Isso é o que as leis de Newton dizem, então a definição mais bela e precisa de força imaginável talvez simplesmente consista em dizer que força é a massa de um objeto vezes sua aceleração. Vamos supor que temos uma lei que diz que a conservação do momento é válida se a soma de todas as forças externas for zero; então surge a questão, "O que isso *significa*? Que a soma de todas as forças externas é zero?" Uma maneira agradável de definir esta afirmação seria: "Quando o momento total é uma constante, então a soma das forças externas é zero". Deve ter algo errado com essa definição, porque ela simplesmente não nos diz nada de novo. Se descobrirmos uma lei fundamental, que nos assegura que a força é igual à massa vezes a aceleração, não descobrimos nada. Poderíamos também definir força querendo dizer que um objeto em movimento sem nenhuma força agindo sobre ele continua a se movimentar com velocidade constante em uma linha reta. Se então observarmos um objeto que *não* está se movimentando em uma linha reta com uma velocidade constante, poderíamos dizer que existe uma força sobre ele. Agora, tais coisas certamente não podem ter origem na física, porque são definições andando em círculos. A afirmação newtoniana acima, entretanto, parece ser a definição mais precisa de força, além de agradar aos matemáticos; todavia, é completamente inútil, porque previsão alguma pode ser feita a partir de uma definição. Podemos sentar em uma poltrona o dia todo e definir palavras ao nosso bel-prazer, mas descobrir o que acontece quando duas bolas colidem uma contra a outra, ou quando um peso é pendurado em uma mola, é completamente diferente, porque o modo como os corpos *se comportam* é algo completamente fora de qualquer grupo de definições.

Por exemplo, se decidirmos dizer que um objeto deixado por conta própria mantém sua posição e não se move, então, quando observarmos algo sendo impulsionado, poderíamos dizer que isso ocorre devido a uma "gorça"* – uma gorça é a taxa de mudança da posição. Agora, temos uma maravilhosa nova lei, tudo permanece inerte, exceto quando uma gorça age. Isso seria análogo à definição de força acima e não conteria nenhuma informação. O conteúdo real das leis de Newton é este: que a força supostamente contém algumas *propriedades independentes*, em adição à lei $F = ma$; mas as propriedades independentes *específicas* que a força possui não foram descritas completamente por Newton ou por ninguém mais, portanto a lei física $F = ma$ é uma lei incompleta. Ela implica que se estudarmos a massa vezes a aceleração e chamarmos o produto de força, ou seja, se estudarmos as características da força como objeto de interesse, então descobriremos que as forças possuem uma certa simplicidade; a lei é uma boa ferramenta para analisar a natureza, isso é uma sugestão de que as forças são simples.

12–1 O que é força?
12–2 Atrito
12–3 Forças moleculares
12–4 Forças fundamentais. Campos
12–5 Pseudoforças
12–6 Forças nucleares

---

* N. de T.: No original em inglês, a palavra é *gorce*.

Agora, o primeiro exemplo de tais forças foi a lei completa da gravitação, que nos foi dada por Newton, e ao declarar a lei ele respondeu à pergunta, "O que é a força?" Se não existisse nada além da gravitação, então a combinação dessa lei e a lei da força (a segunda lei do movimento) seria uma teoria completa, mas existe muito mais do que a gravitação, e queremos usar as leis de Newton em muitas situações diferentes. Portanto, para podermos prosseguir, devemos falar mais sobre as propriedades da força.

Por exemplo, uma pressuposição implícita sempre feita ao lidarmos com forças é que a força é igual a zero a menos que algum corpo físico esteja presente, que se encontrarmos uma força que não seja igual a zero também encontramos algo nas redondezas que é a fonte dessa força. Esse pressuposto é completamente diferente do caso da "gorça", apresentado anteriormente. Uma das características mais importantes da força é que ela possui uma origem material, e isso *não* é apenas uma definição.

Newton também nos deu uma regra sobre a força: que as forças entre corpos interagentes são iguais e opostas – ação igual a reação; essa regra foi verificada e não é exatamente verdadeira. De fato, a lei $F = ma$ não é exatamente verdadeira; se ela fosse uma definição, deveríamos dizer que ela é *exatamente* verdadeira; mas não é.

Um estudante pode objetar, "Eu não gosto desta imprecisão, eu gostaria de ter tudo definido exatamente; na verdade, alguns livros dizem que qualquer ciência é uma área exata, na qual *tudo* é definido". Se você insistir em uma definição precisa de força, nunca a terá! Primeiro, porque a Segunda Lei de Newton não é precisa e, segundo, porque para entender as leis físicas é preciso que você entenda que todas elas são algum tipo de aproximação.

Qualquer ideia simples é aproximada; como ilustração, considere um objeto,... o que *é* um objeto? Os filósofos estão sempre dizendo, "Bem, considere uma cadeira, por exemplo". No momento em que eles dizem isso, sabemos que eles não sabem mais do que estão falando. O que *é* uma cadeira? Bem, uma cadeira é uma certa coisa... certa? Quão certa? Os átomos dela estão evaporando de tempos em tempos – não muitos átomos, mas alguns –, poeira cai sobre ela e dissolve-se em sua tinta; então, definir uma cadeira precisamente, dizer quais átomos são cadeira e quais átomos são ar, ou quais átomos são poeira, ou quais átomos são tinta que pertence à cadeira é impossível. Logo a massa de uma cadeira pode ser definida apenas aproximadamente. Da mesma forma, definir a massa de um único objeto é impossível, porque não existem muitos objetos únicos e independentes do ambiente no mundo – cada objeto é uma mistura de várias coisas, logo podemos lidar com eles apenas como uma série de aproximações e idealizações.

O truque reside nas idealizações. Para uma excelente aproximação de talvez uma parte em 10^{10}, o número de átomos na cadeira não muda em um minuto, e se não formos muito precisos, podemos idealizar a cadeira como algo definitivo; da mesma forma, iremos aprender sobre as características da força, de forma ideal, se não formos precisos demais. Alguém pode ficar insatisfeito com a visão aproximada da natureza que a física tenta obter (a tentativa é sempre aumentar a precisão da aproximação) e pode preferir uma definição matemática; mas definições matemáticas nunca podem funcionar no mundo real. Uma definição matemática será adequada para a matemática, na qual toda a lógica pode ser sequenciada completamente, mas o mundo físico é complexo, como já indicamos em vários exemplos, como os das ondas do oceano ou de um copo de vinho. Quando tentamos isolar pedaços dele, falando de uma massa, do vinho e do copo, como podemos saber quem é quem, quando um se dissolve no outro? As forças sobre uma única coisa já envolvem aproximações, e se temos um sistema de discurso sobre o mundo real, então este sistema, pelo menos nos dias atuais, deve envolver algum tipo de aproximação.

Este sistema é bem distinto do caso da matemática, na qual tudo pode ser definido, e então não *sabemos* sobre o que estamos falando. Na verdade, a glória da matemática é que *não precisamos dizer sobre o que estamos falando*. A glória é que as leis, os argumentos e a lógica são independentes do que "esta coisa" seja. Se tivermos qualquer outro conjunto de objetos que obedeça ao mesmo sistema de axiomas, como a geometria Euclidiana, e em seguida construímos novas definições e as seguirmos com a lógica correta, todas as consequências daí estarão corretas, e não importa qual seja o sujeito delas. Na natureza, entretanto, quando desenhamos uma linha ou estabelecemos uma linha usando um feixe de luz e um teodolito, como quando fazemos em medições, estamos medindo uma linha sob a luz de Euclides? Não, estamos fazendo uma aproximação; a mira possui alguma largura, mas uma linha geométrica não possui largura, e assim, quer a geometria Euclidiana possa ser usada para medições ou não é uma questão física, e não matemática. Entretanto, de um ponto de vista experimental, e não matemático, precisamos saber se as leis de Euclides aplicam-se ao tipo de geometria que usamos ao medir terrenos; e assim fazemos a hipótese que elas se aplicam, e que funciona muito bem; mas elas não são precisas, porque nossas linhas de medição não são realmente linhas geométricas. Quer estas linhas de Euclides, que são realmente abstratas, apliquem-se às linhas da experiência ou não é uma questão para a experiência; não é uma questão que possa ser resolvida pela razão pura.

Da mesma forma, não podemos apenas chamar $F = ma$ de uma definição, deduzir tudo puramente por meio da matemática e transformar a mecânica em uma teoria matemática quando a mecânica é uma descrição da natureza. Ao estabelecer postulados adequados, sempre é possível fazer um sistema de matemática, assim como Euclides o fez, mas não podemos fazer uma matemática do mundo, porque cedo ou tarde temos de descobrir se os axiomas são válidos para os objetos da natureza. Então, imediatamente nos envolvemos com estes objetos complicados e "sujos" da natureza, mas com aproximações cada vez mais precisas.

12–2 Atrito

As considerações anteriores mostram que um verdadeiro entendimento das leis de Newton exige uma discussão de forças, e é o propósito deste capítulo apresentar tal discussão, como um tipo de suplemento às leis de Newton. Já estudamos as definições de aceleração e ideias assemelhadas, mas agora teremos de estudar as propriedades da força, e este capítulo, diferentemente dos anteriores, não será muito preciso, porque as forças são bem complicadas.

Para começar com uma força em particular, consideremos o arrasto em um avião voando pelo ar. Qual é a lei para essa força? (Certamente existe uma lei para cada força, *precisamos* ter uma lei!) É difícil alguém pensar que a lei para essa força será simples. Tente imaginar o que produz o arrasto em um avião voando pelo ar – o ar correndo sobre as asas, o redemoinho na traseira, as mudanças ocorrendo na fuselagem e muitas outras complicações – e você verá que ela não será uma lei simples. Por outro lado, é um fato notável que a força de arrasto em um avião seja aproximadamente uma constante vezes o quadrado da velocidade, ou $F \approx cv^2$.

Agora, qual é o *status* de tal lei, é análoga a $F = ma$? De forma alguma, porque em primeiro lugar, essa lei é algo empírico obtido aproximadamente por testes em um túnel de vento. Você pode dizer, "Bem, $F = ma$ pode ser empírico, também". Essa não é a razão da diferença. A diferença não é que ela seja empírica, mas que, conforme aprendemos sobre a natureza, essa lei é o resultado de uma enorme complexidade de eventos e não é, fundamentalmente, algo simples. Se continuarmos a estudá-la, medindo mais e mais precisamente, a lei continuará a tornar-se *mais* complicada, não *menos*. Em outras palavras, enquanto estudamos essa lei do arrasto em um avião cada vez mais detalhadamente, descobrimos que é cada vez mais "falsa", e quão mais profundamente a estudamos e mais precisamente medimos, mais complicada a verdade se torna; então, nesse sentido, consideramos que ela não resulta de um processo simples e fundamental, o que concorda com nossa premissa inicial. Por exemplo, se a velocidade for extremamente baixa, tão baixa que um avião comum não consegue voar, como se ele estivesse sendo arrastado vagarosamente através do ar, então a lei muda e o atrito do arrasto depende, aproximadamente de forma linear, da velocidade. Usando outro exemplo, o arrasto com atrito sobre uma bola ou uma bolha ou outra coisa qualquer que esteja movimentando-se lentamente através de um líquido viscoso, como o mel, é proporcional à velocidade, mas para movimentos tão rápidos que façam com que o líquido turbilhone (não o mel, mas a água e o ar se comportam assim), então o arrasto torna-se mais aproximadamente proporcional ao quadrado da velocidade ($F = cv^2$), e se a velocidade continua a aumentar, então até mesmo essa lei começa a falhar. Pessoas que dizem, "Bem, o coeficiente muda um pouco", estão se desviando do assunto. Segundo, existem outras grandes complicações: essa força sobre o avião pode ser dividida ou analisada como uma força sobre as asas, uma força na frente do avião e assim por diante? Realmente, isso pode ser feito, se estivermos preocupados com os torques aqui e ali, mas então teremos de ter leis especiais para a força nas asas e assim por diante. É um fato surpreendente que a força na asa depende da outra asa: em outras palavras, se desmontarmos o avião e colocarmos apenas uma asa no ar, a força não é a mesma de como seria se o avião inteiro estivesse lá. A razão, claro, é que uma parte do vento que atinge a frente segue ao redor das asas e muda a força sobre as asas. Parece um milagre que exista uma lei tão simples, abrangente e empírica que pode ser usada no projeto de aviões, mas essa lei não está na mesma classe das leis *básicas* da física, e estudos mais aprofundados irão apenas torná-la cada vez mais complicada. Um estudo de como o coeficiente c depende do formato da frente do avião é, sendo gentil, frustrante. Não existe uma lei simples para determinar o coeficiente segundo o formato do avião. Em comparação, a lei da gravitação é simples, e maiores estudos apenas indicarão sua maior simplicidade.

Acabamos de discutir dois casos de atrito, um resultante de movimento rápido no ar e outro de movimento lento no mel. Existe outro tipo de atrito, chamado atrito seco ou atrito deslizante, que ocorre quando um corpo sólido desliza sobre outro. Nesse caso, a força é necessária para a manutenção do movimento. Ela é chamada força de atrito, e sua origem é complicada também. Ambas as superfícies de contato são irregulares no nível atômico. Temos muitos pontos de contato nos quais os átomos parecem grudar uns nos outros; então, quando o corpo deslizante é empurrado, os átomos rompem-se uns dos outros e ocorre uma vibração; algo como isso deve acontecer. Antigamente pensava-se que o mecanismo do atrito era bem simples, que as superfícies eram simplesmente cheias de irregularidades e o atrito era originado ao levantar o objeto deslizante sobre os obstáculos; mas isso não pode ser assim, pois não existe perda de energia nesse processo, ao passo que a força é, na verdade, consumida. O mecanismo da perda de força é que, enquanto o objeto desliza sobre os obstáculos, eles se deformam e então geram ondas e movimentos atômicos e, após algum tempo, calor, em ambos os corpos. Agora, é altamente notável que de novo, de forma empírica, esse atrito possa ser descrito aproximadamente por uma lei simples. Essa lei é que a força necessária para superar o atrito e para arrastar um objeto sobre o outro depende da força normal (ou seja, perpendicular à superfície) entre as duas superfícies que estão em contato. Na verdade, para obter uma aproximação muito boa, a força de atrito é proporcional a essa força normal, e possui um coeficiente mais ou menos constante; ou seja

$$F = \mu N, \tag{12.1}$$

onde μ é chamado *coeficiente de atrito* (Figura 12–1). Apesar de esse coeficiente não ser exatamente constante, a fórmula é uma boa regra empírica para avaliar aproximadamente a quantidade de força que será necessária em certas circunstâncias práticas e de engenharia. Se a força normal ou a velocidade do movimento tornar-se muito grande, a lei falha devido ao calor excessivo gerado. É importante perceber que cada uma dessas leis empíricas possui suas limitações, além das quais elas deixam de funcionar.

É possível demonstrar que a fórmula $F = \mu N$ está aproximadamente correta por um simples experimento. Preparamos um plano, inclinado em um ângulo pequeno θ, e colocamos um bloco de peso W sobre esse plano. Então, aumentamos o ângulo de inclinação do plano até que o bloco comece a deslizar devido ao seu próprio peso. A componente do peso no sentido do deslizamento sobre o plano é W sen θ, e isso deve ser igual à força de atrito F quando o bloco está deslizando uniformemente. A componente do peso normal ao plano é W cos θ, e esta é a força normal N. Com esses valores, a fórmula torna-se W sen $\theta = \mu W$ cos θ, da qual retiramos μ = sen θ/cos θ = tg θ. Se essa lei fosse exatamente verdade, um objeto começaria a deslizar em uma determinada inclinação. Se o mesmo bloco for carregado com peso extra, então, apesar de W ter aumentado, todas as forças na fórmula aumentaram na mesma proporção, e W é cancelado. Se μ permanecer constante, o bloco com sobrepeso irá deslizar novamente na mesma inclinação. Quando o ângulo θ é determinado por tentativa com o peso original, descobrimos que, com o

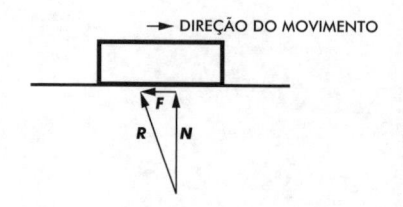

Figura 12–1 As relações entre força de atrito e força normal para um objeto deslizando com contato.

peso maior, o bloco irá deslizar aproximadamente no mesmo ângulo. Isso será verdade mesmo quando um peso é muitas vezes maior que o outro, e assim concluímos que o coeficiente de atrito é independente do peso.

Ao executarmos esse experimento, é perceptível que quando o plano está inclinado aproximadamente com o ângulo correto θ, o bloco não desliza uniformemente, mas sim de forma vacilante. Em um ponto ele pode parar, em outro pode mover-se com aceleração. Esse comportamento indica que o coeficiente de atrito é apenas aproximadamente uma constante e varia de lugar para lugar no plano. O mesmo comportamento errático é observado quer o bloco esteja com sobrepeso ou não. Tais variações são causadas por diferentes graus de irregularidades e de dureza do plano, e talvez por pó, óxidos ou outros tipos de materiais estranhos. As tabelas que listam valores propostos para μ para "aço sobre aço", "cobre sobre cobre" e assim por diante são todas falsas, pois elas ignoram os fatores mencionados anteriormente, que realmente determinam μ. O atrito nunca se dá por "cobre sobre cobre", etc., mas sim pelas impurezas presentes no cobre.

Em experimentos desse tipo, o atrito é quase independente da velocidade. Muitos creem que o atrito a ser superado para fazer com que algo entre em movimento (atrito estático) exceda a força necessária para manter algo em movimento (atrito de deslizamento), mas com metais secos é muito difícil mostrar qualquer diferença. Essa opinião provavelmente surgiu de experiências nas quais pequenas quantidades de lubrificantes ou óleo estão presentes, ou nas quais blocos, por exemplo, são sustentados por molas ou outros suportes flexíveis com os quais parecem unidos.

É muito difícil fazer experimentos quantitativos precisos de atrito, e as leis do atrito ainda não foram bem analisadas, apesar da enorme quantidade de valor gerado por análises cuidadosas na engenharia. Embora a lei $F = \mu N$ seja razoavelmente precisa, desde que as superfícies sejam padronizadas, a razão para tal tipo de fórmula não é realmente compreendida. Mostrar que o coeficiente μ é praticamente independente da velocidade exige experiências delicadas, porque o atrito aparente é bastante reduzido se a superfície inferior vibrar suficientemente rápido. Quando o experimento é feito em velocidades muito rápidas, devemos tomar cuidado para que os objetos não vibrem uns relativamente aos outros, uma vez que aparentes reduções de atrito em altas velocidades ocorrem frequentemente devido às vibrações. De qualquer forma, essa lei do atrito é outra daquelas leis semiempíricas que não são completamente entendidas, e tendo em vista todo o trabalho que já foi feito, é surpreendente que uma maior compreensão deste fenômeno não tenha surgido. Atualmente, na verdade, é impossível até mesmo estimar o coeficiente de atrito entre duas substâncias.

Foi indicado acima que tentativas para medir μ deslizando substâncias puras, como cobre sobre cobre, levarão a resultados espúrios, porque as superfícies em contato não são cobre puro, mas sim misturas de óxidos e outras impurezas. Se tentarmos obter cobre absolutamente puro, se limparmos e polirmos as superfícies, retirarmos os gases das substâncias em um vácuo e tomarmos todas as precauções possíveis, ainda assim não chegaremos a μ. Mesmo se inclinarmos o aparato até uma posição vertical, a peça não irá cair – os dois pedaços de cobre grudam um ao outro! O coeficiente μ, que normalmente é menos que uma unidade para superfícies razoavelmente duras, torna-se várias vezes uma unidade! A razão para esse comportamento inesperado é que quando os átomos em contato são todos do mesmo tipo, não existe maneira de os átomos "saberem" que estão em pedaços diferentes de cobre. Quando outros átomos estão presentes nos óxidos, e gorduras e finas superfícies mais complexas de contaminantes estão entre eles, os átomos "sabem" quando não estão no mesmo pedaço. Quando consideramos que são as forças entre os átomos que mantêm o cobre unido como sólido, deve ficar claro que é impossível alcançar o coeficiente correto de atrito para metais puros.

O mesmo fenômeno pode ser observado em um simples experimento caseiro com uma placa de vidro plana e um copo de vidro. Se o copo for colocado na placa e puxado sobre ela com um barbante, ele desliza razoavelmente bem e podemos sentir o coeficiente de atrito; é meio irregular, mas é um coeficiente. Se agora molharmos a placa de vidro e o fundo do copo e puxarmos novamente, vemos que eles se unem, e se olharmos mais atentamente, iremos achar arranhões, porque a água é capaz de levar a gordura e outros contaminantes da superfície, e assim temos realmente o contato de vidro com vidro; esse contato é tão bom que ele se mantêm bem firme e resiste à separação tão bem que o vidro se quebra; ou seja, ele produz arranhões.

12–3 Forças moleculares

Discutiremos a seguir as características de forças moleculares. Existem forças entre átomos, e elas são a última origem do atrito. Forças moleculares nunca foram satisfatoriamente explicadas com base na física clássica; é preciso de mecânica quântica para entendê-las completamente. Empiricamente, no entanto, a força entre os átomos é ilustrada esquematicamente na Figura 12–2, em que a força F entre dois átomos é mostrada em um gráfico como uma função da distância r entre eles. Existem diferentes casos: na molécula de água, por exemplo, as cargas negativas estão mais localizadas no oxigênio, e as posições médias das cargas negativas e das cargas positivas não estão no mesmo ponto; consequentemente, outra molécula próxima sente uma força relativamente grande, que é chamada de força dipolo-dipolo. No entanto, para muitos sistemas as cargas são mais bem balanceadas, em particular para o gás de oxigênio, que é perfeitamente simétrico. Neste caso, apesar de as cargas negativas e as cargas positivas estarem dispersas sobre a molécula, a distribuição é tal que o centro das cargas negativas e o centro das cargas positivas coincidem. Uma molécula na qual os centros não coincidem é chamada de molécula polar, e a carga vezes a separação entre os centros é chamada de momento de dipolo. Uma molécula apolar é aquela em que os centros coincidem. Para todas as moléculas apolares, na qual todas as forças elétricas são neutralizadas, contudo, descobrimos que a força a grandes distâncias é uma atração e varia inversamente com a sétima potência da distância ou $F = k/r^7$, onde k é uma constante que depende da molécula. Por que isso é assim, só vamos entender quando aprendermos mecânica quântica. Quando existem dipolos, as forças são maiores. Quando átomos e moléculas ficam muito próximos, eles se repelem com uma grande repulsão; isso é o que nos impede de cair chão adentro!

Essas forças moleculares podem ser demonstradas de uma maneira razoavelmente direta: uma delas é o experimento de atrito com um copo de vidro deslizando; outra maneira é pegar duas superfícies cuidadosamente fixadas e polidas, que sejam perfeitamente planas, de tal maneira que as superfícies podem ser colocadas muito próximas uma da outra. Um exemplo dessas superfícies são os blocos de Johansson, usados em lojas de máquinas como padrões para realizar medidas de comprimento com precisão. Se um desses blocos é deslizado sobre um outro cuidadosamente e o bloco de cima é levantado, o outro irá aderir e também será levantado pelas forças moleculares, exemplificando a atração direta entre os átomos de um bloco pelos átomos do outro bloco.

Contudo, essas forças moleculares de atração ainda não são fundamentais no sentido de que a gravitação é fundamental; elas são compostas por uma vasta gama de interações complexas de todos os elétrons e núcleos em uma molécula com todos os elétrons e núcleos da outra. Qualquer fórmula que pareça simples representa a soma de complicações, assim ainda não chegamos aos fenômenos fundamentais.

Já que as forças moleculares atraem em longas distâncias e repelem a curtas distâncias, como mostrado na Figura 12–2, podemos fazer sólidos, no qual todos os átomos são mantidos juntos pela sua atração e separados pela sua repulsão que aparece quando eles estão muito próximos. A uma certa distância d (onde o gráfico cruza o eixo, na Figura 12–2), as forças são zero, o que significa que elas são todas balanceadas, dessa maneira as moléculas ficam nessa distância uma da outra. Se as moléculas são empurradas para mais perto uma da outra que a distância d, elas apresentam repulsão, representada pela parte do gráfico acima do eixo r. Para fazer as moléculas somente um pouco mais próximas, é necessário uma força grande, porque a repulsão molecular rapidamente se torna muito grande a distâncias menores que d. Se as moléculas são minimamente separadas, existe uma pequena atração, que aumenta conforme a separação aumenta. Se elas são puxadas suficientemente forte, elas se separarão permanentemente – a ligação é quebrada.

Se as moléculas são empurradas para mais perto apenas uma distância *muito pequena* ou puxadas apenas uma distância *muito pequena* para mais longe que d, a

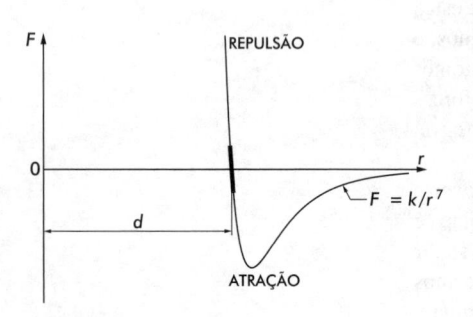

Figura 12–2 A força entre dois átomos como função da sua distância de separação.

distância correspondente ao longo da Figura 12–2 é também pequena, e elas podem então ser aproximadas por uma linha reta. No entanto, em muitas circunstâncias, se o deslocamento não for muito grande, *a força é proporcional ao deslocamento*. Esse princípio é chamado de lei de Hooke ou lei da elasticidade, que diz que a força em um corpo que tenta retornar à sua situação original quando essa é distorcida é proporcional à distorção. Essa lei, obviamente, é verdadeira se a distorção for realmente pequena; quando ela fica muito grande, o corpo irá se despedaçar ou se colapsar, dependendo do tipo de distorção. A quantidade de força pela qual a lei de Hooke é válida depende do material; por exemplo, para uma pasta ou massa a força é muito pequena, mas para o aço é relativamente grande. A lei de Hooke pode ser facilmente demonstrada com uma mola, feita de aço e suspensa verticalmente. Um peso adequado na ponta inferior da mola produz uma pequena oscilação no comprimento dessa mola, o que resulta em uma pequena deformação vertical em cada volta, o que resulta ainda em um deslocamento ainda maior se existirem muitas voltas. Se a elongação total produzida, digamos, por um peso de 100 gramas, for medida, descobrimos que cada 100 gramas que adicionarmos produzirá uma elongação adicional que é muito parecida com o estiramento produzido pelas primeiras 100 gramas. Essa razão constante entre força e deslocamento começa a mudar quando a mola é supercarregada, isto é, a lei de Hooke não é mais verdadeira.

12–4 Forças fundamentais. Campos

Devemos agora discutir somente as forças restantes que são fundamentais. Nós as chamamos de fundamental no sentido de que suas leis são fundamentalmente simples. Devemos primeiro discutir a força elétrica. Objetos carregam cargas elétricas que são constituídas simplesmente de elétrons e prótons. Se quaisquer dois corpos são eletricamente carregados, existe uma força elétrica entre eles; se a magnitude dessas cargas são q_1 e q_2, respectivamente, as forças variam inversamente com o quadrado da distância entre as cargas, ou $F = (const)\, q_1 q_2 / r^2$. Para cargas de sinais diferentes, essa lei é como a lei de gravitação, mas para cargas de *sinais iguais*, a força é repulsiva e o sinal (sentido) é inverso. As cargas q_1 e q_2 podem ser intrinsecamente positivas ou negativas, e em qualquer aplicação específica da fórmula o sentido da força sairá corretamente se os valores de q forem dados com o próprio sinal positivo ou negativo; a força está direcionada ao longo da linha entre as duas cargas. A constante na fórmula depende, obviamente, das unidades usadas para a força, a carga e a distância. Normalmente, a carga é medida em coulombs, a distância em metros e a força em newtons. Então, para obter a força propriamente em newtons, a constante (que por razões históricas é escrita como $1/4\pi\epsilon_o$) assume o valor

$$\epsilon_o = 8{,}854 \times 10^{-12}\ \mathrm{C^2/N \cdot m^2}$$

ou

$$1/4\pi\epsilon_o = 8{,}99 \times 10^9\ \mathrm{N \cdot m^2/C^2}.$$

Dessa maneira, a lei para a força de cargas estáticas é

$$\mathbf{F} = q_1 q_2 \mathbf{r}/4\pi\epsilon_0 r^3. \qquad (12.2)$$

Na natureza, a carga mais importante de todas é a carga de um único elétron, que é $1{,}60 \times 10^{-19}$ coulomb. Ao trabalhar com forças elétricas entre partículas fundamentais ao invés de grandes cargas, muitas pessoas preferem a combinação $(q_{\mathrm{el}})^2/4\pi\epsilon_o$, na qual q_{el} é definido como a carga de um elétron. Essa combinação ocorre frequentemente, e para simplificar os cálculos ela tem sido definida pelo símbolo e^2; o seu valor numérico no sistema MKS é $(1{,}52 \times 10^{-14})^2$. A vantagem de usar a constante nessa forma é que a força entre dois elétrons em newtons pode ser escrita simplesmente como e^2/r^2, com r em metros, sem todas as constantes individuais. Forças elétricas são muito mais complicadas do que essa fórmula simples indica, já que a fórmula fornece uma força entre somente dois objetos quando eles estão parados. Devemos considerar um caso mais geral brevemente.

Na análise de forças de um tipo mais fundamental (não forças como o atrito, mas a força elétrica ou a força gravitacional), um conceito interessante e muito importante tem sido desenvolvido. Já que à primeira vista as forças são muito mais complicadas do que é indicado pelas leis do quadrado inverso, e essas leis se mantêm verdadeiras somente quando os corpos interagentes são mantidos parados, um método melhor é necessário para lidar com forças muito mais complexas que resultam quando os corpos começam a se movimentar de uma maneira complicada. A experiência tem mostrado que uma maneira conhecida como o conceito de "campo" é de grande utilidade para a análise de forças desse tipo. Para ilustrar a ideia para, por exemplo, a força elétrica, suponha que temos duas cargas elétricas, q_1 e q_2, localizadas nos pontos P e R respectivamente. Então a força entre as cargas é dada por

$$\mathbf{F} = q_1 q_2 \mathbf{r}/4\pi\epsilon_0 r^3. \tag{12.3}$$

Para analisar essa força pelo caminho do conceito de campo, dizemos que a carga q_1 no ponto P produz uma "condição" em R, tal que quando a carga q_2 é colocada em R ela "sente" a força. Esta é uma maneira, estranha talvez, de descrevê-lo; dizemos que a força $\mathbf{F}$ em q_2 colocada em R pode ser escrita em duas partes. Isto é q_2 multiplicada por uma quantidade $\mathbf{E}$ que estaria lá, q_2 estando lá ou não (dado que mantemos todas as outras cargas nos seus lugares). $\mathbf{E}$ é a "condição" produzida por q_1, digamos, e $\mathbf{F}$ é a resposta de q_2 a $\mathbf{E}$. $\mathbf{E}$ é chamado de um *campo elétrico* e é um vetor. A fórmula para o campo elétrico $\mathbf{E}$, que é produzido em R pela carga q_1 em P, é a carga q_1 vezes a constante $1/4\pi\epsilon_0$ dividida por r^2 (r é a distância de P a R) e está atuando na direção do vetor radial (o vetor radial $\mathbf{r}$ dividido por seu próprio comprimento). A expressão para $\mathbf{E}$ é então

$$\mathbf{E} = q_1 \mathbf{r}/4\pi\epsilon_0 r^3. \tag{12.4}$$

Então escrevemos

$$\mathbf{F} = q_2 \mathbf{E}, \tag{12.5}$$

o qual expressa a força, o campo e a carga no campo. Qual é o ponto de tudo isso? O ponto é separar a análise em duas partes. Uma parte diz que algo *produz* um campo. A outra parte diz que o campo *atua* em algo. Ao nos permitir olhar para as duas partes independentemente, esta separação de análise simplifica o cálculo de um problema em muitas situações. Se muitas cargas estão presentes, primeiro trabalhamos o campo elétrico total produzido em R por todas as cargas, e, então, sabendo a carga que é colocada em R, achamos a força nela.

No caso da gravitação, podemos fazer exatamente a mesma coisa. Nesse caso, no qual a força é $\mathbf{F} = -Gm_1 m_2 \mathbf{r}/r^3$, podemos fazer uma análise análoga, como a seguir: a força em um corpo em um campo gravitacional é a massa daquele corpo vezes o campo $\mathbf{C}$. A força em m_2 é a massa m_2 vezes o campo $\mathbf{C}$ produzido por m_1; isto é, $\mathbf{F} = m_2 \mathbf{C}$. Então, o campo $\mathbf{C}$ produzido por um corpo de massa m_1 é $\mathbf{C} = -Gm_1 \mathbf{r}/r_3$ e tem direção radial, como no caso da força elétrica.

Apesar de como pode aparecer à primeira vista, essa separação de uma parte da outra não é uma trivialidade. Seria trivial, apenas outra maneira de escrever a mesma coisa, se as leis de força fossem simples, mas as leis de força são tão complicadas que no final os campos têm uma realidade que é quase independente dos objetos que os criaram. Alguém pode fazer algo como agitar uma carga e produzir um efeito, um campo, a uma certa distância; se essa pessoa então para de mover a carga, o campo mantém uma pista de todo o passado, porque a interação entre duas partículas não é instantânea. É desejável ter uma maneira de lembrar o que aconteceu anteriormente. Se a força sobre alguma carga depende de onde as outras cargas estavam antes, o que depende de fato, então precisamos de mecanismos para rastrear onde esteve, e isso é o caráter de um campo. Então quando as forças se tornam mais complicadas, os campos se tornam cada vez mais reais, e essa técnica se torna cada vez menos uma separação artificial.

Ao analisar as forças pelo uso de campos, precisamos de dois tipos de lei que dizem respeito aos campos. A primeira é a resposta ao campo, que dá a equação de movimento. Por exemplo, a lei de resposta de uma massa a um campo gravitacional é que a força é igual à massa vezes o campo gravitacional; ou, se existe também uma carga no corpo, a resposta da carga ao campo elétrico é igual à carga vezes o campo elétrico. A segunda parte da análise de natureza nestas situações é formular as leis que determinam a intensidade do campo e como ele é produzido. Essas leis são algumas vezes chamadas de *equações de campos*. Vamos aprender mais sobre elas em seu devido tempo, mas devemos escrever algumas poucas coisas sobre elas agora.

Primeiro, o fato mais maravilhoso de todos, que é exatamente verdade e que pode ser facilmente entendido, é que o campo elétrico total produzido por um certo número de fontes é um vetor soma dos campos elétricos produzidos pela primeira fonte, pela segunda fonte e assim por diante. Em outras palavras, se tivermos uma grande quantidade de cargas gerando um campo e se uma delas sozinha fizer um campo $\mathbf{E}_1$, outra fizer um campo $\mathbf{E}_2$, assim por diante, então simplesmente somamos os vetores para obter o campo total. Esse princípio pode ser expresso como

$$\mathbf{E} = \mathbf{E}_1 + \mathbf{E}_2 + \mathbf{E}_3 + \cdots \qquad (12.6)$$

ou, na visão da definição dada acima,

$$\mathbf{E} = \sum_i \frac{q_i \mathbf{r}_i}{4\pi\epsilon_0 r_i^3}. \qquad (12.7)$$

Os mesmos métodos podem ser aplicados para a gravitação? A força entre duas massas, m_1 e m_2, foi expressa por Newton como $\mathbf{F} = -Gm_1m_2\mathbf{r}/r^3$. No entanto, de acordo com o conceito de campo, podemos dizer que m_1 cria um campo $\mathbf{C}$ em todo o espaço, tal que a força em m_2 é dada por

$$\mathbf{F} = m_2\mathbf{C}. \qquad (12.8)$$

Por completa analogia com o caso elétrico,

$$\mathbf{C}_i = -Gm_i\mathbf{r}_i/r_i^3 \qquad (12.9)$$

e o campo gravitacional produzido por várias massas é

$$\mathbf{C} = \mathbf{C}_1 + \mathbf{C}_2 + \mathbf{C}_3 + \cdots \qquad (12.10)$$

No Capítulo 9, ao trabalhar o caso do movimento planetário, usamos esse princípio em essência. Simplesmente, somamos todos os vetores de força para obter a força resultante em um planeta. Se dividirmos pela massa do planeta em questão, obtemos a Eq. (12.10).

As Equações (12.6) e (12.10) expressam o que é conhecido como o *princípio de superposição de campos*. Esse princípio diz que o campo total devido a todas as fontes é a soma dos campos devido a cada fonte. Então, até o que conhecemos hoje, para a eletricidade essa é uma lei absolutamente garantida, que é verdade mesmo quando a lei da força é complicada devido ao movimento das cargas. Existem violações aparentes, mas uma análise mais cuidadosa tem sempre mostrado que isso acontece devido ao descuido de certas cargas em movimento. No entanto, apesar de o princípio de superposição se aplicar exatamente para forças elétricas, ele não é exato para a gravidade se os campos forem muito fortes, e a equação de Newton (12.10) é somente uma aproximação, de acordo com a teoria gravitacional de Einstein.

Intimamente relacionada com a força elétrica está um outro tipo, chamada de força magnética, e essa também é analisada em termos de um campo. Algumas das relações qualitativas entre forças elétricas e magnéticas podem ser ilustradas com um tudo de raios de elétrons (Figura 12–3). Em uma extremidade de tal tubo, está a fonte que emite um feixe de elétrons. Dentro do tubo estão alguns arranjos para acelerar os elétrons a uma alta velocidade e enviar alguns deles em um raio fino para uma tela fluorescente na outra extremidade do tubo. Um ponto de luz brilha no centro da tela onde os elétrons batem, o que nos permite traçar o caminho dos elétrons. No caminho para a tela, o raio de elétrons passa através

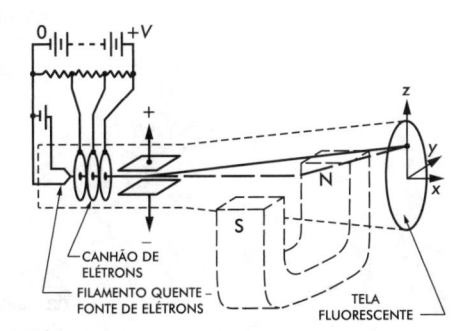

Figura 12–3 Um tubo de raios de elétrons.

de um espaço estreito entre um par de placas metálicas paralelas, que estão arrumadas, digamos, horizontalmente. Uma voltagem pode ser aplicada através das placas, tal que qualquer uma das placas pode ficar negativa quando quisermos. Quando essa voltagem está presente, existe um campo elétrico entre as placas.

A primeira parte do experimento é aplicar uma voltagem negativa na placa de baixo, o que significa que elétrons extras foram colocados na placa de baixo. Já que cargas iguais se repelem, o ponto de luz na tela instantaneamente se move para cima. (Poderíamos também dizer isso de uma outra maneira – que os elétrons "sentem" o campo e respondem a ele com um desvio para cima.) Em seguida, revertemos a voltagem, fazendo a placa *superior* negativa. O ponto de luz na tela agora vai para baixo do centro, mostrando que os elétrons do raio são repelidos por aqueles na placa acima deles. (Ou poderíamos dizer novamente que os elétrons "responderam" ao campo, que agora está na direção oposta.)

A segunda parte do experimento é desconectar a voltagem das placas e testar o efeito do campo magnético em um raio de elétrons. Isso é feito por meio de um ímã em forma de ferradura, cujos polos são suficientemente separados para caber no tubo. Suponha que seguramos o ímã abaixo do tubo na mesma orientação que a letra U, com os seus polos para cima e separados pelo tubo que está no meio. Notamos que o ponto de luz é desviado, digamos, para cima, conforme o ímã se aproxima do tubo por baixo. Então, parece que o ímã repele o raio de elétrons. No entanto, não é assim tão simples, pois se invertermos o ímã sem inverter os polos lateralmente e agora aproximamos o tubo por cima, o ponto de luz ainda se move *para cima*, então o raio de elétrons *não* é repelido; ao invés disso, aparenta ser atraído desta vez. Agora começamos novamente, voltando o ímã para sua orientação U original e segurando-o abaixo do tubo, como antes. Sim, o ponto de luz ainda desvia para cima; mas agora rodamos o ímã 180 graus ao redor do eixo vertical, tal que ele ainda está na posição U mas os polos estão invertidos. O ponto agora pula para baixo e fica para baixo, mesmo que invertamos o ímã e o aproximemos por cima, como antes.

Para entender esse comportamento em particular, temos de ter uma nova combinação de forças. Explicamos isto assim: através do ímã de um polo para o outro existe um *campo magnético*. Esse campo tem uma direção que é sempre saindo de um polo particular (o qual podemos marcar) e indo para o outro. Inverter o ímã não muda a direção do campo, mas invertendo os polos de lado, invertemos a direção do campo. Por exemplo, se a velocidade do elétron for horizontal na direção x e o campo magnético também for horizontal mas na direção y, a força magnética *nos elétrons em movimento* seria na direção z, isto é, para cima e para baixo, dependendo se o campo era na direção y positiva ou negativa.

Apesar de que, no presente momento, não devemos obter a lei correta da força entre carga se movendo de uma maneira arbitrária, uma em relação à outra, porque ela é muito complicada, devemos obter um aspecto dela: a lei completa para as forças *se os campos são conhecidos*. A força em um objeto carregado depende do seu movimento; se, quando o objeto está parado em um dado lugar, existe alguma força, ela é tomada como sendo proporcional à carga, o coeficiente sendo o que chamamos de *campo elétrico*. Quando o objeto se move, a força pode ser diferente, e a correção, o novo "pedaço" da força, acaba sendo dependente exatamente *linearmente da velocidade*, mas em um ângulo reto com **v** e com uma outra quantidade vetorial que chamamos de *indução magnética* **B**. Se as componentes do campo elétrico **E** e da indução magnética **B** forem, respectivamente, (E_x, E_y, E_z) e (B_x, B_y, B_z), e se a velocidade **v** tiver as componentes (v_x, v_y, v_z), então a força elétrica e magnética total em uma carga em movimento q terá as componentes

$$F_x = q(E_x + v_y B_z - v_z B_y),$$
$$F_y = q(E_y + v_z B_x - v_x B_z),$$
$$F_z = q(E_z + v_x B_y - v_y B_x).$$
(12.11)

Se, por exemplo, a única componente do campo magnético for B_y e a única componente da velocidade for v_x, então o único termo que sobra na força magnética seria a força na direção z, formando um ângulo reto com ambos, **B** e **v**.

12–5 Pseudoforças

O próximo tipo de força que devemos discutir pode ser chamado de pseudoforça. No Capítulo 11, discutimos a relação entre duas pessoas, Joe e Moe, que usam diferentes sistemas de coordenadas. Vamos supor que a posição de uma partícula quando medida por Joe seja x e por Moe seja x'; então as leis são as seguintes:

$$x = x' + s, \quad y = y', \quad z = z',$$

onde s é o deslocamento do sistema de Moe em relação ao de Joe. Se supusermos que as leis de movimento são corretas para Joe, como elas aparecem para Moe? Achamos primeiro que

$$dx/dt = dx'/dt + ds/dt.$$

Anteriormente, consideramos o caso em que s era constante, e descobrimos que s não fazia diferença nas leis de movimento, já que $ds/dt = 0$; enfim, dessa maneira, as leis da física eram as mesmas em ambos os sistemas. Outro caso que podemos ver é que $s = ut$, onde u é uma velocidade em uma linha reta. Então s não é mais constante, e ds/dt não é zero, mas u é uma constante. Assim, aceleração d^2x/dt^2 é ainda a mesma que d^2x'/dt^2, porque $du/dt = 0$. Isso prova a lei que usamos no Capítulo 10, a saber, que se nos movermos em uma linha reta com velocidade uniforme, as leis da física parecerão as mesmas do que quando ficamos parados. Isto é a transformação de Galileu. Queremos discutir o caso interessante em que s é ainda mais complicado, digamos $s = at^2/2$. Então $ds/dt = at$ e $d^2s/dt^2 = a$, uma aceleração uniforme; ou, em um caso ainda mais complicado, a aceleração pode ser uma função do tempo. Isso significa que apesar de as leis do movimento do ponto de vista de Joe parecerem como

$$m \frac{d^2x}{dt^2} = F_x,$$

as leis do movimento vistas por Moe apareceriam como

$$m \frac{d^2x'}{dt^2} = F_{x'} = F_x - ma.$$

Isto é, já que o sistema de coordenadas de Moe está acelerando em relação ao sistema de Joe, o termo extra ma aparece, e Moe terá de corrigir suas forças por essa quantidade para fazer as leis de Newton funcionarem. Em outras palavras, existe uma nova força aparentemente misteriosa e de origem desconhecida que aparece porque Moe tem o sistema de coordenadas errado. Este é um exemplo de uma pseudoforça; outros exemplos ocorrem em sistemas de coordenadas que estão *rotacionando*.

Outro exemplo de pseudoforça é o que frequentemente chamamos de "força centrífuga". Um observador em um sistema de coordenadas rodando, como uma caixa rodando, descobrirá forças misteriosas, não causadas por nenhuma origem conhecida de força, jogando as coisas para fora na direção das paredes. Essas forças são simplesmente devido ao fato de que o observador não tem um sistema de coordenadas Newtonianas, que é o sistema de coordenadas mais simples.

Pseudoforças podem ser ilustradas por um experimento interessante, no qual empurramos uma jarra de água ao longo de uma mesa, com aceleração. A gravidade, obviamente, atua para baixo na água, mas devido à aceleração horizontal existe também uma pseudoforça atuando horizontalmente e na direção oposta da aceleração. A resultante da gravidade e pseudoforça faz um ângulo com a vertical; durante a aceleração, a superfície da água será perpendicular à força resultante, isto é, inclinada com um ângulo em relação à mesa, com a água ficando mais alta na parte de trás da jarra. Quando o empurrão na jarra para e ela desacelera devido ao atrito, a pseudoforça é invertida, e a água fica mais alta na parte da frente da jarra (Figura 12–4).

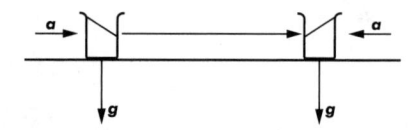

Figura 12–4 Ilustração de uma pseudoforça.

Uma característica muito importante das pseudoforças é que elas são sempre proporcionais às massas; o mesmo é verdade para a gravidade. A possibilidade existe, portanto, de que *a própria gravidade seja uma pseudoforça*. Não seria possível que talvez a gravidade apareça devido ao fato de simplesmente não estarmos em um sistema de coordenadas correto? No final das contas, sempre podemos obter uma força proporcional à massa se imaginarmos que um corpo está acelerando. Por exemplo, um homem fechado em uma caixa que está parada na Terra se encontra fixo ao chão da caixa com uma certa força que é proporcional à sua massa, mas se não existisse a Terra e a caixa estivesse parada, o homem dentro dela iria flutuar no espaço. Por outro lado, se não existisse a Terra e alguma coisa estivesse *puxando* a caixa com uma aceleração g, então o homem na caixa, analisando a física, encontraria uma pseudoforça que o puxaria para o chão, assim como a gravidade faz.

Einstein propôs a famosa hipótese de que a aceleração dá uma imitação da gravidade, que as força de aceleração (as pseudoforças) *não podem ser diferenciadas* daquelas da gravidade; não é possível dizer o quanto de uma dada força é gravidade e quanto é uma pseudoforça.

Pode parecer correto considerar a gravidade como sendo uma pseudoforça, dizer que todos nós somos segurados porque estamos acelerando para cima, mas e as pessoas do outro lado da Terra – elas também estão acelerando? Einstein descobriu que a gravidade poderia ser considerada uma pseudoforça somente em um ponto em um determinado tempo e foi deixada por suas considerações a sugestão de que *a geometria do mundo* é mais complicada que a simples geometria Euclidiana. A presente discussão é somente qualitativa e não pretende comunicar nada mais que uma ideia geral. Para dar uma ideia grosseira de como a gravitação poderia ser resultado de pseudoforças, apresentamos uma ilustração que é puramente geométrica e não representa a situação real. Suponha que vivêssemos em duas dimensões e não soubéssemos nada sobre a terceira dimensão. Pensaríamos: estamos em um plano, mas suponha que estamos realmente na superfície de uma esfera. E suponha que jogamos um objeto ao longo do chão, sem forças sobre ele. Aonde ele irá? Ele parecerá andar em uma linha reta, mas terá de ficar na superfície da esfera, onde a distância mais curta entre dois pontos é ao longo de um grande círculo; então ele anda ao longo de um grande círculo. Se jogarmos um outro objeto da mesma maneira, mas em outra direção, ele anda ao longo de um outro grande círculo. Por pensarmos que estamos em um plano, esperamos que esses dois corpos continuem a se separar linearmente com o tempo, mas uma observação cuidadosa mostrará que se eles forem longe o suficiente, eles se aproximarão novamente, como se estivessem atraindo um ao outro – existe alguma coisa "estranha" sobre essa geometria. Essa ilustração em particular não descreve corretamente a maneira na qual a geometria de Einstein é "estranha", mas ilustra que, se distorcermos suficientemente a geometria, é possível que toda a gravitação esteja relacionada de alguma maneira com as pseudoforças, o que é a ideia geral da teoria da gravitação de Einstein.

12–6 Forças nucleares

Finalizamos este capítulo com uma breve discussão das outras únicas forças conhecidas, que são chamadas de *forças nucleares*. Estas forças estão dentro dos núcleos dos átomos e, apesar de serem muito discutidas, nunca ninguém calculou a força entre dois núcleos; na verdade, no momento não existe uma lei conhecida para as forças nucleares. Essas forças têm um intervalo de ação muito pequeno que é simplesmente do mesmo tamanho do núcleo, cerca de 10^{-13} centímetros. Com partículas tão pequenas e em tais minúsculas distâncias, somente as leis da mecânica quântica são válidas, não as leis de Newton. Na análise nuclear, não pensamos mais em termos de forças, e de fato podemos substituir o conceito de força pelo conceito de energia de interação de duas partículas, um assunto que será discutido mais tarde. Qualquer fórmula que possa ser escrita para as forças nucleares é uma aproximação bastante grosseira que omite muitas complicações; uma fórmula pode ser alguma coisa assim: as forças dentro dos núcleos não variam inversamente com o quadrado da distância, mas decaem exponencialmente sobre uma certa distância r, como expresso em $F = (1/r^2) \exp(-r/r_0)$, onde a distância r_0 é da ordem de 10^{-13} centímetros. Em outras palavras, as forças desaparecem assim que as partículas estão separadas por qualquer distância maior que essa, apesar de elas serem muito fortes no intervalo de 10^{-13} centímetros. Até o momento como elas são entendidas hoje, as leis das forças nucleares são muito complexas; não as entendemos de nenhuma maneira simples, e todo o problema de analisar o maquinário fundamental por trás das forças nucleares está sem ser resolvido. Tentativas de uma solução têm levado a descobertas de inúmeras partículas estranhas, os mésons π, por exemplo, mas a origem dessas forças permanece obscura.

13

Trabalho e Energia Potencial (A)

13–1 Energia de um corpo em queda

No Capítulo 4, discutimos a conservação da energia. Naquela discussão, não usamos as Leis de Newton, mas obviamente é de grande interesse ver como a energia é realmente conservada de acordo com essas leis. Por clareza, devemos começar com o exemplo mais simples possível e depois desenvolver exemplos cada vez mais difíceis.

O exemplo mais simples de conservação da energia é um objeto caindo verticalmente, que se move somente na direção vertical. Um objeto que muda de altura sob a influência somente da gravidade tem energia cinética T (ou E_C) devido ao seu movimento durante a queda e energia potencial mgh, abreviada por U (ou E_P), cuja soma é constante:

$$\underset{E_C}{\tfrac{1}{2}mv^2} + \underset{E_P}{mgh} = \text{const},$$

ou

$$T + U = \text{const.} \tag{13.1}$$

13–1 Energia de um corpo em queda

13–2 Trabalho realizado pela gravidade

13–3 Soma de energia

13–4 Campo gravitacional de grandes objetos

Agora gostaríamos de mostrar que essa afirmação é verdadeira. O que queremos dizer com mostrá-la como verdadeira? A partir da Segunda Lei de Newton, podemos facilmente mostrar como os objetos se movem, e é fácil ver como a velocidade varia com o tempo, isto é, que ela aumenta proporcionalmente com o tempo e que a altura varia com o tempo ao quadrado. Então, se medirmos a altura do ponto zero onde o objeto está estacionário, a altura será igual ao quadrado da velocidade vezes um número de constantes. No entanto, vamos analisar isso um pouco mais de perto.

Vamos achar *diretamente* da Segunda Lei de Newton como a energia cinética deveria mudar, fazendo a derivada da energia cinética em relação ao tempo e depois usando as leis de Newton. Quando derivamos $1/2\ mv^2$ em relação ao tempo, obtemos:

$$\frac{dT}{dt} = \frac{d}{dt}\left(\tfrac{1}{2}mv^2\right) = \tfrac{1}{2}m2v\frac{dv}{dt} = mv\frac{dv}{dt}, \tag{13.2}$$

já que assumimos m constante. Da Segunda Lei de Newton, $m(dv/dt) = F$, tal que:

$$dT/dt = Fv. \tag{13.3}$$

Em geral, esse resultado será $\mathbf{F} \cdot \mathbf{v}$, mas, no nosso caso unidimensional, vamos deixar como a força vezes a velocidade.

Nesse exemplo simples, a força é constante, igual a $-mg$, uma força vertical (o sinal menos significa que ela atua para baixo), e a velocidade, obviamente, é a taxa de mudança da posição vertical, ou altura h, com o tempo. Então a taxa de mudança da energia cinética é $-mg(dh/dt)$, cuja quantidade, milagrosamente, é menos a taxa de mudança de alguma outra coisa! É menos a taxa temporal de variação de mgh! Por isso, conforme o tempo passa, as mudanças na energia cinética e na quantidade mgh são iguais e opostas, tal que a soma das duas quantidades permanece constante. C.Q.D.[1]

Mostramos, por meio da Segunda Lei de Newton do movimento, que a energia é conservada para forças constantes quando adicionamos a energia potencial mgh à energia cinética $1/2\ mv^2$. Agora vamos analisar esse conceito com mais atenção e ver se ele pode ser generalizado e, portanto, aumentar nosso entendimento. Ele funciona apenas para um corpo caindo livremente ou é mais geral? Esperamos, pela nossa discussão da conservação da energia, que esse conceito funcione para um objeto se movendo de um ponto para outro em uma curva sem atrito, sob a influência da gravidade (Figura 13–1). Se o objeto atinge uma certa altura h em relação à sua posição original H, então a mesma

---

[1] Como queríamos demonstrar!

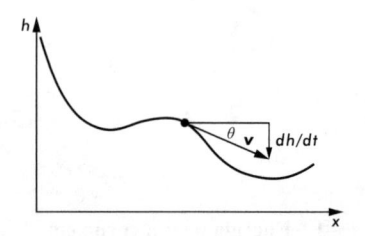

Figura 13-1 Um objeto se movendo sobre uma curva sem atrito sob a influência da gravidade.

fórmula deveria novamente estar certa, apesar de a velocidade estar agora em outra direção, diferente da vertical. Gostaríamos de entender *por que* a lei ainda é válida. Vamos seguir a mesma análise, achando a taxa de variação temporal da energia cinética. Esta será novamente $mv(dv/dt)$, mas $m(dv/dt)$ é a taxa de mudança do valor do momento, isto é, *a força na direção do movimento* – a força tangencial F_t. Então

$$\frac{dT}{dt} = mv\frac{dv}{dt} = F_t v.$$

Agora a velocidade é a taxa de variação da distância ao longo da curva, ds/dt, e a força tangencial F_t não é $-mg$, mas é enfraquecida pela razão da distância vertical dh à distância ds ao longo do caminho. Em outras palavras,

$$F_t = -mg\,\text{sen}\,\theta = -mg\frac{dh}{ds},$$

tal que

$$F_t \frac{ds}{dt} = -mg\left(\frac{dh}{ds}\right)\left(\frac{ds}{dt}\right) = -mg\frac{dh}{dt},$$

já que os ds se cancelam. Então obtemos $-mg(dh/dt)$, que é igual à taxa de mudança de $-mgh$, como antes.

Com o objetivo de entender exatamente como a conservação de energia funciona na mecânica em geral, devemos discutir agora alguns conceitos que nos ajudarão a analisá-la.

Primeiramente, discutiremos de um modo geral a taxa de mudança da energia cinética em três dimensões. A energia cinética em três dimensões é

$$T = \tfrac{1}{2}m(v_x^2 + v_y^2 + v_z^2).$$

Quando derivamos essa expressão com relação ao tempo, obtemos três termos interessantes:

$$\frac{dT}{dt} = m\left(v_x\frac{dv_x}{dt} + v_y\frac{dv_y}{dt} + v_z\frac{dv_z}{dt}\right). \quad (13.4)$$

Pois $m(dv_x/dt)$ é a força F_x que atua no objeto na direção x. Então o lado direito da Equação (13.4) é $F_x v_x + F_y v_y + F_z v_z$. Relembrando nossa análise vetorial, reconhecendo essa expressão como $\mathbf{F} \cdot \mathbf{v}$; concluímos

$$dT/dt = \mathbf{F} \cdot \mathbf{v}. \quad (13.5)$$

Esse resultado pode ser deduzido mais rapidamente da seguinte maneira: se $\mathbf{a}$ e $\mathbf{b}$ são dois vetores, ambos dependentes do tempo, a derivada de $\mathbf{a} \cdot \mathbf{b}$ é, em geral,

$$d(\mathbf{a} \cdot \mathbf{b})/dt = \mathbf{a} \cdot (d\mathbf{b}/dt) + (d\mathbf{a}/dt) \cdot \mathbf{b}. \quad (13.6)$$

Então usamos nessa expressão que $\mathbf{a} = \mathbf{b} = \mathbf{v}$:

$$\frac{d(\tfrac{1}{2}mv^2)}{dt} = \frac{d(\tfrac{1}{2}m\mathbf{v}\cdot\mathbf{v})}{dt} = m\frac{d\mathbf{v}}{dt}\cdot\mathbf{v} = \mathbf{F}\cdot\mathbf{v} = \mathbf{F}\cdot\frac{d\mathbf{s}}{dt}. \quad (13.7)$$

Devido ao conceito da energia cinética, e energia em geral, ser tão importante, vários nomes têm sido atribuídos aos termos importantes em equações como essas. $\tfrac{1}{2}mv^2$ é, como conhecemos, chamada de *energia cinética*. $\mathbf{F} \cdot \mathbf{v}$ é chamado de *potência*: a força atuante em um objeto vezes a velocidade do mesmo (produto "escalar" dos vetores) é a potência transferida para o objeto pela força. Então temos o maravilhoso teorema: *a taxa de variação da energia cinética de um objeto é igual à potência gasta pela força que atua sobre ele.*

No entanto, para estudar a conservação de energia, queremos analisá-la com mais detalhes ainda. Vamos avaliar a mudança da energia cinética em um tempo muito curto *dt*. Se multiplicarmos ambos os lados da Equação (13.7) por *dt*, achamos que a mudança diferencial na energia cinética é a força "escalar" com o diferencial da distância percorrida:

$$dT = \mathbf{F} \cdot d\mathbf{s}. \tag{13.8}$$

Se integrarmos, temos:

$$\Delta T = \int_1^2 \mathbf{F} \cdot d\mathbf{s}. \tag{13.9}$$

O que isso significa? Significa que se um objeto está se movendo *em qualquer direção* sob a influência de uma força, em algum tipo de caminho curvo, então a mudança na E_C quando esse objeto vai de um ponto para outro ao longo da curva é igual à integral da componente da força ao longo da curva vezes o diferencial do deslocamento *d*s, a integral sendo feita de um ponto até o outro. Essa integral também tem um nome; ela é chamada de *trabalho realizado pela força no objeto*. Vemos imediatamente que *a potência é igual ao trabalho realizado por segundo*. Também vemos que é somente a componente da força *na direção do movimento* que contribui para o trabalho realizado. No nosso exemplo simples, as forças estavam somente na vertical e tinham apenas uma componente, digamos F_z, igual a $-mg$. Não importa como o objeto se move nessas circunstâncias, caindo em uma parábola por exemplo, $\mathbf{F} \cdot d\mathbf{s}$, que pode ser escrito como $F_x\,dx + F_y\,dy + F_z\,dz$, dessa expressão apenas resta o termo $F_z\,dz = -mg\,dz$, porque os termos que compõem a força são zero. Portanto, no nosso caso simples,

$$\int_1^2 \mathbf{F} \cdot d\mathbf{s} = \int_{z_1}^{z_2} -mg\,dz = -mg(z_2 - z_1), \tag{13.10}$$

então novamente vemos que é somente a *altura vertical* na qual o objeto cai que contribui para a energia potencial.

Uma palavra sobre unidades. Já que forças são medidas em newtons e multiplicamos pela distância para obter o trabalho, o trabalho é medido em *newtons · metros* (N · m), mas as pessoas não gostam de dizer newton-metros, elas preferem dizer *joules* (J). Um newton-metro é chamado de joule; o trabalho é medido em joules. A potência, então, é joules por segundo, que é também chamado de um *watt* (W). Se multiplicarmos watts por tempo, o resultado é o trabalho realizado. O trabalho realizado pela companhia elétrica nas nossas casas, tecnicamente, é igual a watts vezes o tempo. É assim que obtemos medidas como quilowatts-hora, 1.000 watts vezes 3.600 segundos, ou $3,6 \times 10^6$ joules.

Agora tomemos outro exemplo da lei de conservação de energia. Considere um objeto que inicialmente tem energia cinética e está se movendo muito rapidamente e desliza sob o chão com atrito. Ele para. No início, a energia cinética *não* é zero, mas no final ela *é* zero; existe trabalho realizado pelas forças, porque quando existe atrito, sempre existe uma componente de força na direção oposta à direção do movimento, então a energia é continuamente perdida. Agora vamos examinar uma massa no final de um pêndulo no plano vertical em um campo gravitacional sem atrito. O que acontece aqui é diferente, porque quando a massa está indo para cima, a força é para baixo, e quando ela está indo para baixo, a força está no mesmo sentido. Então $\mathbf{F} \cdot d\mathbf{s}$ tem um sinal indo para cima e outro sinal quando vai para baixo. Em cada ponto correspondente nos caminhos para baixo ou para cima os valores de $\mathbf{F} \cdot d\mathbf{s}$ são exatamente iguais em tamanho, mas com sinais opostos, tal que o resultado final da integral será zero para esse caso. Então a energia cinética com que a massa volta para sua posição mais baixa é a mesma que quando ela saiu; esse é o princípio de conservação da energia. (Note que quando existem forças de atrito, a conservação da energia parece, à primeira vista, ser inválida. Temos de achar outra *forma* de energia. Descobriu-se, de fato, que o *calor* é gerado em um objeto quando ele fricciona outro com atrito, mas neste momento supostamente não sabemos disso.)

Figura 13–2 Uma massa pequena m cai sob a influência da gravidade na direção de uma massa grande M.

13–2 Trabalho realizado pela gravidade

O próximo problema a ser discutido é mais difícil que o anterior; ele está relacionado com o caso no qual as forças não são constantes, ou simplesmente verticais, como elas eram nos casos que estudamos. Queremos considerar um planeta, por exemplo, movendo-se ao redor do Sol, ou um satélite no espaço ao redor da Terra.

Devemos primeiro considerar o movimento de um objeto que começa em algum ponto 1 e cai, digamos, *diretamente* na direção do Sol ou da Terra (Figura 13–2). Existirá uma lei de conservação nessas circunstâncias? A única diferença é que nesse caso a força está *mudando* conforme nos deslocamos, não é somente uma constante. Como sabemos, a força é $-GM/r^2$ vezes a massa m, onde m é a massa que se move. Certamente, quando um corpo cai na direção da Terra, a energia cinética aumenta conforme a distância de queda aumenta, da mesma maneira que quando não nos preocupamos com a variação da força com a altura. A questão é quando é possível achar outra fórmula para a energia potencial diferente de mgh, uma função diferente da distância em relação à Terra, tal que a conservação da energia ainda seja verdadeira.

Este caso unidimensional é fácil de ser tratado porque sabemos que a variação na energia cinética é igual à integral, de um ponto do movimento até outro, de $-GMm/r^2$ vezes o deslocamento dr:

$$T_2 - T_1 = -\int_1^2 GMm \frac{dr}{r^2}. \tag{13.11}$$

Não há a necessidade de cossenos nesse caso porque a força e o deslocamento estão na mesma direção. É fácil de integrar dr/r^2; o resultado é $-1/r$, então a Eq. (13.11) se torna

$$T_2 - T_1 = +GMm\left(\frac{1}{r_2} - \frac{1}{r_1}\right). \tag{13.12}$$

Daí temos uma fórmula diferente para a energia potencial. A Equação (13.12) nos diz que a quantidade $(\frac{1}{2}mv^2 - GMm/r)$ calculada no ponto 1, no ponto 2 ou em qualquer outro ponto, tem um valor constante.

Agora temos a fórmula para a energia potencial num campo gravitacional para o movimento vertical. Assim, temos um problema interessante. Podemos realizar *movimento perpétuo* num campo gravitacional? O campo gravitacional varia; em diferentes lugares, ele tem diferentes direções e também diferentes intensidades. Poderíamos fazer tal coisa usando uma trajetória fixa, sem atrito: começar em algum ponto e levantar um objeto para algum outro ponto, então movê-lo ao redor de um arco para um terceiro ponto, então abaixá-lo a uma certa distância, depois movê-lo em uma certa inclinação e levá-lo por algum outro caminho, tal que quando o trouxermos para o ponto inicial, certa quantidade de trabalho tenha sido realizada pela força gravitacional e a energia cinética do objeto tenha aumentado? Podemos criar uma curva em que o objeto se mova a cada volta um pouco mais rapidamente que na volta anterior, tal que ele fique rodando, rodando e rodando e nos forneça o movimento perpétuo? Uma vez que o movimento perpétuo é impossível, devemos achar que isso também é impossível. Devemos descobrir a seguinte proposição: já que não existe atrito, o objeto não deveria voltar com velocidade mais alta ou mais baixa – ele deveria ser capaz de continuar rodando e rodando em qualquer caminho fechado. Colocado de uma outra maneira, *o trabalho total realizado em percorrer um caminho fechado deve ser zero* para forças gravitacionais, porque se não for zero, podemos obter energia apenas rodando. (Se o trabalho for menor que zero, de tal maneira que temos uma velocidade menor a cada volta, então vamos meramente rodar no outro sentido, porque as forças, claramente, dependem apenas da posição, não da direção; se uma direção for positiva, a outra seria negativa, então a menos que seja zero, teremos o movimento perpétuo percorrendo uma das duas direções.)

O trabalho é realmente zero? Vamos tentar demonstrar que é. Primeiro devemos explicar mais ou menos por que ele é zero, depois devemos examiná-lo um pouco melhor matematicamente. Suponha que usemos um caminho simples como o mostrado na

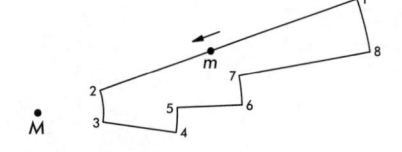

Figura 13–3 Um caminho fechado em um campo gravitacional.

Figura 13-3, no qual uma massa pequena é levada do ponto 1 para o ponto 2, depois faz-se com que ela vá através de um círculo para 3, volta para 4, então para 5, 6, 7, 8 e finalmente de volta a 1. Todas essas linhas são puramente radiais ou circulares, tendo M como o centro. Quanto trabalho é realizado ao levar m através desse caminho? Entre os pontos 1 e 2, ele vale GMm vezes a diferença de $1/r$ entre esses dois pontos:

$$W_{12} = \int_1^2 \mathbf{F} \cdot d\mathbf{s} = \int_1^2 -GMm \frac{dr}{r^2} = GMm\left(\frac{1}{r_2} - \frac{1}{r_1}\right).$$

De 2 para 3, a força forma exatamente ângulos retos com a curva, tal que $W_{23} \equiv 0$. O trabalho de 3 a 4 é

$$W_{34} = \int_3^4 \mathbf{F} \cdot d\mathbf{s} = GMm\left(\frac{1}{r_4} - \frac{1}{r_3}\right).$$

Da mesma maneira, achamos que $W_{45} = 0$, $W_{56} = GMm(1/r_6 - 1/r_5)$, $W_{67} = 0$, $W_{78} = GMm(1/r_8 - 1/r_7)$ e $W_{81} = 0$. Então

$$W = GMm\left(\frac{1}{r_2} - \frac{1}{r_1} + \frac{1}{r_4} - \frac{1}{r_3} + \frac{1}{r_6} - \frac{1}{r_5} + \frac{1}{r_8} - \frac{1}{r_7}\right).$$

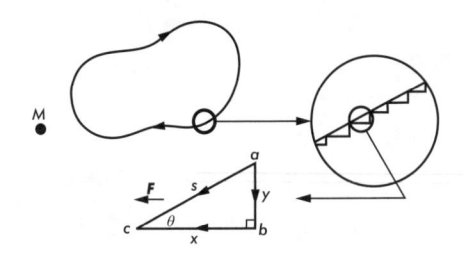

Figura 13-4 Um caminho fechado "contínuo" mostrando um segmento dele aumentado e aproximado por uma série de passos radiais e circulares e uma visão ampliada de um passo.

Observamos que $r_2 = r_3$, $r_4 = r_5$, $r_6 = r_7$ e $r_8 = r_1$. Então, $W = 0$.

Obviamente podemos pensar se essa curva é simples demais. E se usássemos uma curva *real*? Vamos tentar essa análise numa curva real. Primeiramente, gostaríamos de assegurar que uma curva real pode sempre ser mimetizada suficientemente bem por uma série de irregularidades como dentes de uma serra, como os da Figura 13-4 e assim por diante, etc., C.Q.D., mas sem uma pequena análise, não é óbvio, à primeira vista, que o trabalho realizado para percorrer um triângulo pequeno seja nulo. Vamos aumentar um desses triângulos, como mostrado na Figura 13-4. O trabalho realizado para ir de a até b e de b até c num triângulo é o mesmo trabalho realizado para ir diretamente de a até c? Vamos supor que a força esteja atuando numa certa direção; vamos tomar um triângulo tal que o lado bc seja nessa direção, somente como exemplo. Vamos também supor que o triângulo seja tão pequeno que a força é essencialmente constante sobre todo o triângulo. Qual é o trabalho realizado para ir de a até c? Ele é

$$W_{ac} = \int_a^c \mathbf{F} \cdot d\mathbf{s} = Fs \cos\theta,$$

já que a força é constante. Agora vamos calcular o trabalho realizado para ir através dos outros dois lados do triângulo. No lado vertical ab, a força é perpendicular ao $d\mathbf{s}$, então aqui o trabalho é zero. No lado horizontal bc,

$$W_{bc} = \int_b^c \mathbf{F} \cdot d\mathbf{s} = Fx.$$

Então veremos que o trabalho realizado para percorrer os lados retos de um triângulo pequeno é o mesmo que ir pelo lado inclinado, porque $s \cos\theta$ é igual a x. Provamos anteriormente que a resposta é zero para qualquer caminho composto de uma série de passos como os da Figura 13-3, e também que realizamos o mesmo trabalho se formos através dos ângulos em vez de irmos pelos passos (desde que os passos sejam suficientemente pequenos, e sempre podemos fazê-los muito pequenos); sendo assim, *o trabalho realizado ao percorrer qualquer caminho fechado num campo gravitacional é zero*.

Esse é um resultado extremamente notável. Ele diz algo que não sabíamos sobre o movimento planetário. Ele diz que quando um planeta se move ao redor do Sol (sem nenhum outro objeto ao redor, sem outras forças), ele se move de tal maneira que o quadrado da sua velocidade, em qualquer ponto, menos algumas constantes divididas pelo raio nesse ponto, tem sempre o mesmo valor para todos os pontos da órbita. Por exemplo, quanto mais próximo o planeta está do Sol, mais rapidamente ele se move, mas por quanto? Pela seguinte quantidade: se em vez de deixarmos o planeta circular ao redor do Sol, mudarmos a direção (mas não a magnitude) de sua velocidade e o fizermos se mover radialmente e o deixarmos cair de algum raio em específico para o raio de interesse, a nova velocidade seria a mesma que ele teria na órbita efetiva, porque esse é somente um outro exemplo de um caminho complicado. Desde que voltemos para a mesma distância, a energia cinética será a mesma. Desse modo, se o movimento é real, não perturbado ou mudado em direções por canais, por restrições sem atrito, a energia cinética com que o planeta chega num ponto será a mesma.

Por esse motivo, quando fazemos uma análise numérica do movimento do planeta em sua órbita, como fizemos anteriormente, podemos verificar quando estamos cometendo erros consideráveis ao calcular essa quantidade constante, a energia, em cada passo, não deveria mudar. Para a órbita da Tabela 9-2, a energia muda[2] aproximadamente 1,5% do começo ao fim. Por quê? Porque para os métodos numéricos usamos intervalos finitos, ou porque cometemos um pequeno erro em algum lugar na aritmética.

Vamos considerar a energia num outro caso: o problema de uma massa numa mola. Quando deslocamos a massa de sua posição de equilíbrio, a força restauradora é proporcional ao deslocamento. Nessas circunstâncias, podemos trabalhar com uma lei de conservação de energia? Sim, porque o trabalho realizado por tal força é

$$W = \int_0^x F\,dx = \int_0^x -kx\,dx = -\tfrac{1}{2}kx^2. \tag{13.13}$$

Portanto, para uma massa numa mola, temos que a energia cinética da massa oscilando somada a $1/2\,kx^2$ é uma constante. Vamos ver como isso funciona. Puxamos a massa, ela está parada e então a sua velocidade é zero. No entanto, x não é zero, x está no seu valor máximo, então existe alguma energia, a energia potencial, obviamente. Agora soltamos a massa e as coisas começam a acontecer (detalhes não discutidos), mas a qualquer momento a energia cinética somada à energia potencial deve ser constante. Por exemplo, quando a massa passa por seu ponto de equilíbrio, a posição x é igual a zero, mas é onde ela tem o maior valor de v^2, conforme ela aumenta x^2 diminui v^2 e assim por diante. Assim, o balanço de x^2 e v^2 é mantido conforme a massa vai de um lado para o outro. Por isso, temos uma outra regra, que a energia potencial de uma mola é $1/2\,kx^2$ se a força é $-kx$.

13–3 Soma de energia

Agora vamos para uma consideração mais geral que acontece quando temos um grande número de objetos. Suponha que tenhamos um problema complicado de muitos corpos, que chamaremos de $i = 1, 2, 3,\ldots$, todos exercendo potencial gravitacional um nos outros. O que acontece então? Devemos provar que se adicionarmos as energias cinéticas de todas as partículas, e juntarmos a essa soma, sobre todos os *pares* de partículas, as suas energias potenciais gravitacionais mútuas, $-GMm/r_{ij}$, o total é uma constante:

$$\sum_i \tfrac{1}{2}m_i v_i^2 + \sum_{(\text{pares } ij)} -\frac{Gm_i m_j}{r_{ij}} = \text{const.} \tag{13.14}$$

Como provamos isso? Diferenciamos ambos os lados em relação ao tempo e obtemos zero. Quando diferenciamos $1/2\,m_i v_i^2$, temos as derivadas das velocidades que são as forças, como na Eq. (13.5). Substituímos essas forças pela lei de força que conhecemos da lei de Newton para a gravidade e então notamos que o que sobra é menos a derivada temporal de

$$\sum_{\text{pares}} -\frac{Gm_i m_j}{r_{ij}}.$$

---

[2] A energia por unidade de massa é $\tfrac{1}{2}(v_x^2 + v_y^2) - 1/r$ nas unidades da Tabela 9-2.

A derivada temporal da energia cinética é

$$\frac{d}{dt}\sum_i \tfrac{1}{2}m_i v_i^2 = \sum_i m_i \frac{d\mathbf{v}_i}{dt}\cdot \mathbf{v}_i$$
$$= \sum_i \mathbf{F}_i \cdot \mathbf{v}_i \qquad (13.15)$$
$$= \sum_i \left(\sum_j -\frac{Gm_i m_j \mathbf{r}_{ij}}{r_{ij}^3}\right)\cdot \mathbf{v}_i.$$

A derivada temporal da energia potencial é

$$\frac{d}{dt}\sum_{\text{pares}} -\frac{Gm_i m_j}{r_{ij}} = \sum_{\text{pares}}\left(+\frac{Gm_i m_j}{r_{ij}^2}\right)\left(\frac{dr_{ij}}{dt}\right).$$

Porém

$$r_{ij} = \sqrt{(x_i - x_j)^2 + (y_i - y_j)^2 + (z_i - z_j)^2},$$

tal que

$$\frac{dr_{ij}}{dt} = \frac{1}{2r_{ij}}\Bigg[2(x_i - x_j)\left(\frac{dx_i}{dt} - \frac{dx_j}{dt}\right)$$
$$+2(y_i - y_j)\left(\frac{dy_i}{dt} - \frac{dy_j}{dt}\right)$$
$$+2(z_i - z_j)\left(\frac{dz_i}{dt} - \frac{dz_j}{dt}\right)\Bigg]$$
$$= \mathbf{r}_{ij}\cdot \frac{\mathbf{v}_i - \mathbf{v}_j}{r_{ij}}$$
$$= \mathbf{r}_{ij}\cdot \frac{\mathbf{v}_i}{r_{ij}} + \mathbf{r}_{ji}\cdot \frac{\mathbf{v}_j}{r_{ji}},$$

sendo $r_{ij} = -r_{ji}$, enquanto $r_{ij} = r_{ji}$. Então

$$\frac{d}{dt}\sum_{\text{pares}} -\frac{Gm_i m_j}{r_{ij}} = \sum_{\text{pares}}\left[\frac{Gm_i m_j \mathbf{r}_{ij}}{r_{ij}^3}\cdot \mathbf{v}_i + \frac{Gm_j m_i \mathbf{r}_{ji}}{r_{ji}^3}\cdot \mathbf{v}_j\right]. \qquad (13.16)$$

Agora devemos notar cuidadosamente o que $\sum_i \{\sum_j\}$ e $\sum_{\text{pares}}$ significam. Na Eq. (13.15), $\sum_i \{\sum_j\}$ significa que i assume todos os valores $i = 1, 2, 3, \ldots$ um de cada vez; para cada valor de i, o índice j assume todos os valores exceto o valor de i. Por isso se $i = 3$, j assume os valores $1, 2, 4, \ldots$

Na Eq. (13.16), por outro lado, $\sum_{\text{pares}}$ significa que valores dados de i e j ocorrem apenas uma vez. Então o par de partículas 1 e 3 contribui somente com um termo da soma. Para acompanharmos isso, podemos concordar em deixar i variar sobre todos os valores 1, 2, 3, ..., e para cada i deixar j variar apenas para valores *maiores* que i. Então se $i = 3$, j poderia assumir os valores 4, 5, 6, ... Contudo, notamos que para cada valor de i, j existem duas contribuições para a soma, uma envolvendo $\mathbf{v}_i$ e outra $\mathbf{v}_j$, e que esses termos têm a mesma aparência que aqueles da Eq. (13.15), onde *todos* os termos de i e j (exceto $i = j$) são incluídos na soma. Nesse caso, juntando os termos um por um, vemos que as Eqs. (13.16) e (13.15) são precisamente as mesmas, mas com sinal oposto, de tal maneira que a derivada temporal da energia cinética mais a energia potencial é realmente zero. Por isso vemos que, para muitos objetos, *a energia cinética é a soma das contribuições de cada objeto individualmente*, e que a energia potencial também é simples, sendo também uma soma de contribuições, as energias entre todos os pares. Podemos entender *por que* ela deve ser a energia de todos os pares dessa maneira: suponha que queiramos achar a quantidade total de trabalho que deve ser realizado para trazer os objetos a uma certa distância uns dos outros. Podemos fazer isso em diversos passos, trazendo-os do infinito onde não existem forças, um por um. Primeiro trazemos o número um, que não requer trabalho, já que não existe nenhum outro objeto ainda presente para exercer força sobre ele. Em seguida, trazemos o número dois, que precisa de algum trabalho, dado por $W_{12} = -Gm_1m_2/r_{12}$. Agora, esse é um ponto importante, suponha que trazemos o próximo objeto para a posição três. Em qualquer momento, a força no número 3 pode ser escrita como uma soma de duas forças – a força exercida pelo número 1 e aquela exercida pelo número 2. Por isso, *o trabalho realizado é a soma dos trabalhos realizados por cada objeto*, porque se $\mathbf{F}_3$ pode ser escrita na forma de soma de duas forças,

$$\mathbf{F}_3 = \mathbf{F}_{13} + \mathbf{F}_{23},$$

então o trabalho é

$$\int \mathbf{F}_3 \cdot d\mathbf{s} = \int \mathbf{F}_{13} \cdot d\mathbf{s} + \int \mathbf{F}_{23} \cdot d\mathbf{s} = W_{13} + W_{23}.$$

Isto é, o trabalho realizado é a soma do trabalho realizado contra a primeira força e a segunda força, como se cada uma delas agissem independentemente. Seguindo dessa maneira, vemos que o trabalho total necessário para formar a configuração de objetos dada é exatamente o valor dado pela Eq. (13.14) como a energia potencial. Isso acontece porque a gravidade obedece ao princípio da superposição de forças segundo o qual podemos escrever a energia potencial como a soma sobre cada par de partículas.

13–4 Campo gravitacional de grandes objetos

Agora calcularemos os campos que são encontrados em algumas circunstâncias físicas envolvendo *distribuições de massa*. Não tínhamos considerado distribuições de massa até o momento, somente partículas, então é interessante calcular as forças quando elas são produzidas por mais de uma partícula. Primeiro devemos achar a força gravitacional atuante numa massa que é produzida por uma placa plana de material, infinita na extensão. A força numa massa num dado ponto *P*, produzida pela placa de material (Figura 13–5), será obviamente dirigida para a placa. Vamos considerar a distância do ponto até a placa de *a*, e a quantidade de massa por unidade de área dessa placa enorme será μ. Devemos supor que μ é constante, esta é uma placa de material uniforme. Agora, qual o campo pequeno $d\mathbf{C}$ que é produzido pela massa dm que está entre ρ e $\rho + d\rho$ do ponto *O* da folha mais próximo de *P*? Resposta: $d\mathbf{C} = -G(dm\mathbf{r}/r^3)$, mas esse campo está ao longo da direção de $\mathbf{r}$, e sabemos que somente a componente *x* desse campo irá sobrar quando adicionarmos todos os pequenos vetores $d\mathbf{C}$ produzidos por $\mathbf{C}$. A componente *x* de $d\mathbf{C}$ é

$$dC_x = -G\frac{dm\, r_x}{r^3} = -G\frac{dm\, a}{r^3}.$$

Agora todas as massas dm que estão na mesma distância r de *P* levarão ao mesmo dC_x, então podemos de uma vez escrever para dm a massa total no *anel* entre ρ e $\rho+d\rho$, explicitamente $dm = \mu 2\pi\rho\, d\rho$ ($2\pi\rho\, d\rho$ é a área do anel de raio ρ e espessura $d\rho$, se $d\rho \ll \rho$). Por isso,

$$dC_x = -G\mu 2\pi\rho\, \frac{d\rho\, a}{r^3}.$$

Então, já que $r^2 = \rho^2 + a^2$, $\rho\, d\rho = r\, dr$. Concluímos que

$$C_x = -2\pi G\mu a \int_a^\infty \frac{dr}{r^2} = -2\pi G\mu a \left(\frac{1}{a} - \frac{1}{\infty}\right) = -2\pi G\mu. \tag{13.17}$$

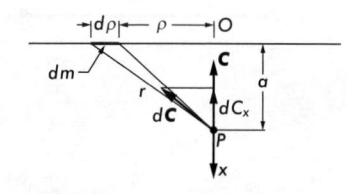

Figura 13–5 O campo gravitacional **C** atuante em um ponto de massa produzido por uma placa infinita e plana de material.

Então, a força é independente da distância a! Por quê? Cometemos um erro? Alguém pode pensar que quanto mais distante formos, mais fraca a força deveria ser, mas não! Se estamos próximos, a maioria da matéria está puxando em um ângulo não favorável; se estamos distantes, mais matéria está situada mais favoravelmente para exercer uma atração em direção ao plano. Em qualquer distância, a matéria que é mais efetiva está colocada num certo cone. Quando estamos mais distantes, a força é menor pelo inverso do quadrado, mas no mesmo cone, no mesmo ângulo, existe muito *mais matéria*, aumentada pelo quadrado da distância! Essa análise pode ser feita rigorosamente somente notando que a contribuição diferencial em qualquer cone dado é de fato independente da distância, por conta da variação recíproca da intensidade da força de uma dada massa, e a quantidade de massa inclusa em um cone, com a mudança da distância. A força, claro, não é realmente constante, porque quando vamos para o outro lado da placa, ela tem o inverso do sinal.

De fato, também resolvemos um problema elétrico: se temos uma placa eletricamente carregada, com uma quantidade σ de carga por unidade de área, então o campo elétrico em um ponto fora da placa é igual a $\sigma/2\epsilon_0$ e é dirigido para fora da placa se ela estiver carregada positivamente e dirigido para a placa se ela estiver carregada negativamente. Para provar isso, simplesmente notamos que $-G$, para a gravidade, tem o mesmo papel que $1/4\pi\epsilon_0$ para a eletricidade.

Agora supondo que tenhamos duas placas, uma com carga positiva $+\sigma$ e outra com carga negativa $-\sigma$, a uma distância D da primeira. Qual é o campo? Fora das duas placas é zero. Por quê? Porque uma atrai e a outra repele, a força sendo *independente da distância*, e por isso as placas se compensam! Igualmente, o campo *entre* as duas placas é claramente duas vezes maior que o de uma placa só, explicitamente $E = \sigma/\epsilon_0$, e está direcionado da placa positiva para a negativa.

Agora vamos para um problema mais interessante e importante, cuja solução temos adotado o tempo todo, a saber, que a força produzida pela Terra em um ponto na superfície ou fora dela é a mesma do que se toda a massa da Terra estivesse localizada no seu centro. A validade dessa suposição não é óbvia, porque quando estamos próximos, parte da massa está muito perto de nós e parte está mais distante, e assim por diante. Quando adicionamos todos os efeitos, parece um milagre que a força resultante seja exatamente a mesma que obteríamos se colocássemos toda a massa no meio!

Demostraremos agora a precisão desse milagre. Para fazer isso, no entanto, devemos considerar uma casca fina, uniforme e oca no lugar de toda a Terra. Vamos considerar a massa total da casca de m e calcular a *energia potencial* de uma partícula de massa m' a uma distância R do centro da esfera (Figura 13–6) e mostrar que a energia potencial é a mesma do que se toda a massa m fosse um ponto no centro. (A energia potencial é mais fácil de trabalhar do que o campo porque não precisamos nos preocupar com ângulos, simplesmente adicionamos as energias potenciais de todas as partes de massa.) Se chamarmos de x a distância de uma certa seção de plano ao centro, então toda a massa que está no pedaço dx está no mesmo r de P, e a energia potencial decorrente desse anel é $-Gm'dm/r$. Quanta massa está contida nesse pequeno pedaço dx? Um valor

$$dm = 2\pi y \mu \, ds = \frac{2\pi y \mu \, dx}{\operatorname{sen} \theta} = \frac{2\pi y \mu \, dx a}{y} = 2\pi a \mu \, dx,$$

onde $\mu = m/4\pi a^2$ é a densidade de massa da superfície da casca esférica. (Temos como regra geral que a área de uma faixa de uma esfera é proporcional à sua largura axial.) Dessa maneira, a energia potencial decorrente da dm é

$$dW = -\frac{Gm' \, dm}{r} = -\frac{Gm' 2\pi a \mu \, dx}{r}.$$

Porém, vemos que

$$r^2 = y^2 + (R - x)^2 = y^2 + x^2 + R^2 - 2Rx$$
$$= a^2 + R^2 - 2Rx.$$

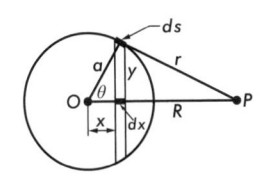

Figura 13–6 Uma casca esférica fina de massa ou carga.

Então
$$2r\,dr = -2R\,dx$$
ou
$$\frac{dx}{r} = -\frac{dr}{R}.$$
Portanto,
$$dW = \frac{Gm'2\pi a\mu\,dr}{R},$$
e então
$$W = \frac{Gm'2\pi a\mu}{R}\int_{R+a}^{R-a} dr$$
$$= -\frac{Gm'2\pi a\mu}{R}2a = -\frac{Gm'(4\pi a^2\mu)}{R}$$
$$= -\frac{Gm'm}{R}. \tag{13.18}$$

Assim, para um casca esférica fina, a energia potencial de uma massa m', externa à casca, é a mesma como se toda a massa da casca esférica estivesse concentrada no seu centro. A Terra pode ser imaginada como uma série de cascas esféricas, cada uma delas contribuindo com uma energia que depende apenas de sua massa e da distância entre seu centro e a partícula; somando todas, temos a *massa total*, e por isso a Terra age como se toda a sua massa estivesse no centro!

Note o que aconteceria se o nosso ponto estivesse *dentro* da casca. Fazendo os mesmos cálculos, mas com P do lado de dentro, ainda obtemos a diferença entre os dois r, porém agora na forma $a - R - (a + R) = -2R$, ou seja, menos duas vezes a distância do centro. Em outras palavras, W se torna $W = -Gm'm/a$, que é *independente* de R e independente da posição, isto é, é a mesma energia, não importando *onde* estamos dentro da casca. Portanto, nenhuma força; nenhum trabalho é realizado quando nos movemos dentro da casca. Se a energia potencial é a mesma não importando onde o objeto esteja dentro da esfera, não pode existir força nele. Então não existe força no interior, existe força apenas no exterior, e a força externa é a mesma como se a massa estivesse toda no centro.

14

Trabalho e Energia Potencial (conclusão)

14–1 Trabalho

No capítulo anterior, apresentamos um grande número de ideias novas e resultados que têm um papel fundamental na física. Essas ideias são tão importantes que vale a pena dedicar um capítulo inteiro para analisá-las mais de perto. Neste capítulo, não devemos repetir as "demonstrações" ou os truques específicos pelos quais os resultados foram obtidos, mas devemos nos concentrar, ao invés disso, em uma discussão das ideias propriamente ditas.

Ao aprender qualquer assunto de uma natureza técnica na qual a matemática tem o seu papel, uma pessoa é confrontada com a tarefa de entender e guardar na memória um grande número de fatos e ideias, unidos por certas relações existentes entre elas que podem ser "demonstradas" ou "mostradas". É fácil confundir a demonstração em si com a relação que ela estabelece. Claramente, a coisa importante a aprender e a lembrar é a relação, não a demonstração. Em qualquer circunstância em particular, podemos dizer "pode ser mostrado que" tal e tal são verdadeiros ou podemos mostrá-los. Em quase todos os casos, a demonstração particular que é usada é planejada, antes de tudo, de tal forma que pode ser escrita rápida e facilmente em um quadro-negro ou em um papel, tal que ela terá a aparência mais agradável possível. Consequentemente, a demonstração pode parecer enganosamente simples, quando de fato o autor pode ter trabalhado por horas tentando diferentes maneiras de calcular a mesma coisa até achar a maneira mais concisa, possibilitando mostrar que a demonstração pode ser feita em pouco tempo! Temos de nos lembrar, quando vemos uma demonstração, não da demonstração propriamente dita, mas de que se *pode-se mostrar* que tal e tal coisa são verdadeiras. Obviamente, se a demonstração envolve alguns procedimentos matemáticos ou "truques" que as pessoas não viram antes, a atenção deve ser dada não ao truque exatamente, mas à ideia matemática envolvida.

É certo que em todas as demonstrações feitas em um curso como este, nenhuma foi lembrada da época em que o autor estudou física quando jovem. Muito pelo contrário: ele simplesmente lembrou que tal relação é verdade e, para explicar como ela pode ser mostrada, inventou uma demonstração no momento em que foi necessário. Qualquer um que tenha realmente aprendido um assunto deveria ser capaz de seguir um processo similar, mas lembrar das demonstrações não tem utilidade alguma. Esse é o motivo pelo qual, neste capítulo, devemos evitar as demonstrações de várias afirmações feitas previamente e simplesmente resumir os resultados.

A primeira ideia que tem de ser digerida é *trabalho realizado por uma força*. A palavra física "trabalho" não é a palavra em seu sentido comum, como em "Trabalhadores do mundo, uni-vos!", mas uma ideia diferente. O trabalho físico é expresso por $\mathbf{F} \cdot d\mathbf{s}$, chamada de "integral de linha de F produto escalar ds," o que significa que se a força, por exemplo, é em uma direção e o objeto no qual ela atua é deslocado em certa direção, então *somente a componente da força na direção do deslocamento* realiza trabalho. Se, por exemplo, a força for uma constante e o deslocamento for uma distância finita $\Delta\mathbf{s}$, então o trabalho realizado ao mover o objeto ao longo dessa distância é somente a componente da força ao longo de $\Delta\mathbf{s}$ vezes Δs. A regra é "força vezes distância", mas realmente queremos dizer somente a componente da força na direção do deslocamento vezes Δs ou, equivalentemente, a componente do deslocamento na direção da força vezes F. É evidente que nenhum trabalho é realizado por uma força que faz um ângulo reto com o deslocamento.

Agora se o vetor deslocamento $\Delta\mathbf{s}$ é separado em componentes, em outras palavras, se o deslocamento real é $\Delta\mathbf{s}$ e queremos considerá-lo efetivamente como uma componente de deslocamento em Δx na direção x, Δy na direção y e Δz na direção z, então o trabalho realizado ao levar um objeto de um lugar para o outro pode ser calculado em três partes, pelo cálculo do trabalho realizado ao longo de x, ao longo de y e ao longo de z. O trabalho realizado ao andar ao longo de x envolve somente a componente da força, chamada

14–1	Trabalho
14–2	Movimento restrito
14–3	Forças conservativas
14–4	Forças não conservativas
14–5	Potenciais e campos

F_x, e assim por diante, então o trabalho é $F_x\Delta x + F_y\Delta y + F_z\Delta z$. Quando a força não é constante e temos uma curva de movimento complicada, devemos separar o caminho em vários pequenos Δs, adicionar o trabalho realizado ao levar um objeto ao longo de cada Δs e tomar o limite quando Δs vai para zero. Esse é o significado da "integral de linha".

Tudo o que acabamos de explicar está contido na fórmula $W = \int \mathbf{F} \cdot d\mathbf{s}$. É fácil dizer que essa é uma fórmula maravilhosa, mas é outra coisa entender o que ela significa ou quais são algumas das suas consequências.

A palavra "trabalho" em física tem um significado tão diferente daquele da palavra usada em circunstâncias comuns que deve ser observado cuidadosamente que existem algumas circunstâncias peculiares na qual ela não aparenta ser a mesma. Por exemplo, de acordo com a definição física de trabalho, se uma pessoa segura um peso de 100 kg por um determinado tempo, ela não está fazendo nenhum trabalho. No entanto, todo mundo sabe que ela começa a suar, a tremer e a ficar mais ofegante como se estivesse subindo correndo um lance de escada. Já subir correndo escadas *é* considerado como trabalho realizado (ao correr *escada abaixo*, uma pessoa retira trabalho de mundo, de acordo com a física), mas ao simplesmente segurar um objeto em uma posição fixa, nenhum trabalho é realizado. Claramente, as definições físicas de trabalho diferem da definição fisiológica, por razões que devemos explorar brevemente.

É um fato que quando alguém segura um peso, tem de fazer trabalho "fisiológico". Por que deveria suar? Por que deveria precisar consumir comida para segurar o peso? Na verdade, o peso seria segurado sem nenhum esforço se fosse colocado em cima de uma mesa; então a mesa, quieta e calmamente, sem nenhum gasto de energia, é capaz de manter o mesmo peso na mesma altura! A situação fisiológica é algo como segue. Existem dois tipos de músculos no corpo humano e em outros animais: um tipo, chamado de músculo *estriado* ou *esquelético*, é o tipo de músculo que temos em nossos braços, por exemplo, o que está sob o nosso controle voluntário; outro tipo, chamado de músculo *liso*, é como o músculo em nosso intestino ou, em moluscos, o grande músculo adutor que fecha a concha. Os músculos lisos trabalham muito lentamente, mas podem manter um "conjunto"; isso quer dizer que, se o molusco tenta fechar a sua concha em uma certa posição, ele manterá essa posição, mesmo se existir uma grande força tentando mudá-lo. Ele manterá uma posição sob pressão por horas e horas sem se cansar porque é muito parecido com uma mesa segurando um peso, ela se "ajusta" a certa posição, e as moléculas simplesmente travam em suas posições temporariamente, sem nenhum trabalho sendo realizado, sem esforço sendo gerado pelo molusco. O fato de termos de gerar esforço para segurar o peso é simplesmente devido ao projeto do músculo estriado. O que acontece é que quando um impulso nervoso atinge uma fibra muscular, a fibra faz uma pequena contração e então relaxa, de tal maneira que quando seguramos alguma coisa, uma torrente de impulsos nervosos está chegando ao músculo, um grande número de contrações está mantendo o peso, enquanto as outras fibras relaxam. Podemos ver isso, obviamente: quando seguramos uma massa pesada e ficamos cansados, começamos a tremer. A razão é que as torrentes estão chegando irregularmente e o músculo está cansado e não está reagindo com a rapidez necessária. Por que um sistema tão ineficiente? Não sabemos exatamente o porquê, mas a evolução não tem sido capaz de desenvolver músculos lisos *rápidos*. O músculo liso seria muito mais eficiente para segurar pesos porque você poderia simplesmente ficar parado e ele iria travar; não haveria trabalho envolvido e nenhuma energia seria necessária. No entanto, ele tem a desvantagem de ser muito lento ao funcionar.

Voltando agora para a física, podemos perguntar *por que* queremos calcular o trabalho realizado. A resposta é que é interessante e útil fazer isso, já que o trabalho realizado em uma partícula pela resultante de todas as forças atuando nela é exatamente igual à mudança na energia cinética daquela partícula. Isto é, se um objeto está sendo empurrado, ele obtém velocidade e

$$\Delta(v^2) = \frac{2}{m}\mathbf{F} \cdot \Delta\mathbf{s} \cdot$$

14–2 Movimento restrito

Outra característica interessante das forças e trabalho é esta: suponha que temos um caminho inclinado ou curvo e uma partícula que deve se mover ao longo do caminho, mas sem atrito. Ou podemos ter um pêndulo com uma corda em uma massa; a corda restringe o peso de se mover em um círculo em volta do ponto central. O ponto central pode ser mudado ao termos a corda presa com um pino, tal que o caminho é ao longo de dois círculos de raios diferentes. Esses são exemplos do que chamamos *restrições fixas e sem atrito*.

Em um movimento com uma restrição fixa e sem atrito, nenhum trabalho é realizado pela restrição porque as forças de restrição são sempre em ângulos retos com o movimento. Por "forças de restrição" queremos dizer aquelas forças aplicadas aos objetos diretamente pelas próprias restrições – a força de contato com o caminho ou a tensão na corda.

As forças envolvidas no movimento de uma partícula se movendo num plano inclinado sob a influência da gravidade são muito complicadas, já que existe uma força de restrição, a força gravitacional, e assim por diante. No entanto, se basearmos nossos cálculos de movimento na conservação da energia e *na força gravitacional somente*, obtemos o resultado certo. Isso parece muito estranho, porque essa não é estritamente a maneira certa de fazer isso – deveríamos usar a força *resultante*. No entanto, o trabalho realizado pela força gravitacional somente acabará sendo a mudança na energia cinética, porque o trabalho realizado pela parte restritiva da força é zero (Figura 14–1).

A característica importante aqui é que se uma força pode ser analisada como a soma de duas ou mais "partes", então o trabalho realizado pela força resultante ao se ir ao longo de uma certa curva é a soma dos trabalhos realizados pelas várias forças "componentes" nas quais as forças são analisadas. Então, se analisarmos a força como sendo o vetor soma de vários efeitos, força gravitacional mais restritiva, etc., ou a componente x de todas as forças e a componente y de todas as forças ou qualquer outra maneira que desejarmos separá-las, então o trabalho realizado pela força resultante é igual à soma dos trabalhos realizados por todas as partes nas quais dividimos a força para fazer a análise.

Figura 14–1 Forças atuando em um corpo deslizando (sem atrito).

14–3 Forças conservativas

Na natureza, existem certas forças, como a gravidade, por exemplo, que têm uma propriedade maravilhosa que chamamos de "conservativas". Se calcularmos quanto trabalho é realizado pela força ao mover um objeto de um ponto a outro ao longo de um caminho curvo, em geral o trabalho depende da curva, mas em casos especiais ele não depende. Se ele não depender da curva, dizemos que a força é conservativa. Em outras palavras, se a integral da força vezes a distância da posição 1 para a posição 2 na Figura 14–2 é calculada ao longo da curva A e depois ao longo da curva B, obtemos o mesmo número de joules, e se isso é verdade para este par de pontos em *cada curva* e se a mesma proposição funciona *não importando quais pares de pontos usamos*, então dizemos que a força é conservativa. Em tais circunstâncias, a integral de trabalho indo de 1 para 2 pode ser avaliada de uma maneira simples, e podemos obter uma fórmula para o resultado. Geralmente isso não é fácil assim, porque também temos que especificar a curva, mas quando temos um caso no qual o trabalho não depende da curva, então, obviamente, o trabalho depende somente das *posições* 1 e 2.

Para demonstrar essa ideia, considere o seguinte. Pegamos um ponto P "padrão", em uma localização arbitrária (Figura 14–2). Então, a integral de linha do trabalho de 1 a 2, que queremos calcular, pode ser avaliada como o trabalho realizado ao ir de 1 a P mais o trabalho realizado ao ir de P a 2, porque as forças são conservativas e o trabalho realizado não depende da curva. Agora, o trabalho realizado ao ir da posição P para uma posição em particular no espaço é uma função daquela posição no espaço. Obviamente ele realmente depende de P também, mas seguramos o ponto arbitrário fixo permanentemente para a análise. Se isso for feito, então o trabalho realizado ao

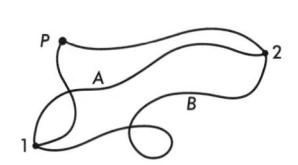

Figura 14–2 Possíveis caminhos entre dois pontos em um campo de força.

ir do ponto P para o ponto 2 será alguma função da posição final 2. Ele depende de onde 2 está; se formos para algum outro ponto, obteremos uma resposta diferente.

Devemos chamar esta função da posição $-U(x, y, z)$, e quando quisermos nos referir a algum ponto 2 em particular cujas coordenadas são (x_2, y_2, z_2), devemos escrever $U(2)$, como uma abreviação para $U(x_2, y_2, z_2)$. O trabalho realizado ao ir do ponto 1 para o ponto P pode ser escrito também ao ir ao longo de *outro caminho* pela integral, revertendo todos os $d\mathbf{s}$. Isto é, o trabalho realizado ao ir de 1 a P é *menos* o trabalho realizado ao ir do ponto P a 1:

$$\int_1^P \mathbf{F} \cdot d\mathbf{s} = \int_P^1 \mathbf{F} \cdot (-d\mathbf{s}) = -\int_P^1 \mathbf{F} \cdot d\mathbf{s}.$$

Assim, o trabalho realizado ao ir de P a 1 é $-U(1)$ e de P a 2 é $-U(2)$. Dessa maneira, a integral de 1 a 2 é igual a $-U(2)$ mais $[-U(1)$ de trás para frente] ou $+U(1) - U(2)$:

$$U(1) = -\int_P^1 \mathbf{F} \cdot d\mathbf{s}, \qquad U(2) = -\int_P^2 \mathbf{F} \cdot d\mathbf{s},$$

$$\int_1^2 \mathbf{F} \cdot d\mathbf{s} = U(1) - U(2). \tag{14.1}$$

A quantidade $U(1) - U(2)$ é chamada de mudança na energia potencial, e chamamos U de energia potencial. Devemos dizer que quando o objeto está localizado na posição 2, ele tem energia potencial $U(2)$; na posição 1, ele tem energia potencial $U(1)$. Se ele está localizado na posição P, ele tem energia potencial zero. Se tivéssemos usado qualquer outro ponto, digamos Q, em vez de P, descobriríamos (e devemos deixar isso para você demonstrar) que *a energia potencial é mudada somente pela adição de uma constante*. Já que a conservação de energia depende somente das *mudanças*, não importa se adicionarmos uma constante à energia potencial. Assim, o ponto P é arbitrário.

Agora, temos as duas seguintes proposições: (1) que o trabalho realizado pela força resultante é igual à mudança na energia cinética da partícula, mas (2) matematicamente, para uma força conservativa, o trabalho realizado é menos a mudança na função U que chamamos de energia potencial. Como uma consequência dessas duas, chegarmos à proposição que *se somente forças conservativas atuam, a energia cinética T mais a energia potencial U se mantém constante*:

$$T + U = \text{constante}. \tag{14.2}$$

Vamos agora discutir as fórmulas para a energia potencial para um número de casos. Se tivermos um campo gravitacional uniforme, se não formos para alturas comparadas com o raio da Terra, então a força é uma força constante vertical, e o trabalho realizado é simplesmente a força vezes a distância vertical. Assim

$$U(z) = mgz, \tag{14.3}$$

e o ponto P que corresponde ao zero da energia potencial acaba sendo qualquer ponto no plano $z = 0$. Também poderíamos dizer que a energia potencial é $mg(z - 6)$ se quiséssemos – todos os resultados, obviamente, seriam os mesmos em nossas análises, exceto que o valor da energia potencial em $z = 0$ seria $-6mg$. Não faz diferença nenhuma, porque somente *diferenças* na energia potencial contam.

A energia necessária para comprimir uma mola linear em uma distância x de um ponto de equilíbrio é

$$U(x) = \tfrac{1}{2}kx^2, \tag{14.4}$$

e o zero da energia potencial é no ponto $x = 0$, a posição de equilíbrio da mola. Novamente, poderíamos adicionar qualquer constante que desejássemos.

A energia potencial gravitacional para pontos de massas M e m, separados por uma distância r, é

$$U(r) = -GMm/r. \qquad (14.5)$$

A constante foi escolhida aqui de tal maneira que o potencial é zero no infinito. Obviamente, a mesma fórmula se aplica a cargas elétricas, porque é a mesma lei:

$$U(r) = q_1 q_2/4\pi\epsilon_0 r. \qquad (14.6)$$

Vamos agora usar, de fato, uma dessas fórmulas para ver se entendemos o que ela significa. *Pergunta*: quão rapidamente temos de lançar um foguete da Terra para que ele consiga sair? *Solução*: a energia potencial mais a energia cinética devem ser uma constante, quando ele "sai", estará afastado milhares de quilômetros; se ele apenas consegue sair, podemos supor que está se movendo com velocidade zero lá fora, mal está andando. Vamos considerar a como o raio da Terra e M como sua massa. A energia cinética mais a energia potencial são então inicialmente dadas por $\frac{1}{2}mv^2 - GmM/a$. Ao final do movimento, as duas energias devem ser iguais. A energia cinética é tomada como sendo zero no final do movimento, porque se considera que o foguete está meramente sendo expelido com velocidade essencialmente zero, e a energia potencial é GmM dividido por infinito, o que é zero. Então tudo é zero de um lado, e isso nos diz que o quadrado da velocidade deve ser $2GM/a$, mas GM/a^2 é o que chamamos de aceleração da gravidade, g. Assim

$$v^2 = 2ga.$$

A que velocidade um satélite deve viajar para se manter ao redor da Terra? Trabalhamos isso a um tempo atrás e achamos que $v^2 = GM/a$. ? Assim, para *sair* da Terra, precisamos $\sqrt{2}$ vezes a velocidade necessária para apenas ir ao *redor* da Terra perto da sua superfície. Precisamos, em outras palavras, *do dobro da energia* (porque a energia varia com o quadrado da velocidade) para deixar a Terra do que precisamos para simplesmente orbitá-la. Dessa maneira, a primeira coisa que foi feita historicamente com os satélites foi colocá-los para orbitar ao redor da Terra, o que requer uma velocidade de 8 quilômetros por segundo. A próxima coisa foi enviar um satélite para fora da órbita da Terra permanentemente; isto requer duas vezes mais energia, ou cerca de 11 quilômetros por segundo.

Agora, continuando nossa discussão das características da energia potencial, vamos considerar a interação de duas partículas, ou dois átomos de oxigênio por exemplo. Quando eles estão muito separados, a força é de atração, que varia com o inverso da distância elevada à sétima potência, e quando eles estão muito próximos, a força é uma grande repulsão. Se integrarmos o inverso da sétima potência, achamos o trabalho realizado, achamos que a energia potencial U, que é uma função da distância radial entre os dois átomos de oxigênio, varia com o inverso da distância à sexta potência para grandes distâncias.

Se esboçarmos a curva da energia potencial $U(r)$ como na Figura 14–3, então começamos em grandes r com o inverso da sexta potência, mas se chegarmos suficientemente próximo, atingimos um ponto d onde existe um mínimo da energia potencial. O mínimo da energia potencial em $r = d$ significa que, se começarmos em d e nos movermos uma distância muito pequena, o trabalho realizado, que é a mudança na energia potencial quando nos movemos nesta distância, é quase zero, porque existe uma mudança muito pequena na energia potencial na parte de baixo da curva. Assim, não existe força nesse ponto; então, esse é um ponto de equilíbrio. Outra maneira de ver que esse é um ponto de equilíbrio é que é preciso trabalho para sair de d em qualquer uma das direções. Quando dois oxigênios se acomodam, de tal maneira que mais nenhuma energia pode ser liberada da força entre eles, eles estão no estado de menor energia e estão nesta separação d. É assim que uma molécula de oxigênio se apresenta quando está resfriada. Quando a aquecemos, os átomos se agitam e afastam, e podemos de fato separá-los, mas para fazer isso é necessária uma certa quantidade de trabalho ou energia, que é a diferença na energia potencial entre $r = d$ e $r = \infty$. Quando tentamos empurrar os átomos muito juntos, a energia aumenta rapidamente, porque eles se repelem.

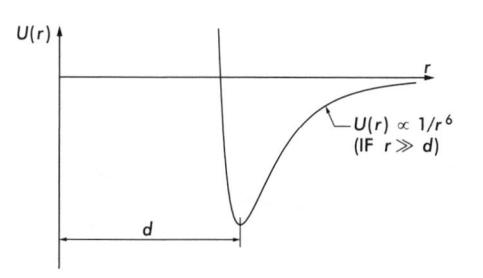

Figura 14-3 A energia potencial entre dois átomos como uma função da distância entre eles.

A razão de discutirmos isso é que a ideia de *força* não é particularmente adequada à mecânica quântica; para ela, a ideia de *energia* é mais natural. Descobrimos que apesar de as forças e velocidades "se dissolverem" e desaparecerem quando consideramos as forças mais avançadas entre a matéria nuclear e entre moléculas e assim por diante, o conceito de energia se mantém. Por isso, achamos curvas de energia potencial em livros de mecânica quântica, mas muito raramente vemos uma curva para a força entre duas moléculas, porque as pessoas que estavam realizando as análises estavam pensando em termos da energia, e não da força.

A seguir notamos que se muitas forças conservativas estão atuando em um objeto ao mesmo tempo, a energia potencial do objeto é a soma da energia potencial de cada força separadamente. Essa é a mesma proposição que mencionamos antes, porque se a força pode ser representada como um vetor soma de forças, o trabalho realizado por todas as forças é a soma dos trabalhos realizados pelas forças parciais e pode, então, ser analisado como mudanças na energia potencial de cada uma delas separadamente. Assim, a energia potencial total é a soma de todos os pedaços.

Poderíamos generalizar isso para o caso de um sistema de muitos corpos interagindo entre si, uns com os outros, como Júpiter, Saturno e Urano, etc., ou oxigênio, nitrogênio, carbono, etc., que estão atuando em relação uns aos outros em pares devido às forças, todas as quais são conservativas. Nessas circunstâncias, a energia cinética no sistema inteiro é simplesmente a soma da energia cinética de todos os particulares átomos ou planetas ou o que seja, e a energia potencial do sistema é a soma, sobre estes pares de partículas, da energia potencial da interação mutua de um único par, mesmo que os outros não estejam lá. (Isso não é realmente verdade para as forças moleculares, e a fórmula é de alguma forma mais complicada; no entanto, certamente é verdade para a gravitação de Newton e é verdade, como uma aproximação, para as forças moleculares. Para forças moleculares existe uma energia potencial, mas ela é algumas vezes uma função mais complicada das posições dos átomos que simplesmente uma soma dos termos dos pares.) No caso especial da gravidade, portanto, a energia potencial é a soma, sobre todos os pares i e j, de $-Gm_im_j/r_{ij}$, como foi indicado na Eq. (13.14). Essa equação expressa matematicamente a seguinte proposição: que a energia cinética total somada à energia potencial total não muda com o tempo. Como os vários planetas rodam, giram, torcem e assim por diante, se calcularmos a energia cinética total, e a energia potencial total descobrimos que o total se mantém constante.

14–4 Forças não conservativas

Gastamos um tempo considerável discutindo forças conservativas; mas e as forças não conservativas? Devemos dar uma olhada mais cuidadosa nisso e garantir que não existem forças não conservativas! Na verdade, todas as forças na natureza parecem ser conservativas. Essa não é uma consequência das leis de Newton. De fato, até onde o próprio Newton conhecia, as forças poderiam ser não conservativas, como o atrito aparentemente é. Quando dizemos que o atrito *aparentemente* é, estamos tomando uma abordagem moderna, na qual se descobriu que todas as forças mais profundas, as forças entre as partículas em seu estado mais fundamental, são conservativas.

Se, por exemplo, analisarmos um sistema como aquele grande aglomerado estelar globular que vimos no Capítulo 7, com milhares de estrelas interagindo, então a fórmula para a energia potencial é simplesmente um termo mais outro termo, etc., somados sobre todos os pares de estrelas, e a energia cinética é a soma das energias cinéticas de todas as estrelas individuais. Contudo, o aglomerado globular como um todo está flutuando no espaço também, e, se estivermos suficientemente longe dele e não vermos os detalhes, ele poderia ser tomado com um único objeto. Então se as forças são aplicadas a ele, algumas delas podem acabar movimentando-o como um todo, e veríamos o centro da coisa toda se movendo. Por outro lado, algumas dessas forças podem ser, por assim dizer, "desperdiçadas" ao aumentar a energia cinética e energia potencial das "partículas" internas. Vamos supor, por exemplo, que a ação dessas forças expanda todo o aglomerado e faça as partículas se moverem mais rapidamente. A energia total da coisa toda é realmente conservada, mas visto de fora, com os nossos olhos grosseiros que não podem ver a confusão interna de movimentos e apenas pensam na energia cinética do movimento de todo o objeto como se ele fosse uma única partícula, pareceria que a energia não foi conservada, mas isso se deve à falta de avaliação do que é que estamos vendo. Este, no final, é o caso: a energia total do mundo, cinética mais potencial, é constante quando olhamos suficientemente perto.

Quando estudamos a matéria no seu detalhe mais sutil no nível atômico, nem sempre é *fácil* separar a energia total em uma coisa com duas partes, energia cinética e energia potencial, e tal separação não é sempre necessária. *Quase* sempre é possível fazê-lo, então vamos dizer que isso *seja* sempre possível, e que a energia potencial mais cinética do mundo seja constante. Assim, a energia total potencial mais cinética dentro de todo o mundo é constante, e se o "mundo" for um pedaço de um material isolado, a energia é constante se não existirem forças externas. Ainda assim, como vimos, uma parte da energia cinética e potencial de uma coisa pode ser interna; por exemplo, os movimentos moleculares internos, no sentido de que não os percebemos. Sabemos que dentro de um copo de água tudo está se movendo erraticamente, todas as partes estão se movendo o tempo todo, então existe uma certa energia cinética interna à qual simplesmente podemos não prestar a atenção. Não percebemos o movimento dos átomos, que produzem calor, e assim não o chamamos de energia cinética, mas calor é principalmente energia cinética. Energia potencial interna pode também estar na forma de, por exemplo, energia química: quando queimamos a gasolina, energia é liberada porque as energias potenciais dos átomos no novo arranjo atômico estão menores do que no arranjo antigo. Não é estritamente possível tratar calor como sendo energia cinética pura, pois um pouco da potencial contribui, e vice-versa, para a energia química; assim, colocamos as duas juntas e dizemos que a energia cinética e potencial total dentro de um objeto é parcialmente calor, parcialmente energia química e assim por diante. De qualquer maneira, todas essas formas diferentes de energia interna são algumas vezes consideradas como energia "perdida" no sentido descrito acima; isso ficará mais claro quando estudarmos termodinâmica.

Como outro exemplo, quando o atrito está presente, não é verdade que a energia cinética é perdida, apesar de que um objeto deslizando para, e a energia cinética parece ter sido perdida. A energia cinética não é perdida, obviamente, os átomos dentro estão se agitando com uma quantidade maior de energia cinética do que antes, e apesar de não podermos ver isso, podemos medi-lo pela determinação da temperatura. Obviamente se desconsiderarmos a energia do calor, então o teorema de conservação da energia parecerá ser falso.

Outra situação na qual a conservação de energia parece ser falsa é quando estudamos somente uma parte de um sistema. Naturalmente, o teorema de conservação de energia parecerá não ser verdade se alguma coisa está interagindo com alguma outra coisa fora do sistema e negligenciamos essa interação na nossa conta.

Em física clássica, energia potencial envolve somente a gravitação e a eletricidade, mas agora temos a energia nuclear e outras energias também. A luz, por exemplo, envolveria uma nova forma de energia na teoria clássica, mas podemos também, se quisermos, imaginar que a energia da luz é a energia cinética de um fóton, assim a nossa fórmula (14.2) ainda estaria correta.

14–5 Potenciais e campos

Devemos agora discutir um pouco das ideias associadas com a energia potencial e com a ideia de *campo*. Suponha que temos dois objetos grandes, A e B, e um terceiro muito pequeno que é atraído gravitacionalmente pelos dois, com alguma força resultante $\mathbf{F}$. Já percebemos, no Capítulo 12, que a força gravitacional em uma partícula pode ser escrita como sua massa, m, vezes um outro vetor, $\mathbf{C}$, que é dependente somente da *posição* da partícula:

$$\mathbf{F} = m\mathbf{C}.$$

Podemos analisar a gravitação, então, imaginando que existe um certo vetor $\mathbf{C}$, em todas as posições no espaço, o qual "atua" em uma massa que pode ser colocada lá, mas que de fato está presente se colocamos realmente uma massa sobre a qual ele possa "atuar" ou não. **C** tem três componentes, e cada uma destas componentes é uma função de (x, y, z), uma função da posição no espaço. Isso é chamado de um *campo*, e dizemos que os objetos A e B geram um campo, isto é, eles "criam" o vetor **C**. Quando um objeto é colocado em um campo, a força nele é igual à sua massa vezes o valor do vetor do campo no ponto onde o objeto foi colocado.

Podemos também fazer o mesmo com a energia potencial. Já que a energia potencial, a integral da (–**força**) · (d**s**), pode ser escrita como m vezes a integral de (–**campo**) · (d**s**), uma simples mudança de escala, vemos que a energia potencial $U(x, y, z)$ de um objeto localizado em um ponto (x, y, z) no espaço pode ser escrita como a massa (m) vezes uma outra função que podemos chamar de *potencial* Ψ. A integral **C** · d**s** = –Ψ, assim como ∫**F** · d**s** = –U; existe apenas um fator de escala entre esses dois:

$$U = -\int \mathbf{F} \cdot d\mathbf{s} = -m\int \mathbf{C} \cdot d\mathbf{s} = m\Psi. \quad (14.7)$$

Tendo esta função $\Psi(x,y,z)$ em cada ponto do espaço, podemos imediatamente calcular a energia potencial de um objeto em qualquer ponto do espaço; sendo assim, $U(x, y, z) = m\Psi(x, y, z)$ – um negócio bastante trivial, aparentemente, mas que na verdade não é trivial, porque algumas vezes é mais fácil descrever o campo dando o valor de Ψ em todo o lugar do espaço em vez de dar **C**. Em vez de ter de escrever três componentes complicadas de uma função vetorial, podemos dar no lugar uma função escalar Ψ. Aliás, é muito mais fácil calcular Ψ do que qualquer componente de **C** quando o campo é produzido por um número de massas; já que o potencial é um escalar, simplesmente adicionamos, sem nos preocuparmos com a direção. Também, o campo **C** pode ser recuperado facilmente de Ψ, como vamos mostrar logo. Suponha que temos massas pontuais $m_1, m_2,\ldots$ nos pontos 1, 2,... e queremos saber o potencial Ψ em algum ponto arbitrário p. Isso é simplesmente a soma dos potenciais em p devido às massas individuais tomadas uma a uma:

$$\Psi(p) = \sum_i - \frac{Gm_i}{r_{ip}}, \quad i = 1, 2, \ldots \quad (14.8)$$

No último capítulo, usamos essa fórmula, que o potencial é a soma dos potenciais de todos os diferentes objetos, para calcular o potencial devido a uma casca esférica de matéria adicionando as contribuições de potencial em pontos de todas as partes da casca. O resultado deste cálculo é mostrado graficamente na Figura 14–4. Ele é negativo, tendo um valor zero em $r = \infty$ e variando com $1/r$ até o raio a, e então é constante dentro da casca. Fora da casca, o potencial é –Gm/r, onde m é a massa da casca, que é exatamente a mesma do que se toda a massa estivesse localizada no centro. Contudo, isso não é exatamente o mesmo *em todos os lugares*; para dentro da casca o potencial é –G/ma e é uma constante! *Quando o potencial é constante, não existe campo*, ou quando a energia potencial é constante, não existe força, porque se movermos um objeto de um lugar para qualquer outro dentro da esfera, o trabalho realizado pela força é exatamente zero. Por quê? Porque o trabalho realizado ao mover o objeto de um lugar para o outro é igual a menos a mudança na energia potencial (ou, a integral do campo correspondente é a mudança no potencial). A energia potencial é a *mesma* para qualquer ponto dentro da casca, então não existe mudança na energia potencial, e por isso não existe trabalho realizado ao andar entre dois pontos dentro da casca. A única maneira em que o trabalho pode ser zero para todas as direções de deslocamento é quando não existe força.

Isso nos dá uma dica de como podemos obter a força ou campo, dada a energia potencial. Vamos supor que a energia potencial de um objeto seja conhecida na posição (x, y, z) e queremos conhecer qual a força no objeto. Isso não será possível conhecendo somente esse ponto, como veremos; é necessário o conhecimento do potencial em pontos vizinhos também. Por quê? Como podemos calcular a componente x da força? (Se pudermos fazer isso, obviamente, podemos também

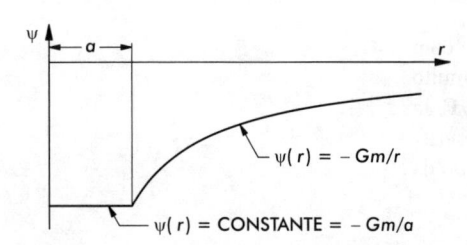

Figura 14–4 Potencial devido a uma casca esférica de raio a.

achar as componentes y e z e saberemos então a força toda.) Agora, se fôssemos mover o objeto em uma pequena distância Δx, o trabalho realizado pela força no objeto seria a componente da força vezes Δx, se Δx for suficientemente pequeno, e isso deveria ser igual à mudança na energia potencial ao ir de um ponto para outro:

$$\Delta W = -\Delta U = F_x \Delta x. \qquad (14.9)$$

Simplesmente usamos a fórmula $\int \mathbf{F} \cdot d\mathbf{s} = -\Delta U$, mas para um caminho *muito curto*. Agora dividimos por Δx e então temos que a força é

$$F_x = -\Delta U/\Delta x. \qquad (14.10)$$

Obviamente isso não é exato. O que realmente queremos é o limite de (14.10) quando Δx fica cada vez menor, porque ela só é *exatamente* verdadeira no limite em que Δx é infinitesimal. Reconhecemos isso como a derivada de U em relação a x, e deveríamos ser induzidos, dessa maneira, a escrever $-dU/dx$. No entanto, U depende de x, y e z, e os matemáticos inventaram um símbolo diferente para nos lembrar de sermos cuidadosos quando estamos diferenciando tal função, assim como para lembrar que estamos considerando que *apenas x varia*, e y e z não variam. Em vez de um d, simplesmente faça um "6 de trás para frente", ou ∂. (Um ∂ deveria ter sido usado no começo do cálculo, porque sempre queremos cancelar aquele d, mas nunca queremos cancelar ∂!) Então eles escrevem $\partial U/\partial x$, e assim, em momentos de dificuldade, se eles quiserem ser *muito* cuidadosos, eles colocam uma linha ao lado dele com um pequeno yz embaixo ($\partial U/\partial x|_{yz}$), o que significa "Pegar a derivada de U em relação a x, deixando y e z constantes." Mais frequentemente, deixamos de lado a marcação do que é mantido constante porque normalmente é evidente no contexto, então normalmente não usamos a linha com o y e z. No entanto, *sempre* usamos ∂ em vez de d, como um aviso de que isso é uma derivada com alguma outra variável que se mantém constante. Isso é chamado de *derivada parcial*; é uma derivada na qual variamos apenas x.

Em vista disto, descobrimos que a força na direção x é menos a derivada parcial de U em relação x:

$$F_x = -\partial U/\partial x. \qquad (14.11)$$

De uma maneira similar, a força na direção y pode ser achada pela diferenciação de U em relação *a* y, mantendo x e z constantes, e a terceira componente, obviamente, é derivada em relação a z, mantendo y e x constante:

$$F_y = -\partial U/\partial y, \qquad F_z = -\partial U/\partial z. \qquad (14.12)$$

Essa é a maneira de obter a força da energia potencial. Obtemos o *campo do potencial* exatamente do mesmo jeito:

$$C_x = -\partial \Psi/\partial x, \qquad C_y = -\partial \Psi/\partial y, \qquad C_z = -\partial \Psi/\partial z. \qquad (14.13)$$

A propósito, vamos mencionar aqui outra notação, que não devemos realmente usar por um tempo: já que $\mathbf{C}$ é um vetor e têm componentes x, y e z, a simbologia $\partial/\partial x$, $\partial/\partial y$ e $\partial/\partial z$ que produz as componentes x, y e z é alguma coisa parecida com vetor. Os matemáticos inventaram um novo símbolo esplêndido, ∇, chamado de "grad" ou "gradiente", que não é uma quantidade mas um *operador* que cria um vetor a partir de um escalar. Ele tem as seguintes "componentes": A componente x do "grad" é $\partial/\partial x$, a componente y é $\partial/\partial y$ e a componente z é $\partial/\partial z$, então temos o prazer de escrever as nossas fórmulas desta maneira:

$$\mathbf{F} = -\nabla U, \qquad \mathbf{C} = -\nabla \Psi. \qquad (14.14)$$

Ao usar ∇, temos uma maneira rápida de testar quando temos uma equação vetorial real ou não, mas na verdade as Equações (14.14) significam o mesmo que as Eqs. (14.11),

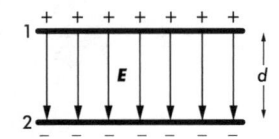

Figura 14–5 Campo entre duas placas paralelas.

(14.12) e (14.13); é só uma outra maneira de escrevê-las, já que não queremos escrever três equações toda vez, simplesmente escrevemos ∇U.

Mais um exemplo de campos e potenciais tem a ver com o caso elétrico. No caso da eletricidade, a força em um objeto estacionário é a carga vezes o campo elétrico: $\mathbf{F} = q\mathbf{E}$. (No geral, obviamente, a componente x da força em um problema elétrico tem também uma parte que depende do campo magnético. É fácil mostrar, a partir da Eq. (12.11), que a força em uma partícula devido ao campo elétrico está sempre formando um ângulo reto com a sua velocidade e também ângulos retos com o campo. Já que a força devido ao magnetismo em uma carga se movendo está em ângulos retos com a velocidade, *nenhum trabalho é realizado* pelo magnetismo em uma carga se movendo, porque o movimento está em ângulos retos com a força. Sendo assim, ao calcular os teoremas da energia cinética em campos elétricos e magnéticos, podemos desconsiderar a contribuição do campo magnético, já que ele não muda a energia cinética.) Suponha que exista apenas um campo elétrico. Então podemos calcular a energia, ou o trabalho realizado, da mesma maneira que para a gravidade, e calcular a quantidade ϕ que é menos a integral de $\mathbf{E} \cdot d\mathbf{s}$ de um ponto fixo arbitrário até um ponto onde realizamos o cálculo, e então a energia potencial em um campo elétrico é apenas a mudança vezes a quantidade ϕ:

$$\phi(\mathbf{r}) = -\int \mathbf{E} \cdot d\mathbf{s},$$
$$U = q\phi.$$

Vamos tomar como exemplo o caso de duas placas de metal paralelas, cada uma com uma carga superficial de $\pm\sigma$ por unidade de área. Isso é chamado de capacitor de placas paralelas. Vimos anteriormente que a força fora das placas é zero e que existe uma constante dielétrica entre eles, direcionada de + para – e de magnitude σ/ϵ_0 (Figura 14–5). Gostaríamos de saber quanto trabalho seria realizado ao carregar uma carga de uma placa para a outra. O trabalho seria a integral da (**força**) $\cdot$ ($d\mathbf{s}$), que pode ser escrito como carga vezes o valor do potencial na placa 1 menos o potencial da placa 2:

$$W = \int_1^2 \mathbf{F} \cdot d\mathbf{s} = q(\phi_1 - \phi_2).$$

Podemos realmente calcular a integral porque a força é constante, e se chamarmos a separação das placas de d, então a integral é fácil:

$$\int_1^2 \mathbf{F} \cdot d\mathbf{s} = \frac{q\sigma}{\epsilon_0} \int_1^2 dx = \frac{q\sigma d}{\epsilon_0}.$$

A diferença em potencial, $\Delta\phi = \sigma d/\epsilon_0$, é chamada de *diferença de voltagem*, e ϕ é medido em volts. Quando dizemos que um par de placas está carregado com uma certa voltagem, o que queremos dizer é que a diferença em potencial elétrico das duas placas é tantos e tantos volts. Para um capacitor feito de duas placas paralelas carregando uma carga superficial $\pm\sigma$, a voltagem, ou diferença de potencial, do par de placas é $\sigma d/\epsilon_0$.

15

A Teoria da Relatividade Restrita

15–1 O princípio da relatividade

Durante mais de 200 anos, acreditou-se que as equações do movimento enunciadas por Newton descrevessem corretamente a natureza; a primeira vez em que se descobriu um erro nessas leis, o caminho de corrigi-lo também foi descoberto. Ambos, o erro e sua correção, foram descobertos por Einstein em 1905.

A Segunda Lei de Newton, que expressamos pela equação

$$F = d(mv)/dt,$$

foi enunciada sob uma suposição tácita de que m é uma constante, mas sabemos agora que isso não é verdade e que a massa de um corpo aumenta com a velocidade. Na fórmula corrigida de Einstein, m tem o valor

$$m = \frac{m_0}{\sqrt{1 - v^2/c^2}}, \tag{15.1}$$

onde a "massa de repouso" m_0 representa a massa de um corpo que não está se movendo, e c é a velocidade da luz, que é cerca de 3×10^8 m/s ou $10,8 \times 10^8$ km/h.

Para aqueles que desejam aprender apenas o suficiente sobre isso para que consigam resolver problemas, isso é tudo que existe sobre a teoria da relatividade – ela apenas muda as leis de Newton introduzindo um fator de correção da massa. A partir da própria fórmula, é fácil ver que o aumento da massa é muito pequeno em circunstâncias cotidianas. Se a velocidade é mesmo tão grande como a de um satélite, que viaja ao redor da Terra a 8.000 m/s, então $v/c = 8/300.000$: colocando esse valor na fórmula, mostra-se que a correção para a massa é de apenas uma parte em dois a três bilhões, o que é praticamente impossível de observar. De fato, a veracidade da fórmula foi amplamente confirmada pela observação de muitos tipos de partículas, movendo-se com velocidades variando num limite de velocidades muito próximas à da luz. Entretanto, devido ao efeito ser normalmente tão pequeno, é impressionante que tenha sido descoberto por meio de métodos teóricos antes de ser descoberto experimentalmente. Empiricamente, a uma velocidade suficientemente alta, o efeito é muito grande, mas ele não foi descoberto dessa maneira. Portanto, é interessante ver como uma lei que envolveu uma modificação tão delicada (na época quando foi inicialmente descoberta) veio à luz por uma combinação de experimentos e argumentos físicos. Contribuições para a descoberta foram feitas por muitas pessoas, mas o resultado final dos trabalhos foi a descoberta de Einstein.

Existem realmente duas teorias da relatividade de Einstein. Este capítulo se concentra na Teoria da Relatividade Restrita, que data de 1905. Em 1915, Einstein publicou uma teoria adicional, chamada de Teoria da Relatividade Geral. Esta última lida com a extensão da Teoria Restrita para o caso da lei da gravitação; não vamos discutir a Teoria Geral aqui.

O princípio da relatividade foi pela primeira vez enunciado por Newton, em um de seus corolários das leis do movimento: "Os movimentos de corpos em um dado espaço são os mesmos entre si, caso esse espaço esteja em repouso ou se movendo uniformemente em linha reta". Isso significa, por exemplo, que se uma nave espacial está se movendo com uma velocidade uniforme, todas as experiências realizadas e todos os fenômenos nessa nave vão parecer os mesmos como se a nave não estivesse se movendo, desde que, é claro, ninguém olhe para fora. Esse é o significado do princípio da relatividade. Isso é uma ideia suficientemente simples, e a única pergunta é se é *verdade* que, em todos os experimentos realizados dentro de um sistema em movimento, as leis da física vão se parecer como se o sistema estivesse parado. Vamos, inicialmente, checar se as leis de Newton parecem iguais no sistema em movimento.

15–1 O princípio da relatividade

15–2 As transformações de Lorentz

15–3 O experimento de Michelson-Morley

15–4 A transformação do tempo

15–5 A contração de Lorentz

15–6 Simultaneidade

15–7 Quadrivetores

15–8 Dinâmica relativística

15–9 Equivalência entre massa e energia

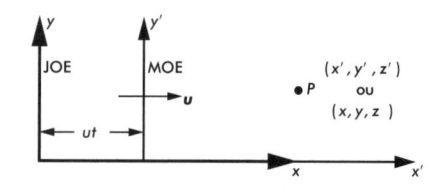

Figura 15–1 Dois sistemas de coordenadas em movimento relativo uniforme ao longo do eixo x.

Suponhamos que Moe esteja se movendo na direção x com uma velocidade uniforme u e mede a posição de certo ponto, mostrado na Figura 15–1. Ele denomina a "distância x" do ponto, em seu sistema de coordenadas, como x'. Joe está em repouso e mede a posição do mesmo ponto, chamando a coordenada x desse ponto em seu sistema como x. A relação das coordenadas nos dois sistemas está clara no diagrama. Depois de um tempo t, a origem de Moe se moveu para uma distância ut; se os dois sistemas originalmente coincidirem,

$$\begin{aligned} x' &= x - ut, \\ y' &= y, \\ z' &= z, \\ t' &= t. \end{aligned} \quad (15.2)$$

Se substituirmos essa transformação de coordenadas nas leis de Newton, veremos que as leis se transformam nas mesmas leis do sistema com linhas; ou seja, as leis de Newton têm a mesma forma em um sistema em movimento e em um sistema estacionário, e, portanto, é impossível dizer, por meio de experimentos mecânicos, se o sistema está se movendo ou não.

O princípio da relatividade tem sido usado em mecânica por muito tempo. Ele foi usado por várias pessoas, em particular Huygens, para obter as regras da colisão de bolas de bilhar, quase da mesma forma como o usamos no Capítulo 10 para discutir a conservação do momento. No século XIX, o interesse nele aumentou em consequência das investigações dos fenômenos da eletricidade, do magnetismo e da luz. Uma longa série de estudos cuidadosos desses fenômenos, realizados por muitas pessoas, culminou nas equações de Maxwell para o campo eletromagnético, que descrevem a eletricidade, o magnetismo e a luz em um sistema unificado. Entretanto, as equações de Maxwell *não pareciam obedecer ao princípio da relatividade.* Ou seja, se transformarmos as equações de Maxwell, pela substituição das Equações 15.2, *sua forma não permanece a mesma*; portanto, em uma nave espacial em movimento, os fenômenos elétricos e ópticos deveriam ser diferentes daqueles em uma nave parada. Então, seria possível usar esses fenômenos ópticos para determinar a velocidade da nave; em particular, seria possível calcular a velocidade absoluta da nave por meio de medidas ópticas ou elétricas adequadas. Uma das consequências das equações de Maxwell é que, se ocorre uma perturbação no campo, de modo que seja gerada luz, essas ondas eletromagnéticas movem-se em todas as direções igualmente e à mesma velocidade c, ou 3×10^8 m/s. Outra consequência das equações é que, se a fonte da perturbação está se movendo, a luz emitida percorre o espaço à mesma velocidade c. Isso é análogo ao caso do som, a velocidade das ondas sonoras sendo iguais independentemente do movimento da fonte.

Essa independência em relação ao movimento da fonte, no caso da luz, traz um problema interessante.

Suponha que estejamos viajando em um carro que se desloca à velocidade u, e a luz vinda de trás passa pelo carro à velocidade c. A derivação da primeira equação em (15.2) fornece

$$dx'/dt = dx/dt - u,$$

o que significa que, de acordo com a transformação de Galileu, a velocidade aparente da luz que passa, como a medimos no carro, não deveria ser c, e sim $c - u$. Por exemplo, se o carro (hipoteticamente) está indo a 150.000 km/s, e a luz está indo a 300.000 km/s, aparentemente a luz que passa pelo carro deveria ir a 150.000 km/s. Dessa forma, medindo a velocidade da luz que passa pelo carro (se a transformação de Galileu for correta para a luz), pode-se determinar a velocidade do carro. Vários experimentos baseados nessa ideia geral foram realizados para se determinar a velocidade da Terra, mas todos falharam – eles não forneceram *nenhuma velocidade*. Vamos discutir um desses experimentos em detalhes, a fim de mostrar exatamente o que foi feito e qual era o ponto importante; algo *era* importante, é claro, algo estava errado com as equações da física. O que poderia ser?

15–2 As transformações de Lorentz

Quando o fracasso das equações da física no caso anterior veio à luz, o primeiro pensamento que ocorreu foi que o problema devia estar nas novas equações de Maxwell para a eletrodinâmica, que tinham apenas vinte anos na época. Parecia quase óbvio que essas equações deviam estar erradas, então a coisa a se fazer era mudá-las de modo que, sob a transformação de Galileu, o princípio da relatividade fosse satisfeito. Quando isso foi tentado, os novos termos que tiveram de ser inseridos nas equações levaram a previsões de novos fenômenos elétricos que não existiam de forma alguma quando testados experimentalmente, então essa tentativa teve de ser abandonada. Assim, gradualmente, tornou-se evidente que as leis de Maxwell para eletrodinâmica estavam corretas e que o problema tinha de ser procurado em outra parte.

Nesse período, H. A. Lorentz observou algo impressionante e curioso quando fez as seguintes substituições nas equações de Maxwell:

$$x' = \frac{x - ut}{\sqrt{1 - u^2/c^2}},$$
$$y' = y,$$
$$z' = z, \quad (15.3)$$
$$t' = \frac{t - ux/c^2}{\sqrt{1 - u^2/c^2}},$$

a saber, as equações de Maxwell permanecem com a mesma forma quando essa transformação é aplicada a elas! As Equações (15.3) são conhecidas como uma *transformação de Lorentz*. Einstein, seguindo uma sugestão originalmente feita por Poincaré, então propôs que *todas as leis físicas* deveriam ser de tal forma que *elas permanecessem inalteradas sob uma transformação de Lorentz*. Em outras palavras, não deveríamos mudar as leis da eletrodinâmica, mas as leis da mecânica. Como modificar as leis de Newton de modo que *elas* permaneçam inalteradas sob a transformação de Lorentz? Se esse objetivo for fixado, temos então de reescrever as equações de Newton de certa forma que as condições que impusemos sejam satisfeitas. Como resultado disso, o único requisito é que a massa m nas equações de Newton seja substituída pela forma mostrada na Equação (15.1). Quando essa mudança é feita, as leis de Newton e as leis da eletrodinâmica se harmonizam. Então, se usarmos a transformação de Lorentz ao comparar as medidas de Moe com as de Joe, jamais conseguiremos detectar se algum deles está se movendo, porque a forma de todas as equações será a mesma em ambos os sistemas de coordenadas!

É interessante discutir o que significa substituir a transformação antiga entre as coordenadas e o tempo por uma nova, porque a antiga (Galileana) parece ser evidente por si só, e a nova (a de Lorentz) parece estranha. Queremos saber se é lógica e experimentalmente possível que a nova, e não a antiga, transformação possa estar correta. Para descobrir isso, não basta estudar as leis da mecânica, mas, como Einstein fez, devemos também analisar nossas ideias de *espaço* e *tempo* a fim de entender essa transformação. Teremos de discutir essas ideias e suas implicações para a mecânica com certo detalhe, assim digamos de antemão que o esforço será recompensado, uma vez que os resultados concordam com o experimento.

15–3 O experimento de Michelson-Morley

Como mencionamos acima, foram feitas tentativas de determinar a velocidade absoluta da Terra através do "éter" hipotético que se supunha permear todo o espaço. O mais famoso desses experimentos foi o realizado por Michelson e Morley em 1887. Passaram-se 18 anos para finalmente os resultados negativos do experimento serem explicados por Einstein.

O experimento de Michelson-Morley foi realizado com um aparelho como o mostrado esquematicamente na Figura 15–2. Esse aparelho contém essencialmente uma fonte de luz A, uma lâmina de vidro parcialmente coberta de prata B e dois

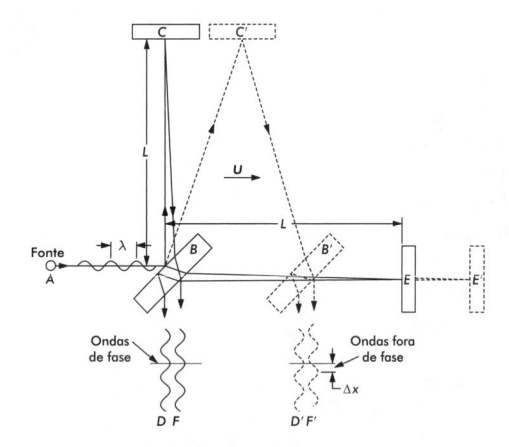

Figura 15-2 Diagrama esquemático do experimento de Michelson-Morley.

espelhos C e E, tudo montado sobre uma base rígida. Os espelhos são colocados a distâncias iguais L em relação a B. A lâmina de vidro B divide um feixe recebido de luz, e os dois feixes resultantes continuam em direções mutuamente perpendiculares até os espelhos, nos quais são refletidos de volta a B. Ao chegarem de volta a B, os dois feixes são recombinados como dois feixes superpostos, D e F. Se o tempo decorrido para que a luz vá e volte de B a E for o mesmo que de B a C e de volta, os feixes emergentes D e F estarão em fase e reforçarão um ao outro, mas se os dois tempos diferirem ligeiramente, os feixes estarão ligeiramente fora de fase, resultando em uma interferência. Se o aparelho estiver "em repouso" no éter, os tempos devem ser exatamente iguais, mas se estiver movendo-se para a direita com uma velocidade u, deveria haver uma diferença nos tempos. Vejamos por quê.

Primeiro calculemos o tempo necessário para a luz ir de B a E e voltar. Digamos que o tempo para a luz ir da lâmina B até o espelho E seja t_1, e o tempo de retorno seja t_2. Agora, enquanto a luz está a caminho de B até o espelho, o aparelho se desloca de uma distância ut_1, então a luz precisa percorrer uma distância $L + ut_1$, à velocidade c. Podemos também expressar essa distância como ct_1, de modo que temos:

$$ct_1 = L + ut_1, \quad \text{ou} \quad t_1 = L/(c - u).$$

(Esse resultado também é óbvio do ponto de vista de que a velocidade da luz em relação ao aparelho é $c - u$, então o tempo é o comprimento L dividido por $c - u$.) De forma análoga, o tempo t_2 pode ser calculado. Durante esse tempo, a lâmina B avança uma distância ut_2, de modo que a distância de retorno da luz é $L - ut_2$. Então temos

$$ct_2 = L - ut_2, \quad \text{ou} \quad t_2 = L/(c + u).$$

Então, o tempo total é

$$t_1 + t_2 = 2Lc/(c^2 - u^2).$$

Por conveniência, em comparações posteriores de tempos, escrevemos isso como

$$t_1 + t_2 = \frac{2L/c}{1 - u^2/c^2}. \tag{15.4}$$

Nosso segundo cálculo será o do tempo t_3 para a luz ir de B até o espelho C. Como antes, durante o tempo t_3, o espelho C move-se para a direita de uma distância ut_3 até a posição C'; ao mesmo tempo, a luz percorre uma distância ct_3 ao longo da hipotenusa de um triângulo, que é BC'. Para esse triângulo retângulo, temos

$$(ct_3)^2 = L^2 + (ut_3)^2$$

ou

$$L^2 = c^2 t_3^2 - u^2 t_3^2 = (c^2 - u^2) t_3^2,$$

do qual obtemos

$$t_3 = L/\sqrt{c^2 - u^2}.$$

Para a viagem de volta de C', a distância é a mesma, como pode ser visto pela simetria da figura; portanto, o tempo de retorno também é igual, e o tempo total é $2t_3$. Com uma pequena reorganização da fórmula, podemos escrever:

$$2t_3 = \frac{2L}{\sqrt{c^2 - u^2}} = \frac{2L/c}{\sqrt{1 - u^2/c^2}}. \tag{15.5}$$

Podemos agora comparar os tempos gastos pelos dois feixes de luz. Nas expressões (15.4) e (15.5), os numeradores são idênticos e representam o tempo que decorreria se o aparelho estivesse em repouso. Nos denominadores, o termo u^2/c^2 será pequeno, a não ser que u seja comparável ao tamanho de c. Os denominadores representam as modificações nos tempos causadas pelo movimento do aparelho. Note que essas modificações *não são iguais* – o tempo para ir até C e voltar é um pouco menor que o tempo para ir até E e voltar, embora os espelhos estejam equidistantes de B, e tudo o que temos de fazer é medir essa diferença com precisão.

Aqui um pequeno problema técnico aparece – suponha que os dois comprimentos L não sejam exatamente iguais. De fato, não podemos fazê-los exatamente iguais. Neste caso, simplesmente giramos o aparelho 90 graus, de modo que BC esteja na linha do movimento e BE seja perpendicular ao movimento. Qualquer pequena diferença no comprimento então perde a importância, e o que procuramos é um *deslocamento* nas franjas de interferência quando girarmos o aparelho.

Ao realizarem o experimento, Michelson e Morley orientaram o aparelho de modo que a linha BE estivesse quase paralela ao movimento da Terra em sua órbita (em certos períodos do dia e da noite). Essa velocidade orbital é de aproximadamente 29.000 m/s, e qualquer "corrente do éter" deveria ser pelo menos desse tanto em algum instante do dia ou da noite e em determinados períodos durante o ano. O aparelho era bem sensível para observar um efeito dessa magnitude, mas nenhuma diferença de tempo foi detectada – a velocidade da Terra através do éter não pôde ser detectada. O resultado do experimento foi nulo.

O resultado do experimento de Michelson-Morley foi muito intrigante e perturbador. A primeira ideia frutífera para achar uma saída para o impasse veio de Lorentz. Ele sugeriu que os corpos materiais se contraem quando se movem e que essa redução é apenas na direção do movimento, e também que, se o comprimento é L_0 quando o corpo está em repouso, então quando ele se mover à velocidade u paralela ao seu comprimento, o novo comprimento, que chamamos de $L_\parallel$ (L paralelo), é dado por

$$L_\parallel = L_0 \sqrt{1 - u^2/c^2}. \tag{15.6}$$

Quando essa modificação é aplicada ao aparelho interferômetro de Michelson-Morley, a distância de B para C não se altera, mas a distância de B para E se encurta a $L\sqrt{1 - u^2/c^2}$. Portanto, a Equação (15.5) não se altera, mas o L da Equação (15.4) deve ser modificado de acordo com a Equação (15.6). Quando isso é feito, obtemos

$$t_1 + t_2 = \frac{(2L/c)\sqrt{1 - u^2/c^2}}{1 - u^2/c^2} = \frac{2L/c}{\sqrt{1 - u^2/c^2}}. \tag{15.7}$$

Comparando esse resultado com a Equação (15.5), vemos que $t_1 + t_2 = 2t_3$. Então, se o aparelho encolhe da maneira descrita, temos uma forma de entender por que o experimento de Michelson-Morley não mostra nenhum efeito. Embora a hipótese da contração explicasse com sucesso o resultado negativo do experimento, estava sujeita à objeção de que foi inventada com o propósito expresso de explicar a dificuldade e que era artificial demais. Entretanto, em muitos outros experimentos, para descobrir o movimento no éter, surgiram dificuldades semelhantes, até a natureza parecia estar "conspirando" contra o homem, introduzindo algum fenômeno novo no intuito de anular todos os fenômenos que permitissem uma medição de u.

Por fim foi reconhecido, como Poincaré observou, que *uma total conspiração é por si própria uma lei da natureza!* Poincaré então propôs que *existe* uma tal lei da natureza, que não é possível descobrir o movimento no éter por meio de *nenhum* experimento; ou seja, não existe forma alguma para determinar uma velocidade absoluta.

15–4 A transformação do tempo

Verificando se a ideia da contração está em harmonia com os fatos em outros experimentos, descobre-se que tudo está correto contanto que os *tempos* também sejam modificados, da forma expressa na quarta equação do conjunto (15.3). Isso ocorre porque o tempo t_3,

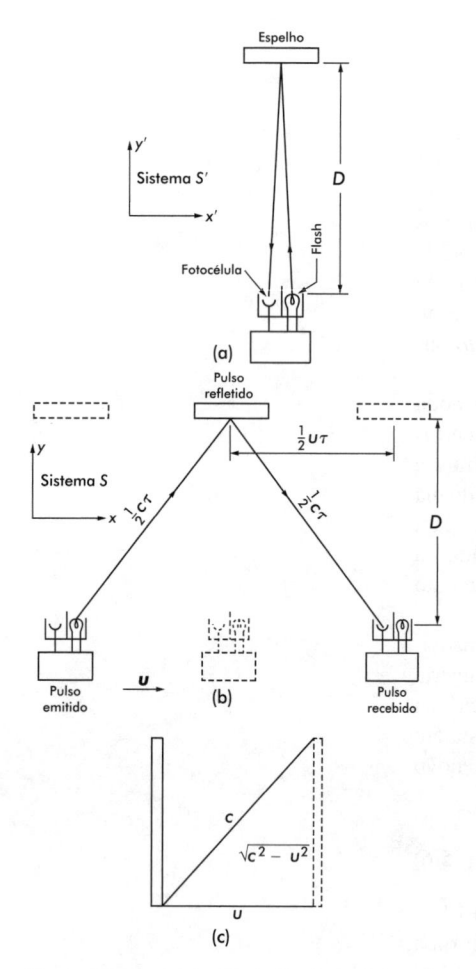

Figura 15–3 (a) Um "relógio de luz" em repouso no sistema S'; (b) O mesmo relógio movendo-se pelo sistema S. (c) Ilustração da trajetória em diagonal percorrida pelo feixe de luz em um "relógio de luz" em movimento.

calculado para percorrer de B até C e de volta, não é o mesmo quando calculado por um homem realizando o experimento em uma nave espacial em movimento ou quando calculado por uma pessoa parada que está observando a nave espacial. Para o tripulante da nave espacial, o tempo é simplesmente $2L/c$, mas para o observador, é $(2L/c)/\sqrt{1 - u^2/c^2}$ (Equação 15.5). Em outras palavras, quando o observador externo vê o tripulante da nave acender um charuto, todas as ações parecem ser mais lentas que o normal, enquanto que para o tripulante tudo se move no ritmo normal. Portanto, não apenas os comprimentos devem se reduzir, mas também os instrumentos de medida do tempo ("relógios") devem aparentemente diminuir o ritmo. Ou seja, quando o relógio na nave espacial registra que 1 segundo se passou, visto pelo homem na nave, para o homem lá fora, ele mostra $1/\sqrt{1 - u^2/c^2}$ segundos.

Esta dilatação do tempo dos relógios em um sistema móvel é um fenômeno bem estranho e merece uma explicação. Para entendê-la, temos de observar o mecanismo do relógio e ver o que acontece quando ele está em movimento. Uma vez que isso é difícil, vamos pegar um tipo de relógio bem simples. Aquele que escolhemos é um tipo de relógio bobo, mas funcionará em princípio: é uma barra (régua graduada) com um espelho em cada uma das extremidades; quando iniciamos um sinal luminoso entre os espelhos, a luz vai indo e voltando, fazendo um clique cada vez que chega, como um relógio de tique-taque comum. Construímos dois desses relógios, com exatamente os mesmos comprimentos e os sincronizamos para iniciarem juntos; então, eles sempre concordarão, porque eles têm o mesmo comprimento e a luz sempre viaja com velocidade c. Damos um desses relógios ao homem para que ele o leve na nave espacial, e ele monta a barra perpendicularmente à direção do movimento da nave; então o comprimento da barra não mudará. Como sabemos que os comprimentos perpendiculares não mudam? Os homens podem concordar em fazer marcas em réguas que medem o eixo y um do outro ao se cruzarem. Por simetria, as duas marcas devem ocorrer nas mesmas coordenadas y e y', caso contrário, quando eles se encontrarem para comparar os resultados, uma marca estará acima ou abaixo da outra e assim poderíamos dizer quem estava realmente se movendo.

Agora vamos ver o que acontece com o relógio em movimento. Antes do homem levá-lo a bordo, ele concordou que era um bom relógio padrão e ao viajar na nave espacial não veria nada de estranho. Se visse, ele saberia que estava se movendo – se qualquer coisa mudasse devido ao movimento, ele poderia dizer que estava se movendo. Mas o princípio da relatividade diz que isso é impossível em um sistema se movimentando uniformemente, de modo que nada mudou. Por outro lado, quando o observador externo olha para o relógio dentro da nave, ele vê que a luz, ao ir de um espelho para o outro, está "realmente" fazendo um caminho em ziguezague, já que a barra está se movendo lateralmente o tempo todo. Já analisamos movimentos como o ziguezague, em relação ao experimento de Michelson-Morley. Se em um intervalo de tempo a barra se move uma distância proporcional a u na Figura 15-3, a distância que a luz percorre no mesmo intervalo é proporcional a c, e a distância vertical é portanto proporcional a $\sqrt{c^2 - u^2}$.

Ou seja, a luz leva *mais tempo* para ir de uma extremidade a outra no relógio em movimento do que no relógio parado. Portanto, o tempo aparente entre os cliques é mais longo para o relógio em movimento, na mesma proporção mostrada na hipotenusa do triângulo (essa é a origem das expressões de raiz quadrada em nossas equações). Da figura, também é claro que, quanto maior for u, mais devagar o relógio em movimento parece funcionar. Não apenas esse tipo de relógio funciona mais lentamente, mas, se a teoria da relatividade estiver correta, qualquer outro relógio, funcionando com qualquer princípio que seja, deveria também parecer funcionar mais lentamente e na mesma proporção – podemos dizer isso sem qualquer análise adicional. Por que isso acontece?

Para responder a essa questão, suponhamos que tivéssemos dois outros relógios feitos exatamente iguais, com rodas e engrenagens, ou talvez baseados na desintegração radioativa ou outra coisa qualquer. Então ajustamos esses relógios de modo que ambos funcionem em perfeito sincronismo com nossos primeiros relógios. Quando a luz vai e volta nos primeiros relógios e anuncia sua chegada com um clique, os modelos novos também completam alguma espécie de ciclo, que anunciam simultaneamente por algum *flash* duplamente coincidente, ou um tique, ou outro sinal. Um desses relógios é levado na nave espacial, junto com o primeiro tipo. Talvez *esse* relógio não funcione mais lentamente, mas continue marcando o mesmo tempo de seu correspondente parado, sendo assim, discordando do outro relógio em movimento. Oh, não, se isso acontecesse, o homem na nave poderia usar essa discrepância entre seus dois relógios para determinar a velocidade de sua nave, o que supomos ser impossível. *Não precisamos saber nada sobre o mecanismo* do relógio novo que possa causar o efeito – simplesmente sabemos que, qualquer que seja o motivo, ele parecerá funcionar devagar, exatamente como o primeiro.

Agora se *todos* os relógios em movimento funcionam mais lentamente, se todas as formas de medir o tempo não fornecem nada diferente que um ritmo mais lento, teremos apenas que dizer, em certo sentido, que *o próprio tempo* parece dilatado na nave espacial. Todos os fenômenos na nave, a pulsação do homem, seus processos de pensamento, o tempo que ele leva para acender um charuto, quanto ele leva para crescer e envelhecer, enfim, todas essas coisas devem ser mais lentas na mesma proporção, porque ele não consegue dizer que está se movendo. Os biólogos e médicos às vezes dizem que não é totalmente certo se o tempo que um câncer levará para se desenvolver será mais longo em uma nave espacial, mas do ponto de vista de um físico moderno, isso é quase certo; senão seria possível usar a taxa de desenvolvimento do câncer para calcular a velocidade da nave!

Um exemplo muito interessante da dilatação do tempo com o movimento é fornecido por múons, que são partículas que se desintegram espontaneamente após uma vida média de $2,2 \times 10^{-6}$ segundo. Eles atingem a Terra em raios cósmicos e também podem ser produzidos artificialmente em laboratório. Alguns deles se desintegram na atmosfera, mas o restante só se desintegra após encontrar um pedaço de material e parar. É claro que, em sua curta vida, um múon pode viajar, mesmo com a velocidade da luz, muito mais que 600 metros. No entanto, embora os múons sejam criados por raios cósmicos no alto da atmosfera, a cerca de 10 quilômetros de altura, eles são realmente encontrados nos laboratórios. Como isso é possível? A resposta é que diferentes múons se movem em diferentes velocidades, algumas bem próximas da velocidade da luz. Enquanto de seu próprio ponto de vista eles vivam apenas cerca de 2 μs, do nosso ponto de vista eles vivem consideravelmente mais – o suficiente para que possam atingir a Terra. O fator pelo qual o tempo é aumentado já foi dado como $1/\sqrt{1-u^2/c^2}$. A vida média foi medida muito precisamente para múons de diferentes velocidades, e os valores concordam bem proximamente com os da fórmula.

Não sabemos por que o múon se desintegra ou qual o seu mecanismo, mas sabemos que seu comportamento satisfaz ao princípio da relatividade. Esta é a utilidade do princípio da relatividade – ele nos permite fazer previsões, mesmo sobre coisas sobre as quais, em caso contrário, não saberíamos nada. Por exemplo, antes que tenhamos qualquer ideia do que faz um múon se desintegrar, ainda podemos prever que, quando ele está se movendo a nove décimos da velocidade da luz, o tempo aparente que existe é de $2,2 \times 10^{-6}/(\sqrt{1-9^2/10^2})$ segundos; e nossa previsão funciona – essa é a coisa boa dela.

15–5 A contração de Lorentz

Agora, vamos retornar às transformações de Lorentz (15.3) e tentar compreender melhor a relação entre os sistemas de coordenadas (x, y, z, t) e (x', y', z', t'), que vamos chamar de sistemas S e S', ou sistemas de Joe e Moe, respectivamente. Já notamos que a primeira equação é baseada na sugestão de Lorentz da contração ao longo da direção x; como podemos provar que uma contração ocorre? No experimento de Michelson-Morley, agora reconhecemos que o braço *transversal BC* não pode mudar de comprimento, devido ao princípio da relatividade; assim, o resultado nulo do experimento exige que os *tempos* sejam iguais. Então, para que o experimento dê um resultado nulo, o braço longitudinal *BE* deve parecer mais curto, pela raiz quadrada $\sqrt{1-u^2/c^2}$. O que essa contração significa, em termos das medidas feitas por Joe e Moe? Suponha que Moe, movendo-se com o sistema S' na direção x, esteja medindo a coordenada x' de um dado ponto com uma régua de metro. Ele abaixa a régua x' vezes, então pensa que a distância é de x' metros. Do ponto de vista de Joe no sistema S, entretanto Moe está usando uma régua contraída, assim a distância "real" medida é de $x'\sqrt{1-u^2/c^2}$ metros. Dessa forma, se o sistema S' tiver viajado uma distância ut do sistema S, o observador S diria que o mesmo ponto, medido em suas coordenadas, está a uma distância $x = x'\sqrt{1-u^2/c^2} + ut$, ou

$$x' = \frac{x - ut}{\sqrt{1 - u^2/c^2}},$$

que é a primeira equação das transformações de Lorentz.

15–6 Simultaneidade

De forma análoga, devido à diferença nas escalas de tempo, a expressão do denominador é introduzida na quarta equação das transformações de Lorentz. O termo mais interessante nessa equação é o ux/c^2 no numerador, porque ele é bem novo e inesperado. Agora, o que ele significa? Se olharmos para a situação cuidadosamente, veremos que eventos que ocorrem em dois lugares diferentes ao mesmo tempo como vistos por Moe em S', *não* ocorrem ao mesmo tempo se vistos por Joe em S. Se um evento ocorre no ponto x_1 no momento t_0 e o outro evento em x_2 e t_0 (no mesmo instante), acharemos que os dois instantes correspondentes t_1' e t_2' diferem por uma quantidade

$$t_2' - t_1' = \frac{u(x_1 - x_2)/c^2}{\sqrt{1 - u^2/c^2}}.$$

Essa circunstância é chamada de "fracasso da simultaneidade à distância"; para tornar a ideia um pouco mais clara, vamos considerar o seguinte experimento.

Suponha que um homem que está se movendo em uma nave espacial (sistema S') colocou um relógio em cada uma das duas extremidades da nave e quer ter certeza de que os relógios estão em sincronia. Como os relógios podem ser sincronizados? Existem várias formas. Uma forma, envolvendo bem pouco cálculo, seria primeiro localizar o ponto central exato entre os dois relógios. Então, desse ponto, enviamos um sinal luminoso que irá nas duas direções à mesma velocidade e chegará nos dois relógios ao mesmo tempo. Essa chegada simultânea dos sinais pode ser usada para sincronizar os relógios. Vamos então supor que o homem em S' sincroniza seus relógios por esse método específico. Vamos ver se um observador no sistema S concordaria que os dois relógios são síncronos. O homem em S' tem o direito de acreditar que são, porque ele não sabe que está se movendo, mas o homem em S raciocina que, uma vez que a nave está indo para a frente, o relógio na extremidade dianteira está se afastando do sinal luminoso, de modo que a luz tem de percorrer mais que metade do caminho para alcançá-lo; entretanto o relógio traseiro está avançando para encontrar o sinal luminoso, assim essa distância será encurtada. Portanto, o sinal alcança o relógio traseiro primeiro, embora o homem em S' pense que os sinais chegaram simultaneamente. Desta forma, verificamos que, quando um homem em uma nave espacial pensa que eventos em duas posições são simultâneos, valores iguais de t' em seu sistema de coordenadas devem corresponder a valores *diferentes* de t no outro sistema de coordenadas!

15–7 Quadrivetores

Vamos ver o que mais podemos descobrir nas transformações de Lorentz. É interessante observar que a transformação entre os x' e t' tem uma forma análoga à transformação dos x' e y' que estudamos no Capítulo 11 para a rotação de coordenadas. Tínhamos que

$$\begin{aligned} x' &= x\cos\theta + y\,\text{sen}\,\theta, \\ y' &= y\cos\theta - x\,\text{sen}\,\theta, \end{aligned} \quad (15.8)$$

no qual o novo x' mistura os x e y antigos, e o novo y' também mistura os x e y antigos; semelhantemente, nas transformações de Lorentz, achamos um novo x' que é uma mistura de x e t, e um novo t' que é uma mistura de t e x. Desta forma, as transformações de Lorentz são análogas à rotação, só que é uma "rotação" no *espaço e tempo*, o que parece ser um conceito estranho. Uma verificação da analogia com a rotação pode ser feita calculando a quantidade

$$x'^2 + y'^2 + z'^2 - c^2 t'^2 = x^2 + y^2 + z^2 - c^2 t^2. \qquad (15.9)$$

Nessa equação, os três primeiros termos de cada lado representam, em geometria tridimensional, o quadrado da distância entre um ponto e a origem (superfície de uma esfera) que permanece inalterado (invariante) indiferentemente à rotação dos eixos coordenados. Similarmente, a Equação (15.9) mostra que existe uma certa combinação, que inclui o tempo, que é invariante sob as transformações de Lorentz. Portanto, a analogia com a rotação é completa e é de tal forma que vetores, ou seja, quantidades envolvendo "componentes" que se transformam da mesma forma que as coordenadas e o tempo, também são úteis juntamente à relatividade.

Então, contemplamos uma extensão da ideia de vetores, que até agora consideramos como tendo apenas componentes espaciais, para incluir uma componente temporal. Isto é, esperamos que existam vetores com quatro componentes, três que são como as componentes de um vetor comum e com as quais será associada uma quarta componente, que corresponde à componente do tempo.

Esse conceito será aprofundado nos capítulos posteriores, em que veremos que, se as ideias do parágrafo anterior são aplicadas ao momento, a transformação fornece três componentes espaciais que são como componentes comuns do momento e uma quarta componente, a do tempo, que é a *energia*.

15–8 Dinâmica relativística

Estamos agora prontos para investigar, em termos mais gerais, quais formas as leis da mecânica assumem sob as transformações de Lorentz. [Até aqui, explicamos como comprimento e tempo mudam, mas não como obtemos a fórmula modificada para m (Equação 15.1). Vamos fazer isso no próximo capítulo.] Para ver as consequências da modificação de Einstein de m para a mecânica newtoniana, começamos com a lei newtoniana de que força é a taxa de variação do momento, ou

$$\mathbf{F} = d(m\mathbf{v})/dt.$$

O momento ainda é dado por $m\mathbf{v}$, mas, quando usamos o novo m, isso se torna

$$\mathbf{p} = m\mathbf{v} = \frac{m_0 \mathbf{v}}{\sqrt{1 - v^2/c^2}}. \qquad (15.10)$$

Essa é a modificação de Einstein das leis de Newton. Sob essa modificação, se ação e reação continuarem iguais (podem não ser no detalhe, mas são no longo prazo), existirá conservação do momento da mesma forma que antes, mas a quantidade que está sendo conservada não é o antigo $m\mathbf{v}$ com sua massa constante, mas sim a quantidade mostrada em (15.10), que possui a massa modificada. Quando essa mudança é feita na fórmula do momento, a conservação do momento ainda funciona.

Agora vamos ver como o momento varia com a velocidade. Na mecânica newtoniana, ele é proporcional à velocidade e, de acordo com (15.10), sob uma faixa considerável de velocidades, mas pequenas comparadas a c, é quase igual na mecânica relativística, porque a expressão da raiz quadrada difere apenas ligeiramente de 1. Quando v é quase igual a c, a expressão da raiz quadrada se aproxima de zero e o momento, portanto, tende ao infinito.

O que acontece se uma força constante atua sobre um corpo por um longo tempo? Na mecânica newtoniana, o corpo vai ganhando velocidade até ultrapassar a velocidade da luz, mas isso é impossível na mecânica relativística. Na relatividade, o corpo vai ganhando não velocidade, mas momento, que pode aumentar continuamente porque a massa está aumentando. Após algum tempo, praticamente não existe aceleração no sentido de uma mudança na velocidade, mas o momento continua aumentando. Claro que, sempre que uma força produz muito pouca mudança na velocidade de um corpo, dizemos que o corpo possui um alto grau de inércia, e isso é exatamente o que nossa fórmula da massa relativística diz (ver Equação 15.10) – ela diz que a inércia é muito grande quando v está próximo de c. Como um exemplo desse efeito, para desviar os elétrons de alta velocidade no síncroton, que é usado no Caltech, precisamos de um campo magnético que é 2.000 vezes mais forte do que se esperaria com base nas leis de Newton. Em outras palavras, a massa dos elétrons no síncroton é 2.000 vezes maior que sua massa normal e é tão grande quanto a de um próton! Essa m deve ser 2.000 vezes m_0, significando que $1 - v^2/c^2$ deve ser $1/4.000.000$, portanto v difere de c por uma parte em 8.000.000, assim os elétrons estão se aproximando bastante da velocidade da luz. Se os elétrons e a luz apostassem corrida do síncroton até o Bridge Lab (estimado em cerca de 200 metros de distância), qual dos dois chegaria primeiro? A luz, é claro, porque ela sempre viaja mais rapidamente[1]. Quanto tempo antes? Isso é muito difícil de saber – ao invés disso, diremos a distância que a luz está na frente: será cerca 2,5/1.000 centímetros ou 1/4 da espessura de uma folha de papel! Quando os elétrons estão com essa velocidade, suas massas são enormes, mas suas velocidades não podem ultrapassar a velocidade da luz.

Agora, vamos examinar algumas outras consequências da mudança relativística da massa. Considere o movimento das moléculas em um pequeno tanque de gás. Quando o gás é aquecido, a velocidade das moléculas aumenta e, portanto, a massa também aumenta, e o gás fica mais pesado. Uma fórmula aproximada para expressar o aumento da massa, para o caso em que a velocidade é baixa, pode ser encontrada expandindo $m_0 / \sqrt{1 - v^2/c^2} = m_0 (1 - v^2/c^2)^{-1/2}$ em uma série de potências usando o teorema binomial. Obteremos

$$m_0(1 - v^2/c^2)^{-1/2} = m_0(1 + \tfrac{1}{2}v^2/c^2 + \tfrac{3}{8}v^4/c^4 + \cdots).$$

Vemos claramente pela fórmula que a série converge rapidamente quando v é pequena, e os termos após os dois ou três primeiros são desprezíveis. Então, podemos escrever

$$m \cong m_0 + \tfrac{1}{2}m_0v^2\left(\frac{1}{c^2}\right) \tag{15.11}$$

em que o segundo termo à direita expressa o aumento da massa devido à velocidade molecular. Quando a temperatura aumenta, a v^2 aumenta proporcionalmente, assim podemos dizer que o aumento da massa é proporcional ao aumento da temperatura. Uma vez que $1/2\ m_0 v^2$ é a energia cinética na antiga forma newtoniana antiquada, podemos também dizer que o aumento da massa de todo esse corpo de gás é igual ao aumento da energia cinética dividido por c^2, ou $\Delta m = \Delta E_C / c^2$.

15–9 Equivalência entre massa e energia

A observação acima levou Einstein à sugestão de que a massa de um corpo pode ser expressa mais simplesmente do que pela fórmula (15.1), se dissermos que a massa é igual à energia total dividida por c^2. Se a Equação (15.11) for multiplicada por c^2, o resultado é

$$mc^2 = m_0c^2 + \tfrac{1}{2}m_0v^2 + \cdots \tag{15.12}$$

---

[1] Os elétrons deveriam, na prática, vencer a corrida contra a luz *visível*, devido ao índice de refração do ar. Um raio gama se sairia melhor.

Portanto, o termo da esquerda expressa a energia total de um corpo, e reconhecemos o último termo como a energia cinética comum. Einstein interpretou o grande e constante termo, m_0c^2, como parte da energia total do corpo, uma energia intrínseca conhecida como a "energia de repouso".

Vamos seguir as consequências de assumir, com Einstein, que *a energia de um corpo é sempre igual a mc^2*. Como um resultado interessante, encontraremos a fórmula (15.1) para a variação da massa com a velocidade, que meramente assumimos até agora. Começamos com o corpo em repouso, quando sua energia é m_0c^2. Depois, aplicamos uma força ao corpo, que inicia o movimento dele e lhe confere energia cinética; portanto, como a energia aumentou, a massa aumentou – isso está implícito na suposição original. Enquanto a força continua atuando, a energia e a massa, ambas, continuam aumentando. Já vimos (Capítulo 13) que a taxa de variação da energia com o tempo é igual à força vezes a velocidade, ou

$$\frac{dE}{dt} = \mathbf{F} \cdot \mathbf{v}. \tag{15.13}$$

Também temos (Capítulo 9, Equação 9.1) que $F = d(mv)/dt$. Quando essas relações são combinadas à definição de E, a Equação (15.13) torna-se

$$\frac{d(mc^2)}{dt} = \mathbf{v} \cdot \frac{d(m\mathbf{v})}{dt}. \tag{15.14}$$

Queremos resolver essa equação para m. Para isso, primeiro usamos o truque matemático de multiplicar os dois lados por $2m$, o que muda a equação para

$$c^2(2m)\frac{dm}{dt} = 2mv\frac{d(mv)}{dt}. \tag{15.15}$$

Precisamos nos livrar das derivadas, o que se consegue integrando ambos os lados. A quantidade $(2m)dm/dt$ pode ser reconhecida como a derivada em relação ao tempo de m^2, e $(2m\mathbf{v}) \cdot d(m\mathbf{v})/dt$ é a derivada em relação ao tempo de $(mv)^2$. Então, a Equação (15.15) é o mesmo que

$$c^2 \frac{d(m^2)}{dt} = \frac{d(m^2v^2)}{dt}. \tag{15.16}$$

Se as derivadas de duas grandezas são iguais, as próprias grandezas diferem no máximo por uma constante; por exemplo, C. Isso nos permite escrever

$$m^2c^2 = m^2v^2 + C. \tag{15.17}$$

Precisamos definir a constante C mais explicitamente. Como a Equação (15.17) deve ser verdadeira para todas as velocidades, podemos escolher um caso especial para o qual $v = 0$ e dizer que, neste caso, a massa é m_0. Substituindo esses valores na Equação (15.17), obtemos

$$m_0^2c^2 = 0 + C.$$

Podemos agora usar esse valor de C na Equação (15.17), que se torna:

$$m^2c^2 = m^2v^2 + m_0^2c^2. \tag{15.18}$$

Dividindo por c^2 e reorganizando os termos, obtemos

$$m^2(1 - v^2/c^2) = m_0^2,$$

de onde chegamos em

$$m = m_0/\sqrt{1 - v^2/c^2}. \tag{15.19}$$

Essa é a Fórmula (15.1) e é exatamente o que é necessário para a concordância entre massa e energia na Equação (15.12).

Normalmente, essas mudanças na energia representam mudanças extremamente pequenas da massa, porque na maior parte do tempo não conseguimos gerar muita energia de uma dada quantidade de material, mas em uma bomba atômica na qual a energia explosiva é equivalente a 20 quilotons de TNT, por exemplo, é possível mostrar que a sujeira após a explosão é um grama mais leve do que a massa inicial do material reagente, devido à energia que foi liberada, ou seja, a energia liberada tinha uma massa de 1 grama, de acordo com a relação $\Delta E = \Delta(mc^2)$. Esta teoria da equivalência entre massa e energia tem sido lindamente verificada por experimentos em que a matéria é aniquilada – convertida totalmente em energia: um elétron e um pósitron se aproximam em repouso, cada um com uma massa de repouso m_0. Quando se aproximam, eles se desintegram, e dois raios gama surgem, cada um com a energia medida de m_0c^2. Esse experimento fornece uma determinação direta da energia associada à existência da massa de repouso de uma partícula.

Energia e Momento Relativístico

16–1 A relatividade e os filósofos

Neste capítulo, continuaremos discutindo o princípio da relatividade de Einstein e Poincaré e como ele afeta nossas ideias sobre física e outros ramos do pensamento humano.

Poincaré fez a seguinte afirmação sobre o princípio da relatividade: "De acordo com o princípio da relatividade, as leis dos fenômenos físicos devem ser as mesmas tanto para um observador fixo como para um observador que tem um movimento de translação uniforme em relação ao primeiro, de modo que não temos, nem podemos possivelmente ter, quaisquer meios de discernir se estamos sendo ou não levados por tal movimento".

Quando essa ideia caiu no mundo, causou um grande alvoroço entre os filósofos, em particular os "filósofos de festas de salão", que dizem: "Oh! é muito simples: a teoria de Einstein diz que tudo é relativo!" De fato, um número surpreendentemente grande de filósofos, não apenas aqueles encontrados nas festas de salão (mas melhor que constrangê-los é chamá-los simplesmente de "filósofos de festas de salão"), dirá: "Que tudo é relativo é uma consequência de Einstein, e isso tem influências profundas sobre nossas ideias". Adicionalmente, eles dizem: "Foi demonstrado em física que os fenômenos dependem de seu sistema de referência". Ouvimos isso com frequência, mas é difícil descobrir o que significa. Provavelmente, os sistemas de referência que foram citados originalmente eram os sistemas de coordenadas que usamos na análise da teoria da relatividade. Portanto, supostamente o fato de que "as coisas dependem do sistema de referência do observador" tem um efeito profundo no pensamento moderno. Alguém poderia perfeitamente se perguntar por que, já que, afinal, as coisas dependerem do ponto de vista do observador é uma ideia tão simples que certamente não é necessário passar por toda a complicação da teoria da relatividade física para descobri-la. Dizer que o que alguém vê depende do seu sistema de referência é certamente conhecido por qualquer pessoa que está caminhando, pois o que ela vê primeiramente é um outro pedestre de frente e depois de costas; não existe nada mais profundo na maior parte da filosofia que se diz resultante da teoria da relatividade do que a observação de que "uma pessoa parece diferente pela frente e pelas costas". A velha história do elefante que vários homens cegos descrevem de formas diferentes é, talvez, outro exemplo da teoria da relatividade do ponto de vista dos filósofos.

No entanto, certamente deve haver pontos mais profundos na teoria da relatividade do que a mera observação de que "uma pessoa parece diferente pela frente e pelas costas". É claro que a relatividade é mais profunda do que isso, porque *podemos fazer previsões definidas com ela*. Seria certamente um grande espanto se pudéssemos prever o comportamento da natureza com base apenas numa observação tão simples assim.

Existe outra escola de filósofos que se sente muito desconfortável com a teoria da relatividade, que afirma que não podemos determinar nossa velocidade absoluta sem olhar para algo externo, e que diria: "É óbvio que alguém não pode medir sua velocidade sem olhar para fora. É evidente que *não faz sentido* falar da velocidade de algo sem olhar para fora; os físicos são estúpidos por terem pensado diferente e por só agora terem percebido que é isso de fato. Se nós, filósofos, tivéssemos percebido quais eram os problemas dos físicos, poderíamos ter visto imediatamente, por meio da reflexão, que é impossível saber com que velocidade alguém se move sem olhar para fora e poderíamos ter dado uma contribuição enorme à física". Esses filósofos estão sempre conosco, lutando na periferia para tentar nos dizer algo, mas eles nunca realmente entenderam as sutilezas e profundezas do problema.

Nossa incapacidade de detectar o movimento absoluto é um resultado de *experimento*, e não um resultado do pensamento puro, como podemos facilmente mostrar. Em primeiro lugar, Newton acreditava que era verdade que alguém não poderia saber sua velocidade se estivesse se movendo com velocidade uniforme em linha reta. De fato, Newton foi o primeiro a enunciar o princípio da relatividade, e uma das citações do último capítulo foi essa afirmação de Newton. Por que, então, os filósofos não fizeram todo esse espalhafato

16–1 A relatividade e os filósofos
16–2 O paradoxo dos gêmeos
16–3 A transformação de velocidade
16–4 Massa relativística
16–5 Energia relativística

sobre "tudo é relativo", ou qualquer outra coisa que tenha sido, na época de Newton? Porque só depois que a teoria da eletrodinâmica de Maxwell foi desenvolvida é que existiram leis físicas que sugeriram que se *poderia* medir a velocidade sem se olhar para fora; logo foi descoberto *experimentalmente* que *não* se poderia.

Agora, *é* absoluta, definitiva e filosoficamente *necessário* que alguém não consiga dizer com que velocidade está se movendo sem olhar para fora? Uma das consequências da relatividade foi o desenvolvimento de uma filosofia que dizia: "Você só pode definir o que pode medir! Uma vez que é evidente que não se pode medir a velocidade sem ver aquilo em relação a que ela está sendo medida, é claro que não existe *sentido* em velocidade absoluta. Os físicos deveriam ter percebido que eles só podem falar sobre aquilo que podem medir", mas *este é todo o problema*: se é ou não *possível definir* a velocidade absoluta equivale ao problema de se é ou não *possível detectar, em um experimento*, sem olhar para fora, se está se movendo. Em outras palavras, se uma coisa é ou não mensurável não é algo a ser decidido *a priori* pelo pensamento puro, mas algo que só pode ser decidido por experimento. Dado o fato de que a velocidade da luz é de 300.000 km/s, acharemos poucos filósofos que afirmarão tranquilamente que é evidente que, se a luz vai a 300.000 km/s dentro de um carro e o carro está indo a 150 km/s, aquela luz também vai a 300.000 km/s para um observador no solo. Esse é um fato chocante para eles; os mesmos que alegam que é óbvio acham, quando você lhes dá um fato específico, que não é óbvio.

Finalmente, existe até uma filosofia que diz que não se pode detectar *qualquer* movimento, a não ser que se olhe para fora. Isso simplesmente não é verdade em física. É verdade que não se pode perceber um movimento *uniforme* em *linha reta*, mas se toda a sala estiver *rodando*, certamente saberemos, pois todos seriam atirados de encontro à parede – haveria todo tipo de efeitos "centrífugos". Que a Terra está girando em seu eixo pode ser detectado sem olhar para as estrelas, por meio do chamado pêndulo de Foucault, por exemplo. Portanto, não é verdade que "tudo é relativo"; apenas a *velocidade uniforme* não pode ser detectada sem olhar para fora. *Rotação* uniforme em torno de um eixo fixo *pode* ser detectada. Quando se conta isso a um filósofo, ele fica bem aborrecido por não entender isso realmente, porque para ele parece impossível que alguém seja capaz de detectar a rotação em torno de um eixo sem olhar para fora. Se o filósofo for bom o suficiente, após algum tempo ele poderá voltar e dizer: "Entendo. Realmente não temos algo como a rotação absoluta; estamos realmente girando *em relação às estrelas*, veja bem. E, assim, alguma influência exercida pelas estrelas sobre o objeto deve causar a força centrífuga".

Agora, por tudo que sabemos, isso é verdade; não há formas, no momento, de dizer se existiria força centrífuga se não houvesse estrelas e nebulosas em torno. Não fomos capazes de fazer o experimento de remover todas as nebulosas e depois medir nossa rotação, então simplesmente não sabemos. Devemos admitir que um filósofo pode estar certo. Ele retorna, portanto, empolgado e diz: "É absolutamente necessário que se acabe descobrindo que o mundo é assim: a rotação *absoluta* nada significa; é apenas *relativo* às nebulosas". Aí dizemos para ele: "*Bem*, meu amigo, é ou não é óbvio que a velocidade uniforme em linha reta, *relativo às nebulosas*, não deve produzir efeitos dentro de um carro?" Agora que o movimento não é mais absoluto, mas é um movimento *relativo às nebulosas*, essa se torna uma pergunta misteriosa e que só pode ser esclarecida por experimento.

Então, quais *são* as influências filosóficas da teoria da relatividade? Se nos limitamos às influências no sentido de *que tipo de ideias e sugestões* novas são feitas pelos físicos por meio do princípio da relatividade, poderíamos descrever algumas delas da seguinte maneira. A primeira descoberta é, essencialmente, que mesmo aquelas ideias em que se acreditou por um longo período e que foram verificadas com grande precisão podem estar erradas. Foi uma descoberta chocante, é claro, que as leis de Newton estão erradas, após todos os anos em que pareciam ser precisas. De fato, está claro que os experimentos não estavam errados, mas foram realizados apenas sobre uma faixa limitada de velocidades, tão pequena que os efeitos relativísticos não teriam sido evidentes. No entanto, agora temos um ponto de vista bem mais humilde sobre as nossas leis físicas – tudo *pode* estar errado!

Segundo, se temos um conjunto de ideias "estranhas", por exemplo, que o tempo anda mais devagar quando nos movemos e assim por diante, *gostarmos* ou *não* delas é uma questão irrelevante. A única questão relevante é se as ideias são compatíveis com o que é visto experimentalmente. Em outras palavras, as "ideias estranhas" precisam apenas concordar com os *experimentos*, e o único motivo que temos para discutir o comportamento de relógios, e assim por diante, é demonstrar que a ideia da dilatação do tempo é estranha, mas é *consistente* com a maneira como medimos o tempo.

Finalmente, existe uma terceira sugestão que é um pouco mais técnica, mas que revelou-se de uma enorme utilidade em nosso estudo de outras leis físicas, que é *olhar para a simetria das leis* ou, mais especificamente, procurar os meios pelos quais as leis podem ser transformadas sem que a sua forma seja alterada. Quando discutimos a teoria dos vetores, observamos que as leis fundamentais do movimento não se alteram quando giramos o sistema de coordenadas, e agora aprendemos que elas não se alteram quando mudamos as variáveis espacial e temporal de uma forma específica, dadas pelas transformações de Lorentz. Então esta ideia de estudar as transformações ou operações sob as quais as leis fundamentais não se alteram mostrou-se muito útil.

16–2 O paradoxo dos gêmeos

Prosseguindo nossa discussão sobre a transformação de Lorentz e os efeitos relativísticos, vejamos o famoso "paradoxo" de Pedro e Paulo, que se supõe sejam gêmeos, nascidos na mesma hora. Quando chegam à idade de dirigir uma nave espacial, Paulo parte em altíssima velocidade. Como Pedro, que ficou no solo, vê Paulo disparar, todos os relógios de Paulo parecem andar mais devagar, seu coração bate mais lentamente, seus pensamentos ficam mais lentos, enfim, tudo na nave espacial fica mais lento do ponto de vista de Pedro. Claro que Paulo não nota nada de estranho, mas, se ele viajar por algum tempo e depois retornar, estará mais jovem que Pedro, o homem no solo! Isso é verdadeiro; é uma das consequências da teoria da relatividade que foi claramente demonstrada. Assim como os múons duram mais quando estão se movendo, Paulo também durará mais ao se mover. Isso é chamado de "paradoxo" apenas pelas pessoas que acreditam que o princípio da relatividade significa que *todo movimento* é relativo. Elas dizem: "He, he, he, do ponto de vista de Paulo, não podemos dizer que *Pedro* estava se movendo e deveria, portanto, parecer envelhecer mais devagar? Por simetria, o único resultado possível é que ambos devem ter a mesma idade quando se encontram". No entanto, para que os irmãos voltem a se reunir e façam a comparação, Paulo precisa parar no final da viagem e comparar os relógios ou, mais simplesmente, ele tem de voltar, e aquele que volta deve ser o homem que estava se movendo, e ele sabe disso, porque teve de dar meia-volta. Ao dar meia-volta, todo tipo de coisas estranhas aconteceu em sua nave espacial: os foguetes foram desligados, as coisas foram jogadas de encontro a uma das paredes e assim por diante, ao passo que Pedro não sentiu nada.

Portanto, a forma de enunciar a regra é dizer que *o homem que sentiu as acelerações*, que viu as coisas irem de encontro à parede, etc. é aquele que estaria mais jovem. Essa é a diferença entre eles em um sentido "absoluto"; e isso está sem dúvida correto. Quando discutimos o fato de que múons em movimento duram mais, usamos como exemplo seu movimento em linha reta na atmosfera, mas podemos também produzir múons em laboratório e, com o auxílio de um ímã, fazer com que percorram uma curva, e mesmo sob esse movimento acelerado, eles duram exatamente o mesmo tempo quanto em linha reta. Embora ninguém tenha providenciado um experimento explicitamente para que possamos nos livrar do paradoxo, seria possível comparar um múon estacionário com um que percorreu um círculo completo, e certamente se constataria que aquele que percorreu o círculo durou mais tempo. Embora não tenhamos realizado um experimento usando um círculo completo, ele não é necessário, porque tudo se encaixa perfeitamente. Isso pode não satisfazer a quem insiste que cada fato individual precisa ser diretamente demonstrado, mas prevemos com confiança o resultado do experimento em que Paulo percorre um círculo completo.

16–3 A transformação de velocidade

A principal diferença entre a relatividade de Einstein e a relatividade de Newton é que as leis de transformação que conectam as coordenadas e os tempos entre sistemas em movimento relativo são diferentes. A lei de transformação correta, a de Lorentz, é

$$x' = \frac{x - ut}{\sqrt{1 - u^2/c^2}},$$
$$y' = y,$$
$$z' = z, \qquad (16.1)$$
$$t' = \frac{t - ux/c^2}{\sqrt{1 - u^2/c^2}}.$$

Essas equações correspondem ao caso relativamente simples em que o movimento relativo dos dois observadores se dá ao longo de seus eixos x comuns. Claro que outras direções de movimento são possíveis, mas a transformação de Lorentz mais geral é bem complicada, com todas as quatro quantidades misturadas. Continuaremos usando essa forma mais simples, já que ela contém todos os aspectos essenciais da relatividade.

Vamos agora discutir outras consequências desta transformação. Primeiro, é interessante solucionar essas equações no sentido inverso. Ou seja, aqui está um conjunto de equações lineares, quatro equações com quatro incógnitas, e elas podem ser resolvidas no sentido inverso, para x, y, z, t, em termos de x', y', z', t'. O resultado é muito interessante porque nos informa como um sistema de coordenadas "em repouso" parece do ponto de vista de um que está "se movendo". Claro que, como os movimentos são relativos e de velocidade uniforme, o homem que está se "movendo" pode dizer, caso queira, que é realmente o outro sujeito que está se movendo e que ele próprio está em repouso. E, como ele está se movendo na direção oposta, deveria obter a mesma transformação, mas com o sinal de velocidade oposto. Isso é precisamente o que achamos de manipulação, de modo que é coerente. Se a coisa não resultasse assim, teríamos um bom motivo para nos preocuparmos!

$$x = \frac{x' + ut'}{\sqrt{1 - u^2/c^2}},$$
$$y = y',$$
$$z = z', \qquad (16.2)$$
$$t = \frac{t' + ux'/c^2}{\sqrt{1 - u^2/c^2}}.$$

A seguir, discutiremos o problema interessante da soma de velocidades na relatividade. Lembramos que um dos enigmas originais é que a luz se desloca a 300.000 km/s em todos os sistemas, mesmo quando estão em movimento relativo. Este é um caso especial de um problema mais geral exemplificado a seguir: suponha que um objeto dentro de uma nave espacial esteja se movendo a 160.000 km/s e que a própria nave espacial esteja a 160.000 km/s. Qual a velocidade do objeto dentro da nave espacial do ponto de vista de um observador externo? Deveríamos dizer 320.000 km/s, que é mais rápido que a luz. Isso é bem desanimador, porque ele não deveria se mover mais rápido que a luz! O problema geral é o seguinte.

Vamos supor que o objeto dentro da nave, do ponto de vista do homem lá dentro, está se movendo a uma velocidade v e que a própria nave espacial tem uma velocidade u em relação ao solo. Queremos saber com que velocidade v_x esse objeto está se movendo do ponto de vista do homem no solo. É claro que isso ainda é um caso especial no qual o movimento é na direção x. Também existe uma transformação para velocidades na direção y ou para qualquer ângulo; elas podem ser obtidas caso seja necessário. Dentro da nave espacial, a velocidade é $v_{x'}$, o que significa que o deslocamento x' é igual à velocidade vezes o tempo:

$$x' = v_{x'}t'. \tag{16.3}$$

Agora, temos apenas de calcular quais são a posição e o tempo do ponto de vista do observador externo para um objeto que tenha a relação (16.2) entre x' e t'. Então, simplesmente substituímos (16.3) em (16.2) e obtemos

$$x = \frac{v_{x'}t' + ut'}{\sqrt{1 - u^2/c^2}}. \tag{16.4}$$

Aqui encontramos x expresso em termos de t'. Para obter a velocidade como vista pelo homem de fora, devemos dividir *sua distância* pelo *seu tempo*, não pelo *tempo do outro homem*! Então, devemos também calcular o tempo como visto de fora, que é

$$t = \frac{t' + u(v_{x'}t')/c^2}{\sqrt{1 - u^2/c^2}}. \tag{16.5}$$

Agora devemos encontrar a razão entre x e t, que é

$$v_x = \frac{x}{t} = \frac{u + v_{x'}}{1 + uv_{x'}/c^2}, \tag{16.6}$$

as raízes se cancelam. Esta é a lei que procurávamos: a velocidade resultante, a "soma" de duas velocidades, não é apenas a soma algébrica de duas velocidades (sabemos que não pode ser, senão estaríamos com problemas), mas é "corrigida" por $1 + uv/c^2$.

Agora, vamos ver o que acontece. Suponha que você esteja se movendo dentro da nave espacial com a metade da velocidade da luz e que a própria nave espacial esteja se movendo com a metade da velocidade da luz. Assim, u é $½ c$ e v é $½ c$, mas, no denominador, uv é $¼ c^2$; desta forma

$$v = \frac{\tfrac{1}{2}c + \tfrac{1}{2}c}{1 + \tfrac{1}{4}} = \frac{4c}{5}.$$

Portanto, em relatividade, "metade" mais "metade" não dá "um", isso dá apenas "4/5". É claro que velocidades baixas podem ser somadas facilmente da forma familiar, porque, uma vez que as velocidades sejam pequenas comparadas com a velocidade da luz, podemos esquecer o fator $(1 + uv/c^2)$; mas as coisas são bem diferentes e bastante interessantes em altas velocidades.

Vamos tomar um caso limite. Por pura diversão, suponha que dentro da nave espacial o homem esteja observando a *própria luz*. Em outras palavras, $v = c$, e a nave espacial também está se movendo. Como isso será visto pelo homem no solo? A resposta será

$$v = \frac{u + c}{1 + uc/c^2} = c\,\frac{u + c}{u + c} = c.$$

Portanto, se algo estiver se movendo com a velocidade da luz dentro da nave, também parecerá estar se movendo com a velocidade da luz do ponto de vista do homem no solo! Isso é bom, pois é, de fato, o que a teoria da relatividade de Einstein se propôs a fazer em primeiro lugar – e foi *bom* que ela tenha funcionado!

É claro que existem casos em que o movimento não está na direção da translação uniforme. Por exemplo, pode existir um objeto dentro da nave que esteja se movendo "para cima" com velocidade $v_{y'}$ em relação à nave, e a nave está se movendo "horizontalmente". Agora, vamos simplesmente repetir o procedimento, só que usando y' em vez de x', resultando em

$$y = y' = v_{y'}t',$$

então se $v_{x'} = 0$,

$$v_y = \frac{y}{t} = v_{y'}\sqrt{1 - u^2/c^2}. \tag{16.7}$$

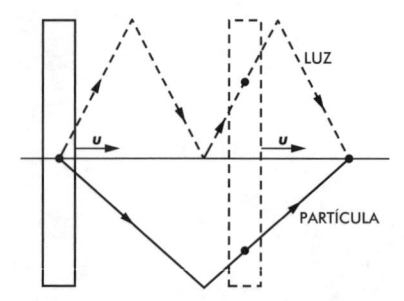

Figura 16–1 Trajetórias descritas por um raio de luz e partícula dentro de um relógio em movimento.

Assim, uma velocidade lateral não é mais v_y, mas $v_y\sqrt{1 - u^2/c^2}$. Achamos esse resultado substituindo e combinando as equações da transformação, mas também podemos ver esse resultado do princípio da relatividade pela seguinte razão (é sempre bom olhar de novo para ver se conseguimos ver a razão). Já vimos (Figura 15-3) como um possível relógio poderia funcionar quando está se movendo; a luz parece viajar com um ângulo à velocidade c no sistema fixo, enquanto simplesmente viaja verticalmente com a mesma velocidade no sistema em movimento. Descobrimos que a *componente vertical* da velocidade no sistema fixo é menor que a da luz pelo fator $\sqrt{1 - u^2/c^2}$ (ver Equação 15.3). Agora, suponha que deixemos uma partícula material ir de um lado para o outro nesse mesmo "relógio"; mas a certa fração inteira $1/n$ da velocidade da luz (Figura 16–1). Então, quando a partícula foi de um lado para o outro uma vez, a luz terá ido exatamente n vezes. Ou seja, cada "clique" do relógio de "partícula" coincidirá com cada n-ésimo "clique" do relógio de luz. *Esse fato deve continuar verdadeiro quando o sistema inteiro estiver se movendo*, porque o fenômeno físico da coincidência será uma coincidência em qualquer sistema de referência. Portanto, uma vez que a velocidade c_y é inferior à velocidade da luz, a velocidade v_y da partícula deve ser inferior à velocidade correspondente pela mesma razão da raiz quadrada! Isso é o porquê de a raiz quadrada aparecer em qualquer velocidade vertical.

16–4 Massa relativística

Aprendemos no último capítulo que a massa de um objeto aumenta com a velocidade, mas não foi dada nenhuma demonstração disso, no sentido de que não apresentamos argumentos análogos àqueles sobre a forma como os relógios se comportam. Entretanto, *podemos* mostrar que, como uma consequência da relatividade e mais algumas outras suposições razoáveis, a massa deve variar dessa forma. (Temos de dizer "algumas outras suposições" porque não podemos provar nada a menos que tenhamos algumas leis que assumimos serem verdadeiras, se quisermos fazer deduções significativas.) Para evitar a necessidade de estudar as leis da transformação das forças, vamos analisar uma *colisão*, na qual não precisamos saber nada sobre as leis das forças, exceto que vamos assumir a conservação do momento e da energia. Também vamos assumir que o momento de uma partícula que está se movendo é um vetor e está sempre na direção da velocidade. Entretanto não vamos assumir que o momento é uma *constante* vezes a velocidade, como fez Newton, mas apenas que é uma certa *função* da velocidade. Sendo assim, o vetor do momento como um certo coeficiente vezes o vetor velocidade:

$$\mathbf{p} = m_v \mathbf{v}. \tag{16.8}$$

Colocamos um v subscrito no coeficiente para lembrar que ele é uma função da velocidade e concordaremos em chamar esse coeficiente m_v de "massa". É claro que, quando a velocidade é pequena, ele é a mesma massa que mediríamos em experimentos de baixa-velocidade, com os quais estamos acostumados. Agora, tentaremos demonstrar que a fórmula para m_v deve ser $m_0/\sqrt{1 - v^2/c^2}$, argumentando por meio do princípio da relatividade que as leis da física devem ser as mesmas em todos os sistemas de coordenadas (referenciais inerciais).

Suponha que temos duas partículas, como dois prótons, que são absolutamente iguais e estão se movendo uma em direção à outra com velocidades exatamente iguais. O momento total delas é zero. Agora, o que pode acontecer? Após a colisão, as direções de seus movimentos devem ser exatamente opostas, porque se não forem exatamente opostas, existirá um vetor momento total não nulo, e o momento não seria conservado. Adicionalmente, elas devem ter a mesma velocidade, uma vez que são partículas exatamente iguais; de fato, elas devem ter a mesma velocidade que tinham no início, já que supomos que a energia é conservada nessa colisão. Então, o diagrama de uma colisão elástica, uma colisão reversível, parecerá com o da Figura 16–2(a): todas as setas têm o mesmo comprimento, todas as velocidades são iguais. Suporemos que tais colisões sempre podem ser arranjadas, que qualquer ângulo θ pode ocorrer e que qualquer velocidade poderia ser usada em tal colisão. Em seguida, notamos que essa mesma colisão pode ser vista diferentemente, girando os eixos, e só por conveniência *poderíamos* girar os eixos, de modo que o eixo horizontal seja simétrico, como na Figura 16–2(b). É a mesma colisão redesenhada, só que com os eixos girados.

Agora existe um verdadeiro truque: vamos examinar essa colisão do ponto de vista de alguém num carro que está se movendo com uma velocidade igual à componente horizontal da velocidade de uma das partículas. Então, como parece a colisão? Parece como se a partícula 1 estivesse apenas subindo em linha reta, porque ela perdeu sua componente horizontal e, após a colisão, ela desce em linha reta novamente, também porque não tem essa componente. Ou seja, a colisão parece como mostrado na Figura 16–3(a). A partícula 2, entretanto, estava indo na direção oposta e, ao passarmos por ela, ela parece mover-se com uma tremenda velocidade e com um pequeno ângulo, mas podemos verificar que os ângulos antes e depois da colisão são os *mesmos*. Vamos denotar por u a componente horizontal da velocidade da partícula 2 e por w a velocidade vertical da partícula 1.

Agora, a questão é: qual a velocidade vertical $u \tg \alpha$? Se soubéssemos, poderíamos obter a expressão correta do momento, usando a lei da conservação do momento na direção vertical. Claramente, a componente horizontal do momento é conservada: ela é a mesma antes e após a colisão para ambas as partículas, sendo zero para a partícula 1. Então, precisamos usar a lei da conservação apenas para a velocidade vertical $u \tg \alpha$, mas *podemos* obter a velocidade vertical simplesmente olhando a mesma colisão no sentido oposto! Se olharmos a colisão da Figura 16–3(a), de um carro indo para a esquerda com velocidade u, vemos a mesma colisão, só que "de cabeça para baixo", como mostrado na Figura 16–3(b). Agora, a partícula 2 é aquela que sobe e desce com velocidade w, e a partícula 1 tem velocidade horizontal u. É claro que agora *sabemos* qual é a velocidade $u \tg \alpha$: ela é $w\sqrt{1 - u^2/c^2}$ (ver Eq. 16.7). Sabemos que a mudança no momento vertical para a partícula em movimento vertical é

$$\Delta p = 2m_w w$$

(2, porque ela sobe e desce). A partícula em movimento oblíquo tem uma certa velocidade v cujas componentes descobrimos serem u e $w\sqrt{1 - u^2/c^2}$ e cuja massa é m_v. A mudança no momento *vertical* dessa partícula é, portanto, $\Delta p' = 2m_v w\sqrt{1 - u^2/c^2}$, porque, de acordo com a lei que supomos (16.8), a componente de momento é sempre a massa, que depende da magnitude da velocidade, vezes a componente de velocidade na direção de interesse. Então, para o momento total ser zero, os momentos verticais devem se cancelar, e a razão entre a massa com velocidade v e a massa com velocidade w deve ser, portanto,

$$\frac{m_w}{m_v} = \sqrt{1 - u^2/c^2}. \qquad (16.9)$$

Vamos tomar o caso limite em que w é infinitesimal. Se w é muito, muito pequeno, é claro que v e u são praticamente iguais. Neste caso, $m_w \to m_0$ e $m_v \to m_u$. O resultado maravilhoso é

$$m_u = \frac{m_0}{\sqrt{1 - u^2/c^2}}. \qquad (16.10)$$

É um exercício interessante agora checar se a Equação (16.9) é, ou não, realmente verdadeira para valores arbitrários de w, assumindo que a Equação (16.10) seja a fórmula correta para a massa. Note que a velocidade v necessária na Equação (16.9) pode ser calculada por meio do triângulo retângulo:

$$v^2 = u^2 + w^2(1 - u^2/c^2).$$

Vamos descobrir que ela é verificada automaticamente, embora só a tenhamos usado no limite de w pequeno.

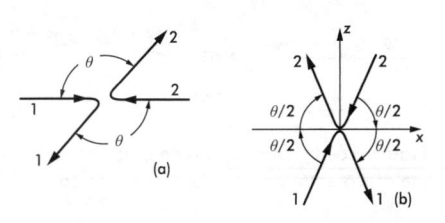

Figura 16–2 Duas visões de uma colisão entre objetos iguais movendo-se à mesma velocidade em direções opostas.

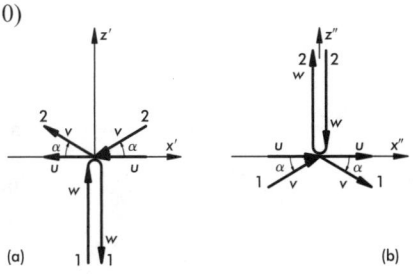

Figura 16–3 Duas outras visões da colisão de carros em movimento.

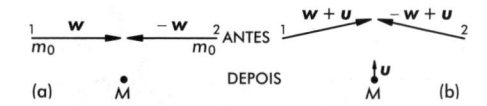

Figura 16-4 Duas visões de uma colisão inelástica entre objetos de mesma massa.

Agora, vamos aceitar que o momento é conservado e que a massa depende da velocidade, de acordo com (16.10), e vamos adiante para ver o que mais podemos concluir. Vamos considerar o que é usualmente chamado de *colisão inelástica*. Por simplicidade, vamos supor que dois objetos do mesmo tipo, com movimentos opostos, com velocidades iguais w, colidem e permanecem grudados, de forma a se tornarem um novo objeto estacionário, como mostrado na Figura 16–4(a). A massa m de cada objeto corresponde a w, que, como sabemos, é $m_0/\sqrt{1 - w^2/c^2}$. Se assumidos a conservação do momento e o princípio da relatividade, podemos demonstrar um fato interessante sobre a massa do novo objeto que se formou. Imaginamos uma velocidade infinitesimal u formando um ângulo reto com w (podemos fazer o mesmo com valores finitos de u, mas é mais fácil entender com uma velocidade infinitesimal), depois olhemos para a mesma colisão ao passarmos por ela em um elevador à velocidade $-u$. O que vemos está mostrado na Figura 16–4(b). O objeto formado tem uma massa desconhecida M. Agora o objeto 1 move-se com um componente vertical de velocidade u e um componente horizontal que é praticamente igual a w, e o mesmo ocorre com o objeto 2. Após a colisão, temos a massa M movendo-se para cima com velocidade u, considerada muito pequena comparada com a velocidade da luz, e também pequena comparada com w. O momento deve ser conservado, então vamos estimar o momento na direção vertical antes e depois da colisão. Antes da colisão, temos $p \approx 2m_w u$; depois da colisão, o momento é evidentemente $p' = M_u u$, mas M_u é essencialmente o mesmo que M_0, porque u é pequeno demais. Esses momentos devem ser iguais devido à conservação do momento, portanto

$$M_0 = 2m_w. \qquad (16.11)$$

A massa do objeto que é formado quando dois objetos iguais colidem deve ser o dobro da massa dos objetos que se grudam. Você poderia dizer: "Sim, é claro, essa é a conservação da massa.", mas, não: "Sim, é claro" tão facilmente, porque *essas massas foram aumentadas* em relação às massas que teriam se estivessem paradas, assim elas contribuem para a M total, não com a massa que tinham quando estavam paradas, porém com *mais*. Por mais surpreendente que isso possa parecer, para que a conservação do momento funcione, quando dois objetos se grudam, a massa que eles formam deve ser maior que as massas de repouso dos objetos, embora os objetos estejam em repouso após a colisão!

16–5 Energia relativística

No último capítulo, demonstramos que, como resultado da dependência da massa em relação à velocidade e das Leis de Newton, as variações na energia cinética de um objeto, resultantes do trabalho total realizado pelas forças sobre ele, sempre resultam em

$$\Delta T = (m_u - m_0)c^2 = \frac{m_0 c^2}{\sqrt{1 - u^2/c^2}} - m_0 c^2. \qquad (16.12)$$

Fomos ainda mais longe e concluímos que a energia total é a massa total vezes c^2. Agora continuaremos essa discussão.

Suponha que nossos dois objetos de massa igual, que colidiram, possam ainda ser "vistos" dentro de M. Por exemplo, um próton e um nêutron estão "grudados", mas continuam se deslocando dentro de M. Então, embora pudéssemos de início esperar que a massa M seja $2m_0$, descobrimos que ela não é $2m_0$, mas $2m_w$. Já que $2m_w$ é o que temos, enquanto que $2m_0$ é a massa de repouso dos objetos lá dentro, a massa em *excesso* do objeto formado é igual à energia cinética introduzida. Isso significa, é claro, que a *energia tem inércia*. No último capítulo, discutimos o aquecimento de um gás e mostramos que, devido às moléculas de gás estarem se movendo, e coisas em movimento serem mais pesadas, quando introduzimos energia no gás suas moléculas se movem mais rapidamente, e o gás fica mais pesado. Na verdade, esse argumento é completamente geral, e nossa discussão da colisão inelástica mostra que a massa existe quer seja ou não energia *cinética*. Em outras palavras, se duas partículas se aproximam e produzem energia potencial ou outra forma qualquer de energia; se as partes são retardadas por subirem barreiras, realizando trabalho contra forças internas, ou qualquer outra coisa; mesmo assim, continuará sendo verdade que a massa é a energia total que foi introduzida. Então, vemos que a conservação da massa que deduzimos acima é equivalente à conservação de energia e, portanto, não existe lugar na teoria da relatividade para colisões estritamente inelásticas, como existia na mecânica newtoniana. De acordo com a mecânica newtoniana, não existe problema algum que duas coisas colidam e formem um objeto de massa $2m_0$ que não é diferente daquele que resultaria se os juntássemos lentamente. É claro que sabemos, por meio da lei da conservação da energia, que existe mais energia cinética dentro, mas ela não afeta a massa, de acordo com as leis de Newton. Agora vemos que isto é impossível; devido à energia cinética envolvida na colisão, o objeto formado será mais *pesado*; portanto, será um objeto *diferente*. Quando colocamos os objetos juntos suavemente, eles formam algo cuja massa é $2m_0$; quando os juntamos violentamente, eles formam algo cuja massa é maior. Quando a massa é diferente, podemos *dizer* que o objeto é diferente. Então, necessariamente, a conservação da energia deve acompanhar a conservação do momento na teoria da relatividade.

Isso tem consequências interessantes. Por exemplo, suponha que temos um objeto cuja massa M é medida e suponha que algo acontece de tal forma que ele se divide em dois pedaços iguais que se movem com velocidade w, de modo que cada um tem uma massa m_w. Agora suponha que esses pedaços se deparam com um material suficientemente grande para retardá-los até que parem; então, eles terão massa m_0. Quanta energia eles terão dado ao material quando tiverem parado? Cada um dará uma quantidade $(m_w - m_0)c^2$, pelo teorema que provamos antes. Essa quantidade de energia é deixada no material de alguma forma, como calor, energia potencial ou qualquer outra forma. Agora, $2m_w = M$, então a energia liberada é $E = (M - 2m_0)c^2$. Essa equação foi usada para estimar quanta energia seria liberada em uma fissão em uma bomba atômica, por exemplo. (Embora os fragmentos não sejam exatamente iguais, eles são quase iguais.) A massa do átomo de urânio era conhecida – ela havia sido medida anteriormente – e os átomos em que foi dividido, iodo, xenônio e assim por diante, tinham todos suas massas conhecidas. Por massas, não queremos dizer as massas enquanto os átomos estão se movendo, mas nos referimos às massas quando os átomos estão *em repouso*. Em outras palavras, M e m_0 eram conhecidas. Então, subtraindo os dois números, foi possível calcular quanta energia seria liberada se M pudesse ser dividida pela "metade". Por essa razão, o velho Einstein foi chamado de "pai" da bomba atômica em todos os jornais. É claro que tudo aquilo significou que ele podia nos dizer de antemão quanta energia seria liberada se lhe disséssemos qual processo ocorreria. A energia que devia ser liberada quando um átomo de urânio sofre fissão foi estimada cerca de seis meses antes do primeiro teste direto; assim que a energia foi de fato liberada, alguém a mediu diretamente (e se a fórmula de Einstein não estivesse correta, eles a teriam medido mesmo assim) e no momento em que a mediram não precisaram mais da fórmula. É claro que não devemos diminuir Einstein, mas sim criticar os jornais e muitas descrições populares sobre o que causa o que na história da física e da tecnologia. O problema de como fazer a coisa ocorrer de uma forma eficaz e rápida é uma questão completamente diferente.

O resultado é tão importante como na química. Por exemplo, se pesássemos a molécula de dióxido de carbono e comparássemos sua massa com a do carbono e oxigênio, poderíamos descobrir quanta energia seria liberada quando carbono e oxigênio formam dióxido de carbono. O único problema aqui é que as diferenças de massas são tão pequenas que é tecnicamente muito difícil de fazê-lo.

Agora, vamos voltar à questão de se deveríamos adicionar m_0c^2 à energia cinética e dizer, daqui em diante, que a energia total de um objeto é mc^2. Primeiro, se ainda podemos *ver* os pedaços componentes da massa de repouso m_0 dentro de M, então poderíamos dizer que parte da massa M do objeto formado é a massa mecânica de repouso das partes, parte dela é a energia cinética das partes e outra parte dela é a energia potencial das partes. No entanto, descobrimos, na natureza, partículas de vários tipos que sofrem reações como aquela que analisamos anteriormente, em que, com todo o estudo do mundo, *não podemos ver as partes de dentro*. Por exemplo, quando um méson K se desintegra em dois píons, isso ocorre de acordo com a lei (16.11), mas a ideia de que um méson K é feito de 2 píons é uma ideia inútil, porque ele também se desintegra em 3 píons!

Portanto, temos uma *nova ideia*: não precisamos saber de que as coisas são feitas; não podemos nem precisamos identificar, dentro de uma partícula, quanta energia é a energia de repouso das partes nas quais vai se desintegrar. Não é conveniente, e frequentemente nem é possível, separar a energia total mc^2 de um objeto em energia de repouso, energia cinética e energia potencial das partes internas; pelo contrário, simplesmente falamos da *energia total* da partícula. "Deslocamos a origem" da energia adicionando uma constante $m_0 c^2$ a tudo e dizemos que a energia total de uma partícula é a massa em movimento vezes c^2, e quando o objeto está parado, a energia é a massa em repouso vezes c^2.

Finalmente, achamos que a velocidade v, o momento P e a energia total E estão relacionados de uma forma bem simples. Que a massa em movimento com uma velocidade v é a massa m_0 de repouso dividida por $\sqrt{1 - v^2/c^2}$, que, surpreendentemente, é raramente usada. Ao contrário, as seguintes relações são facilmente provadas e se revelam bem úteis:

$$E^2 - P^2 c^2 = m_0^2 c^4 \qquad (16.13)$$

e

$$Pc = Ev/c. \qquad (16.14)$$

17

Espaço-Tempo

17–1 A geometria do espaço-tempo

A teoria da relatividade nos mostra que as relações de posições e tempos medidos em um sistema de coordenadas e depois em outro não são o que esperaríamos com base nas nossas ideias intuitivas. É muito importante que entendamos completamente as relações de espaço e tempo que as transformações de Lorentz implicam, e por esse motivo devemos considerar esse assunto mais profundamente neste capítulo.

As transformações de Lorentz entre as posições e os tempos (x, y, z, t) quando medidas por um observador "parado" e as correspondentes coordenadas e tempo (x', y', z', t') medidos dentro de uma nave espacial "em movimento" se movendo com velocidade u são:

$$\begin{aligned} x' &= \frac{x - ut}{\sqrt{1 - u^2/c^2}}, \\ y' &= y, \\ z' &= z, \\ t' &= \frac{t - ux/c^2}{\sqrt{1 - u^2/c^2}}. \end{aligned} \qquad (17.1)$$

17–1 A geometria do espaço-tempo
17–2 Intervalos de espaço-tempo
17–3 Passado, presente e futuro
17–4 Mais sobre quadrivetores
17–5 Álgebra de quadrivetores

Vamos comparar estas equações com a Eq. (11.5), que também relaciona medidas em dois sistemas, um deles neste caso está *rotacionado* em relação ao outro:

$$\begin{aligned} x' &= x \cos\theta + y \operatorname{sen}\theta, \\ y' &= y \cos\theta - x \operatorname{sen}\theta, \\ z' &= z. \end{aligned} \qquad (17.2)$$

Neste caso em particular, Moe e Joe estão medindo com eixo tendo um ângulo θ entre os eixos x e x'. Em cada caso, notamos que as quantidades "com linha" são misturas das "sem linha": o novo x' é uma mistura de x e y, e o novo y' é também uma mistura de x e y.

Uma analogia é útil: quando olhamos para um objeto, existe uma coisa óbvia que podemos chamar de "largura aparente" e outra que podemos chamar de "profundidade". Contudo, as duas ideias, largura e profundidade, não são propriedades *fundamentais* do objeto, se dermos um passo para o lado e olharmos para a mesma coisa por um ângulo diferente, obtemos uma largura e uma profundidade diferentes, e podemos desenvolver algumas fórmulas para calcular as novas dimensões a partir das antigas e dos ângulos envolvidos. As Equações (17.2) são estas fórmulas. Alguém pode dizer que uma dada profundidade é um tipo de "mistura" de todas as profundidades e de todos os comprimentos. Se fosse sempre impossível se mover e sempre víssemos um dado objeto da mesma posição, então todo esse negócio seria irrelevante – sempre veríamos a largura e a profundidade "verdadeiras", e elas pareceriam ter propriedades bem diferentes, porque uma se apresenta como um ângulo ótico subtendido e a outra envolve uma certa focalização dos olhos ou até mesmo intuição; elas pareceriam ser coisas muito diferentes e nunca se misturariam. É porque podemos andar ao redor do objeto que percebemos que a profundidade e a largura são, de um modo ou outro, somente dois aspectos diferentes da mesma coisa.

Não podemos olhar para as transformações de Lorentz do mesmo modo? Aqui também temos uma mistura – de posição e tempo. Uma diferença entre uma medida de espaço e uma medida de tempo produz uma nova medida de espaço. Em outras palavras, nas medidas de espaço de uma pessoa existe misturado um pouco de tempo, como visto por outro. Nossa analogia nos permite gerar esta ideia: a "realidade" de um objeto que estamos olhando é de algum modo maior (falando rudemente e

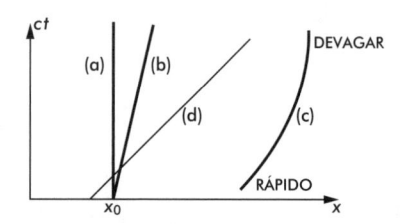

Figura 17–1 Caminho de três partículas no espaço-tempo: (a) uma partícula em repouso em $x = x_0$; (b) uma partícula que começa em $x = x_0$ e se move com velocidade constante; (c) uma partícula que começa em alta velocidade e depois a diminui; (d) um caminho da luz.

intuitivamente) que a sua "largura" e seu "comprimento" porque *eles* dependem de *como* olhamos para ele; quando nos movemos para uma nova posição, nosso cérebro imediatamente recalcula a largura e a profundidade. No entanto, nosso cérebro não recalcula imediatamente coordenadas e tempo quando nos movemos em alta velocidade, porque não temos experiência efetiva de andarmos quase tão rapidamente como a luz para avaliarmos que tempo e espaço são também de mesma natureza. É como se estivéssemos sempre parados na posição de ter de olhar somente a largura de alguma coisa, não sendo capaz de mover nossas cabeças relativamente de uma maneira ou de outra; se pudéssemos, entendemos agora, veríamos um pouco do tempo da outra pessoa – veríamos um pouco "atrás", por assim dizer.

Assim, devemos tentar pensar em objeto em um novo tipo de mundo, de espaço e tempo juntos e misturados, do mesmo modo que os objetos no nosso espaço simples são reais, e podemos olhá-los de diferentes direções. Devemos então considerar que objetos que ocupam espaço e existem por um certo intervalo de tempo ocupam um tipo de "bolha" no novo tipo de mundo, e que olhamos para esta "bolha" de diferentes pontos de vistas quando estamos nos movendo com diferentes velocidades. Este mundo novo, esta entidade geométrica na qual as "bolhas" existem ao ocupar posição e tomar uma certa quantidade de tempo, é chamado de *espaço-tempo*. Um dado ponto (x, y, z, t) no espaço-tempo é chamado de um *evento*. Imagine, por exemplo, que plotamos as posições x horizontalmente, y e z em outras duas outras direções, ambas mutuamente em "ângulos retos" e em "ângulos retos" ao papel (!), e o tempo, verticalmente. Agora, como uma partícula se movendo, digamos, aparece em tal diagrama? Se a partícula está parada, então ela tem uma certa coordenada x e, conforme o tempo passa, ela tem sempre o mesmo x; então o seu "caminho" é uma linha que corre paralela ao eixo t (Figura 17–1a). Por outro lado, se ela se desloca um pouco para fora, conforme o tempo passa x aumenta (Figura 17–1b). Então uma partícula, por exemplo, que começa a se deslocar mais rápido e então fica mais lenta deve ter um movimento de algum modo parecido com o mostrado na Figura 17–1c. Uma partícula, em outras palavras, que é permanente e não se desintegra é representada por uma linha no espaço-tempo. Uma partícula que se desintegra seria representada por uma linha que se separa em duas, porque ela se transforma em outras duas coisas que começam deste ponto.

E a luz? A luz viaja na velocidade c, e isso seria representado por uma linha tendo uma inclinação fixa (Figura 17–1d).

De acordo com a nossa nova ideia, se um dado evento ocorre para uma partícula, digamos se ela subitamente se desintegra em um certo ponto do espaço-tempo em duas partículas novas que seguem novos caminhos, e esse evento interessante ocorre em um certo valor de x e um certo valor de t, então esperaríamos que, se isso faz algum sentido, apenas tivéssemos de pegar um novo par de eixos e rodá-los e que isso nos dará o novo t e o novo x no nosso sistema, como mostrado na Figura 17–2(a), mas isso está errado, porque a Eq. (17.1) não é *exatamente* a mesma transformação matemática que a Eq. (17.2). Note, por exemplo, a diferença em sinal entre as duas, e o fato de que uma está escrita em termo de $\cos \theta$ e $\sin \theta$, enquanto a outra está escrita com quantidades algébricas. (Obviamente, não é impossível que quantidades algébricas possam ser escritas como cosseno e seno, mas realmente elas não podem.) Ainda assim, as duas expressões *são* muito similares. Como devemos ver, não é realmente possível pensar no espaço-tempo como uma geometria real e simples devido àquela diferença no sinal. De fato, ainda que não devamos enfatizar este ponto, acaba que um homem que está se movendo tem de usar um conjunto de eixos que estão inclinado igualmente com o raio de luz, usando um tipo especial de projeção paralela aos eixos x' e t', para os seus x' e t', como mostrado na Figura 17–2(b). Não devemos trabalhar com a geometria, já que ela não ajuda muito; é mais fácil trabalhar com as equações.

17–2 Intervalos de espaço-tempo

Apesar de a geometria do espaço-tempo não ser Euclidiana no senso comum, existe uma geometria que é muito parecida, mas especial em certos aspectos. Se esta ideia de geometria é correta, devem existir algumas funções de coordenadas

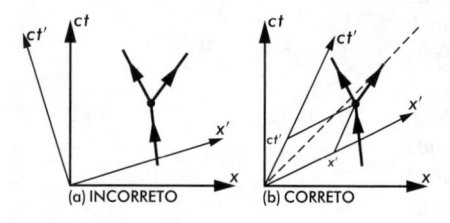

Figura 17–2 Duas visões de uma partícula se desintegrando.

e tempo que são independentes do sistema de coordenadas. Por exemplo, sobre rotações simples, se pegarmos dois pontos, um na origem, por simplicidade, e outro em algum outro lugar, ambos os sistemas teriam a mesma origem, e a distância daqui para o outro ponto é a mesma em ambos. Essa é uma propriedade que é independente da maneira particular de medi-la. O quadrado da distância é $x^2 + y^2 + z^2$. E no espaço-tempo? Não é difícil demonstrar que temos aqui, também, algo que se mantém o mesmo, isto é, a combinação $c^2t^2 - x^2 - y^2 - z^2$ é a mesma antes e depois da transformação:

$$c^2 t'^2 - x'^2 - y'^2 - z'^2 = c^2 t^2 - x^2 - y^2 - z^2. \qquad (17.3)$$

Essa quantidade é portanto algo que, como a distância, é "real" de algum modo; ela é chamada de *intervalo* entre dois pontos no espaço-tempo, e um deles é, neste caso, na origem. (Na verdade, obviamente, ela é o intervalo ao quadrado, assim como $x^2 + y^2 + z^2$ é a distância ao quadrado.) Damos à ela um nome diferente porque ela está em uma geometria diferente, mas o interessante é somente que alguns dos sinais são invertidos e existe um c.

Vamos nos livrar do c; o que é um absurdo se vamos ter um espaço maravilhoso com x e y que podem ser permutados. Uma das confusões que podem ser feitas por alguém sem experiência seria medir larguras, digamos, pelo ângulo subtendido pelo olho, e medir profundidade de uma maneira diferente, como a força nos músculos necessária para focar a profundidade, tal modo que a profundidade seria medida em pés e a largura em metros. Então se obteria uma enorme e complicada confusão de equações ao fazer transformações como as (17.2), e não seria possível ver a clareza e a simplicidade das coisas por uma razão técnica muito simples: a mesma coisa está sendo medida em duas unidades diferentes. Nas Eqs. (17.1) e (17.3), a natureza está nos dizendo que tempo e espaço são equivalentes; tempo se torna espaço; *eles deveriam ser medidos nas mesmas unidades*. Que distância é um segundo? É fácil de descobrir por meio de (17.3). É 3×10^8 metros, *a distância que a luz viajaria em um segundo*. Em outras palavras, se fôssemos medir todas as distâncias e tempos na mesma unidade, segundos, então nossa unidade de distância seria 3×10^8 metros, e as equações seriam mais simples. O que é um metro de tempo? Um metro de tempo é o tempo que a luz leva para andar um metro, e é consequentemente $1/3 \times 10^{-8}$ s, ou 3,3 bilhonéssimos de segundo! Gostaríamos, em outras palavras, de colocar todas as nossas equações em um sistema de unidades no qual $c = 1$. Se tempo e espaço são medidos na mesma unidade, como sugerido, então as equações são obviamente muito simplificadas. Elas são

$$x' = \frac{x - ut}{\sqrt{1 - u^2}},$$
$$y' = y,$$
$$z' = z, \qquad (17.4)$$
$$t' = \frac{t - ux}{\sqrt{1 - u^2}}.$$

$$t'^2 - x'^2 - y'^2 - z'^2 = t^2 - x^2 - y^2 - z^2. \qquad (17.5)$$

Se você estiver de algum modo inseguro ou "assustado" que depois de termos este sistema com $c = 1$ nunca mais poderemos obter as nossas equações corretas novamente, a resposta é completamente oposta. É muito mais fácil lembrá-las sem o c nelas, e é sempre fácil colocar o c de volta, se olharmos para as dimensões. Por exemplo, em $\sqrt{1 - u^2}$, sabemos que não podemos subtrair a velocidade ao quadrado, que tem unidades, do número puro 1, então sabemos que devemos dividir u^2 por c^2 para fazer com que isso fique sem unidades, e é dessa maneira que se segue.

A diferença entre o espaço-tempo e o espaço simples, e o caráter de um intervalo como relacionado com distância, é muito interessante. De acordo com a fórmula (17.5), se considerarmos um ponto no qual um dado sistema de coordenadas tem tempo zero, e tem somente espaço, a raiz quadrada seria negativa e teríamos um intervalo imaginário, a raiz de um número negativo. Os intervalos podem ser reais ou imaginários em teoria. O quadrado de um intervalo pode ser positivo ou negativo, diferentemente da distância, que tem um quadrado positivo. Quando um intervalo é imaginário, dizemos que os dois pontos têm um *intervalo do tipo espaço* entre eles (no lugar de imaginário), porque o intervalo é mais parecido com espaço do que com o tempo. Por outro lado, se dois objetos estão no mesmo lugar em um dado sistema de coordenadas, mas diferem apenas no tempo, então o quadrado do tempo é positivo, as distâncias são zero e o intervalo ao quadrado é positivo; este é chamado de *intervalo tipo tempo*. No nosso diagrama de espaço-tempo, então, teríamos uma representação mais ou menos desta forma: em 45° existem duas linhas (na verdade, em quatro dimensões estas seriam "cones", chamados de cones de luz) e os pontos nestas linhas estão todos a intervalos zero em relação à origem. Aonde a luz for de um dado ponto, ela está sempre separada deste ponto por um intervalo zero, como vimos da Eq. (17.5). Casualmente, acabamos de provar que se a luz viaja com velocidade c em um sistema, ela viaja com velocidade c no outro, se o intervalo for o mesmo em ambos os sistemas, isto é, zero em um e zero no outro, então afirmar que a velocidade de propagação da luz é invariante é o mesmo que dizer que o intervalo é zero.

17–3 Passado, presente e futuro

A região no espaço-tempo ao redor de um dado ponto no espaço-tempo pode ser separada em três regiões, como mostrado na Figura 17–3. Em uma região, temos os intervalos do tipo espaço, em duas regiões, intervalos do tipo tempo. Fisicamente, estas três regiões nas quais o espaço-tempo que circunda um dado ponto é dividido têm uma relação física interessante com o ponto: um objeto físico ou um sinal pode ir de um ponto na região 2 para o evento O se movendo em uma velocidade menor que a da luz. Deste modo, eventos nesta região podem afetar o ponto O, podendo ter uma influência nesse ponto vinda do passado. De fato, obviamente, um objeto em P no eixo negativo de t é precisamente no "passado" em relação a O; é o mesmo ponto que O, somente antes. O que acontece lá então, afeta o O agora. (Infelizmente, essa é a maneira como a vida é.) Outro objeto em Q pode ir para O se movendo com uma certa velocidade menor que c, então se este objeto estivesse em uma nave espacial e se movendo, ele seria novamente o passado do mesmo ponto espacial. Isto é, em um outro sistema de coordenadas, o eixo do tempo pode passar por ambos, O e Q. Então todos os pontos da região estão no "passado" de O, e qualquer coisa que acontece nesta região *pode* afetar O. Assim a região 2 é algumas vezes chamada de *passado afetivo* ou passado afetuoso; é o local de todos os eventos que podem afetar o ponto O de qualquer maneira.

A região 3, por outro lado, é uma região que podemos afetar *a partir de O*, podemos "atingir" coisas ao atirar "balas" com velocidade menor que c. Então este é o mundo cujo futuro pode ser afetado por nós, e podemos chamá-lo de *futuro afetivo*. Agora a coisa interessante sobre todo o resto do espaço-tempo, isto é, a região 1, é que não podemos afetá-la *a partir de O*, nem podemos ser afetados em O, porque nada pode ir mais rápido que a velocidade da luz. Obviamente, o que acontece em R *pode* nos afetar *depois*; isto é, se o sol está explodindo "agora", demora oito minutos antes de sabermos, e isso não pode nos afetar antes deste tempo.

O que queremos dizer com "agora" é uma coisa misteriosa que não podemos definir e não podemos afetar, mas pode nos afetar depois, ou poderíamos tê-la afetado se tivéssemos feito alguma coisa suficientemente longe no passado. Quando olhamos para a estrela de Alfa Centauro, a vemos como ela estava quatro anos atrás; podemos imaginar como ela está "agora". "Agora" significa no mesmo tempo que o nosso sistema de coordenadas especial. Somente podemos ver Alfa Centauro pela luz que vem do nosso passado, até quatro anos atrás, mas não sabemos o que ela está fazendo "agora"; levará quatro anos antes que o que ela esteja fazendo "agora" possa nos afetar. Alfa Centauro "agora" é uma ideia ou conceito de nossa mente; não é algo que é realmente definível fisicamente no momento, porque temos de esperar para observá-la; não podemos nem defini-la "agora". Ainda mais, o "agora" depende do sistema de coordenadas. Se, por exemplo,

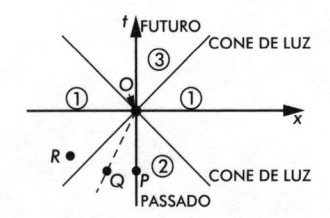

Figura 17–3 A região do espaço-tempo ao redor de um ponto na origem.

Alfa Centauro estivesse se movendo, um observador não concordaria conosco porque ele colocaria seus eixos de coordenadas em um ângulo, e o seu "agora" seria em um tempo *diferente*. Já conversamos sobre o fato de que a simultaneidade não é uma coisa única.

Existem adivinhadores, ou pessoas que nos dizem que podem saber o futuro, e existem muitas histórias maravilhosas sobre o homem que de repente descobre que tem o conhecimento sobre o futuro afetivo. Bem, existem muitos paradoxos produzidos por isso porque se sabemos que algo irá acontecer, então podemos garantir que o evitaremos, fazendo a coisa certa na hora certa, e assim por diante. Na verdade, não existem adivinhadores que possam nos dizer o *presente*! Não existe ninguém que possa nos dizer o que está realmente acontecendo neste momento, em qualquer distância razoável, porque isso não é observável. Podemos nos fazer esta questão, que deixamos para o estudante tentar responder: qualquer paradoxo seria produzido se subitamente se tornasse possível saber as coisas que estão nos intervalos do tipo espaço da região 1?

17–4 Mais sobre quadrivetores

Vamos agora voltar para as nossas considerações da analogia da transformação de Lorentz e rotações dos eixos espaciais. Aprendemos a utilidade de colocar juntas outras quantidades que têm as mesmas propriedades de transformação que as coordenadas, para formar o que chamamos de *vetores*, linhas direcionadas. No caso de rotações simples, existem muitas quantidades que se transformam da mesma maneira que x, y e z sob a ação da rotação: por exemplo, a velocidade tem as três componentes, uma componente em x, y e z; quando vista em um sistema de coordenadas diferente, nenhuma destas componentes é a mesma; ao invés disso, elas estão todas transformadas em novos valores. Contudo, de algum modo ou de outro, a "própria" velocidade tem uma realidade maior do que qualquer uma de suas componentes, e representamos isso por uma linha direcionada.

Por essa razão, perguntamos: é ou não é verdade que existem quantidades que se transformam, ou que estão relacionadas, em um sistema se movendo e em um sistema parado, do mesmo modo que x, y, z e t? Da nossa experiência com vetores, sabemos que três das quantidade, como x, y, z, constituiriam as três componentes de um vetor espacial simples, mas a quarta quantidade pareceria como um escalar simples sob a ação de rotações no espaço, porque ela não muda desde que não vamos para um sistema de coordenadas que está se movendo. É possível, então, associar com alguns dos nossos conhecidos "trivetores" um quarto objeto, que chamaríamos de "componente temporal", de tal maneira que os quatro objetos juntos "rodariam" da mesma forma que posição e tempo no espaço-tempo? Devemos mostrar agora que existe, realmente, ao menos uma coisa assim (existem muitas delas, na verdade): *as três componentes do momento, e a energia como a componente temporal, transformam-se juntas* para fazer o que chamamos de "quadrivetor". Ao demonstrar isso, já que é muito inconveniente ter que escrever c em todo lugar, devemos usar o mesmo truque em relação às unidades de energia, massa e momento, que usamos na Eq. (17.4). Energia e massa, por exemplo, diferem somente por um fator c^2 que é meramente uma questão de unidades, então podemos dizer que energia é a massa. Ao invés de ter de escrever o c^2, colocamos $E = m$, e então, obviamente, se houver qualquer problema colocaríamos as quantidades certas de c de modo que as unidades se arrumariam na ultima equação, mas não nas equações intermediárias.

Assim, nossas equações para a energia e momento são

$$E = m = m_0/\sqrt{1-v^2},$$
$$\mathbf{p} = m\mathbf{v} = m_0\mathbf{v}/\sqrt{1-v^2}. \tag{17.6}$$

Também nestas unidades, temos

$$E^2 - p^2 = m_0^2. \tag{17.7}$$

Por exemplo, se medimos energia em elétron-volts, o que a massa de um elétron-volt significa? Significa a massa cuja energia de repouso é 1 elétron-volt, isto é, m_0c^2 é um elétron-volt. Por exemplo, a massa de repouso de um elétron é $0{,}511 \times 10^6$ eV.

Agora como seriam o momento e a energia em um novo sistema de coordenadas? Para descobrirmos, devemos transformar a Eq. (17.6), o que podemos fazer porque sabemos como a velocidade se transforma. Suponha que, quando a medimos, um objeto tem velocidade v, mas olhamos para o mesmo objeto do ponto de vista de uma nave espacial que está se movendo com velocidade u e, neste sistema, usamos uma linha para designar a grandeza correspondente. Com o objetivo de simplificar as coisas no começo, devemos tomar o caso em que a velocidade v é na mesma direção que u. (Mais tarde, podemos fazer o caso mais geral.) O que é v', a velocidade vista da nave espacial? É uma velocidade composta, a "diferença" entre v e u. Dada pela lei que usamos anteriormente,

$$v' = \frac{v - u}{1 - uv}. \qquad (17.8)$$

Agora vamos calcular a nova energia E', a energia como a pessoa na nave espacial veria. Ela usaria a mesma massa de repouso, obviamente, mas usaria v' para a velocidade. O que temos de fazer é quadrar v', subtraí-la de um, tomar a raiz quadrada e tomar a recíproca:

$$v'^2 = \frac{v^2 - 2uv + u^2}{1 - 2uv + u^2v^2},$$

$$1 - v'^2 = \frac{1 - 2uv + u^2v^2 - v^2 + 2uv - u^2}{1 - 2uv + u^2v^2}$$

$$= \frac{1 - v^2 - u^2 + u^2v^2}{1 - 2uv + u^2v^2}$$

$$= \frac{(1 - v^2)(1 - u^2)}{(1 - uv)^2}.$$

Deste modo,

$$\frac{1}{\sqrt{1 - v'^2}} = \frac{1 - uv}{\sqrt{1 - v^2}\sqrt{1 - u^2}}. \qquad (17.9)$$

A energia E' é então simplesmente m_0 vezes a expressão acima, mas queremos expressar a energia em termos da energia sem a linha e do momento, e notamos que

$$E' = \frac{m_0 - m_0 uv}{\sqrt{1 - v^2}\sqrt{1 - u^2}} = \frac{(m_0/\sqrt{1 - v^2}) - (m_0 v/\sqrt{1 - v^2})\,u}{\sqrt{1 - u^2}},$$

ou

$$E' = \frac{E - up_x}{\sqrt{1 - u^2}}, \qquad (17.10)$$

que reconhecemos como sendo exatamente a mesma forma que

$$t' = \frac{t - ux}{\sqrt{1 - u^2}}.$$

A seguir devemos achar o novo momento p'_x. Este é somente a energia E' vezes v' e é também simplesmente expresso em termos de E e p:

$$p'_x = E'v' = \frac{m_0(1 - uv)}{\sqrt{1 - v^2}\sqrt{1 - u^2}} \cdot \frac{v - u}{(1 - uv)} = \frac{m_0 v - m_0 u}{\sqrt{1 - v^2}\sqrt{1 - u^2}}.$$

Assim

$$p'_x = \frac{p_x - uE}{\sqrt{1-u^2}}, \qquad (17.11)$$

que reconhecemos como sendo precisamente da mesma forma que

$$x' = \frac{x - ut}{\sqrt{1-u^2}}.$$

Assim as transformações para os novos energia e momento em termos dos antigos momento e energia são exatamente as mesmas que as transformações para t' em termos de t e x, e x' em termos de x e t: tudo o que temos de fazer é toda vez que tivermos t na (17.4), substituir por E, e toda a vez que tivermos x substituir por p_x, e então as Equações (17.4) se tornarão as mesmas que as Eqs. (17.10) e (17.11). Isso implicaria, se tudo funcionar corretamente, uma regra adicional que $p_y' = p_y$ e que $p_z' = p_z$. Para provar isso, seria necessário voltarmos e estudarmos o caso do movimento para cima e para baixo. Na verdade, estudamos o caso do movimento para cima e para baixo no último capítulo. Analisamos uma colisão complicada e notamos que, de fato, o momento diagonal *não* é mudado quando visto de um sistema em movimento; então já verificamos que $p_y' = p_y$ e que $p_z' = p_z$. A transformação completa, então, é

$$\begin{aligned} p'_x &= \frac{p_x - uE}{\sqrt{1-u^2}}, \\ p'_y &= p_y, \\ p'_z &= p_z, \\ E' &= \frac{E - up_x}{\sqrt{1-u^2}}. \end{aligned} \qquad (17.12).$$

Nestas transformações, portanto, descobrimos quatro quantidades que se transformam como x, y, z e t, e que chamamos de *quadrivetor do momento*. Já que o momento é um quadrivetor, ele pode ser representado em um diagrama do espaço-tempo de uma partícula em movimento como uma "seta" tangente ao caminho, como mostrado na Figura 17–4. Esta seta tem uma componente temporal igual à energia, e as suas componentes espaciais representam o seu trivetor do momento; esta seta é mais "real" que o momento e a energia, porque estes dependem de como olhamos para o diagrama.

17–5 Álgebra de quadrivetores

A notação para quadrivetores é diferente que para trivetores. No caso de trivetores, se fôssemos falar sobre o simples trivetor momento, o escrevéssemos como **p**. Se quiséssemos ser mais específicos, poderíamos dizer que ele tem três componentes que são, para os eixos e discussão, p_x, p_y e p_z, ou poderíamos simplesmente nos referir a uma componente geral como p_i, e dizer que i poderia ser x, y ou z, e que essas são as três componentes; isto é, imagine que i é qualquer uma das três direções x, y ou z. A notação que usamos para quadrivetores é análoga a esta: escrevemos p_μ para o quadrivetor, onde μ representa as *quatro* direções possíveis, t, x, y ou z.

Poderíamos, obviamente, usar qualquer notação que quiséssemos; não zombe das notações; invente-as, elas são poderosas. De fato, matemática é, em um âmbito maior, invenção de notações melhores. Toda a ideia de um quadrivetor, de fato, é um aperfeiçoamento na notação para que as transformações possam ser lembradas com mais facilidade. A_μ, então, é um quadrivetor genérico, mas para o caso especial do momento, p_t é identificado como a energia, p_x é o momento na direção x, p_y é ele na

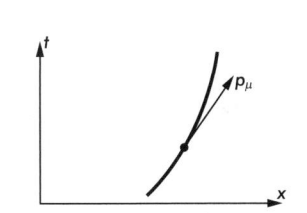

Figura 17–4 O quadrivetor momento de uma partícula.

direção y e p_z é na direção z. Para adicionar quadrivetores, adicionamos as componentes correspondentes.

Se existe uma equação entre quadrivetores, então a equação é verdadeira para cada componente. Por exemplo, se a lei de conservação do trivetor momento é verdadeira em partículas colidindo, isto é, se a soma dos momentos para um grande número de partículas interagindo e colidindo deve ser uma constante, isso deve significar que as somas de todos os momentos na direção x, na direção y e na direção z, para todas as partículas, devem ser constantes. Essa lei sozinha seria impossível na relatividade porque ela está *incompleta*; é como falar apenas de duas das componentes de um trivetor. Ela é incompleta porque se rodamos os eixos, misturamos as várias componentes, então devemos incluir todas as três componentes na nossa lei. Assim, na relatividade, devemos completar a lei de conservação do momento pela sua extensão para incluir a componente temporal. Isso é *absolutamente necessário* para ir junto com as outras três, ou não pode existir invariância relativística. A *conservação da energia* é a quarta equação que vai com a conservação do momento para fazer a relação de quadrivetores válida na geometria de espaço e tempo. Assim, a lei de conservação da energia e momento na notação quadridimensional é

$$\sum_{\substack{\text{partículas} \\ \text{indo}}} p_\mu = \sum_{\substack{\text{partículas} \\ \text{saindo}}} p_\mu \qquad (17.13)$$

ou, em uma notação um pouco diferente

$$\sum_i p_{i\mu} = \sum_j p_{j\mu}, \qquad (17.14)$$

onde $i = 1, 2, \ldots$ está relacionado com as partículas indo para a colisão, $j = 1, 2, \ldots$ está relacionado com as partículas saindo da colisão e $\mu = x, y, z$ ou t. Você diz "Em que eixo?" Não faz diferença. A lei é verdade para cada componente, usando *qualquer* eixo.

Em análise vetorial, discutimos outra coisa, o produto escalar de dois vetores. Vamos agora considerar a coisa correspondente no espaço-tempo. Em rotações simples, descobrimos que existia uma quantidade invariável $x^2 + y^2 + z^2$. Em quatro dimensões, descobrimos que a quantidade correspondente é $t^2 - x^2 - y^2 - z^2$ (Eq. 17.3). Como podemos escrever isso? Uma maneira seria escrever algum tipo de coisa quadridimensional com o quadrado do produto escalar no meio, como $A_\mu \boxdot B_\mu$; uma das notações que é na verdade usada é

$$\sideset{}{'}\sum_\mu A_\mu A_\mu = A_t^2 - A_x^2 - A_y^2 - A_z^2. \qquad (17.15)$$

A linha na $\sum$ significa que o primeiro termo, o termo "temporal", é positivo, mas os outros três termos têm sinais negativos. Essa quantidade, então, será a mesma em qualquer sistema de coordenadas, e podemos chamá-la de quadrado do comprimento do quadrivetor. Por exemplo, o que é o quadrado do comprimento do quadrivetor do momento de uma única partícula? Isso será igual a $p_t^2 - p_x^2 - p_y^2 - p_z^2$, ou em outras palavras, $E^2 - p^2$, porque sabemos que p_t é E. O que é $E^2 - p^2$? Deve ser algo que é o mesmo em todos os sistemas de coordenadas. Em particular, deve ser o mesmo para um sistema de coordenadas que está se movendo junto à partícula, no qual a partícula está parada. Se a partícula estivesse parada, ela não teria nenhum momento. Então, neste sistema de coordenadas, essa grandeza é somente a sua energia, que é a mesma que a sua massa de repouso. Assim $E^2 - p^2 = m_0^2$. Então vemos que o quadrado do comprimento deste vetor, o quadrivetor do momento, é igual a m_0^2.

Do quadrado de um vetor, podemos seguir e inventar o "produto escalar", ou o produto que é um escalar: se a_μ é um quadrivetor e b_μ é outro quadrivetor, então o produto escalar é

$$\sideset{}{'}\sum a_\mu b_\mu = a_t b_t - a_x b_x - a_y b_y - a_z b_z. \qquad (17.16)$$

Este é o mesmo em todos os sistemas de coordenadas.

Finalmente, devemos mencionar certas coisas cuja massa de repouso m_0 é zero. Um fóton de luz, por exemplo. Um fóton é como uma partícula, na qual ele carrega energia e momento. A energia de um fóton é uma certa constante, chamada constante de Planck, vezes a frequência do fóton: $E = h\nu$. Tal fóton também carrega um momento, e o momento de um fóton (ou de qualquer outra partícula, de fato) é h dividido pelo comprimento de onda: $p = h/\lambda$. No entanto, para um fóton, existe uma relação definida entre a frequência e o comprimento de onda: $\nu = c/\lambda$. (O número de ondas por segundo vezes o comprimento de onda de cada um é a distância que a luz anda em um segundo, que, obviamente, é c.) Assim vemos imediatamente que a energia de um fóton deve ser o momento vezes c, ou se $c = 1$, *a energia e o momento são iguais*. Sendo assim, a massa em repouso é zero. Vamos analisar isso novamente; que é muito curioso. Se esta é uma partícula de massa em repouso zero, o que acontece quando ela para? *Ela nunca para!* Ela sempre anda com velocidade c. A fórmula usual para a energia é $m_0/\sqrt{1-v^2}$. Agora podemos dizer que $m_0 = 0$ e $v = 1$, então a energia é 0? Não podemos dizer que ela é zero; o fóton realmente pode ter (e tem) energia apesar de não ter massa de repouso, ele a possui porque está perpetuamente andando na velocidade da luz!

Também sabemos que o momento de qualquer partícula é igual à sua energia total vezes a sua velocidade: se $c = 1$, $p = vE$ ou, em unidades comuns, $p = vE/c^2$. Para qualquer partícula se movendo na velocidade da luz, $p = E$ se $c = 1$. As fórmulas para a energia de um fóton quando vistas por um sistema em movimento são obviamente dadas pela Eq. (17.12), mas para o momento devemos substituir a energia vezes c (ou vezes 1 neste caso). As energias diferentes depois da transformação significam que existem frequências diferentes. Este é chamado de efeito Doppler, e se pode calculá-lo facilmente a partir da Eq. (17.12), usando também $E = p$ e $E = h\nu$.

Como Minkowski disse, "O espaço sozinho e o tempo sozinho irão se reduzir a meras sombras, e somente um tipo de união entre eles deve sobreviver".

18

Rotações em Duas Dimensões

18–1 O centro de massa

Nos capítulos anteriores, estudamos a mecânica dos pontos ou de partículas pequenas cuja estrutura interna não nos preocupava. Para os próximos poucos capítulos, devemos estudar a aplicação das leis de Newton para coisas mais complicadas. Quando o mundo se torna mais complicado, ele também se torna mais interessante, e devemos descobrir que os fenômenos associados com a mecânica de um objeto mais complexo que um só ponto são realmente notáveis. Obviamente esses fenômenos envolvem nada mais que combinações das leis de Newton, mas algumas vezes é difícil de acreditar que somente $F = ma$ esteja atuando.

Os objetos mais complicados de que tratamos podem ser de diversos tipos: água escorrendo, galáxias espiralando e assim por diante. O objeto "complicado" mais simples para analisar, no começo, é o que chamamos de *corpo rígido*, um objeto sólido que está rodando enquanto se move. No entanto, até esse objeto simples pode ter um movimento mais complicado; por isso, devemos primeiro considerar os aspectos mais simples de tal movimento, no qual um corpo extenso roda ao redor de um *eixo fixo*. Então um determinado ponto nesse corpo se move em um plano perpendicular a esse eixo. Tal rotação de um corpo ao redor de um eixo fixo é chamada de *rotação plana* ou rotação em duas dimensões. Devemos, mais tarde, generalizar os resultados para três dimensões, mas ao fazer isso veremos que, diferentemente do caso da mecânica de partículas ordinárias, rotações são sutis e difíceis de entender a menos que tenhamos uma base sólida em duas dimensões.

O primeiro teorema interessante envolvendo o movimento de objetos complicados pode ser observado em funcionamento se jogarmos um objeto feito de vários blocos e irregularidades, unidos por uma corda, no ar. Claramente sabemos que ele anda em uma parábola porque estudamos isso para uma partícula, mas agora nosso objeto *não* é mais uma partícula; ele roda e balança, assim por diante. Apesar disso, ele percorre uma parábola; pode-se ver isso. *O que* percorre uma parábola? Certamente não é o ponto no canto do bloco, porque este está rodando, também não é o final do bastão de madeira ou o seu meio ou o meio do bloco. *Alguma coisa* percorre uma parábola, existe um "centro" real que se move em uma parábola. Então nosso primeiro teorema sobre objetos complexos é demonstrar que *existe* uma posição média que é definida matematicamente, mas não necessariamente um ponto do material, que percorre uma parábola. Esse é o chamado teorema do centro de massa e a prova dele é dada a seguir.

Podemos considerar qualquer objeto como sendo feito de muitas partículas pequenas, os átomos, com várias forças entre eles. Representaremos por i um índice que define uma das partículas. (Existem milhões delas, então i vai até 10^{23} ou algo assim.) Então a força na i-ésima partícula é, obviamente, a massa vezes a aceleração dessa partícula:

$$\mathbf{F}_i = m_i(d^2\mathbf{r}_i/dt^2). \tag{18.1}$$

Nos próximos poucos capítulos, nossos objetos se movendo serão tais que todas as suas partes estão se movendo com velocidade muito menor que a velocidade da luz, e devemos usar a aproximação não relativística para todas as grandezas. Nessas circunstâncias, a massa é constante, então

$$\mathbf{F}_i = d^2(m_i\mathbf{r}_i)/dt^2. \tag{18.2}$$

Se adicionarmos agora a força em todas as partículas, isto é, se tomarmos a soma de todos os $\mathbf{F}_i$ para todos os diferentes índices, obteremos a força total, $\mathbf{F}$. No outro lado da equação, obtemos a mesma coisa apesar de adicionarmos antes da diferenciação:

- 18–1 O centro de massa
- 18–2 Rotação de um corpo rígido
- 18–3 Momento angular
- 18–4 Conservação do momento angular

$$\sum_i \mathbf{F}_i = \mathbf{F} = \frac{d^2(\sum_i m_i \mathbf{r}_i)}{dt^2}. \tag{18.3}$$

Levando ao fato de que a força total é a segunda derivada das massas vezes as suas posições, todas somadas juntas.

Agora a força total em todas as partículas é a mesma que a força *externa*. Por quê? Porque apesar de existirem todos os tipos de forças nas partículas devido aos fios, às oscilações, aos puxões e empurrões, às forças atômicas e quem sabe mais o que, e nós temos de adicionar todas essas forças, somos resgatados pela Terceira Lei de Newton. Entre quaisquer duas partículas, a ação e a reação são iguais, de tal maneira que quando adicionamos todas as equações, se quaisquer duas partículas têm força entre elas, esta se cancela com a sua reação; por esse motivo, o resultado final é dado somente pelas forças que são produzidas por outras partículas que não estão incluídas no objeto sobre o qual decidimos fazer a soma. Assim se Eq. (18.3) é a soma sobre certo número de partículas, que juntas são chamadas "o objeto", então a força *externa* no objeto total é igual à soma de *todas* as forças em todas as partículas que o constituem.

Agora seria interessante se pudéssemos escrever a Eq. (18.3) como a massa total vezes alguma aceleração. E podemos. Vamos dizer que M é a soma de todas as massas, isto é, a massa total. Então se *definimos* certo vetor $\mathbf{R}$ sendo

$$\mathbf{R} = \sum_i m_i \mathbf{r}_i / M, \tag{18.4}$$

a Eq. (18.3) será simplesmente

$$\mathbf{F} = d^2(M\mathbf{R})/dt^2 = M(d^2\mathbf{R}/dt^2), \tag{18.5}$$

já que M é constante. Dessa maneira, vemos que a força externa é a massa total vezes a aceleração de um ponto imaginário cuja localização é $\mathbf{R}$. Esse ponto é chamado de *centro de massa* de um corpo. Ele é um ponto em algum lugar mais ou menos no "meio" do objeto, um tipo de média de $\mathbf{r}$ na qual os diferentes $\mathbf{r}_i$ têm pesos ou importâncias proporcionais às massas.

Devemos discutir esse teorema importante com mais detalhe em um capítulo seguinte, por isso limitamos nossas observações a dois pontos: primeiro, se as forças externas são zero, se o objeto está flutuando no espaço vazio, ele pode rodar, balançar, torcer e fazer qualquer tipo de coisa. No entanto, o seu *centro de massa*, essa posição artificialmente inventada e calculada em algum lugar no meio *se moverá com velocidade constante*. Em particular, se ele está inicialmente em repouso, ele ficará em repouso. Então se temos algum tipo de caixa, talvez uma espaçonave, com pessoas dentro e calculamos a posição do centro de massa e o achamos parado, então ele continuará parado se nenhuma força externa estiver atuando sobre a caixa. Obviamente, a espaçonave pode se mover um pouco no espaço, mas isso é porque as pessoas estão andando para frente e para trás no seu interior; quando alguém anda em uma direção para frente, a nave se move na mesma direção para trás e com isso mantém a posição média de todas as massas exatamente na mesma posição.

Então a propulsão de um foguete é absolutamente impossível porque não podemos mover o centro de massa? Não, mas claramente descobrimos que para impulsionar uma parte de interesse do foguete, uma parte não interessante deve ser jogada fora. Em outras palavras, se começamos com o foguete com velocidade zero e jogamos um pouco de gasolina para fora na sua parte de trás, então essa pequena mancha de gasolina se move em uma direção enquanto o foguete se move em outra direção, mas o centro de massa está exatamente onde estava antes. Dessa maneira, apenas movemos a parte que nos interessa contra a parte que não nos interessa.

O segundo ponto envolvendo o centro de massa, que foi a razão pela qual o introduzimos na nossa discussão neste momento, é que ele pode ser tratado separadamente dos movimentos "internos" de um objeto e pode, por esse motivo, ser ignorado nas nossas discussões de rotação.

18–2 Rotação de um corpo rígido

Agora vamos discutir rotações. Obviamente um objeto ordinário não simplesmente roda, ele tomba, balança e se dobra, então para simplificar devemos discutir o movimento de um objeto ideal e inexistente que chamamos de *corpo rígido*. Isso significa um objeto no qual as forças entre os átomos são tão fortes e de uma característica tal que forças pequenas que são necessárias para movê-lo não o dobram. A sua forma fica essencialmente a mesma enquanto ele se move. Se desejarmos estudar o movimento desse corpo e concordamos em ignorar o movimento do centro de massa, resta apenas uma coisa para ele fazer, *rodar*. Temos de descrever isso. Como? Suponhamos a existência de uma linha no corpo que permanece parada (talvez ela inclua o centro de massa, talvez não) e o corpo está girando ao redor dessa linha em particular, como um eixo. Como definimos rotação? Isso é suficientemente fácil já que, por exemplo, se marcarmos um ponto em algum lugar do objeto que não seja no eixo, podemos sempre dizer exatamente onde o objeto está, se soubermos somente para onde esse ponto foi. A única coisa necessária para descrever a posição desse ponto é um *ângulo*. Então a rotação consiste em um estudo da variação do ângulo com o tempo.

Com o objetivo de estudar a rotação, observamos o ângulo através do qual um corpo virou. Claramente, não nos referimos a qualquer ângulo *dentro* do próprio objeto; não é que desenhamos qualquer ângulo *no* objeto. Estamos falando sobre a *mudança angular da posição* do objeto todo, de um tempo para outro.

Primeiro, vamos estudar a cinemática das rotações. O ângulo mudará com o tempo e, da mesma maneira que falamos sobre posição e velocidade em uma dimensão, podemos falar sobre posição angular e velocidade angular no plano de rotação. De fato, existe uma relação muito interessante entre rotação em duas dimensões e o deslocamento em uma dimensão, na qual quase todas as quantidades têm seu análogo. Primeiramente, temos o ângulo θ que define o quão longe o corpo *rodou*; este substitui a distância s, que define o quão longe o corpo *andou*. Da mesma maneira, temos a velocidade de rotação, $\omega = d\theta/dt$, que nos diz o quanto o ângulo muda em um segundo, assim como $v = ds/dt$ descreve o quão rápido um objeto se move ou o quão rápido ele se move em um segundo. Se o ângulo for medido em radianos, então a velocidade angular ω será tantos e tantos radianos por segundo. Quanto maior a velocidade angular, mais rapidamente o objeto está rodando, mais rapidamente o ângulo está mudando. Podemos continuar: podemos diferenciar a velocidade angular em relação ao tempo e podemos chamar $\alpha = d\omega/dt = d^2\theta/dt^2$ a aceleração angular. Isso seria o análogo da aceleração simples.

Agora obviamente temos de relacionar a dinâmica da rotação com as leis da dinâmica das partículas que compõem o objeto, então devemos achar como uma partícula específica se move quando temos uma determinada velocidade angular. Para fazer isso, vamos tomar certa partícula que está localizada em uma distância r do eixo e dizer que ela está em certa localização $P(x, y)$ em um dado instante, como de costume (Figura 18–1). Se em um momento Δt posterior o ângulo de todo o objeto tiver rodado em $\Delta\theta$, então essa partícula é levada junto com ele. Ela está no mesmo raio de distância de O que estava antes, mas é carregada para Q. A primeira coisa que gostaríamos de saber é quanto a distância x mudou e quanto a distância y mudou. Se OP é chamado de r, então o comprimento PQ é $r\Delta\theta$, devido à maneira como os ângulos são definidos. A mudança em x, então, é simplesmente a projeção de $r\,\Delta\theta$ na direção x:

$$\Delta x = -PQ \operatorname{sen}\theta = -r\,\Delta\theta \cdot (y/r) = -y\,\Delta\theta. \tag{18.6}$$

Semelhantemente,

$$\Delta y = +x\,\Delta\theta. \tag{18.7}$$

Se um objeto está rodando com uma dada velocidade angular ω, achamos, pela divisão de ambos os lados de (18.6) e (18.7) por Δt, que a velocidade da partícula é

$$v_x = -\omega y \quad \text{e} \quad v_y = +\omega x. \tag{18.8}$$

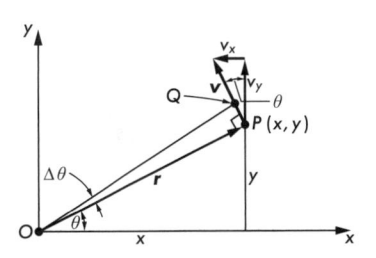

Figura 18-1 Cinemática da rotação em duas dimensões.

Claramente, se queremos achar a magnitude da velocidade, simplesmente escrevemos

$$v = \sqrt{v_x^2 + v_y^2} = \sqrt{\omega^2 y^2 + \omega^2 x^2} = \omega\sqrt{x^2 + y^2} = \omega r. \quad (18.9)$$

Não deveria ser nenhum mistério que o valor da magnitude dessa velocidade é ωr; de fato, isso deveria ser evidente, pois a distância que ele se move é $r\Delta\theta$ e a distância que ele se move por segundo é $r\,\Delta\theta/\Delta t$ ou $r\omega$.

Vamos agora continuar considerando a *dinâmica* da rotação. Aqui um novo conceito, *força*, precisa ser introduzido. Vamos questionar quando podemos inventar algo que vamos chamar de *torque* (**L** *torquere*, torcer), que tem a mesma relação com a rotação como a força tem com o movimento linear. A força é a coisa que é necessária para realizar o movimento linear e a coisa que faz algo rodar é uma "força rotatória" ou uma "força torcedora", isto é, um torque. Qualitativamente, um torque é uma "torção"; o que é um torque quantitativamente? Devemos chegar à teoria dos torques quantitativamente por meio do estudo do *trabalho* realizado para rodar um objeto; uma maneira interessante de definir força é dizer quanto trabalho ela realiza quando atua durante um dado deslocamento. Vamos tentar manter a analogia entre as grandezas lineares e angulares comparando o trabalho que fazemos quando rodamos um pouco algo na presença de forças atuando nele, com o *torque* vezes o *ângulo* pelo qual ele rodou. Em outras palavras, a definição de torque vai ser arrumada de tal maneira que o teorema do trabalho tenha um análogo absoluto: força vezes distância é trabalho, e torque vezes ângulo será trabalho. Isso nos fala o que é torque. Considere, por enquanto, um corpo rígido de algum tipo com várias forças atuando nele e um eixo ao redor do qual o corpo rotaciona. Vamos primeiramente nos concentrar na força e supor que essa força é aplicada em um certo ponto (x, y). Quanto trabalho seria realizado se fôssemos rodar o objeto em um ângulo muito pequeno? Isso é fácil. O trabalho realizado seria

$$\Delta W = F_x \Delta x + F_y \Delta y. \quad (18.10)$$

Precisamos somente substituir as Eqs. (18.6) e (18.7) para Δx e Δy para obtermos

$$\Delta W = (xF_y - yF_x)\,\Delta\theta. \quad (18.11)$$

Isto é, a quantidade de trabalho que fizemos é, de fato, igual ao ângulo através do qual rodamos o objeto, multiplicado por uma aparentemente estranha combinação de força e distância. Esta "estranha combinação" é o que chamamos de torque. Então, definindo a mudança no trabalho como o torque vezes o ângulo, agora temos a fórmula para o torque em termos da força. (Obviamente, o torque não é uma ideia completamente nova, independente da mecânica newtoniana – o torque deve ter uma definição definitiva em termos da força.)

Quando existem muitas forças atuando, o trabalho que é realizado é, claramente, a soma dos trabalhos realizados por todas as forças, tal que ΔW será formado por vários termos, todos somados juntos, para todas as forças, *cada uma das quais, então, é proporcional a* $\Delta\theta$. Podemos colocar o $\Delta\theta$ em evidência, e por isso podemos dizer que a mudança no trabalho é igual à soma de todos os torques devido a todas as forças diferentes que estão atuando, vezes $\Delta\theta$. Essa soma pode ser chamada de torque total, τ. Logo os torques se adicionam pelas leis simples da álgebra, mas devemos ver mais tarde que isso acontece somente porque estamos trabalhando em um plano. É como a cinemática unidimensional, na qual as forças simplesmente se adicionam algebricamente, mas somente porque elas estão todas na mesma direção. Isso é mais complicado em três dimensões. Por isso, para a rotação em duas dimensões,

$$\tau_i = x_i F_{yi} - y_i F_{xi} \quad (18.12)$$

e

$$\tau = \sum \tau_i. \quad (18.13)$$

Deve-se enfatizar que o torque é em relação a um eixo dado. Se um eixo diferente é escolhido, tal que todos os x_i e y_i são mudados, o valor do torque é (comumente) mudado também.

Agora pausamos brevemente para notar que nossa introdução anterior sobre torque, por meio da ideia de trabalho, fornece um resultado ainda mais importante para um objeto em equilíbrio: se todas as forças em um objeto estão balanceadas para a translação e rotação, não somente a *força resultante* é zero, mas o valor total de todos os *torques* também é zero, porque se o objeto está em equilíbrio, *nenhum trabalho é realizado pelas forças para um pequeno deslocamento*. Por isso, já que $\Delta W = \tau \Delta \theta = 0$, a soma de todos os torques deve ser zero. Dessa maneira, existem duas condições para o equilíbrio: que a soma da forças seja zero e que a soma dos torques seja zero. Prove que é suficiente se assegurar que a soma dos torques ao redor de qualquer eixo (em duas dimensões) seja zero.

Agora vamos considerar uma única força e tentar descobrir, geometricamente, o que essa coisa estranha $xF_y - yF_x$ quantifica. Na Figura 18–2, vemos a força **F** atuando em um ponto **r**. Quando o objeto foi rodado por um ângulo pequeno $\Delta \theta$, o trabalho realizado, obviamente, é a componente da força na direção do deslocamento vezes o deslocamento. Em outras palavras, é somente a componente tangencial da força que conta, e esta deve ser multiplicada pela distância $r \Delta \theta$. Dessa maneira, vemos que o torque também é igual à componente tangencial da força (perpendicular ao raio) vezes o raio. Isso faz sentido dentro da nossa ideia ordinária de torque, porque se a força fosse completamente radial, ela não forneceria nenhuma "rotação" no corpo; é evidente que o efeito de rotação deve envolver somente a parte da força que não está puxando em direção ao centro, e isso significa a componente tangencial. Além disso, é claro que uma dada força é mais efetiva em um braço longo que perto do eixo. De fato, se pegarmos o caso em que empurramos exatamente no eixo, não ocorre nenhuma torção! Então faz sentido que a quantidade de rotação, ou torque, seja proporcional a ambos, à distância radial e à componente tangencial da força.

Existe ainda uma terceira fórmula para o torque que é muito interessante. Acabamos de ver que o torque é a força vezes o raio vezes o seno do angulo α, na Figura 18–2. No entanto, se estendermos a linha de ação da força e desenharmos a linha *OS*, a distância perpendicular à linha de ação da força (o *braço suspenso* da força), notamos que esse braço suspenso é mais curto que *r* exatamente na mesma proporção que a parte tangencial da força é menor que força total. Assim a fórmula para o torque pode também ser escrita como a magnitude da força vezes o comprimento do braço suspenso.

O torque é também chamado de *momento* da força. A origem desse termo é obscura, mas pode estar relacionada com o fato de que "momento" é derivado do latim *movimentum* e que a capacidade da força em mover um objeto (usando a força em um braço ou uma alavanca) aumenta com o comprimento do braço. Na matemática, "momento" significa o peso em relação a quão longe se está do eixo.

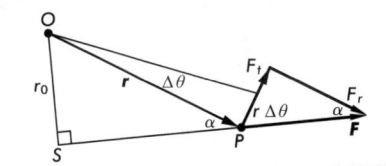

Figura 18–2 O torque produzido por uma força.

18–3 Momento angular

Apesar de até agora termos considerado somente o caso especial de um corpo rígido, as propriedades de torque e as suas relações matemáticas são também interessantes mesmo quando um objeto não é rígido. De fato, podemos provar um teorema muito notável: assim como a força externa é a taxa de mudança da quantidade *p*, que chamamos de momento total de um conjunto de partículas, então o torque externo é a taxa de variação da quantidade *L* que chamamos de *momento angular* de um grupo de partículas.

Para provar isso, devemos supor que existe um sistema de partículas no qual há algumas forças atuando e devemos descobrir o que acontece com esse sistema como consequência dos torques devido a essas forças. Primeiro, claro, devemos considerar somente uma partícula. Na Figura 18–3 está uma partícula de massa *m* e um eixo *O*; a partícula não está necessariamente rodando em um círculo ao redor de *O*, ela pode estar se movendo em uma elipse, como um planeta ao redor do Sol ou em alguma outra curva. Ela se move de alguma maneira, existem forças sobre ela e ela acelera de acordo com a fórmula usual que a componente *x* da força é a massa vezes a componente *x* da

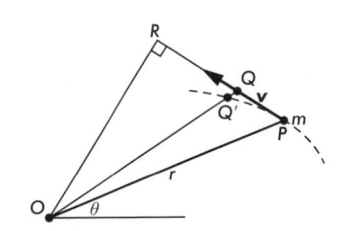

Figura 18–3 Uma partícula se move ao redor de um eixo *O*.

aceleração, etc. Vamos ver o que o *torque* faz. O torque igual a $xF_y - yF_x$ e a força na direção x ou y é a massa vezes a aceleração na direção x ou y:

$$\begin{aligned}\tau &= xF_y - yF_x \\ &= xm(d^2y/dt^2) - ym(d^2x/dt^2).\end{aligned} \quad (18.14)$$

Agora, ainda que isso não pareça ser a derivada de nenhuma quantidade simples, ela é de fato a derivada da quantidade $xm(dy/dt) - ym\,(dx/dt)$;

$$\frac{d}{dt}\left[xm\left(\frac{dy}{dt}\right) - ym\left(\frac{dx}{dt}\right)\right] = xm\left(\frac{d^2y}{dt^2}\right) + \left(\frac{dx}{dt}\right)m\left(\frac{dy}{dt}\right) \\ - ym\left(\frac{d^2x}{dt^2}\right) - \left(\frac{dy}{dt}\right)m\left(\frac{dx}{dt}\right) = xm\left(\frac{d^2y}{dt^2}\right) - ym\left(\frac{d^2x}{dt^2}\right). \quad (18.15)$$

Então é verdade que o torque é a taxa de variação de alguma coisa com o tempo! Assim, prestamos atenção nessa "coisa", damos a ela um nome: L, o momento angular:

$$\begin{aligned}L &= xm(dy/dt) - ym(dx/dt) \\ &= xp_y - yp_x.\end{aligned} \quad (18.16)$$

Apesar da nossa presente discussão ser não relativística, a segunda forma para L dada acima é relativisticamente correta. Desse modo, achamos que existe também um análogo rotacional para o momento e que esse análogo, o momento angular, é dado por uma expressão em termos dos componentes do momento linear que é justamente como a fórmula para o torque em termos das componentes da força! Sendo assim, se quisermos saber o momento angular de uma partícula ao redor de um eixo, tomamos somente a componente do momento que é tangencial e a multiplicamos pelo raio. Em outras palavras, o que conta para o momento angular não é o quão rapidamente ela está *se afastando* da origem, mas o quanto ela está rodando *ao redor* da origem. Somente a parte tangencial do momento pesa para o momento angular. Além disso, quanto mais longe a linha do momento se estende, maior o momento angular. E também, como os fatores geométricos são os mesmos se a quantidade é chamada de p ou F, é verdade que existe um braço suspenso (*não* o mesmo como o braço da força na partícula!) que é obtido estendendo a linha do *momento* e achando a distância perpendicular ao eixo. Assim o momento angular é a magnitude do momento vezes o braço suspenso do momento. Então temos três formulas para o torque:

$$\begin{aligned}L &= xp_y - yp_x \\ &= rp_\text{tangencial} \\ &= p \cdot \text{braço suspenso}\end{aligned} \quad (18.7)$$

Como o torque, o momento angular depende da posição do eixo sobre o qual ele é calculado.

Antes de seguir para um tratamento de mais de uma partícula, vamos aplicar os resultados acima para um planeta rodando ao redor do Sol. Em qual direção está a força? A força está na direção do Sol. Qual é, então, o torque no objeto? Claro, isso depende de onde colocamos o eixo, mas temos um resultado muito simples se tomamos o eixo no próprio sol, já que o torque é a força vezes o braço ou a componente da força perpendicular a r vezes r. Não há força tangencial, então não existe torque sobre um eixo colocado no Sol! Dessa maneira, o momento angular do planeta rodando ao redor do sol deve ficar constante. Vamos ver o que isso significa. A componente tangencial da velocidade, vezes a massa, vezes o raio, será constante, porque isso é o momento angular e a taxa de variação do momento angular é o torque e, nesse problema, o torque é zero. Obviamente, já que a massa também é constante, isso significa que a velocidade tangencial vezes o raio é constante. Contudo, isso é algo que já sabíamos para o movimento de um planeta. Suponha que consideremos uma pequena quantidade de tempo Δt. O quão longe irá o planeta se mover quando ele se move de P para Q (Fig. 18-3)? Quanta área ele irá varrer? Desconsiderando a pequena área $QQ'P$ comparada com a área OPQ, ela será simplesmente metade da base PQ vezes a altura, OR. Em outras palavras, a área que é varrida por unidade de tempo será igual à velocidade vezes o braço da velocidade (vezes meio). Então a taxa de variação da área é proporcional ao momento angular, que é constante. Por isso a lei de Kepler sobre áreas iguais em tempos iguais é uma versão ao pé da letra da afirmação presente na lei de conservação de momento, quando não há torque produzido pela força.

18–4 Conservação do momento angular

Agora devemos continuar para ver o que acontece quando temos um grande número de partículas, quando um objeto é feito de muitas peças com muitas forças atuando entre elas e sobre elas externamente. Obviamente, já sabemos que, ao redor de qualquer eixo fixo, o torque na i-ésima partícula (que é a força na i-ésima partícula vezes o braço dessa força) é igual à taxa de variação do momento angular dessa partícula e que o momento angular da i-ésima partícula é o seu momento vezes o seu braço do momento. Agora suponha que adicionemos os torques τ_i para todas as partículas e chamamos de torque total τ. Então este será a taxa de variação da soma dos momentos angulares de todas as partículas L_i e que define uma nova quantidade que vamos chamar de momento angular total L. Assim como o *momento* total de um objeto é a soma dos momentos de todas as suas partes, então o momento angular é a soma de todos os momentos angulares de todas as partes. Logo a taxa de variação do momento total L é o torque total:

$$\tau = \sum \tau_i = \sum \frac{dL_i}{dt} = \frac{dL}{dt}. \qquad (18.18)$$

Agora pode parecer que o torque total é uma coisa complicada. Existem todas aquelas forças internas e todas as forças externas para serem consideradas. Contudo, se pegarmos a lei de Newton de ação e reação, por exemplo, a ação e a reação não somente são iguais, mas elas também estão *em direções exatamente opostas ao longo da mesma linha* (Newton pode ou não ter realmente dito isso, mas ele tacitamente assumiu isso), por esse motivo os dois *torques* em objetos que sofrem reação, devido à interação mútua, serão iguais e opostos porque os braços para qualquer eixo são iguais. Sendo assim os torques internos se cancelam par por par, então temos o notável teorema que a *taxa de variação do momento angular total em relação a qualquer eixo é igual ao torque externo em relação a esse eixo!*

$$\tau = \sum \tau_i = \tau_{\text{ext}} = dL/dt. \qquad (18.19)$$

Portanto, temos um poderoso teorema envolvendo o movimento de grandes conjuntos de partículas, que nos permite estudar o movimento resultante sem ter de olhar no detalhado mecanismo interno. Esse teorema é verdade para qualquer conjunto de objetos, eles formando ou não um corpo rígido.

Um caso extremamente importante do teorema acima é a *lei de conservação do momento angular*: se nenhum torque externo atua no sistema de partículas, o momento angular permanece constante.

Um caso especial da grande importância é o do corpo rígido, que é um objeto de formas definidas que está simplesmente rodando. Considere um objeto que está fixo nas suas dimensões geométricas e que está rodando ao redor de um eixo fixo. Várias partes do objeto têm a mesma relação entre si em todos os tempos. Agora vamos tentar achar o momento angular total desse objeto. Se a massa de uma dessas partículas é m_i e sua posição ou localização é em (x_i, y_i), então o problema é achar o momento angular dessa partícula, porque o momento angular total é a soma dos momentos angulares de todas as partículas que compõem o corpo. Para um objeto rodando em um círculo, o

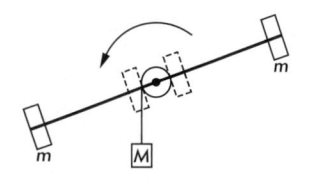

Figura 18–4 A "inércia para girar" depende do braço das massas.

momento angular, obviamente, é a massa vezes a velocidade vezes a distância do eixo, e a velocidade é igual à velocidade angular vezes a distância do eixo:

$$L_i = m_i v_i r_i = m_i r_i^2 \omega, \qquad (18.20)$$

ou, somando sobre todas as partículas i, temos

$$L = I\omega, \qquad (18.21)$$

onde

$$I = \sum_i m_i r_i^2. \qquad (18.22)$$

Este é o análogo da lei que o momento é massa vezes velocidade. A velocidade é substituída pela velocidade angular, e vemos que a massa é substituída por uma nova coisa que chamamos de *momento de inércia I*, que é o análogo da massa. As Equações (18.21) e (18.22) dizem que um corpo tem inércia para rodar que depende não somente da massa, mas *de quão longe ele está do eixo*. Então, se temos dois objetos de mesma massa, quando colocamos as massas mais afastadas do eixo, a inércia para rodar será maior. Isso é facilmente demonstrado pelo aparato mostrado na Figura 18–4, na qual um peso M é impedido de cair muito rapidamente porque ele tem de girar uma estaca muito larga e pesada. No início, as massas m estão próximas do eixo e M acelera com uma certa taxa, mas quando mudamos o momento de inércia colocando as duas massas m mais afastadas do eixo, então vemos que M acelera mais lentamente do que acelerava antes, porque o corpo tem muito mais inércia contra a sua rotação. O momento de inércia é a inércia contra a rotação e é a soma das contribuições de todas as massas vezes as suas distâncias em relação ao eixo ao *quadrado*.

Há uma diferença importante entre massa e momento de inércia que é significativa. A massa de um objeto nunca muda, mas o momento de inércia *pode* ser mudado. Se ficarmos em pé em uma plataforma rotatória e sem atrito com os nossos braços aberto e segurarmos algum peso em nossas mãos enquanto rodamos devagar, podemos mudar nosso momento de inércia flexionando nossos braços para dentro, mas a nossa massa não muda. Quando fazemos isso, todos os tipos de coisas maravilhosas acontecem, devido à lei de conservação do momento angular: se o torque externo é zero, então o momento angular, o momento de inércia vezes ômega, permanece constante. Inicialmente, estamos rodando com um grande momento de inércia I_1 com uma velocidade angular baixa ω_1 e o momento angular era $I_1 \omega_1$. Então mudamos nosso momento de inércia puxando nossos braços para dentro, digamos para um valor menor I_2. Então o produto $I\omega$, que deve ficar constante porque o momento angular deve ficar constante, é $I_2 \omega_2$. Por isso $I_1 \omega_1 = I_2 \omega_2$. Isto é, se *reduzimos* o momento de inércia, temos de *aumentar* a velocidade angular.

19

Centro de Massa; Momento de Inércia

19–1 Propriedades do centro de massa

No capítulo anterior, descobrimos que se um grande número de forças está atuando em uma massa complicada de partículas, mesmo se as partículas compõem um corpo rígido ou não rígido, uma nuvem de estrelas ou qualquer outra forma, e descobrimos a soma de todas as forças (obviamente, das forças externas, porque as forças internas se anulam), então se consideramos o corpo como um todo e dissermos que ele tem massa total M, existe um certo ponto "dentro" do corpo, chamado *centro de massa*, tal que o valor resultante das forças externas produz uma aceleração desse ponto, como se toda a massa estivesse concentrada nessa posição. Vamos agora discutir o centro de massa com um pouco mais de detalhe.

A localização do centro de massa (abreviado como CM) é dada pela equação

$$\mathbf{R}_{CM} = \frac{\sum m_i \mathbf{r}_i}{\sum m_i}. \qquad (19.1)$$

Essa é, obviamente, uma equação vetorial que, na verdade, é três equações, uma para cada uma das três direções. Devemos considerar somente a direção x, porque se conseguimos entender esta, podemos entender as outras duas. O que $X_{CM} = \Sigma m_i x_i / \Sigma m_i$ significa? Suponha por um momento que o objeto esteja dividido em pequenos pedaços, todos tendo a mesma massa m; então a massa total é simplesmente o número N de pedaços, digamos um grama ou qualquer valor unitário. Então essa equação simplesmente diz que adicionamos todos os x e então dividimos pelo número de coisas que adicionamos: $X_{CM} = m\Sigma x_i / mN = \Sigma x_i / N$. Em outras palavras, X_{CM} é a média de todos os x, se as massas são iguais. Suponhamos que uma delas seja duas vezes mais pesada que as outras. Então, na soma, aquele x apareceria duas vezes. Isso é fácil de entender, pois podemos pensar essa massa dupla como sendo dividida em duas massas iguais, como as outras; então ao fazer a média, obviamente, temos de contar aquele x duas vezes porque existem duas massas lá. Por isso X é a média das posições, na direção x, de todas as massas, todas as massas sendo contadas um número proporcional à sua massa de vezes, como se esta estivesse dividida em "pequenos gramas". A partir disso, é fácil provar que X deve estar em algum lugar entre o maior e o menor x e, dessa maneira, fica dentro do envelope que inclui o objeto inteiro. Ele não precisa estar na *matéria* do objeto, porque o corpo poderia ser um círculo, como uma argola, e o centro de massa está no centro da argola e não na própria argola.

Obviamente, se um objeto é de alguma maneira simétrico, por exemplo, um retângulo, de tal maneira que ele tenha um plano de simetria, o centro de massa está em algum lugar no plano de simetria. No caso do retângulo, existem dois planos e que localizam o centro de massa unicamente. Se ele for um objeto com algum tipo de simetria, então o centro de gravidade está em algum lugar no eixo de simetria, porque nessa situação existe a mesma quantidade de x positivos e negativos.

Outra proposta interessante e muito curiosa é a seguinte. Suponha que imaginemos um objeto feito de dois pedaços, A e B (Figura 19–1). Então o centro de massa de todo o objeto pode ser como a seguir. Primeiro, ache o centro de massa do pedaço A e depois o do pedaço B. Também ache a massa total de cada pedaço, M_A e M_B. Então considere um novo problema, no qual um *ponto* de massa M_A está no centro de massa do objeto A e outro *ponto* de massa M_B está no centro de massa do objeto B. O centro de massa desses dois pontos de massa será, então, o centro de massa de todo o objeto. Em outras palavras, se os centros de massas de várias partes de um objeto forem achados, não precisamos começar tudo de novo para achar o centro de massa de todo o objeto; só precisamos juntar os pedaços, tratando cada um como um ponto de massa situado no centro de massa daquele pedaço. Vamos ver por que isso é assim. Suponha que que-

19–1 Propriedades do centro de massa
19–2 Localização do centro de massa
19–3 Achando o momento de inércia
19–4 Energia cinética rotacional

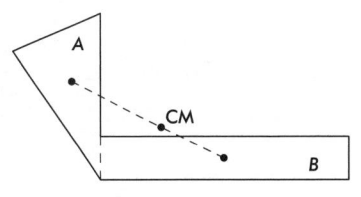

Figura 19–1 O CM de um objeto composto está na linha que une os CMs das duas partes que o compõem.

remos calcular o centro de massa de um objeto completo, algumas partículas do qual são consideradas como membros de um objeto A e outras membros de um objeto B. A soma total $\Sigma m_i x_i$ pode ser separada em dois pedaços – a soma $\Sigma_A m_i x_i$ para o objeto A somente e a soma $\Sigma_B m_i x_i$ para o objeto B somente. Agora se estamos calculando o centro de massa do objeto A sozinho, teríamos exatamente a primeira dessas somas, e sabemos que ela é $M_A X_A$, a massa total de todas as partículas em A vezes a posição do centro de massa de A, porque esse é o teorema do centro de massa aplicado ao objeto A. Da mesma maneira, somente olhando para o objeto B, temos $M_B X_B$ e obviamente adicionando os dois temos MX_{CM}:

$$MX_{CM} = \sum_A m_i x_i + \sum_B m_i x_i$$
$$= M_A X_A + M_B X_B. \qquad (19.2)$$

Agora já que M é equivalente à soma de M_A e M_B, vemos que a Eq. (19.2) pode ser interpretada como um caso especial da fórmula do centro de massa para dois objetos pontuais, um de massa M_A localizado em X_A e outro de massa M_B localizado em X_B.

O teorema que trata o movimento do centro de massa é muito interessante e tem representado uma parte importante no desenvolvimento do nosso entendimento da Física. Suponha que assumimos que a lei de Newton seja correta para partes pequenas que compõem um objeto muito maior. Então esse teorema mostra que a lei de Newton é também correta para o objeto grande, mesmo se não estudarmos os detalhes do objeto, mas somente a força total atuando sobre ele e sua massa. Em outras palavras, a lei de Newton tem a propriedade particular de que se ela é correta em uma certa escala pequena, então ela será correta em uma escala maior. Se não considerarmos uma bola de beisebol como uma coisa tremendamente complexa, feita de uma infinidade de partículas interativas, mas estudarmos somente o movimento do centro de massa e as forças externas na bola, descobrimos **F** = m**a**, onde **F** é a força externa na bola de beisebol, m é a sua massa e **a** é a aceleração do seu centro de massa. Então **F** = m**a** é a lei que se reproduz em uma escala maior. (Deve existir uma boa palavra, originada do grego talvez, para descrever uma lei que se reproduz em uma escala maior.)

Obviamente, alguém pode suspeitar que as primeiras leis que seriam descobertas pelos seres humanos seriam aquelas que se reproduziriam em uma escala maior. Por quê? Porque a escala verdadeira das engrenagens e rodas fundamentais do universo é de dimensões atômicas, que são muito menores que as nossas observações, pois não estamos nem perto dessa escala em nossas observações cotidianas. Por isso, as primeiras coisas que deveríamos descobrir devem ser verdade para objetos sem tamanho especial em relação à escala atômica. Se as leis de partículas pequenas não tivessem se reproduzido em escalas maiores, não as teríamos descoberto muito facilmente. E sobre o problema contrário? As leis em escalas pequenas devem ser as mesmas que as leis em escalas maiores? Obviamente isso não é necessariamente verdade na natureza, que em nível atômico as leis devem ser as mesmas que em uma escala maior. Suponha que as verdadeiras leis do movimento dos átomos sejam dadas por alguma equação estranha que não tenha a propriedade de que quando vamos para uma escala maior reproduzimos a mesma lei, mas em vez disso ela tem a propriedade de que se vamos para uma escala maior, podemos *aproximá-la por uma certa expressão* tal que, se estendermos essa expressão para escalas cada vez maiores, *ela* continua se reproduzindo em escalas cada vez maiores. Isso é possível, e de fato essa é a maneira como as coisas funcionam. As leis de Newton são a "rabeira" das leis atômicas, extrapoladas para um tamanho muito grande. As verdadeiras leis de movimento de partículas em uma escala minúscula são muito peculiares, mas se tomamos um grande número delas e as unimos, as leis aproximam, mas *somente* aproximam, as leis de Newton. As leis de Newton, por sua vez, permitem-nos ir para escalas cada vez maiores e elas ainda parecerão ser as mesmas leis. De fato, elas se tornam mais e mais precisas conforme a escala fica cada vez maior. Esse fator de autorreprodução das leis de Newton não é uma característica realmente fundamental da natureza, mas é uma característica histórica importante. Nunca teríamos descoberto as leis fundamentais das partículas atômicas em uma primeira observação porque as primeiras observações são muito grosseiras. De fato, verificou-se que as leis atômicas fundamentais, que chamamos de mecânica quântica, são muito diferentes das leis de Newton e são difíceis de entender porque nossas experiências diretas são com objetos em grandes escalas, e os átomos em pequenas escalas se comportam de uma maneira completamente diferente do que vemos em uma escala maior. Por isso não podemos dizer, "Um átomo é simplesmente como um planeta rodando em volta do Sol" ou algo parecido com isso. Esse comportamento não é parecido com *nada* com que estejamos familiarizados porque não existe *nada parecido*. Quando aplicamos mecânica quântica para coisas cada vez maiores, as leis sobre o comportamento de muitos átomos juntos *não* se reproduzem, mas produzem *novas leis*, que são as leis de Newton, que então continuam a se reproduzir de, digamos, um tamanho de microgramas, que ainda é bilhões e bilhões de átomos, até o tamanho da Terra e maiores.

Vamos agora voltar para o centro de massa. O centro de massa é algumas vezes chamado de centro de gravidade, porque, em muitos casos, a gravidade pode ser considerada uniforme. Vamos supor que tenhamos dimensões suficientemente pequenas tais que a força gravitacional não é proporcional somente à massa, mas é em todos os lugares paralela a alguma linha fixa. Então consideramos um objeto no qual existe força gravitacional em cada um dos seus componentes de massa. Considere m_i a massa de uma parte. Então a força gravitacional em uma parte é m_i vezes g. Agora a questão é, onde podemos aplicar uma única força para balancear a força gravitacional em todo o objeto, de tal maneira que o objeto inteiro, se for um corpo rígido, não irá girar? A resposta é que essa força deve ser aplicada no centro de massa, e mostraremos isso da seguinte maneira. Para que o corpo não rode, os torques produzidos por todas as forças devem se adicionar e ser zero, porque se existir torque, existe uma mudança de momento angular e então a rotação. Para isso devemos calcular o valor total de todos os torques em todas as partículas e ver quanto torque há em relação a qualquer eixo dado; ele deveria se zero, se o eixo está em cima do centro de massa. Agora, medindo x horizontalmente e y verticalmente, sabemos que os torques são as forças na direção y, vezes o braço x (isto é, a força vezes o braço em relação ao qual queremos medir o torque). Agora o torque total é a soma

$$\tau = \sum m_i g x_i = g \sum m_i x_i, \qquad (19.3)$$

tal que se o torque total deve ser zero, a soma $\Sigma m_i x_i$ deve ser zero. Contudo $\Sigma m_i x_i = M X_{CM}$, a massa total vezes a distância do centro de massa ao eixo. Por isso a distância x do centro de massa do eixo é zero.

Obviamente, verificamos o resultado somente para a distância x, mas se usarmos o verdadeiro centro de massa, o objeto balanceará em qualquer posição, porque se o viramos 90°, teríamos y no lugar de x. Em outras palavras, quando um objeto é sustentado no seu centro de massa, não há torque nele porque temos um campo gravitacional paralelo. No caso em que o objeto é tão grande que o não paralelismo das forças gravitacionais é importante, então o centro onde se deve aplicar a força balanceadora não é simples de descrever, e ele está ligeiramente separado do centro de massa. Esse é o motivo pelo qual se deve distinguir entre o centro de massa e o centro de gravidade. O fato de que um objeto sustentado exatamente no centro de massa será balanceado em todas as posições tem uma consequência interessante. Se, em vez da gravidade, temos uma pseudoforça devido à aceleração, podemos usar exatamente o mesmo procedimento matemático para achar a posição para sustentá-lo de tal maneira que não existam torques produzidos pela força inercial de aceleração. Suponha que um objeto é segurado de alguma maneira dentro de uma caixa e que a caixa e tudo que está contido nela estejam acelerando. Sabemos que, do ponto de vista de alguém em repouso em relação a essa caixa acelerando, haverá uma força efetiva devido à inércia. Isto é, para fazer o objeto ir junto com a caixa, temos de empurrá-lo para acelerá-lo, e essa força é "balanceada" pela "força de inércia", que é uma pseudoforça igual à massa vezes a aceleração da caixa. Para o homem dentro da caixa, a situação é mesma como se o objeto estivesse em um campo gravitacional uniforme, cujo valor de "g" é igual à aceleração a. Dessa maneira, a força inercial devido ao objeto acelerando não tem torque em relação ao centro de massa.

Esse fato tem uma consequência muito interessante. Em uma situação em que não se está acelerando, o torque é sempre igual à taxa de variação do momento angular. No entanto, em relação a um eixo que passa pelo centro de massa de um objeto que *está* acelerando, *ainda é verdade* que o torque é igual à taxa de variação do momento angular. Mesmo que o centro de massa esteja acelerando, podemos ainda escolher um eixo especial, isto é, um eixo passando pelo centro de massa, tal que ainda será verdade que o torque é igual à taxa de variação do momento angular em relação a esse eixo. Então o teorema que o torque é igual à taxa de variação do momento angular é verdade em dois casos gerais: (1) um eixo fixo em um espaço inercial, (2) um eixo que passa pelo centro de massa, mesmo que o objeto esteja acelerando.

19–2 Localização do centro de massa

As técnicas matemáticas para os cálculos dos centros de massa são de incumbência de um curso de matemática, e tais problemas fornecem um bom exercício no cálculo integral. Depois que alguém aprendeu cálculo, no entanto, e quer saber como localizar centros de massa, é interessante conhecer alguns truques que podem ser usados para fazê-lo. Um desses truques faz uso do que é chamado de teorema de Pappus. Ele funciona assim: se tomamos qualquer área fechada em um plano e geramos um sólido movimentando essa área pelo espaço de tal modo que cada ponto é sempre movido perpendicularmente ao plano da área, o sólido resultante tem um volume total igual à área da seção transversal vezes a distância que o centro de massa se moveu! Certamente isso é verdade se movemos a área em uma linha reta perpendicular a ela, mas se a movemos em um círculo ou em alguma outra curva, então ela gera um volume muito peculiar. Para um caminho curvo, a parte externa roda mais e a parte interna roda menos, e esses efeitos se anulam. Então se queremos localizar o centro de massa de uma folha plana de densidade uniforme, podemos lembrar que o volume gerado pela sua rotação em relação a um eixo é a distância do centro de rotação vezes a área da folha.

Por exemplo, se desejamos achar o centro de massa de um triângulo retângulo de base D e altura H (Figura 19–2), podemos resolver o problema da seguinte maneira. Imagine um eixo ao longo de H e rode o triângulo em relação a esse eixo por um ângulo de 360 graus. Isso gera um cone. A distância que a coordenada do centro de massa se moveu é $2\pi x$. A área que foi movida é a área do triângulo, $\frac{1}{2} HD$. Então a distância x do centro de massa vezes a área do triângulo é o volume varrido, o qual é claramente $\pi D^2 H/3$. Então $(2\pi x)(1/2 HD) = \pi D^2 H/3$ ou $x = D/3$. De uma maneira similar, pela rotação em relação a outro eixo, ou por simetria, achamos $y = H/3$. De fato, o centro de massa de qualquer área triangular uniforme é onde todas as três medianas, as linhas que ligam os vértices aos centros dos lados opostos, encontram-se. Esse ponto é 1/3 do caminho ao longo da mediana. *Dica*: divida o triângulo em muitos pedaços pequenos, cada um paralelo à base. Note que a linha mediana bissecciona cada pedaço e por isso o centro de massa deve estar nessa linha.

Vamos tentar uma situação mais complicada. Suponha que se deseja achar a posição do centro de massa de um disco semicircular uniforme – um disco cortado ao meio. Onde está o centro de massa? Para um disco inteiro, ele está no centro, obviamente, mas para metade do disco é mais complicado. Considere r o raio e x a distância do centro de massa para o lado reto do disco. Rode-o em relação a essa extremidade como eixo para gerar uma esfera. Então o centro de massa rodou $2\pi x$, a área é $\pi r^2/2$ (porque ele é apenas metade do círculo). O volume gerado é, obviamente, $4\pi r^3/3$, do qual descobrimos que

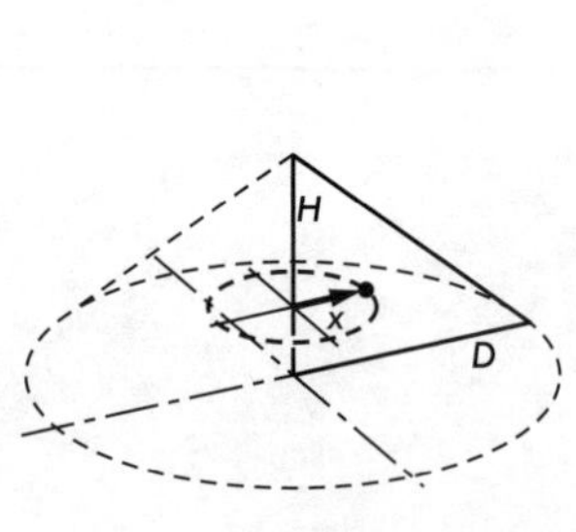

$$(2\pi x)(\tfrac{1}{2}\pi r^2) = 4\pi r^3/3,$$

ou

$$x = 4r/3\pi.$$

Figura 19–2 Um triângulo retângulo e um cone reto gerado pela rotação do triângulo.

Existe outro teorema de Pappus que é um caso especial do teorema anterior e por isso igualmente verdade. Suponha que, em vez de um disco sólido semicircular, temos um pedaço semicircular de fio com densidade de massa uniforme ao longo do fio e queremos achar o seu centro de massa. Nesse caso, não há massa no interior, apenas no fio. Então, no final das contas, a *área* que é varrida pela linha plana curvada, quando esta se move como antes, é a distância que o centro de massa se move vezes o *comprimento* do fio. (A linha pode ser pensada como uma área muito fina e o teorema anterior pode ser aplicado.)

19–3 Achando o momento de inércia

Agora vamos discutir o problema de achar o *momento de inércia* de vários objetos. A fórmula do momento de inércia em relação ao eixo z de um objeto é

$$I = \sum m_i(x_i^2 + y_i^2)$$

ou

$$I = \int (x^2 + y^2)\, dm = \int (x^2 + y^2)\rho\, dV. \tag{19.4}$$

Isto é, devemos somar as massas, cada uma multiplicada pelo quadrado de sua distância $(x_i^2 + y_i^2)$ do eixo. Note que esta não é a distância tridimensional, somente a distância bidimensional ao quadrado, mesmo para um objeto tridimensional. Para a maior parte, devemos nos restringir a objetos bidimensionais, mas a fórmula para a rotação em relação ao eixo z é a mesma em três dimensões.

Como um exemplo simples, considere uma barra rodando em relação a um eixo perpendicular a uma de suas extremidades (Figura 19–3). Agora devemos somar todas as massas vezes as distâncias x ao quadrado (os y sendo todos zeros nesse caso). O que queremos dizer pela "soma", obviamente, é a integral de x^2 vezes os pequenos elementos de massa. Se dividirmos a barra em pequenos elementos de comprimento dx, os elementos de massa correspondentes são proporcionais a dx, e se dx for o comprimento de toda a barra, a massa seria M. Por isso

$$dm = M\, dx/L$$

e então

$$I = \int_0^L x^2 \frac{M\, dx}{L} = \frac{M}{L}\int_0^L x^2\, dx = \frac{ML^2}{3}. \tag{19.5}$$

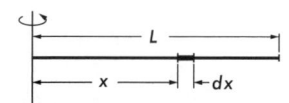

Figura 19–3 Uma barra reta de comprimento L rodando em relação a um eixo passando em uma extremidade.

As dimensões do momento de inércia são sempre massa vezes comprimento ao quadrado, então tudo que tivemos de descobrir foi o fator 1/3.

Agora o que é I se o eixo de rotação está no centro da barra? Poderíamos simplesmente fazer a integral novamente, variando o intervalo de x de $-1/2L$ a $+1/2L$. Vamos observar algumas coisas sobre o momento de inércia antes. Podemos imaginar a barra como duas barras, cada uma de massa $M/2$ e comprimento $L/2$; os momentos de inércia de duas pequenas barras são iguais e são, ambos, dados pela fórmula (19.5). Então o momento de inércia é

$$I = \frac{2(M/2)(L/2)^2}{3} = \frac{ML^2}{12}. \tag{19.6}$$

Por isso é muito mais fácil rodar uma barra em relação ao seu centro do que rodá-la em relação a uma extremidade.

Obviamente, poderíamos continuar a calcular os momentos de inércia de vários outros corpos de interesse. No entanto, enquanto tais computações fornecem uma certa quantidade de exercício importante ao cálculo, basicamente elas não são do nosso interesse como tal. Existe, no entanto, um teorema interessante que é muito útil. Suponha que temos um objeto e queremos achar o seu momento de inércia em relação a algum eixo. Isso significa que queremos o momento de inércia necessário para carregá-lo por rotação em relação a esse eixo. Agora se sustentarmos o objeto em pivôs no centro de massa, tal que o objeto não vire enquanto ele roda em relação ao eixo (porque não há torque sobre ele vindos de efeitos inerciais e portanto ele não irá virar quando começarmos a movê-lo), então as forças necessárias para rodá-lo são as mesmas do que se toda a massa estivesse concentrada no centro de massa e o momento de inércia seria simplesmente $I_1 = MR_{CM}^2$, onde R_{CM} é a distância do eixo ao centro de massa. Obviamente, esta não é a fórmula certa para o momento de inércia de um objeto que está sendo rodado enquanto revoluciona, porque não somente o centro do mesmo se movendo em um círculo, que contribuiria com uma certa quantidade I_1 para o momento de inércia, mas também devemos rodá-lo em relação ao seu centro de massa. Assim, não é sem razão que devemos adicionar a I_1 o momento de empírica I_c em relação ao centro de massa, então é um bom palpite que o momento de inércia total em relação a qualquer eixo será

$$I = I_c + MR_{CM}^2. \tag{19.7}$$

Esse teorema é chamado de *teorema dos eixos paralelos* e pode ser facilmente provado. O momento de inércia em relação a qualquer eixo é a massa vezes a soma dos x_i e y_i, cada um ao quadrado: $I = \Sigma (x_i^2 + y_i^2)m_i$. Devemos nos concentrar nos x, mas obviamente os y funcionam da mesma maneira. Agora x é a distância da origem a um ponto particular de massa, mas vamos considerar como isso ficaria se medíssemos x' do CM, ao invés de x da origem. Para se preparar para essa análise, escrevemos

$$x_i = x'_i + X_{CM}.$$

Então simplesmente elevamos ao quadrado isso para achar

$$x_i^2 = x'^2_i + 2X_{CM}x'_i + X_{CM}^2.$$

Então, quando isso é multiplicado por m_i e somado sobre todos os i, o que acontece? Tirando as constantes da somatória, temos

$$I_x = \sum m_i x'^2_i + 2X_{CM} \sum m_i x'_i + X_{CM}^2 \sum m_i.$$

A terceira soma é fácil; é somente MX_{CM}^2. Na segunda soma, existem dois pedaços, um deles é $\Sigma m_i x'_i$, que é a massa total vezes a coordenada x' do centro de massa, mas este não contribui com nada, porque x' é *medido* a partir do centro de massa, e nesses eixos a posição média de todas as partículas, pesada pelas massas, é zero. A primeira soma, obviamente, é a parte x do I_c. Dessa maneira, chegamos à Eq. (19.7), assim como adivinhamos.

Vamos verificar (19.7) para um exemplo, vendo simplesmente se ela funciona para a barra. Para um eixo passando por uma extremidade, o momento de inércia deveria ser $ML^2/3$, pois o calculamos. O centro de massa de uma barra, obviamente, está no centro da barra, na distância $L/2$. Por isso deveríamos achar que $ML^2/3 = ML^2/12 + M(L/2)^2$. Já que um quarto mais um sobre doze é um terço, não cometemos nenhum erro fundamental.

Incidentalmente, realmente não necessitávamos usar a integral para achar o momento de inércia (19.5). Se simplesmente assumíssemos que ele é ML^2 vezes γ, um coeficiente desconhecido, e então usássemos o argumento sobre as duas metades para chegar a $1/4\gamma$ para (19.6), então do nosso argumento sobre a transferência dos eixos poderíamos provar que $\gamma = 1/4\gamma + 1/4$, tal que γ deve ser $1/3$. Há sempre uma outra maneira de fazê-lo!

Ao aplicar o teorema dos eixos paralelos, é obviamente importante lembrar que o eixo para I_c *deve ser paralelo* ao eixo ao redor do qual queremos o momento de inércia.

É válido mencionar outra propriedade do momento de inércia porque ela ajuda muitas vezes a achar o momento de inércia de certos objetos. Essa propriedade diz que se alguém tem uma *figura plana* e um conjunto de eixos coordenados com origem no plano e o eixo z perpendicular ao plano, então o momento de inércia dessa figura ao redor do eixo z é igual à soma dos momentos de inércia ao redor do eixo x e y. Isso é facilmente provado observando que

$$I_x = \sum m_i(y_i^2 + z_i^2) = \sum m_i y_i^2$$

(já que $z_i = 0$). De forma semelhante,

$$I_y = \sum m_i(x_i^2 + z_i^2) = \sum m_i x_i^2,$$

mas

$$I_z = \sum m_i(x_i^2 + y_i^2) = \sum m_i x_i^2 + \sum m_i y_i^2$$
$$= I_x + I_y.$$

Como um exemplo, o momento de inércia de um prato retangular uniforme de massa M, largura w e comprimento L ao redor de um eixo perpendicular ao prato e passando pelo seu centro é simplesmente

$$I = M(w^2 + L^2)/12,$$

porque o seu momento de inércia ao redor de um eixo no seu plano e paralelo ao seu comprimento é $Mw^2/12$, isto é, simplesmente como uma barra de comprimento w e o momento de inércia ao redor do outro eixo no seu plano é $ML^2/12$, simplesmente como uma barra de comprimento L.

Em resumo, o momento de inércia de um objeto em relação a um dado eixo, que devemos chamar de eixo z, tem as seguintes propriedades:

(1) O momento de inércia é

$$I_z = \sum_i m_i(x_i^2 + y_i^2) = \int (x^2 + y^2)\, dm.$$

(2) Se o objeto é feito de um número de partes, cada uma com um momento de inércia conhecido, o momento de inércia total é a soma dos momentos de inércia das partes.
(3) O momento de inércia em relação a qualquer eixo dado é igual ao momento de inércia em relação a um eixo paralelo passando pelo CM mais a massa total vezes o quadrado da distância do eixo ao CM.
(4) Se o objeto é uma figura plana, o momento de inércia em relação a um eixo perpendicular ao plano é igual à soma dos momentos de inércia em relação a quaisquer dois eixos mutuamente perpendiculares que estejam no plano e que se interceptam no eixo perpendicular.

Os momentos de inércia de algumas formas elementares tendo densidade de massa uniforme estão na Tabela 19-1, e os momentos de inércia de alguns outros objetos, que podem ser deduzidos da Tabela 19-1, usando as propriedades acima, estão na Tabela 19-2.

19–4 Energia cinética rotacional

Agora vamos continuar discutindo a dinâmica um pouco mais profundamente. Na analogia entre movimento linear e movimento angular que discutimos no Capítulo 18, usamos o teorema do trabalho, mas não falamos sobre energia cinética. O que é a energia cinética de um corpo rígido, rodando em relação a um certo eixo com velocidade angular ω? Podemos imediatamente adivinhar a resposta correta usando nossas analogias. O momento de inércia corresponde à massa, a velocidade angular corresponde à velocidade, por isso a energia cinética deve ser $\frac{1}{2} I\omega^2$, e realmente é, como será demonstrado agora. Suponha que o objeto esteja rodando em relação a algum eixo tal que cada ponto tem velocidade cuja magnitude é ωr_i, onde r_i é o raio do ponto em particular para o eixo. Então, se m_i é a massa daquele ponto, a energia

Tabela 19-1

Objeto	Eixo z	I_z
Barra fina, comprimento L	$\perp$ à barra no centro	$ML^2/12$
Anel circular fino concêntrico de raios r_1 e r_2	$\perp$ ao anel no centro	$M(r_1^2 + r_2^2)/2$
Esfera, raio r	pelo centro	$2Mr^2/5$

Tabela 19-2

Objeto	Eixo z	I_z
Folha retangular, lados a, b	$\parallel b$ no centro	$Ma^2/12$
Folha retangular, lados a, b	$\perp$ a folha no centro	$M(a^2 + b^2)/12$
Anel anular fino, raios r_1 e r_2	qualquer diâmetro	$M(r_1^2 + r_2^2)/4$
Paralelepípedo retangular, lados a, b, c	$\parallel c$, pelo centro	$M(a^2 + b^2)/12$
Cilindro circular reto, raio r, comprimento L	$\parallel L$, pelo centro	$Mr^2/2$
Cilindro circular reto, raio r, comprimento L	$\perp L$, pelo centro	$M(r^2/4 + L^2/12)$

cinética total de toda a coisa é simplesmente a soma das energias cinéticas de todos os pequenos pedaços:

$$T = \tfrac{1}{2}\sum m_i v_i^2 = \tfrac{1}{2}\sum m_i (r_i \omega)^2.$$

Agora ω^2 é uma constante, a mesma para todos os pontos. Desse modo,

$$T = \tfrac{1}{2}\omega^2 \sum m_i r_i^2 = \tfrac{1}{2}I\omega^2. \tag{19.8}$$

No final do Capítulo 18, apontamos que existem alguns fenômenos interessantes associados com um objeto que não é rígido, mas com mudanças de uma condição de rigidez com um momento de inércia definido para outra condição de rigidez. Explicitamente, no nosso exemplo da mesa giratória, tínhamos um certo momento de inércia I_1 com nossos braços esticados e uma certa velocidade angular ω_1. Quando puxamos nossos braços para dentro, tínhamos um momento de inércia diferente, I_2, e uma velocidade angular diferente, ω_2, mas novamente éramos "rígidos". O momento angular permanecia constante, já que não havia torque em relação ao eixo vertical da mesa giratória. Isso significa que $I_1\omega_1 = I_2\omega_2$. E em relação à energia? Essa é uma questão interessante. Com os nossos braços puxados internamente, rodamos mais rapidamente, mas nosso momento de inércia é menor e parece que as energias podem ser iguais. No entanto, elas não são, porque o que se *balanceia* é $I\omega$ e não $I\omega^2$. Então se compararmos a energia cinética antes e depois, a energia cinética antes é ½ $I_1\omega_1^2$ = ½ $L\omega_1$, onde $L = I_1\omega_1 = I_2\omega_2$ é o momento angular. Depois, pelo mesmo argumento, temos $T = ½ L\omega_2$ e, já que $\omega_2 > \omega_1$, a energia cinética de rotação é maior do que era antes. Então tínhamos uma certa energia quando nossos braços estavam para fora, e quando os puxamos, estamos rodando mais rapidamente e tínhamos mais energia cinética. O que acontece com o teorema da conservação da energia? Alguém deve ter realizado trabalho. Nós o realizamos! Quando realizamos trabalho? Quando movemos um peso horizontalmente, não realizamos trabalho algum. Se segurarmos uma coisa para fora e depois a puxarmos para dentro, também não realizamos trabalho algum. No entanto, isso só funciona quando não estamos rodando! Quando *estamos* rodando, existe a força centrífuga nos pesos. Eles estão tentando escapar, então quando estamos rodando temos de puxar os pesos para dentro contra a força centrífuga. Então, o trabalho que realizamos contra a força centrífuga dever concordar com a diferença na energia rotacional, e obviamente concorda. É daí que a energia cinética extra é proveniente.

Existe ainda outra característica que podemos tratar apenas descritivamente, como assunto de interesse geral. Essa característica é um pouco mais avançada, mas vale ser colocada porque ela é muito curiosa e produz muitos efeitos interessantes.

Considere o experimento da mesa giratória novamente. Considere o corpo e os braços separadamente, do ponto de vista do homem que está rodando. Depois que os pesos são puxados para dentro, todo o objeto está rodando mais rapidamente, mas observe que *a parte central do corpo não mudou* e ainda assim ela está rodando mais rapidamente depois do evento que antes. Então, se fôssemos desenhar um círculo ao redor do corpo interno e considerar somente os objetos dentro do círculo, os *seus* momentos angulares *mudariam*; eles estão indo mais rapidamente. Por isso deve existir um torque exercido no corpo enquanto puxamos para dentro nossos braços. Nenhum torque pode ser exercido pela força centrífuga, porque esta é radial. Isso significa que entre as forças que estão se desenvolvendo em um sistema rodando, a força centrífuga não é a única, *há outra força*. Esta outra força é chamada de *força de Coriolis* e tem uma propriedade muito estranha que quando movemos alguma coisa em um sistema rodando, esta parece ser empurrada lateralmente. Como a força centrífuga, ela é uma força aparente, mas se vivemos em um sistema que está rodando e movemos alguma coisa radialmente, descobrimos de também devemos empurrá-la lateralmente para movê-la radialmente. Esse empurrão lateral que temos de exercer é o que gira o nosso corpo.

Agora vamos desenvolver uma fórmula para mostrar como essa força de Coriolis realmente funciona. Suponha que Moe esteja sentado em um carrossel que parece para ele estar estacionário. Do ponto de vista do Joe, que está sentado no chão e sabe as leis certas da mecânica, o carrossel está girando. Suponha que desenhemos uma linha radial no carrossel e que Moe esteja movendo alguma massa radialmente ao longo dessa linha. Gostaríamos de demonstrar que a força lateral é necessária para fazer isso. Podemos fazer isso prestando atenção ao momento angular da massa. Ela está sempre rodando com a mesma velocidade angular ω, de maneira que o momento angular é

$$L = mv_{\text{tang}}r = m\omega r \cdot r = m\omega r^2.$$

Assim quando a massa está mais próxima do centro, ela tem relativamente um momento angular menor, mas se a movemos para uma nova posição mais afastada, se aumentamos o r, m terá mais momento angular, então *um torque deve ser exercido* para movê-la ao longo do raio. (Para andar ao longo do raio em um carrossel, é preciso inclinar-se para frente e empurrar lateralmente. Tente isso alguma hora.) O torque que é preciso é a taxa de variação de L com o tempo enquanto m se move ao longo do raio. Se m se move somente ao longo do raio, ômega permanece constante, tal que o torque é

$$\tau = F_c r = \frac{dL}{dt} = \frac{d(m\omega r^2)}{dt} = 2m\omega r \frac{dr}{dt},$$

onde F_c é a força de Coriolis. O que realmente queremos saber é que *força* lateral deve ser exercida por Moe para mover m para fora numa velocidade $v_r = dr/dt$. Isto é $F_c = \tau/r = 2m\omega v_r$.

Agora que temos a fórmula para a força de Coriolis, vamos olhar para a situação com um pouco mais de cuidado, para ver se podemos entender a origem dela de um ponto de vista mais elementar. Notamos que a força de Coriolis é a mesma em todos os raios e evidentemente está presente até mesmo na origem! É especialmente fácil entendê-la na origem, apenas olhando para o que acontece no sistema inercial do Joe, que está sentado no chão. A Figura 19-4 mostra três visões sucessivas de m assim que ela passa a origem em $t = 0$. Devido à rotação do carrossel, vemos que m não se move em uma

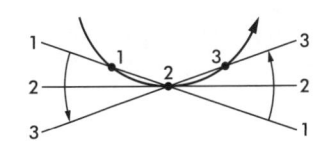

Figura 19-4 Três visões sucessivas de um ponto se movendo radialmente em uma mesa giratória.

linha reta, mas em um *caminho curvo* tangente ao diâmetro do carrossel em que $r = 0$. Para m percorrer uma curva, deve haver uma força para acelerá-la no espaço absoluto. Esta é a força de Coriolis.

Este não é o único caso em que a força de Coriolis ocorre. Podemos também mostrar que se um objeto está se movendo com velocidade constante ao redor de uma circunferência de um círculo, também existe uma força de Coriolis. Por quê? Moe vê uma velocidade v_M ao redor do círculo. Por outro lado, Joe vê m rodando em volta do círculo com velocidade $v_J = v_M + \omega r$, porque m também é carregada pelo carrossel. Dessa maneira, sabemos o que realmente a força é, explicitamente, a força centrípeta total devido à velocidade v_J, ou mv_J^2/r; que é a verdadeira força. Agora do ponto de vista do Moe, a força centrípeta tem três pedaços. Podemos escrever todos da seguinte maneira:

$$F_r = -\frac{mv_J^2}{r} = -\frac{mv_M^2}{r} - 2mv_M\omega - m\omega^2 r.$$

Agora, F_r é a força que Moe veria. Vamos tentar entender isso. Moe entenderia o primeiro termo? "Sim", ele diria, "mesmo se eu não estivesse rodando, existiria uma força centrípeta se eu estivesse correndo ao redor de um círculo com velocidade v_M." Esta é simplesmente a força centrípeta que Moe esperaria, não tendo nada a ver com a rotação. Além disso, Moe sabe muito bem que existe uma outra força centrípeta que atuaria mesmo em objetos que estejam parados no seu carrossel. Este é o terceiro termo, mas existe um outro termo somado a esses, explicitamente o segundo termo, o qual é novamente $2m\omega v$. A força de Coriolis F_c era tangencial quando a velocidade era radial e agora ela é radial quando a velocidade é tangencial. De fato, uma expressão tem um sinal negativo em relação à outra. A força é sempre na mesma direção, em relação à velocidade, não importa em qual direção a velocidade está. A força está formando ângulos retos com a velocidade e de magnitude $2m\omega v$.

20

Rotação no Espaço

20–1 Torques em três dimensões

Nesse capítulo devemos discutir uma das mais marcantes e fascinantes consequências da mecânica, o comportamento de uma roda girando. Para fazer isso, devemos primeiro expandir a formulação matemática do movimento rotacional, os princípios do momento angular, torque e assim por diante, para o espaço tridimensional. Não vamos *usar* essas equações em todas as suas generalidades e estudar todas as suas consequências, porque isso levaria muitos anos e devemos cuidar de outros assuntos logo. Em um curso introdutório, podemos apenas apresentar as leis fundamentais e aplicá-las para algumas poucas situações de especial interesse.

Primeiro, notamos que se temos a rotação em três dimensões, sendo de um corpo rígido ou qualquer outro sistema, o que deduzimos para duas dimensões é ainda válido. Isto é, ainda é verdade que $xF_y - yF_x$ é o torque "no plano xy", ou o torque "ao redor do eixo z". Também temos que esse torque é ainda igual à taxa de variação de $xp_y - yp_x$; por isso, se voltarmos à derivação da Eq. (18.15) das leis de Newton, vemos que não tínhamos de assumir que o movimento era em um plano; quando diferenciamos $xp_y - yp_x$, obtemos $xF_y - yF_x$, então esse teorema ainda está certo. A quantidade $xp_y - yp_x$ é chamada então de o momento angular pertencente ao plano xy ou o momento angular em relação ao eixo z. Isso sendo verdade, podemos usar quaisquer outros pares de eixos e obter outra equação. Por exemplo, podemos usar o plano yz e é claro que por simetria se simplesmente substituirmos x por y e y por z, descobriríamos $yF_z - zF_y$ para o torque e $yp_z - zp_y$ seria o momento angular associado com o plano yz. Obviamente poderíamos ter outro plano, o plano zx e para este acharíamos $zF_x - xF_z = d/dt(zp_x - xp_z)$.

Que essas três equações podem ser deduzidas para o movimento de uma única partícula está bem claro. Ainda mais se somarmos coisas como $xp_y - yp_x$ para muitas partículas e chamarmos de momento angular total, teríamos três tipos para os três planos xy, yz e zx e se fizermos o mesmo com as forças, falaríamos sobre o torque nos três planos também. Então teríamos leis que o torque externo associado com qualquer plano é igual à taxa de variação do momento angular associado com aquele plano. Isso é apenas uma generalização para o que escrevemos em duas dimensões.

Agora alguém pode dizer, "Ah, mas existem mais planos; no final das contas, não podemos tomar algum outro plano em algum ângulo e calcular o torque nesse plano a partir das forças? Já que teríamos de escrever outro grupo de equações para cada um dos planos, teríamos muitas equações!" Curiosamente, acontece que se trabalhamos a combinação $x'F_{y'} - y'F_{x'}$, para outro plano, medindo x, F_y, etc., nesse plano, os resultados podem ser escritos como algum tipo de *combinação* das três expressões para os planos xy, yz e zx. Não há nada novo. Em outras palavras, se conhecemos quais são os torques nos planos xy, yz e zx, então o torque em qualquer outro plano, e também o momento angular correspondente, podem ser escritos como uma combinação destas: seis por cento de um e noventa e dois por cento do outro e assim por diante. Devemos analisar essa propriedade agora.

Suponha que nos eixos xyz, Joe tenha encontrado todos os seus torque e momentos angulares nos seus planos, mas Moe tem os eixos x', y', z' em alguma outra direção. Para facilitar, devemos supor que somente os eixos x e y foram rodados. Os eixos x' e y' do Moe são novos, mas o seu z' é o mesmo. Isto é, ele tem novos planos, digamos, para yz e zx. Por isso ele tem novos torques e momentos angulares que deveria descobrir. Por exemplo, o torque dele no plano $x'y'$ seria igual a $x'F_{y'} - y'F_{x'}$ e assim por diante. O que devemos fazer agora é achar a relação entre os torques novos e os torques antigos, então seremos capazes de fazer uma ligação de um conjunto de eixo com o outro.

20–1 Torques em três dimensões
20–2 As equações de rotação usando produto vetorial
20–3 O giroscópio
20–4 Momento angular de um corpo sólido

Alguém pode dizer, "Isso parece justamente o que fizemos com vetores". E realmente, isso é exatamente o que pretendemos fazer. Então pode dizer, "Bem, o torque não é simplesmente um vetor?" O torque *acaba sendo* um vetor, mas não sabemos disso imediatamente sem fazer uma análise, o que devemos fazer nos passos seguintes. Não devemos discutir cada passo com detalhe, já que queremos apenas ilustrar como isso funciona. Os torques calculados por Joe são

$$\tau_{xy} = xF_y - yF_x,$$
$$\tau_{yz} = yF_z - zF_y, \quad (20.1)$$
$$\tau_{zx} = zF_x - xF_z.$$

Divagamos neste ponto para notar que, em casos como esse, pode-se tomar o sinal errado para alguma quantidade se as coordenadas não estiverem colocadas na direção certa. Por que não escrever $\tau_{yz} = zF_y - yF_z$? O problema vem do fato de que um sistema de coordenadas deve ser posicionado para a "direita" ou para a "esquerda". Tendo escolhido (arbitrariamente) um sinal para, digamos, τ_{xy}, então as expressões corretas para as outras duas quantidades podem sempre ser encontradas pela inversão das letras *xyz* em uma das duas ordens

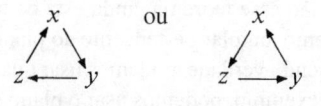

$$\begin{array}{ccc} x & & x \\ \swarrow \searrow & \text{ou} & \swarrow \searrow \\ z \leftarrow y & & z \rightarrow y \end{array}$$

Moe agora calculou os torques no seu sistema:

$$\tau_{x'y'} = x'F_{y'} - y'F_{x'},$$
$$\tau_{y'z'} = y'F_{z'} - z'F_{y'}, \quad (20.2)$$
$$\tau_{z'x'} = z'F_{x'} - x'F_{z'}.$$

Agora suponhamos que um sistema de coordenadas é rodado por um ângulo fixo θ, tal que os eixos *z* e *z'* sejam os mesmos. (Esse ângulo θ não tem nenhuma relação com objetos rodando ou o que está acontecendo dentro do sistema de coordenadas. Ele é apenas a relação entre os eixos usados por um homem e os eixos usados por outro e é supostamente constante.) Então as coordenadas dos dois sistemas são relacionadas por

$$x' = x\cos\theta + y\,\text{sen}\,\theta,$$
$$y' = y\cos\theta - x\,\text{sen}\,\theta, \quad (20.3)$$
$$z' = z.$$

Dessa maneira, como a força é um vetor, este se transforma no novo sistema do mesmo jeito que *x*, *y* e *z*, já que algo é um vetor se e somente se os vários componentes se transformam da mesma maneira que *x*, *y* e *z*:

$$F_{x'} = F_x\cos\theta + F_y\,\text{sen}\,\theta,$$
$$F_{y'} = F_y\cos\theta - F_x\,\text{sen}\,\theta, \quad (20.4)$$
$$F_{z'} = F_z.$$

Agora podemos descobrir como o torque se transforma meramente substituindo por *x'*, *y'* e *z'* das expressões (20.3) e por $F_{x'}$, $F_{y'}$ e $F_{z'}$ das por (20.4), todas em (20.2). Então, temos uma grande sequência de termos para $\tau_{x'y'}$ e (surpreendentemente no começo) concluímos que ele vem a ser $xF_y - yF_x$, que reconhecemos ser o torque no plano *xy*:

$$\begin{aligned}
\tau_{x'y'} &= (x\cos\theta + y\sin\theta)(F_y\cos\theta - F_x\sin\theta) \\
&\quad - (y\cos\theta - x\sin\theta)(F_x\cos\theta + F_y\sin\theta) \\
&= xF_y(\cos^2\theta + \sin^2\theta) - yF_x(\sin^2\theta + \cos^2\theta) \\
&\quad + xF_x(-\sin\theta\cos\theta + \sin\theta\cos\theta) \\
&\quad + yF_y(\sin\theta\cos\theta - \sin\theta\cos\theta) \\
&= xF_y - yF_x = \tau_{xy}.
\end{aligned} \tag{20.5}$$

Esse resultado é claro, já que se somente rodamos nossos eixos *no plano*, a rotação em relação a z nesse plano não é diferente do que era antes, porque este é o mesmo plano! O que será mais interessante é a expressão para $\tau_{y'z'}$, porque esse é um plano novo. Fazemos agora exatamente a mesma coisa com o plano $y'z'$ e obtemos o seguinte:

$$\begin{aligned}
\tau_{y'z'} &= (y\cos\theta - x\sin\theta)F_z \\
&\quad - z(F_y\cos\theta - F_x\sin\theta) \\
&= (yF_z - zF_y)\cos\theta + (zF_x - xF_z)\sin\theta \\
&= \tau_{yz}\cos\theta + \tau_{zx}\sin\theta.
\end{aligned} \tag{20.6}$$

Finalmente, fazemos isso para $z'x'$:

$$\begin{aligned}
\tau_{z'x'} &= z(F_x\cos\theta + F_y\sin\theta) \\
&\quad - (x\cos\theta + y\sin\theta)F_z \\
&= (zF_x - xF_z)\cos\theta - (yF_z - zF_y)\sin\theta \\
&= \tau_{zx}\cos\theta - \tau_{yz}\sin\theta.
\end{aligned} \tag{20.7}$$

Queremos arrumar uma regra para achar torques em eixos novos em função dos torques em relação a eixos antigos e agora temos a regra. Como podemos sempre nos lembrar dessa regra? Se olharmos cuidadosamente para (20.5), (20.6) e (20.7), vemos que existe uma relação muito próxima entre essas equações para x, y e z. Se, de alguma maneira, pudéssemos chamar τ_{xy} de componente z de alguma coisa, vamos chamá-lo de *componente z* de τ, então estaria tudo certo, entenderíamos (20.5) como uma transformação vetorial, já que o componente ficaria inalterado, como deveria ser. Dessa maneira, se associamos com o plano yz a componente x do nosso novo vetor inventado e com o plano zx a componente y, então essas expressões das transformações seria escritas

$$\begin{aligned}
\tau_{z'} &= \tau_z, \\
\tau_{x'} &= \tau_x\cos\theta + \tau_y\sin\theta, \\
\tau_{y'} &= \tau_y\cos\theta - \tau_x\sin\theta,
\end{aligned} \tag{20.8}$$

que é justamente a regra para vetores!

Assim provamos que podemos identificar a combinação de $xF_y - yF_x$ com o que chamamos ordinariamente de componente z de um certo vetor inventado artificialmente. Apesar de um torque ser uma torção em um plano e *a priori* não ter um caráter de vetor, matematicamente ele se comporta como um vetor. Esse vetor forma ângulos retos com o plano de rotação, e o seu comprimento é proporcional à força da torção. As três componentes de tal quantidade serão transformadas como um vetor real.

Então representamos torques por vetores; em cada plano no qual o torque supostamente está atuando, associamos uma linha em ângulo reto, por regra. No entanto, "em ângulo reto" deixa um sinal não especificado. Para obter o sinal certo, devemos adotar uma regra que nos dirá que, se o torque estava em um certo sentido no plano xy, então o eixo que queremos associar com ele está para cima na direção de z. Isto é, alguém tem de definir "direita" e "esquerda". Supondo que o sistema de coordenadas seja x, y e z para a direita, então a regra será a seguinte: se pensarmos na rotação como se estivéssemos virando um parafuso tendo a rosca no lado direito, então a direção do vetor que associaremos com essa rotação é na direção que o parafuso rosquearia.

Por que o torque é um vetor? É um prodígio da sorte que possamos associar um único eixo com um plano e ainda associar um vetor com o torque; essa é uma propriedade especial do espaço tridimensional. Em duas dimensões, o torque é um escalar simples e não precisa de uma direção associada a ele. Em três dimensões, ele é um vetor. Se tivéssemos quatro dimensões, estaríamos com uma grande dificuldade, porque (se tivéssemos o tempo, por exemplo, como a quarta dimensão) não teríamos somente os planos como xy, yz e zx, também teríamos os planos tx, ty e tz. Existiriam *seis* deles, e não se pode representar seis quantidades como um vetor em quatro dimensões.

Vamos viver em três dimensões por um longo tempo, então é bom notar que esse tratamento matemático anterior não dependeu do fato de que x era a posição e F era a força; ele apenas depende das leis de transformações de vetores. Ainda se, no lugar de x, usássemos a componente x de algum outro vetor, não iria fazer nenhuma diferença. Em outras palavras, se fôssemos calcular $a_x b_y - a_y b_x$, onde **a** e **b** são vetores e chamaremos isso de componente z de alguma nova quantidade **c**, então essa nova quantidade forma um vetor **c**. Precisamos de uma notação matemática para a relação do novo vetor, com as suas três componentes, com os vetores **a** e **b**. A notação que tem sido usada para isso é **c** = **a** × **b**. Temos então, em adição ao produto escalar na teoria de análise vetorial, um novo tipo de produto, chamado de *produto vetorial*. Assim, se **c** = **a** × **b**, isso é o mesmo que escrever

$$\begin{aligned} c_x &= a_y b_z - a_z b_y, \\ c_y &= a_z b_x - a_x b_z, \\ c_z &= a_x b_y - a_y b_x. \end{aligned} \qquad (20.9)$$

Se invertermos a ordem de **a** e **b**, chamando **a**, **b** e **b**, **a**, teríamos o sinal inverso de **c**, porque c_z seria $b_x a_y - b_y a_x$. Por isso, o produto vetorial não é como uma multiplicação simples, onde $ab = ba$; para o produto vetorial, **b** × **a** = − **a** × **b**. Disso, podemos provar de uma vez que se **a** = **b**, o produto vetorial é zero. Assim, **a** × **a** = 0.

O produto vetorial é muito importante para representar características de rotação, e é importante que entendamos as relações geométricas dos três vetores **a**, **b** e **c**. Obviamente a relação nas componentes é dada pela Eq. (20.9), e disso se pode determinar qual é a relação na geometria. A resposta é, primeiro, que o vetor **c** é perpendicular a **a** e **b**. (Tente calcular **c** · **a** e veja se não obtém o valor zero.) Segundo, a magnitude de **c** acaba sendo a magnitude de **a** vezes a magnitude de **b** vezes o seno do ângulo entre os dois. Em qual direção **c** aponta? Imagine que viramos **a** em relação a **b** por um ângulo menor que 180°; um parafuso com a rosca para o lado direito virando dessa maneira avançará na direção de **c**. O fato de termos dito parafuso para a *direita* ao invés de parafuso para a *esquerda* é uma convenção e uma recordação perpétua de que se **a** e **b** são vetores "verdadeiros" no sentido ordinário, o novo tipo de "vetor" que criamos pelo **a** × **b** é artificial ou um pouco diferente na sua essência de **a** e **b**, porque ele foi feito com uma regra especial. Se **a** e **b** são chamados de vetores ordinários, temos um nome especial para eles, os chamamos de *vetores polares*. Exemplos de tais vetores são a coordenada **r**, força **F**, momento **p**, velocidade **v**, campo elétrico **E**, etc.; esses são vetores polares ordinários. Vetores que envolvem apenas um produto vetorial nas suas definições são chamados de *vetores axiais* ou *pseudovetores*. Exemplos de pseudovetores são, obviamente, torque **τ** e momento angular **L**. Também verificamos que a velocidade angular **ω** é um pseudovetor, como é o campo magnético **B**.

Com o objetivo de completar as propriedades matemáticas dos vetores, devemos saber todas as regras para a sua multiplicação, usando produto escalar ou vetorial. Em nossas aplicações neste momento, precisaremos muito pouco disso, mas para ficar completo devemos escrever todas as regras para a multiplicação de vetores para que possamos usar os resultados depois. Esses são

$$\begin{align}
\text{(a)} \quad & \mathbf{a} \times (\mathbf{b} + \mathbf{c}) = \mathbf{a} \times \mathbf{b} + \mathbf{a} \times \mathbf{c}, \\
\text{(b)} \quad & (\alpha\mathbf{a}) \times \mathbf{b} = \alpha(\mathbf{a} \times \mathbf{b}), \\
\text{(c)} \quad & \mathbf{a} \cdot (\mathbf{b} \times \mathbf{c}) = (\mathbf{a} \times \mathbf{b}) \cdot \mathbf{c}, \\
\text{(d)} \quad & \mathbf{a} \times (\mathbf{b} \times \mathbf{c}) = \mathbf{b}(\mathbf{a} \cdot \mathbf{c}) - \mathbf{c}(\mathbf{a} \cdot \mathbf{b}), \\
\text{(e)} \quad & \mathbf{a} \times \mathbf{a} = 0, \\
\text{(f)} \quad & \mathbf{a} \cdot (\mathbf{a} \times \mathbf{b}) = 0.
\end{align} \quad (20.10)$$

20–2 As equações de rotação usando produto vetorial

Agora vamos questionar quando qualquer equação em Física pode ser escrita usando o produto vetorial. A resposta, obviamente, é que muitas equações pode ser escritas. Por exemplo, vemos imediatamente que o torque é igual à posição produto vetorial com a força:

$$\boldsymbol{\tau} = \mathbf{r} \times \mathbf{F}. \quad (20.11)$$

Isso é um resumo vetorial das três equações $\tau_x = yF_z - zF_y$, etc. Pela mesma razão, o vetor momento angular, se existir apenas uma partícula presente, é a distância da origem multiplicada pelo vetor momento:

$$\mathbf{L} = \mathbf{r} \times \mathbf{p}. \quad (20.12)$$

Para a rotação no espaço tridimensional, a lei da dinâmica análoga à lei $\mathbf{F} = d\mathbf{p}/dt$ de Newton é que o vetor torque é a taxa de mudança com o tempo do vetor momento angular:

$$\boldsymbol{\tau} = d\mathbf{L}/dt. \quad (20.13)$$

Se somarmos (20.13) sobre muitas partículas, o torque externo em um sistema é a taxa de variação do momento angular total:

$$\boldsymbol{\tau}_{\text{ext}} = d\mathbf{L}_{\text{tot}}/dt. \quad (20.14)$$

Outro teorema: se o torque externo total é zero, então o vetor total do momento angular do sistema é uma constante. Essa é a chamada lei de *conservação do momento angular*. Se não há torque em um dado sistema, seu momento angular não pode mudar.

E sobre a velocidade angular? Ela é um vetor? Já tínhamos discutido um objeto sólido rodando ao redor de um eixo fixo, mas por um instante suponha que o estamos rodando simultaneamente ao redor de *dois* eixos. Ele pode estar rodando em relação a um eixo dentro de um caixa, enquanto a caixa está rodando em relação a algum outro eixo. O resultado final de tal combinação de movimentos é que o objeto simplesmente roda em relação a um novo eixo! A coisa maravilhosa sobre esse novo eixo é que ele pode ser descoberto dessa maneira. Se a taxa de rotação no plano xy é escrita como um vetor na direção z cujo comprimento é igual à taxa de rotação no plano e um outro vetor é desenhado na direção y, digamos, que é a taxa de rotação no plano zx, então se adicionarmos esses valores como um vetor, a magnitude do resultado nos diz o quão rapidamente o objeto está rodando e a direção nos diz em qual plano, pela regra do paralelogramo. Ou seja, simplesmente, a velocidade angular *é* um vetor, no qual desenhamos as magnitudes de rotação nos três planos como projeções em ângulos retos desses planos.[1]

Como uma aplicação simples do uso do vetor velocidade angular, podemos avaliar a potência sendo gasta pelo torque atuando em um corpo rígido. A potência, obviamente, é a taxa de variação do trabalho com o tempo; em três dimensões, a potência fica sendo $P = \boldsymbol{\tau} \cdot \boldsymbol{\omega}$.

---

[1] Que isso é verdade pode ser demonstrado pela composição do deslocamento de partículas do corpo durante um tempo infinitesimal Δt. Isso não é evidente por si só, e fica para quem estiver interessado descobrir.

Todas as fórmulas que escrevemos para a rotação do plano podem ser generalizadas para três dimensões. Por exemplo, se um corpo rígido está rodando em relação a um certo eixo com velocidade angular ω, podemos perguntar, "O que é a velocidade de um ponto em uma certa posição radial $\mathbf{r}$?" Devemos deixar isso como um problema para o estudante mostrar que a velocidade de uma partícula em um corpo rígido é dada por $\mathbf{v} = \boldsymbol{\omega} \times \mathbf{r}$, onde ω é a velocidade angular e $\mathbf{r}$ é a posição. Também, como outro exemplo de produtos vetoriais, temos uma fórmula para a força de Coriolis, que pode também ser escrita usando produto vetorial: $\mathbf{F}_c = 2m\mathbf{v} \times \boldsymbol{\omega}$. Isto é, se uma partícula está se movendo com velocidade $\mathbf{v}$ em um sistema de coordenadas que está, de fato, rodando com velocidade angular ω e queremos pensar em termos do sistema de coordenadas que está rodando, então temos que adicionar a pseudoforça $\mathbf{F}_c$.

20-3 O giroscópio

Vamos agora voltar à lei de conservação do momento angular. Essa lei pode ser demonstrada com uma roda giratória que gira rapidamente, ou um giroscópio, como a seguir (ver Figura 20–1). Se sentarmos em uma cadeira giratória e segurarmos a roda giratória com o seu eixo horizontal, a roda tem um momento angular em relação ao eixo horizontal.

O momento angular em relação a um eixo *vertical* não pode mudar devido ao pino (sem atrito) da cadeira; assim, se viramos o eixo da roda para a vertical, a roda terá momento angular em relação ao eixo vertical, porque ela está rodando agora em relação a esse eixo. No entanto, o *sistema* (a roda, nós e a cadeira) *não pode* ter uma componente vertical, dessa maneira nós e a cadeira temos de virar na direção oposta da roda giratória, para balanceá-la.

Primeiro vamos analisar com mais detalhes o que acabamos de descrever. O que é surpreendente, e o que devemos entender, é a origem das forças que giram a nós e a cadeira quando viramos o eixo do giroscópio para a vertical. A Figura 20–2 mostra a roda girando rapidamente em relação ao eixo y. Por isso a sua velocidade angular é em relação a esse eixo e, descobre-se, seu momento angular também é nessa direção. Agora suponha que desejemos girar a roda em relação ao eixo x com uma velocidade angular pequena Ω; que forças são necessárias? Depois de um pequeno tempo Δt de adaptação, o eixo virou para a nova posição, inclinado com um ângulo $\Delta \theta$ com a horizontal. Já que a maior parte do momento angular é devido à rotação no eixo (a rotação lenta contribui muito pouco), vemos que o vetor momento angular mudou. Qual é a mudança no momento angular? O momento angular não muda em *magnitude*, mas muda em *direção* por uma quantidade de $\Delta \theta$. A magnitude do vetor $\Delta \mathbf{L}$ é então $\Delta L = L_0 \Delta \theta$, de tal maneira que o torque, que é a taxa de variação temporal do momento angular, é $\tau = \Delta L/\Delta t = L_0 \, \Delta \theta / \Delta t = L_0 \Omega$. Levando as direções das várias quantidades em consideração, vemos que

$$\boldsymbol{\tau} = \boldsymbol{\Omega} \times \mathbf{L}_0. \qquad (20.15)$$

Desse modo, se Ω e $\mathbf{L}_0$ são horizontais, como mostrado na figura, $\boldsymbol{\tau}$ é *vertical*. Para produzir tal torque, as forças horizontais $\mathbf{F}$ e $-\mathbf{F}$ devem ser aplicadas no final do eixo. Como essas forças são aplicadas? Pelas nossas mãos, quando tentamos rodar o eixo da roda para a direção vertical, mas a Terceira Lei de Newton ordena que forças iguais e opostas (e *torques* iguais e opostos) atuem em *nós*. Isso causa a nossa rotação no sentido oposto em relação ao eixo vertical z.

Esse resultado pode ser generalizado para um pião girando rapidamente. No caso conhecido do pião, a gravidade atua no seu centro de massa fornecendo um torque em relação ao ponto de contato com o chão (ver Figura 20–3). Esse torque é na direção horizontal e leva o pião a precessionar com o seu eixo se movendo em um cone circular em relação ao eixo vertical. Se Ω é a velocidade angular (vertical) de precessão, novamente descobrimos que

$$\boldsymbol{\tau} = d\mathbf{L}/dt = \boldsymbol{\Omega} \times \mathbf{L}_0.$$

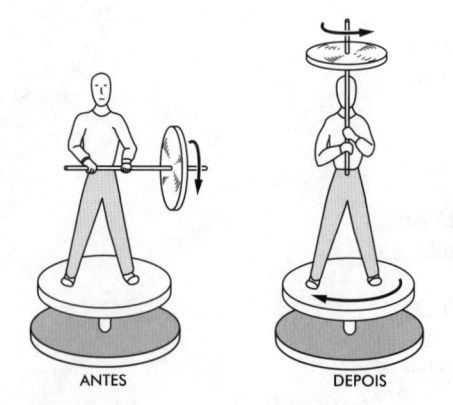

Figura 20–1 *Antes:* o eixo é horizontal; momento em relação ao eixo vertical = 0. *Depois:* o eixo é vertical; momento em relação ao eixo vertical é ainda zero; o homem e a cadeira rodam na direção oposta à roda giratória.

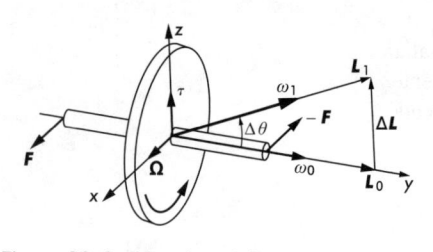

Figura 20–2 Um giroscópio.

Por isso, quando aplicamos um torque a um pião girando rapidamente, a direção do seu movimento de precessão é na direção do torque ou em ângulos retos com as forças que produzem o torque.

Podemos agora afirmar que entendemos a precessão dos giroscópios, e realmente entendemos, matematicamente. No entanto, isso é uma coisa matemática que, em um sentido, apresenta-se como um "milagre". Será revelado, quando formos para a física cada vez mais avançada, que muitas coisas simples podem ser deduzidas matematicamente mais rapidamente do que elas podem ser realmente entendidas em um sentido fundamental ou simples. Essa é uma característica estranha e conforme vamos realizando um trabalho mais avançado, existirão circunstâncias nas quais a matemática produzirá resultados que *ninguém* realmente tem sido capaz de entender de nenhuma maneira direta. Um exemplo é a equação de Dirac, que se apresenta em uma forma muito simples e bonita, mas cujas consequências são difíceis de entender. No nosso caso particular, a precessão de um pião parece algum tipo de milagre envolvendo ângulos retos, círculos, torções e parafusos girando para a direita. O que deveríamos tentar fazer é entendê-lo de uma maneira mais física.

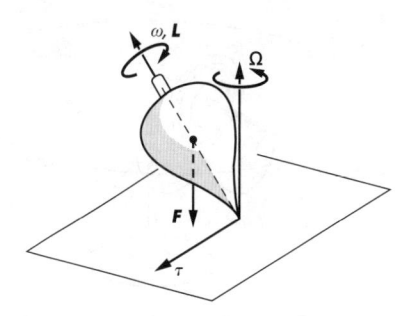

Figura 20–3 Um pião girando rapidamente. Note que a direção do vetor torque é a direção de precessão.

Como podemos explicar o torque em termos de forças reais e acelerações? Notamos que quando a roda está precessionando, as partículas que estão girando ao redor da roda não estão se movendo no plano porque a roda está precessionando (ver Figura 20–4). Como explicamos anteriormente (Figura 19-4), as partículas que estão passando pelo eixo de precessão estão se movendo em *caminhos curvos*, e isso requer a aplicação de uma força lateral. Esta é fornecida pelo nosso empurrão no eixo, que então comunica a força para o aro através dos raios da roda. "Espere", alguém diz, "e as partículas que estão dando a volta no outro lado?" Não se demora muito para decidir que deve existir uma força na *direção oposta* naquele lado. A força resultante que temos de aplicar é então zero. As *forças* se balanceiam, mas umas delas deve ser aplicada em um lado da roda e a outra deve ser aplicada no outro lado da roda. Poderíamos aplicar essas forças diretamente, mas como a roda é um sólido, temos a possibilidade de fazê-lo empurrando no eixo, já que as forças podem ser levadas através dos raios da roda.

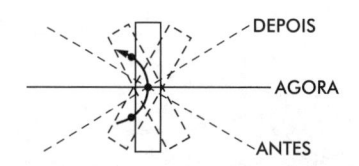

Figura 20–4 O movimento de partículas na roda giratória da Figura 20–2, cujo eixo está rodando, é em linhas curvas.

O que provamos até o momento é que se a roda está precessionando, ela pode balancear o torque devido à gravidade ou algum outro torque aplicado, mas tudo o que mostramos é que isso é *a* solução de uma equação. Isto é, se o torque for dado, e *se colocarmos a roda na horizontal*, então a roda irá precessionar suave e uniformemente. Contudo, não provamos (e isso não é verdade) que uma precessão uniforme é o movimento geral *mais comum* que um corpo girando pode realizar como resultado de um dado torque. O movimento geral envolve também uma "oscilação" em relação à precessão principal. Essa "oscilação" é chamada de *nutação*.

Algumas pessoas gostam de dizer que, quando alguém exerce um torque em um giroscópio, ele vira e precessiona e que o torque *produz* a precessão. É muito estranho que quando alguém de repente solta um giroscópio, ele não *cai* sob a ação da gravidade, mas em vez disso se move lateralmente! Por que a força da gravidade *para baixo*, que *conhecemos* e *sentimos*, faz com que ele vá *lateralmente*? Todas as fórmulas no mundo como (20.15) não irão nos dizer, porque (20.15) é uma equação especial, válida somente depois que o giroscópio está precessionando estavelmente. O que realmente acontece, em detalhes, é o seguinte. Se estivermos segurando o eixo absolutamente fixo, de tal modo que ele não pode precessionar em nenhum modo (mas o pião está rodando), então não há nenhum torque atuando, nem mesmo o torque da gravidade, porque está balanceado por nossos dedos. Se de repente soltamos, então existirá um torque instantaneamente devido à gravidade. Qualquer pessoa com bom senso pensaria que o pião cairia, e isso é o que ele começa a fazer, como podemos ver se o pião não estiver rodando tão rapidamente.

O giro realmente cai, como esperaríamos. No entanto, assim que ele cai, ele está então rodando e se a rotação continuar, um torque seria necessário. Na ausência de torque nessa direção, o giro começa a "cair" na direção oposta àquela da força que está faltando. Isso fornece ao giro uma componente de movimento ao redor do eixo vertical, como se ele tivesse uma precessão estática. Contudo, o movimento real "passa por cima" da velocidade de precessão estática, e o eixo realmente se levanta de novo para o nível no qual ele começou. O caminho percorrido pelo final do eixo é um cicloide (o caminho percorrido

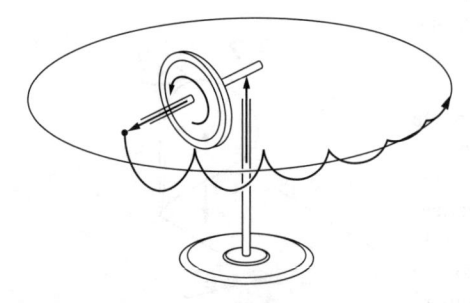

Figura 20-5 Movimento real da ponta do eixo de um giroscópio sob a ação da gravidade longo após soltar o eixo que estava fixo.

por uma pedra que está presa à roda de um pneu de automóvel). Simplesmente, esse movimento é muito rápido para os olhos seguirem e se amortece rapidamente devido ao atrito com ponto de sustentação, deixando apenas a tração da precessão estática (Figura 20–5). Quanto mais devagar a roda vira, mais evidente é a nutação.

Quando o movimento se estabiliza, o eixo do giro está um pouco mais baixo do que estava no começo. Por quê? (Existem detalhes mais complicados, mas os trazemos por que não queremos que o leitor tenha a ideia de que o giroscópio é um milagre absoluto. *É* uma coisa maravilhosa, mas não é um milagre.) Se estivéssemos segurando o eixo absolutamente na horizontal e de repente o soltássemos, então a equação simples da precessão nos diria que ele precessiona, que ele roda em um plano horizontal, mas isso é impossível! Apesar de negligenciarmos isso antes, é verdade que a roda tem *algum* momento de inércia em relação ao eixo de precessão e se ela está se movendo em relação a esse eixo, mesmo que devagar, ela tem um momento angular fraco em relação a este eixo. De onde ele veio? Se os pinos são perfeitos, não existe torque em relação ao eixo vertical. Como então ele *pode* precessionar se não há mudanças no momento angular? A resposta é que o movimento cicloidal do final do eixo amortece para a média, movimento estacionário do centro de um círculo equivalente rodando. Isto é, ele estabiliza um pouco abaixo. Como ele é mais baixo, o momento angular giratório agora tem uma pequena componente na vertical, que é exatamente o que é necessário para precessionar. Então você o vê tendo de abaixar um pouco, para poder girar. Ele tem de ceder um pouco para a gravidade; virando um pouco o seu eixo para baixo, ele mantém a rotação em relação ao eixo vertical. Essa, então, é a maneira como o giroscópio funciona.

20–4 Momento angular de um corpo sólido

Antes de terminarmos o assunto de rotações em três dimensões, devemos discutir, pelo menos qualitativamente, alguns efeitos que ocorrem em rotações tridimensionais que não são evidentes. O principal efeito é que, em geral, o momento angular de um corpo rígido *não está necessariamente* na mesma direção que a velocidade angular. Considere uma roda que é acelerada em uma barra de uma maneira inclinada, mas com o eixo passando pelo centro de gravidade, para ter certeza (Figura 20–6). Quando giramos a roda ao redor do eixo, qualquer um sabe que existirá vibração na sustentação devido à inclinação que colocamos. Qualitativamente, sabemos que no sistema que está rodando existe a força centrífuga atuando na roda, tentando jogar sua massa o mais longe possível do eixo. Isso tende a alinhar o plano da roda tal que este seja perpendicular à sustentação. Para resistir a essa tendência, um torque é exercido pela sustentação. Se há um torque exercido pela sustentação, deve haver uma taxa de variação do momento angular. Como pode existir uma taxa de variação do momento angular quando nós simplesmente viramos a roda em relação ao eixo? Suponha que separemos a velocidade angular $\boldsymbol{\omega}$ em duas componentes ω_1 e ω_2 perpendicular e paralela ao plano da roda. Qual é o momento angular? O momento de inércia em relação a esse dois eixos é *diferente*, então as componentes do momento angular, que (somente nesses eixos especiais e particulares) são iguais ao momento de inércia vezes as correspondentes componentes da velocidade angular, estão em *razão diferente* que as componentes da velocidade angular. Por isso o vetor momento angular é em uma direção no espaço *diferente* do que ao longo do eixo. Quando giramos o objeto, temos de virar o momento angular no espaço, então temos de exercer torque na barra.

Apesar de isso ser muito complicado para provarmos aqui, há uma propriedade muito importante e interessante que é fácil de ser descrita e usada e que é baseada na análise feita acima. Essa propriedade é a seguinte: qualquer corpo rígido, mesmo um irregular como uma batata, possui três eixos mutuamente perpendiculares através do seu CM, tais que o momento de inércia em relação a um desses eixos tem o seu maior valor possível para qualquer eixo passando pelo CM, o momento de inércia em relação a outro desses eixos tem o *menor* valor possível e o momento de inércia em relação ao terceiro eixo tem um valor intermediário entre esse dois (ou igual a um deles). Esses eixos são chamados de *eixos principais* de um corpo e possuem a importante propriedade que se o corpo

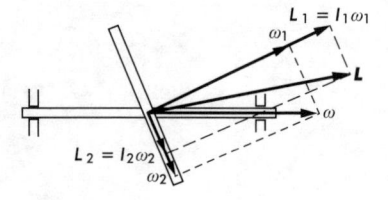

Figura 20-6 O momento angular de um corpo rodando não é necessariamente paralelo à velocidade angular.

está rodando em relação a um deles, o seu momento angular está na mesma direção que a velocidade angular. Para um corpo que possui eixos de simetria, os eixos *principais* estão ao longo dos eixos de simetria.

Se pegarmos os eixos x, y e z ao longo dos eixos principais e chamarmos os correspondentes momentos de inércia de A, B e C, podemos facilmente avaliar o momento angular e a energia cinética da rotação de um corpo para qualquer velocidade angular $\boldsymbol{\omega}$. Se separarmos $\boldsymbol{\omega}$ em componentes ω_x, ω_y e ω_z ao longo dos eixos x, y e z e usarmos vetores unitários **i**, **j**, **k**, também ao longo de x, y, z, podemos escrever o momento angular como

$$\mathbf{L} = A\omega_x \mathbf{i} + B\omega_y \mathbf{j} + C\omega_z \mathbf{k}. \tag{20.16}$$

A energia cinética de rotação é

$$\begin{aligned} E_c &= \tfrac{1}{2}(A\omega_x^2 + B\omega_y^2 + C\omega_z^2) \\ &= \tfrac{1}{2}\mathbf{L} \cdot \boldsymbol{\omega}. \end{aligned} \tag{20.17}$$

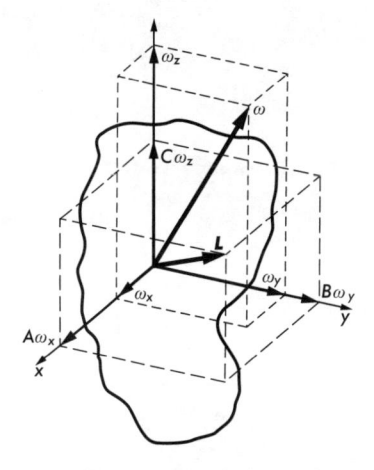

Figura 20–7 A velocidade angular e o momento angular de um corpo rígido ($A > B > C$).

21

O Oscilador Harmônico

21–1 Equações diferenciais lineares

O estudo da física usualmente é dividido em séries de assuntos como mecânica, eletricidade, ótica, etc., e um assunto é estudado depois do outro. Por exemplo, este curso tem, até agora, tratado bastante sobre mecânica. Ainda assim, coisas estranhas ocorrem repetidamente: as equações que aparecem em diferentes campos da física, e até mesmo em outras ciências, são com frequência muito parecidas, de tal maneira que muitos fenômenos têm os seus análogos nestes diferentes campos. Tomando o exemplo mais simples, a propagação de ondas sonoras é em muitas maneiras análoga à propagação de ondas de luz. Se estudarmos acústica com profundidade, descobriremos que muito desse trabalho é o mesmo do que se estivéssemos estudando ótica com profundidade. Então o estudo de um fenômeno em um campo pode permitir a extensão do conhecimento em outro campo. É melhor perceber logo que tais extensões são possíveis, pois é possível não se entender a razão de gastar uma grande quantidade de tempo e energia no que parece ser apenas uma pequena parte da mecânica.

O oscilador harmônico, que vamos estudar, tem análogos próximos em muitos outros campos; apesar de começarmos com o exemplo mecânico de uma massa em uma corda, um pêndulo com um pequeno balanço ou algum outro aparato mecânico, estamos realmente estudando uma certa *equação diferencial*. Essa equação aparece repetidamente na física e em outras ciências e, de fato, é parte de tantos fenômenos que o seu estudo detalhado é válido. Alguns dos fenômenos envolvendo essa equação são osciladores com uma massa presa a uma mola; as oscilações de uma carga indo e vindo em um circuito elétrico; as vibrações de um diapasão que está gerando ondas sonoras; as vibrações análogas dos elétrons em um átomo, que geram ondas de luz; as equações para o funcionamento de sistemas de controle automático, como um termostato tentando ajustar a temperatura; interações complicadas em reações químicas; o crescimento de uma colônia de bactérias em interação com a fonte de comida e os venenos que as bactérias produzem; raposas comendo coelhos que comem grama e assim por diante; todos esses fenômenos seguem equações que são muito similares umas às outras, e essa é a razão pela qual estudamos a mecânica do oscilador com tanto detalhe. As equações são chamadas *equações diferenciais lineares com coeficientes constantes*. Uma equação diferencial linear com coeficientes constantes é uma equação diferencial composta por uma soma de vários termos, cada termo sendo a derivada de uma variável dependente em relação a uma variável independente e multiplicada por alguma constante. Então

$$a_n \, d^n x/dt^n + a_{n-1} \, d^{n-1} x/dt^{n-1} + \cdots + a_1 \, dx/dt + a_0 x = f(t) \quad (21.1)$$

é chamada de equação diferencial de ordem n com coeficientes constantes (cada a_i é constante).

21–1 Equações diferenciais lineares
21–2 O oscilador harmônico
21–3 Movimento harmônico e movimento circular
21–4 Condições iniciais
21–5 Oscilações forçadas

21–2 O oscilador harmônico

Talvez o sistema mecânico mais simples cujos movimentos seguem uma equação diferencial com coeficientes constantes seja uma massa em uma mola: primeiro a mola estica para equilibrar a gravidade, depois que está equilibrada, discutimos o deslocamento vertical da massa de sua posição de equilíbrio (Figura 21-1). Chamaremos esse deslocamento para cima de x e vamos supor que a mola seja perfeitamente linear, caso em que a força puxando para trás quando a mola está esticada é precisamente proporcional à quantidade de extensão da mola. Isto é, a força é $-kx$ (com um sinal menos para lembrar que ela puxa para trás). Então a massa vezes a aceleração deve ser igual a $-kx$:

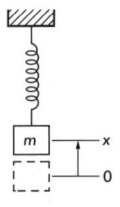

Figura 21-1 Uma massa em uma mola: um exemplo simples de um oscilador harmônico.

$$m\, d^2x/dt^2 = -kx. \qquad (21.2)$$

Por simplicidade, suponhamos que aconteça (ou mudamos as nossas unidades na hora da medida) a razão $k/m = 1$. Devemos primeiro estudar a equação

$$d^2x/dt^2 = -x. \qquad (21.3)$$

Depois devemos voltar para a Eq. (21.2) com k e m presentes explicitamente.

Já analisamos a Eq. (21.3) numericamente em detalhes; quando introduzimos o assunto de mecânica, resolvemos essa equação (ver Eq. 9.12) para achar o movimento. Pela integração numérica, achamos uma curva (Figura 9-4) que mostrava que se m estivesse deslocado inicialmente, mas em repouso, ela desceria e passaria pelo zero; não seguimos adiante naquele ponto, mas obviamente sabemos que ela continuaria a ir para baixo e para cima – ela *oscila*. Quando calculamos o movimento numericamente, achamos que ela passa pelo ponto de equilíbrio em $t = 1,570$. O comprimento de todo o ciclo é quatro vezes mais longo, ou $t_0 = 6,28$ "segundos". Isso foi achado numericamente, antes de sabermos mais cálculo. Assumimos que nesse meio tempo o Departamento de Matemática já tenha apresentado uma função que, quando diferenciada duas vezes, é igual a ela mesma com um sinal negativo. (Existem, obviamente, maneiras de obter esta função de um modo direto, mas elas são mais complicadas do que já saber a resposta.) A função é $x = \cos t$. Se a diferenciarmos, achamos $dx/dt = -\sin t$ e $d^2x/dt^2 = -\cos t = -x$. A função $x = \cos t$ começa, em $t = 0$, com $x = 1$ e sem velocidade inicial; esta era a situação na qual começamos quando fizemos nosso cálculo numérico. Agora que sabemos que $x = \cos t$, podemos calcular um valor *preciso* para o tempo no qual a massa passaria por $x = 0$. A resposta é $t = \pi/2$, ou $1,5708$. Estávamos errados na última figura devido a erros de análise numérica, mas foi muito próximo!

Agora vamos adiante com o problema original, vamos voltar a unidade temporal para segundos. Então qual é a solução? Primeiramente, podemos pensar que é possível obter as constantes k e m pela multiplicação de $\cos t$ por alguma coisa. Então vamos tentar a equação $x = A \cos t$, por isso achamos $dx/dt = -A \sin t$ e $d^2x/dt^2 = -A \cos t = -x$. Dessa maneira, descobrimos para nosso horror que não fomos bem-sucedidos em resolver a Eq. (21.2), mas obtemos a Eq. (21.3) novamente! Esse fato ilustra uma das propriedades mais importantes de equações diferenciais lineares: *se multiplicarmos a solução de uma equação por qualquer constante, ela é novamente solução*. A razão matemática para isso é clara. Se x é uma solução e multiplicamos ambos os lados da equação, digamos, por A, vemos que todas as derivadas também são multiplicadas por A e por isso Ax serve como solução assim como a equação original x. A física disso é a seguinte. Se tivermos uma massa em uma mola e a puxarmos para baixo duas vezes mais longe, a força é duas vezes maior, a aceleração resultante é duas vezes maior, a velocidade que ela adquire em um dado momento é duas vezes maior; mas ela *tem* de percorrer uma distância duas vezes maior para voltar para a origem porque ela foi puxada duas vezes mais longe. Então a massa leva *o mesmo tempo* para voltar para a origem, independentemente do deslocamento inicial. Em outras palavras, com uma equação linear, o movimento tem o mesmo *padrão temporal*, não importa o quão "forte" ele seja.

Isto foi uma coisa errada de se fazer – apenas nos ensinou que podemos multiplicar a solução por qualquer coisa e ela satisfaz à mesma equação, mas não a uma equação diferente. Depois de uma pequena divagação e de tentar chegar a uma equação com uma constante diferente multiplicando x, descobrimos que devemos mudar a escala de *tempo*. Em outras palavras, a Eq. (21.2) tem uma solução da forma

$$x = \cos \omega_0 t. \qquad (21.4)$$

(É importante perceber que no caso presente, ω_0 não é uma velocidade angular de um corpo rodando, mas ficaremos sem letras sem não pudermos usar a mesma letra para mais de uma coisa.) A razão de colocarmos um sub-índice "0" em ω é que vamos ter mais ômegas a seguir; vamos lembrar que ω_0 se refere ao movimento natural deste oscilador. Agora tentamos achar a Eq. (21.4) e, desta vez, somos bem-sucedidos, porque $dx/dt = -\omega_0 \operatorname{sen} \omega_0 t$ e $d^2x/dt^2 = -\omega_0^2 \cos \omega_0 t = -\omega_0^2 x$. Então finalmente resolvemos a equação que realmente queríamos resolver. A equação $d^2x/dt^2 = -\omega_0^2 x$ é a mesma que a Eq. (21.2) se $\omega_0^2 = k/m$.

O próximo assunto que devemos investigar é o significado físico de ω_0. Sabemos que a função cosseno se repete quando o seu ângulo é 2π. Então $x = \cos \omega_0 t$ repetirá o seu movimento, ela irá percorrer um ciclo completo, quando o "ângulo" muda de 2π. A quantidade $\omega_0 t$ é frequentemente chamada de *fase* do movimento. Com o objetivo de mudar $\omega_0 t$ de 2π, o tempo deve mudar por uma quantidade de t_0, chamada de *período* de uma oscilação completa; obviamente t_0 deve ser tal que $\omega_0 t_0 = 2\pi$. Isto é, $\omega_0 t_0$ deve ser um ciclo do ângulo, então tudo irá se repetir – se aumentamos t em t_0, adicionamos 2π à fase. Então

$$t_0 = 2\pi/\omega_0 = 2\pi\sqrt{m/k}. \tag{21.5}$$

Por isso se temos massas mais pesadas, demora mais para oscilar para baixo e para cima na mola. Isso acontece porque temos mais inércia, e então, como as forças são as mesmas, ela demora mais para mover a massa. Ou, se a mola é mais forte, ela irá se mover mais rapidamente, e isso é certo: o período é menor se a mola é mais forte.

Note que o período de oscilação de uma massa em uma mola não depende de nenhuma maneira de *como* esta começou, o quão longe a puxamos. O *período* é determinado, mas a amplitude de oscilação *não* é determinada pela equação de movimento (21.2). A amplitude *é* determinada, de fato, por quão longe soltamos a massa, pelo que chamamos de *condições iniciais* ou condições de contorno.

Na verdade, não achamos a solução mais geral possível da Eq. (21.2). Existem outras soluções. Isso ocorre porque todos os casos cobertos por $x = a \cos \omega_0 t$ começam com um deslocamento inicial e não com uma velocidade inicial. É possível, por exemplo, para a massa começar em $x = 0$ e podemos, então, dar um empurrão impulsivo, de tal maneira que ela tem uma velocidade em $t = 0$. Tal movimento não é representado por um cosseno – ele é representado por um seno. Colocando de uma outra maneira, se $x = \cos \omega_0 t$ é uma solução, então não é óbvio que se de repente entramos na sala em algum tempo (que chamamos de "$t = 0$") e vemos a massa como se ela estivesse passando por $x = 0$, ela continuaria a se mover da mesma maneira? Por isso, $x = \cos \omega_0 t$ não pode ser a solução geral; deve ser possível deslocar o começo do tempo, por exemplo. Como um exemplo, poderíamos escrever a solução desta maneira: $x = a \cos \omega_0(t - t_1)$, onde t_1 é uma constante qualquer. Isso também significa deslocar a origem do tempo para algum novo instante. Além disso, podemos expandir

$$\cos(\omega_0 t + \Delta) = \cos \omega_0 t \cos \Delta - \operatorname{sen} \omega_0 t \operatorname{sen} \Delta,$$

e escrever

$$x = A \cos \omega_0 t + B \operatorname{sen} \omega_0 t$$

onde $A = a \cos \Delta$ e $B = -a \operatorname{sen} \Delta$. Quaisquer umas dessas formas são uma maneira possível de escrever a solução completa, geral de (21.2): cada solução da equação diferencial $d^2x/dt^2 = -\omega_0^2 x$ que existe no mundo pode ser escrita como

(a) $\quad x = a \cos \omega_0(t - t_1),$

ou

(b) $\quad x = a \cos(\omega_0 t + \Delta),\qquad (21.6)$

ou

(c) $\quad x = A \cos \omega_0 t + B \operatorname{sen} \omega_0 t$

Algumas das quantidades em (21.6) têm nomes: ω_0 é chamada de *frequência angular*; ela é o número de radianos pelo qual a fase muda em um segundo. Isso é determinado pela equação diferencial. As outras constantes não são determinadas pela equação, mas por como o movimento começou. Destas constantes, a mede o deslocamento máximo obtido pela massa e é chamada de *amplitude* de oscilação. A constante Δ é algumas

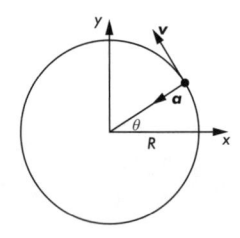

Figura 21-2 Uma partícula se movimentando em um caminho circular com velocidade constante.

vezes chamada de *fase* da oscilação, mas isso é uma confusão, porque outras pessoas chamam $\omega_0 t + \Delta$ de fase e dizem que a fase muda com o tempo. Podemos dizer que Δ é o *deslocamento da fase* de um zero definido. Vamos colocar isso de outra forma. Valores diferentes de Δ correspondem a movimentos em diferentes fases. Isso é verdade, mas se chamamos Δ de *a* fase, ou não, é uma outra questão.

21–3 Movimento harmônico e movimento circular

O fato de que cossenos estão envolvidos na solução da Eq. (21.2) sugere que pode existir alguma relação com círculos. Isso é artificial, obviamente, pois não existe um círculo realmente envolvido no movimento linear – ele simplesmente vai para baixo e para cima. Podemos mostrar que já, de fato, resolvemos esta equação diferencial quando estudamos a mecânica dos movimentos circulares. Se uma partícula se move em um círculo com uma velocidade constante v, o vetor raio do centro do círculo para a partícula gira por um ângulo cujo tamanho é proporcional ao tempo. Se chamarmos esse ângulo $\theta = vt/R$ (Figura 21-2), então $d\theta/dt = \omega_0 = v/R$. Sabemos que existe uma aceleração $a = v^2/R = \omega_0^2 R$ na direção do centro. Agora também sabemos que a posição x, em um dado momento, é o raio do círculo vezes o cos θ e que y é o raio vezes o sen θ:

$$x = R \cos \theta, \quad y = R \text{ sen } \theta.$$

E a aceleração? Qual é a componente-x da aceleração, d^2x/dt^2? Já trabalhamos isso geometricamente; é a magnitude da aceleração vezes o cosseno da projeção angular, com um sinal menos porque é na direção do centro.

$$a_x = -a \cos \theta = -\omega_0^2 R \cos = -\omega_0^2 x. \tag{21.7}$$

Em outras palavras, quando uma partícula está se movendo em um círculo, a componente horizontal do seu movimento tem uma aceleração que é proporcional ao deslocamento horizontal do centro. Obviamente também temos a solução para o movimento circular: $x = R \cos \omega_0 t$. A Equação (21.7) não depende do raio do círculo, então para um círculo de qualquer raio, acha-se a mesma equação para um dado ω_0. Então, por muitas razões, esperamos que o deslocamento da massa em uma mola seja proporcional a cos $\omega_0 t$, e será, de fato, exatamente o mesmo movimento que veríamos se olhássemos a componente x da posição de um objeto rodando em um círculo com velocidade angular ω_0. Como um teste para isso, pode-se desenvolver um experimento para mostrar que o movimento para cima e para baixo de uma massa em uma mola é o mesmo que o de um ponto rodando em um círculo. Na Figura 21-3, uma lâmpada projeta em uma tela sombras de um pino oscilante em uma haste e de uma massa oscilando verticalmente, lado a lado. Se soltarmos a massa no tempo certo e na posição certa, e se a velocidade da haste for cuidadosamente ajustada de tal maneira que as frequências coincidam, uma deve seguir a outra exatamente. Pode-se também verificar a solução numérica que obtivemos antes com a função cosseno e ver se ela concorda bem.

Aqui podemos mostrar que devido ao fato de o movimento uniforme em um círculo ser tão proximamente relacionado matematicamente com o movimento oscilatório para cima e para baixo, podemos analisar o movimento oscilatório de uma maneira mais simples se o imaginássemos como sendo a projeção de alguma coisa rodando em um círculo. Em outras palavras, apesar de a distância em y não significar nada no problema do oscilador, podemos complementar artificialmente a Eq. (21.2) com outra equação usando y e colocar as duas juntas. Se fizermos isso, seremos capazes de analisar nosso oscilador em uma dimensão com movimentos *circulares*, o que é muito mais fácil do que ter de resolver uma equação diferencial. O truque em fazer isso é usar números complexos, um procedimento que devemos introduzir no próximo capítulo.

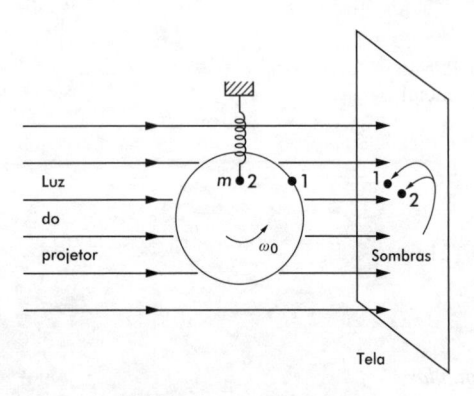

Figura 21-3 Demonstração da equivalência entre o movimento harmônico simples e o movimento circular uniforme.

21–4 Condições iniciais

Agora vamos considerar o que determina as constantes A e B ou a e Δ. Obviamente, elas são determinadas por como começamos o movimento. Se começamos o movimento com apenas um pequeno deslocamento, essa é um tipo de oscilação; se começamos com um deslocamento inicial e depois empurramos quando soltamos, obtemos um movimento diferente. As constantes A e B, ou a e Δ ou qualquer outra maneira de chamá-las, são determinadas, obviamente, pelo jeito em que o movimento começou, não por outras características da situação. Estas são chamadas de *condições iniciais*. Gostaríamos de conectar as condições iniciais com as constantes. Apesar disso poder ser feito usando qualquer uma das fórmulas (21.6), fica mais fácil se usarmos a Eq. (21.6c). Suponha que em $t = 0$ começamos com um deslocamento x_0 e uma certa velocidade v_0. Essa é a maneira mais geral que podemos iniciar o movimento. (Não podemos especificar a *aceleração* com que começamos, porque ela é determinada pela mola, já que especificamos x_0.) Agora vamos calcular A e B. Começamos com a equação para x,

$$x = A \cos \omega_0 t + B \operatorname{sen} \omega_0 t.$$

Já que mais tarde também devemos precisar da velocidade, diferenciamos x e obtemos

$$v = -\omega_0 A \operatorname{sen} \omega_0 t + \omega_0 B \cos \omega_0 t.$$

Essas expressões são válidas para todos os t, mas temos um conhecimento especial em relação a x e v em $t = 0$. Então se colocamos $t = 0$ nessas equações, do lado esquerdo temos x_0 e v_0, porque esses são os valores de x e v em $t = 0$; também sabemos que o cosseno de zero é um e o seno de zero é zero. Dessa maneira, obtemos

$$x_0 = A \cdot 1 + B \cdot 0 = A$$

e

$$v_0 = -\omega_0 A \cdot 0 + \omega_0 B \cdot 1 = \omega_0 B.$$

Para esse caso em particular, achamos que

$$A = x_0, \qquad B = v_0/\omega_0.$$

Desses valores de A e B, podemos obter a e Δ se desejarmos.

Esse é o final da nossa solução, mas há uma coisa fisicamente interessante para verificar: a conservação da energia. Já que não há perda por atrito, a energia deve ser conservada. Vamos usar a fórmula

$$x = a \cos (\omega_0 t + \Delta);$$

então

$$v = -\omega_0 a \operatorname{sen} (\omega_0 t + \Delta).$$

Agora vamos achar o que é a energia cinética T e o que é a energia potencial U. A energia potencial em qualquer momento é $\frac{1}{2} kx^2$, onde x é o deslocamento e k é a constante da mola. Se substituirmos x, usando a expressão acima, obtemos

$$U = \tfrac{1}{2}kx^2 = \tfrac{1}{2}ka^2 \cos^2 (\omega_0 t + \Delta).$$

Obviamente, a energia potencial não é constante; a energia potencial nunca se torna negativa, naturalmente – existe sempre alguma energia na mola, mas a quantidade de energia flutua com x. A energia cinética, por outro lado, é $\frac{1}{2} mv^2$, e substituindo v obtemos

$$T = \tfrac{1}{2}mv^2 = \tfrac{1}{2}m\omega_0^2 a^2 \operatorname{sen}^2 (\omega_0 t + \Delta).$$

Agora a energia cinética é zero quando x está no seu máximo, porque nesse ponto não existe velocidade; por outro lado, ela é máxima quando x está passando pelo zero, porque nesse ponto ela está se movendo muito rapidamente. Essa variação de energia cinética é justamente o oposto da variação da energia potencial, mas a energia total deve ser constante. Se notarmos que $k = m\omega_0^2$, vemos que

$$T + U = \tfrac{1}{2}m\omega_0^2 a^2 [\cos^2(\omega_0 t + \Delta) + \text{sen}^2(\omega_0 t + \Delta)] = \tfrac{1}{2}m\omega_0^2 a^2.$$

A energia é dependente do quadrado da amplitude; se temos duas vezes a amplitude, obtemos uma oscilação que tem quatro vezes a energia. A energia potencial *média* é metade do máximo e, por isso, metade do total, e a energia cinética média é igualmente metade da energia total.

21–5 Oscilações forçadas

A seguir, devemos discutir o *oscilador harmônico forçado*, isto é, um oscilador no qual existe uma força externa atuando. A equação então é a seguinte:

$$m\, d^2x/dt^2 = -kx + F(t) \qquad (21.8)$$

Gostaríamos de descobrir o que acontece nessas condições. A força externa pode ter vários tipos de dependências funcionais com o tempo; a primeira que devemos analisar é muito simples – devemos supor que a força é oscilante:

$$F(t) = F_0 \cos \omega t. \qquad (21.9)$$

Note, no entanto, que esse ω não é necessariamente ω_0: temos ω sob o nosso controle; a força pode ser feita com diferentes frequências. Então tentamos resolver a Eq. (21.8) com a força especial (21.9). Qual é a solução da (21.8)? Uma solução especial é (devemos discutir um caso mais geral depois)

$$x = C \cos \omega t, \qquad (21.10)$$

onde a constante é para ser determinada. Em outras palavras, podemos supor que se ficarmos empurrando para frente e para trás, a massa seguiria para frente e para trás com a força. Podemos tentar de qualquer maneira. Então colocamos (21.10) e (21.9) em (21.8) e obtemos

$$-m\omega^2 C \cos \omega t = -m\omega_0^2 C \cos \omega t + F_0 \cos \omega t. \qquad (21.11)$$

Também colocamos que $k = m\omega_0^2$, de tal maneira que vamos entender melhor a equação final. Como o cosseno aparece em todos os lugares, podemos dividir a equação toda por ele e mostrar que (21.10) é, de fato, uma solução, se escolhermos C corretamente. A resposta é que C deve ser

$$C = F_0/m(\omega_0^2 - \omega^2). \qquad (21.12)$$

Isto é, m oscila na mesma frequência que a força, mas com uma amplitude que depende da frequência da força e também da frequência de movimento natural do oscilador. Isso significa, primeiro, que se ω é muito pequeno comparado com ω_0, então o deslocamento e a força estão na mesma direção. Por outro lado, se a chacoalhamos para frente e para trás rapidamente, então (21.12) nos diz que C é negativo se ω é maior que a frequência natural ω_0 do oscilador harmônico. (Chamaremos ω_0 de frequência natural do oscilador harmônico e ω de frequência aplicada.) Em frequências muito altas, o denominador pode se tornar muito grande, então a amplitude é pequena.

Obviamente a solução que achamos é a solução se as coisas forem iniciadas da maneira correta, para outras situações existe uma parte que usualmente desaparece depois de um tempo. Essa outra parte é chamada de resposta *transiente* a $F(t)$, enquanto (21.10) e (21.12) são chamadas de respostas *estáticas*.

De acordo com a nossa fórmula (21.12), uma coisa muito marcante deve também acontecer: se ω é quase exatamente igual a ω_0, então C deve aproximar-se do infinito. Então, se ajustarmos a frequência da força para estar "junto" com a frequência natural, devemos obter um deslocamento enorme. Isso é bem conhecido para qualquer pessoa que já empurrou uma criança em um balanço. Não funciona bem se fecharmos os nossos olhos e empurrarmos em certa velocidade randômica. Se acontecer de obtermos o tempo certo, então o balanço vai muito alto, mas se temos o tempo errado, então algumas vezes podemos estar empurrando quando deveríamos estar puxando, e isso não funciona.

Se fizermos ω exatamente igual a ω_0, achamos que ele deveria oscilar com uma amplitude *infinita*, o que é, obviamente, impossível. A razão pela qual isso não acontece é que alguma coisa está errada com a equação, existem alguns outros termos de atrito e outras forças, que não estão em (21.8), mas que acontecem no tempo real. Então a amplitude não atinge o infinito por alguma razão; pode ser que a mola quebre!

22

Álgebra

22–1 Adição e multiplicação

Nos nossos estudos de sistemas oscilantes, devem aparecer situações para usarmos uma das mais marcantes, quase perfeita, fórmulas em toda a matemática. Do ponto de vista de um físico, poderíamos apresentar essa fórmula em dois minutos ou menos e terminar com isso. No entanto, a ciência é tanto para uma diversão intelectual quanto para a utilização prática, então ao invés de apenas gastar alguns minutos com essa maravilhosa joia, devemos cercar essa joia por seus devidos complementos em grande estilo nesse ramo da matemática que é chamado de álgebra elementar.

Agora você pode perguntar. "O que matemática está fazendo em um livro de física?" Temos muitas desculpas possíveis: primeiro, obviamente, matemática é uma ferramenta importante, mas isso apenas nos desculparia para darmos a fórmula em dois minutos. Por outro lado, em física teórica descobrimos que todas as nossas leis podem ser escritas em uma forma matemática; e que existe certa simplicidade e beleza em relação a isso. Então, ultimamente, para entender a natureza pode ser necessário ter um entendimento mais profundo das relações matemáticas. A razão real é que o assunto é prazeroso e apesar de nós humanos separarmos a natureza em diferentes maneiras e termos diferentes cursos em diferentes departamentos, tal separação é realmente artificial e devemos ter nossos prazeres intelectuais onde os acharmos.

Outra razão para olharmos mais cuidadosamente para a álgebra agora, apesar de a maioria de nós ter estudado álgebra no ensino médio, é que aquela foi a primeira vez que a estudamos; todas as equações eram desconhecidas e difíceis de trabalhar, assim como a física é agora. Algumas vezes é um grande prazer olhar para trás e ver qual território foi coberto e qual é o grande mapa ou plano da coisa toda. Talvez algum dia alguém do Departamento de Matemática apresente uma aula de mecânica de uma maneira para mostrar o que estávamos tentando aprender no curso de física!

O assunto de álgebra não será desenvolvido do ponto de vista de um matemático, exatamente, porque os matemáticos estão principalmente interessados em como vários fatos matemáticos são demonstrados e quantas suposições são absolutamente necessárias e o que não é necessário. Eles não estão tão interessados no resultados do que eles provaram. Por exemplo, podemos achar o teorema de Pitágoras muito interessante, que a soma dos quadrados dos lados de um triângulo retângulo é igual ao quadrado da hipotenusa; este é um fato interessante, um fato simples e curioso, o qual pode ser apreciado sem discutir a questão de como prová-lo ou quais axiomas são necessários. Então, no mesmo espírito, devemos descrever qualitativamente, se pudermos colocar dessa maneira, o sistema da álgebra elementar. Dizemos álgebra *elementar* porque existe um ramo da matemática chamado álgebra *moderna* no qual algumas das regras como $ab = ba$ são abandonadas e ainda é chamado de álgebra, mas não vamos discutir isso.

Para discutir esse assunto, começamos no meio. Suponhamos que já conhecemos o que são os números inteiros, o que é o zero e o que significa aumentar um número por uma unidade. Você pode dizer, "Isto não é o meio!", mas é o meio de um ponto de vista matemático, porque poderíamos ir ainda mais fundo e descobrir os conjuntos de teorias para *desenvolver* algumas dessas propriedades dos números inteiros. Nós não vamos nessa direção, a direção da filosofia e lógica matemática, mas em outra direção, a partir da suposição de que sabemos o que são números inteiros e sabemos como contar.

Se começarmos com um certo número a, um inteiro, e contarmos sucessivamente uma unidade b vezes, o número que obtemos chamamos de $a + b$ e isso define *adição* de números inteiros.

Já tendo definida a adição, podemos considerar isto: se começarmos com nada e adicionarmos a a isto, b vezes sucessivamente, chamamos o resultado de *multiplicação* de inteiros; o chamamos de b *vezes* a.

22–1 Adição e multiplicação
22–2 Operações inversas
22–3 Abstração e generalização
22–4 Aproximação de números irracionais
22–5 Números complexos
22–6 Expoentes imaginários

Agora também podemos ter uma *sucessão de multiplicações*: se começamos com 1 e multiplicamos por a, b vezes sucessivamente, podemos chamar esse resultado de *potência a^b*.

Como consequência dessas definições, pode ser fácil mostrar que todas as seguintes relações são verdadeiras:

$$
\begin{aligned}
&\text{(a)} \quad a + b = b + a &&\text{(b)} \quad a + (b + c) = (a + b) + c \\
&\text{(c)} \quad ab = ba &&\text{(d)} \quad a(b + c) = ab + ac \\
&\text{(e)} \quad (ab)c = a(bc) &&\text{(f)} \quad (ab)^c = a^c b^c \\
&\text{(g)} \quad a^b a^c = a^{(b+c)} &&\text{(h)} \quad (a^b)^c = a^{(bc)} \\
&\text{(i)} \quad a + 0 = a &&\text{(j)} \quad a \cdot 1 = a \\
&\text{(k)} \quad a^1 = a
\end{aligned}
\quad (22.1)
$$

Esses resultados são bem conhecidos, e não devemos trabalhar este ponto, simplesmente os listamos. Obviamente, 1 e 0 têm propriedades especiais; por exemplo, $a + 0$ é a, a vezes $1 = a$ e a à primeira potência é a.

Nesta discussão, devemos também assumir algumas outras propriedades como continuidades e ordenamento, as quais são muito difíceis para definir; vamos deixar a teoria rigorosa fazê-lo. Ainda mais, é definitivamente verdade que escrevemos muitas "regras", algumas delas podem ser deduzidas a partir de outras, mas não devemos nos preocupar com tal assunto.

22–2 Operações inversas

Além das operações diretas de adição, multiplicação e elevar à potência, também temos as operações *inversas*, as quais são definidas a seguir. Vamos assumir que a e c são dados e que desejamos achar quais valores de b satisfazem tais equações como $a + b = c$, $ab = c$ e $b^a = c$. Se $a + b = c$, b é definido como $c - a$, que é chamada de *subtração*. A operação chamada de divisão é também clara: se $ab = c$, então $b = c/a$ define a divisão – a solução da equação $ab = c$ "de trás para frente". Agora se temos a potência $b^a = c$ e nos perguntamos "O que é b?", ele é chamado de *raiz a-ésima* de c: $b = \sqrt[a]{c}$. Por exemplo, se nos fizermos a seguinte questão, "Qual inteiro, elevado à terceira potência, é igual a 8?", então a resposta é chamada de *raiz cúbica* de 8; a resposta é 2. Porque b^a e a^b não são iguais, existem *dois* problemas de inversão associados com as potências, e o outro problema de inversão seria, "A qual potência devemos elevar 2 para obtermos 8?" Isso é chamado tomar o *logaritmo*. Se $a^b = c$, escrevemos $b = \log_a c$. O fato de que essa operação tem uma notação incômoda em relação às outras não significa que ela seja menos elementar, pelo menos aplicada a inteiro, que os outros processos. Apesar de logaritmos aparecerem mais tarde nas aulas de álgebra, na pratica eles são, obviamente, tão simples como as raízes; eles são somente um tipo diferente de solução de uma equação algébrica. As operações diretas e inversas estão listadas a seguir:

$$
\begin{aligned}
&\text{(a)} \quad \text{adição} &&\text{(a')} \quad \text{subtração} \\
&\qquad a + b = c &&\qquad b = c - a \\
&\text{(b)} \quad \text{multiplicação} &&\text{(b')} \quad \text{divisão} \\
&\qquad ab = c &&\qquad b = c/a \\
&\text{(c)} \quad \text{potência} &&\text{(c')} \quad \text{raiz} \\
&\qquad b^a = c &&\qquad b = \sqrt[a]{c} \\
&\text{(d)} \quad \text{potência} &&\text{(d')} \quad \text{logaritmo} \\
&\qquad a^b = c &&\qquad b = \log_a c
\end{aligned}
\quad (22.2)
$$

Agora aqui está a ideia. Essas relações, ou regras, são verdadeiras para inteiros, já que eles seguem as definições de adição, multiplicação e potência. *Vamos discutir quando podemos expandir a classe de objetos que a, b e c representam de tal maneira que eles obedeçam às mesmas regras*, apesar de que os processos para $a + b$, e assim por diante, não serão definidos em termos da ação direta de somar 1, por exemplo, ou multiplicações sucessivas por inteiros.

22-3 Abstração e generalização

Quando tentamos resolver equações algébricas simples usando todas essas definições, logo descobrimos alguns problemas insolúveis, como o seguinte. Suponha que tentamos resolver a equação $b = 3 - 5$. Isso significa, de acordo com a nossa definição de subtração, que devemos achar o número que, quando adicionado a 5, dá 3. E obviamente não *existe* tal número, porque consideramos apenas os inteiros positivos; este é um problema insolúvel. No entanto, o plano, a grande ideia, é esta: *abstração e generalização*. De toda a estrutura da álgebra, regras mais inteiros, abstraímos as definições originais de adição e multiplicação, mas levamos as regras (22.1) e (22.2) e as assumimos como sendo verdade *em geral* em uma classe mais ampla de números, apesar de elas serem originalmente definidas em uma classe menos. Dessa maneira, em vez de usar simbolicamente inteiro para definir as regras, usamos as regras como a definição de símbolos, que então representarão um tipo de número mais geral. Como um exemplo, somente trabalhando com as regras podemos mostrar que $3 - 5 = 0 - 2$. De fato, podemos mostrar que *todas* as subtrações podem ser feitas, se definirmos todo um novo conjunto de números novos: $0 - 1, 0 - 2, 0 - 3, 0 - 4$ e assim por diante, chamados de *inteiros negativos*. Então podemos usar todas as outras regras, como $a(b + c) = ab + ac$ e seguindo dessa maneira, achar quais são as regras para multiplicar números negativos e descobriremos, de fato, que todas as regras podem ser mantidas com os inteiros negativos assim como para os positivos.

Então aumentamos o intervalo de objetos sobre o qual as regras funcionam, mas o significado dos símbolos é diferente.

Alguém não pode dizer, por exemplo, que -2 vezes 5 realmente significa adicionar 5 sucessivamente -2 vezes. Isso não significa nada. No entanto, tudo funcionará de acordo com as regras.

Um problema interessante aparece ao tomarmos as potências. Suponha que desejamos descobrir o que $a^{(3-5)}$ significa. Sabemos apenas que $3 - 5$ é uma solução do problema, $(3 - 5) + 5 = 3$. Sabendo isso, sabemos que $a^{(3-5)}a^5 = a^3$. Dessa maneira, $a^{(3-5)} = a^3/a^5$, pela definição de divisão. Com um pouco mais de trabalho, isso pode ser reduzido a $1/a^2$. Então achamos o correspondente das potências negativas em relação às potências positivas, mas $1/a^2$ é um símbolo sem significado, porque se a é um inteiro positivo ou negativo, o seu quadrado pode ser maior que 1, e ainda não sabemos o que queremos dizer quando dividimos 1 por um número maior que 1!

Avante! O grande plano é continuar o processo de generalização; quando achamos outro problema que não podemos resolver, estendemos nosso domínio dos números. Considere a divisão: não podemos achar um número que seja um inteiro, nem mesmo um inteiro negativo, que seja igual ao resultado de 3 dividido por 5. No entanto, se supusermos que todos os números fracionários também satisfazem às regras, então podemos conversar sobre multiplicar e adicionar frações, e tudo funciona tão bem como funcionava antes.

Pegue outro exemplo de potências: o que é $a^{3/5}$? Sabemos somente que $(3/5)5 = 3$, já que essa foi a definição de $3/5$. Então sabemos também que $(a^{(3/5)})^5 = a^{(3/5)(5)} = a^3$, porque esta é uma das regras. Dessa maneira, pela definição de raízes, achamos que $a^{(3/5)} = \sqrt[5]{a^3}$.

Nesse caminho, então, podemos definir o que queremos dizer ao colocar as frações nos vários símbolos, usando as próprias regras para nos ajudar a determinar a definição – esta não é arbitrária. É um fato marcante que todas as regras ainda funcionem para inteiros positivos e negativos, assim como para frações!

Continuamos no processo de generalização. Existem outras equações que não conseguimos resolver? Sim, existem. Por exemplo, é impossível resolver esta equação: $b = 2^{1/2} = \sqrt{2}$. É impossível achar um número que seja racional (uma fração) cujo quadrado seja igual a 2. É muito fácil nos dias de hoje responder a esta questão. Conhecemos o sistema decimal e não temos dificuldade em apreciar o significado de um decimal sem fim como um tipo de aproximação para a raiz quadrada de 2. Historicamente, essa ideia apresentou grande dificuldade para os gregos. Para realmente definir *precisamente* o que está se querendo dizer aqui, é preciso que adicionemos alguns fatores de continuidade e ordenamento e esse é, de fato, quase o passo mais difícil no processo de generalização neste ponto. Isso foi feito, formal e rigorosamente, por Dedekind. No entanto, sem se preocupar com o rigor matemático da coisa, é simplesmente fácil entender que o que queremos dizer é que vamos achar uma sequência toda de frações aproximadas, frações perfeitas (porque qualquer decimal, quando parado em algum ponto, é obviamente racional), as quais simplesmente continuam aumentando, se aproximando cada vez mais do resultado desejado. Isso é bom o suficiente para o que queremos discutir e nos permite ter contato com números irracionais e calcular coisas como a raiz quadrada de 2 com qualquer precisão que desejarmos, sem muito trabalho.

22–4 Aproximação de números irracionais

O próximo problema aparece junto ao que acontece com as potências irracionais. Suponha que queremos definir, por exemplo, $10^{\sqrt{2}}$. A princípio a resposta é suficientemente simples. Se aproximarmos a raiz quadrada de 2 a um certo número de casa decimais, então a potência é racional, e podemos pegar a raiz aproximada, usando o método acima, para obter uma *aproximação* para $10^{\sqrt{2}}$. Então podemos colocar mais algumas casas decimais (sendo novamente racional), tomar a raiz aproximada, desta vez uma raiz muito maior porque existe um denominador muito maior na fração, e obter uma aproximação melhor. Obviamente vamos obter algumas raízes enormemente altas aqui e o trabalho é bem difícil. Como podemos nos livrar deste problema?

No cálculo de raízes quadradas, raízes cúbicas e outras raízes pequenas, existe um processo aritmético disponível pelo qual podemos obter uma casa decimal após a outra. Contudo, a quantidade de trabalho necessária para calcular potências irracionais e logaritmos que vêm com elas (o problema inverso) é tão grande que não existe um processo aritmético simples que possamos usar. Dessa maneira, tabelas foram construídas, as quais nos permitem calcular essas potências e são chamadas de tabelas de logaritmos ou tabelas de potências, dependendo de qual maneira a tabela é montada. É simplesmente uma questão de economizar tempo; se devemos elevar algum número a um potência irracional, podemos olhar o seu valor ao invés de ter de calculá-lo. Obviamente, tal cálculo é somente um problema técnico, mas é um problema interessante e de grande valor histórico. Em primeiro lugar, não somente temos o problema de resolver $x = 10^{\sqrt{2}}$, mas também temos o problema de resolver $10^x = 2$ ou $x = \log_{10} 2$. Este não é um problema no qual temos de definir um novo tipo de número para o resultado, é meramente um problema de cálculo. A resposta é simplesmente um número irracional, um decimal sem fim, não um novo tipo de número.

Vamos agora discutir o problema de calcular a solução de tais equações. A ideia geral é realmente muito simples. Se pudéssemos calcular 10^1, $10^{4/10}$, $10^{1/100}$, $10^{4/1000}$ e assim por diante, e multiplicássemos todos juntos, obteríamos $10^{1,414\ldots}$ ou $10^{\sqrt{2}}$, e isto é uma ideia geral de como as coisas funcionam. Ao invés de calcular $10^{1/10}$ e assim por diante, devemos calcular $10^{1/2}$, $10^{1/4}$ e assim por diante. Antes de começarmos, devemos explicar por que fizemos tal trabalho com 10, ao invés de algum outro número. Obviamente, percebemos que tabelas de logaritmos são de grande utilidade prática, fora do problema matemático de calcularmos raízes, já que com qualquer base,

$$\log_b (ac) = \log_b a + \log_b c. \tag{22.3}$$

Estamos todos familiarizados com podermos usar esse fato de uma maneira prática para multiplicar números se temos uma tabela de logaritmos. A única questão é com qual base b devemos calcular. Não faz nenhuma diferença a base que é usada; podemos usar o mesmo princípio o tempo todo, se estamos usando logaritmo em qualquer base em particular, podemos achar o logaritmo em qualquer outra base meramente pela mudança na escala, um fator multiplicativo. Se multiplicarmos a Eq. (22.3) por 61, ela é tão verdadeira quanto, e se tivermos uma tabela de logaritmos com uma base b e alguém multiplicar toda a nossa tabela por 61, não existiria nenhuma diferença essencial. Suponha que sabemos os logaritmos de todos os números na base b. Em outras palavras, podemos resolver a equação $b^a = c$ para qualquer c porque temos a tabela. O problema é achar o logaritmo do mesmo número c em alguma outra base, por exemplo na base x. Gostaríamos de resolver $x^{a'} = c$. Isso é fácil de fazer, porque sempre podemos escrever $x = b^t$, o que define t, sabendo x e b. Na verdade, $t = \log_b x$. Então se colocarmos isso na equação e resolvermos para a', vemos que $(b^t)^{a'} = b^{ta'} = c$. Em outras palavras, ta' é o logaritmo de c na base b. Por isso $a' = a/t$. Por isso logs na base x são simplesmente $1/t$, que é uma constante, vezes os logs na base b. Dessa maneira, qualquer tabela de logaritmo é equivalente a qualquer tabela de logaritmo se multiplicarmos por uma constante, e a constante é $1/\log_b x$. Isso nos permite escolher uma base em particular e, por conveniência, pegamos a base 10. (Pode surgir a questão se existe alguma base natural, alguma base na qual as coisas sejam de alguma maneira mais simples, e devemos tentar achar uma resposta para isso mais tarde. Nesse momento, devemos usar somente a base 10.)

Agora vamos ver como calcular logaritmos. Começamos pelo cálculo sucessivo de raízes quadradas de 10, por tentativa e erro. Os resultados estão mostrados na Tabela 22-1. As potências de 10 são dadas na primeira coluna, o resultado, 10^s, é dado na terceira coluna. Então $10^1 = 10$. A potência de 10 elevado a meio pode ser facilmente calculada, porque ela é a raiz quadrada de 10 e existe um processo simples e conhecido de tomar a raiz quadrada de qualquer número.[1] Usando esse processo, achamos a primeira raiz quadrada como sendo 3,16228. Para que serve isso? Isso já nos diz algumas coisas: como obter $10^{0,5}$, então agora sabemos pelo menos *um* logaritmo, se por acaso precisarmos do logaritmo de 3,16228, sabemos que a resposta é próxima de 0,50000. No entanto, devemos fazer um pouco melhor que isso; claramente precisamos de mais informação. Então tiramos a raiz quadrada novamente, achamos $10^{1/4}$, que é 1,77828. Agora temos o logaritmo de mais números do que tínhamos antes, 1,250 é o logaritmo de 17,78 e, lateralmente, se acontecer de alguém perguntar por $10^{0,75}$, podemos obtê-lo, porque esse valor é $10^{(0,5+0,25)}$; é então o produto do segundo e do terceiro números. Se pudermos obter uma quantidade de números suficiente na coluna s para conseguir fazer qualquer número, então pela multiplicação das coisas certas na coluna 3, podemos obter qualquer potência de 10; esse é o plano. Dessa maneira, avaliamos dez raízes quadradas de 10 sucessivas, e esse é o trabalho principal envolvido nos cálculos.

Por que não continuamos para obter maior precisão? Porque começamos a notar algo. Quando elevamos 10 a uma potência muito pequena, obtemos 1 mais uma pequena

Tabela 22–1
Sucessivas raízes quadradas de potência dez

Potência s	1024 s	10^s	$(10^s - 1)/s$
1	1024	10,00000	9,00
1/2	512	3,16228	4,32
1/4	256	1,77828	3,113
1/8	128	1,33352	2,668
1/16	64	1,15478	2,476
1/32	32	1,074607	2,3874
1/64	16	1,036633	2,3445
1/128	8	1,018152	2,3234 211
1/256	4	1,0090350	2,3130 104
1/512	2	1,0045073	2,3077 53
1/1024	1	1,0022511	2,3051 26
			26
$\Delta/1024$ ($\Delta \to 0$)	Δ	$1 + 0,0022486\Delta$ ←	2,3025

---

[1] Existe um procedimento matemático definido, mas a maneira mais fácil de encontrar a raiz quadrada de qualquer número N é escolher *uma* média aproximada, encontrar N/a, média $a' = \frac{1}{2}[a + (N/a)]$ e usar essa média a' para a próxima escolha de a. A convergência é muito rápida – o número de aparições significativas dobra a cada vez.

quantidade. A razão para isso é clara, porque vamos ter de pegar a 1000-ésima potência de $10^{1/1000}$ para voltar para 10, então seria melhor não começar com um número muito grande; ele deve ser perto de 1. O que notamos é que os números pequenos que são adicionados a 1 começam a parecer como se estivéssemos meramente dividindo por 2 a cada vez; vemos 1815 virar 903, depois 450, 225; então é claro que, para uma excelente aproximação, se pegarmos outra raiz, devemos obter 1,00112 alguma coisa; em vez de realmente pegar todas as raízes quadradas, *adivinhamos* o limite final. Quando pegamos uma pequena fração $\Delta/1024$ com Δ aproximando de zero, qual será a resposta? Obviamente que será algum número próximo a $1+0{,}0022511\Delta$. Não exatamente $1+0{,}0022511\Delta$, no entanto – podemos obter um valor melhor pelo seguinte truque: subtraímos 1 e então dividimos pela potência *s*. Isso deve corrigir todos os excessos ao mesmo valor. Vemos que eles são muito proximamente iguais. No começo da tabela, eles não são iguais, mas, conforme eles vão diminuindo, assemelham-se cada vez mais de um valor constante. O que é esse valor? Novamente observamos para ver aonde a série está indo, como ela mudou com o *s*. Ela mudou por 211, 104, 53, 26. Essas mudanças são obviamente metade umas das outras, muito próximas, conforme vamos diminuindo. Dessa maneira, se continuarmos, as mudanças seriam 13, 7, 3, 2 e 1, mais ou menos, ou um total de 26. Assim temos somente 26 mais para calcular e achar que o verdadeiro número é 2,3025. (Na verdade, devemos ver mais tarde que o número exato deve ser 2,3026, mas, para manter isto realista, não devemos alterar nada na aritmética.) Desta tabela podemos agora calcular qualquer potência de 10, pela composição de potências de 1024.

Vamos agora realmente calcular um logaritmo, porque o processo que devemos usar é de onde as tabelas de logaritmo realmente vêm. O processo é mostrado na Tabela 22-2, e os valores numéricos são mostrados na Tabela 22-1 (colunas 2 e 3).

Tabela 22–2
Cálculo de um logaritmo: $\log_{10} 2$

$$2 \div 1{,}77828 = 1{,}124682$$
$$1{,}124682 \div 1{,}074607 = 1{,}046598, \text{ etc.}$$
$$\therefore 2 = (1{,}77828)(1{,}074607)(1{,}036633)(1{,}0090350)(1{,}000573)$$
$$= 10^{\left[\frac{1}{1024}(256 + 32 + 16 + 4 + 0{,}254)\right]} = 10^{\left[\frac{308{,}254}{1024}\right]}$$
$$= 10^{0{,}30103} \qquad \left(\frac{573}{2249} = 0{,}254\right)$$
$$\therefore \log_{10} 2 = 0{,}30103$$

Suponha que queremos o logaritmo de 2. Isto é, queremos saber a qual potência devemos elevar 10 para obter 2. Podemos elevar 10 à potência ½? Não; este valor é muito grande. Em outras palavras, podemos ver que a resposta será maior que ¼ e menor que ½. Vamos tirar o fator $10^{1/4}$ fora; dividimos 2 por 1,778..., obtemos 1,124... e assim por diante, agora sabemos que tiramos 0,250000 do logaritmo. O número 1,124... é o número cujo logaritmo precisamos calcular agora. Quando terminarmos, devemos adicionar de volta o ¼ ou 256/1024. Agora olhamos na tabela pelo próximo número logo abaixo do 1,124... e este é 1,074607. Então dividimos por 1,074607 e obtemos 1,046598. Disso descobrimos que o valor 2 pode ser composto como um produto de números que estão na Tabela 22-1, da seguinte forma:

$$2 = (1{,}77828)(1{,}074607)(1{,}036633)(1{,}0090350)(1{,}000573).$$

Existe um fator que sobra (1,000573), naturalmente, que está fora do intervalo da nossa tabela. Para obter o logaritmo desse fator, usamos o nosso resultado que $10^{\Delta/1024} \approx 1 + 2{,}3025\, \Delta/1024$. Achamos $\Delta = 0{,}254$. Dessa maneira, nossa resposta é 10 elevado à seguinte potência: $(256 + 32 + 16 + 4 + 0{,}254)/1024$. Adicionando tudo isso, obtemos 308,254/1024. Dividindo, obtemos 0,30103, então sabemos que $\log_{10} 2 = 0{,}30103$, o que está certo até a 5ª casa decimal.

Dessa maneira, os logaritmos foram originalmente calculados pelo Sr. Briggs de Halifax em 1620. Ele disse, "Eu calculei sucessivamente 54 raízes quadradas de 10". Sabemos que ele realmente só calculou as primeiras 27, porque o restante pode ser obtido por meio deste truque com Δ. O trabalho dele envolveu calcular a raiz quadrada de 10 vinte e sete vezes, o que não é muito mais do que as dez vezes que nós calculamos; no entanto, foi mais trabalhoso porque ele calculou até a décima sexta casa decimal e depois reduziu a sua resposta para quatorze quando ele a publicou, então não havia erros de arredondamento. Ele fez tabelas de logaritmos para quatorze casas decimais por esse método, o que é bem tedioso. No entanto, todas as tabelas de logaritmos durante trezentos anos foram construídas usando a tabela do Sr. Briggs pela redução do número de casas decimais. Somente nos tempos modernos, com o WPA e as calculadoras, novas tabelas foram calculadas independentemente. Existem métodos muito mais eficientes de calcular logaritmos atualmente, usando certas expansões em séries.

No processo acima, descobrimos algo muito interessante: para potências muito pequenas ϵ podemos calcular 10^ϵ facilmente; descobrimos que $10^\epsilon = 1 + 2{,}3025\epsilon$, por pura análise numérica. Obviamente isso também significa que $10^{n/2,3025} = 1 + n$ se n for muito pequeno. Agora logaritmos para qualquer base são meramente múltiplos do logaritmo na base 10. A base 10 foi usada somente porque temos 10 dedos, e a aritmética disso é mais fácil, mas se pedirmos por uma base matematicamente natural, uma que não tenha relação com o número de dedos dos seres humanos, podemos tentar mudar nossa *escala* de logaritmo de uma maneira mais conveniente e natural, e o método que as pessoas têm escolhido para redefinir os logaritmos é multiplicar todos os logaritmos na base 10 por 2,3025... Isso então corresponde a usar outra base, chamada de base *natural*, ou base *e*. Note que $\log_e(1 + n) \approx n$ ou $e^n \approx 1 + n$ com $n \to 0$.

É suficientemente fácil achar que e é $e = 10^{1/2,3025...}$ ou $10^{0,434310...}$, uma potência irracional. Nossa tabela de sucessivas raízes quadradas de 10 pode ser usada para calcular não somente logaritmos, mas também 10 elevado a qualquer potência, então vamos usá-la para calcular essa base natural e. Por conveniência transformamos 0,434310... em 444,73/1024. Agora, 444,73 é $256 + 128 + 32 + 16 + 8 + 4 + 0{,}73$. Dessa maneira, já que e é um expoente de uma soma, ele será o produto dos números

$(1{,}77828)(1{,}33352)(1{,}074607)(1{,}036633)(1{,}018152)(1{,}009035)(1{,}001643) = 2{,}7184.$

(O único problema é o último número, que é 0,73, que não está na tabela, mas sabemos que se Δ é suficientemente pequeno, a resposta é $1 + 0{,}0022486\Delta$.) Quando multiplicamos todos esses valores juntos, obtemos 2,7184 (deveria ser 2,7183, mas o valor obtido é suficientemente bom). O uso de tais tabelas, então, é a maneira pela qual potências e logaritmos de números irracionais são todos calculados. Isso encerra os irracionais.

22–5 Números complexos

Agora descobrimos que, depois de todo esse trabalho, *ainda* não podemos resolver todas as equações! Por exemplo, qual é a raiz quadrada de –1? Suponha que achamos $x^2 = -1$. O quadrado de nenhum racional, de nenhum irracional, de *nada* que descobrimos até agora, é igual a –1. Então novamente temos de generalizar nossos números para uma classe mais abrangente. Vamos supor que uma solução específica de $x^2 = -1$ é chamada de alguma coisa, devemos chamá-la de i; i tem a propriedade, por definição, que o seu quadrado é –1. Isso é tudo o que vamos dizer sobre ele; obviamente, há mais de uma raiz da equação $x^2 = -1$. Alguém poderia escrever i, mas outra pessoa diria, "Não, eu prefiro –i. Meu i é menos o seu i". Essa é uma solução tão boa quanto, e já que a única definição que i tem é $i^2 = -1$, deve ser verdade que qualquer equação que possamos escrever seja igualmente verdade se o sinal do i for mudado em todos os lugares. Isso é chamado de tomar o *complexo conjugado*. Agora vamos criar números pela adição sucessiva de i e também pela multiplicação, adicionando outros números e assim por diante, de acordo com todas as nossas regras. Dessa maneira, achamos que todos os números podem ser escritos na forma $p + iq$, onde p e q são o que chamamos de números *reais*, isto é, os números que tínhamos definido até agora. O número *i* é chamado de número *unitário imaginário*. Qualquer real multiplicado por *i* é chamado de *imaginário puro*. O número mais geral, *a*, é da forma $p + iq$ e é chamado de *número complexo*. As coisas não ficam nada piores se, por exemplo, multiplicamos dois números desse tipo, vamos dizer $(r + is)$ $(p + iq)$. Então, usando as regras, obtemos

$$\begin{aligned}(r + is)(p + iq) &= rp + r(iq) + (is)p + (is)(iq) \\ &= rp + i(rq) + i(sp) + (ii)(sq) \\ &= (rp - sq) + i(rq + sp),\end{aligned} \quad (22.4)$$

já que $ii = i^2 = -1$. De agora em diante, todos os números que pertencem às regras (22.1) têm essa forma matemática.

Agora você diz, "Isso pode continuar para sempre! Definimos potências de imaginários e todo o resto e, quando tivermos terminado tudo, alguém aparecerá com outra equação que não pode ser resolvida, como $x^6 + 3x^2 = -2$. Então teremos de generalizar tudo novamente!" Acontece *que com mais essa invenção*, somente a raiz quadrada de -1, *todas as equações algébricas podem ser resolvidas!* Esse é um fato fantástico, que devemos deixar para o Departamento de Matemática provar. As provas são muito bonitas e interessantes, mas certamente não são autoevidentes. De fato, a suposição mais óbvia é que tivéssemos de continuar a inventar repetidamente, mas o grande milagre de tudo isso é que não precisamos. Esta é a última invenção. Depois desta invenção dos números complexos, terminamos de inventar coisas novas. Podemos achar a potência complexa de qualquer número complexo, podemos resolver qualquer equação que esteja escrita algebricamente, em termos de um número finito desses símbolos. Não achamos mais nenhum número novo. A raiz quadrada de *i*, por exemplo, tem um resultado definido, não é algo novo; e i^i é alguma coisa. Vamos discutir isso agora.

Já discutimos multiplicação, e adição também é fácil; se adicionarmos dois números complexos, $(p + iq) + (r + is)$, a resposta é $(p + r) + i(q + s)$. Agora podemos adicionar e multiplicar números complexos, mas o problema real, obviamente, é calcular *potências complexas de números complexos*. No final, o problema não é realmente mais difícil do que calcular potências complexas de números reais. Então vamos nos concentrar agora no problema de calcular 10 a uma potência complexa, não somente a uma potência irracional, mas $10^{(r + is)}$. Obviamente, devemos usar as nossas regras (22.1) e (22.2) o tempo todo. Então

$$10^{(r+is)} = 10^r 10^{is}. \quad (22.5)$$

Já sabemos como calcular 10^r e sempre podemos multiplicar uma coisa pela outra; dessa maneira, o problema é calcular 10^{is}. Vamos chamar isso de um número complexo, $x + iy$. Problema: dado *s*, achar *x*, achar *y*. Agora se

$$10^{is} = x + iy,$$

então o complexo conjugado dessa equação deve também ser verdade, tal que

$$10^{-is} = x - iy.$$

(Assim vemos que podemos deduzir um grande número de coisas sem realmente calcular nada, somente usando as regras.) Deduzimos outra coisa interessante pela multiplicação desses dois número juntos:

$$10^{is}10^{-is} = 10^0 = 1 = (x + iy)(x - iy) = x^2 + y^2. \quad (22.6)$$

Assim se acharmos *x*, também temos *y*.

Agora o problema é *como* calcular 10 elevado a uma potência imaginária. Qual é o caminho a seguir? Podemos trabalhar em cima das nossas regras até não conseguirmos mais prosseguir, mas aqui há um caminho razoável: se pudermos calcular este valor para qualquer *s* em particular, podemos obtê-lo para todo o resto. Se soubermos 10^{is} para qualquer *s* e então quisermos esse cálculo para um *s* duas vezes maior, podemos elevar ao quadrado esse número e assim por diante. Como podemos achar 10^{is} mesmo para um valor em especial de *s*? Para fazer isso, devemos fazer uma suposição adicional, que não está na categoria de todas as nossas regras, mas nos leva a resultados razoáveis e permite que continuemos: quando a potência é pequena, devemos supor que a "lei" $10^\epsilon = 1 + 2{,}3025\epsilon$ é correta, conforme ϵ fica cada vez menor, não somente para ϵ reais, *mas para ϵ complexos também*. Portanto, começamos com a suposição de que esta lei é verdadeira em geral e nos diz que $10^{is} = 1 + 2{,}3025 \cdot is$, para $s \to 0$. Então assumimos que se *s* é muito pequeno, digamos, uma parte em 1024, temos uma boa aproximação para 10^{is}.

Agora fazemos uma tabela pela qual podemos calcular *todas* as potências imaginárias de 10, isto é, calcular *x* e *y*. Ela é feita da seguinte maneira. A primeira potência que calcularmos é 1/1024, a qual presumimos ser muito próxima de $1 + 2{,}3025i/1024$. Assim começamos com

$$10^{i/1024} = 1{,}00000 + 0{,}0022486i, \qquad (22.7)$$

e se continuarmos a esse número por ele mesmo, podemos chegar a uma potência imaginária maior. De fato, podemos simplesmente reverter o processo usado para fazer a nossa tabela de logaritmo e calcular a 4ª potência, 8ª potência, etc., de (22.7) e então obtemos os valores mostrados na Tabela 22-3. Notamos uma coisa interessante, que os valores de *x* são positivos no começo, mas depois se tornam negativos. Devemos olhar um pouco mais para isso daqui a pouco, mas primeiro podemos estar curiosos para achar para qual número *s* a parte real de 10^{is} é *zero*. O valor de *y* seria 1, e então teríamos $10^{is} = 1i$ ou $is = \log_{10} 1i$. Como um exemplo de como usar essa tabela, assim como calculamos $\log_{10} 2$, vamos usar a Tabela 22-3 para achar $\log_{10} i$.

Quais números da Tabela 22-3 temos de multiplicar para obter um resultado que seja um imaginário puro? Depois de um pouco de tentativa e erro, descobrimos que, para reduzir *x* ao máximo, é melhor multiplicar "512" por "128". Isso nos dá $0{,}13056 + 0{,}99159i$. Então descobrimos que devemos multiplicar esse resultado por um número cuja parte imaginária é mais ou menos igual ao tamanho da parte real que queremos remover. Assim, escolhemos "64", cujo valor de *y* é 0,14349, já que isso é próximo de 0,13056. Esse cálculo então dá $-0{,}01308 + 1{,}00008i$. Agora passamos demais e devemos *dividir* por $0{,}99996 + 0{,}00900\,i$. Como fazemos isso? Por meio da mudança de sinal de *i* e multiplicando por $0{,}99996 - 0{,}00900i$ (o que funciona se $x^2 + y^2 = 1$). Continuando dessa maneira, achamos que a potência inteira à qual 10 deve ser elevado para dar *i* é $i(512 + 128 + 64 - 4 - 2 + 0{,}20)/1024$, ou $698{,}20i/1024$. Se elevarmos 10 a essa potência, obtemos *i*. Assim, $\log_{10} i = 0{,}68184i$.

22–6 Expoentes imaginários

Para investigar o assunto de tomar potências imaginárias de complexos com maior profundidade, vamos olhar as potências de 10 tomando *sucessivas potências*, não dobrando a potência a cada vez, com o objetivo de continuar a Tabela 22-3 e ver o que acontece com aquele sinal de menos. Isso é mostrado na Tabela 22-4, na qual pegamos $10^{i/8}$ e simplesmente continuamos a multiplicá-lo. Vemos que *x* diminui, passa por zero, quase chega a –1 (se pudéssemos ter um valor de *p* entre $p = 10$ e $p = 11$, *x* provavelmente chegaria a –1) e depois retorna. O valor de *y* também está indo para frente e para trás.

Na Figura 22-1, os pontos representam os números que aparecem na Tabela 22-4 e as linhas são simplesmente um desenho para nos ajudar a visualizar. Então vemos que os números *x* e *y* oscilam; 10^{is} *se repete*, é uma coisa *periódica*, e como tal é muito fácil de explicar, porque se uma certa potência é *i*, então

Tabela 22–3
Quadrados sucessivos de $10^{i/1024} = 1 + 0{,}0022486i$.

Potência *is*	1024*s*	10^{is}
i/1024	1	$1{,}00000 + 0{,}00225i$*
i/512	2	$1{,}00000 + 0{,}00450i$
i/256	4	$0{,}99996 + 0{,}00900i$
i/128	8	$0{,}99984 + 0{,}01800i$
i/64	16	$0{,}99936 + 0{,}03599i$
i/32	32	$0{,}99742 + 0{,}07193i$
i/16	64	$0{,}98967 + 0{,}14349i$
i/8	128	$0{,}95885 + 0{,}28402i$
i/4	256	$0{,}83872 + 0{,}54467i$
i/2	512	$0{,}40679 + 0{,}91365i$
i/1	1024	$-0{,}66928 + 0{,}74332i$

*Deveria ser $0{,}0022486i$

Tabela 22–4
Sucessivas potências de $10^{i/8}$

$p = $ potência $\cdot\ 8/i$	$10^{ip/8}$
0	$1{,}00000 + 0{,}00000i$
1	$0{,}95882 + 0{,}28402i$
2	$0{,}83867 + 0{,}54465i$
3	$0{,}64944 + 0{,}76042i$
4	$0{,}40672 + 0{,}91356i$
5	$0{,}13050 + 0{,}99146i$
6	$-0{,}15647 + 0{,}98770i$
7	$-0{,}43055 + 0{,}90260i$
8	$-0{,}66917 + 0{,}74315i$
9	$-0{,}85268 + 0{,}52249i$
10	$-0{,}96596 + 0{,}25880i$
11	$-0{,}99969 - 0{,}02620i$
12	$-0{,}95104 - 0{,}30905i$
14	$-0{,}62928 - 0{,}77717i$
16	$-0{,}10447 - 0{,}99453i$
18	$+0{,}45454 - 0{,}89098i$
20	$+0{,}86648 - 0{,}49967i$
22	$+0{,}99884 + 0{,}05287i$
24	$+0{,}80890 + 0{,}58836i$

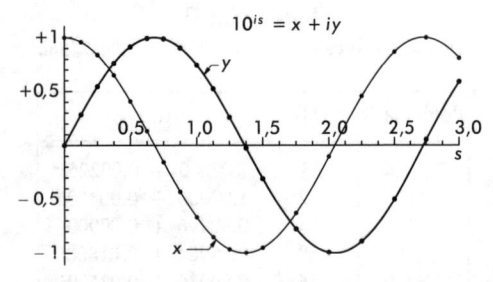

Figura 22–1 Números que aparecem na Tabela 22-4.

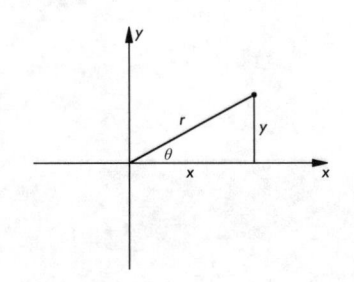

Figura 22–2 $x + iy = re^{i\theta}$.

a quarta potência dela seria i^2 ao *quadrado*. Seria +1 novamente, e assim por diante, já que $10^{0,68i}$ é igual a i, elevando à quarta potência descobrimos que $10^{2,72i}$ é igual a +1. Dessa maneira, se queremos $10^{3,00i}$, por exemplo, poderíamos escrever esse valor como sendo $10^{2,72i}$ vezes $10^{0,28i}$. Em outras palavras, esse valor tem um período, ele se repete. Obviamente, reconhecemos com o que as curvas se parecem! Elas se parecem com o seno e cosseno, e devemos chamá-las, por enquanto, de seno algébrico e cosseno algébrico. No entanto, em vez de usar a base 10, devemos colocar esses valores na nossa base natural, o que somente muda a escala horizontal; então denotamos $2,3025s$ por t, escrevemos $10^{is} = e^{it}$, onde t é um número real. Agora $e^{it} = x + iy$, e devemos escrever isso como cosseno algébrico de t mais i vezes o seno algébrico de t. Assim

$$e^{it} = \underline{\cos} t + i \underline{\text{sen}} t \tag{22.8}$$

Quais são as propriedades de $\cos(t)$ e $\text{sen}(t)$? Primeiro, sabemos, por exemplo, que $x^2 + y^2$ deve ser 1; provamos isso antes e é tão verdade para a base e como é para a base 10. Dessa maneira $\underline{\cos}^2(t) + \underline{\text{sen}}^2(t) = 1$. Também sabemos que, para t pequeno, $e^{it} = 1 + it$, por isso $\underline{\cos}(t)$ é próximo de 1, $\underline{\text{sen}}(t)$ é quase t e assim por diante, *todas as várias propriedades dessas brilhantes funções, que vêm ao tomarmos potências imaginárias, são as mesmas que as do seno e cosseno da trigonometria.*

O período é o mesmo? Vamos descobrir. e elevado a que potência é igual a i? O que é o logaritmo de i na base e? Trabalhamos com isso antes, na base 10 esse valor era $0,68184i$, mas quando mudamos nossa escala logarítmica para e, temos de multiplicar por $2,3025$ e se fizermos isso temos $1,570$. Então este valor será chamado de "$\pi/2$ algébrico". Contudo, vemos, que ele difere do $\pi/2$ por uma unidade na última casa decimal, e isso, obviamente, é o resultado dos erros na nossa aritmética! Então criamos duas novas funções em uma maneira puramente algébrica, o cosseno e o seno, que pertence à álgebra e somente à álgebra. Acabamos descobrindo as duas funções que são naturais à geometria. Então existe uma ligação, finalmente, entre álgebra e geometria.

Finalizamos com isto, a mais maravilhosa fórmula na matemática:

$$e^{i\theta} = \cos \theta + i \text{ sen } \theta. \tag{22.9}$$

Essa é a nossa joia.

Podemos relacionar a geometria com a álgebra pela representação dos números complexos em um plano; a posição horizontal de um ponto é x, a posição vertical de um ponto é y (Fig. 22-2). Representamos todo número complexo, $x + iy$. Assim, se a distância radial a esse ponto é chamada de r e o ângulo é chamado de θ, a lei algébrica é que $x + iy$ é escrito na forma $re^{i\theta}$, em que as relações geométricas entre x, y, r e θ são mostradas. Esta é, então, a unificação da álgebra com a geometria.

Quando começamos este capítulo, armados apenas com a noção básica de inteiros e contagem, tínhamos uma pequena ideia do poder do processo de abstração e generalização. Usando o conjunto de "leis" algébricas ou propriedades dos números, a Eq. (22.1) e as definições das operações inversas (22.2), fomos capazes, nós mesmos, de fazer não somente números, mas coisas úteis como tabelas de logaritmos, potências e funções trigonométricas (pois isso é o que as potências imaginarias de números reais são), tudo isso simplesmente tirando dez raízes quadradas sucessivas de dez!

23

Ressonância

23–1 Números complexos e o movimento harmônico

Neste capítulo, devemos continuar nossa discussão sobre o oscilador harmônico e, em particular, o oscilador harmônico forçado, usando uma nova técnica de análise. No capítulo anterior, introduzimos a ideia de números complexos, os quais possuem partes reais e imaginárias e que podem ser representados em um diagrama no qual as coordenadas representam a parte imaginária e a abscissa representa a parte real. Se a é um número complexo, podemos escrevê-lo como sendo $a = a_r + ia_i$, onde o índice r significa a parte real de a e o índice i significa a parte imaginária de a. Olhando a Figura 23-1, vemos que também podemos escrever um número complexo $a = x + iy$ na forma $x + iy = re^{i\theta}$, onde $r^2 = x^2 + y^2 = (x + iy)(x - iy) = aa*$. (O complexo conjugado de a, escrito como $a*$, é obtido pela inversão do sinal de i em a.) Então devemos representar um número complexo em uma das duas formas, um real mais uma parte imaginária ou uma magnitude r e um ângulo de fase θ, assim chamado. Dado r e θ, x e y são claramente $r \cos \theta$ e $r \sin \theta$, dado um número complexo $x + iy$, $r = \sqrt{x^2 + y^2}$ e tg $\theta = y/x$, a razão da parte imaginária com a parte real.

Vamos aplicar números complexos à nossa análise de fenômenos físicos pelo seguinte truque. Temos exemplos de coisas que oscilam; a oscilação pode ter uma força motora que é uma certa constante vezes cos ωt. Agora tal força, $F = F_0 \cos \omega t$, pode ser escrita como uma parte real de um número complexo $F = F_0 e^{i\omega t}$ porque $e^{i\omega t} = \cos \omega t + i \sin \omega t$. A razão para fazermos isso é que é mais fácil trabalhar com uma função exponencial que com um cosseno. Então o truque todo é representar nossas funções oscilatórias como partes reais de certas funções complexas. O número complexo F que definimos não é uma força física real, porque nenhuma força em física é realmente complexa; forças reais não têm parte imaginária, somente uma parte real. Devemos, no entanto, falar da "força" $F_0 e^{i\omega t}$, mas obviamente a força verdadeira é a *parte real* dessa expressão.

Vamos pegar outro exemplo. Suponha que queremos representar a força que é uma onda cossenoide que está fora de fase com um atraso de Δ. Esta, obviamente, seria a parte real de $F_0 e^{i(\omega t - \Delta)}$, mas exponenciais sendo como são, podemos escrever $e^{i(\omega t - \Delta)} = e^{i\omega t} e^{-i\Delta}$. Assim vemos que a álgebra das exponenciais é muito mais fácil que a de senos e cossenos; essa é a razão por escolhermos o uso de números complexos. Devemos escrever com frequência

$$F = F_0 e^{-i\Delta} e^{i\omega t} = \hat{F} e^{i\omega t}. \qquad (23.1)$$

Escrevemos um pequeno acento (^) sobre o F para lembrar que essa quantidade é um número complexo: aqui o número é

$$\hat{F} = F_0 e^{-i\Delta}.$$

Agora vamos resolver uma equação, usando números complexos, para vermos quando podemos trabalhar um problema para um caso real. Por exemplo, vamos tentar resolver

$$\frac{d^2 x}{dt^2} + \frac{kx}{m} = \frac{F}{m} = \frac{F_0}{m} \cos \omega t, \qquad (23.2)$$

onde F é a força que dirige o oscilador e x é o deslocamento. Agora, por mais absurdo que possa aparecer, vamos supor que x e F são realmente números complexos, com um propósito matemático somente. Isto é, x tem uma parte real e uma parte imaginária vezes i, e F tem uma parte real e uma parte imaginária vezes i. Agora se temos uma solução de (23.2) com números complexos e substituímos os números complexos na equação, obtemos

23–1 Números complexos e o movimento harmônico

23–2 O oscilador forçado com amortecimento

23–3 Ressonância elétrica

23–4 Ressonância na natureza

Figura 23–1 Um número complexo pode ser representado por um ponto no "plano complexo".

$$\frac{d^2(x_r + ix_i)}{dt^2} + \frac{k(x_r + ix_i)}{m} = \frac{F_r + iF_i}{m}$$

ou

$$\frac{d^2 x_r}{dt^2} + \frac{kx_r}{m} + i\left(\frac{d^2 x_i}{dt^2} + \frac{kx_i}{m}\right) = \frac{F_r}{m} + \frac{iF_i}{m}.$$

Agora, já que dois números complexos são iguais, suas partes reais devem ser iguais *e* suas partes imaginárias devem ser iguais, e deduzimos que *a parte real de x satisfaz à equação com a parte real da força*. Devemos enfatizar, no entanto, que esta separação em parte real e parte imaginária *não* é válida em geral, mas é válida somente para equações que são *lineares*, isto é, para equações nas quais x aparece em todos os termos somente elevado à primeira potencia ou a zero. Por exemplo, se existir na equação um termo λx^2, então quando substituirmos $x_r + ix_i$, obteríamos $\lambda(x_r + ix_i)^2$, mas quando separamos em parte real e parte imaginária, isso levaria a $\lambda(x_r^2 - x_i^2)$ como parte real e $2i\lambda x_r x_i$ como parte imaginária. Então vemos que a parte real da equação não envolveria apenas λx_r^2, mas também $-\lambda x_i^2$. Nesse caso obtemos uma equação diferente da que queremos resolver, com x_i, a coisa completamente artificial que introduzimos em nossas análises, misturada.

Vamos tentar nosso novo método para o problema do oscilador forçado, o que já sabemos como resolver. Queremos resolver a Eq. (23.2) como antes, mas digamos que vamos tentar resolver

$$\frac{d^2 x}{dt^2} + \frac{kx}{m} = \frac{\hat{F}e^{i\omega t}}{m}, \quad (23.3)$$

onde $\hat{F}e^{i\omega t}$ é um número complexo. Obviamente x também será complexo, mas se lembre da regra: pegar a parte real para achar o que realmente está acontecendo. Então tentamos resolver (23.3) para a solução forçada; devemos discutir outras soluções depois. A solução forçada tem a mesma frequência que a força aplicada e tem a mesma amplitude de oscilação e a mesma fase, então ela pode também ser representada por algum número complexo $\hat{x}$ cuja magnitude representa a oscilação de x e cuja fase representa o tempo de atraso da mesma maneira que para a força. Agora uma característica maravilhosa de uma função exponencial é que $d(\hat{x}e^{i\omega t})/dt = i\omega\hat{x}e^{i\omega t}$. Quando diferenciamos uma função exponencial, derrubamos o expoente como um multiplicador simples. A segunda derivada faz a mesma coisa, ela derruba outro $i\omega$, assim é muito simples escrever imediatamente, por inspeção, o que é a equação para $\hat{x}$: toda vez que vemos uma diferenciação, simplesmente multiplicamos por $i\omega$. (Diferenciação é agora tão fácil como multiplicação! Essa ideia de usar exponenciais em equações diferenciais lineares é quase tão boa quanto a invenção dos logaritmos, na qual a multiplicação é substituída pela adição. Aqui diferenciação é substituída pela multiplicação.) Dessa maneira, nossa equação se torna

$$(i\omega)^2 \hat{x} + (k\hat{x}/m) = \hat{F}/m. \quad (23.4)$$

(Cancelamos o fator comum $e^{i\omega t}$.) Veja como é simples! Equações diferenciais são imediatamente convertidas, ao olhar, em meras equações algébricas; praticamente temos a solução somente ao olhar, que

$$\hat{x} = \frac{\hat{F}/m}{(k/m) - \omega^2},$$

já que $(i\omega)^2 = -\omega^2$. Isso pode ser minimamente simplificado substituindo $k/m = \omega_0^2$, o que dá

$$\hat{x} = \hat{F}/m(\omega_0^2 - \omega^2). \quad (23.5)$$

Essa, obviamente, é a solução que tínhamos antes; já que $m(\omega_0^2 - \omega^2)$ é um número real, os ângulos de fase de $\hat{F}$ e $\hat{x}$ são os mesmos (ou talvez 180° separados, se $\omega^2 > \omega_0^2$), como dito antes. A magnitude de $\hat{x}$, que mede o quão longe o sistema oscila, está relacionada ao tamanho de $\hat{F}$ pelo fator $1/m(\omega_0^2 - \omega^2)$, e esse fator se torna enorme quando ω é quase igual a ω_0. Então obtemos uma resposta muito forte quando aplicamos a frequência certa ω (se segurarmos um pêndulo no final da corda e o chacoalharmos na frequência certa, podemos fazê-lo oscilar muito alto).

23–2 O oscilador forçado com amortecimento

É dessa forma que analisamos o movimento oscilatório com uma técnica matemática mais elegante, mas a elegância da técnica não é toda exibida em um problema que pode ser facilmente resolvido por outros métodos. Ela somente é exibida quando aplicada a problemas mais difíceis. Vamos então resolver um problema mais difícil, no qual em continuação adiciona uma característica relativamente realista ao problema anterior. A Equação (23.5) nos diz que se a frequência ω for exatamente igual a ω_0, teríamos uma resposta infinita. Na verdade, obviamente, nenhuma resposta como infinito ocorre porque algumas outras coisas, como atrito, que até agora ignoramos, limitam a resposta. Vamos assim adicionar à Eq. (23.2) um termo de atrito.

Normalmente, tal problema é muito difícil devido ao caráter e à complexidade do termo de atrito. Existem, no entanto, muitas circunstâncias nas quais a força de atrito é *proporcional à velocidade* com a qual o objeto se move. Um exemplo de tal atrito é o atrito para movimento lento de um objeto em óleo ou em um líquido espesso. Não há nenhuma força quando o objeto está parado, mas quanto mais rapidamente ele se move, mais rapidamente o óleo tem de passar pelo objeto e maior é a resistência. Então devemos assumir que existe, em adição aos termos em (23.2), outro termo, uma força resistiva proporcional à velocidade: $F_f = -c\, dx/dt$. Será conveniente, em nossas análises matemáticas, escrever a constante c como m vezes γ para simplificar a equação um pouco. Esse é apenas o mesmo truque que usamos com k quando o substituímos por $m\omega_0^2$, apenas para simplificar a álgebra. Então nossa equação será

$$m(d^2x/dt^2) + c(dx/dt) + kx = F \qquad (23.6)$$

ou, escrevendo $c = m\gamma$ e $k = m\omega_0^2$ e dividindo pela massa m,

$$(d^2x/dt^2) + \gamma(dx/dt) + \omega_0^2 x = F/m. \qquad (23.6a)$$

Agora temos a equação na forma mais conveniente para resolver. Se γ é muito pequeno isso representa pouco atrito; se γ é muito grande, existe uma quantidade enorme de atrito. Como resolvemos essa nova equação diferencial linear? Suponha que a força externa seja igual a $F_0 \cos(\omega t + \Delta)$; poderíamos colocar isso em (23.6a) e tentar resolvê-la, mas no lugar disso devemos resolvê-la pelo nosso novo método. Dessa maneira, escrevemos F como a parte real de $\hat{F}e^{i\omega t}$ e x como a parte real de $\hat{x}e^{i\omega t}$, e substituímos estas na Eq. (23.6a). Não é nem necessário fazer realmente a substituição, pois podemos ver, por inspeção, que a equação ficaria

$$[(i\omega)^2 \hat{x} + \gamma(i\omega)\hat{x} + \omega_0^2 \hat{x}]e^{i\omega t} = (\hat{F}/m)e^{i\omega t}. \qquad (23.7)$$

[Na verdade, se tentarmos resolver a Eq. (23.6a) pela nossa antiga maneira direta, iríamos realmente apreciar a mágica do método "complexo".] Se dividirmos por $e^{i\omega t}$ em ambos os lados, então podemos obter a resposta $\hat{x}$ para um dado $\hat{F}$ ela é

$$\hat{x} = \hat{F}/m(\omega_0^2 - \omega^2 + i\gamma\omega). \qquad (23.8)$$

Assim novamente $\hat{x}$ é dado por $\hat{F}$ vezes um fator. Não existe nenhum nome técnico para esse fator, nenhuma letra em particular para ele, mas podemos chamá-lo de R para o propósito da discussão:

$$R = \frac{1}{m(\omega_0^2 - \omega^2 + i\gamma\omega)}$$

e

$$\hat{x} = \hat{F}R. \tag{23.9}$$

(Apesar de as letras γ e ω_0 serem de uso muito comum, este R não tem nenhum nome em particular.) Este fator R pode ser escrito como $p + iq$, ou como uma certa magnitude ρ vezes $e^{i\theta}$. Se ele é escrito como uma certa magnitude vezes $e^{i\theta}$, vamos ver o que ele significa. Agora $\hat{F} = F_0\, e^{i\Delta}$, e a força de verdade é a parte real de $F_0\, e^{i\Delta} e^{i\omega t}$, que é $F_0 \cos(\omega t + \Delta)$. A seguir, a Eq. (23.9) nos diz que $\hat{x}$ é igual a $\hat{F}R$. Então, escrevendo $R = \rho\, e^{i\theta}$ como outro nome para R, obtemos

$$\hat{x} = R\hat{F} = \rho e^{i\theta} F_0 e^{i\Delta} = \rho F_0 e^{i(\theta + \Delta)}.$$

Finalmente, indo ainda mais para trás, vemos que o x físico, que é a parte real do complexo $\hat{x}e^{i\omega t}$, é igual à parte real de $\rho F_0 e^{i(\theta+\Delta)} e^{i\omega t}$. Contudo, ρ e F_0 são reais, e a parte real de $e^{i(\theta+\Delta+\omega t)}$ é simplesmente $\cos(\omega t + \Delta + \theta)$. Assim

$$x = \rho F_0 \cos(\omega t + \Delta + \theta). \tag{23.10}$$

Isso nos diz que a amplitude da resposta é a magnitude da força F multiplicada por um certo fator ampliador, ρ; isso nos dá a "quantidade" de oscilação e também nos diz, no entanto, que x não está oscilando em fase com a força, que tem a fase Δ, mas está deslocada por uma quantidade extra θ. Dessa maneira, ρ e θ representam o tamanho da resposta e o deslocamento de fase da resposta.

Agora vamos verificar o que é ρ. Se tivermos um número complexo, o quadrado da sua magnitude é igual ao número vezes o seu complexo conjugado; então

$$\rho^2 = \frac{1}{m^2(\omega_0^2 - \omega^2 + i\gamma\omega)(\omega_0^2 - \omega^2 - i\gamma\omega)}$$
$$= \frac{1}{m^2[(\omega^2 - \omega_0^2)^2 + \gamma^2\omega^2]}. \tag{23.11}$$

Igualmente, o ângulo de fase θ é facilmente achado, pois se escrevemos

$$1/R = 1/\rho e^{i\theta} = (1/\rho)e^{-i\theta} = m(\omega_0^2 - \omega^2 + i\gamma\omega),$$

vemos que

$$\operatorname{tg} \theta = -\gamma\omega/(\omega_0^2 - \omega^2). \tag{23.12}$$

Ele é negativo porque $\operatorname{tg}(-\theta) = -\operatorname{tg}\theta$. Um valor negativo de θ resulta para todos os ω, e isso corresponde ao deslocamento x atrasando a força F.

A Figura 23-2 mostra como ρ^2 varia como uma função da frequência (ρ^2 é fisicamente mais interessante que ρ, porque ρ^2 é proporcional ao quadrado da amplitude, ou mais ou menos a *energia* que é colocada no oscilador pela força). Vemos que se γ é muito pequeno, então $1/(\omega_0^2 - \omega^2)^2$ é o termo mais importante, e a resposta tenta crescer e ir para infinito quando ω igual a ω_0. Agora o "infinito" não é na verdade infinito porque se $\omega = \omega_0$, então $1/\gamma^2\omega^2$ ainda está lá. O deslocamento da fase varia como mostrado na Figura 23-3.

Em certas circunstâncias, obtemos uma fórmula um pouco diferente de (23.8), também chamada de fórmula de "ressonância", e alguém pode pensar que ela representa um fenômeno diferente, mas não representa. A razão é que se γ é muito pequeno, a parte mais interessante da curva é perto de $\omega = \omega_0$, e podemos substituir (23.8) por uma fórmula aproximada que é muito precisa se

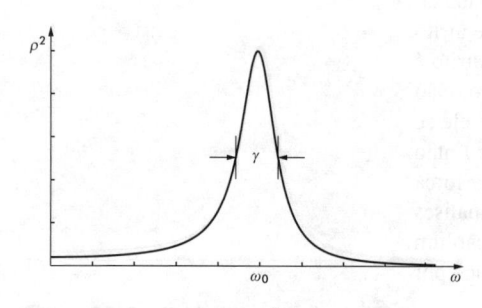

Figura 23-2 Gráfico de ρ^2 versus ω.

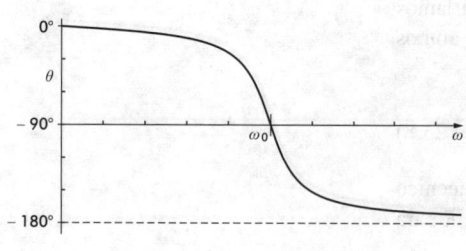

Figura 23-3 Gráfico de θ versus ω.

γ é pequeno e ω é parecido com ω_0. Já que $\omega_0^2 - \omega^2 = (\omega_0 - \omega)(\omega_0 + \omega)$, se ω é próximo de ω_0 isso é quase que o mesmo que $2\omega_0(\omega_0 - \omega)$ e $\gamma\omega$ é quase o mesmo que $\gamma\omega_0$. Usando isso em (23.8), vemos que $\omega_0^2 - \omega^2 + i\gamma\omega \approx 2\omega_0(\omega_0 - \omega + i\gamma/2)$, de tal maneira que

$$\hat{x} \approx \hat{F}/2m\omega_0(\omega_0 - \omega + i\gamma/2) \quad \text{se} \quad \gamma \ll \omega_0 \quad \text{e} \quad \omega \approx \omega_0. \quad (23.13)$$

É fácil achar a fórmula correspondente para ρ^2. Ela é

$$\rho^2 \approx 1/4m^2\omega_0^2 \, [(\omega_0 - \omega)^2 + \gamma^2/4].$$

Devemos deixar para os estudantes mostrarem o seguinte: se chamarmos a altura máxima da curva de ρ^2 *versus* ω de um valor unitário e perguntarmos pela largura $\Delta\omega$ da curva, na metade da altura máxima, a largura inteira na metade da meia altura da curva é $\Delta\omega = \gamma$, supondo que γ seja muito pequeno. A ressonância é cada vez mais estreita conforme os efeitos de atrito ficam cada vez menores.

Como outra medida da largura, algumas pessoas usam a quantidade Q, que é definida como $Q = \omega_0/\gamma$. Quanto mais fina a ressonância, mais alto será o valor de Q: $Q = 1.000$ significa uma curva de ressonância cuja largura é somente um milésimo da escala de frequência. O Q da curva de ressonância mostrada na Figura 23-2 é 5.

A importância do fenômeno de ressonância é que ele ocorre em muitas circunstâncias, então o resto deste capítulo descreverá algumas destas outras circunstâncias.

23–3 Ressonância elétrica

As aplicações técnicas mais simples e mais abrangentes estão na eletricidade. No mundo elétrico, existe um número de objetos que podem ser conectados para fazer circuitos elétricos. Estes *elementos passivos do circuito*, como são frequentemente chamados, são de três tipos principalmente, apesar de cada um ter um pouco dos outros misturados. Antes de descrevê-los em maiores detalhes, vamos notar que toda a ideia do nosso oscilador mecânico sendo uma massa no final de uma mola é somente um aproximação. Toda a massa não está realmente na "massa"; parte dela está na inércia da mola. Similarmente, toda a mola não está na "mola"; a própria massa tem uma certa elasticidade, e apesar dela aparecer assim, ela não é *absolutamente* rígida, e conforme ela vai para cima e para baixo, ela se flexiona delicadamente sob a ação da mola a puxando. O mesmo é verdade na eletricidade. Existe uma aproximação na qual podemos misturar as coisas em "elementos de circuito", os quais assumimos ter características ideais e puras. Agora não é o momento certo para discutirmos essa aproximação, devemos simplesmente assumir que ela é verdade nessas circunstâncias.

Os três principais tipos de elementos de circuito são os seguintes. O primeiro é chamado de *capacitor* (Figura 23-4); um exemplo são duas placas planas de metal separadas por uma pequena distância por um material isolante. Quando as placas são carregadas, existe uma certa diferença de voltagem, isto é, uma certa diferença em potencial entre elas. A mesma diferença de potencial aparece entre os terminais A e B, porque se houvesse alguma diferença ao longo do fio conector, a eletricidade fluiria diretamente. Então existe uma certa diferença de voltagem V entre as placas se existir uma certa carga elétrica $+q$ e $-q$ nelas, respectivamente. Entre as placas existirá um certo campo elétrico; nós até achamos uma fórmula para ele (Capítulos 13 e 14):

$$V = \sigma d/\epsilon_0 = qd/\epsilon_0 A, \quad (23.14)$$

onde d é o espaçamento e A é a área das placas. Note que a diferença de potencial é uma função linear da carga. Se não tivéssemos placas paralelas, mas eletrodos isolados que são de qualquer outro formato, a diferença de potencial seria ainda precisamente proporcional à carga, mas a constante de proporcionalidade pode não ser tão fácil de calcular. No entanto, tudo o que precisamos saber é que a diferença de potencial através

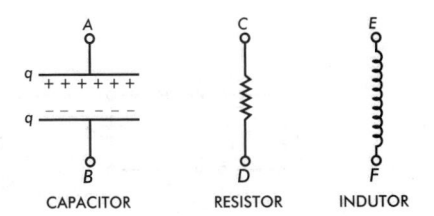

Figura 23–4 Os três elementos passivos de um circuito.

do capacitor *é proporcional à carga*: $V = q/C$; a constante de proporcionalidade é $1/C$, onde C é a *capacitância* do objeto.

O segundo tipo de elemento do circuito é chamado de *resistor;* ele fornece resistência ao fluxo de corrente elétrica. Descobrimos que fios metálicos e muitas outras substâncias resistem ao fluxo de eletricidade deste modo: se existe uma diferença de voltagem através de um pedaço de alguma substância, lá existe uma corrente elétrica $I = dq/dt$ que é proporcional à diferença de voltagem elétrica:

$$V = RI = R\,dq/dt. \tag{23.15}$$

O coeficiente de proporcionalidade é chamado de *resistência R*. A relação pode já ser familiar para você; esta é a lei de Ohm.

Se pensarmos na carga q em um capacitor como sendo um análogo do deslocamento x de um sistema mecânico, vemos que a corrente, $I = dq/dt$, é análoga à velocidade, $1/C$ é análogo à constante da mola k e R é análogo ao coeficiente resistivo $c = m\gamma$ na Eq. (23.6). Agora é muito interessante que exista outro elemento de circuito que é análogo à *massa*! Este é uma bobina que cria um campo magnético dentro de si quando existe uma corrente nela. Um campo magnético que *varia* desenvolve na bobina uma voltagem que é proporcional a dI/dt (é assim que um transformador funciona, de fato). O campo magnético é proporcional à corrente, e a (assim chamada) voltagem induzida em tal bobina é proporcional à taxa de variação da corrente:

$$V = L\,dI/dt = L\,d^2q/dt^2. \tag{23.16}$$

O coeficiente L é a *autoindutância*, que é análoga à massa em um circuito oscilante mecânico.

Suponha que criamos um circuito no qual temos conectado os três elementos em série (Fig. 23-5); então a voltagem através da coisa toda de 1 para 2 é o trabalho realizado ao levar uma carga pelo circuito, e ele consiste da soma de muitos pedaços: através do indutor, $V_L = L\,d^2q/dt^2$; através da resistência, $V_R = R\,dq/dt$; através do capacitor, $V_C = q/C$. A soma destes é igual à voltagem aplicada, V:

$$L\,d^2q/dt^2 + R\,dq/dt + q/C = V(t). \tag{23.17}$$

Agora vemos que essa equação é exatamente a mesma que a equação mecânica (23.6), e obviamente pode ser resolvida exatamente do mesmo modo. Suponhamos que $V(t)$ é oscilatório: estamos dirigindo o circuito com um gerador com oscilação ondulatória senoidal pura. Então podemos escrever nosso $V(t)$ como um complexo $\hat{V}$ com o entendimento de que ele deve ser finalmente multiplicado por $e^{i\omega t}$, e a parte real deve ser tomada para acharmos o verdadeiro V. Igualmente, a carga q pode assim ser analisada; então, exatamente do mesmo modo que na Eq. (23.8), escrevemos a equação correspondente: a segunda derivada de $\hat{q}$ é $(i\omega)^2\hat{q}$; a primeira derivada é $(i\omega)\hat{q}$. Assim, a Eq. (23.17) se transforma em

$$\left[L(i\omega)^2 + R(i\omega) + \frac{1}{C}\right]\hat{q} = \hat{V}$$

ou

$$\hat{q} = \frac{\hat{V}}{L(i\omega)^2 + R(i\omega) + \dfrac{1}{C}}$$

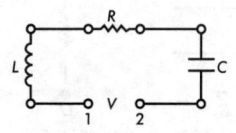

Figura 23-5 Um circuito elétrico oscilatório com resistência, indutância e capacitância.

a qual podemos escrever na forma

$$\hat{q} = \hat{V}/L(\omega_0^2 - \omega^2 + i\gamma\omega), \tag{23.18}$$

onde $\omega_0^2 = 1/LC$ e $\gamma = R/L$. Esse é exatamente o mesmo denominador que tínhamos no caso mecânico, com exatamente as mesmas propriedades ressonantes! A correspondência entre os casos elétricos e mecânicos é mostrada na Tabela 23-1.

Tabela 23–1

Característica geral	Propriedade mecânica	Propriedade elétrica
Variável independente	tempo (t)	tempo (t)
Variável dependente	posição (x)	carga (q)
Inércia	massa (m)	indutância (L)
Resistência	coef. de arrasto ($c = \gamma m$)	resistência ($R = \gamma L$)
Rigidez	rigidez (k)	(capacitância)$^{-1}$ ($1/C$)
Frequência ressonante	$\omega_0^2 = k/m$	$\omega_0^2 = 1/LC$
Período	$t_0 = 2\pi\sqrt{m/k}$	$t_0 = 2\pi\sqrt{LC}$
Figura de mérito	$Q = \omega_0/\gamma$	$Q = \omega_0 L/R$

Devemos mencionar um pequeno ponto técnico. Na literatura elétrica, uma notação diferente é usada. (De um campo para outro, o assunto não é realmente diferente, mas a maneira de escrever as notações é sempre diferente.) Primeiro, j é comumente usado no lugar de i na engenharia elétrica, para denotar $\sqrt{-1}$. (Pois afinal, i deve ser a corrente!) Também, os engenheiros preferem ter uma relação entre $\hat{V}$ e $\hat{I}$ do que entre $\hat{V}$ e $\hat{q}$, apenas porque eles estão mais acostumados com essa maneira. Assim, já que $I = d\hat{q}/dt = i\omega\hat{q}$, podemos simplesmente substituir $\hat{q}$ por $\hat{I}/i\omega$ e obter

$$\hat{V} = (i\omega L + R + 1/i\omega C)\hat{I} = \hat{Z}\hat{I}. \tag{23.19}$$

Outra maneira é reescrever a Eq. (23.17), para que ela pareça mais familiar; sempre se vê ela escrita desta maneira:

$$L\, dI/dt + RI + (1/C)\int^t I\, dt = V(t). \tag{23.20}$$

Em qualquer proporção, achamos a relação (23.19) entre voltagem $\hat{V}$ e corrente $\hat{I}$ que é exatamente a mesma que (23.18), apenas dividida por $i\omega$, e que produz a Eq. (23.19). A quantidade $R + i\omega L + 1/i\omega C$ é um número complexo, usado tanto na engenharia elétrica que tem um nome: *impedância complexa*, $\hat{Z}$. Assim podemos escrever $\hat{V} = \hat{Z}\hat{I}$. A razão pela qual os engenheiros gostam de fazer isso é que eles aprenderam algo quando eram jovens: $V = RI$ para resistências, quando eles apenas conheciam resistências e DC. Agora eles se tornaram mais conhecedores e têm circuitos AC, então querem que a equação seja semelhante. Assim eles escrevem $\hat{V} = \hat{Z}\hat{I}$, a única diferença sendo que a resistência é substituída por uma coisa mais complicada, uma quantidade complexa. Então eles insistem que não podem usar o que todas as outras pessoas no mundo usam para números imaginários, eles têm de usar um j para isso; é um milagre que eles não tenham insistido também que a letra Z fosse um R! (Assim eles têm problemas quando falam sobre densidade de corrente, para qual eles também usam j. As dificuldades da ciência são, em grande extensão, as dificuldades de notação, as unidades e todas as outras artificialidades que são inventadas pelo ser humano, não pela natureza.)

23–4 Ressonância na natureza

Apesar de termos discutido o caso elétrico em detalhes, poderíamos também trazer diversos casos em muitos campos e mostrar exatamente como a equação de ressonância é a mesma. Existem muitas situações na natureza na qual algo está "oscilando" e na qual o fenômeno de ressonância ocorre. Dissemos isso em um capítulo anterior; vamos agora demonstrá-lo. Se revisarmos nossos estudos, tirando livros das prateleiras, e simplesmente procurarmos em todos eles para achar um exemplo de uma curva que corresponda à da Figura 23-2 e venha com a mesma equação, o que achamos? Somente para demonstrar a extensa quantidade obtida ao tomarmos a menor amostragem possível, leva-se somente

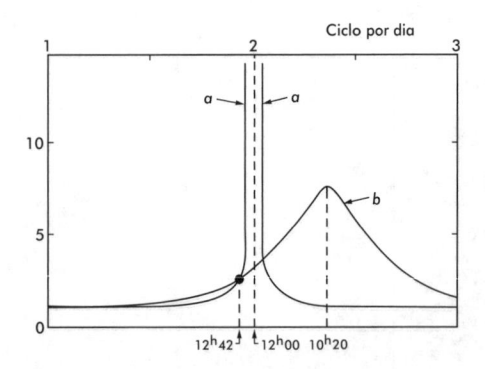

Figura 23–6 Resposta da atmosfera a uma excitação externa. a é a resposta necessária se a maré-S_2 atmosférica for de origem gravitacional; a amplificação do pico é de 100:1. b é derivado da magnificação observada e da fase da maré-M_2. [Munk e MacDonald, "Rotação da Terra", Cambridge University Press (1960).]

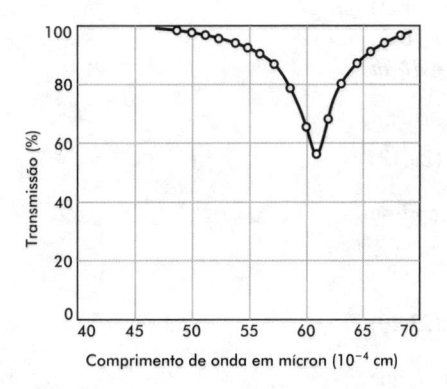

Figura 23–7 Transmissão da radiação infravermelha através de um filme fino (0,17μm) de cloreto de sódio. [R. B. Barnes, Z. *Physik* **75**, 723 (1932). Kittel, *Introduction To Solid State Physics*, Wiley, 1956.]

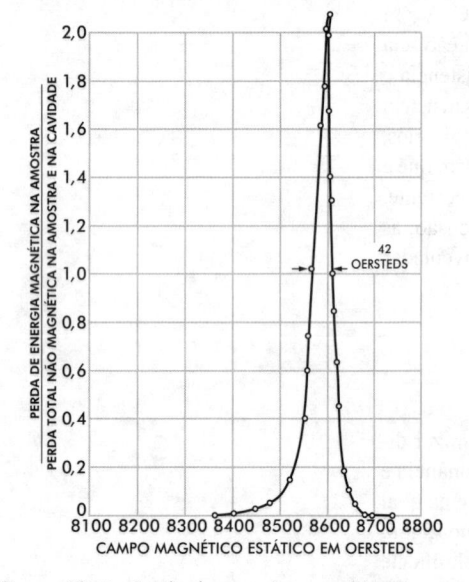

Figura 23–8 Perda de energia magnética em um composto orgânico paramagnético como uma função da intensidade do campo aplicado. [Holden et al., *Phys. Rev.* **75**, 1614 (1949).]

cinco ou seis livros para termos uma série suficiente de fenômenos que apresentam ressonância.

Os dois primeiros são da mecânica, o primeiro em grande escala: a atmosfera de toda a Terra. Se a atmosfera, que supomos, circunda toda a Terra igualmente em todos os lados, é puxada para um lado pela Lua ou, ao invés, é um prolato achatado em duas marés, e se pudéssemos então deixá-la ir, ela iria bater para cima e para baixo; ela é um oscilador. Este oscilador é *forçado* pela Lua, que está efetivamente orbitando a Terra; qualquer componente da força, digamos na direção x, tem uma componente cossenoide, e então a resposta da atmosfera da Terra ao puxão mareante da Lua é de um oscilador. A resposta esperada da atmosfera é mostrada na Figura 23-6, curva b (a curva a é outra curva teórica que estava em discussão no livro do qual isso foi tirado do contexto). Agora podemos pensar que temos somente um ponto nesta curva de ressonância, já que somente temos uma frequência, correspondente à rotação da Terra em relação à Lua, que ocorre em um período de 12,42 horas – 12 para a Terra (a maré é uma corcova dupla), soma-se um pouquinho a mais porque a Lua está rodando. A partir do *tamanho* das marés de atmosfera, e da *fase*, a quantidade de atraso, podemos obter ρ e θ. E deles podemos obter ω_0 e γ, e assim desenhar toda a curva! Este é um exemplo de pouca ciência. A partir de dois números, obtemos outros dois, e destes dois números desenhamos uma linda curva, que obviamente vai através de todos os pontos que determinam a curva! Não tem utilidade nenhuma, *a menos que possamos medir alguma outra coisa*, e no caso da geofísica isso é sempre muito difícil. Neste caso em particular existe uma outra coisa que podemos mostrar teoricamente, devemos ter o mesmo período que a frequência ω_0: isto é, se alguém perturba a atmosfera, ela oscila com frequência ω_0. Existiu uma perturbação intensa em 1883; o vulcão Krakatoa explodiu e metade da ilha se separou, e isso causou uma explosão admirável na atmosfera que o período de oscilação da atmosfera pôde ser medido. Descobriu-se que era de 10½ horas. O ω_0 obtido da Figura 23-6 é de 10 horas e 20 minutos, então aqui temos pelo menos uma verificação da realidade de nosso entendimento das marés atmosféricas.

A seguir, vamos para a escala pequena das oscilações mecânicas. Desta vez pegamos um cristal de cloreto de sódio, que tem íons de sódio e íons de cloro próximos uns dos outros, como descrevemos em um capítulo anterior. Estes íons são eletricamente carregados, alternadamente positivo e negativo. Agora existe uma possível oscilação interessante. Suponha que pudéssemos levar todas as cargas positivas para a direita e todas as cargas negativas para a esquerda e as soltássemos; elas iriam então oscilar para frente e para trás, a rede de sódio contra a rede de cloro. Como podemos criar tal coisa? Isso é fácil, pois se aplicarmos um campo elétrico no cristal, ele puxará as cargas positivas para um lado e as cargas negativas para o lado oposto! Então, tendo um campo elétrico externo, podemos talvez fazer um cristal oscilar. A frequência do campo elétrico necessária é tão alta, no entanto, que ela corresponde à *radiação infravermelha*! Então tentamos achar a curva de ressonância medindo a absorção de luz infravermelha pelo cloreto de sódio. Tal curva é mostrada na Figura 23-7. A abscissa não é a frequência, mas é dada em termos do comprimento de onda, mas este é apenas um problema técnico, obviamente, já que para uma onde existe uma relação definida entre frequência e comprimento de onda; então é realmente uma escala de frequência, e uma certa frequência corresponde a uma certa frequência de ressonância.

E sobre a largura? O que determina a largura? Existem muitos casos nos quais a largura que é vista na curva não é realmente a largura natural γ que se teria teoricamente. Existem duas razões para podermos ter uma curva mais ampla do que a curva teórica. Se os objetos não têm todos a mesma frequência, como pode acontecer se o cristal estiver forçado em certas regiões, tal que nestas regiões a frequência de oscilação esteja um pouco diferente do que nas outras regiões, então o que temos são muitas curvas de ressonância

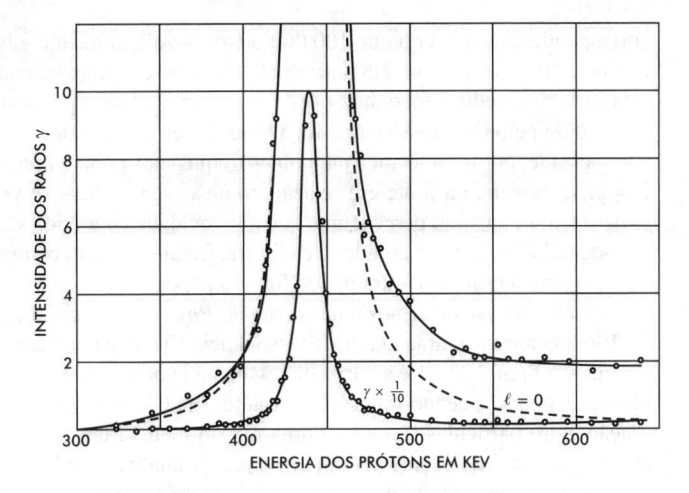

Figura 23-9 A intensidade da radiação gama do lítio como função da energia dos prótons bombardeados. A curva pontilhada é uma curva teórica calculada para prótons com momento angular $\ell = 0$. [Bonner and Evans, *Phys. Rev.* **73**, 666 (1948).]

uma em cima das outras; assim aparentemente obtemos uma curva mais larga. O outro tipo de largura é simplesmente este: talvez não possamos medir a frequência com a precisão necessária – se abrirmos a fenda do espectrômetro apropriadamente ampla, apesar de pensarmos que temos somente uma frequência, na verdade temos um certo intervalo $\Delta\omega$, então podemos não ter a potência necessária bem resolvida para vermos uma curva estreita. Sendo assim, não podemos dizer quando a largura na Figura 23-7 é natural ou quando ela é decorrente da falta de homogeneidade do cristal ou da largura finita da fenda do espectrômetro.

Agora vamos para um exemplo mais esotérico, a vibração de um ímã. Se tivermos um ímã, com polo norte e polo sul, em um campo magnético constante, a extremidade N do ímã será puxada para um lado e a extremidade S será puxada para o outro lado, e existirá em geral um torque no ímã, então ele irá vibrar ao redor da sua posição de equilíbrio, como as agulhas de um compasso. No entanto, os ímãs de que estamos falando são *átomos*. Estes átomos têm um momento angular, o torque não produz um simples movimento na direção do campo, mas ao invés disto, obviamente, uma *precessão*. Agora, olhado de frente, qualquer componente unitária está "oscilando", e podemos perturbar ou forçar a oscilação e medir uma absorção. A curva na Figura 23-8 representa uma dessas curvas típicas de ressonância. O que foi feito aqui é um pouco diferente tecnicamente. A frequência do campo lateral que é usado para forçar essa oscilação é sempre mantida a mesma, enquanto teríamos esperado que os investigadores variassem isso e traçassem um gráfico de uma curva. Eles poderiam ter feito isto dessa maneira, mas tecnicamente foi mais fácil deixar a frequência ω fixa e mudar a intensidade do campo magnético constante, o que corresponde a mudar ω_0 na nossa fórmula. Eles fizeram o gráfico da curva de ressonância contra ω_0. De qualquer maneira, esta é uma ressonância típica com determinados ω_0 e γ.

Agora vamos ainda mais adiante. Nosso próximo exemplo está relacionado com os núcleos atômicos. O movimento de prótons e nêutrons no núcleo é oscilatório de certa maneira, e podemos demonstrar isso pelo seguinte experimento. Bombardeamos um átomo de lítio com prótons e descobrimos que uma certa reação, produzindo raios γ, na verdade tem um máximo de ressonância típico e muito estreito. Notamos na Figura 23-9, no entanto, uma diferença dos outros casos: a escala horizontal não é uma frequência, ela é uma *energia*! A razão é que na mecânica quântica, o que pensamos classicamente como a energia acabará realmente estando relacionado com uma frequência de amplitude de uma onda. Quando analisamos algo que na simples física das grandes escalas está relacionado com a frequência, achamos que quando fazemos experimentos na mecânica quântica com a matéria atômica, obtemos uma curva correspondente como função de energia. De fato, esta curva é uma demonstração desta relação, em certo sentido. Ela mostra que a frequência e a energia têm alguma relação interna profunda, o que obviamente é verdade.

Agora vamos ver outro exemplo que também envolve uma energia em nível nuclear, mas agora uma energia muito mais estreita. A ω_0 na Figura 23-10

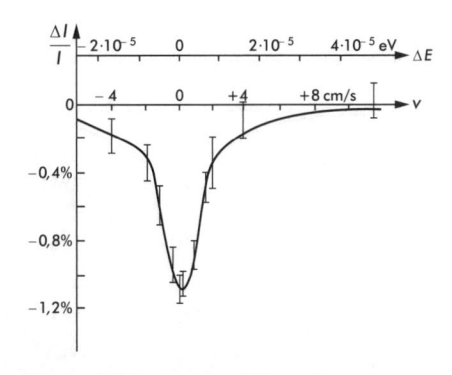

Figura 23-10 [Cortesia do Dr. R. Mössbauer.]

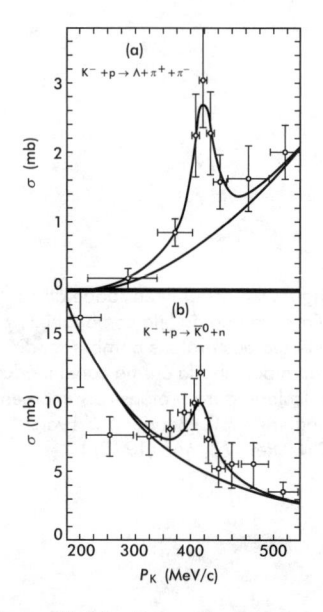

Figura 23-11 Dependência do momento de uma seção de choque para a reação (a) $K^- + p \to \Lambda + \pi^+ + \pi^-$ e (b) $K^- + p \to \overline{K}^0 + n$. As curvas mais baixas em (a) e (b) representam os fundos não ressonantes assumidos, enquanto a curva mais acima contém, a mais, a ressonância superposta. [Ferro-Luzzi et al., *Phys. Rev. Lett.* **8**, 28 (1962).]

corresponde a uma energia de 100.000 elétrons-volt, enquanto a largura γ é aproximadamente 10^{-5} elétron-volt; em outras palavras, este exemplo tem um Q de 10^{10}! Quando esta curva foi medida, foi o maior Q de qualquer oscilador que já tinha sido medido. Ele foi medido pelo Dr. Mössbauer e foi a base do seu prêmio Nobel. A escala horizontal é a velocidade, porque a técnica para obter frequências pouco diferentes era usar o efeito Doppler, movendo a fonte em relação ao absorvente. Pode-se ver o quão delicado o experimento é quando percebemos que a velocidade envolvida são alguns centímetros por segundo! Na escala verdadeira da figura, frequência zero corresponderia a um ponto 10^{10} cm para a esquerda – um pouco fora do papel!

Finalmente, se olharmos uma edição do *Physical Review*, digamos de 1º de janeiro de 1962, acharemos uma curva de ressonância? Toda edição tem uma curva de ressonância, e a Figura 23-11 é a curva de ressonância para esta edição citada. Esta curva de ressonância acaba sendo muito interessante. Ela é a ressonância achada em uma certa reação entre partículas estranhas, uma reação na qual um K^- e um próton interagem. A ressonância é detectada pela observação de quantas partículas de um determinado tipo saem, e dependendo do que sai e quanto sai, obtêm-se diferentes curvas, mas do mesmo formato e com o pico na mesma energia. Assim determinamos que existe uma ressonância de uma certe energia para os méson K^-. Isso presumivelmente significa que existe algum tipo de estado, ou condição, que corresponde a esta ressonância, que pode ser atingido colocando um K^- e um próton juntos. Esta é uma nova partícula, ou ressonância. Hoje não sabemos quando chamar um pico como este de uma "partícula" ou simplesmente de uma ressonância. Quando existe uma ressonância *muito fina*, ela corresponde a uma *energia definida*, assim como se existisse uma partícula desta energia presente na natureza. Quando a ressonância fica mais larga, então não sabemos quando dizer se existe uma partícula que não dura muito, ou simplesmente uma ressonância na probabilidade de reação. No segundo capítulo, este ponto é feito sobre partículas, mas quando o segundo capítulo foi escrito esta ressonância não era conhecida, então nossa tabela deveria agora ter ainda uma outra partícula!

24

Transientes

24–1 A energia de um oscilador

Apesar de este capítulo ser intitulado "transientes", certas partes dele são, de certo modo, parte do último capítulo em oscilações forçadas. Uma das características de uma oscilação que ainda não discutimos é a *energia* da oscilação. Vamos agora considerar essa energia.

Em um oscilador mecânico, quanta energia cinética está presente? Ela é proporcional ao quadrado da velocidade. Agora chegamos a um ponto importante. Considere uma quantidade arbitrária A, que pode ser a velocidade ou alguma outra coisa que queiramos discutir. Quando escrevemos $A = \hat{A}e^{i\omega t}$, um número complexo, o A verdadeiro e honesto, no mundo físico, é somente a *parte real*; então se, por alguma razão, queremos usar o *quadrado* de A, não é certo elevar ao quadrado o número complexo e então pegar a parte real, porque a parte real do quadrado de um número complexo não é apenas o quadrado da parte real, mas também envolve a parte *imaginária*. Então quando desejamos achar a energia temos de sair da notação complexa por enquanto para ver quais são trabalhos internos.

Agora o A verdadeiramente físico é a parte real de $A_0 e^{i(\omega t + \Delta)}$, que é $A = A_0 \cos(\omega t + \Delta)$, onde $\hat{A}$, o numero complexo, é escrito como $A_0 e^{i\Delta}$. Agora o quadrado dessa quantidade física real é $A^2 = A_0^2 \cos^2(\omega t + \Delta)$. O quadrado da quantidade, então, vai para cima e para baixo de um máximo até zero, como o quadrado do cosseno. O quadrado do cosseno tem um máximo de 1 e um mínimo de 0, e sua média é ½.

Em muitas situações, não estamos interessados na energia em algum momento específico durante a oscilação; para um grande número de aplicações, queremos simplesmente a média de A^2, a *média* do quadrado de A sobre um período de tempo grande comparado com o período da oscilação. Nestas situações, a média do cosseno quadrado pode ser usada, então temos o seguinte teorema: se A é representado por um número complexo, então a média de A^2 é igual a $\tfrac{1}{2}A_0^2$. Agora A_0^2 é o quadrado da magnitude do complexo $\hat{A}$. (Isso pode ser escrito de muitas maneiras – algumas pessoas gostam de escrever $|\hat{A}|^2$; outras escrevem $\hat{A}\hat{A}^*$, $\hat{A}$ vezes o seu complexo conjugado.) Devemos usar este teorema muitas vezes.

Agora vamos considerar a energia de um oscilador forçado. A equação para o oscilador forçado é

$$m\, d^2x/dt^2 + \gamma m\, dx/dt + m\omega_0^2 x = F(t). \tag{24.1}$$

No nosso problema, obviamente, $F(t)$ é uma função cosseno de t. Agora vamos analisar a situação: quanto trabalho é realizado pela força externa F? O trabalho realizado pela força por segundo, isto é, a potência, é a força vezes a velocidade. (Sabemos que o trabalho diferencial em um tempo dt é $F\, dx$, e a potência é $F\, dx/dt$.) Assim

$$P = F\frac{dx}{dt} = m\left[\left(\frac{dx}{dt}\right)\left(\frac{d^2x}{dt^2}\right) + \omega_0^2 x \left(\frac{dx}{dt}\right)\right] + \gamma m \left(\frac{dx}{dt}\right)^2. \tag{24.2}$$

No entanto, os dois primeiros termos da direita podem também ser escritos como $d/dt[\tfrac{1}{2}m(dx/dt)^2 + \tfrac{1}{2}m\omega_0^2 x^2]$, como é verificado imediatamente por diferenciação. Isto é, o termo entre colchetes é uma derivada pura de dois termos que são fáceis de entender – um é a energia cinética do movimento e o outro é a energia potencial da mola. Vamos chamar esta quantidade de *energia armazenada*, isto é, a energia armazenada na oscilação. Suponha que queremos a potência média sobre muitos ciclos quando o oscilador está sendo forçado e está funcionando por um longo tempo. Por um longo período, a energia armazenada não muda – sua derivada dá uma média zero. Em outras palavras, se fizermos a média em um tempo longo, *toda a energia finalmente termina no termo resistivo*

24–1 A energia de um oscilador
24–2 Oscilações amortecidas
24–3 Transientes elétricos

$\gamma m(dx/dt)^2$. Existe *alguma* energia armazenada na oscilação, mas ela não muda com o tempo, se fizermos a média sobre muitos ciclos. Dessa maneira, a potência média $\langle P \rangle$ é

$$\langle P \rangle = \langle \gamma m(dx/dt)^2 \rangle. \qquad (24.3)$$

Usando nosso método de escrever números complexos e nosso teorema que $\langle A^2 \rangle = 1/2\, A_0^2$, podemos achar esta potência média. Assim, se $x = \hat{x} e^{i\omega t}$, então $dx/dt = i\omega \hat{x} e^{i\omega t}$. Sendo assim, nestas circunstâncias, a potência média poderia ser escrita como

$$\langle P \rangle = \tfrac{1}{2} \gamma m \omega^2 x_0^2. \qquad (24.4)$$

Na nossa notação para circuitos elétricos, dx/dt é substituído pela corrente I (I é dq/dt, onde q corresponde a x), e $m\gamma$ corresponde à resistência R. Assim a taxa de energia perdida – a potência usada pela função forçada – é a resistência no circuito vezes a média quadrada da corrente:

$$\langle P \rangle = R \langle I^2 \rangle = R \cdot \tfrac{1}{2} I_0^2. \qquad (24.5)$$

Esta energia, obviamente, vai para o aquecimento do resistor; ele é algumas vezes chamado de perda de calor ou calor de Joule.

Outra característica interessante para discutir é quanta energia é *armazenada*. Isso não é o mesmo que a potência, porque apesar de a potência ter sido a primeira a ser usada para armazenar alguma energia, depois disso o sistema continua absorvendo potência, na medida em que existam quaisquer perdas de calor (resistência). Em qualquer momento existe uma certa quantidade de energia armazenada, então gostaríamos de calcular também a energia média armazenada $\langle E \rangle$. Já calculamos o que é a média de $(dx/dt)^2$, então achamos

$$\begin{aligned}\langle E \rangle &= \tfrac{1}{2} m \langle (dx/dt)^2 \rangle + \tfrac{1}{2} m \omega_0^2 \langle x^2 \rangle \\ &= \tfrac{1}{2} m (\omega^2 + \omega_0^2) \tfrac{1}{2} x_0^2.\end{aligned} \qquad (24.6)$$

Agora, quando um oscilador é muito eficiente, e se ω é próximo de ω_0, tal que $|\hat{x}|$ é muito grande, a energia armazenada é muito grande – podemos obter uma grande energia armazenada de uma força relativamente pequena. A força realiza uma grande quantidade de trabalho ao fazer o oscilador andar, mas depois, para mantê-lo estático, tudo o que ela precisa fazer é lutar contra o atrito. O oscilador pode ter uma grande quantidade de energia se o atrito é muito pequeno, e mesmo que ele esteja oscilando fortemente, pouca energia está sendo perdida. A eficiência de um oscilador pode ser medida por quanta energia é armazenada, comparado com quanto trabalho a força realiza por oscilação.

Como a energia armazenada é comparada com a quantidade de trabalho realizada em um ciclo? Isso é chamado de Q do sistema, e Q é definido como 2π vezes a energia média armazenada, dividida pelo trabalho realizado por ciclo. (Se quisermos dizer o trabalho realizado por *radiano* ao invés de por ciclo, então o fator 2π desaparece.)

$$Q = 2\pi \frac{\tfrac{1}{2} m(\omega^2 + \omega_0^2) \cdot \langle x^2 \rangle}{\gamma m \omega^2 \langle x^2 \rangle \cdot 2\pi/\omega} = \frac{\omega^2 + \omega_0^2}{2\gamma\omega}. \qquad (24.7)$$

O Q não é um número muito útil, a menos que seja muito grande. Quando ele é muito grande, dá uma medida de quão bom o oscilador é. As pessoas têm tentado definir Q de uma maneira simples e mais útil; varias definições diferem um pouco umas das outras, mas se Q é muito grande, todas as definições estão em concordância. A definição mais geralmente aceita é a da Eq. (24.7), que depende de ω. Para um bom oscilador, próximo da ressonância, podemos simplificar (24.7) um pouquinho colocando $\omega = \omega_0$, e então temos $Q = \omega_0/\gamma$, que é a definição de Q usada anteriormente.

O que é o Q em um circuito elétrico? Para descobrir, simplesmente temos de trocar m por L, $m\gamma$ por R e $m\omega_0^2$ por $1/C$ (veja Tabela 23-1). O Q na ressonância é $L\omega/R$, onde ω é a frequência de ressonância. Se considerarmos um circuito com um alto Q, isso significa que a quantidade de energia armazenada em cada ciclo é muito grande quando comparada com a quantidade de trabalho realizado por ciclo pelo sistema que dirige as oscilações.

24–2 Oscilações amortecidas

Agora vamos ao nosso assunto principal da discussão: transientes. Por *transiente* se quer dizer uma solução da equação diferencial quando não há forças presentes, mas quando o sistema não está simplesmente em repouso. (Obviamente, se ele está parado na origem se nenhuma força atuando, este é um problema interessante – ele continua lá!) Suponha que as oscilações comecem de uma outra maneira: digamos que o oscilador foi forçado por uma força por um tempo, e depois retiramos a força. O acontece então? Vamos primeiro obter um ideia grosseira do que irá acontecer para um sistema com um Q muito grande. Enquanto a força está atuando, a energia armazenada continua a mesma, e existe uma certa quantidade de trabalho sendo realizado para mantê-lo. Agora suponha que desliguemos a força, e nenhum trabalho está mais sendo realizado; então as perdas que estavam consumindo a energia do provedor não estão mais consumindo – não há mais o elemento externo forçando. As perdas terão de consumir, por assim dizer, a energia que está armazenada. Vamos supor que $Q/2\pi = 1.000$. Então o trabalho realizado por ciclo é 1/1000 da energia armazenada. Não é razoável, já que ele está oscilando sem força externa, que em um ciclo do sistema ainda perca um milésimo da sua energia E, que simplesmente teria sido fornecida externamente, e que ele continue a oscilar, sempre perdendo 1/1.000 de sua energia por ciclo? Então, como uma suposição, para um sistema com Q relativamente alto, suporíamos que a seguinte equação pode estar aproximadamente correta (mais tarde iremos fazê-la exatamente e, no final, veremos que ela está correta!):

$$dE/dt = -\omega E/Q. \tag{24.8}$$

Isso é grosseiro porque é verdade apenas para grandes Q. Em cada radiano, o sistema perde uma fração $1/Q$ da sua energia armazenada E. Assim, em uma dada quantidade de tempo dt, a energia mudará por uma quantidade $\omega dt/Q$, já que o número de radianos associados com o tempo dt é ωdt. O que é a frequência? Vamos supor que o sistema se mova tão sutilmente, com quase nenhuma força, que se o deixarmos solto ele oscilará essencialmente com a mesma frequência inteiramente sozinho. Então podemos adivinhar que ω é a frequência de ressonância ω_0. Então deduzimos, da Eq. (24.8), que a energia armazenada irá variar conforme

$$E = E_0 e^{-\omega_0 t/Q} = E_0 e^{-\gamma t}. \tag{24.9}$$

Esta seria a medida da *energia* a qualquer momento. Qual seria a fórmula, grosseiramente, para a amplitude do oscilador como função do tempo? A mesma? Não! A quantidade de energia na mola, digamos, varia com o *quadrado* do deslocamento; a energia cinética varia com o *quadrado* da velocidade; então a energia total varia com o *quadrado* do deslocamento. Assim o deslocamento, a amplitude de oscilação, diminuirá com a metade da rapidez da energia por conta do quadrado. Em outras palavras, adivinhamos que a solução para o movimento transiente amortecido será uma oscilação de frequência próxima à frequência de ressonância ω_0, na qual a amplitude da onda senoidal diminuirá com $e^{-\gamma t/2}$:

$$x = A_0 e^{-\gamma t/2} \cos \omega_0 t. \tag{24.10}$$

Essa equação e a Figura 24–1 nos dão uma ideia do que devemos esperar; vamos tentar analisar o movimento *precisamente* por meio da resolução da equação diferencial do movimento propriamente dita.

Então, começando com a Eq. (24.1), sem força externa, como a resolvemos? Sendo físicos, não precisamos nos preocupar tanto com o *método* como nos preocupamos com qual *é* a solução. Armados com a nossa experiência anterior, vamos tentar, como

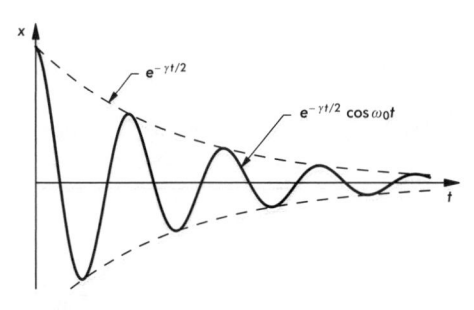

Figura 24–1 Uma oscilação cossenoidal amortecida.

solução, uma curva exponencial, $x = Ae^{i\alpha t}$. (Por que tentamos isto? Porque é a coisa mais fácil de derivar!) Colocamos isso em (24.1) (com $F(t) = 0$), usando a regra que cada vez que diferenciamos x em relação ao tempo, multiplicamos por $i\alpha$. Então é realmente muito simples substituir. Desse modo, nossa equação fica assim:

$$(-\alpha^2 + i\gamma\alpha + \omega_0^2)Ae^{i\alpha t} = 0. \qquad (24.11)$$

O resultado final deve ser zero para *todos os tempos*, o que é impossível a menos que (a) $A = 0$, que não é solução definitivamente – ele fica parado, ou (b)

$$-\alpha^2 + i\alpha\gamma + \omega_0^2 = 0. \qquad (24.12)$$

Se pudermos resolver essa equação e achar um α, então temos uma solução na qual A não precisa ser zero!

$$\alpha = i\gamma/2 \pm \sqrt{\omega_0^2 - \gamma^2/4}. \qquad (24.13)$$

Por enquanto, devemos assumir que γ é suficientemente pequeno comparado como ω_0, tal que $\omega_0^2 - \gamma^2/4$ é definitivamente positivo, e não existe nenhum problema em tirarmos a raiz quadrada. A única coisa que incomoda é que obtemos duas soluções! Sendo

$$\alpha_1 = i\gamma/2 + \sqrt{\omega_0^2 - \gamma^2/4} = i\gamma/2 + \omega_\gamma \qquad (24.14)$$

e

$$\alpha_2 = i\gamma/2 - \sqrt{\omega_0^2 - \gamma^2/4} = i\gamma/2 - \omega_\gamma. \qquad (24.15)$$

Vamos considerar a primeira, supondo que não tenhamos notado que a raiz quadrada tem duas soluções possíveis. Então sabemos que a solução para x é $x_1 = Ae^{i\alpha_1 t}$, onde A é uma constante qualquer. Agora, ao substituir α_1, porque aparecerá muitas vezes e é muito longo para escrever, devemos chamar $\sqrt{\omega_0^2 - \gamma^2/4} = \omega_\gamma$. Assim, $i\alpha_1 = -\gamma/2 + i\omega_\gamma$, e obtemos $x = Ae^{(-\gamma/2 + i\omega_\gamma)t}$, ou o que é a mesma coisa, devido às maravilhosas propriedades da exponencial,

$$x_1 = Ae^{-\gamma t/2}e^{i\omega_\gamma t}. \qquad (24.16)$$

Primeiro, reconhecemos isso como uma oscilação, uma oscilação com uma frequência ω_γ que não é *exatamente* a frequência ω_0, mas é muito próxima de ω_0 se o sistema for bem comportado. Segundo, a amplitude da oscilação está decrescendo exponencialmente! Se tomarmos, por exemplo, a parte real de (24.16), obtemos

$$x_1 = Ae^{-\gamma t/2} \cos \omega_\gamma t. \qquad (24.17)$$

Isso é muito parecido com a nossa solução adivinhada em (24.10), exceto que a frequência realmente é ω_γ. Esse é o único erro, assim é a mesma coisa – tivemos a ideia certa –, mas *nem* tudo está certo! O que não está certo é que *existe outra solução*.

A outra solução é α_2, e vemos que a diferença está apenas no sinal de ω_γ: ele é invertido.

$$x_2 = Be^{-\gamma t/2}e^{-i\omega_\gamma t}. \qquad (24.18)$$

O que isso significa? Devemos provar em breve que se x_1 e x_2 são, individualmente, possíveis soluções da Eq. (24.1) com $F = 0$, então $x_1 + x_2$ também é solução da mesma equação! Então a solução geral x está na forma matemática

$$x = e^{-\gamma t/2}(Ae^{i\omega_\gamma t} + Be^{-i\omega_\gamma t}). \qquad (24.19)$$

Agora podemos pensar por que nos incomodamos em dar essa outra solução, já que estamos felizes com apenas a primeira solução. Para que serve esta solução extra, se obviamente sabemos que deveríamos somente tomar a parte real? Sabemos que devemos tomar a parte real, mas como a *matemática* saberia que queremos apenas a parte real? Quando tínhamos uma força externa não zero $F(t)$, colocamos uma força *artificial* para oscilar com o sistema, e a parte *imaginária* da equação, por assim dizer, foi dirigida de uma maneira definida. No entanto, quando colocamos $F(t) \equiv 0$, nossa convenção de que x deveria ser somente a parte real de qualquer solução que escrevamos é puramente nossa, e as equações matemáticas não sabem disso ainda. O mundo físico *tem* uma solução real, mas a resposta com a qual estávamos tão felizes antes não é real, ela é *complexa*. A *equação* não sabe que vamos arbitrariamente pegar a parte real, assim ela nos apresenta, por assim dizer, com uma solução do tipo complexo conjugado, de tal maneira que colocando estas duas juntas podemos fazer uma solução *verdadeiramente real*; é isso que a solução α_2 está fazendo para nós. Para que x seja real, $Be^{-i\omega_\gamma t}$ terá de ser o complexo conjugado de $Ae^{i\omega_\gamma t}$, de tal maneira que a parte imaginária desaparece. Então B é o complexo conjugado de A, e a nossa solução real é

$$x = e^{-\gamma t/2}(Ae^{i\omega_\gamma t} + A^*e^{-i\omega_\gamma t}). \tag{24.20}$$

Então a nossa solução real é um oscilador com um *deslocamento de fase* e um amortecimento – assim como dito antes.

Figura 24–2 Um circuito elétrico para demonstrar transientes.

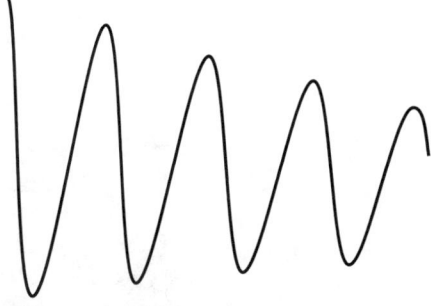

Figura 24–3

24–3 Transientes elétricos

Agora vamos ver se as conclusões acima realmente funcionam. Construímos um circuito elétrico mostrado na Figura 24–2, no qual aplicamos a um osciloscópio a voltagem através de um indutor L depois de subitamente ligarmos a voltagem pelo fechamento da chave S. Este é um circuito oscilatório, e ele gera algum tipo de transiente. Ele corresponde a uma situação na qual subitamente aplicamos uma força e o sistema começa a oscilar. Este é um análogo elétrico de um oscilador mecânico amortecido, e assistimos à oscilação no osciloscópio, na qual devemos ver as curvas que estávamos tentando analisar. (O movimento horizontal do osciloscópio é dirigido com uma velocidade uniforme, enquanto que o movimento vertical é a voltagem através do indutor. O restante do circuito é somente um detalhe técnico. Gostaríamos de reproduzir o experimento muitas outras vezes, já que a perseverança da visão não é suficientemente boa para vermos apenas um traço na tela. Então fazemos o experimento novamente através do fechamento da chave 60 vezes em um segundo; cada vez que fechamos a chave, também iniciamos a varredura horizontal do osciloscópio, e ele desenha a curva continuamente.) Nas Figuras. 24-3 até a 24-6, vemos exemplos de oscilações amortecidas, realmente fotografadas da tela de um osciloscópio. A Figura 24–3 mostra uma oscilação amortecida em um circuito que tem um alto Q, um pequeno γ. Ele não se extingue muito rapidamente, mas oscila muitas vezes no seu caminho para baixo.

Vamos ver o que acontece conforme diminuímos Q, de tal maneira que a oscilação se extingue mais rapidamente. Podemos diminuir Q pelo aumento da resistência R no circuito. Quando aumentamos a resistência no circuito, ele se extingue mais rapidamente (Figura 24–4). Então se aumentarmos a resistência ainda mais no circuito, ele se extingue ainda mais rapidamente (Figura 24–5), mas quando colocamos mais do que uma certa quantidade, não podemos ver nenhuma oscilação! A questão é, isso ocorre porque os nossos olhos não são suficientemente bons? Se aumentarmos a resistência ainda mais, obtemos uma curva como a da Figura 24–6, que não parece ter nenhuma oscilação, exceto talvez uma. Agora, como podemos explicar isso com a matemática?

A resistência é, obviamente, proporcional ao termo γ no sistema mecânico. Especificamente, γ é R/L. Agora se aumentarmos o γ nas soluções (24.14) e (24.15), com

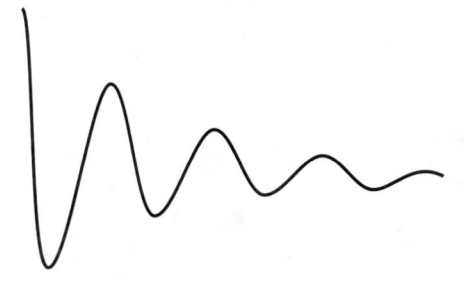

Figura 24–4

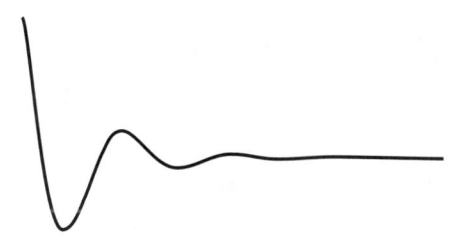

Figura 24–5

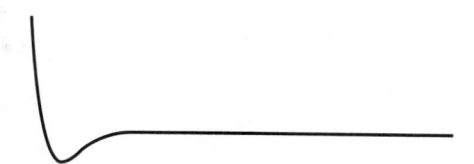

Figura 24–6

as quais estávamos tão felizes antes, o caos aparece quando $\gamma/2$ excede ω_0; devemos escrevê-la de uma forma diferente, como

$$i\gamma/2 + i\sqrt{\gamma^2/4 - \omega_0^2} \quad \text{e} \quad i\gamma/2 - i\sqrt{\gamma^2/4 - \omega_0^2}.$$

Essas são agora as duas soluções e, seguindo o mesmo raciocínio de anteriormente, novamente achamos duas soluções: $e^{i\alpha_1 t}$ e $e^{i\alpha_2 t}$. Se substituirmos para α_1, obtemos

$$x = Ae^{-\left(\gamma/2 + \sqrt{\gamma^2/4 - \omega_0^2}\right)t},$$

um simples decaimento exponencial sem oscilações. Igualmente, a outra solução é

$$x = Be^{-\left(\gamma/2 - \sqrt{\gamma^2/4 - \omega_0^2}\right)t}.$$

Note que a raiz quadrada não pode ser exceder o valor de $\gamma/2$, porque mesmo que $\omega_0 = 0$, um termo apenas se iguala a outro. No entanto, ω_0^2 é subtraído de $\gamma^2/4$, então a raiz quadrada é menor que $\gamma/2$, e o termo entre parênteses é, deste modo, sempre um numero positivo. Ainda bem! Por quê? Porque se ele fosse negativo, acharíamos e elevado a um fator *positivo* vezes o t, o que significaria que ele explodiria! Ao colocar cada vez mais resistência no sistema, sabemos que ele não irá explodir – muito pelo contrário. Então agora temos duas soluções, cada uma uma exponencial se extinguindo, mas uma tendo uma "taxa de decaimento" muito mais rápida que a outra. A solução geral é obviamente uma combinação das duas; os coeficientes na combinação dependem de como o movimento começou – quais são as condições iniciais do problema. Da maneira em particular pela qual este sistema está começando, o valor de A é negativo e o valor de B é positivo, assim obtemos a diferença das duas curvas exponenciais.

Agora vamos discutir como podemos achar os dois coeficientes A e B (ou A e A^*), se soubermos como o movimento começou.

Suponha que em $t = 0$ sabemos que $x = x_0$ e $dx/dt = v_0$. Se colocarmos $t = 0$, $x = x_0$ e $dx/dt = v_0$ nas expressões

$$x = e^{-\gamma t/2}(Ae^{i\omega_\gamma t} + A^* e^{-i\omega_\gamma t}),$$
$$dx/dt = e^{-\gamma t/2}[(-\gamma/2 + i\omega_\gamma)Ae^{i\omega_\gamma t} + (-\gamma/2 - i\omega_\gamma)A^* e^{-i\omega_\gamma t}],$$

achamos, considerando que $e^0 = e^{i0} = 1$,

$$x_0 = A + A^* = 2A_R,$$
$$v_0 = (-\gamma/2)(A + A^*) + i\omega_\gamma(A - A^*)$$
$$= -\gamma x_0/2 + i\omega_\gamma(2iA_I),$$

onde $A = A_R + iA_I$ e $A^* = A_R - iA_I$. Assim achamos

$$A_R = x_0/2$$

e

$$A_I = -(v_0 + \gamma x_0/2)/2\omega_\gamma. \tag{24.21}$$

Isso determina completamente A e A^* e, portanto, a curva completa da solução transiente, em termos de como ela começa. Incidentalmente, podemos escrever a solução de outra maneira se notarmos que

$$e^{i\theta} + e^{-i\theta} = 2\cos\theta \quad \text{e} \quad e^{i\theta} - e^{-i\theta} = 2i\operatorname{sen}\theta.$$

Podemos então escrever a solução completa como

$$x = e^{-\gamma t/2}\left[x_0 \cos \omega_\gamma t + \frac{v_0 + \gamma x_0/2}{\omega_\gamma} \operatorname{sen} \omega_\gamma t\right], \qquad (24.22)$$

onde $\omega_\gamma = +\sqrt{\omega_0^2 - \gamma^2/4}$. Esta é a expressão matemática para como uma oscilação se extingue. Não devemos fazer uso direto dela, mas existem alguns pontos que gostaríamos de enfatizar que são verdadeiros em casos mais gerais.

Antes de tudo, o comportamento de tal sistema sem força externa é expresso por uma soma, ou uma superposição, de exponenciais temporais puras (que escrevemos como $e^{i\alpha t}$). Esta é uma boa solução para tentar nestas circunstâncias. Os valores de α podem ser geralmente complexos, a parte imaginária representando o amortecimento. Finalmente a íntima relação matemática de uma senoide com uma função exponencial discutida no Capítulo 22 sempre aparece fisicamente como um mudança do comportamento oscilatório para o exponencial quando alguns parâmetros físicos (neste caso a resistência, γ) excede algum valor crítico.

25

Sistemas Lineares e Revisão

25–1 Equações diferenciais lineares

Neste capítulo, devemos discutir certos aspectos de sistemas oscilatórios que são encontrados mais frequentemente do que somente nos sistemas em particular que temos discutido até agora. Para o nosso sistema em particular, a equação diferencial que estivemos resolvendo é

$$m \frac{d^2 x}{dt^2} + \gamma m \frac{dx}{dt} + m\omega_0^2 x = F(t). \tag{25.1}$$

Essa combinação particular de "operações" na variável x possui a propriedade interessante de que se substituirmos $(x + y)$ por x, então obtemos a soma das mesmas operações em x e y; ou se multiplicarmos x por a, então apenas obtemos a vezes a mesma combinação. Isso é fácil de provar. Apenas como uma "abreviação" de notação, porque ficamos cansados de escrever todas aquelas letras da (25.1), devemos usar o símbolo $\underline{L}(x)$. Tal símbolo representa o lado esquerdo da (25.1), com x substituído. Neste modo de escrever, $\underline{L}(x + y)$ significaria o seguinte:

$$\underline{L}(x + y) = m \frac{d^2(x + y)}{dt^2} + \gamma m \frac{d(x + y)}{dt} + m\omega_0^2 (x + y). \tag{25.2}$$

(Sublinhamos o $\underline{L}$ com o objetivo de lembrar que ele não é uma função simples.) Algumas vezes, chamamos isso de *operador notação*, mas não faz diferença como o chamamos, ele é só uma "abreviação".

Nossa primeira afirmação foi que

$$\underline{L}(x + y) = \underline{L}(x) + \underline{L}(y), \tag{25.3}$$

que obviamente vem do fato de que $a(x + y) = ax + ay$, $d(x + y)/dt = dx/dt + dy/dt$, etc.

Nossa segunda afirmação foi, para uma constante a,

$$\underline{L}(ax) = a\underline{L}(x). \tag{25.4}$$

[Na verdade, (25.3) e (25.4) estão intimamente relacionadas, porque se colocarmos $x + x$ em (25.3), é o mesmo que colocar $a = 2$ em (25.4), e assim por diante.]

Em problemas mais complicados, podem existir mais derivadas, e mais termos em $\underline{L}$; a questão de interesse é quando as Equações (25.3) e (25.4) são mantidas ou não. Se elas são mantidas, podemos chamar tal problema de um problema *linear*. Neste capítulo, devemos discutir algumas propriedades que existem porque o sistema é linear, para apreciar a generalidade de alguns resultados que obtivemos para a nossa análise especial de uma equação especial.

Agora vamos estudar algumas propriedades das equações diferenciais, já tendo as ilustrado com a equação específica (25.1) que viemos estudando tão proximamente. A primeira propriedade de interesse é esta: suponha que tenhamos de resolver a equação diferencial para um transiente, uma oscilação livre sem força externa. Isto é, queremos resolver

$$\underline{L}(x) = 0. \tag{25.5}$$

Suponha que, por algum truque, achemos uma solução particular, que devemos chamar de x_1. Isto é, temos um x_1 para o qual $\underline{L}(x_1) = 0$. Agora notamos que ax_1 também é solução da mesma equação; podemos multiplicar esta solução especial por qualquer constante

25–1 Equações diferenciais lineares

25–2 Superposição de soluções

25–3 Oscilações em sistemas lineares

25–4 Análogos em física

25–5 Impedâncias em série e em paralelo

e obter uma nova solução. Em outras palavras, se tínhamos um movimento de um certo "tamanho", então um movimento duas vezes "maior" é novamente solução. *Prova:* $\underline{L}(ax_1) = a\underline{L}(x_1) = a \cdot 0 = 0$.

A seguir, suponha que, por algum truque, não achemos apenas *uma* solução x_1, mas também outra solução, x_2. (Lembre-se de que quando substituímos $x = e^{i\alpha t}$ para achar os transientes, achamos *dois* valores para α, isto é, duas soluções, x_1 e x_2.) Agora vamos mostrar que a combinação $(x_1 + x_2)$ é também uma solução. Em outras palavras, se colocarmos $x = x_1 + x_2$, x é novamente uma solução da equação. Por quê? Porque, se $\underline{L}(x_1) = 0$ e $\underline{L}(x_2) = 0$, então $\underline{L}(x_1 + x_2) = \underline{L}(x_1) + \underline{L}(x_2) = 0 + 0 = 0$. Então, se tivermos achado algumas soluções para o movimento de um sistema linear, podemos adicioná-las.

Combinando essas duas ideias, vemos, obviamente, que podemos também adicionar seis de uma solução e duas da outra: se x_1 é uma solução, αx_1 também o é. Sendo assim, qualquer soma dessas duas soluções, como $(\alpha x_1 + \beta x_2)$, é também uma solução. Se por acaso somos capazes de achar três soluções, então achamos que qualquer combinação das três soluções é novamente uma solução, e assim por diante. No final o número do que chamamos de *soluções independentes*[1] que obtivemos para o nosso problema do oscilador é somente *dois*. O número de soluções independentes que se acha em casos gerais depende do que chamamos de número de *graus de liberdade*. Não devemos discutir isso em detalhe agora, mas se tivermos uma equação diferencial de segunda ordem, existem apenas duas soluções independentes, e nós achamos ambas; então temos a solução mais geral possível.

Agora vamos para outra proposição, que se aplica à situação na qual o sistema está sujeito a uma força externa. Suponha que a equação é

$$\underline{L}(x) = F(t), \qquad (25.6)$$

e suponha que tenhamos achado uma solução especial para ela. Vamos dizer que a solução do Joe é x_J, e que $\underline{L}(x_J) = F(t)$. Suponha que desejemos achar ainda outra solução; suponha que adicionemos à solução do Joe uma daquelas que era uma solução para a equação livre (25.5), digamos x_1. Então vemos, pela (25.3), que

$$\underline{L}(x_J + x_1) = \underline{L}(x_J) + \underline{L}(x_1) = F(t) + 0 = F(t). \qquad (25.7)$$

Deste modo, a solução "forçada" pode ser adicionada a qualquer solução "livre", e ainda teremos uma solução. A solução livre é chamada de solução *transiente*.

Quando não temos força atuando, e de repente colocamos uma, não obtemos a solução estacionária imediatamente a qual resolvemos com a solução em onda senoidal, mas por um tempo existe um transiente que mais cedo ou mais tarde some, se esperarmos o suficiente. A solução "forçada" não some, desde que continue sendo movida pela força. Por fim, para longos períodos de tempo, a solução é única, mas inicialmente os movimentos são diferentes para as diferentes circunstâncias, dependendo de como o sistema tenha começado.

25-2 Superposição de soluções

Agora chegamos a outra proposição interessante. Suponha que tenhamos uma certa força externa particular F_a (vamos dizer uma força oscilatória com um certo $\omega = \omega_a$, mas nossas conclusões serão verdadeiras para qualquer forma funcional de F_a) e tenhamos resolvido para o movimento forçado (com e sem o transiente, não faz diferença). Agora suponha que alguma outra força esteja atuando, vamos dizer F_b, e resolvemos o mesmo problema, mas para essa força diferente. Então suponha que alguém apareça e diga, "Eu tenho um novo problema para você resolver; eu tenho a força $F_a + F_b$". Podemos resolver isso? Obviamente podemos, porque a solução é a soma das duas soluções

---

[1] Soluções que não podem ser expressas como a combinação linear de outras soluções são chamadas de independentes.

x_a e x_b para as forças tomadas separadamente – uma situação realmente curiosa. Se usarmos (25.3), vemos que

$$\underline{L}(x_a + x_b) = \underline{L}(x_a) + \underline{L}(x_b) = F_a(t) + F_b(t). \tag{25.8}$$

Este é um exemplo do que é chamado de *princípio da superposição* para sistemas lineares, e é muito importante. Ele significa o seguinte: se tivermos uma força complicada que pode ser separada em uma maneira conveniente em uma soma de parte separadas, cada uma sendo de algum modo mais simples, no sentido de que para cada pedaço em especial nos quais dividimos as forças podemos resolver a equação, então a resposta é válida para *toda* a força, porque podemos simplesmente somar os pedaços da *solução* novamente, do mesmo modo como a *força* total é composta de pedaços (Figura 25–1).

Vamos dar outro exemplo do princípio da superposição (ver Figura 25–2). No Capítulo 12, dissemos que um dos grandes aspectos da lei da eletricidade é que se tivermos uma certa distribuição de carga q_a e calcularmos o campo elétrico $\mathbf{E}_a$ vindo dessas cargas em um certo ponto P, e se, por outro lado, tivermos outro conjunto de cargas q_b e calcularmos o campo $\mathbf{E}_b$ devido a elas no mesmo ponto, então se ambas as distribuições estão presentes no mesmo tempo, o campo $\mathbf{E}$ em P é a *soma* do $\mathbf{E}_a$ devido a um conjunto mais $\mathbf{E}_b$ devido ao outro. Em outras palavras, se conhecemos o campo devido a uma certa carga, então o campo devido a muitas cargas é simplesmente o vetor soma dos campos destas cargas tomadas individualmente. Isso é exatamente análogo à proposição realizada acima de que se conhecemos o resultado de duas forças dadas tomadas em um tempo, então se a força é considerada uma soma destas duas, a resposta é uma soma das correspondentes respostas individuais.

A razão pela qual isto é verdade em eletricidade é que as grandes leis da eletricidade, as equações de Maxwell, que determinam o campo elétrico, acabam sendo equações diferenciais que são *lineares*, isto é, que têm a propriedade (25.3). O que corresponde à força é a *carga* gerando o campo elétrico, e a equação que determina o campo elétrico em termos da carga é linear.

Como outro exemplo interessante desta proposição, vamos analisar como é possível "sintonizar" em uma estação de rádio em particular ao mesmo tempo em que todas as estações de rádio estão transmitindo. A estação de rádio transmite, fundamentalmente, um campo elétrico oscilante com uma frequência muito alta que atua na nossa antena de rádio. É verdade que a amplitude de oscilação do campo é mudada, modulada, para carregar o sinal da voz, mas isso é muito lento, e não vamos nos preocupar com isso agora. Quando alguém ouve "Esta estação está transmitindo a uma frequência de 780 quilociclos", isso indica que 780.000 oscilações por segundo é a frequência de campo elétrico da antena da estação. Ao mesmo tempo, podemos ter uma outra estação de rádio na mesma cidade irradiando em uma frequência diferente, digamos 550 quilociclos por segundo; então os elétrons na nossa antena estão também sendo dirigidos por essa frequência. Agora a questão é, como que podemos separar os sinais vindo de uma estação de rádio em 780 quilociclos daqueles que vêm em 550 quilociclos? Certamente não ouvimos as duas rádios ao mesmo tempo.

Pelo princípio de superposição, a resposta do circuito elétrico no aparelho de rádio, a primeira parte a qual é um circuito linear, às forças que estão atuando devido ao campo elétrico $F_a + F_b$, é $x_a + x_b$. Dessa maneira, parece que apesar de tudo nunca conseguiremos distingui-las. De fato, a própria proposição de superposição parece insistir que não podemos *evitar* em ter ambas as ondas no nosso sistema. No entanto, lembre que, para um circuito *ressonante*, a curva de resposta, a quantidade de x por unidade de F, como uma função da frequência, se parece como mostrado na Figura 25–3. Se for um circuito com um alto valor de Q, a resposta apresentaria um máximo muito estreito. Agora suponha que as duas estações são comparáveis em força, isto é, as duas *forças* são da mesma magnitude. A *resposta* que obtemos é a soma de x_a e x_b. Na Figura 25–3, x_a é enorme, enquanto que x_b é pequeno. Então, apesar do fato de os dois sinais serem iguais em força, quando eles passam por um circuito estritamente ressonante de rádio sintonizado para ω_a, a frequência de transmissão de uma estação, a resposta para esta estação é

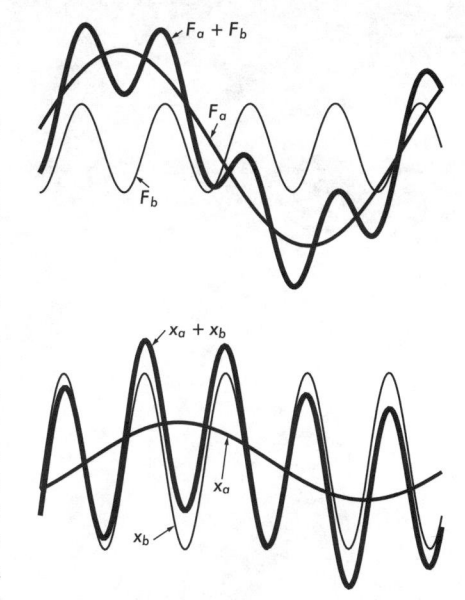

Figura 25–1 Um exemplo do princípio da superposição para sistemas lineares.

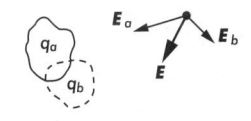

Figura 25–2 O princípio da superposição na eletrostática.

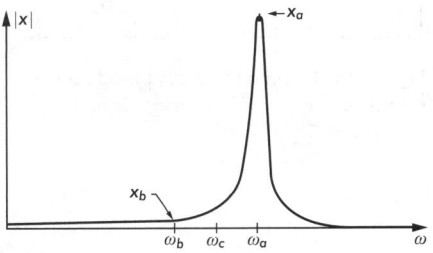

Figura 25–3 Uma curva de ressonância estreitamente ajustada.

muito maior do que a da outra. Desse modo, a resposta completa, com ambos os sinais atuando, é quase toda composta por ω_a, e selecionamos a estação que queríamos.

E sobre a sintonização? Como sintonizamos? Mudamos ω_0 ao mudar o L ou o C do circuito, porque a frequência do circuito está relacionada com a combinação de L e C. Em particular, a maioria dos rádios é construída para que se possa mudar a capacitância. Quando resintonizamos o radio, podemos fazer um novo conjunto para visualização, tal que a frequência natural do circuito é deslocada, digamos, para ω_c. Nestas condições não ouvimos nem uma estação nem a outra; temos silêncio, mostrando que não há nenhuma outra estação nesta frequência ω_c. Se continuarmos a mudar a capacitância até que a curva de ressonância esteja em ω_b, então obviamente ouviremos a outra estação. É assim que a sintonização do radio funciona; é novamente o princípio da superposição, combinado com a resposta ressonante.[2]

Para concluir esta discussão, vamos descrever qualitativamente o que acontece se continuarmos a analisar um problema linear com uma dada força, quando a força é realmente complicada. Fora os muitos procedimentos, existem duas maneiras mais gerais para resolvermos o problema. Uma é esta: suponha que podemos resolvê-lo para forças especiais conhecidas, como ondas senoidais de diferentes frequências. Sabemos que é uma "brincadeira de criança" resolve o problema para ondas senoidais. Então temos os casos chamados de "brincadeira de criança". Agora a questão é quando nossa força complicada pode ser representada como uma soma de duas ou mais forças de "brincadeira". Na Figura 25–1, já tínhamos uma curva relativamente complicada, e obviamente podemos fazê-la ainda mais complicada se adicionarmos mais ondas senoidais. Então é certamente possível obter curvas muito complicadas. E, de fato, o inverso também é verdade: praticamente toda curva pode ser obtida adicionando um *infinito número* de ondas senoidais de diferentes comprimentos de onda (ou frequências) para cada uma das quais sabemos a resposta. Apenas temos de saber o quanto de cada onda senoidal colocar para obter um determinado F, e então a nossa resposta, x, é a soma correspondente das ondas senoidais F, cada uma multiplicada por sua razão efetiva de x para F. Este método de solução é chamado de *transformada de Fourier* ou *análise de Fourier*. Não vamos realizar tal análise agora; somente desejamos descrever a ideia envolvida.

Outra maneira pela qual o nosso problema complicado pode ser resolvido é uma muito interessante que segue. Suponha que, por algum esforço mental tremendo, foi possível resolver o nosso problema para uma força especial, chamada de um *impulso*. A força é rapidamente ligada e então desligada. Na verdade, precisamos somente resolver para um impulso de algumas unidades de força, qualquer outra força pode ser obtida pela multiplicação por um fator apropriado. Sabemos que a resposta x para um impulso é uma oscilação amortecida. Agora o que se pode dizer sobre alguma outra força qualquer, por exemplo, uma força como a da Figura 25–4?

Tal força pode ser comparada com uma sucessão de golpes com um martelo. Primeiro não existe força, e de repente existe uma força estática – impulso, impulso, impulso,... e depois ela para. Em outras palavras, imaginamos uma força contínua como sendo uma série de impulsos muito próximos. Agora, sabemos o resultado para um impulso, então o resultado para uma série toda de impulsos será toda uma série de oscilações forçadas: será a curva para o primeiro impulso, então (um pouco depois) adicionamos a isso a curva para o segundo impulso, a curva para o terceiro e assim por diante. Assim podemos representar, matematicamente, a solução completa para funções arbitrárias se soubermos a resposta para um impulso. Obtemos a resposta para qualquer outra força simplesmente por integração. Esse método é chamado de *método da função de Green*. Uma função de Green é a resposta a um impulso, e o método de analisar qualquer força colocando juntas as respostas dos impulsos é chamado de método da função de Green.

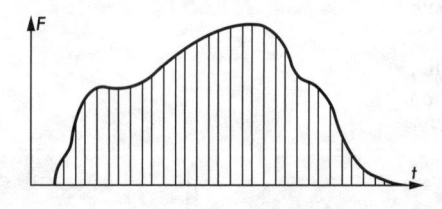

Figura 25–4 Uma força complicada pode ser tratada como uma sucessão de impulsos intensos.

---

[2] Nos modernos receptores de super-heteródinos, a operação real é mais complicada. Os amplificadores são todos sintonizados em uma frequência fixa (chamada de frequência IF), e um oscilador de frequência variável e ajustável é combinado com o sinal de entrada em um circuito *não linear* para produzir uma nova frequência (a diferença do sinal e da frequência do oscilador) igual à frequência IF que é então amplificada. Isso será discutido no Capítulo 50.

Os princípios físicos envolvidos em ambos os métodos são tão simples, precisando apenas a equação linear, que podem ser prontamente entendidos, mas os problemas *matemáticos* que são necessários, as integrações complicadas e assim por diante, são um pouco avançados demais para tratarmos agora. Você provavelmente voltará a isso algum dia quando tiver mais prática em matemática, mas a *ideia* é realmente muito simples.

Finalmente, fazemos algumas observações sobre por que sistemas *lineares* são tão importantes. A resposta é simples: porque podemos resolvê-los! Então na maioria das vezes resolvemos problemas lineares. Segundo (e mais importante), no final temos que *as leis fundamentais da física são frequentemente lineares*. As equações de Maxwell para as leis da eletricidade são lineares, por exemplo. *Este* é o motivo de gastarmos tanto tempo em equações lineares: porque se entendermos equações lineares, estamos prontos, em princípio, para entender muitas coisas.

Mencionamos outra situação na qual as equações lineares são encontradas. Quando os deslocamentos são pequenos, muitas funções podem ser *aproximadas* linearmente. Por exemplo, se temos um pêndulo simples, a equação correta para o seu movimento é

$$d^2\theta/dt^2 = -(g/L)\,\text{sen}\,\theta. \tag{25.9}$$

Esta equação pode ser resolvida por funções elípticas, mas a maneira mais fácil de resolvê-la é numericamente, como foi mostrado, no Capítulo 9, nas Leis de Newton do Movimento. Uma equação não linear não pode ser resolvida, normalmente resolvida, de nenhuma outra maneira que *não seja* numericamente. Agora para θ pequeno, sen θ é praticamente igual a θ, e temos uma equação linear. No final existem muitas circunstâncias nas quais pequenos efeitos são lineares: por exemplo, o balançar de um pêndulo para pequenos arcos. Como outro exemplo, se puxarmos um pouco uma mola, a força é proporcional ao destendimento. Se puxarmos com mais força, quebramos a mola, e a força é uma função completamente diferente da distância! As equações lineares são importantes. De fato elas são *tão* importantes que talvez em cinquenta por cento do tempo estejamos resolvendo equações lineares em física e engenharia.

25–3 Oscilações em sistemas lineares

Vamos agora rever as coisas que temos discutido nos últimos capítulos. É muito fácil para a física dos osciladores se tornar obscura pela matemática. A física na verdade é muito simples, e se pudermos esquecer a matemática por um momento, devemos ver que podemos entender quase tudo que acontece em um sistema oscilatório. Primeiro, temos apenas a mola e a massa, é fácil entender por que o sistema oscila – é uma consequência da inércia. Puxamos a massa para baixo e a força a puxa para trás; quando ela passa o zero, que é o lugar no qual ela gostaria de estar, ela não pode subitamente parar; devido ao seu momento, ela continua indo e balança para o outro lado, e assim por diante. Então, se não existisse atrito, *esperaríamos* com certeza um movimento oscilatório, e realmente obtemos um, mas se existir mesmo que apenas um pouco de atrito, então no ciclo de retorno, a oscilação não será tão alta como foi da primeira vez.

Então o que acontece, ciclo por ciclo? Isso depende do tipo e da quantidade de atrito. Suponha que pudéssemos criar um tipo de força de atrito que sempre se mantém na mesma proporção em relação às outras forças, de inércia e da mola, conforme a amplitude de oscilação varia. Em outras palavras, para oscilações menores o atrito seria mais fraco do que para oscilações maiores. O atrito normal não tem essa propriedade, então um tipo especial de atrito deve ser cuidadosamente inventado para o propósito de criar um atrito que seja proporcional à velocidade – tal que para grandes oscilações ele seja mais forte e para pequenas oscilações ele seja mais fraco. Se por acaso temos esse tipo de atrito, então ao final de cada ciclo sucessivo o sistema está na mesma condição que estava no início, exceto que um pouco menor. Todas as forças estão menores na mesma proporção: a força da mola é reduzida, os efeitos inerciais são agora diminuídos e o atrito é menor também, pela nossa descrição cuidadosa. Quando temos de fato esse tipo de oscilação, vemos que cada oscilação é exatamente como a primeira, exceto que reduzida em amplitude. Se o primeiro ciclo derruba a amplitude, digamos, para 90% do que ela era no início, o próximo irá reduzi-la para 90% dos 90%, e assim por diante: *os tamanhos das oscilações são reduzidos pela mesma fração deles mesmos em cada ciclo*. Uma função exponencial é uma curva que faz justamente isso. Ela muda pelo mesmo fator em cada intervalo de tempo igual. Isto é, se a amplitude de um ciclo, em relação ao anterior, é chamada de a, então a amplitude do próximo é a^2, e do próximo, a^3. Então a amplitude é alguma constante elevada a uma potência igual ao número de ciclos percorridos:

$$A = A_0 a^n. \qquad (25.10)$$

Obviamente, $n \propto t$, então é perfeitamente claro que a solução geral será algum tipo de oscilação, seno ou cosseno de ωt, vezes uma amplitude que vai com b^t mais ou menos. No entanto, b pode ser escrito como e^{-c}, se b é positivo e menor do que 1. Então é por isso que a solução se parece com $e^{-ct} \cos \omega_0 t$. É muito simples.

O que acontece se o atrito não é tão artificial; por exemplo, a simples fricção em uma mesa, tal que a força de atrito é um certa quantidade constante e é independente do tamanho da oscilação que inverte a sua direção a cada meio ciclo? Então a equação não é mais linear, ela se torna difícil de resolver, e deve ser resolvida pelo método numérico dado no Capítulo 9, ou considerando cada meio ciclo separadamente. O método numérico é o método mais poderoso de todos e pode resolver qualquer equação. Somente quando temos um problema simples é possível usar a análise matemática.

A análise matemática não é uma coisa tão boa como se diz; ela apenas resolve as equações mais simples possíveis. Assim que as equações se tornam um pouco mais complicadas, apenas uma nuança – elas não podem ser resolvidas analiticamente. Já o método numérico, que foi apresentado no início do curso, dá conta de qualquer equação de interesse físico.

E sobre a curva de ressonância? Por que existe uma ressonância? Primeiro, imagine por um momento que não exista atrito, e temos algo que oscilaria por si mesmo. Se batermos em um pêndulo no momento certo cada vez que ele balançar, obviamente poderíamos fazê-lo oscilar loucamente, mas se fecharmos os nossos olhos e não olharmos para o pêndulo, e batermos em intervalos arbitrários equivalentes, o que irá acontecer? Algumas vezes nos encontraremos batendo quando ele estiver indo na direção oposta. Quando acontecer de batermos no tempo certo, obviamente, cada batida é dada no momento certo, e então ele vai cada vez mais alto. Então sem atrito obtemos uma curva que se parece com a curva sólida da Figura 25–5 para diferentes frequências. Qualitativamente, entendemos a curva de ressonância; para obter o formato exato da curva, é provavelmente melhor realizar a matemática. A curva vai para infinito quando $\omega \to \omega_0$, onde ω_0 é a frequência natural do oscilador.

Agora suponha que exista um pouco de atrito; então quando o deslocamento de um oscilador é pequeno, a fricção não o afeta muito; a curva de ressonância é a mesma, exceto quando estamos perto da ressonância. Em vez de se tornar infinita próxima da ressonância, a curva irá somente ficar tão alta que o trabalho realizado pela nossa batida de cada vez seja suficiente para compensar a perda de energia por atrito durante o ciclo. Então o topo da curva é arredondado para baixo – ele não vai para infinito. Se existir mais atrito, o topo da curva é arredondado ainda mais. Agora alguém pode dizer, "Eu pensei que as larguras das curvas dependessem do atrito". Isso é porque a curva é usualmente graficada de tal modo que o topo da curva é chamado de uma unidade. No entanto, a expressão matemática é ainda mais simples de entender se apenas graficarmos todas as curvas na mesma escala; então tudo o que acontece é que o atrito corta o topo! Se existir menos atrito, podemos ir mais alto naquele pequeno ápice antes da fricção cortá-lo, tal que ele se apresenta relativamente fino. Isto é, quanto mais alto o pico da curva, mais estreita a largura na metade da meia altura.

Finalmente, tomamos o caso em que existe uma quantidade enorme de atrito. Quando existe muito atrito, o sistema não oscila nada. A energia na mola é dificilmente capaz de movê-la contra a força de atrito, e então ela lentamente desliza para a situação de equilíbrio.

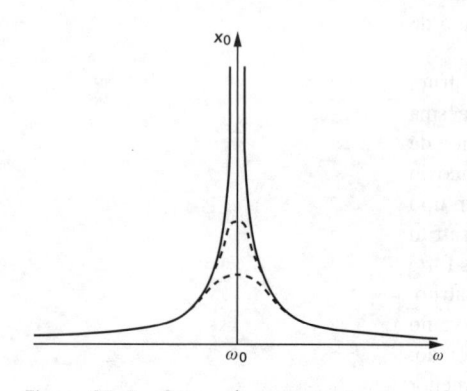

Figura 25–5 Curvas de ressonância com várias quantidades de atrito presente.

25–4 Análogos em física

O próximo aspecto desta revisão é notar que as massas e as molas não são os únicos sistemas lineares; existem outros. Em particular, existem sistemas elétricos chamados de circuitos lineares, nos quais achamos um análogo completo aos sistemas mecânicos. Não aprendemos exatamente *por que* cada um dos objetos em um circuito elétrico trabalha da maneira como o faz – isso não é para ser entendido no atual momento; podemos afirmá-lo como um fato verificável experimentalmente que eles se comportam como dito.

Por exemplo, vamos tomar a circunstância mais simples possível. Temos um pedaço de fio, que é simplesmente uma resistência, e aplicamos a ele uma diferença de potencial, V. Agora V significa isto: se carregamos uma carga q através de um fio de um terminal para outro terminal, o trabalho realizado é qV. Quanto mais alta a diferença de voltagem, mais trabalho foi realizado quando a carga, como dizemos, "caiu" de uma extremidade de mais alto potencial para a extremidade do terminal de mais baixa voltagem. Então as cargas liberam energia ao ir de uma extremidade para a outra. Agora as cargas não voam simplesmente de uma extremidade diretamente para a outra; os átomos em um fio oferecem alguma resistência à corrente, e essa resistência obedece às seguintes leis para quase todas as substâncias simples; se existir uma corrente I, isto é, um número de cargas que correm por segundo, o número por segundo que corre através do fio é proporcional a quanto de voltagem existe:

$$V = IR = R(dq/dt). \tag{25.11}$$

O coeficiente R é chamado de *resistência*, e a equação é chamada de Lei de Ohm. A unidade de resistência é o ohm; ela é igual a um volt por ampére. Em situações mecânicas, é difícil obter tal força de atrito proporcional à velocidade; em um sistema elétrico, é muito fácil, e esta lei é extremamente precisa para a maioria dos metais.

Estamos frequentemente interessados em quanto trabalho é realizado por segundo, na perda de potência ou na energia liberada pelas cargas conforme elas se deslocam pelo fio. Quando carregamos uma carga q através de uma voltagem V, o trabalho é qV, então o trabalho realizado por segundo seria $V(dq/dt)$, que é o mesmo que VI, ou também $IR \cdot I = I^2R$. Isso é chamado de *perda de calor* – quanto calor é gerado na resistência por segundo, pela conservação de energia. É este calor que faz uma simples lâmpada incandescente funcionar.

Obviamente, existem outras propriedades interessantes de sistemas mecânicos, como a massa (inércia), e existe um análogo elétrico para a inércia também. É possível fazer algo chamado de *indutor*, tendo uma propriedade chamada de *indutância*, tal que a corrente, uma vez que tenha começado através da indutância, *não deseje mais parar*. É necessário uma voltagem para mudar a corrente! Se a corrente é constante, não existe voltagem através de uma indutância. Circuitos DC não sabem nada sobre indutância; é somente quando *mudamos* a corrente que os efeitos da indutância aparecem. A equação é

$$V = L(dI/dt) = L(d^2q/dt^2), \tag{25.12}$$

e a unidade de indutância, chamada de *henry*, é tal que um volt aplicado a uma indutância de um henry produz uma mudança de um ampére por segundo na corrente. A Equação (25.12) é a análoga da lei de Newton para a eletricidade, se desejarmos: V corresponde a F, L corresponde a m e I corresponde à velocidade! Todas as equações seguintes para os dois tipos de sistemas terão as mesmas deduções, porque, em todas as equações, podemos mudar qualquer letra pelo seu análogo correspondente e obter a mesma equação; tudo o que deduzimos terá uma correspondência nos dois sistemas.

E qual a correspondente elétrica a uma mola mecânica, na qual existia uma força proporcional ao destendimento? Se começarmos com $F = kx$ e mudarmos $F \to V$ e $x \to q$, obtemos $V = \alpha q$. Isso *existe*, e de fato esse é o único dos três elementos de circuitos que podemos realmente entender, porque estudamos um par de placas paralelas e vimos que se existisse uma carga de uma certa quantidade igual e oposta em cada placa, o campo elétrico entre elas seria proporcional ao tamanho da carga. Então o trabalho realizado ao mover uma unidade de carga através de um intervalo de uma placa para a outra é precisamente proporcional à carga. Este trabalho é a *definição* da diferença de voltagem, e ele é a integral de linha do campo elétrico de uma placa para a outra. No final, por razões históricas, a constante de proporcionalidade não é chamada de C, mas de $1/C$. Ela poderia ter sido chamada de C, mas não foi. Então temos

$$V = q/C. \tag{25.13}$$

A unidade de capacitância, C, é o farad; uma carga de um coulomb em cada placa de um capacitor de um farad leva a uma diferença de voltagem de um volt.

Existem as nossas analogias, e a equação correspondente ao circuito oscilante se torna a seguinte, por substituição direta de m por L, x por q, etc:

$$m(d^2x/dt^2) + \gamma m(dx/dt) + kx = F, \tag{25.14}$$
$$L(d^2q/dt^2) + R(dq/dt) + q/C = V. \tag{25.15}$$

Agora tudo o que aprendemos sobre (25.14) pode ser transformado para aplicar a (25.15). Todas as *consequências* são as mesmas; são tão parecidas que existe uma coisa brilhante que podemos fazer.

Suponha que temos um sistema mecânico relativamente complicado, não somente uma massa em uma mola, mas muitas massas em muitas molas, todas enganchadas juntas. O que fazemos? Resolvemos? Talvez; mas olhe, podemos fazer um circuito *elétrico* que terá as mesmas equações que a coisa que estamos tentando analisar! Por exemplo, se queremos analisar uma massa em uma mola, por que não podemos construir um circuito elétrico no qual usamos uma indutância proporcional ao seu correspondente $m\gamma$, $1/C$ proporcional a k, tudo na mesma razão? Então, obviamente, este circuito elétrico será o análogo exato do nosso sistema mecânico, uma vez que o que q faz em resposta a V (V também é gerado para corresponder às forças que estão atuando), x também faria em resposta à força! Então se temos uma coisa complicada com um monte de elementos interconectados, podemos interconectar um monte de resistências, indutâncias e capacitâncias para *imitar* o sistema mecanicamente complicado. Qual é a vantagem nisso? Um problema é simplesmente tão difícil (ou tão fácil) quanto o outro, porque eles são exatamente equivalentes. A vantagem não é que é mais fácil resolver as *equações matemáticas* depois que descobrimos que temos um circuito elétrico (apesar de que *existe* o método usado pelos engenheiros eletricistas!); a razão real para olharmos para o análogo é que é mais fácil *fazer* um circuito elétrico e *mudar* alguma coisa no sistema.

Suponha que projetamos um automóvel e queremos saber o quanto ele irá chacoalhar quando andar em um certo tipo de estrada irregular. Construímos um circuito elétrico com indutâncias para representar a inércia das rodas, as constantes da mola como capacitância para representar as molas nas rodas, resistores para representar os amortecedores e assim por diante para outras partes do automóvel. Então precisamos de uma estrada irregular. Tudo bem, aplicamos uma *voltagem* de um gerador, que representa tal e tal tipo de irregularidade, e então olhamos como a roda esquerda balança ao medir a carga em algum capacitor. Tendo medido isso (o que é fácil de fazer), descobrimos que está chacoalhando demais. Precisamos de mais ou menos amortecedores? Com uma coisa complicada como um automóvel, realmente mudamos o amortecedor e o resolvemos novamente? Não! Simplesmente viramos um ponteiro; o ponteiro número 10 é o amortecedor número três, então colocamos mais amortecedor. As irregularidades estão ruins – tudo bem, tentamos menos. As irregularidades ainda estão ruins; mudamos a rigidez da mola (ponteiro 17) e ajustamos todas essas coisas *eletricamente*, com uma simples virada no cabo.

Isso é chamado de um *computador análogo*. É um arranjo que imita o problema que queremos resolver ao fazer outro problema, que tem a mesma equação, mas em outra circunstância da natureza, a qual é mais fácil de construir, de medir, de ajustar e de destruir!

25–5 Impedâncias em série e em paralelo

Finalmente, existe um item importante que não está no espírito de revisão. Ele está relacionado com um circuito elétrico no qual existe mais de um elemento de circuito. Por exemplo, quando temos um indutor, um resistor e um capacitor conectados como na Figura 24-2, notamos que toda a carga passou por cada um dos três, tal que a corrente em um único elemento conectado é a mesma que em todos os pontos do fio. Já que a corrente é a mesma em cada um deles, a voltagem através de R é IR, a voltagem através de L é $L(dI/dt)$ e assim por diante. Então, a queda da voltagem total é a soma desses valores, e isso leva à Eq. (25.15). Usando números complexos, descobrimos que poderíamos resolver a equação para o movimento estacionário em resposta a uma força senoidal. Assim descobrimos que $\hat{V} = \hat{Z}\hat{I}$. Agora $\hat{Z}$ é chamado de *impedância* deste sistema em particular e nos diz que, se aplicarmos uma voltagem senoidal, $\hat{V}$, obteremos uma corrente $\hat{I}$.

Agora suponha que temos um circuito um pouco mais complicado que tem dois pedaços, que individualmente têm determinadas impedâncias, $\hat{Z}_1$ e $\hat{Z}_2$, e as colocamos em *série* (Figura 25–6a) e aplicamos uma voltagem. O que acontece? Agora é um pouco mais complicado, mas se $\hat{I}$ é a corrente através de $\hat{Z}_1$, a diferença de voltagem através de $\hat{Z}_1$ é $\hat{V}_1 = \hat{I}\hat{Z}_1$; do mesmo modo, a voltagem através de $\hat{Z}_2$ é $\hat{V}_2 = \hat{I}\hat{Z}_2$. *A mesma corrente passa por ambos*. Sendo assim, a voltagem total é a soma das voltagens através das duas seções e é igual a $\hat{V} = \hat{V}_1 + \hat{V}_2 = (\hat{Z}_1 + \hat{Z}_2)\hat{I}$. Isso significa que a voltagem no circuito completo pode ser escrita como $\hat{V} = \hat{I}\hat{Z}_s$, onde o $\hat{Z}_s$, dos sistemas combinados em série é a soma dos dois $\hat{Z}$ de cada pedaço separadamente:

$$\hat{Z}_s = \hat{Z}_1 + \hat{Z}_2. \tag{25.16}$$

Essa não é a única maneira como as coisas podem ser conectadas. Podemos também conectá-las de uma outra maneira, chamada de conexão *paralela* (Fig. 25-6b). Agora vemos que uma dada voltagem através dos terminais, se os fios conectores forem condutores perfeitos, é efetivamente aplicada a ambas as impedâncias e causará correntes em cada um deles independentemente. Dessa maneira, a corrente através de $\hat{Z}_1$ é igual a $\hat{I}_1 = \hat{V}/\hat{Z}_1$. A corrente em $\hat{Z}_2$ é $\hat{I}_2 = \hat{V}/\hat{Z}_2$. É a *mesma voltagem*. Agora a corrente total que é fornecida aos terminais é a *soma* das correntes das duas seções: $\hat{I} = \hat{V}/\hat{Z}_1 + \hat{V}/\hat{Z}_2$. Isso pode ser escrito como

$$\hat{V} = \frac{\hat{I}}{(\hat{I}/\hat{Z}_1) + (\hat{I}/\hat{Z}_2)} = \hat{I}\hat{Z}_p.$$

Assim

$$1/\hat{Z}_p = 1/\hat{Z}_1 + 1/\hat{Z}_2. \tag{25.17}$$

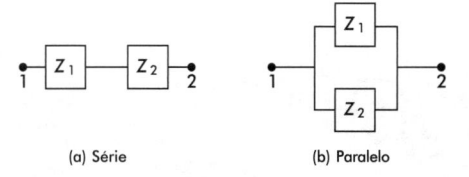

Figura 25–6 Duas impedâncias, conectadas em série e em paralelo.

Circuitos mais complicados podem, algumas vezes, ser simplificados ao tomarmos pedaços deles, trabalharmos as sucessões de impedâncias dos pedaços e combinarmos o circuito passo a passo, usando as regras acima. Se tivermos qualquer tipo de circuito com muitas impedâncias conectadas de todas as maneiras, e se incluirmos a voltagem na forma de pequenos geradores que não têm impedância (quando passamos a carga por ele, o gerador adiciona uma voltagem V), então o seguinte princípio se aplica: (1) em qualquer junção, a soma das correntes na junção é zero. Isto é, todas as correntes que chegam devem sair. (2) Se levarmos uma carga através de qualquer caminho fechado, o trabalho total deve ser zero. Estas regras são chamadas de *leis de Kirchhoff* para os circuitos elétricos. Sua aplicação sistemática a circuitos complicados frequentemente simplifica a análise de tais circuitos. Nós as mencionamos aqui junto às Eqs. (25.16) e (25.17), para o caso de você já ter encontrado algum circuito elétrico que precisou analisar no laboratório. Elas serão discutidos novamente em mais detalhe no próximo ano.

26

Óptica: O Princípio do Mínimo Tempo

26–1 Luz

Este é o primeiro de uma série de capítulos sobre o tópico de *radiação eletromagnética*. A luz, com a qual enxergamos, é apenas uma pequena parte do vasto espectro de um mesmo tipo de coisa, as várias partes deste espectro sendo distinguidas pelos diferentes valores de uma mesma grandeza a qual varia. Esta grandeza variável poderia ser chamada de "comprimento de onda". Conforme ela varia na faixa do espectro do visível, a luz aparentemente muda de cor do vermelho para o violeta. Se explorarmos o espectro sistematicamente, desde os comprimentos de onda mais longos até os mais curtos, começaríamos com as usualmente chamadas *ondas de rádio*. As ondas de rádio são disponíveis tecnicamente em uma grande faixa de comprimentos de onda, algumas até mais longas do que aquelas usadas em radiodifusão comum; sinais de radiodifusão têm comprimentos de onda correspondendo a aproximadamente 500 metros. Em seguida, existem as chamadas "ondas curtas", isto é, ondas de radar, ondas milimétricas e assim por diante. Não existem fronteiras reais entre um intervalo de comprimento de onda e o próximo, porque a natureza não nos presenteou com extremidades bruscas. Os números associados a um dado nome de uma onda são apenas aproximados e, claro, assim também são os nomes que damos aos diferentes intervalos.

Um longo caminho além das ondas milimétricas, encontramos o que chamamos de *infravermelho*, e daí para o espectro visível. Seguindo na outra direção, chegamos na região que é chamada de *ultravioleta*. Onde as ondas ultravioletas acabam, os raios X têm início, mas não podemos definir com precisão onde isso ocorre; é grosseiramente em 10^{-8} m, ou 10^{-2} μm. Estes são os raios X "moles"; depois existem os raios X comuns e os raios X duros; a seguir os raios gama, e assim por diante, para valores cada vez menores dessa grandeza denominada comprimento de onda.

Dentro deste vasto intervalo de comprimentos de onda, existem três ou mais regiões de aproximação as quais são especialmente interessantes. Em uma delas, existe uma condição na qual os comprimentos de onda em questão são bem menores em relação às dimensões do equipamento disponível para o seu estudo; além disso, as energias dos fótons, usando a teoria quântica, são pequenas em comparação com a energia de sensibilidade do equipamento. Sob estas condições, podemos fazer uma primeira aproximação grosseira por um método chamado de *óptica geométrica*. Se, por outro lado, os comprimentos de onda são comparáveis às dimensões do equipamento, o qual é difícil de conseguir com luz visível, porém, mais fácil com ondas de rádio, e se as energias dos fótons ainda são desprezivelmente pequenas, então uma aproximação bastante útil pode ser feita estudando-se o comportamento das ondas, ainda sem levar em conta a mecânica quântica. Esse método é baseado na *teoria clássica da radiação eletromagnética*, a qual será discutida em um capítulo mais adiante. Em seguida, se considerarmos os comprimentos de onda muito curtos – em que podemos desprezar o caráter ondulatório, mas os fótons têm energias muito *grandes* quando comparados com a sensibilidade de nosso equipamento – as coisas ficam simples novamente. Esta é a simples descrição do *fóton*, o qual descreveremos apenas muito aproximadamente. A descrição completa, a qual unifica tudo em um único modelo, não estará disponível para nós por um longo tempo.

Neste capítulo, nossa discussão é limitada à região da óptica geométrica, na qual esquecemos o comprimento de onda e o caráter fotônico da luz, o qual será explicado em seu devido tempo. Nem nos preocupamos em dizer o que *é* a luz, apenas em descobrir *como ela se comporta* nas grandes escalas comparadas às dimensões de interesse. Tudo isso precisa ser dito para enfatizar o fato de que o que iremos discutir aqui é apenas uma aproximação bastante grosseira; este é um dos capítulos em que teremos que "desaprender" novamente, mas vamos desaprender bastante rapidamente, pois prosseguiremos quase que imediatamente para um método mais exato.

Embora a óptica geométrica seja apenas uma aproximação, ela é importante tecnicamente e de grande interesse histórico. Iremos apresentar esse assunto mais historicamente

26–1 Luz
26–2 Reflexão e refração
26–3 Princípio de Fermat do mínimo tempo
26–4 Aplicação do princípio de Fermat
26–5 Uma definição mais precisa do princípio de Fermat
26–6 Como funciona

do que alguns dos outros a fim de dar alguma ideia do desenvolvimento de uma teoria física ou de uma ideia física.

Primeiramente, a luz é, naturalmente, familiar a todos, e tem sido familiar desde tempos imemoriais. Ora, um problema é: por meio de qual processo *vemos* a luz? Existiram muitas teorias, mas finalmente estabeleceu-se apenas uma, na qual existe algo que entra no olho – que bate nos objetos e vem em direção ao nosso olho. Temos escutado essa ideia por tanto tempo que a aceitamos, e é quase impossível imaginar que homens bastante inteligentes propuseram teorias contrárias – que algo sai do olho e percebe o objeto, por exemplo. Algumas outras importantes observações são que, conforme a luz vai de um lugar a outro, ela o faz em *linha reta*, caso não exista nada no caminho, e que os raios de luz parecem não interferir uns com os outros. Isto é, a luz está cruzando em todas as direções da sala, mas a luz que está passando através da nossa linha de visão não afeta a luz que vem até nós de algum objeto. Um dia, este foi o argumento mais poderoso usado contra a teoria corpuscular; o qual foi usado por Huygens. Se a luz fosse como um monte de flechas em voo, como poderiam outras flechas atravessá-las tão facilmente? Esses argumentos filosóficos não têm muito peso. Sempre se pode dizer que a luz é composta de flechas que atravessam umas às outras!

26–2 Reflexão e refração

A discussão acima fornece o suficiente da *ideia* básica de óptica geométrica – agora temos de ir um pouco mais a fundo no aspecto quantitativo. Até o momento, temos a luz andando em linha reta entre dois pontos; agora vamos estudar o comportamento da luz quando esta encontra materiais diversos. O objeto mais simples é um espelho, e a lei para um espelho é que quando a luz bate no espelho, ela não continua em linha reta, mas ricocheteia no espelho em uma nova linha reta, a qual muda quando mudamos a inclinação do espelho. A pergunta dos antigos era: qual a relação entre os dois ângulos envolvidos? Essa é uma relação muito simples, descoberta muito tempo atrás. A luz atingindo o espelho viaja de um modo que os dois ângulos, entre cada feixe de luz e o espelho, são iguais. Por alguma razão, é costume medir os ângulos a partir da normal à superfície do espelho. Portanto, a chamada lei de reflexão é

$$\theta_i = \theta_r. \qquad (26.1)$$

Esta é uma proposta bastante simples, mas um problema mais difícil é encontrado quando a luz atravessa de um meio para o outro, por exemplo, do ar para a água; aqui também, vemos que a luz não anda em linha reta. Na água, o raio tem uma inclinação em relação ao seu caminho no ar; se mudarmos o ângulo θ_i de modo que o raio caia mais próximo da vertical, então o ângulo de "quebra" não é tão grande. Porém se inclinarmos o feixe de luz de um ângulo razoável, então o ângulo de desvio será bem grande. A pergunta é: qual é a relação entre um ângulo e o outro? Isso também intrigou os antigos por um longo tempo, mas eles nunca encontraram a resposta! Este é, porém, um dos poucos temas em toda a física grega no qual podemos encontrar o relato de algum resultado experimental. Claudius Ptolomeu fez uma lista dos ângulos na água para cada um de vários ângulos no ar. A Tabela 26-1 mostra os ângulos no ar, em graus, e os ângulos correspondentes medidos na água. (Usualmente é dito que os cientistas gregos nunca realizavam experimentos, mas seria impossível obter esta tabela de valores sem o conhecimento da lei correta, exceto por meio da experimentação. Convém notar, no entanto, que estas não representam medidas cuidadosas e independentes para cada ângulo, mas apenas alguns números interpolados a partir de algumas medidas, pois todos se ajustam perfeitamente em uma parábola.)

Este, então, é um dos importantes passos no desenvolvimento de uma lei física: primeiramente observamos o efeito, então o medimos e o listamos em uma tabela; depois tentamos encontrar a *regra* pela qual uma coisa pode ser conectada a outra. A tabela numérica mencionada acima foi feita em 140 A.D., mas foi somente em 1621 que alguém finalmente encontrou a regra conectando os dois ângulos! Esta regra, descoberta por Willebrord Snell, um matemático holandês, é a seguinte: se θ_i é o ângulo no ar e θ_r

Figura 26–1 O ângulo de incidência é igual ao ângulo de reflexão.

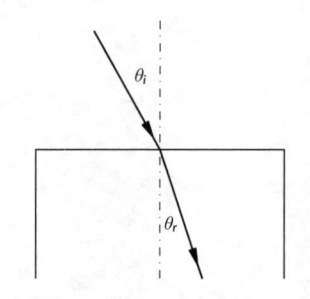

Figura 26–2 Um raio de luz é refratado quando passa de um meio para outro.

Tabela 26–1

Ângulo no ar	Ângulo na água
10°	8°
20°	15-1/2°
30°	22-1/2°
40°	29°
50°	35°
60°	40-1/2°
70°	45-1/2°
80°	50°

é o ângulo na água, então se verifica que o seno de θ_i é igual a alguma constante multiplicada pelo seno de θ_r:

$$\text{sen } \theta_i = n \text{ sen } \theta_r. \tag{26.2}$$

Para a água, o número n é aproximadamente 1,33. A Equação (26.2) é chamada de *Lei de Snell*; ela nos permite *predizer* como a luz irá entortar quando atravessa do ar para a água. A Tabela 26-2 mostra os ângulos no ar e na água de acordo com a lei de Snell. Note a concordância extraordinária com a lista de Ptolomeu.

Tabela 26–2

Ângulo no ar	Ângulo na água
10°	7-1/2°
20°	15°
30°	22°
40°	29°
50°	35°
60°	40-1/2°
70°	45°
80°	48°

26–3 Princípio de Fermat do mínimo tempo

Hoje, para o desenvolvimento adicional da ciência, queremos mais do que apenas uma fórmula. Primeiramente, temos uma observação, então temos os números que medimos e, depois, temos uma lei que resume todos os números. No entanto, a real *glória* da ciência é que *podemos descobrir uma maneira de pensar* tal que a lei é *evidente*.

A primeira maneira de pensar que evidenciou a lei sobre o comportamento da luz foi descoberta por Fermat por volta de 1650 e é denominada *o princípio do mínimo tempo*, ou *princípio de Fermat*. Sua ideia é a seguinte: de todos os possíveis caminhos que a luz pode tomar para ir de um ponto a outro, a luz escolhe o caminho que requer o *tempo mais curto*.

Vamos primeiro mostrar que isso é verdade para o caso do espelho, que esse princípio simples contém tanto a lei da propagação em linha reta quanto a lei para o espelho. Portanto, estamos crescendo no nosso entendimento! Vamos tentar encontrar a solução para o seguinte problema. Na Fig. 26-3 são mostrados dois pontos, A e B, e um espelho plano, MM'. Qual é o caminho para ir de A até B no menor tempo? A resposta é ir direto de A para B! Contudo, se considerarmos a condição extra de que a luz tem de *atingir o espelho* e retornar no menor tempo, a reposta não é tão simples. Uma maneira seria ir o mais rapidamente possível até o espelho e então ir para B, ao longo do caminho ADB. Claro que então temos um longo caminho DB. Se nos movermos um pouco para a direita, para E, aumentamos levemente a primeira distância, mas *reduzimos* consideravelmente a segunda, e dessa forma o comprimento total do caminho, e, portanto, o tempo do percurso, é menor. Como podemos encontrar o ponto C para o qual o tempo é o menor? Podemos achá-lo muito bem por um truque geométrico.

Construímos do outro lado de MM' um ponto artificial B', o qual está a mesma distância abaixo do plano MM' que o ponto B está acima deste. Então desenhamos a linha EB'. Ora, como BFM é um ângulo reto e $BF = FB'$, EB é igual a EB'. Portanto, a soma das duas distâncias $AE + EB$, a qual é proporcional ao tempo em que a luz viaja com velocidade constante, é também a soma dos dois comprimentos $AE + EB'$. Portanto, o problema torna-se: quando é que a soma desses dois comprimentos é menor? A resposta é fácil: quando a luz vai através do ponto C em uma *linha reta* de A até B'! Em outras palavras, temos de encontrar o ponto aonde iremos em direção a um ponto artificial, e este será o ponto correto. Ora, se ACB' é uma linha reta, então o ângulo BCF é igual ao ângulo $B'CF$ e, por isso, igual ao ângulo ACM. Portanto, a afirmação de que o ângulo de incidência é igual ao ângulo de reflexão é equivalente à afirmação de que a luz anda até o espelho tal que ela retorne ao ponto B no *menor tempo possível*. Originalmente, a afirmação foi feita por Heron de Alexandria que a luz viaja de tal modo que ela anda até o espelho e dali até outro ponto na menor *distância* possível, portanto essa não é uma teoria moderna. Isso foi o que inspirou Fermat a sugerir a si mesmo que talvez a refração se desse de forma similar. Na refração, a luz obviamente não utiliza o caminho da menor *distância*, portanto Fermat tentou a ideia de que ela leva o *tempo* mais curto.

Antes de prosseguirmos na análise da refração, devemos fazer um comentário a mais sobre o espelho. Se tivermos uma fonte de luz no ponto B e enviarmos luz em direção ao espelho, vemos que a luz que vai para A do ponto B vem para A exatamente da mesma maneira como se existisse um objeto em B', *sem* o espelho. Ora, é claro que o olho detecta apenas a luz que o penetra fisicamente, portanto se tivermos um objeto em B e

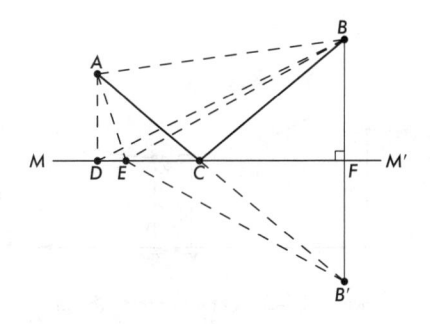

Figura 26–3 Ilustração do princípio do mínimo tempo.

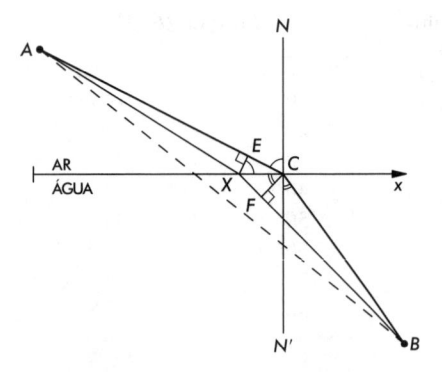

Figura 26–4 Ilustração do princípio de Fermat para a refração.

um espelho o qual faz um cone de luz para dentro do olho da mesma forma que os raios encontrariam o olho se o objeto estivesse em B', então o sistema olho-cérebro interpreta como, supondo que este não saiba muito, se o objeto *estivesse* em B'. Portanto a ilusão de que existe um objeto atrás do espelho é meramente devido ao fato de que a luz que está entrando o olho o faz exatamente da mesma maneira, fisicamente, que esta teria entrado caso tivesse *existido* um objeto lá atrás (exceto por sujeira no espelho, e nosso conhecimento da existência de um espelho e assim por diante, o que é corrigido no cérebro).

Agora vamos demonstrar que o princípio do mínimo tempo nos dará a lei de Snell da refração. Porém devemos fazer a suposição sobre a velocidade da luz na água. Iremos supor que a velocidade da luz na água é menor do que a velocidade da luz no ar por um certo fator n.

Na Fig. 26-4, nosso problema é novamente ir do ponto A para B no *mínimo tempo*. Para ilustrar que a melhor coisa a fazer não é ir apenas em uma linha reta, vamos imaginar que uma pessoa tenha caído de um barco e está gritando por socorro na água em um ponto B. A linha marcada com X é a margem. Estamos no ponto A em terra, vemos o acidente e podemos correr ou podemos também nadar. O que faremos? Iremos em linha reta? (Sim, sem dúvida!) No entanto, usando um pouco mais de inteligência, iremos perceber que seria mais vantajoso atravessar uma distância um pouco maior em terra a fim de diminuir a distância na água, porque avançamos tão mais devagar na água. (Seguindo esta linha de raciocínio, diríamos que a coisa certa a fazer é *computar* com muito cuidado o que deve ser feito!) De qualquer modo, vamos tentar mostrar que a solução final para o problema é o caminho ACB, e que esse caminho leva o menor tempo de todos as trajetórias possíveis. Se esse é o caminho mais curto, isso significa que se tomarmos qualquer outro, ele será mais longo. Portanto, se fôssemos representar graficamente o tempo que leva em função da posição do ponto X, obteríamos uma curva do tipo mostrada na Fig. 26-5, em que o ponto C corresponde ao mais curto de todos os tempos possíveis. Isso significa que se movemos do ponto X para pontos *próximos* de C, em uma primeira aproximação *não existe* essencialmente nenhuma *mudança* no tempo porque a inclinação é zero na parte mais baixa da curva. Assim, nossa maneira de encontrar a lei será considerar que nos movemos do lugar por uma quantia muito pequena, e exigir que essencialmente não haja mudanças no tempo. (Naturalmente, existe uma mudança infinitesimal de *segunda* ordem; devemos ter um aumento positivo para deslocamentos em ambas as direções a partir de C.) Desse modo, consideramos um ponto próximo a X, calculamos quanto tempo levaria para ir de A para B pelos dois caminhos e comparamos o novo caminho com o velho. Isso é muito simples de se fazer. Queremos que a diferença, claro, seja quase zero se a distância XC for curta. Primeiro, vejamos a trajetória em terra. Se traçarmos uma perpendicular XE, vemos que esse caminho é encurtado pela quantia EC. Vamos dizer que ganhamos por não ter de percorrer esta distância extra. Por outro lado, na água, traçando a perpendicular correspondente, CF, percebemos que temos de percorrer a distância extra XF, e é isso que perdemos. Ou, em *tempo*, ganhamos o tempo que levaria para avançar a distância EC, mas perdemos o tempo que levaria para andar a distância XF. Esses tempos devem ser iguais, pois, em primeira aproximação, não há variação no tempo. Supondo que na água a velocidade é $1/n$ vezes mais rápida que no ar, devemos obter

$$EC = n \cdot XF. \qquad (26.3)$$

Portanto, vemos que quando temos o ponto correto, $XC \operatorname{sen} EXC = n \cdot XC \operatorname{sen} XCF$ ou, cancelando o comprimento da hipotenusa, XC, que é comum aos dois lados, e observando que

$$EXC = ECN = \theta_i \quad \text{e} \quad XCF \approx BCN' = \theta_r \quad \text{(quando } X \text{ está próximo de } C\text{)},$$

temos

$$\operatorname{sen} \theta_i = n \operatorname{sen} \theta_r. \qquad (26.4)$$

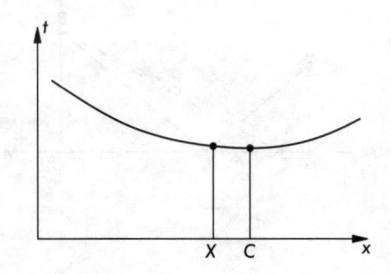

Figura 26–5 O tempo mínimo corresponde ao ponto C, mas pontos próximos correspondem a tempos aproximadamente iguais.

Assim vemos que para ir de um ponto a outro no menor tempo quando a razão de velocidades é n, a luz deve entrar com um ângulo tal que a razão dos senos dos ângulos θ_i e θ_r é a razão das velocidades nos dois meios.

26–4 Aplicação do princípio de Fermat

Agora vamos considerar algumas das consequências interessantes do princípio do mínimo tempo. A primeira é o princípio da reciprocidade. Se para irmos do ponto *A* para *B* encontramos o caminho do menor tempo, então para ir na direção oposta (supondo que a luz viaje com a mesma velocidade em qualquer direção), o menor tempo será aquele para o mesmo caminho; portanto, se a luz pode ser enviada para um lado, ela pode ser enviada para o outro.

Um exemplo de interesse é o de um bloco de vidro com faces planas paralelas, colocado em ângulo com relação a um feixe de luz. A luz, ao atravessar o bloco do ponto *A* para o ponto *B* (Fig. 26-6), não o faz em uma linha reta, mas ao invés diminui o tempo dentro do bloco ao fazer o ângulo dentro do bloco menos inclinado, embora perca um pouco no ar. O feixe é simplesmente deslocado paralelamente a si mesmo porque os ângulos de entrada e de saída são os mesmos.

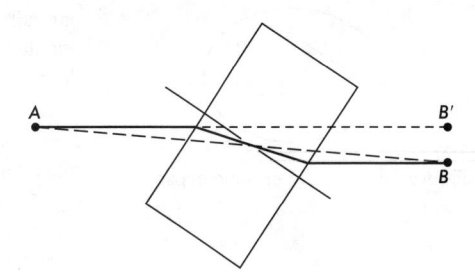

Figura 26–6 Um feixe de luz é deslocado conforme atravessa um bloco transparente.

Um terceiro fenômeno interessante é o fato de que quando vemos o Sol se pondo, ele já se encontra abaixo do horizonte! Não *parece* que ele está abaixo do horizonte, mas está (Fig. 26-7). A atmosfera da Terra é fina no topo e densa na parte de baixo. A luz viaja mais devagar no ar do que no vácuo, e, portanto, a luz do Sol consegue alcançar o ponto *S* além do horizonte mais rapidamente se, ao invés de meramente seguir em linha reta, evitar as regiões mais densas, onde viaja mais devagar, ao atravessá-las com uma inclinação mais íngreme. Quando aparenta estar abaixo do horizonte, na verdade o Sol já está bem abaixo do horizonte. Outro exemplo desse fenômeno é a miragem comumente vista quando dirigimos em estradas quentes. Vemos "água" na estrada, mas quando chegamos lá, é seco como um deserto! O fenômeno é o seguinte. O que estamos realmente vendo é a luz do céu "refletida" na estrada: a luz do céu, dirigida para a estrada, pode encontrar o olho, como mostrado na Fig. 26-8. Por quê? O ar é muito quente logo acima da estrada, mas esfria mais acima. Ar mais quente expande-se mais do que ar mais frio e é menos denso, fazendo com que a velocidade da luz diminua menos. Isso quer dizer que a luz percorre regiões quentes mais rapidamente do que uma região fria. Portanto, ao invés de a luz decidir percorrer um caminho direto, ela também tem um caminho de mínimo tempo através do qual percorre, por um tempo, a região aonde vai mais rápida, a fim de poupar tempo. Assim, ela pode viajar em uma curva.

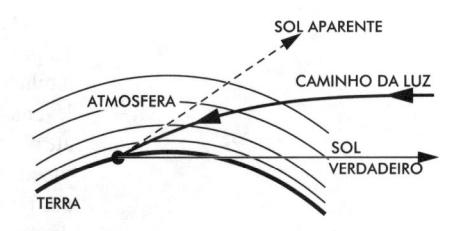

Figura 26–7 Próximo ao horizonte, o tamanho aparente do Sol é maior do que o valor real por aproximadamente meio grau.

Como outro importante exemplo do princípio do mínimo tempo, suponha que gostaríamos de obter uma situação na qual temos toda a luz que sai de um ponto *P* coletada novamente em outro ponto, *P'* (Fig. 26-9). Isso significa, naturalmente, que a luz pode viajar em linha reta de *P* para *P'*. Tudo bem, mas como podemos conseguir que não apenas a luz direta, mas também a luz que sai de *P* para *Q*, também alcance *P'*? Queremos trazer toda a luz de volta para o que chamamos de *foco*. Como? Se a luz sempre escolhe o caminho do menor tempo, então certamente ela não deve querer percorrer todos esses outros caminhos. A única maneira de fazer a luz ficar perfeitamente satisfeita ao tomar os vários caminhos adjacentes é fazer os tempos *exatamente iguais*! Caso contrário, a luz selecionaria o de menor tempo. Portanto, o problema de fazer um sistema focal é meramente conseguir um dispositivo tal que a luz leve o mesmo tempo para percorrer *todos* os caminhos diferentes!

Figura 26–8 Uma miragem.

Isso é fácil de se fazer. Suponha que tenhamos um pedaço de vidro no qual a luz viaje mais devagar do que no ar (Fig. 26-10). Agora considere um raio que percorre no ar a trajetória *PQP'*. Esse é um caminho mais longo do que diretamente de *P* para *P'* e sem dúvida leva mais tempo, mas se inserirmos um pedaço de vidro com a espessura certa (mais tarde calcularemos quão espesso), ele pode compensar exatamente o excesso de tempo que levaria para a luz viajar fazendo um ângulo! Nestas circunstâncias, podemos arranjar para que o tempo que a luz leva para ir diretamente seja o mesmo que o tempo que esta leva para percorrer o caminho *PQP'*. Igualmente, se tomarmos o raio *PRR'P'*, o qual é

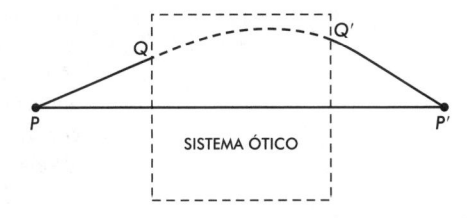

Figura 26–9 Uma "caixa preta" óptica.

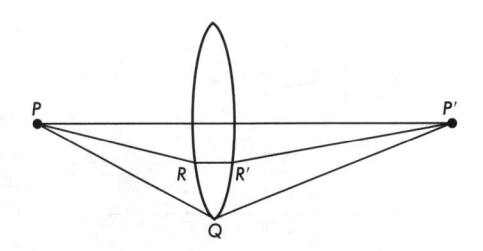

Figura 26–10 Um sistema óptico de focalização.

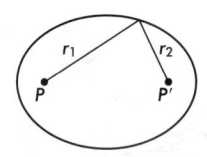

Figura 26–11 Um espelho elipsoidal.

parcialmente inclinado e não é tão longo quanto PQP', não teremos de compensar tanto quanto o raio direto, mas temos de compensar um pouco. Terminamos com um pedaço de vidro que se parece com o da Fig. 26-10. Com este formato, toda a luz que vem de P irá até P'. Isso, naturalmente, nos é bem conhecido, e chamamos este dispositivo de *lente* convergente. No próximo capítulo, devemos verdadeiramente calcular o formato que a lente deve ter para se obter o foco perfeito.

Considere outro exemplo: suponha que desejemos organizar alguns espelhos de modo que a luz de P sempre vá para P' (Fig. 26-11). Em qualquer caminho, ela vai para algum espelho e retorna, sendo que todos os tempos devem ser iguais. Aqui a luz sempre viaja no ar, de maneira que o tempo e a distância são proporcionais. Portanto, a afirmação de que todos os tempos são iguais equivale à afirmação de que a distância total é a mesma. Logo, a soma das distâncias r_1 e r_2 deve ser uma constante. Uma *elipse* é essa curva a qual tem a propriedade que a soma das distâncias desde dois pontos é uma constante para todos os pontos sobre a elipse; assim podemos estar certos de que a luz de um foco chegará no outro.

O mesmo princípio funciona para coletar a luz de uma estrela. O grande telescópio Palomar com 200 polegadas foi construído baseado nesse princípio. Imagine uma estrela a bilhões de milhas de distância; gostaríamos de fazer com que toda a luz que entre seja levada até o foco. Claro que não podemos desenhar os raios percorrendo todo o caminho até a estrela, mas mesmo assim queremos checar se os tempos são iguais. Naturalmente, sabemos que quando os vários caminhos chegaram em um certo plano KK', perpendicular aos raios, todos os tempos nesse plano são iguais (Fig. 26-12). Esses raios devem então descer até o espelho e proceder em direção a P' em tempos iguais. Isto é, precisamos encontrar a curva a qual tem a propriedade que a soma das distâncias $XX' + X'P'$ é uma constante, qualquer que seja o X escolhido. Uma maneira fácil de encontrá-la é estender o comprimento da linha XX' até o plano LL'. Agora se arrumarmos nossa curva de modo que $A'A'' = A'P'$, $B'B'' = B'P'$, $C'C'' = C'P'$ e assim por diante, teremos nossa curva, porque então naturalmente $AA' + A'P' = AA' + A'A''$ será constante. Portanto, nossa curva é o local onde todos os pontos são equidistantes de uma linha e de um ponto. Tal curva é denominada uma *parábola*; o espelho é feito no formato de uma parábola.

Os exemplos acima ilustram o princípio a partir do qual esses dispositivos ópticos podem ser projetados. As curvas exatas podem ser calculadas usando o princípio que, para um foco perfeito, o tempo de percurso deve ser exatamente igual para todos os raios de luz e também ser menor do que o de qualquer outro caminho vizinho.

Discutiremos esses dispositivos ópticos focais mais a fundo no próximo capítulo; vamos agora discutir os desenvolvimentos adicionais da teoria. Quando um novo princípio teórico é desenvolvido, como o princípio do mínimo tempo, nossa primeira tendência pode ser dizer: "Bem, isso tudo é muito bonito; é encantador; mas a questão é: isso ajuda em algum modo o entendimento da física?" Alguém pode dizer "Sim, veja quantas coisas conseguimos entender agora!" Outro diz "Muito bem, mas eu posso entender espelhos também. Eu preciso de uma curva tal que todos os planos tangentes façam ângulos iguais com os dois raios. Eu posso calcular uma lente também, porque todo o raio que chega até ela é curvado através do ângulo dado pela lei de Snell." Evidentemente a declaração do mínimo tempo e a afirmação de que os ângulos são iguais para a reflexão e que os senos dos ângulos são proporcionais na refração são as mesmas. Assim, é meramente uma questão filosófica ou de beleza? Existem argumentos em favor de ambas.

No entanto, a importância de um princípio poderoso é que ele *prediga coisas novas*.

É fácil mostrar que existe um número de coisas novas preditas pelo princípio de Fermat. Primeiramente, suponha que existam *três* meios, vidro, água e ar, e que realizemos um experimento de refração medindo o índice n de um meio em relação ao outro. Vamos chamar de n_{12} o índice do ar (1) em relação à água (2); n_{13} o índice do ar (1) em relação ao do vidro (3). Se medirmos a água em comparação ao vidro, devemos encontrar outro índice, que chamaremos de n_{23}. *A priori*, não existe razão para que haja qualquer conexão entre n_{12}, n_{13} e n_{23}. Por outro lado, de

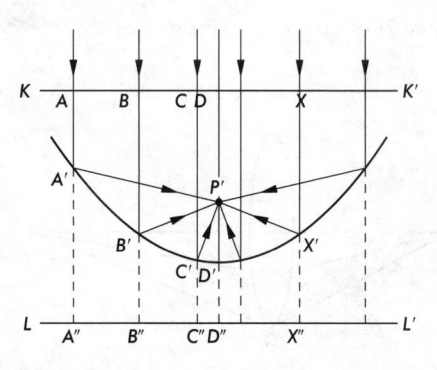

Figura 26–12 Um espelho parabólico.

acordo com a ideia do mínimo tempo, *existe* uma relação bem definida. O índice n_{12} é a razão entre duas coisas, a velocidade da luz no ar e a velocidade na água; n_{13} é a razão entre a velocidade no ar e a velocidade no vidro; n_{23} é a razão entre a velocidade na água e a velocidade no vidro. Portanto, podemos cancelar o ar e obter

$$n_{23} = \frac{v_2}{v_3} = \frac{v_1/v_3}{v_1/v_2} = \frac{n_{13}}{n_{12}}. \qquad (26.5)$$

Em outras palavras, *predizemos* que o índice para um novo par de materiais pode ser obtido a partir dos índices dos materiais individuais, ambos em relação ao do ar ou em comparação com o do vácuo. Logo, se medirmos a velocidade da luz em todos os materiais, e a partir disso obtivermos um único número para cada material, a saber, seu índice relativo ao vácuo, denominado n_i (n_1 é a velocidade no vácuo relativa à velocidade no ar, etc), então nossa fórmula é fácil. O índice para quaisquer dois materiais i e j é

$$n_{ij} = \frac{v_i}{v_j} = \frac{n_j}{n_i}. \qquad (26.6)$$

Usando apenas a lei de Snell, não existe uma base para uma previsão como essa,[1] mas é claro que esse prognóstico funciona. A relação (26.5), conhecida bem cedo (há muito tempo), era um argumento bastante forte a favor do princípio do mínimo tempo.

Outro argumento a favor do princípio do mínimo tempo, outra previsão, é que se *medirmos* a velocidade da luz na água, ela será menor do que no ar. Esta é uma previsão de um tipo completamente diferente. É uma previsão brilhante, porque até então somente medimos *ângulos*; aqui temos uma previsão teórica bem diferente das observações a partir das quais Fermat deduziu a ideia do mínimo tempo. Confirma-se de fato que a velocidade da luz na água *é* mais lenta do que a velocidade no ar, exatamente pela proporção que é necessária para se obter o índice correto!

26–5 Uma definição mais precisa do princípio de Fermat

Na realidade, precisamos fazer a definição do princípio do mínimo tempo um pouco mais acurada. Ele não foi corretamente definido acima. Ele foi *incorretamente* chamado de princípio do mínimo tempo, e concordamos com a descrição incorreta por conveniência, mas agora necessitamos ver qual é a definição correta. Suponha que temos um espelho como na Fig. 26-3. O que faz a luz pensar que deve ir para o espelho? O caminho do *mínimo* tempo é claramente AB. Portanto, alguém pode dizer "Algumas vezes o tempo é máximo". Ele *não* é um tempo máximo, porque certamente uma trajetória curva levaria um tempo ainda maior! A afirmação correta é a seguinte: um raio viajando ao longo de um certo caminho particular tem a propriedade que se fizermos uma pequena mudança (por exemplo, um desvio de um porcento) no raio de qualquer maneira, digamos na localização na qual ele chega ao espelho, na forma da curva ou qualquer outra coisa, *não* existirão variações de primeira ordem no tempo; apenas ocorrerá uma mudança de *segunda* ordem no tempo. Em outras palavras, o princípio é que a luz toma a trajetória tal que existam muitos outros caminhos que levam exatamente quase o *mesmo* tempo.

Outra dificuldade com o princípio do mínimo tempo é uma que as pessoas que não gostam deste tipo de teoria não engolem nunca: com a teoria de Snell, podemos "entender" a luz. A luz viaja, vê uma superfície, curva-se porque faz algo na superfície. A ideia de causalidade, de que ela anda de um ponto a outro, e a outro, e assim por diante, é fácil de entender, mas o princípio do mínimo tempo é um princípio filosófico completamente diferente sobre o modo como a natureza funciona. Ao invés de dizer que isso é uma coisa casual, que quando fazemos uma coisa, outra coisa acontece, ele diz que estabelecemos a situação, e a *luz* decide qual é o menor tempo, ou o extremo, e escolhe o caminho. *O que ela faz, como* ela descobre? Ela *cheira* os caminhos próximos e os

---

[1] Embora possa ser deduzida se for feita a suposição adicional que a adição de uma camada de uma substância à superfície de outra não muda o ângulo eventual de refração no material posterior.

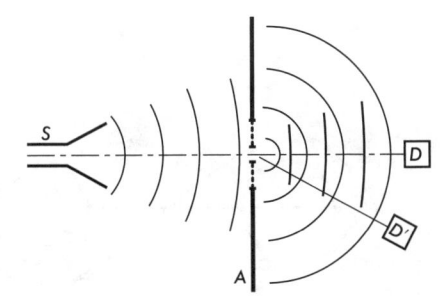

Figura 26–13 A passagem de ondas de rádio por uma fenda estreita.

checa diante dos outros? A resposta é, sim, ela o faz, de certa maneira. Este é o aspecto que não é, naturalmente, conhecido em óptica geométrica e o qual está relacionado à ideia de *comprimento de onda*; o comprimento de onda nos diz aproximadamente quão distante a luz precisa "cheirar" o caminho a fim de checá-lo. É difícil demonstrar esse fato em grandes escalas com a luz, porque os comprimentos de onda são terrivelmente curtos, mas com ondas de rádio, digamos ondas de 3 cm, as distâncias nas quais as ondas de rádio estão inspecionando são maiores. Se tivermos uma fonte de ondas de rádio, um detector e uma fenda, como na Fig. 26-13, é claro que os raios vão de S a D porque é uma linha reta, e se fecharmos a fenda, tudo bem – eles ainda irão. Agora se movermos o detector de lado para D', as ondas não passarão através da fenda larga de S para D', porque elas verificam vários caminhos vizinhos e dizem, "Não, meu amigo, todos eles correspondem a tempos diferentes". Por outro lado, se *evitamos* a radiação de checar os caminhos ao fechar a fenda até uma rachadura bastante estreita, então existe apenas um caminho disponível, e a radiação o toma! Com uma fenda estreita, mais radiação atinge D' do que a que chega com uma fenda larga!

Podemos fazer o mesmo com a luz, mas é difícil demonstrar em uma grande escala. O efeito pode ser visto sob as seguintes simples condições. Encontre uma luz pequena e brilhante, digamos uma lâmpada transparente em uma luz de rua distante ou a reflexão do sol em um para-choque curvo de automóvel. Então coloque dois dedos em frente de um olho, de modo a olhar pelo vão, e esprema a luz a zero bem suavemente. Você verá que a imagem da luz, que era um pequeno ponto, torna-se bastante alongada e até se estica em uma longa linha. A razão é que os dedos estão bastante próximos um do outro, e a luz que supostamente vem em linha reta é espalhada em um ângulo, de modo que quando ela entra no olho, ela provém de várias direções. Você também irá notar, se for bem cuidadoso, máximos laterais (*side maxima*), e também muitas franjas ao longo das bordas. Além disso, toda a coisa é colorida. Tudo isso será explicado em seu devido tempo, mas por ora essa é a demonstração de que a luz nem sempre caminha em linha reta, e é uma que é muito fácil de se realizar.

26–6 Como funciona

Finalmente, damos uma visão bastante grosseira do que de fato ocorre, como a coisa toda realmente funciona, a partir do que acreditamos ser o ponto de vista quanto-dinamicamente correto, mas é claro que apenas descrito qualitativamente. Ao acompanharmos a luz de A a B na Fig. 26-3, descobrimos que a luz não parece estar na forma de ondas de maneira alguma. Em vez disso, os raios parecem ser feitos de fótons, e na verdade produzirão estalidos em um contador de fótons, se estivermos utilizando um. O brilho da luz é proporcional ao número médio de fótons que chegam por segundo, e o que calculamos é a *possibilidade* de que um fóton vá de A a B, digamos, ao atingir o espelho. A *lei* para essa possibilidade muito estranha é a seguinte. Escolha qualquer caminho e descubra o tempo para esse caminho; então construa um número complexo, ou desenhe um pequeno vetor complexo, $\rho e^{i\theta}$, *cujo ângulo θ é proporcional ao tempo*. Agora consideremos outro caminho; que tenha, por exemplo, um outro tempo, de maneira que o vetor correspondente forme um ângulo diferente – o ângulo sendo sempre proporcional ao tempo. Considere *todos* os caminhos disponíveis e some pequenos vetores para cada um; então a resposta é que a possibilidade de chegada do fóton é proporcional ao quadrado da distância do vetor final, desde o começo até o fim!

Agora mostraremos como isso implica o princípio do mínimo tempo para um espelho. Consideremos todos os raios, todos os caminhos possíveis, ADB, AEB, ACB, etc., na Fig. 26-3. O caminho ADB causa uma certa contribuição diminuta, mas o próximo caminho, AEB, toma um tempo muito diferente, portanto seu ângulo θ é bem diferente. Digamos que o ponto C corresponde ao tempo mínimo, onde se trocarmos os caminhos, os tempos não mudam. Logo, por algum tempo, os tempos mudam, e então começam a variar cada vez menos conforme nos aproximamos de C (Fig. 26-14). Portanto, os vetores que temos de somar estão vindo praticamente com o mesmo ângulo por um tempo próximo de C, e então gradualmente

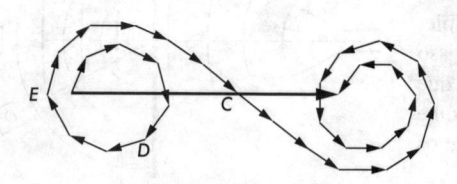

Figura 26–14 A soma das amplitudes de probabilidade para vários caminhos vizinhos.

o tempo começa a aumentar novamente, e as fases vão ao contrário e assim por diante. Eventualmente, temos um nó bastante apertado. A probabilidade total é a distância de uma extremidade à outra, ao quadrado. *Praticamente toda a probabilidade acumulada ocorre na região onde todos os vetores estão na mesma direção* (ou na mesma fase). Todas as contribuições dos caminhos que têm tempos muito *diferentes* conforme mudamos o caminho se cancelam ao apontar em direções distintas. Por isso, se escondermos as partes extremas do espelho, este ainda reflete quase exatamente da mesma maneira, porque tudo o que fizemos foi retirar um pedaço do diagrama dentro das extremidades espirais, e isso causa apenas uma variação muito pequena na luz. Portanto essa é a relação entre a descrição derradeira dos fótons com a probabilidade de chegada depender do acúmulo de vetores, e o princípio do mínimo tempo.

Óptica Geométrica

27–1 Introdução

Neste capítulo, iremos discutir algumas aplicações preliminares das ideias do capítulo anterior a alguns dispositivos práticos usando a aproximação chamada *óptica geométrica*. Essa é uma aproximação bastante útil no projeto de muitos sistemas e instrumentos ópticos. A óptica geométrica pode ser ou muito simples ou, ao contrário, muito complicada. Com isso queremos dizer que tanto podemos estudá-la apenas superficialmente, de maneira que podemos projetar instrumentos *grosso modo*, usando regras tão simples que raramente será preciso tratar delas aqui, pois são praticamente no nível do ensino médio, ou então, se quisermos saber sobre os pequenos erros em lentes e detalhes similares, o assunto torna-se tão complicado que é muito avançado para ser discutido aqui! Caso se tenha um real e detalhado problema em desenho de lentes, incluindo a análise de aberrações, então é aconselhável ler sobre o assunto ou então simplesmente traçar os raios através das várias superfícies (que é o que o livro ensina como fazer), usando a lei da refração de um lado ao outro, descobrir onde eles saem e ver se eles formam uma imagem satisfatória. As pessoas dizem que isso é muito tedioso, mas hoje, com máquinas de computação, é a maneira correta de fazê-lo. Pode-se armar o problema e fazer os cálculos para um raio de luz após o outro muito facilmente. Portanto, o assunto é realmente muito simples e não envolve um novo princípio. Além do mais, verificou-se que as regras da óptica elementar ou da avançada são raramente características de outras áreas, tanto que não existe nenhuma razão para nos aprofundarmos muito mais no assunto, com uma exceção importante.

A teoria mais avançada e abstrata de óptica geométrica foi desenvolvida por Hamilton, e verifica-se que ela tem importantes aplicações em mecânica. Na verdade, é até mais importante em mecânica do que em óptica e, portanto, deixaremos a teoria de Hamilton para o tema de mecânica analítica avançada, a qual é estudada no último ano da graduação ou na pós-graduação. Logo, percebendo que a óptica geométrica contribui muito pouco, exceto por si só, iremos agora discutir as propriedades elementares de sistemas ópticos simples baseados nos princípios descritos no último capítulo.

Para prosseguirmos, precisamos de uma fórmula de geometria, que é a seguinte: considere um triângulo com uma pequena altura h e uma longa base d, então a diagonal s (precisaremos dela para encontrar a diferença de tempo entre duas rotas diferentes) é mais longa do que a base (Fig. 27-1). Quão mais longa? A diferença $\Delta = s - d$ pode ser encontrada de várias maneiras. Uma maneira é a seguinte. Vemos que $s^2 - d^2 = h^2$, ou $(s-d)(s+d) = h^2$, mas $s - d = \Delta$ e $s + d \approx 2s$. Portanto,

$$\Delta \approx h^2/2s \qquad (27.1)$$

Isso é tudo de que precisamos de geometria para discutir a formação de imagens por superfícies curvas!

- 27–1 Introdução
- 27–2 A distância focal de uma superfície esférica
- 27–3 Distância focal de uma lente
- 27–4 Ampliação
- 27–5 Lentes compostas
- 27–6 Aberrações
- 27–7 Poder de resolução

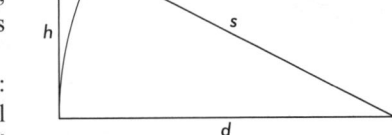

Figura 27–1

27–2 A distância focal de uma superfície esférica

A primeira situação e também a mais simples a ser discutida é a de uma única superfície refratora, separando dois meios com diferentes índices de refração (Fig. 27-2). Deixamos o caso de índices de refração arbitrários para o estudante, porque as *ideias* são sempre o mais importante, e não a situação específica, e de qualquer maneira o problema é fácil o suficiente para ser resolvido. Portanto, suporemos que, à esquerda, a velocidade é 1 e à direita é $1/n$, onde n é o índice de refração. A luz é mais devagar no vidro por um fator n.

Agora considere um ponto O, a uma distância s da frente da superfície do vidro, e outro ponto O' a uma distância s' dentro do vidro, onde deseja-

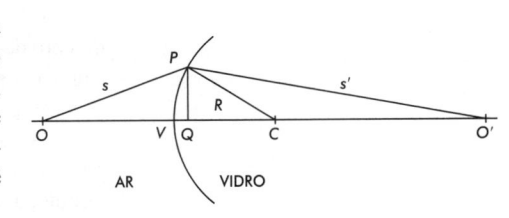

Figura 27–2 Focagem por uma única superfície refratora.

mos arranjar a superfície curva de tal maneira que todo raio saindo de O ao atingir a superfície no ponto P seja curvado de modo a atingir o ponto O'. Para que isso ocorra, é necessário modelar a superfície tal que o tempo que leva para a luz ir de O a P, isto é, a distância OP dividida pela velocidade da luz (a velocidade aqui vale 1), mais $n \cdot O'P$, que é o tempo que se leva para ir de P a O', seja igual a uma constante independente do ponto P. Essa condição nos fornece uma equação para determinar a superfície. A resposta é que essa superfície é uma complicada curva do quarto grau, e o estudante pode se distrair tentando calculá-la por geometria analítica. É mais fácil tentar o caso especial que corresponde a $s \rightarrow \infty$, porque quando a curva é uma função do segundo grau é mais fácil de ser reconhecida. É interessante comparar essa curva com a parábola encontrada para um espelho de focalização quando a luz vem do infinito.

Logo, a superfície apropriada não pode ser facilmente fabricada – a focalização da luz de um ponto a outro requer superfícies um tanto complicadas. Na prática, ordinariamente, não tentamos fabricar superfícies tão complicadas, mas ao invés disso fazemos uma concessão. Ao invés de tentar fazer com que *todos* os raios atinjam o foco, preparamos de tal maneira que apenas os raios incidentes bem próximos ao eixo OO' alcancem o foco. Infelizmente, os raios mais afastados podem desviar se quiserem, porque a superfície ideal é complicada e usamos ao invés disso uma superfície esférica com a curvatura certa no eixo. É tão mais fácil fabricar uma esfera do que outras superfícies que é mais proveitoso descobrir o que acontece com os raios que atingem uma superfície esférica, supondo que apenas os raios mais próximos ao eixo vão ser focados perfeitamente. Esses raios próximos ao eixo são algumas vezes chamados de *raios para-axiais*, e o que estamos analisando são as condições para a focalização de raios para-axiais. Discutiremos mais adiante os erros introduzidos pelo fato de que nem todos os raios estão próximos ao eixo.

Então, supondo que P é um ponto perto do eixo, consideramos a perpendicular PQ de modo que a altura PQ é h. Por um momento, imagine que a superfície é um plano passando por P. Nesse caso, o tempo necessário para se ir de O a P excederia o tempo de O para Q, e também o tempo de P a O' excederia o tempo de Q a O'. É por isso que o vidro tem de ser curvo, porque o tempo extra total deve ser compensado pelo atraso ao se passar de V a Q! No entanto, o excesso de tempo ao longo do caminho OP é $h^2/2s$, enquanto que o tempo extra pelo outro caminho é $nh^2/2s'$. Esse tempo extra, o qual deve ser igualado pelo atraso causado ao longo de VQ, difere do que seria no vácuo, porque existe um meio presente. Em outras palavras, o tempo que se leva para ir de V a Q não é o mesmo que se estivesse no ar, pois é mais lento por um fator n, de modo que o atraso extra na distância é então $(n-1) VQ$. Quão grande é VQ? Se o ponto C é o centro da esfera de raio R, vemos pela mesma fórmula que a distância VQ é igual a $h^2/2R$. Portanto, descobrimos que a lei que relaciona as distâncias s e s' e nos fornece o raio de curvatura R da superfície desejada é

$$(h^2/2s) + (nh^2/2s') = (n-1) h^2/2R \tag{27.2}$$

ou

$$(1/s) + (n/s') = (n-1)/R \tag{27.3}$$

Dada uma posição O e outra O', se desejarmos focar a luz de O para O', então podemos calcular o raio de curvatura R da superfície por essa fórmula.

É interessante notar que essa mesma lente, com a mesma curvatura R, conseguirá focar outras distâncias, a saber, qualquer par de distâncias tais que a soma de suas recíprocas, uma multiplicada por n, seja uma constante. Portanto, uma dada lente irá (desde que nos limitemos a raios paraaxiais) focar não apenas de O a O', mas entre um infinito número de pontos, desde que esses pares de pontos obedeçam à relação $1/s + n/s'$ igual a uma constante, característica da lente.

Em particular, um caso interessante é aquele em que $s \rightarrow \infty$. Podemos ver pela fórmula que, conforme um s aumenta, o outro diminui. Em outras palavras, quando o ponto O se afasta, o ponto O' se aproxima, e vice-versa. Conformem o ponto O vai ao infinito, o ponto O' se mantém em movimento até atingir uma certa distância, chamada de *distância focal f'*, dentro do material. Se raios paralelos incidem, eles encontrarão o eixo a uma distância f'. Da mesma forma, poderíamos imaginar outra maneira. (Lembre-se da lei de reciprocidade: se a luz vai de O a O', é claro que também irá de O' a O.) Portanto, se tivéssemos uma fonte de luz dentro do vidro, poderíamos querer saber onde o foco se dá. Em particular, se a luz no vidro estivesse no infinito (mesmo problema), onde seria focalizada no lado de fora? Essa distância é chamada de f. Claro que podemos afirmar de outra maneira. Se tivéssemos uma fonte de luz em f e a luz atravesse a superfície, então ela sairia como um raio paralelo. Podemos facilmente encontrar quanto valem f e f':

$$n/f' = (n-1)/R \quad \text{ou} \quad f' = Rn/(n-1), \qquad (27.4)$$

$$1/f = (n-1)/R \quad \text{ou} \quad f = R/(n-1). \qquad (27.5)$$

Podemos ver algo interessante: ao dividir cada distância focal pelo índice de refração correspondente, obtém-se o mesmo resultado! Esse teorema é, de fato, geral. Ele é satisfeito para todo sistema de lentes, independentemente de quão complicado, portanto é interessante lembrar-se dele. Não provamos aqui sua generalidade – apenas mostramos para uma única superfície, mas geralmente é verdade que duas distâncias focais de um sistema estão relacionadas dessa maneira. Algumas vezes, a Eq. (27.3) é escrita na forma:

$$1/s + n/s' = 1/f. \qquad (27.6)$$

Essa expressão é mais útil do que (27.3) porque podemos medir f mais facilmente do que medimos a curvatura ou o índice de refração da lente: se não estivermos interessados em projetar uma lente ou em saber como ela é da forma que é, mas simplesmente pegá-la em uma prateleira, a grandeza que nos interessa é f, não o n ou o 1 ou o R!

Ora, uma situação interessante ocorre se s se torna menor do que f. Se $s < f$, então $(1/s) > (1/f)$, e, portanto, s' é negativo; nossa equação diz que a luz irá focar somente um valor negativo de s', o que quer que isso signifique! Isso quer dizer algo muito interessante e muito preciso. É uma fórmula útil, em outras palavras, até quando os números são negativos. O que isso significa é mostrado na Fig. 27-3. Se traçarmos os raios que divergem de O, é verdade que eles serão curvos na superfície, e esses raios não irão focalizar, porque O está tão próximo que eles são "além de serem paralelos". No entanto, eles divergem como se fossem oriundos de um ponto O' externo ao vidro. Essa é uma imagem aparente, também chamada de *imagem virtual*. A imagem O' na Fig. 27-2 é chamada de *imagem real*. Se a luz realmente se origina de um ponto, é uma imagem real. Se a luz *aparenta* vir *de* um ponto, um ponto fictício diferente do ponto original, ela é uma imagem virtual. Portanto quando o s' obtido é negativo, significa que O' está do outro lado da superfície, e tudo está bem.

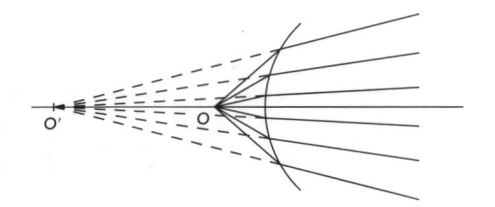

Figura 27–3 Uma imagem virtual.

Consideremos agora o interessante caso onde R é infinito; então temos que $(1/s) + (n/s') = 0$. Em outras palavras, $s' = -ns$, que significa que se olharmos de um meio denso para um rarefeito e virmos um ponto no meio rarefeito, ele aparecerá mais profundo por um fator n. Assim, podemos usar a mesma equação em ordem inversa, tal que se olharmos através de uma superfície plana para um objeto que está a uma certa distância dentro de um meio denso, parecerá que a luz não está vindo de tão longe (Fig. 27-4). Quando olhamos para o fundo de uma piscina, ela não parece tão profunda quanto ela realmente é por um fator de ¾, o qual é o recíproco do índice de refração da água.

Poderíamos continuar, obviamente, e discutir o espelho esférico, mas se as ideias básicas já foram entendidas, então é possível entendê-lo por conta própria. Portanto, deixaremos para o estudante desenvolver a fórmula do espelho esférico, mas mencionamos que é apropriado adotar algumas convenções relacionadas às distâncias envolvidas:

(1) A distância do objeto s é positiva se o ponto O está à esquerda da superfície.
(2) A distância da imagem s' é positiva se o ponto O' está à direita da superfície.
(3) O raio de curvatura da superfície é positivo se o centro está à direita da superfície.

Na Fig. 27-2, por exemplo, s, s' e R são positivos; na Fig. 27-3, s e R são positivos, mas s' é negativo. Se tivéssemos utilizado uma superfície côncava, nossa fórmula (27.3) ainda daria o resultado correto se simplesmente considerássemos R uma grandeza negativa.

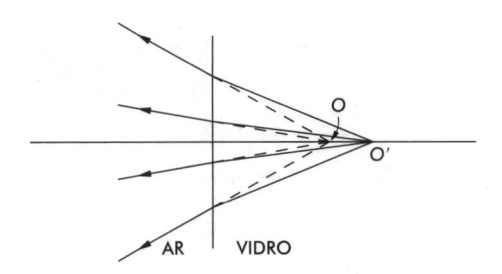

Figura 27–4 Uma superfície plana re-imageia a luz de O' para O.

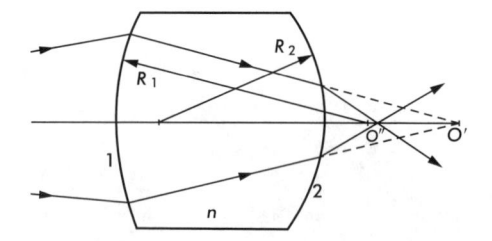

Figura 27-5 Formação de imagem por uma lente com duas superfícies.

Na dedução da fórmula correspondente para um espelho, usando as convenções acima, você descobrirá que se considerar $n = -1$ na fórmula (27.3) (como se o material atrás do espelho tivesse um índice -1), a fórmula correta para o espelho será obtida!

Apesar de a dedução da fórmula (27.3), usando o tempo mínimo, ser simples e elegante, pode-se deduzir a mesma fórmula usando a lei de Snell, lembrando que os ângulos são tão pequenos que seus senos podem ser trocados pelos próprios valores dos ângulos.

27-3 Distância focal de uma lente

Vamos agora considerar outra situação de caráter bastante prático. A maioria das lentes que usamos tem duas superfícies, e não somente uma. Como isso afeta a discussão? Suponha que temos duas superfícies de curvaturas distintas, com vidro preenchendo o espaço entre elas (Fig. 27-5). Queremos estudar o problema de focalizar desde um ponto O até um outro ponto O'. Como podemos fazer isso? A resposta é a seguinte: primeiramente, use a fórmula (27-3) para a primeira superfície desprezando a segunda superfície. Isso nos dirá que a luz que diverge de O parecerá estar convergindo ou divergindo de um outro ponto O', dependendo do sinal. Então, consideramos um novo problema. Temos uma superfície distinta, entre vidro e ar, na qual os raios estão convergindo para um certo ponto O'. Onde eles irão realmente convergir? Aplicamos a mesma fórmula novamente! Vemos que eles convergem para O''. Portanto, se necessário, podemos considerar 75 superfícies simplesmente usando a mesma fórmula sucessivamente, de uma superfície a outra!

Existe um conjunto de fórmulas sofisticadas que nos economizaria uma energia considerável nas poucas vezes na nossa vida em que teríamos de acompanhar a luz através de cinco superfícies, mas é mais fácil acompanhá-la através de cinco superfícies quando o problema surgir do que memorizar um monte de fórmulas, porque pode ser que na verdade nunca tenhamos que persegui-la através de nenhuma superfície!

De todo modo, a ideia é que, quando atravessamos uma superfície, encontramos uma nova posição, um novo ponto focal, então consideramos esse ponto como o ponto de partida para a próxima superfície, e assim por diante. Como na segunda superfície estamos indo de n para 1, ao invés de 1 para n, e como em vários sistemas existe mais de um tipo de vidro, tal que existam índices $n_1, n_2,...$, para executarmos essa ideia precisamos, na verdade, de uma generalização da fórmula (27-3) para o caso em que existam dois tipos de índices distintos, n_1 e n_2, em vez de somente n. Então não é difícil provar que a forma geral de (27-3) é:

$$(n_1/s) + (n_2/s') = (n_2 - n_1)/R. \tag{27.7}$$

É particularmente simples o caso especial no qual as duas superfícies estão muito próximas uma da outra – tão próximas que podemos ignorar pequenos erros devido à espessura. Se desenharmos uma lente como a que é mostrada na Fig. 27-6, podemos fazer a seguinte pergunta: como a lente deve ser construída de maneira a focar a luz de O em O'? Suponha que a luz venha exatamente para o bordo da lente, no ponto P. Então o tempo extra de ir de O para O' é $(n_1 h^2/2s) + (n_1 h^2/2s')$, ignorando por um momento a presença da espessura T do vidro de índice n_2. Nessas circunstâncias, para fazer com que o tempo do caminho direto seja igual ao do caminho OPO', temos de usar um vidro de espessura central T tal que o atraso introduzido em se atravessar essa espessura seja suficiente para compensar o tempo extra acima. Consequentemente, a espessura da lente no centro deve ser dada pela expressão:

$$(n_1 h^2/2s) + (n_1 h^2/2s') = (n_2 - n_1)T. \tag{27.8}$$

Também podemos expressar T em termos dos raios R_1 e R_2 das duas superfícies. Prestando atenção à nossa convenção (3), encontramos que, para $R_1 < R_2$ (uma lente convexa),

$$T = (h^2/2R_1) - (h^2/2R_2). \tag{27.9}$$

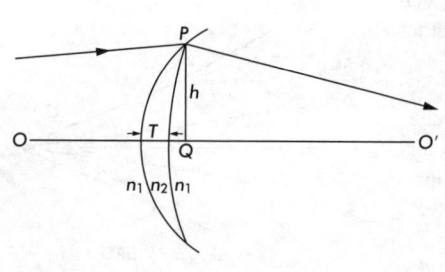

Figura 27-6 Uma lente fina com dois raios positivos.

Portanto, finalmente obtemos

$$(n_1/s) + (n_1/s') = (n_2 - n_1)(1/R_1 - 1/R_2). \qquad (27.10)$$

Notamos novamente que se um dos pontos está no infinito, o outro estará em um ponto que chamaremos de distância focal f. A distância focal f é dada por

$$1/f = (n - 1)(1/R_1 - 1/R_2), \qquad (27.11)$$

onde $n = n_2/n_1$.

Agora consideremos o caso oposto, quando s vai a infinito, vemos que s' está à distância focal f'. Desta vez, as distâncias focais são iguais. (Esse é outro caso especial da regra geral segundo a qual a razão entre as duas distâncias focais é a razão entre os índices de refração dos dois meios em que os raios focalizam. Nesse sistema óptico em particular, os índices inicial e final são os mesmos, tal que as duas distâncias focais são iguais.)

Esquecendo por um momento a fórmula efetiva para a distância focal, se compramos uma lente que alguém projetou com determinados raios de curvatura e com um certo índice, poderíamos medir a distância focal, digamos, observando onde um ponto no infinito é focado. Uma vez obtida a distância focal, seria melhor escrever nossa equação em termos da distância focal diretamente, e a fórmula então é

$$(1/s) + (1/s') = 1/f. \qquad (27.12)$$

Vejamos agora como a fórmula funciona e o que ela implica em diferentes circunstâncias. Primeiramente, ela implica que se uma das distâncias s ou s' for infinita, a outra será f. Isso significa que raios de luz paralelos são focados a uma distância f, e esse efeito *define* f. Outro ponto interessante é que ambos os pontos movem-se na mesma direção. Se um deles se mover para a direita, o outro também o faz. Outra coisa que isso significa é que s é igual a s' quando ambos forem iguais a $2f$. Em outras palavras, se quisermos uma situação simétrica, encontramos que ambos irão se focalizar à distância $2f$.

27–4 Ampliação

Até o momento, temos discutido a ação de focalizar somente para um ponto no eixo. Agora vamos discutir também o imageamento de objetos que não estão exatamente no eixo, mas um pouco afastados, a fim de entendermos as propriedades da *ampliação*. Quando montamos uma lente de modo a focar a luz de um pequeno filamento em um "ponto" em uma tela, notamos que obtemos uma "imagem" do mesmo filamento na tela, exceto pelo tamanho maior ou menor que o do filamento real. Isso deve significar que a luz é focada a partir de *cada ponto* do filamento. Para entendermos esse fato um pouco melhor, vamos analisar o sistema de uma lente delgada mostrado esquematicamente na Fig. 27-7. Conhecemos os seguintes fatos:

(1) Qualquer raio que incida em paralelo em um lado procede em direção a um certo ponto em particular chamado de foco no outro lado, a uma distância f da lente.
(2) Qualquer raio que chegue na lente a partir do foco de um lado sairá em paralelo ao eixo no outro lado.

Isso é tudo que é necessário para deduzir a fórmula (27-12) por geometria, como se segue: suponha que tenhamos um objeto a uma distância x do foco; seja a altura do objeto y. Então sabemos que um dos raios, denominado PQ, será curvado de modo a passar através do foco R do outro lado. Se a lente focar o ponto P, podemos descobrir o local se determinarmos onde apenas mais um outro raio passa, porque o novo foco ocorrerá onde os dois se intersectam novamente. Precisamos apenas da nossa engenhosidade para descobrir a direção exata de *um* outro raio. Lembremos que um raio paralelo passa pelo foco e *vice-versa*: um raio que passa pelo foco sairá

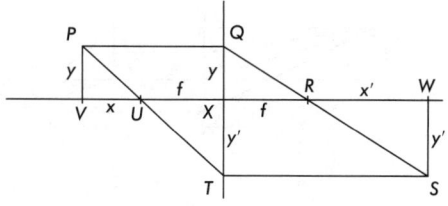

Figura 27–7 A geometria da formação de imagem por uma lente fina.

em paralelo! Portanto, desenhamos raio *PT* através de *U*. (É verdade que os raios que de fato estão causando a focalização podem ser mais limitados do que os dois que desenhamos, mas eles são mais difíceis de serem determinados, portanto fazemos de conta que podemos considerar esse raio.) Como ele sairia em paralelo, desenhamos *TS* paralelo a *XW*. A intersecção *S* é o ponto de que precisamos. Isso irá determinar o lugar correto e a altura correta. Vamos chamar a distância de y' e a distância do foco de x'. Podemos então derivar a fórmula para a lente. Usando os triângulos semelhantes *PVU* e *TXU*, encontramos

$$\frac{y'}{f} = \frac{y}{x}. \tag{27.13}$$

Do mesmo modo, dos triângulos *SWR* e *QXR*, obtemos

$$\frac{y'}{x'} = \frac{y}{f}. \tag{27.14}$$

Resolvendo ambas para y'/y, encontramos que

$$\frac{y'}{y} = \frac{x'}{f} = \frac{f}{x}. \tag{27.15}$$

A Equação (27.15) é a famosa fórmula do fabricante de lentes; nela está tudo o que é necessário saber sobre lentes: ela nos fornece a amplificação, y'/y, em termos das distâncias e das distâncias focais. Ela também relaciona as duas distâncias x e x' com f:

$$xx' = f^2, \tag{27.16}$$

que é uma maneira bem mais clara de se trabalhar do que a Eq. (27.12). Deixamos para o estudante demonstrar que se considerarmos $s = x + f$ e $s' = x' + f$, a Eq. (27.12) é a mesma que Eq. (27.16).

27–5 Lentes compostas

Sem de fato entrarmos em sua derivação, descreveremos brevemente o resultado geral para um certo número de lentes. Se tivermos um sistema com várias lentes, como podemos analisá-lo? Isso é fácil. Começaremos com algum objeto e calcularemos onde sua imagem se dá para a primeira lente usando a fórmula (27.16) ou (27.12) ou qualquer outra fórmula equivalente, ou desenhando diagramas. Portanto, encontramos uma imagem. Então tratamos essa imagem como a fonte para a próxima lente, e usamos a segunda lente com qualquer que seja sua distância focal para novamente encontrar uma imagem. Simplesmente seguimos a coisa através da sucessão de lentes. Isso é tudo. Como não envolve uma ideia nova, não entraremos nisso. No entanto, existe um resultado efetivo muito interessante dos efeitos de qualquer sequência de lentes na luz que começa e termina no mesmo meio, digamos, o ar. Qualquer instrumento óptico – um telescópio ou microscópio com qualquer número de lentes e espelhos – tem a seguinte propriedade: existem dois planos, chamados de *planos principais* do sistema (esses planos são frequentemente muito próximos da primeira superfície da primeira lente e da última superfície da última lente), os quais têm as seguintes propriedades: (1) Se a luz entra paralela no sistema a partir do primeiro lado, ela sai em um certo foco, a uma distância do *segundo* plano principal igual ao comprimento focal, como se o sistema fosse uma lente delgada situada nesse plano. (2) Se a luz paralela vier na outra direção, ela entrará em foco na mesma distância f a partir do *primeiro* plano principal, novamente como se uma lente delgada estivesse situada ali. (Veja Fig. 27-8.)

Claro que se medirmos as distâncias x e x', e y e y' como anteriormente, a fórmula (27.16) que escrevemos para a lente delgada é absolutamente geral, desde que meçamos a distância focal a partir dos planos principais e não a partir do centro da lente. Para uma lente delgada, os plano principais coincidem. É como

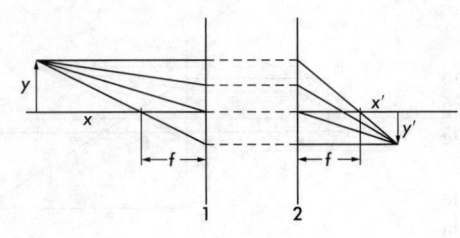

Figura 27–8 Ilustração dos planos principais de um sistema óptico.

se pudéssemos pegar uma lente fina, fatiá-la ao meio e separá-la sem reparar que estava separada. Todo raio que entra, sai imediatamente do outro lado do segundo plano a partir do mesmo ponto em que entrou no primeiro plano! Os planos principais e a distância focal podem ser determinados tanto por experimentos ou por cálculos, e então o conjunto completo de propriedades do sistema óptico é descrito. É bem interessante notar que o resultado não é complicado para um sistema óptico tão grande e complexo.

27–6 Aberrações

Antes de ficarmos muito animados sobre quão maravilhosas são as lentes, é necessário dizer que existem sérias limitações, pelo fato de termos nos restringido, rigorosamente falando, a raios para-axiais, os raio próximos ao eixo. Como uma lente real tem um tamanho finito, em geral, ela irá apresentar *aberrações*. Por exemplo, um raio que está no eixo naturalmente passa pelo foco; um raio que está muito próximo ao eixo ainda chega ao foco muito bem. No entanto, conforme nos afastamos, os raios começam a se desviar do foco, talvez não o alcançando, e um raio atingindo perto da extremidade de cima da lente desce e erra o foco por uma margem relativamente grande. Logo, em vez de obter uma imagem pontual, obtemos um borrão. Esse efeito é chamado de *aberração esférica*, pois é uma propriedade das superfícies esféricas que usamos no lugar do formato correto. Isso pode ser remediado para qualquer distância específica do objeto, pela reconfiguração da forma da superfície da lente, ou talvez usando várias lentes arranhadas de modo que as aberrações das lentes individuais tendam a se cancelar.

Lentes têm outro defeito: a luz de diferentes cores tem diferentes velocidades, ou diferentes índices de refração no vidro, e, portanto, a distância focal de uma dada lente é diferente para as diferentes cores. Logo, ao imagearmos um ponto branco, a imagem terá cores, porque quando focamos para o vermelho, o azul está fora de foco, ou vice-versa. Essa propriedade é chamada de *aberração cromática*.

Existem ainda outros defeitos. Se um objeto estiver fora do eixo, o foco não será mais realmente perfeito quando o objeto estiver longe o suficiente do eixo. A maneira mais fácil de verificar isso é focalizar uma lente e então incliná-la de forma que os raios incidam com um ângulo grande em relação ao eixo. Então a imagem formada será geralmente bastante grosseira, e pode não existir um local onde ela seja bem focada. Existem portanto vários tipos de erros em lentes que um projetista óptico tenta remediar usando muitas lentes para compensar o erro das outras.

Quão cuidadosos temos de ser para eliminar as aberrações? É possível fazer um sistema óptico absolutamente perfeito? Suponha que tenhamos de construir um sistema óptico que supostamente traga a luz exatamente para um ponto. Argumentando do ponto de vista do mínimo tempo, podemos encontrar uma condição de quão perfeito o sistema tem de ser? O sistema terá algum tipo de abertura para a entrada da luz. Se tomarmos o raio de luz mais distante do eixo que chega no foco (se o sistema for perfeito, é claro), os tempos para todos os raios são exatamente iguais. Contudo, nada é perfeito, assim, a pergunta é quão errado esse tempo do raio pode estar sem que seja necessário corrigi-lo mais? Isso depende de quão perfeita queiramos fazer a imagem. Suponhamos que desejemos fazer a imagem tão perfeita quanto seja possível. Então, é claro, nossa impressão é que temos de providenciar para que todos os raios levem quase o mesmo tempo, tanto quanto seja possível. Porém, isso não é verdade; além de um certo ponto, estamos tentando fazer algo que é refinado demais, porque a teoria da óptica geométrica não funciona!

Lembre-se de que o princípio do mínimo tempo não tem uma formulação precisa, ao contrário do princípio de conservação de energia ou do princípio da conservação do momento. O princípio do mínimo tempo é apenas uma *aproximação*, e é interessante notar quanto erro pode-se permitir de modo a não criar nenhuma diferença aparente. A resposta é fazermos com que a diferença de tempo entre o raio máximo – o pior raio, o raio mais afastado – e o raio central seja menor do que o período correspondente a uma oscilação da luz, e não há nenhuma utilidade em melhorar ainda mais. A luz é uma coisa oscilatória com uma frequência definida que está relacionada ao comprimento de onda, e se conseguirmos que a diferença de tempo para raios distintos seja menos do que aproximadamente um período, então existe vantagem em ir além.

27–7 Poder de resolução

Outra questão interessante – uma questão técnica muito importante para todos os instrumentos ópticos – é quanto *poder de resolução* eles têm. Se construirmos um microscópio, queremos enxergar os objetos que estamos vendo. Isso significa, por exemplo, que se estamos vendo uma bactéria com uma mancha em cada extremidade, queremos *ver* que existem duas manchas quando as amplificamos. Alguns podem pensar que tudo o que temos de fazer é obter amplificação suficiente – sempre é possível adicionar mais uma lente, e sempre poderemos amplificar cada vez mais, e com a habilidade dos projetistas, todas as aberrações esféricas e cromáticas podem ser canceladas, e não existe nenhuma razão por que não podemos continuar a ampliar a imagem. Portanto, as limitações de um microscópio não são que seja impossível construir uma lente que amplie mais do que 2000 diâmetros. Podemos construir um sistema de lentes que ampliem 10.000 diâmetros, mesmo assim *ainda* não seria possível ver dois pontos que estão próximos demais por causa das limitações da óptica geométrica, devido ao fato de o mínimo tempo não ser preciso.

Descobrir a regra que determina quão distantes dois pontos precisam estar para que na imagem eles apareçam como pontos separados pode ser expresso de uma maneira bastante bela associada ao tempo que os diferentes raios levam. Suponha que desprezemos as aberrações agora, e imagine que para um certo ponto P (Fig. 27-9) todos os raios do objeto à imagem T levam exatamente o mesmo tempo. (Não é verdade, porque esse não é um sistema perfeito, mas isso é outro problema.) Agora considere um outro ponto vizinho, P', e pergunte se a sua imagem será distinta de T. Em outras palavras, se é possível distinguir a diferença entre eles. Claro que, de acordo com a óptica geométrica, deveria haver duas imagens pontuais, mas o que vemos pode estar meio borrado, e podemos não ser capazes de distinguir que existem dois pontos. A condição de que o segundo ponto é focado em um local distintamente diferente do primeiro é que os dois tempos que os raios extremos $P'ST$ e $P'RT$ de cada lado da grande abertura das lentes levam para ir de uma extremidade a outra *não* devem ser iguais aos dos dois pontos possíveis do objeto até um dado ponto da imagem. Por quê? Porque se os tempos fossem iguais, é claro que ambos iriam *focar* o mesmo ponto. Logo os tempos não serão iguais, mas por quanto eles devem diferir para podermos dizer que ambos *não* vêm de um foco comum, de modo que possamos distinguir os dois pontos da imagem? A regra geral para a resolução de qualquer instrumento óptico é a seguinte: duas fontes pontuais diferentes podem ser resolvidas somente se uma das fontes for focalizada em um ponto tal que os tempos que levam para os raios máximos da outra fonte atingirem esse ponto, quando comparados com sua própria imagem pontual, difiram por não mais do que um período. É necessário que a diferença em tempo entre o raio do topo e o raio de baixo para o foco *errado* exceda um certo valor, a saber, aproximadamente o período de oscilação da luz:

$$t_2 - t_1 > 1/\nu, \qquad (27.17)$$

onde ν é a frequência da luz (número de oscilação por segundo; ou também a velocidade dividida pelo comprimento de onda). Chamando a distância da separação entre os dois pontos de D e o ângulo de abertura da lente de θ, podemos demonstrar que (27.17) é exatamente equivalente à afirmação de que D deve exceder λ/n sen θ, onde n é o índice de refração em P e λ é o comprimento de onda. Por essa razão, as menores coisas que somos capazes de ver são aproximadamente o comprimento de onda da luz. Uma fórmula correspondente existe para telescópios, a qual nos dá a menor diferença angular entre duas estrelas a fim de que possam ser distinguidas.[1]

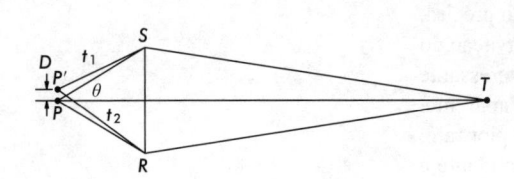

Figura 27-9 O poder de resolução de um sistema óptico.

---

[1] O ângulo é aproximadamente λ/D, onde D é o diâmetro da lente. Você pode entender por quê?

28

Radiação Eletromagnética

28–1 Eletromagnetismo

Os momentos mais dramáticos no desenvolvimento da física são aqueles quando grandes sínteses acontecem, em que fenômenos que previamente pareciam ser distintos são subitamente revelados como apenas diferentes aspectos da mesma coisa. A história da física é a história de tais sínteses, e o sucesso da ciência física baseia-se principalmente no fato de que somos *capazes* de sintetizar.

Talvez o momento mais significativo no desenvolvimento da física durante o século XIX ocorreu para J. C. Maxwell um dia na década de 1860, quando ele combinou as leis da eletricidade e do magnetismo com as leis do comportamento da luz. Como resultado, as propriedades da luz foram parcialmente desvendadas – essa coisa antiga e sutil que, de tão importante e misteriosa, teve uma criação especial quando o Gênesis foi escrito. Maxwell poderia ter dito, quando terminou sua descoberta, "Faça-se a eletricidade e o magnetismo, e se fará a luz!"

Para esse momento culminante, foi necessária uma longa preparação para a descoberta gradual e a revelação das leis da eletricidade e do magnetismo. No entanto, essa história será reservada para um estudo mais detalhado no próximo ano. Em suma, é o seguinte. Descobertas gradualmente, as propriedades da eletricidade e do magnetismo, das forças elétricas de atração e repulsão e das forças magnéticas mostraram que, embora essas forças sejam um tanto complexas, elas diminuem com o quadrado da distância. Sabemos, por exemplo, que a simples lei de Coulomb para cargas estacionárias diz que o campo da força elétrica varia inversamente com o quadrado da distância. Como consequência, para distâncias suficientemente grandes, a influência de um sistema de cargas sobre outro é muito pequena. Maxwell notou que as equações ou leis que tinham sido descobertas até aquele tempo eram mutuamente inconsistentes quando tentou juntá-las, e para tornar consistente o sistema completo, teve de adicionar mais um termo às suas equações. Esse novo termo trouxe uma previsão surpreendente, que uma parte dos campos elétrico e magnético decairia de forma bem mais devagar com a distância do que a lei do inverso do quadrado, a saber, inversamente com a primeira potência da distância! E assim ele percebeu que correntes elétricas são capazes de afetar cargas distantes do seu local, predizendo então os efeitos básicos com os quais estamos familiarizados hoje – transmissão de rádio, radar e assim por diante.

Parece um milagre que alguém falando na Europa, com apenas influências elétricas, possa ser escutado a milhares de milhas de distância em Los Angeles. Como isso é possível? É porque os campos não variam com o inverso do quadrado, mas apenas inversamente com a primeira potência da distância. Finalmente, então até a própria luz foi reconhecida como influências elétrica e magnética estendendo-se sobre grandes distâncias, geradas por uma oscilação incrivelmente rápida dos elétrons nos átomos. Todos esses fenômenos são resumidos na palavra *radiação*, ou, mais especificamente, *radiação eletromagnética*, pois existem um ou dois outros tipos de radiação também. Quase sempre, radiação quer dizer radiação eletromagnética.

E assim é tecido o universo. Os movimentos atômicos de uma estrela longínqua ainda têm influência suficiente, mesmo nessas grandes distâncias, para mover os elétrons do nosso olho, e assim podemos entender as estrelas. Caso essa lei não existisse, estaríamos literalmente no escuro com relação ao mundo exterior! E as ondas elétricas em uma galáxia distante cinco bilhões de anos-luz – que é o objeto mais longínquo que descobrimos até o presente* – podem ainda influenciar de maneira significante e detectável as correntes no "grande prato" de um rádio telescópio. Dessa maneira, somos capazes de ver as estrelas e galáxias.

28–1 Eletromagnetismo
28–2 Radiação
28–3 O radiador de dipolo
28–4 Interferência

---

* N. de T.: Em 2004, foi descoberta a galáxia mais distante, a 13 bilhões de anos-luz.

Neste capítulo, discutiremos esse fenômeno extraordinário. No início deste curso de física, esboçamos uma descrição geral do mundo, mas estamos agora mais bem preparados para entender alguns aspectos dela, iremos então examinar algumas das partes novamente em mais detalhes. Começamos descrevendo a situação da física no final do século XIX. Tudo o que era conhecido na época sobre as leis fundamentais é resumido a seguir.

Primeiramente, existiam as leis de força: uma força era a lei da gravitação, sobre a qual já escrevemos várias vezes; a força em um objeto de massa m, devido a outro de massa M, é dada por

$$\mathbf{F} = GmM\mathbf{e}_r/r^2, \tag{28.1}$$

onde $\mathbf{e}_r$ é um vetor unitário direcionado de m a M e onde r é a distância entre elas.

Em seguida, as leis de eletricidade e magnetismo, como eram conhecidas no final do século XIX, são: as forças elétricas agindo em uma carga q podem ser descritas por dois campos, chamados $\mathbf{E}$ e $\mathbf{B}$, e a velocidade $\mathbf{v}$ da carga q, pela equação

$$\mathbf{F} = q(\mathbf{E} + \mathbf{v} \times \mathbf{B}). \tag{28.2}$$

Para completar essa lei, temos de fornecer as fórmulas para $\mathbf{E}$ e $\mathbf{B}$ para uma dada circunstância: se um número de cargas está presente, $\mathbf{E}$ e $\mathbf{B}$ são a soma de contribuições das cargas individuais. Portanto, se pudermos determinar $\mathbf{E}$ e $\mathbf{B}$ produzidos por uma única carga, precisamos apenas somar todos os efeitos de todas as cargas do universo para obter $\mathbf{E}$ e $\mathbf{B}$ total! Esse é o princípio da superposição.

Qual é a fórmula para o campo elétrico e magnético produzido por uma carga individual? Isso é muito complicado, e é preciso muito estudo e sofisticação para apreciá-la, mas isso não é o que interessa. Escrevemos a lei agora apenas para impressionar o leitor com a beleza da natureza, por assim dizer, ou seja, que é *possível* resumir todo conhecimento fundamental em uma única página, com a notação que já é familiar. A lei para os campos de uma carga individual é completa e precisa até onde sabemos (exceto pela mecânica quântica), mas parece um tanto complicada. Não estudaremos todas as partes agora; apenas a escrevemos para causar impressão, para mostrar que pode ser escrita e para que possamos ver de antemão aproximadamente como se parece. Na realidade, a maneira mais *útil* de se escrever as leis corretas da eletricidade e do magnetismo não é da maneira que agora as relatamos, mas envolve o que chamamos de *equações de campo*, que aprenderemos no ano que vem. Porém a notação matemática para elas é diferente e nova e, portanto, escrevemos a lei em uma forma conveniente para os cálculos, mas na notação que já conhecemos.

O campo elétrico, $\mathbf{E}$, é dado por

$$\mathbf{E} = \frac{-q}{4\pi\epsilon_0}\left[\frac{\mathbf{e}_{r'}}{r'^2} + \frac{r'}{c}\frac{d}{dt}\left(\frac{\mathbf{e}_{r'}}{r'^2}\right) + \frac{1}{c^2}\frac{d^2}{dt^2}\mathbf{e}_{r'}\right]. \tag{28.3}$$

O que os vários termos querem dizer? Tomemos o primeiro termo, $\mathbf{E} = -q\mathbf{e}_{r'}/4\pi\,\varepsilon_0 r'^2$. Essa é claro, é a lei de Coulomb, a qual já conhecemos: q é a carga que produz o campo; $\mathbf{e}_{r'}$ é o vetor unitário na direção do ponto P onde $\mathbf{E}$ é medido e r é a distância de P a q. Porém a lei de Coulomb está errada. As descobertas do século XIX mostraram que perturbações não podem viajar mais rapidamente do que uma certa velocidade fundamental c, que agora chamamos de velocidade da luz. Não é correto que o primeiro termo seja a lei de Coulomb, não apenas porque não é possível saber onde a carga está *agora* e a que distância ela esta *agora*, mas também porque a única coisa que pode afetar o campo em um dado lugar e tempo é o comportamento das cargas no *passado*. Quanto *tempo* no passado? O tempo de atraso, chamado *tempo de resposta*, é o tempo que leva, com velocidade c, para ir da carga ao ponto P do campo. O atraso é r'/c.

Para levarmos em conta esse atraso, pusemos uma linha em r, significando quão longe se *estava* quando a informação agora chegando em P deixou q. Suponha que a carga carregasse uma luz, e que essa luz somente poderia chegar a P na velocidade c. Então, quando olhamos para q, não vemos onde ela está agora, é claro, mas onde *estava* em um momento anterior. O que aparece na fórmula é a direção *aparente* $\mathbf{e}_{r'}$ – a direção onde a carga estava, denominada direção *retardada* – e a distância *retardada r'*. Isso também seria fácil de se entender, mas está igualmente *errado*. A coisa é muito mais complicada.

Existem vários outros termos. O próximo termo refere-se ao fato de a Natureza tentar levar em consideração que o efeito é retardado, colocado de uma maneira bastante grosseira. Ele sugere que devemos calcular o campo Coulomb atrasado e adicionar uma correção, a qual é sua taxa de variação vezes o tempo de atraso que usamos. A Natureza parece estar tentando adivinhar o campo no tempo presente, multiplicando a taxa de variação pelo tempo de atraso. Ainda não terminamos. Existe um terceiro termo – a derivada segunda com respeito a *t*, do vetor unitário na direção da carga. Agora a fórmula *está* terminada, e isso é tudo que é preciso para o campo elétrico de uma carga que se move arbitrariamente.

O campo magnético é dado por:

$$\mathbf{B} = -\mathbf{e}_{r'} \times \mathbf{E}/c. \tag{28.4}$$

Escrevemos essas expressões apenas com o propósito de mostrar a beleza da natureza ou, de um certo modo, o poder da matemática. Não pretendemos entender *por quê* é possível escrever tanto em tão pouco espaço, mas (28.3) e (28.4) contêm o mecanismo por meio do qual geradores elétricos funcionam, como a luz opera e de todos os fenômenos de eletricidade e magnetismo. É claro que para completar a história, também precisamos conhecer alguma coisa sobre o comportamento dos materiais envolvidos – as propriedades da matéria – que não é descrito apropriadamente por (28.3).

Para finalizarmos nossa descrição do mundo do século XIX, devemos mencionar uma outra grande síntese que ocorreu naquele século, para a qual Maxwell também deu sua contribuição, e essa foi a síntese do fenômeno de calor e mecânica. Estudaremos esse assunto em breve.

O que foi acrescentado no século XX é que as leis dinâmicas de Newton estavam todas erradas, sendo preciso introduzir a mecânica quântica para corrigi-las. As leis de Newton são válidas de uma maneira aproximada quando a escala das coisas é suficientemente grande. As leis da mecânica quântica, juntamente às leis da eletricidade, foram apenas recentemente combinadas para formar um conjunto de leis denominado *eletrodinâmica quântica*. Além disso, foram descobertos diversos novos fenômenos, sendo o primeiro deles a radioatividade, descoberta por Becquerel em 1898 – o que por pouco conseguiu encaixá-lo dentro do século XIX. O fenômeno da radioatividade resultou na produção do nosso conhecimento de núcleos e novos tipos de forças que não gravitacional ou elétrica, mas novas partículas com diferentes interações, um assunto que ainda não foi totalmente esclarecido.

Para aqueles puristas que sabem mais (os professores universitários que por acaso estejam lendo isso), devemos acrescentar que quando dizemos que (28.3) é uma expressão completa do conhecimento da eletrodinâmica, não estamos sendo completamente precisos. Existia um problema que não foi totalmente resolvido no final do século XIX. Quando tentamos calcular o campo devido a todas as cargas, *incluindo a própria carga de prova sobre qual o campo atua*, nós nos complicamos tentando encontrar a distância, por exemplo, da carga de si mesma, e dividir algo por essa distância, que é zero. O problema de como lidar com a parte do campo que é gerado por essa mesma carga na qual queremos que o campo atue não foi resolvido até hoje. Portanto, deixemos como está; ainda não temos uma solução completa para o problema, então vamos ignorá-lo pelo máximo tempo que pudermos.

28–2 Radiação

Esse, então, é o resumo do cenário mundial. Vamos agora usá-lo para discutir o fenômeno chamado de radiação. Para discutir esse fenômeno, precisamos selecionar da Eq. (28.3) apenas o pedaço que varie inversamente com a distância e não com o quadrado da distância. Quando finalmente encontramos esse pedaço, ele é tão simples em sua forma que é legítimo estudar óptica e eletrodinâmica de uma maneira elementar tomando-o como "a lei" do campo elétrico produzido por uma carga muito distante em movimento. Aceitemos temporariamente como uma dada lei que iremos aprender em detalhes no ano que vem.

Dos termos que aparecem em (28.3), fica claro que o primeiro é inversamente proporcional ao quadrado da distância, e o segundo é apenas uma correção pelo atraso, portanto é fácil mostrar que ambos variam inversamente com o quadrado da distância. Todos os efeitos nos quais estamos interessados vêm do terceiro termo, que não é tão complicado. Esse termo diz para olharmos para a carga e notarmos a direção do vetor unitário (podemos projetar o final dele na superfície de uma esfera unitária). Conforme a carga se move, o vetor unitário se agita, e a *aceleração desse vetor unitário é exatamente o que estamos procurando*. Isso é tudo. Portanto

$$\mathbf{E} = \frac{-q}{4\pi\epsilon_0 c^2} \frac{d^2 \mathbf{e}_{r'}}{dt^2} \tag{28.5}$$

é uma declaração das leis da radiação, porque esse é o único termo importante quando estamos longe o suficiente de modo que os campos variam inversamente com a distância. (As partes que vão com o quadrado da distância já diminuíram tanto que não estamos mais interessados nelas.)

Agora podemos nos aprofundar um pouco mais no estudo de (28.5) para ver o seu significado. Suponha que uma carga esteja se movendo de qualquer maneira, e que estejamos observando-a a distância. Imagine por um momento que de certo modo ela está "acesa" (embora estejamos tentando explicar a luz); imaginamos a carga como um pequeno ponto branco. Então veríamos esse ponto branco movendo-se em todas as direções, mas não vemos *exatamente* como ele está se movendo instantaneamente, por causa do atraso do qual estamos falando. O que conta é como a carga estava se movendo *antes*. O vetor unitário $\mathbf{e}_{r'}$ aponta na direção da posição aparente da carga. É claro que a ponta de $\mathbf{e}_{r'}$ segue uma curva, de maneira que a sua aceleração tem duas componentes. Uma é transversal, porque sua ponta vai para cima e para baixo, e a outra é radial, pois permanece sobre uma esfera. É fácil demonstrar que a última componente é muito menor e varia com o inverso do quadrado de r, quando r é muito grande. Isso é fácil de se ver, pois quando imaginamos que uma certa fonte se move cada vez mais longe, então as oscilações de $\mathbf{e}_{r'}$ aparecerão cada vez menores, inversamente com a distância, porém a componente radial da aceleração estará variando bem mais rapidamente do que inversamente com a distância. Portanto, para fins práticos, tudo o que temos de fazer é projetar o movimento em um plano a uma distância unitária. Então, encontramos a seguinte regra: imagine que olhemos para a carga em movimento e tudo o que vemos está atrasado – como um pintor tentando pintar uma cena em uma tela a uma distância unitária. Um pintor real, é óbvio, não leva em consideração o fato de a luz estar viajando a uma certa velocidade, mas pinta o mundo como ele o vê. Queremos ver como seria a sua pintura. Logo, vemos um ponto, representando a carga, movendo-se dentro da pintura. A aceleração desse ponto é proporcional ao campo elétrico. Isso é tudo de que precisamos.

Então, a Eq. (28.5) é a fórmula completa e correta para a radiação; mesmo os efeitos da relatividade estão contidos nela. No entanto, muitas vezes queremos aplicá-la a uma circunstância ainda mais simples na qual as cargas estão em movimento a apenas uma pequena distância e a uma taxa relativamente devagar. Como estão se movendo lentamente, as cargas não se deslocam uma distância apreciável do local de onde começaram, logo o tempo de atraso é praticamente constante. Portanto, a lei é ainda mais simples, porque o tempo de atraso é fixo. Imaginemos que a carga está executando um movimento muito pequeno a uma distância efetivamente constante. O atraso, a distância r, é r/c. Nesse caso, nossa regra torna-se a seguinte: se o objeto carregado está realizando um movimento muito pequeno e é deslocado lateralmente de uma distância $x(t)$, então o ângulo que o vetor unitário $\mathbf{e}_{r'}$ é deslocado é x/r, e como r é praticamente constante, a componente x de $d^2\mathbf{e}_{r'}/dt^2$ é simplesmente a aceleração do próprio x em um tempo anterior dividida por r e, portanto, finalmente obtemos a lei que desejamos, que é

$$E_x(t) = \frac{-q}{4\pi\epsilon_0 c^2 r} a_x\left(t - \frac{r}{c}\right). \tag{28.6}$$

Apenas a componente a_x, perpendicular à linha de visão, é importante. Vamos ver por que isso é assim. Evidentemente, se a carga está se movendo diretamente em nossa direção ou na direção oposta, o vetor unitário nessa direção não apresenta nenhuma oscilação e, portanto, não tem nenhuma aceleração. Logo é apenas o movimento lateral que é importante, somente a aceleração que vemos projetada em uma tela.

28-3 O radiador de dipolo

Como nossa "lei" fundamental da radiação eletromagnética, vamos supor que (28.6) seja verdadeira, isto é, que essa equação fornece a forma aproximada do campo elétrico produzido por uma carga acelerada que está se movendo com velocidade não relativista a uma grande distância r. O campo elétrico varia inversamente com r e é proporcional à aceleração da carga, projetada no "plano de visão", e sua aceleração não é a aceleração de agora, mas a aceleração que ela tinha em um tempo anterior, sendo a quantidade do atraso igual a r/c. No restante deste capítulo, iremos discutir essa lei de modo que possamos entendê-la melhor fisicamente, pois iremos usá-la para entender todos os fenômenos da luz e rádio propagação, como reflexão, interferência, difração e espalhamento. Essa é a lei central e é tudo de que precisamos. Todo o resto da Eq. (28.3) foi escrito apenas para preparar o terreno, tal que pudéssemos apreciar onde (28.6) se encaixa e de onde ela vem.

Iremos discutir (28.3) ainda mais no ano que vem. Nesse meio tempo, vamos aceitá-la como verdadeira, mas não apenas teoricamente. Podemos inventar vários experimentos que ilustrem o caráter dessa lei. Para poder fazer isso, precisamos de uma carga acelerada. Deve ser uma carga isolada, mas se pudermos fazer um número grande de cargas moverem-se juntas, todas na mesma direção, sabemos que o campo será a soma dos efeitos de cada carga individualmente; basta somá-los todos. Como exemplo, considere dois pedaços de fios conectados a um gerador, como mostrado na Fig. 28-1. A ideia é que o gerador crie uma diferença de potencial, ou um campo, que puxa os elétrons para longe do pedaço A e os empurra em direção a B em um momento, e então, logo após um tempo infinitesimal, reverte o efeito puxando os elétrons de B e bombeando-os novamente para A! Portanto, as cargas nesses dois pedaços de fios estão, por assim dizer, acelerando para cima no fio A e para cima também no fio B em um dado momento, enquanto que, em um momento posterior, estão acelerando para baixo no fio A e para baixo no fio B. O fato de que precisamos de dois fios e um gerador é meramente porque essa é uma das maneiras de fazê-lo. O efeito resultante é que temos simplesmente uma carga acelerando para cima e para baixo como se A e B fossem um único fio. Um fio que é muito curto comparado com a distância que a luz viaja em um período de oscilação é denominado de *oscilador de dipolo elétrico*. Logo temos a circunstância de que precisamos para a aplicar nossa lei, que nos diz que essa carga cria um campo elétrico e, portanto, precisamos de um instrumento capaz de detectar campos elétricos, e o instrumento que usamos é o mesmo – um par de fios como A e B. Se um campo elétrico for aplicado a esse dispositivo, ele irá produzir uma força que irá puxar os elétrons para cima em ambos os fios ou para baixo em ambos os fios. Esse sinal é detectado por meio de um retificador montado entre A e B, no qual um pequeno fio fino carrega a informação para um amplificador em que ela é amplificada a fim de que possamos escutar o tom da frequência de áudio com a qual a radiofrequência é modulada. Quando essa sonda sentir o campo elétrico, um barulho alto sairá do alto-falante, e quando não existir esse campo elétrico propulsor, não se ouvirá nenhum barulho.

Como a sala onde estamos medindo as ondas possui outros objetos, nosso campo elétrico irá balançar os elétrons desses outros objetos; o campo elétrico faz com essas outras cargas se movam para cima e para baixo e, ao se moverem para cima e para baixo, elas também afetam nossa sonda. Portanto, para que o experimento tenha sucesso, precisamos manter as coisas muito próximas, de modo que as influências das paredes e de nós mesmos – as ondas refletidas – sejam relativamente pequenas. Logo, o fenômeno não estará precisa e perfeitamente de acordo com a Eq. (28.6), mas será suficientemente próximo a fim de sermos capazes de apreciar a lei.

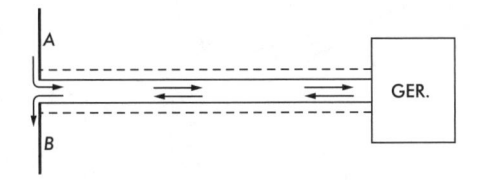

Figura 28-1 Um gerador de sinais de alta-frequência induz cargas ao longo de dois fios.

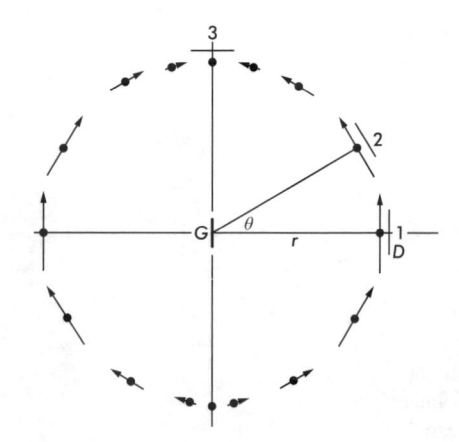

Figura 28–2 O campo elétrico instantâneo em uma esfera centrada em uma carga localizada que oscila.

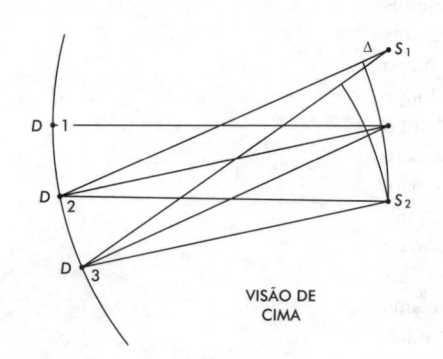

Figura 28–3 Ilustração da interferência entre fontes.

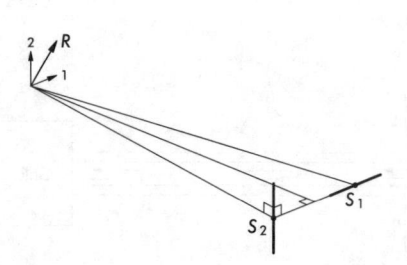

Figura 28–4 Ilustração do caráter vetorial de uma combinação de fontes.

Agora ligamos o gerador e escutamos o sinal de áudio. Encontramos um campo forte quando o detector D é paralelo ao gerador G no ponto 1 (Fig. 28-2). Encontramos a mesma quantidade de campo em qualquer outro ângulo azimutal em relação ao eixo G, porque não existem efeitos direcionais. Por outro lado, quando o detector está em 3, o campo é zero. Tudo bem, porque nossa fórmula diz que o campo deve ser a aceleração da carga *projetada perpendicularmente* à linha de visão. Portanto quando olhamos de cima para G, vemos que a carga ora se aproxima, ora se afasta de D, não causando nenhum efeito. Dessa forma, a primeira regra está confirmada, de que não existe nenhum efeito quando a carga está se movendo diretamente em nossa direção. Em segundo lugar, a fórmula diz que o campo elétrico deve ser perpendicular a r e ao plano de G e r; logo, se pusermos D em 1, mas rodarmos de 90°, não devemos obter nenhum sinal. É isso mesmo que encontramos, o campo elétrico é de fato vertical, e não horizontal. Quando movemos D de um ângulo intermediário, vemos que o sinal mais forte ocorre quando se está orientado como mostrado, porque embora G seja vertical, ele não produz um campo que é simplesmente paralelo a si mesmo – é a *projeção da aceleração perpendicular à linha de visão* que conta. O sinal é mais fraco em 2 do que em 1, por causa do efeito de projeção.

28–4 Interferência

Em seguida, podemos testar o que acontece quando temos duas fontes lado a lado separadas por vários comprimentos de onda (Fig. 28-3). A lei que as duas fontes devem somar seus efeitos no ponto 1 quando ambas as fontes forem conectadas a algum gerador e ambas estiverem se movendo para cima e para baixo da mesma maneira, de modo que o campo elétrico total é a soma dos dois e duas vezes mais forte do que anteriormente.

Agora temos uma possibilidade interessante. Suponha que ambas as cargas em S_1 e S_2 sejam aceleradas para cima e para baixo, sendo a sincronização de S_2 atrasada de modo que esteja 180° fora de fase. Então o campo produzido por S_1 terá uma direção, enquanto que o campo produzido por S_2 terá a direção oposta em qualquer instante; portanto, não devemos obter *nenhum* efeito no ponto 1. A oscilação da fase é habilmente ajustável por meio de um fio que carrega o sinal para S_2. Ao modificar o comprimento desse fio, mudamos o tempo que leva para o sinal chegar até S_2 e, portanto, mudamos a fase da oscilação. Ao ajustarmos esse comprimento, podemos de fato encontrar uma posição na qual não exista mais sinal, apesar de ambas, S_1 e S_2, estarem se movendo! O fato de ambas estarem se movendo pode ser verificado, porque se eliminarmos uma delas, podemos ver o movimento da outra. Portanto, as duas cargas juntas podem produzir um campo *nulo* desde que todo o resto seja ajustado corretamente.

É interessante mostrar que a soma dos dois campos é na verdade uma adição de *vetores*. Acabamos de verificar esse fato para movimentos para cima e para baixo, mas vamos conferi-lo para duas direções não paralelas. Primeiramente, restituímos S_1 e S_2 à mesma fase; isto é, elas estão se movendo juntas novamente, mas agora giramos S_1 em 90°, conforme mostrado na Fig. 28-4. No ponto 1, agora teremos a soma de dois efeitos, um que é vertical e o outro horizontal. O campo elétrico é a soma vetorial desses dois sinais em fase – ambos sendo fortes no mesmo tempo e alcançando zero juntos; o campo total deve ser um sinal R em 45°. Se girarmos D para obter o máximo ruído, isso deve ocorrer próximo a 45°, e não na vertical. Já se girarmos a 90° dessa direção, devemos obter zero, que é facilmente medido. De fato, observamos exatamente esse comportamento!

E sobre o atraso? Como podemos demonstrar que o sinal está atrasado? Podemos, com uma grande quantidade de equipamentos, medir o seu tempo de chegada, mas existe outra maneira muito mais simples. Referindo novamente à Fig. 28-3, suponha que S_1 e S_2 estejam em fase. Ambas as cargas oscilam em fase produzindo campos elétricos iguais no ponto 1. Considere um certo lugar 2 mais perto de S_2 e mais longe de S_1. Então, de acordo com o princípio de que a aceleração deve estar atrasada por uma quantia r/c, se os atrasos não são iguais, os sinais não estão mais em fase. Neste caso, deve ser possível encontrar uma posição na qual as distâncias de D até S_1 e até S_2 diferem por uma quantia Δ, tal que não exista um sinal resultante. Isto é, a distância Δ deve ser a distância que a luz viaja durante meia oscilação do gerador. Podemos ir ainda mais longe e encontrar um ponto onde a diferença é maior por um ciclo inteiro; isto é, o sinal da primeira antena atinge o ponto 2 com um atraso no tempo que é maior do que o da segunda antena pelo tempo que leva para a corrente elétrica oscilar apenas uma vez, e dessa maneira os dois campos elétricos produzidos em 3 estão novamente em fase. No ponto 3, o sinal é forte novamente.

Isso completa nossa discussão da verificação experimental de alguns aspectos importantes da Eq. (28.6). Claro que não verificamos realmente a variação $1/r$ da intensidade do campo elétrico, ou o fato de que existe também um campo magnético que acompanha o campo elétrico. Para fazer isso, seriam necessárias técnicas sofisticadas que pouco acrescentariam ao nosso entendimento neste ponto. Entretanto, averiguamos os aspectos que têm maior importância para aplicações posteriores e retornaremos a estudar algumas outras propriedades de ondas eletromagnéticas no próximo ano.

29

Interferência

29–1 Ondas eletromagnéticas

Neste capítulo, iremos discutir o assunto do capítulo anterior com maior rigor matemático. Demonstramos qualitativamente que existem máximos e mínimos no campo de radiação de duas fontes, mas agora descreveremos matematicamente o campo em detalhe, e não apenas qualitativamente.

Já analisamos fisicamente o significado da fórmula (28.6) de maneira satisfatória, porém ainda existem pontos a serem descritos matematicamente. Em primeiro lugar, se uma carga está acelerando para cima e para baixo ao longo de uma linha, com um movimento de amplitude bem pequena, o campo a um ângulo θ do eixo do movimento está na direção perpendicular à linha de visão e ao plano contendo tanto a aceleração quanto a linha de visão (Fig. 29-1). Chamando a distância de r, então o tempo t do campo elétrico tem a magnitude

$$E(t) = \frac{-qa(t - r/c)\,\text{sen}\,\theta}{4\pi\epsilon_0 c^2 r}, \qquad (29.1)$$

29–1 Ondas eletromagnéticas
29–2 Energia da radiação
29–3 Ondas senoidais
29–4 Dois dipolos radiadores
29–5 A matemática da interferência

onde $a(t - r/c)$ é a aceleração no tempo $(t - r/c)$, chamada de aceleração de *retardo*.

Seria interessante desenhar o campo sob diferentes condições. Obviamente o interessante é o fator $a(t - r/c)$; a fim de entendê-lo, vamos considerar o caso mais simples no qual $\theta = 90°$, e mostrar esse campo em um gráfico. Anteriormente queríamos saber como o campo variava no tempo no local onde nos encontramos. Ao invés disso, agora vamos ver como o campo se parece em diferentes posições no espaço em um dado instante. Queremos um retrato instantâneo que nos diga como é o campo em diferentes lugares. É claro que isso depende da aceleração da carga. Suponha que inicialmente a carga tenha algum movimento específico: inicialmente estava parada, sendo de repente acelerada de alguma maneira, como mostrado na Fig. 29-2, e depois parou. Um pouco mais tarde, medimos o campo em um local diferente. Podemos, então, afirmar que o campo se parecerá com o mostrado na Fig. 29-3. Em cada ponto, o campo é determinado pela aceleração da carga em um tempo anterior, sendo esse tempo igual ao atraso r/c. O campo em pontos cada vez mais distantes é determinado pela aceleração em tempos cada vez mais anteriores. Portanto, a curva da Fig. 29-3 é na verdade, de certo modo, um gráfico "invertido" da aceleração como função do tempo; a distância está relacionada com o tempo por um fator de escala constante c, que geralmente tomaremos como sendo a unidade. Isso pode facilmente ser visto ao considerarmos o comportamento matemático de $a(t - r/c)$. Evidentemente, se adicionarmos um pequeno tempo Δt, obtemos o mesmo valor para $a(t - r/c)$ do que se tivéssemos subtraído uma pequena distância: $\Delta r = -c\,\Delta t$.

Colocado de outra forma, se adicionarmos um breve tempo Δt, podemos recuperar seu valor inicial $a(t - r/c)$ *somando* uma pequena distância $\Delta r = -c\,\Delta t$. Isto é, à medida que o tempo passa, *o campo se move como uma onda para longe da fonte*. É por essa razão que algumas vezes dizemos que a luz se propaga como uma onda. Equivale a dizer que o campo é atrasado, ou a dizer que o campo elétrico está se movendo para fora conforme o tempo passa.

Um caso especial interessante ocorre quando a carga q está se movendo para cima e para baixo de uma maneira oscilatória. No último capítulo, estudamos experimentalmente o caso em que um deslocamento x durante um tempo t era igual a uma certa constante x_0, a amplitude da oscilação, vezes $\cos \omega t$. Então a aceleração é

$$a = -\omega^2 x_0 \cos \omega t = a_0 \cos \omega t, \qquad (29.2)$$

onde a_0 é a aceleração máxima, $-\omega^2 x_0$. Inserindo essa fórmula em (29.1), encontramos

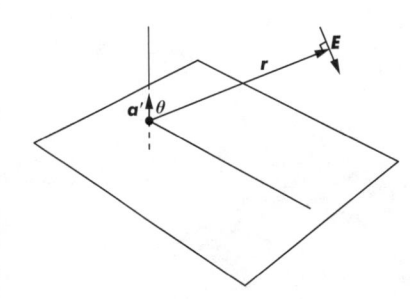

Figura 29–1 O campo elétrico **E** devido a uma carga positiva cuja aceleração retardada é **a'**.

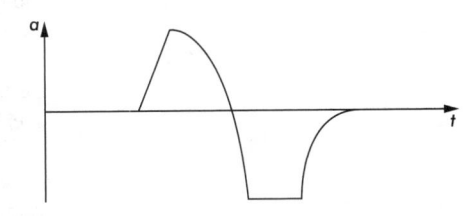

Figura 29–2 A aceleração de uma determinada carga como função do tempo.

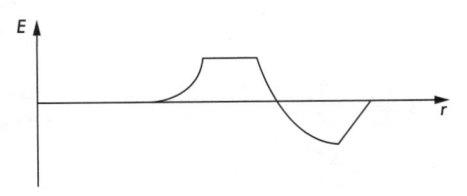

Figura 29–3 O campo elétrico como uma função da posição em um tempo posterior. (A variação $1/r$ é ignorada.)

$$E = -q\,\text{sen}\,\theta\,\frac{a_0 \cos \omega(t - r/c)}{4\pi\epsilon_0 rc^2}\,. \tag{29.3}$$

Ignorando o ângulo θ e os fatores constantes, vamos ver como isso varia em função da posição ou em função do tempo.

29–2 Energia da radiação

Em primeiro lugar, para qualquer momento em particular ou local específico, a intensidade do campo varia inversamente com a distância r, como mencionado anteriormente. Agora mostraremos que a *energia* contida em uma onda, ou seja, os efeitos causados pela energia de um campo elétrico, são proporcionais ao *quadrado* do campo, porque se, por acaso, tivermos algum tipo de carga ou um oscilador no campo elétrico, o campo agindo sobre o oscilador fará com que ele se movimente. Se este for um oscilador linear, a aceleração, a velocidade e o deslocamento produzidos pelo campo elétrico agindo na carga são todos proporcionais ao campo. Portanto, a energia cinética adquirida pela carga é proporcional ao *quadrado* do campo. Logo, suporemos que a energia que esse campo pode fornecer ao sistema é de alguma maneira proporcional ao quadrado do campo.

Isso significa que a energia que a fonte pode fornecer decresce conforme nos afastamos; na verdade, ela *varia inversamente com o quadrado da distância*. Contudo, isso tem uma interpretação muito simples: se quiséssemos extrair toda a energia possível da onda em um cone à distância r_1 (Fig. 29-4), e fizermos o mesmo em outra distância r_2, vemos que a quantidade de energia por unidade de área em qualquer lugar varia com o inverso do quadrado de r, mas a área da superfície interceptada pelo cone varia *diretamente* com o quadrado de r. Dessa forma, a energia que podemos extrair da onda dentro de um ângulo cônico é sempre a mesma, independentemente de quão longe estivermos! Em particular, a energia total que poderíamos extrair da onda como um todo colocando osciladores absorvedores em todo o seu redor é uma certa quantia fixa. Logo o fato de a amplitude de E variar com $1/r$ é o mesmo que dizer que existe um fluxo de energia que nunca é perdido, uma energia que continua para sempre, espalhando-se por uma área efetiva cada vez maior. Então vemos que depois que uma carga oscila, ela perdeu alguma energia que nunca mais poderá recuperar; a energia continua a se afastar para cada vez mais longe sem, no entanto, diminuir. Portanto, se estivermos longe o bastante e essa aproximação simples for boa o suficiente, a carga não pode recuperar a energia que foi, como dissemos, irradiada para longe. Claro que a energia existe em algum lugar e está disponível para ser absorvida por outros sistemas. Iremos estudar essa "perda" de energia mais adiante, no Capítulo 32.

Vamos agora considerar com mais cuidado como a onda (29.3) varia como função do tempo em um dado lugar e como função da posição em um dado tempo. Novamente vamos ignorar a variação $1/r$ e as constantes.

29–3 Ondas senoidais

Em primeiro lugar, vamos fixar a posição r, e olhar o campo como função do tempo. Ele é oscilatório com uma frequência angular ω. A frequência angular ω pode ser definida como a *taxa de variação da fase com o tempo* (radianos por segundo). Como já estudamos esse tipo de coisa, ela já deve ser familiar. O *período* é o tempo necessário para uma oscilação, um ciclo completo, e isso já foi discutido também; o período é $2\pi/\omega$, pois ω vezes o período é um ciclo do cosseno.

Vamos introduzir agora uma nova quantidade que é muito usada em física. Ela tem a ver com a situação oposta, na qual fixamos t e olhamos para as ondas como função da distância r. Naturalmente notamos que, como função de r, a onda (29.3) é também uma função oscilatória. Isto é, exceto pelo fator $1/r$ que estamos ignorando, vemos que E oscila conforme mudamos de posição. Logo, em analogia com ω, podemos definir uma quantidade chamada de *número de onda*, simbolizada por k. Essa grandeza é definida

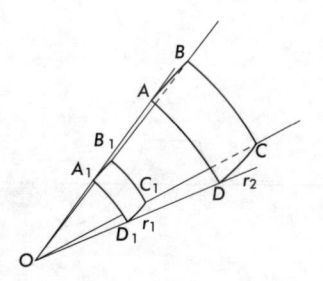

Figura 29–4 A energia fluindo dentro do cone $OABCD$ é independente da distância r na qual a mesma é medida.

como *a taxa de variação da fase com a distância* (radianos por metro). Isto é, conforme nos movemos no espaço em um tempo fixo, a fase muda.

Existe outra quantidade correspondente ao período, que podemos chamar de período no espaço, mas é geralmente denominada comprimento de onda, simbolizada por λ. O comprimento de onda é a distância ocupada por um ciclo completo. É fácil ver, então, que o comprimento de onda é $2\pi/k$, porque k vezes o comprimento de onda é o número de radianos da variação total, ou o produto da taxa de variação de radianos por metro vezes o número de metros, e um ciclo completo varia de 2π. Portanto, $k\lambda = 2\pi$ é exatamente análogo a $\omega t_0 = 2\pi$.

Em nossa onda específica, existe uma relação bem definida entre a frequência e o comprimento de onda, mas as definições de k e ω acima são, na realidade, bastante gerais. Isto é, o comprimento de onda e a frequência podem não estar relacionados do mesmo modo em outras circunstâncias físicas. No entanto, para o nosso caso, a taxa de variação da fase com a distância é facilmente determinada, pois se chamarmos $\phi = \omega(t - r/c)$ de fase e diferenciarmos (parcialmente) com relação à distância r, a taxa de variação, $\partial\phi/\partial r$, é

$$\left|\frac{\partial \phi}{\partial r}\right| = k = \frac{\omega}{c}. \qquad (29.4)$$

Existem várias maneiras de representar a mesma coisa, como

$$\lambda = ct_0 \qquad (29.5) \qquad\qquad \lambda\nu = c \qquad (29.7)$$

$$\omega = ck \qquad (29.6) \qquad\qquad \omega\lambda = 2\pi c \qquad (29.8)$$

Por que o comprimento de onda é igual a c vezes o período? Isso é muito fácil, naturalmente, porque se ficarmos parados e esperarmos o decorrer de um período, as ondas, viajando à velocidade da luz, se moverão uma distância ct_0 e, portanto, terão se deslocado exatamente um comprimento de onda.

Em outra situação física que não seja a luz, k não está necessariamente relacionado a ω dessa forma simples. Chamando de x a distância ao longo do eixo, a fórmula para uma onda cosseno se movendo na direção x com um número de onda k e uma frequência angular ω será, em geral, escrita como $\cos(\omega t - kx)$.

Agora que introduzimos a ideia de comprimento de onda, podemos dizer algo mais a respeito das circunstâncias que tornam legítima a fórmula (29.1). Lembrando que o campo é composto por vários pedaços, um dos quais varia inversamente com r, outro que varia inversamente com r^2 e outros que variam ainda mais rapidamente. Vale a pena saber sob quais condições o termo $1/r$ do campo é a parte mais importante, sendo as outras partes relativamente pequenas. Naturalmente, a resposta é "se formos longe o "bastante", pois termos que variam inversamente com o quadrado no final se tornam desprezíveis comparados ao termo $1/r$. Quão longe é "longe o bastante"? Qualitativamente, a resposta é que os outros termos sejam da ordem de λ/r vezes menores do que o termo $1/r$. Nesse caso, desde que estejamos além de alguns comprimentos de onda, (29.1) é uma excelente aproximação para o campo. Algumas vezes a região mais distante que alguns comprimentos de onda é chamada de "zona de onda".

29–4 Dois dipolos radiadores

Em seguida, vamos discutir a matemática envolvida na combinação dos efeitos de dois osciladores para encontrar o campo resultante em um dado ponto. Isso é muito fácil para os poucos casos considerados no capítulo anterior. Primeiramente, iremos descrever os efeitos qualitativamente, depois mais quantitativamente. Considere o caso simples no qual os osciladores estão localizados com seus centros no mesmo plano horizontal que o detector e a linha de vibração é vertical.

A Figura 29–5(a) representa a vista de cima dos dois osciladores, e nesse exemplo em particular eles estão separados por meio comprimento de onda na

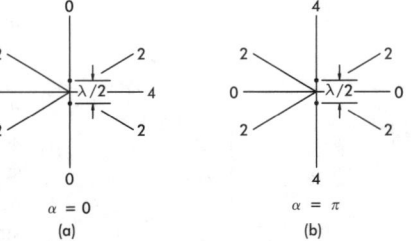

Figura 29–5 As intensidades em várias direções de dois osciladores de dipolo separados por meio comprimento de onda. Esquerda: em fase ($\alpha = 0$). Direita: meio período fora de fase ($\alpha = \pi$).

direção N-S e estão oscilando simultaneamente com a mesma fase, que chamaremos de fase zero. Gostaríamos de saber agora qual é a intensidade da radiação nas várias direções. Por intensidade queremos dizer a quantidade de energia que o campo transporta por segundo, a qual é proporcional ao quadrado do campo, tomada a média no tempo. Portanto, quando queremos saber quão brilhante a luz é, o que importa é o quadrado do campo elétrico, e não o campo elétrico em si. (O campo elétrico nos diz a intensidade da força sentida pela carga estacionária, mas a quantidade de energia que está passando, em watts por metro quadrado, é proporcional ao quadrado do campo elétrico. Iremos derivar a constante de proporcionalidade no Capítulo 31.) Se olharmos o arranjo pelo lado oeste, ambos os osciladores contribuem igualmente e em fase; dessa maneira o campo elétrico tem o dobro do valor que teria para um único oscilador. Portanto, *a intensidade é quatro vezes maior do que seria se existisse apenas um oscilador*. (Os números da Fig. 29-5 representam quão fortes as intensidades seriam nesse caso, comparadas àquelas de um único oscilador de intensidade unitária.) Como os osciladores estão separados por meio comprimento de onda, ao longo da linha dos osciladores, tanto na direção N quanto S, o efeito de um oscilador torna-se fora de fase com relação ao outro oscilador por exatamente meia oscilação e, portanto, o campo resultante da soma é nulo. Em um ângulo intermediário específico (na verdade, 30°) a intensidade é 2, e diminui, 4, 2, 0 e assim por diante. Temos de aprender como determinar esses números para outros ângulos. É um problema de soma de duas oscilações com diferentes fases.

Vamos rapidamente examinar alguns casos de interesse. Suponha que os osciladores estão novamente separados por meio comprimento de onda, mas a fase α de um deles é regulada para que esteja meio período atrás do outro em sua oscilação (Fig. 29-5b). Na direção oeste, a intensidade é zero nesse caso, porque uma oscilação está "empurrando" enquanto a outra está "puxando". Contudo, na direção N, o sinal do oscilador mais próximo chega em um certo tempo, enquanto que o do outro chega meio período depois. Entretanto, como o último estava *originalmente* meio período atrás no tempo, consequentemente ele está exatamente *simultâneo* com o primeiro e, portanto, a intensidade nessa direção vale 4 unidades. A intensidade na direção de 30° é ainda 2, como podemos provar mais adiante.

Chegamos agora em um caso interessante que mostra um possível aspecto útil. Salientamos que uma das razões pelas quais a relação entre a fase dos oscilares é interessante é o caso de rádio transmissores radiantes. Por exemplo, se construímos um sistema de antenas e desejamos enviar um sinal de rádio, digamos, para o Havaí, ajustamos as antenas como na Fig. 29-5(a) e fazemos a radiodifusão com as nossas duas antenas em fase, pois o Havaí está a oeste de nós. Depois decidimos que amanhã vamos transmitir para Alberta, Canadá. Como isso é para o norte, e não oeste, tudo o que temos a fazer é reverter a fase em uma de nossas antenas e então transmitir o sinal de rádio para o norte. Dessa maneira podemos construir sistemas de antenas com várias combinações. Escolhemos uma das mais simples possíveis; podemos fazê-las muito mais complicadas, e ao mudar as fases nas várias antenas somos capazes de enviar os feixes em várias direções mandando a maioria da potência na direção que desejarmos transmitir, sem sequer mover uma antena! Em ambos os casos precedentes, porém, enquanto estamos transmitindo para Alberta, estamos desperdiçando muita potência na Ilha de Páscoa, e seria interessante perguntar se seria possível enviar o sinal em apenas *uma* direção. À primeira vista, podemos pensar que com um par de antenas dessa natureza o resultado será sempre simétrico. Entretanto, vamos considerar o caso que resulta assimétrico, para mostrar uma possível variação.

Caso as antenas estejam separadas por um quarto de comprimento de onda, e se a do norte estiver um quarto de período defasada no tempo da antena do sul, então o que acontece (Fig. 29-6)? Na direção oeste, obtemos 2, como veremos mais tarde. Na direção sul, obtemos *zero*, porque o sinal da antena sul chega em um certo tempo; o da antena norte chega 90° mais tarde no *tempo*, mas como já estava 90° atrás na sua fase inicial, o sinal chega, no total, 180° defasado e não tem nenhum efeito. Por outro lado, na direção norte, o sinal da antena norte chega mais cedo do que o da antena sul por 90° no tempo, pois está um quarto de comprimento de onda mais perto, mas sua fase foi ajustada tal que ele está oscilando 90° *atrás* no tempo, o que compensa exatamente a diferença de atraso, e desse modo os dois sinais aparecem *simultâneos* em fase, fazendo com que a intensidade do campo seja o dobro e a energia seja quatro vezes maior.

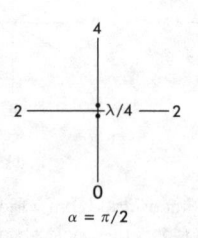

Figura 29-6 Um par de antenas de dipolo fornecendo potência máxima em uma direção.

Portanto, ao usarmos de alguma inteligência no espaçamento e fase de nossas antenas, podemos enviar a potência toda em uma dada direção. Ainda assim, ela está distribuída em um intervalo grande de ângulos. É possível arranjar uma maneira de focalizar ainda mais acentuadamente em uma direção específica? Vamos considerar o caso do Havaí novamente, no qual estamos enviando o feixe para leste e oeste, mas espalhado sobre um ângulo razoável, porque mesmo em 30° ainda estamos obtendo metade da intensidade – estamos desperdiçando potência. Podemos fazer melhor do que isso? Considere a situação na qual a separação é dez comprimentos de onda (Fig. 29-7), que é mais facilmente comparável à situação que analisamos no capítulo anterior, com separação de vários comprimentos de onda, ao invés de uma pequena fração de comprimento de onda. Aqui o cenário é bem diferente.

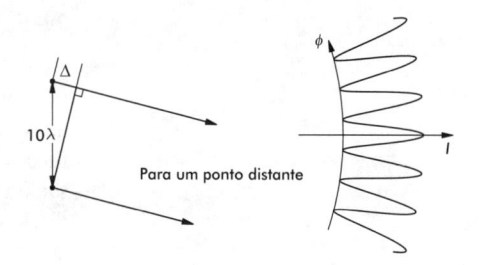

Figura 29-7 O padrão de intensidade para dois dipolos separados por 10λ.

Se os osciladores estão separados por dez comprimentos de onda (para facilitar, escolhemos o caso em que estão em fase), vemos que eles estão em fase na direção leste-oeste, e obtemos uma forte intensidade, quatro vezes maior do que se houvesse apenas um deles. Por outro lado, para um desvio de um ângulo bem pequeno, o tempo de chegada difere por 180° e a intensidade é zero. Para ser preciso, se traçarmos uma linha de cada oscilador até um ponto e a diferença Δ das duas distâncias for $\lambda/2$, meia oscilação, então eles estarão fora de fase. Logo o primeiro mínimo ocorre quando isso acontece. (A figura não está em escala; é apenas um esboço grosseiro.) Isso quer dizer que existe de fato um feixe bem pronunciado na direção desejada, pois se movermos um pouco perdemos toda a intensidade. Infelizmente, para fins práticos, se estivermos pensando em fazer um arranjo para rádio transmissão e dobrarmos a distância Δ, então estaremos um ciclo inteiro fora de fase, o que é o mesmo que estar exatamente *em* fase novamente! Portanto, obtemos sucessivamente muitos máximos e mínimos, como encontramos para o espaçamento de $2\tfrac{1}{2}\lambda$ do Capítulo 28.

Como conseguimos nos livrar desses máximos extras, ou "lóbulos", como são chamados? Podemos nos livrar dos indesejados lóbulos de uma maneira um tanto interessante. Suponha que pudéssemos colocar um outro conjunto de antenas entre as duas que já temos. Isto é, as antenas externas ainda estão separadas por 10λ, mas entre elas, digamos a cada 2λ, coloca-se outra antena, estando todas em fase. Existem agora seis antenas, e se olharmos a intensidade na direção leste-oeste, naturalmente, com seis antenas esta será muito maior do que com uma. O campo aumentará seis vezes e a intensidade será trinta e seis vezes maior (o quadrado do campo). Obtemos 36 unidades de intensidade nessa direção. Se olharmos em pontos vizinhos, encontramos um zero como antes, aproximadamente, mas se formos mais longe, onde antes tínhamos um grande máximo, agora temos um máximo bem menor. Vamos tentar ver por quê.

A razão é que embora esperemos obter um grande máximo quando a distância Δ é exatamente igual ao comprimento de onda, a verdade é que os dipolos 1 e 6 estão em fase e estão cooperando em tentar obter alguma potência naquela direção. Os números 3 e 4 estão aproximadamente meio comprimento de onda fora de fase com 1 e 6, e embora 1 e 6 façam um esforço conjunto, as antenas 3 e 4 também se esforçam, mas com fase oposta. Portanto, existe muito pouca intensidade nessa direção – mas existe alguma coisa, pois não há um balanço perfeito. Esse tipo de coisa continua acontecendo; obtemos máximos muito pequenos, enquanto temos um feixe bem forte na direção desejada. Nesse exemplo em particular, algo acontece: isto é, como a distância entre dipolos sucessivos é 2λ, é possível encontrar um ângulo no qual a distância δ entre *dipolos sucessivos* é exatamente um comprimento de onda, de maneira que os efeitos de todos eles estejam em fase novamente. Cada um é atrasado em relação ao próximo por 360°, portanto todos eles retornam novamente em fase, e temos outro feixe forte naquela direção! É fácil evitar isso na prática porque é possível colocar os dipolos mais próximos do que um comprimento de onda. Se pusermos mais antenas, separadas por menos do que um comprimento de onda, então isso não poderá acontecer. Ainda assim, o fato de que isso *pode* ocorrer para certos ângulos, se o espaçamento for maior do que um comprimento de onda, é um fenômeno muito interessante e útil para outras aplicações – não em transmissão de sinais de rádio, mas em *redes de difração*.

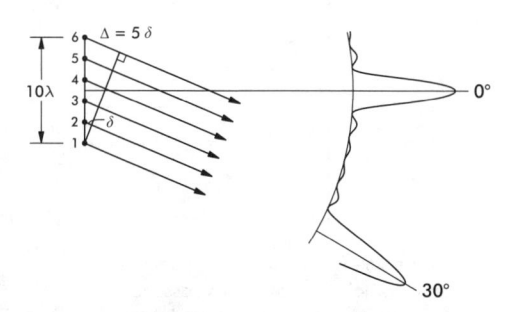

Figura 29-8 Um arranjo de seis antenas de dipolo e parte do seu padrão de intensidade.

29–5 A matemática da interferência

Agora terminamos nossa análise do fenômeno de radiadores de dipolo qualitativamente, e precisamos aprender como analisá-los quantitativamente. Para achar o efeito de duas fontes em um ângulo específico no caso mais geral, no qual dois osciladores têm uma fase relativa intrínseca α um em relação ao outro e as intensidades A_1 e A_2 não são iguais, vemos que temos de adicionar dois cossenos com a mesma frequência, mas diferentes fases. É muito fácil encontrar essa diferença de fase; ela é composta por um atraso devido à diferença na distância, e à fase intrínseca da oscilação. Matematicamente, temos de achar a soma R de duas ondas: $R = A_1 \cos(\omega t + \phi_1) + A_2 \cos(\omega t + \phi_2)$. Como isso pode ser feito?

É realmente muito fácil, e supomos que já sabemos como fazê-lo. No entanto, esboçaremos o procedimento com algum detalhe. Primeiro, podemos, se formos espertos com a matemática e soubermos o suficiente de senos e cossenos, simplesmente calculá-lo. O caso mais fácil é aquele em que A_1 e A_2 são, ambos, iguais a A. Nessas circunstâncias, por exemplo (chamaremos esse de método geométrico de resolução do problema), temos

$$R = A[\cos(\omega t + \phi_1) + \cos(\omega t + \phi_2)]. \tag{29.9}$$

Um dia, na aula de trigonometria, talvez tenhamos aprendido a regra que

$$\cos A + \cos B = 2\cos\tfrac{1}{2}(A + B)\cos\tfrac{1}{2}(A - B). \tag{29.10}$$

Se soubermos isso, então podemos imediatamente escrever R como

$$R = 2A\cos\tfrac{1}{2}(\phi_1 - \phi_2)\cos(\omega t + \tfrac{1}{2}\phi_1 + \tfrac{1}{2}\phi_2). \tag{29.11}$$

Logo vemos que temos uma onda oscilatória com uma nova fase e uma nova amplitude. Em geral, o resultado *será* uma onda oscilatória com uma nova amplitude A_R, que podemos chamar de amplitude resultante, oscilando na mesma frequência mas com uma diferença de fase ϕ_R, denominada fase resultante. Em vista disso, nosso caso particular tem o seguinte resultado: que a amplitude resultante é

$$A_R = 2A\cos\tfrac{1}{2}(\phi_1 - \phi_2), \tag{29.12}$$

e a fase resultante é a média de duas fases, e então resolvemos completamente o nosso problema.

Agora suponha que não conseguimos lembrar que a soma de dois cossenos é o dobro do cosseno da metade da soma vezes o cosseno da metade da diferença. Então podemos utilizar outro método de análise que é mais geométrico. Qualquer função cosseno de ωt pode ser considerada como a projeção horizontal de um *vetor em rotação*. Considere um vetor $\mathbf{A}_1$ de comprimento A_1 girando com o tempo, de modo que o ângulo com o eixo horizontal seja $\omega t + \phi_1$. (Deixaremos de lado o ωt e veremos que isso não fará diferença.) Suponha que tiremos uma foto instantânea no tempo $t = 0$, embora de fato a imagem esteja rodando com velocidade angular ω (Fig. 29-9). A projeção $\mathbf{A}_1$ ao longo do eixo horizontal é precisamente $A_1 \cos(\omega t + \phi_1)$. Em $t = 0$, a segunda onda poderia ser representada por um outro vetor, $\mathbf{A}_2$ de comprimento A_2 com um ângulo ϕ_2 e também girando. Ambos estão rodando com a mesma velocidade angular ω e, portanto, a posição *relativa* dos dois vetores é fixa. O sistema gira como um corpo rígido. A projeção horizontal de $\mathbf{A}_2$ é $A_2 \cos(\omega t + \phi_2)$. Porém sabemos, da teoria de vetores, que se somarmos dois vetores da maneira comum, pela regra do paralelograma, e desenharmos o vetor resultante $\mathbf{A}_R$, a componente x da resultante é a soma das componentes x dos outros dois vetores. Isso resolve o nosso problema. É fácil checar que isso dá o resultado correto para o caso especial de que tratamos acima, onde $A_1 = A_2 = A$. Nesse caso, vemos da Fig. 29-9 que $\mathbf{A}_R$ se encontra no meio do caminho entre $\mathbf{A}_1$ e $\mathbf{A}_2$ e faz um ângulo ½ $(\phi_2 - \phi_1)$ com cada um. Portanto vemos que $A_R = 2A \cos \tfrac{1}{2}(\phi_2 - \phi_1)$, como anteriormente. Além disso, como podemos ver do triângulo, a fase de $\mathbf{A}_R$ conforme ele gira, é o ângulo médio entre $\mathbf{A}_1$

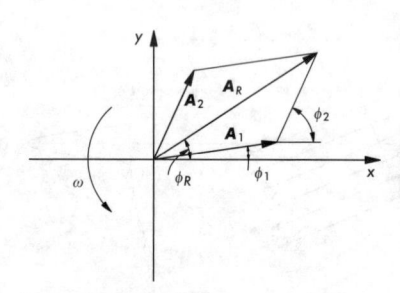

Figura 29–9 Um método geométrico para combinar duas ondas cosseno. Considera-se que o diagrama inteiro está girando no sentido anti-horário com frequência angular ω.

e A_2 quando as duas amplitudes são iguais. Claramente, também podemos facilmente resolver para o caso em que as amplitudes não são iguais. Chamaremos essa da maneira *geométrica* de resolver o problema.

Existe ainda uma outra maneira de se resolver o problema, que é a maneira analítica. Ao invés de esboçarmos uma figura como a Fig. 29-9, podemos escrever algo que nos diz o mesmo que a figura: em lugar de desenharmos os vetores, escrevemos um *número complexo* para representar cada um dos vetores. As partes reais dos números complexos denotam as quantidades físicas efetivas. Logo, em nosso caso particular, as ondas podem ser escritas como: $A_1 e^{i(\omega t+\phi_1)}$ [a parte real disso é $A_1 \cos(\omega t+\phi_1)$] e $A_2 e^{i(\omega t+\phi_2)}$. Então podemos somar as duas:

$$R = A_1 e^{i(\omega t+\phi_1)} + A_2 e^{i(\omega t+\phi_2)} = (A_1 e^{i\phi_1} + A_2 e^{i\phi_2})e^{i\omega t} \quad (29.13)$$

ou

$$\hat{R} = A_1 e^{i\phi_1} + A_2 e^{i\phi_2} = A_R e^{i\phi_R}. \quad (29.14)$$

Isso resolve o problema que queríamos resolver, porque representa o resultado como um número complexo de magnitude A_R e fase ϕ_R.

Para enxergar como esse método funciona, vamos determinar a amplitude A_R, que é o "comprimento" de $\hat{R}$. Para obtermos o "comprimento" de uma quantidade complexa, sempre multiplicamos a quantidade pelo complexo conjugado, o qual nos dá o comprimento ao quadrado. O complexo conjugado é a mesma expressão, mas com o sinal dos *i* trocados. Portanto, temos

$$A_R^2 = (A_1 e^{i\phi_1} + A_2 e^{i\phi_2})(A_1 e^{-i\phi_1} + A_2 e^{-i\phi_2}). \quad (29.15)$$

Ao multiplicarmos, obtemos $A_1^2 + A_2^2$ (aqui os *e* se cancelam), e para os termos cruzados obtemos

$$A_1 A_2 \left(e^{i(\phi_1-\phi_2)} + e^{i(\phi_2-\phi_1)} \right).$$

Agora

$$e^{i\theta} + e^{-i\theta} = \cos\theta + i\,\text{sen}\,\theta + \cos\theta - i\,\text{sen}\,\theta.$$

Isto é, $e^{i\theta} + e^{-i\theta} = 2\cos\theta$. Nosso resultado final é então

$$A_R^2 = A_1^2 + A_2^2 + 2A_1 A_2 \cos(\phi_2 - \phi_1). \quad (29.16)$$

Como podemos ver, isso está de acordo com o comprimento de $\mathbf{A}_R$ da Fig. 29-9, usando as regras da trigonometria.

Logo, a soma dos dois efeitos tem a intensidade A_1^2 que obteríamos com apenas um deles, mais a intensidade A_2^2 que teríamos com o outro sozinho, mais uma correção. Essa correção é chamada de *efeito de interferência*. É realmente apenas a diferença entre o que obtemos simplesmente somando as intensidades e o que acontece de verdade. Chamamos de interferência quer seja positivo ou negativo. (Interferência, na linguagem comum, normalmente sugere oposição ou obstáculo, mas em física, frequentemente, não utilizamos a linguagem da maneira como ela foi designada originalmente!) Se o termo de interferência é positivo, chamamos esse caso de interferência *construtiva*, mesmo que soe horrível para qualquer um que não seja um físico! O caso oposto é denominado de interferência *destrutiva*.

Agora vamos ver como se aplica nossa fórmula geral (29.16) para o caso de dois osciladores na situação especial em que discutimos qualitativamente. Para aplicar essa fórmula geral, necessitamos apenas encontrar a diferença de fase, $\phi_2 - \phi_1$, que existe entre os sinais que chegam em um dado ponto. (Depende apenas da diferença de fase, é claro, e não da fase em si.) Portanto, vamos considerar o caso em que os dois osciladores, de igual amplitude, estão separados por uma distância *d* e têm uma fase relativa intrínseca α. (Quando um estiver com fase zero, o outro terá fase α.) Então nos perguntamos qual será a intensidade em uma direção azimutal θ a partir da linha leste-oeste. [Note que esse não é o mesmo θ que aparece em (29.1). Estamos divididos entre usar um símbolo não convencional como ϑ ou o símbolo convencional θ (Fig. 29-10).] A relação para a fase

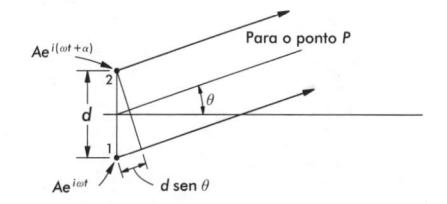

Fig 29–10 Dois osciladores de igual amplitude, com uma diferença de fase α entre eles.

é encontrada percebendo que a diferença da distância de P aos dois osciladores é d sen θ, de modo que a contribuição disso para a diferença de fase é o número de comprimentos de onda em d sen θ, multiplicado por 2π. (Aqueles que são mais sofisticados podem querer multiplicar o número de onda, k, que é a taxa de variação da fase com a distância, por d sen θ, o que dá exatamente o mesmo.) A diferença de fase devido à diferença entre as distâncias é, portanto, $2\pi d$ sen θ/λ, mas devido à cronometragem dos osciladores, existe uma fase adicional α. Consequentemente, a diferença de fase na chegada seria

$$\phi_2 - \phi_1 = \alpha + 2\pi d \text{ sen } \theta/\lambda. \tag{29.17}$$

Isso trata de todas as fases. Portanto, tudo o que temos de fazer é substituir essa expressão em (29.16) para o caso $A_1 = A_2$ e podemos calcular todos os vários resultados para duas antenas de igual intensidade.

Agora veremos o que ocorre nos diversos casos. A razão pela qual sabemos, por exemplo, que a intensidade é 2 em 30° na Fig. 29-5 é a seguinte: os dois osciladores estão separados por ½λ, portanto, em 30°, d sen $\theta = \lambda/4$. Então $\phi_2 - \phi_1 = 2\pi\lambda/4\lambda = \pi/2$, e portanto o termo de interferência é zero. (Estamos adicionando dois vetores a 90°.) O resultado é a hipotenusa de um triângulo retângulo com ângulos de 45°, que é $\sqrt{2}$ vezes a amplitude unitária; elevando ao quadrado, obtemos o dobro da intensidade de um único oscilador. Todos os casos podem ser resolvidos do mesmo modo.

30

Difração

30–1 A amplitude resultante devido a *n* osciladores idênticos

Este capítulo é uma continuação direta do anterior, embora o nome tenha mudado de *Interferência* para *Difração*. Ninguém ainda foi capaz de definir satisfatoriamente a diferença entre interferência e difração. É apenas uma questão de uso, pois não existe uma diferença física importante ou específica entre elas. O melhor que podemos fazer, *grosso modo*, é dizer que quando existem apenas umas poucas fontes interferindo, digamos duas, então o resultado é geralmente chamado de interferência, mas se existe um grande número delas, parece que a palavra difração é mais comumente usada. Dessa forma, não nos preocuparemos com decidir entre interferência ou difração, mas continuaremos do ponto no qual o assunto do último capítulo.

Iremos discutir agora a situação quando existem *n* osciladores igualmente espaçados, todos de igual amplitude, porém com fases distintas, seja porque eles são impulsionados diferentemente em fase ou porque os estamos olhando com um ângulo tal que existe uma diferença no tempo de atraso. Seja por uma razão ou por outra, temos de realizar uma soma do tipo:

$$R = A[\cos \omega t + \cos(\omega t + \phi) + \cos(\omega t + 2\phi) + \cdots + \cos(\omega t + (n-1)\phi)], \quad (30.1)$$

30–1 A amplitude resultante devido a *n* osciladores idênticos

30–2 A grade de difração

30–3 Poder de resolução de uma grade

30–4 A antena parabólica

30–5 Filmes coloridos; cristais

30–6 Difração por anteparos opacos

30–7 O campo de um plano de cargas oscilantes

onde ϕ é a diferença de fase entre um oscilador e o próximo, como visto em uma direção em particular. Especificamente, $\phi = \alpha + 2\pi d\, \text{sen}\, \theta/\lambda$. Agora temos de somar todos os termos. Faremos isso geometricamente. O primeiro é o comprimento A e tem fase zero. O próximo tem comprimento também A e fase igual a ϕ. O seguinte também tem, uma vez mais, um comprimento A e fase igual a 2ϕ e assim por diante. Portanto, estamos evidentemente percorrendo um polígono de ângulos iguais com *n* lados (Fig. 30-1).

Todos os vértices, obviamente, localizam-se em um círculo, e podemos achar a amplitude resultante facilmente se determinarmos o raio desse círculo. Suponha que Q seja o centro do círculo. Então, sabemos que o ângulo OQS é somente um ângulo de fase ϕ. (Isso porque o raio QS possui a mesma relação geométrica em relação a $\mathbf{A}_2$ que a de QO com relação a $\mathbf{A}_1$, de modo que formam um ângulo ϕ entre eles.) Dessa maneira, o raio *r* deve ser tal que $A = 2r\, \text{sen}(\phi/2)$, o que determina *r*. Contudo, o grande ângulo OQT é igual a $n\phi$, portanto temos que $A_R = 2r\, \text{sen}\,(n\phi/2)$. Combinando esses dois resultados para eliminar *r*, obtemos

$$A_R = A\, \frac{\text{sen}\, n\phi/2}{\text{sen}\, \phi/2}. \quad (30.2)$$

A intensidade resultante é, portanto,

$$I = I_0\, \frac{\text{sen}^2 n\phi/2}{\text{sen}^2 \phi/2}. \quad (30.3)$$

Vamos agora analisar essa expressão e estudar algumas de suas consequências. Em primeiro lugar, podemos verificar o caso em que $n = 1$, que é válido, pois $I = I_0$. Em seguida, iremos checar para $n = 2$: escrevendo sen $\phi = 2$ sen $(\phi/2)$ cos $(\phi/2)$, vemos que $A_R = 2A \cos \phi/2$, que concorda com (29.12).

Ora, a ideia que nos levou a considerar a adição de várias fontes foi que podemos ter uma intensidade muito mais forte em uma direção do que em outra; que o máximo que estaria presente caso existissem apenas duas fontes teria diminuído em intensidade. Para se observar esse efeito, traçamos o gráfico da curva originada por (30.3), quando *n* é enormemente grande, e assinalamos a região próxima a $\phi = 0$. Em primeiro lugar, se ϕ for exatamente 0, temos 0/0, mas se ϕ for infinitesimal, a razão entre os dois senos ao

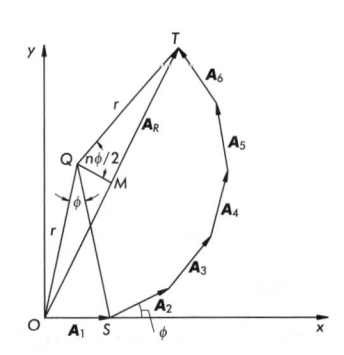

Figura 30–1 A amplitude resultante de $n = 6$ fontes igualmente espaçadas com diferenças de fase resultante sucessivas ϕ.

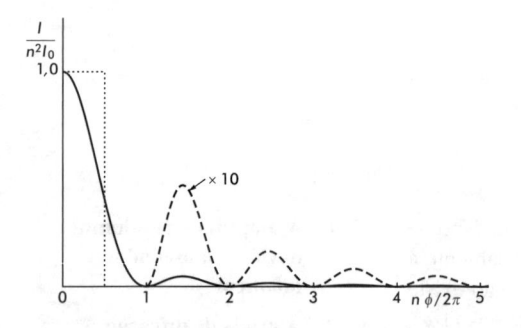

Figura 30–2 A intensidade com função do ângulo de fase para um número grande de osciladores de igual intensidade.

quadrado é simplesmente n^2, pois o seno e o ângulo são aproximadamente iguais. Assim, a intensidade do máximo da curva é igual a n^2 vezes a intensidade de um oscilador. Isso é fácil de se ver porque, se estão todos em fase, os pequenos vetores não têm um ângulo relativo e, portanto, todos eles se somam de maneira que a amplitude é n vezes maior e a intensidade n^2 vezes é mais forte.

Conforme a fase ϕ aumenta, a razão entre os dois senos começa a diminuir, e a primeira vez que esta atinge o zero é quando $n\phi/2 = \pi$, pois sen $\pi = 0$. Em outras palavras, $\phi = 2\pi/n$ corresponde ao primeiro mínimo da curva (Fig. 30-2). Em termos do que está acontecendo com os vetores na Fig. 30-1, o primeiro mínimo ocorre quando todos os vetores voltam ao ponto de partida; isso significa que o ângulo total acumulado por todos os vetores, a diferença de fase total entre o primeiro e o último oscilador, deve ser 2π para completar o círculo.

Considerando o próximo máximo, queremos ver que ele é de fato muito menor do que o primeiro, como esperávamos. Não consideraremos exatamente a posição do máximo, porque tanto o numerador quanto o denominador de (30.3) variam, mas sen $\phi/2$ varia muito mais lentamente em comparação com sen $n\phi/2$ quando n é grande, de modo que quando $\text{sen}^2 n\phi/2 = 1$, estamos bem perto de um máximo. O próximo máximo de $\text{sen}^2 n\phi/2$ ocorre em $n\phi/2 = 3\pi/2$, ou $\phi = 3\pi/n$. Isso corresponde aos vetores terem transcorrido o círculo uma vez e meia. Substituindo $\phi = 3\pi/n$ na fórmula para encontrar o máximo, vemos que $\text{sen}^2 3\pi/2 = 1$ no numerador (pois foi justamente por isso que escolhemos esse ângulo), e no denominador temos $\text{sen}^2 3\pi/2n$. Porém se n é suficientemente grande, então esse ângulo é bem pequeno e o seno é igual ao ângulo; portanto, para qualquer caso prático, podemos considerar sen $3\pi/2n = 3\pi/2n$. Então obtemos que a intensidade no máximo é $I = I_0(4n^2/9\pi^2)$. Entretanto, $n^2 I_0$ era a intensidade máxima, e temos $4/9\pi^2$ vezes a intensidade máxima, que é aproximadamente 0,045, menos do que 5 por cento, da intensidade máxima! É claro que as intensidades decrescem ainda mais para fora. Portanto, temos um máximo central bastante pronunciado com máximos secundários muito fracos nos lados.

É possível provar que a área total da curva, incluindo todas as pequenas variações, é igual a $2\pi n I_0$, ou duas vezes a área do retângulo pontilhado da Fig. 30-2.

Vamos considerar agora como podemos aplicar a Eq. (30.3) em diferentes circunstâncias e tentar entender o que está acontecendo. Vamos considerar que todas as fontes estejam ao longo de uma linha, como desenhado na Fig. 30-3. Existem n fontes, todas espaçadas pela distância d, e supomos que a fase relativa intrínseca, uma em relação à próxima, é α. Então se estivermos observando em uma dada direção θ em relação à normal, existirá uma fase adicional $2\pi d \text{ sen}\theta/\lambda$ por causa do tempo de atraso entre duas fontes sucessivas, como foi discutido antes. Portanto

$$\phi = \alpha + 2\pi d \text{ sen } \theta/\lambda$$
$$= \alpha + kd \text{ sen } \theta. \qquad (30.4)$$

Primeiramente, vamos considerar o caso $\alpha = 0$. Isto é, todos os osciladores estão em fase, e queremos saber qual é a intensidade em função do ângulo θ. A fim de descobrirmos isso, meramente substituímos $\phi = kd \text{ sen}\theta$ na fórmula (30.3) e vemos o que acontece. Em primeiro lugar, existe um máximo quando $\phi = 0$. Isso significa que quando todos os osciladores estiverem em fase existe uma forte intensidade na direção $\theta = 0$. Por outro lado, uma questão interessante é: onde está o primeiro máximo? Ele ocorre quando $\phi = 2\pi/n$. Em outras palavras, quando $2\pi d \text{ sen } \theta/\lambda = 2\pi/n$, obtemos o primeiro máximo da curva. Se eliminarmos o 2π de modo que possamos enxergá-la um pouco melhor, a expressão nos diz que

$$nd \text{ sen } \theta = \lambda. \qquad (30.5)$$

Agora vamos tentar entender fisicamente por que obtemos o mínimo nessa posição. nd é o comprimento total L do arranjo. Referindo-nos à Fig. 30-3, vemos que $nd \text{ sen } \theta = L \text{ sen } \theta = \Delta$. O que (30.5) significa é que quando Δ é igual a *um comprimento de onda*, obtemos um mínimo. Por que temos um

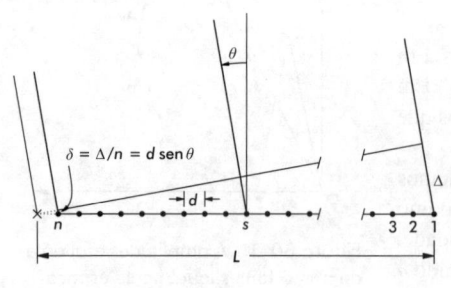

Figura 30–3 Um arranjo linear de n osciladores iguais, induzidos com fases $\alpha_s = s\alpha$.

mínimo quando $\Delta = \lambda$? Porque as contribuições dos diversos osciladores estão uniformemente distribuídas em fase desde $0°$ a $360°$. Os vetores (Fig. 30-1) estão ao redor de todo o círculo – estamos somando vetores iguais em todas as direções de modo que a soma é zero. Portanto, quando temos um ângulo tal que $\Delta = \lambda$, temos um mínimo. Este é o primeiro mínimo.

Existe ainda um importante aspecto sobre a fórmula (30.3), que é se o ângulo ϕ aumenta por qualquer múltiplo de 2π, isso não faz a menor diferença para a fórmula. Logo, teremos outro forte máximo em $\phi = 2\pi$, 4π, 6π e assim por diante. Perto de cada um desses grandes máximos, o padrão da Fig. 30-2 se repete. Podemos nos perguntar qual a circunstância geométrica que leva a esses outros grandes máximos? A condição é que $\phi = 2\pi m$, onde m é um inteiro, isto é, $2\pi d\,\text{sen}\,\theta/\lambda = 2\pi m$. Dividindo por 2π, vemos que

$$d\,\text{sen}\,\theta = m\lambda. \tag{30.6}$$

Isso se parece com a outra fórmula, (30.5). Não, aquela fórmula era $nd\,\text{sen}\,\theta = \lambda$. A diferença é que aqui temos de olhar para as *fontes individuais*, e quando dizemos $d\,\text{sen}\,\theta = m\lambda$, isso significa que temos um ângulo θ tal que $\delta = m\lambda$. Em outras palavras, cada fonte agora contribui uma certa quantia, e as fontes sucessivas estão fora de fase por um múltiplo inteiro de $360°$ e, portanto, estão contribuindo *em fase*, pois estar fora de fase por $360°$ é a mesma coisa que estar em fase. Logo, todas contribuem em fase e produzem um máximo tão bom quanto o devido a $m = 0$ que discutimos anteriormente. Os lóbulos secundários, a forma global do padrão, são simplesmente como os que estão perto de $\phi = 0$, que é exatamente o mesmo mínimo de cada lado, etc. Assim, esse arranjo enviará feixes em diversas direções – cada feixe tendo um máximo central forte e um certo número de "lóbulos secundários" fracos. Os diversos feixes intensos são denominados feixe de ordem zero, feixe de primeira ordem, etc., de acordo com o valor de m, enquanto m é chamada de *ordem* do feixe.

Chamamos atenção para o fato que se d é menor do que λ, a Eq. (30.6) pode não ter solução exceto para $m = 0$, logo se o espaçamento for muito pequeno existe apenas um feixe possível, o de ordem zero centrado em $\theta = 0$. (É claro que existe também um feixe na direção oposta.) A fim de obtermos um grande máximo secundário, é necessário que o espaçamento d do arranjo seja maior do que um comprimento de onda.

30–2 A grade de difração

Tecnicamente, trabalhando com antenas e fios é possível fazer com que todas as fases dos pequenos osciladores, ou antenas, sejam iguais. A questão é se e como podemos fazer uma coisa similar à luz. No presente momento, não podemos literalmente construir pequenas estações de rádio em frequências ópticas, conectá-las com fios infinitamente pequenos e impulsioná-las todas com uma dada fase. No entanto, existe uma maneira muito fácil de fazê-lo que resulta no mesmo efeito.

Suponha que tenhamos muitos fios paralelos, igualmente espaçados com espaçamento d, e uma fonte de rádio frequência bastante longe, praticamente no infinito, que está gerando um campo elétrico que chega em cada um dos fios com a mesma fase (a fonte está tão longe que o tempo de atraso é o mesmo para todos os fios). (É possível calcular os casos com raio curvos, mas vamos tomar o caso plano.) Então o campo elétrico externo forçará os elétrons para cima e para baixo em cada fio. Isto é, o campo originário da fonte irá agitar os elétrons para cima e para baixo e, ao se moverem, representarão *novos geradores*. Esse fenômeno é chamado de espalhamento: uma onda de luz de alguma fonte pode induzir o movimento de elétrons em um pedaço de material, e esses movimentos geram suas próprias ondas. Portanto, tudo o que é necessário é arranjar muitos fios, igualmente espaçados, instigá-los com uma fonte de rádio frequência bem distante, e temos a situação desejada, sem a necessidade de conexões elétricas especiais. Caso a incidência seja normal, as fases serão iguais, e teremos exatamente a condição que estamos discutindo. Desse modo, se o espaçamento for maior do que o comprimento de onda, obteremos uma forte intensidade de espalhamento na direção normal, e em certas outras direções dadas por (30.6).

Isso também pode ser feito com a luz! No lugar de fios, usamos pedaços planos de vidro e fazemos chanfros nele de modo que cada sulco espalhe a luz de forma ligeiramente diferente do resto do vidro. Se a luz incidir no vidro, cada um dos sulcos representará uma fonte, e se as linhas estiverem espaçadas bem perto umas das outras, mas não mais perto do que um comprimento de onda (o que é tecnicamente quase impossível, de qualquer maneira), então esperaremos um fenômeno miraculoso: não somente a luz vai passar diretamente, mas existirá um forte feixe em um ângulo finito, dependendo do espaçamento dos sulcos! Esses objetos de fato foram construídos e são de uso comum – eles são chamados de *grade de difração*.

Em uma de suas formas, a grade de difração consiste em nada mais do que uma folha de vidro plano, transparente e sem cor, com riscos nela. Existem frequentemente várias centenas de sulcos em cada milímetro, arranjados *muito* cuidadosamente de modo a serem igualmente espaçados. O efeito dessa grade pode ser visto ao arrumarmos um projetor de modo a jogar um filete de luz vertical e estreito (a imagem de uma fenda) em uma tela. Quando colocamos a grade no feixe, com os sulcos na vertical, vemos que a linha de luz ainda está lá, mas em adição, de cada lado temos uma mancha de luz que é *colorida*. Essa, é claro, é a imagem da fenda espalhada por um grande intervalo angular, pois o ângulo θ em (30.6) depende de λ, e luzes de diferentes cores, como sabemos, correspondem a diferentes frequências e, portanto, diferentes comprimentos de onda. O maior comprimento de onda é o vermelho, e como $d\,\text{sen}\,\theta = \lambda$, requer-se um grande θ. Encontramos de fato que o vermelho está localizado em maiores ângulos da imagem central! Também deveria existir um feixe do outro lado, e de fato vemos um na tela. Então, pode existir outra solução de (30.6) quando $m = 2$. Vemos vagamente que existe algo ali – muito fraco – e existem outros feixes mais além.

Acabamos de argumentar que todos esses feixes deveriam ter a mesma intensidade, mas vemos que eles na verdade não têm, e de fato não são apenas os primeiros, os do lado direito e os do esquerdo não são iguais! A razão é que a grade foi cuidadosamente construída para fazer justamente isso. Como? Se o retículo consiste em sulcos muito finos, infinitesimamente largos, equiespaçados, então todas as intensidades seriam de fato iguais. Na verdade, embora tenhamos tomado o caso mais simples, poderíamos ter considerado um arranjo de *pares* de antenas, no qual cada membro do par tem uma certa intensidade e uma fase relativa. Nesse caso, é possível obter as intensidades que são diferentes nas várias ordens. Uma grade geralmente é feita com pequenos cortes "dente-de-serra" ao invés de pequenos sulcos simétricos. Ao arrumarmos os "dentes-de-serra" cuidadosamente, mais luz pode ser enviada para uma dada ordem do espectro do que em outras. Em uma grade real, gostaríamos de ter tanta luz quanto possível em uma das ordens. Isso pode parecer um ponto complicado de se considerar, mas é uma coisa muito inteligente de ser feita, pois torna a grade mais útil.

Até o momento, tomamos o caso no qual todas as fases das fontes eram iguais, mas temos também a fórmula para ϕ quando as fases diferem uma da próxima por um ângulo α. Isso requer conectar nossas antenas com um pequeno deslocamento de fase entre cada uma. Podemos fazer isso com a luz? Sim, podemos fazê-lo muito facilmente, pois suponha que exista uma fonte de luz no infinito, *em um ângulo* tal que a luz esteja incidindo em um ângulo θ_{inc}, e digamos que desejamos discutir o feixe espalhado, o qual está saindo com um ângulo θ_{esp} (Fig. 30-4). O θ_{esp} é o mesmo θ que tínhamos antes, mas o θ_{inc}, é meramente um modo de fazer com que a fase de cada fonte seja diferente: a luz proveniente da fonte distante primeiro encontra um sulco, então o próximo, então o próximo e assim por diante, com um deslocamento de fase de um ao outro, o qual, como vemos, é $\alpha = -2\pi d\,\text{sen}\,\theta_{\text{inc}}/\lambda$. Dessa maneira, temos a fórmula para uma grade na qual a luz incide e sai com um ângulo:

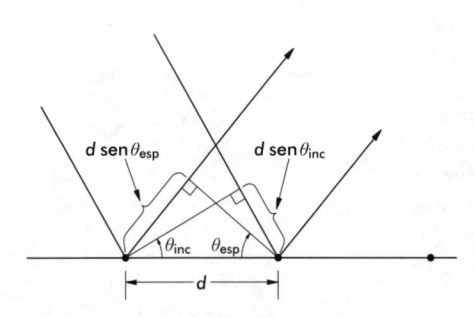

$$\phi = 2\pi d\,\text{sen}\,\theta_{\text{esp}}/\lambda - 2\pi d\,\text{sen}\,\theta_{\text{inc}}/\lambda. \tag{30.7}$$

Figura 30–4 A diferença de caminho para um raio espalhado de fendas adjacentes de uma grade é $d\,\text{sen}\,\theta_{\text{esp}} - d\,\text{sen}\,\theta_{\text{inc}}$.

Vamos tentar encontrar as circunstâncias na quais a intensidade obtida é forte. A condição para grandes intensidades é, obviamente, que ϕ deva ser um múltiplo de 2π. Existem aqui vários pontos interessantes dignos de nota.

Um caso de grande interesse é aquele correspondente a $m = 0$, quando d for menor do que λ; de fato, essa é a única solução. Nesse caso, vemos que sen θ_{esp} = sen θ_{inc}, o que pode significar que θ_{esp} é o *complemento* de θ_{inc} de modo que a luz sai na *mesma direção* da luz que incidiu sobre a grade. Podemos pensar que a luz "atravessa completamente", mas não, estamos falando de uma *luz diferente*. A luz da fonte original atravessa diretamente, mas estamos falando de uma nova luz *a qual é gerada pelo espalhamento*. A luz espalhada está indo na mesma direção da luz original; de fato, ela pode interferir – um aspecto que iremos estudar mais tarde.

Existe outra solução para esse mesmo caso: θ_{inc} pode ser *igual* a θ_{esp}. Logo, além de obtermos um feixe na mesma direção do feixe incidente, temos também um na outra direção, tal que o *ângulo de incidência é igual ao ângulo de espalhamento*. Esse feixe é chamado de *feixe refletido*.

Portanto, começamos a entender o funcionamento básico da reflexão: a luz incidente cria movimento nos átomos do refletor, então o refletor gera uma *nova onda*, e uma das soluções para a direção do espalhamento, a *única* solução se a separação dos espalhadores for pequena em comparação com um comprimento de onda, é que o ângulo no qual a luz sai é igual ao ângulo no qual ela incide!

Em seguida, iremos discutir o caso especial em que $d \to 0$. Isto é, temos um pedaço de material sólido, por assim dizer, mas de comprimento finito. Além disso, queremos que o deslocamento de fase entre um espalhador e o outro vá a zero. Em outras palavras, colocamos cada vez mais antenas entre as outras, de modo que cada diferença de fase se torne cada vez menor, porém o número de antenas aumenta de tal forma que a diferença de fase total, entre uma ponta da linha e a outra, é constante. Vejamos o que acontece a (30.3) se mantivermos a diferença de fase $n\phi$ de uma ponta a outra constante (digamos $n\phi = \Phi$), fazendo o número ir para o infinito e o deslocamento de fase de cada um ir a zero. Agora ϕ é tão pequeno que sen $\phi = \phi$, e se reconhecermos $n^2 I_0$ como I_m, a intensidade máxima no centro do feixe, encontramos que

$$I = 4I_m \operatorname{sen}^2 \tfrac{1}{2}\Phi/\Phi^2. \tag{30.8}$$

Esse caso limite é mostrado na Fig. 30-2.

Nessas circunstâncias, encontramos o mesmo tipo de cenário geral do que para o espaçamento finito com $d < \lambda$; todos os lóbulos secundários são praticamente os mesmos de antes, mas não existem máximos de ordem superior. Se os espalhadores estão todos em fase, obtemos um máximo na direção $\theta_{esp} = 0$, e um mínimo quando a direção Δ for igual a λ, como no caso de d e n finitos. Portanto, podemos analisar uma distribuição *contínua* de espalhadores ou osciladores usando integrais no lugar de somas.

Por exemplo, suponha que exista uma longa linha de osciladores, com a carga oscilando ao longo da direção da linha (Fig. 30-5). A maior intensidade desse arranjo é perpendicular à linha. Existe um pouco de intensidade espalhada no plano equatorial, mas é muito pouco. Com esse resultado, podemos lidar com uma situação mais complicada. Suponha que tenhamos um conjunto de tais linhas, cada uma produzindo um feixe somente em um plano perpendicular à linha. Para encontrarmos a intensidade nas várias direções de uma série de fios longos, ao invés de fios infinitesimais, apenas somamos as contribuições de cada um dos fios longos. O problema é o mesmo que para o caso de fios infinitesimais, desde que estejamos no plano central perpendicular ao dos fios. Embora tenhamos analisado apenas pequenas antenas, poderíamos ter usado uma grade com sulcos longos e estreitos. Cada um dos longos sulcos produz um efeito apenas na sua própria direção, e não na direção vertical, mas como eles estão dispostos horizontalmente uns em relação aos outros, produzem interferência dessa maneira.

Logo, podemos construir situações mais complicadas tendo várias distribuições de espalhadores em linhas, planos ou no espaço. A primeira coisa que fizemos foi considerar os espalhadores em uma linha, e acabamos de estender a análise para faixas; podemos calcular apenas fazendo as somas necessárias adicionando as contribuições dos espalhadores individuais. O princípio é sempre o mesmo.

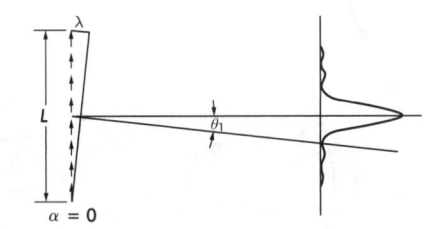

Figura 30-5 O padrão de intensidade de uma linha contínua de osciladores tem um único máximo intenso e vários "lóbulos laterais" fracos.

30–3 Poder de resolução de uma grade

Estamos agora em condições de entender vários fenômenos interessantes. Por exemplo, considere o uso de uma grade para a separação de comprimentos de onda. Notamos que todo o espectro se espalha pela tela, logo uma grade pode ser utilizada como um instrumento para separação de luz nos seus vários comprimentos de onda. Uma questão interessante é: suponha que existam duas fontes com frequências ligeiramente distintas, ou comprimento de onda um pouco diferente; quão próximos devem ser os comprimentos de onda de forma que a grade seja incapaz de identificar que realmente existiam dois comprimentos de onda distintos? O vermelho e o azul estavam claramente separados, mas quando uma onda é vermelha e a outra é ligeiramente mais vermelha, muito parecida, quão próximos os comprimentos de onda podem ser? Esse é o chamado *poder de resolução* de uma grade. Uma maneira de se analisar o problema é a seguinte. Suponha que para a luz de uma certa cor, o máximo do feixe difratado ocorre em um certo ângulo. Se variarmos o comprimento de onda, a fase $2\pi d\,\text{sen}\,\theta/\lambda$ é diferente, logo, é claro que o máximo aparecerá em um ângulo diferente. Por isso é que o vermelho e o azul estão separados. De quanto pode diferir o ângulo a fim de que sejamos capazes de vê-los? Se os dois máximos estão exatamente em cima um do outro, naturalmente não poderemos ver, mas se o máximo de um deles estiver distante o suficiente do outro, então poderemos enxergar que existe um duplo pico na distribuição da luz. Para ser capaz de distinguir marginalmente o duplo pico, usamos o seguinte critério simples, chamado de *critério de Rayleigh* (Fig. 30-6). Esse critério diz que o primeiro mínimo de um dos picos deve estar localizado no máximo do outro. Portanto, é muito fácil calcular a diferença de comprimento de onda quando um mínimo se encontra no máximo do outro pico. A melhor maneira de fazê-lo é geometricamente.

Para se obter um máximo para o comprimento de onda λ', a distância Δ (Fig. 30-3) deve ser $n\lambda'$, e se estivermos procurando o feixe de ordem m, ela será $mn\lambda'$. Em outras palavras, $2\pi d\,\text{sen}\,\theta/\lambda' = 2\pi m$; portanto, $nd\,\text{sen}\,\theta$, que é Δ, é $m\lambda'$ vezes n, isto é, $mn\lambda'$. Para o outro feixe, de comprimento de onda λ, queremos ter um *mínimo* nesse ângulo. Isto é, desejamos que Δ seja exatamente um comprimento de onda λ a mais do que $mn\lambda$. Portanto, $\Delta = mn\lambda + \lambda = mn\lambda'$. Logo se $\lambda' = \lambda + \Delta\lambda$, temos

$$\Delta\lambda/\lambda = 1/mn. \tag{30.9}$$

A razão $\lambda/\Delta\lambda$ é chamada de *poder de resolução* da grade; vemos que ela é igual ao número total de linhas na grade vezes a ordem. Não é difícil provar que essa fórmula é equivalente à fórmula que o erro em frequência é igual ao recíproco da diferença de tempo entre caminhos extremos que podem interferir:[1]

$$\Delta\nu = 1/T.$$

De fato, essa é a melhor maneira para lembrarmos, pois a fórmula geral se aplica não somente para grades, mas também para absolutamente qualquer outro instrumento, enquanto que a fórmula especial (30.9) depende do fato de que estamos usando uma grade.

30–4 A antena parabólica

Vamos considerar agora outro problema de poder de resolução, o qual tem a ver com a antena de um rádio telescópio, usada para se determinar a posição de rádio-fontes no céu, isto é, quão grande elas são em ângulo. É claro que se usarmos qualquer tipo de antena e encontrarmos sinais, não saberemos de que direção eles vieram. Estamos muito interessados em saber se a fonte está em um lugar ou em outro. Um modo de descobrirmos é colocar uma série completa de antenas do tipo dipolo igualmente espaçadas na paisagem australiana. Então pegamos todos os fios dessas antenas e os conectamos ao mesmo receptor, de tal maneira que todos os atrasos nas linhas de transmissão sejam

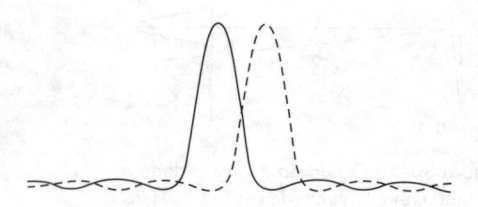

Figura 30–6 Ilustração do critério de Rayleigh. O máximo de um padrão recai sobre o primeiro mínimo do outro.

[1] Nesse caso, $T = \Delta/c = mn\lambda/c$, onde c é a velocidade da luz. A frequência $\nu = c/\lambda$, de modo que $\Delta\nu = c\Delta\lambda/\lambda^2$.

iguais. Portanto, o receptor recebe os sinais de todos os dipolos em fase. O que acontece agora? Se a fonte estiver diretamente acima do arranjo, no infinito ou quase lá, então as ondas de rádio excitaram todas as antenas com a mesma fase, de modo que alimentem o mesmo receptor juntas.

Suponha agora que a rádio-fonte está a um pequeno ângulo θ da vertical. Então as várias antenas irão receber o sinal um pouco fora de fase. O receptor soma todos esses sinais fora de fase, de maneira que não obtemos nada, se o θ for muito grande. Quão grande esse ângulo pode ser? *Resposta*: obtemos zero se o ângulo $\Delta/L = \theta$ (Fig. 30-3) corresponder a um deslocamento de fase de 360°, isto é, se Δ for o comprimento de onda λ. Isso ocorre porque as contribuições vetoriais formam juntas um polígono completo com resultante zero. O menor ângulo que pode ser resolvido por um arranjo de antena de tamanho L é $\theta = \lambda/L$. Notem que o padrão recebido de uma antena como essa é exatamente o mesmo da distribuição de intensidade que obteríamos se tivéssemos virado o receptor e o transformado em um transmissor. Esse é um exemplo do que é chamado *princípio da reciprocidade*. De fato, esse princípio é geralmente verdadeiro para qualquer arranjo de antenas, ângulos e assim por diante. Desse modo, se primeiramente calcularmos as intensidades relativas nas várias direções do receptor como se ele fosse, ao invés, um transmissor, então a sensibilidade direcional relativa de um receptor com a mesma fiação externa, o mesmo arranjo de antenas, seria a mesma intensidade relativa de emissão se fosse um transmissor.

Algumas antenas de rádio são feitas de maneira diferente. Em vez de terem vários dipolos ao longo de uma linha, com muitos fios de alimentação, podemos arranjá-las não em uma linha, mas em uma curva, e colocar os receptores em um certo local onde poderão detectar as ondas espalhadas. Essa curva é inteligentemente desenhada de maneira que se as ondas de rádio estão vindo de cima para baixo, e são espalhadas pelos fios, gerando uma nova onda, os fios são arrumados de tal forma que as ondas chegam no receptor todas no mesmo tempo (Fig. 26-12). Em outras palavras, a curva é uma *parábola*, e quando a fonte localiza-se exatamente no eixo, obtemos uma intensidade muito forte no foco. Nesse caso, entendemos claramente o que é o poder de resolução desse instrumento. O arranjo de antenas em uma curva parabólica não é o ponto essencial. É apenas uma maneira conveniente de se obter todos os sinais no mesmo ponto sem atrasos relativos e sem fios de alimentação. O ângulo que tal instrumento consegue resolver é ainda $\theta = \lambda/L$, onde L é a separação da primeira e da última antena. Ele não depende do espaçamento das antenas, e estas podem estar bem próximas ou de fato serem todas um pedaço de metal. Nesse caso, estamos descrevendo um espelho de telescópio, obviamente. Encontramos o poder de resolução de um telescópio! (Algumas vezes, o poder de resolução é escrito como $\theta = 1{,}22\,\lambda/L$, onde L é o diâmetro do telescópio. A razão pela qual o ângulo não é exatamente λ/L é que quando calculamos que $\theta = \lambda/L$, consideramos que todos os dipolos tinham a mesma intensidade, mas quando temos um telescópio circular, que é a forma mais comum de um telescópio, pouco sinal provém das bordas externas, por não ser um quadrado, no qual obtemos a mesma intensidade ao longo de todo o lado. Obtemos um pouco menos porque estamos usando apenas parte do telescópio ali; portanto, percebemos que o diâmetro efetivo é um pouco menor do que o diâmetro verdadeiro, e é isso que o fator 1,22 nos diz. De qualquer maneira, parece um pouco pedante colocar tamanha precisão na fórmula do poder de resolução.[2])

30–5 Filmes coloridos; cristais

Acima estão alguns efeitos de interferência obtidos ao somarmos várias ondas. Existem, porém, vários outros exemplos, e embora ainda não sejamos capazes de compreender o mecanismo fundamental, algum dia iremos fazê-lo, e por ora podemos entender como a interferência ocorre. Por exemplo, quando uma onda de luz atinge a superfície de um material com um índice n, digamos, com incidência normal, parte da luz é refletida. Ainda

---

[2] Isso ocorre, em primeiro lugar, porque o critério de Rayleigh é uma ideia aproximada. Ele nos diz onde começa a ficar difícil de dizer se a imagem é criada por uma ou duas estrelas. Na verdade, se fizermos medidas com o cuidado suficiente, com exatamente a mesma distribuição de intensidade em toda a imagem difratada, o fato de que duas fontes compõem a imagem pode ser comprovado mesmo que θ seja menor do λ/L.

não estamos em condições de entender a *razão* para a reflexão; isso será discutido mais tarde, mas suponha que sabemos que parte da luz é refletida tanto ao entrar quanto ao sair de um meio refrator. Então, se olharmos para a reflexão de uma fonte de luz em um filme fino, veremos a soma de duas ondas. Se a espessura for pequena o suficiente, essas duas ondas irão produzir uma interferência, que pode ser construtiva ou destrutiva, dependendo do sinal das fases. Pode ser, por exemplo, que para a luz vermelha, obtenha-se uma reflexão intensificada, mas para a luz azul, que tem comprimento de onda diferente, talvez ocorra uma reflexão que interfere destrutivamente, de maneira que vemos uma reflexão vermelha intensa. Se variarmos a largura do filme, isto é, em outro local onde o filme é mais grosso, isso pode se reverter, o vermelho interferindo e o azul não, de modo que vemos azul, ou verde, ou amarelo, etc. Portanto, vemos *cores* quando olhamos em filmes finos, e as cores variam se olharmos em diferentes ângulos, porque podemos perceber que os tempos são diferentes em diferentes ângulos. Então percebemos de repente outras centenas de milhares de situações envolvendo cores que vemos em filmes de óleo, bolhas de sabão, etc., em diferentes ângulos. O princípio é o mesmo: estamos apenas somando ondas com diferentes fases.

Como outra aplicação importante de difração, mencionaremos a seguinte. Quando usamos uma grade, vimos a imagem difratada na tela. Se tivéssemos usado luz monocromática, isso ocorreria em um certo local específico. Então existem várias imagens de ordem superior também. A partir da posição das imagens, poderíamos saber a separação entre as linhas da grade, se soubéssemos o comprimento de onda da luz. Da diferença em intensidade das várias imagens, poderíamos encontrar o formato das marcas da grade, a saber, se são fios, dente-de-serra, ou outra coisa, *sem sermos capazes de vê-las*. Esse princípio é usado na determinação das posições dos *átomos em um cristal*. A única complicação é que o cristal é tridimensional; é um arranjo tridimensional de átomos que se repetem. Não podemos usar a luz comum, porque precisamos utilizar algo cujo comprimento de onda é menor do que o espaço entre os átomos, ou não conseguimos obter o efeito desejado. Portanto, é necessário usar radiação de comprimento muito pequeno, isto é, raios X. Logo, incidindo raios X em um cristal e notando quão intensa é a reflexão nas várias ordens, podemos determinar a organização dos átomos dentro do cristal, sem sermos capazes de enxergá-los com nossos olhos! É dessa maneira que sabemos a disposição dos átomos nas várias substâncias, o que nos permitiu desenhar as figuras do primeiro capítulo, mostrando o arranjo dos átomos no sal, e assim por diante. Iremos retornar mais tarde a esse tema e discuti-lo em mais detalhes, portanto, não iremos dizer mais nada a respeito dessa ideia extraordinária no momento.

30–6 Difração por anteparos opacos

Encontramos agora uma situação bastante interessante. Suponha que existam buracos em um anteparo e uma luz de um dos lados. Queremos saber qual é a intensidade da luz no outro lado. O que a maioria das pessoas diz é que a luz irá brilhar através dos buracos e produzir um efeito do outro lado. Acontece que obtemos a resposta certa, em uma aproximação excelente, se considerarmos que existem fontes distribuídas com densidade uniforme através dos buracos abertos e que as fases dessas fontes são as mesmas que seriam se o material opaco não estivesse presente. É claro que, na realidade, *não* existem fontes nos buracos, de fato esse é o único lugar onde não existem fontes *com certeza*. Entretanto, obtemos o padrão correto de difração ao considerar os buracos como os únicos lugares em que *existem* fontes; esse é um fato peculiar. Explicaremos mais tarde por que isso é verdade, mas por ora vamos apenas supor que é.

Na teoria da difração existe outro tipo de difração que devemos discutir brevemente. Geralmente ela não é discutida tão cedo em um curso elementar, simplesmente porque as fórmulas matemáticas envolvidas na adição desses pequenos vetores são um pouco elaboradas. Por outro lado, é exatamente igual ao que temos feito até agora. Todos os fenômenos de interferência são idênticos; não envolvem nada muito mais avançado, apenas as condições são mais complicadas e é mais difícil somar os vetores, apenas isso.

Suponha que a luz esteja vindo do infinito, formando a sombra de um objeto. A Figura 30–7 mostra o anteparo no qual a sombra de um objeto *AB* é causada pela

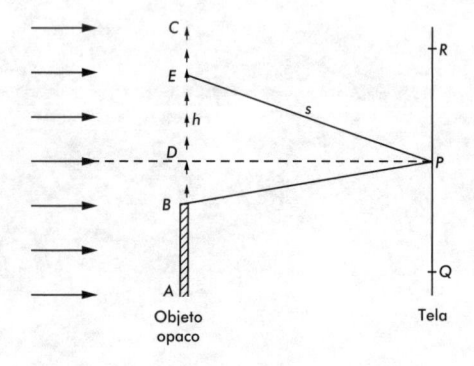

Figura 30–7 Uma fonte distante de luz projeta a sombra de um objeto opaco sobre uma tela.

fonte de luz bastante distante em comparação com um comprimento de onda. Esperaríamos que, fora da sombra, a intensidade fosse brilhante, e dentro dela fosse tudo escuro. De fato, se colocarmos em um gráfico a intensidade em função da posição próxima à borda da sombra, a intensidade aumenta e então se excede, se agita e oscila de uma maneira muito estranha perto dessa extremidade (Fig. 30-9). Discutiremos agora a razão para isso. Se utilizarmos um teorema que ainda não provamos, podemos substituir o problema de fato por um conjunto de fontes efetivas uniformemente distribuídas pelo espaço aberto além do objeto.

Imagine um grande número de antenas espaçadas muito perto umas das outras e que desejamos a intensidade em algum ponto P. Isso se parece com o que temos feito. Não exatamente; pois nosso anteparo não esta no infinito. Não queremos a intensidade no infinito, mas em um ponto finito. Para calcular a intensidade em um lugar em particular, temos que somar as contribuições de todas as antenas. Primeiro existe uma antena em D, exatamente em frente a P; se subirmos um pouco em ângulo, digamos de uma altura h, então existe um aumento no atraso (existe também uma variação em amplitude por causa da variação em distância, mas esse é um efeito muito pequeno se estivermos longe, e é bem menos importante do que a diferença nas fases). A diferença de caminho $EP - DP$ é aproximadamente $h^2/2s$, de modo que a diferença de fase é proporcional ao quadrado da distância até D, enquanto em nosso trabalho anterior s era infinito, e a diferença de fase era linearmente proporcional a h. Quando as fases são linearmente proporcionais, cada vetor é somado ao próximo vetor com um ângulo constante. O que precisamos agora é da curva feita pela soma de muitos vetores infinitesimais com a condição de que o ângulo que eles fazem aumenta, não linearmente, mas com o quadrado do comprimento da curva. A construção dessa curva envolve matemática ligeiramente avançada, mas sempre podemos construí-la desenhando de fato os vetores e medindo os ângulos. De qualquer maneira, obtemos a curva maravilhosa (chamada espiral de Cornu) mostrada na Fig. 30-8. Como usamos essa curva?

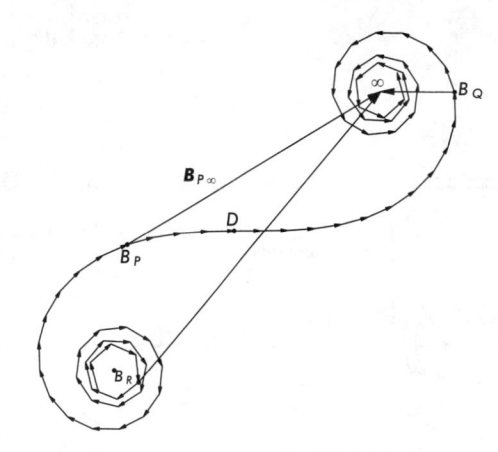

Figura 30–8 A adição de amplitudes para vários osciladores em fase cujos atrasos variam conforme o quadrado da distância ao ponto D da figura anterior.

Se quisermos a intensidade, digamos, no ponto P, adicionamos muitas contribuições de diferentes fases desde o ponto D até o infinito, e de D para baixo apenas até ponto B_P. Portanto, começamos em B_P na Fig. 30-8 e desenhamos uma série de vetores com os ângulos aumentando cada vez mais. Desse modo, a contribuição total acima do ponto B_P progride ao longo da curva que se move em espiral. Se fôssemos parar de integrar em algum lugar, então a amplitude total seria um vetor desde B àquele ponto; neste determinado problema, estamos indo ao infinito, logo a resposta total é o vetor $\mathbf{B}_{P\infty}$, mas a posição na curva que corresponde ao ponto B_P no objeto depende de onde o ponto P está localizado, pois o ponto D, o ponto de inflexão, sempre corresponde à posição do ponto P. Assim, dependendo de onde P se localiza acima de B, o ponto inicial cairá em várias posições na parte esquerda em baixo da curva, e o vetor resultante $\mathbf{B}_{P\infty}$ terá muitos máximos e mínimos (Fig. 30-9).

Por outro lado, se estivermos em Q, do outro lado de P, então estamos usando só uma extremidade da curva espiral, e não a outra. Em outras palavras, nem começamos em D, mas em B_Q, portanto nesse lado adquirimos uma intensidade que continuamente decai conforme Q se aprofunda na sombra.

Um ponto que podemos calcular imediatamente com facilidade, para mostrar que realmente o entendemos, é a intensidade exatamente em frente à borda. A intensidade aqui é 1/4 da luz incidente. A razão disso é que exatamente na borda (de modo que a extremidade B do vetor está em D na Fig. 30-8) temos a metade da curva que teríamos se estivéssemos bem dentro da região brilhante. Se o ponto R estiver bem dentro da luz, vamos de uma extremidade da curva à outra, isto é, um vetor unidade completo; mas se estivermos na borda da sombra, temos somente a metade da amplitude – 1/4 da intensidade.

Neste capítulo, temos encontrando a intensidade produzida em várias direções por muitas distribuições de fontes. Como um exemplo final, iremos derivar uma fórmula de que necessitaremos para o capítulo seguinte sobre a teoria do índice de refração. Até este ponto, as inten-

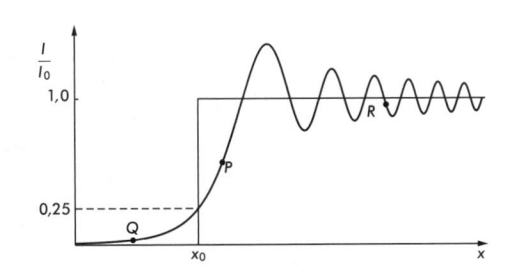

Figura 30–9 A intensidade próxima à borda da sombra. A borda geométrica da sombra situa-se em x_0.

sidades relativas foram suficientes para o nosso objetivo, mas dessa vez acharemos a fórmula completa para o campo na situação a seguir.

30–7 O campo de um plano de cargas oscilantes

Suponha que temos um plano cheio de fontes, todas oscilando em conjunto, com o seu movimento no plano e todas com a mesma amplitude e fase. Qual é o campo em uma grande, mas finita, distância longe do plano? (Não podemos nos aproximar muito, naturalmente, porque não temos as fórmulas corretas para o campo perto das fontes.) Considere o plano das cargas como sendo o plano xy, então queremos encontrar o campo no ponto P bem longe no eixo z (Fig. 30-10). Supomos que há η cargas por unidade de área do plano e que cada uma delas tem uma carga q. Todas as cargas possuem movimento harmônico simples, com a mesma direção, amplitude e fase. Seja $x_0 \cos\omega t$ o movimento de cada carga *com respeito à sua própria posição média*. Ou, usando a notação de números complexos e lembrando que a parte real representa o movimento verdadeiro, o movimento pode ser descrito por $x_0 e^{i\omega t}$.

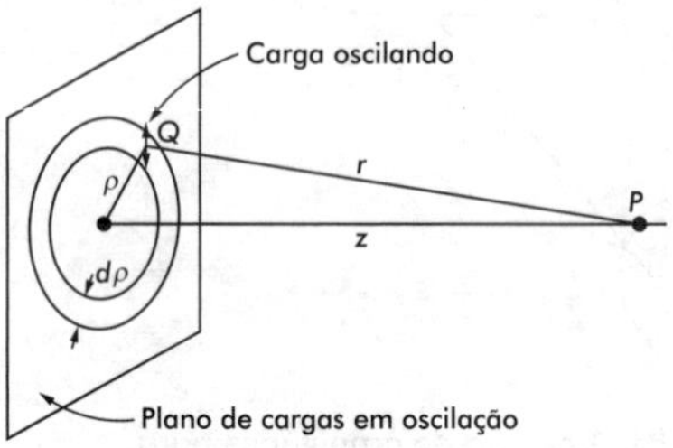

Figura 30–10 Campo de radiação de um plano de cargas oscilantes.

Em seguida, encontraremos o campo de todas as cargas no ponto P determinando o campo oriundo de cada carga q e então somando as contribuições de todas as cargas. Sabemos que o campo de radiação é proporcional à aceleração da carga, que é $-\omega^2 x_0 e^{i\omega t}$ (e é o mesmo para todas as cargas). O campo elétrico que procuramos no ponto P devido a uma carga no ponto Q é proporcional à aceleração da carga q, mas temos de lembrar que o campo no ponto P no instante t é dado pela aceleração da carga em um tempo anterior $t' = t - r/c$, onde r/c é o tempo que leva para as ondas atravessarem a distância r desde Q até P. Por isso, o campo em P é proporcional a

$$-\omega^2 x_0 e^{i\omega(t-r/c)}. \qquad (30.10)$$

Usando esse valor para a aceleração em P na nossa fórmula do campo elétrico a grandes distâncias de uma carga irradiando, obtemos

$$\left(\begin{array}{c}\text{Campo elétrico em } P \\ \text{a partir da carga } Q\end{array}\right) = \frac{q}{4\pi\epsilon_0 c^2} \frac{\omega^2 x_0 e^{i\omega(t-r/c)}}{r} \text{ (aprox.)}. \qquad (30.11)$$

Ora, essa fórmula não está completamente correta, pois não deveríamos ter usado a aceleração da carga, mas sim a *sua componente* perpendicular à linha QP. Iremos supor, contudo, que o ponto P está tão longe, quando comparado com a distância do ponto Q ao eixo (a distância ρ na Fig. 30-10), que podemos omitir o fator de cosseno (que de qualquer maneira seria quase igual a 1) para aquelas modificações que temos de levar em consideração.

Para obter o campo total em P, agora somamos os efeitos de todas as cargas no plano. Naturalmente, devemos fazer uma soma *vetorial*, mas como a direção do campo elétrico é quase a mesma para todas as cargas, podemos, de acordo com a aproximação que já fizemos, somente acrescentar as magnitudes dos campos. Para a nossa aproximação, o campo em P depende somente da distância r, logo todas as cargas à mesma distância r produzem campos iguais. Portanto somamos, primeiro, os campos das cargas situadas em um anel de largura $d\rho$ e raio ρ. Então, fazendo a integral para todos os valores de ρ, obteremos o campo total.

O número de cargas no anel é o produto da área superficial do anel, $2\pi\rho\, d\rho$, com η, o número de cargas por unidade de área. Temos, então,

$$\text{Campo total em } P = \int \frac{q}{4\pi\epsilon_0 c^2} \frac{\omega^2 x_0 e^{i\omega(t-r/c)}}{r} \cdot \eta \cdot 2\pi\rho\, d\rho. \qquad (30.12)$$

Desejamos estimar esta integral desde $\rho = 0$ até $\rho = \infty$. A variável t, é claro, deve ser mantida fixa enquanto calculamos a integral, de maneira que as únicas quantidades variáveis sejam ρ e r. Omitindo todos os termos constantes, *inclusive o fator $e^{i\omega t}$*, por enquanto, a integral que procuramos é

$$\int_{\rho=0}^{\rho=\infty} \frac{e^{-i\omega r/c}}{r} \rho \, d\rho. \tag{30.13}$$

Para resolver essa integral, precisamos usar a relação entre r e ρ:

$$r^2 = \rho^2 + z^2. \tag{30.14}$$

Como z é independente de ρ, quando fazemos a diferencial dessa equação, obtemos

$$2r \, dr = 2\rho \, d\rho,$$

felizmente, pois em nossa integral podemos substituir $\rho \, d\rho$ por $r \, dr$, e o r cancelará aquele do denominador. A integral desejada é então mais simples,

$$\int_{r=z}^{r=\infty} e^{-i\omega r/c} \, dr. \tag{30.15}$$

Integrar uma exponencial é muito fácil. Dividimos pelo coeficiente de r no expoente e estimamos a exponencial nos limites. Porém os limites de r não são os mesmos limites de ρ. Quando $\rho = 0$, temos $r = z$, portanto os limites de r são de z até o infinito. Temos, para a integral

$$-\frac{c}{i\omega}[e^{-i\infty} - e^{-(i\omega/c)z}], \tag{30.16}$$

onde escrevemos ∞ para $(\omega/c) \infty$, pois ambos significam um número muito grande!

Agora o $e^{-i\infty}$ é uma grandeza misteriosa. A sua parte real, por exemplo, é $\cos(-\infty)$, que, matematicamente falando, é totalmente indefinido (embora esperássemos que fosse algo – ou todos os valores (?) – entre +1 e –1!). Em uma situação *física*, pode significar algo bastante razoável, e normalmente pode ser simplesmente tomado como sendo zero. Para verificar que isso é assim em nosso caso, consideramos novamente a integral original (30.15)

Podemos entender (30.15) como uma soma de números complexos muito pequenos, cada um com magnitude Δr e com o ângulo $\theta = -\omega r/c$ no plano complexo. Podemos tentar avaliar a soma por um método gráfico. Na Fig. 30-11, desenhamos as cinco primeiras partes da somatória. Cada segmento da curva tem comprimento Δr e está situado em um ângulo $\Delta\theta = -\omega \Delta r/c$ com respeito ao pedaço anterior. A soma dessas cinco primeiras partes é representada pelo vetor do ponto de partida até o final do quinto segmento. À medida que continuamos adicionando partes, traçamos um polígono até regressarmos ao ponto de partida (aproximadamente) e então recomeçamos outra volta mais uma vez. Acrescentando mais partes, somente daremos voltas e mais voltas, permanecendo em um círculo cujo raio, pode-se mostrar facilmente, é c/ω. Podemos ver agora por que a integral não dá uma resposta definida!

Entretanto, agora temos de retornar à *física* da situação. Em qualquer situação real, o plano de cargas *não pode* ter extensão infinita, mas deve terminar algum dia. Caso ele terminasse repentinamente, e tivesse forma exatamente circular, a integral teria algum valor sobre o círculo da Fig. 30-11. Se, contudo, deixamos o número de cargas no plano a alguma grande distância do centro ir diminuindo gradualmente (ou parar repentinamente, mas em uma forma irregular, de modo que para ρ grandes não há mais contribuição do anel inteiro da largura $d\rho$), então o coeficiente η na integral exata diminuiria tendendo a zero. Como estamos adicionando partes menores, mas ainda girando pelo mesmo ângulo, o gráfico da integral seria então uma curva que é uma espiral. A espiral terminaria eventualmente no centro do nosso círculo original, como desenhado na Fig. 30-12. A integral *fisicamente* correta é o número

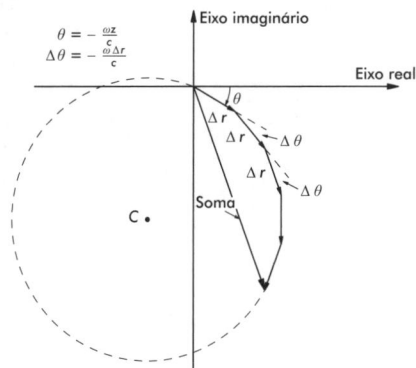

Figura 30-11 Solução gráfica de $\int_{z}^{\infty} e^{-i\omega r/c} dr$.

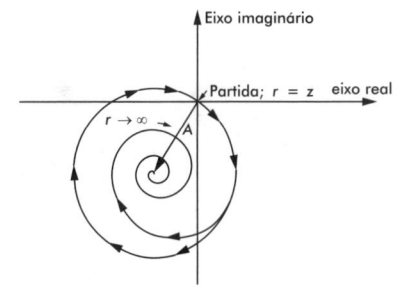

Figura 30-12 Solução gráfica de $\int_{z}^{\infty} \eta e^{-i\omega r/c} dr$.

complexo A da figura, representado pelo intervalo desde o ponto de partida até o centro do círculo, que é apenas igual a

$$\frac{c}{i\omega} e^{-i\omega z/c}, \tag{30.17}$$

como você pode calcular por si próprio. Esse é o mesmo resultado que obteríamos da Eq. (30.16) se fizéssemos $e^{-i\infty} = 0$.

(Há também outra razão do porquê a contribuição para a integral diminui para grandes valores de r, e esse é o fator que omitimos para a projeção da aceleração no plano perpendicular à linha PQ.)

Estamos, naturalmente, interessados apenas nas situações físicas, portanto tomaremos $e^{-i\infty}$ igual a zero. Retornado à nossa fórmula original (30.12) para o campo e recolocando todos os fatores na integral, temos o resultado

$$\text{Campo total em } P = -\frac{\eta q}{2\epsilon_0 c} i\omega x_0 e^{i\omega(t-z/c)} \tag{30.18}$$

(lembrando que $1/i = -i$).

É interessante observar que $(i\omega x_0\, e^{i\omega t})$ é quase igual à *velocidade* das cargas, de maneira que também podemos escrever a equação do campo como

$$\text{Campo total em } P = -\frac{\eta q}{2\epsilon_0 c} [\text{velocidade das cargas}]_{\text{em } t-z/c}, \tag{30.19}$$

que é um pouco estranha, porque o retardo é somente por causa da distância z, que é a menor distância de P ao plano das cargas. No entanto, essa é a maneira como acontece – felizmente uma fórmula bastante simples. (Podemos acrescentar, a propósito, que embora a nossa derivação seja válida somente para distâncias grandes do plano de cargas oscilantes, acontece que a fórmula (30.18) ou (30.19) é correta para qualquer distância z, até para $z < \lambda$).

31

A Origem do Índice de Refração

31–1 O índice de refração

Já dissemos que a luz viaja de forma mais devagar na água do que no ar, e ligeiramente mais devagar no ar do que no vácuo. Esse efeito é descrito pelo índice da refração n. Agora gostaríamos de entender como tal velocidade mais lenta pode acontecer. Especialmente, devemos tentar ver qual a relação com algumas suposições físicas, ou afirmações, feitas anteriormente, que são:

(a) O campo elétrico total em qualquer circunstância física pode sempre ser representado pela soma dos campos de todas as cargas no universo.
(b) O campo de uma carga única é dado pela sua aceleração estimada com um atraso da velocidade c, *sempre* (para o campo de *radiação*).

Para um pedaço de vidro, você poderia pensar: "Oh, não, você deve modificar tudo isso. Você deveria dizer que é o atraso da velocidade c/n". Isso, porém, não é correto, e temos de entender o porquê.

É aproximadamente verdadeiro que a luz ou qualquer onda elétrica realmente *parece* viajar na velocidade c/n através de um material cujo índice da refração é n, mas os campos ainda são produzidos pelos movimentos de *todas* as cargas – incluindo as cargas que se movem no material – e com as contribuições básicas do campo que viaja na velocidade máxima c. O problema é entender como a velocidade *aparentemente* mais lenta ocorre.

Tentaremos entender o efeito em um caso muito simples. Uma fonte que chamaremos de "fonte *externa*" é colocada a uma grande distância de uma placa fina de material transparente, como o vidro. Perguntamos sobre o campo a uma grande distância da placa, no lado oposto. A situação é ilustrada pelo diagrama da Fig. 31-1, onde se imagina que S e P estejam muito distantes da placa. Segundo os princípios que afirmamos anteriormente, um campo elétrico em qualquer lugar distante de todas as cargas de movimento é a soma (vetorial) dos campos produzidos pela fonte externa (em S) e os campos produzidos por *cada* uma das cargas na placa de vidro, *todas elas com o seu próprio atraso na velocidade c*. Lembre-se de que a contribuição de cada carga não é modificada pela presença de outras cargas. Esses são os nossos princípios básicos. O campo em P pode ser escrito como:

$$\mathbf{E} = \sum_{\text{todas as cargas}} \mathbf{E}_{\text{cada carga}} \tag{31.1}$$

ou

$$\mathbf{E} = \mathbf{E}_s + \sum_{\text{todas as outras cargas}} \mathbf{E}_{\text{cada carga}} \tag{31.2}$$

onde $\mathbf{E}_S$ é o campo devido a uma única fonte e seria exatamente o campo em P *se não houve nenhum material presente*. Esperamos que o campo em P seja diferente de $\mathbf{E}_S$ se existirem outras cargas em movimento.

Por que deveria haver cargas se movendo no vidro? Sabemos que todos os materiais são formados por átomos que contêm elétrons. Quando o campo elétrico *da fonte* atua nesses átomos, ele impulsiona os elétrons para cima e para baixo, porque o campo exerce uma força sobre os elétrons. Pois elétrons em movimento geram um campo – eles tornam-se novos radiadores. Esses novos radiadores estão associados à fonte S, porque eles foram impelidos pelo campo da fonte. O campo total não é apenas o campo da fonte S, mas é modificado pela contribuição adicional das outras cargas em movimento. Isso significa que o campo não é o mesmo que o presente antes que o vidro estivesse lá, mas foi modificado, e modificado de tal modo que o campo dentro do vidro parece estar se movendo com uma velocidade diferente. É a ideia que gostaríamos de calcular quantitativamente.

31–1 O índice de refração
31–2 O campo devido ao material
31–3 Dispersão
31–4 Absorção
31–5 A energia transportada por uma onda elétrica
31–6 Difração da luz por um anteparo

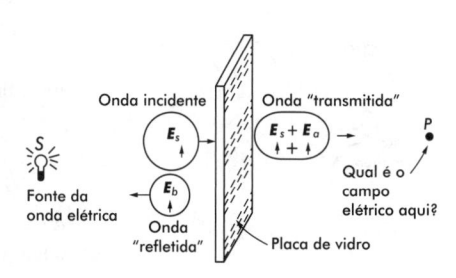

Figura 31-1 Ondas elétricas passando através de uma camada de material transparente.

Para o caso exato, isso é bastante complicado, porque embora tenhamos dito que todas as outras cargas em movimento são impulsionadas pelo campo da fonte, isso não é completamente verdadeiro. Se pensarmos em uma determinada carga, ela sente não só a fonte, mas qualquer coisa do mundo, ela sente *todas* as cargas que estão se movendo. Ela percebe, especialmente, as cargas que estão se movendo em outro lugar no vidro. Portanto, o campo total que está atuando em uma *determinada carga* é uma combinação dos campos das outras cargas, *cujos movimentos dependem do que essa carga em particular está fazendo!* Você pode notar que seria necessário um conjunto de equações complicadas para obtermos a fórmula completa e exata. É tão complicado que adiaremos esse problema até o próximo ano.

Ao invés disso, resolveremos um caso muito simples a fim de entender todos os princípios físicos muito claramente. Escolhemos a condição na qual os efeitos dos outros átomos são muito pequenos em relação aos efeitos da fonte. Em outras palavras, escolhemos um material em que o campo total não é muito modificado pelo movimento das outras cargas. Isso corresponde a um material no qual o índice da refração é muito próximo de 1, que ocorrerá, por exemplo, se a densidade dos átomos for muito baixa. O nosso cálculo será válido para qualquer caso no qual, por qualquer razão, o índice for bastante próximo de 1. Desse modo, evitaremos as complicações da solução mais geral e completa.

Consequentemente, note que há outro efeito causado pelo movimento das cargas na placa. Essas cargas também irradiarão ondas de volta à fonte S. Esse campo voltado para trás é a luz que vemos refletida nas superfícies de materiais transparentes. Ele não é proveniente somente da superfície. Essa radiação em sentido contrário é oriunda de todo o interior, mas o efeito total é equivalente a uma reflexão nas superfícies. Esses efeitos de reflexão estão além da nossa aproximação no momento atual, porque estamos limitados a um cálculo para um material com um índice tão próximo de 1 que muito pouca luz é refletida.

Antes de prosseguirmos com o nosso estudo de como o índice da refração aparece, devemos entender que tudo o que é necessário para entender a refração é entender por que a aparente *velocidade* de onda é diferente em diferentes materiais. A *curvatura* de raios de luz ocorre somente *porque* a velocidade efetiva das ondas é diferente nos materiais. Para lembrar como isso ocorre, desenhamos na Fig. 31-2 várias cristas sucessivas de uma onda elétrica que vai do vácuo para a superfície de um bloco de vidro. O vetor perpendicular às cristas de onda indica a direção de movimento da onda. Então todas as oscilações da onda devem ter a mesma *frequência*. (Vimos que as oscilações induzidas têm a mesma frequência que a fonte geradora.) Isso significa, também, que as cristas das ondas de ambos os lados da superfície devem ter o *mesmo espaçamento ao longo da superfície* porque devem viajar juntas, de modo que uma carga situada na divisa sinta somente uma frequência. A distância *mais curta* entre as cristas da onda, contudo, é o comprimento de onda que é a velocidade dividida pela frequência. No lado do vácuo, ela é $\lambda_0 = 2\pi c/\omega$, e do outro lado é $\lambda = 2\pi v/\omega$ ou $2\pi c/\omega n$ se $v = c/n$ for a velocidade da onda. Da figura podemos ver que a única maneira que as ondas se "ajustam" propriamente à divisa é se as ondas no material estiverem viajando em um ângulo diferente com respeito à superfície. A partir da geometria da figura, pode-se ver que para um "ajuste" devemos ter $\lambda_0/\text{sen }\theta_0 = \lambda \text{ sen }\theta$, ou o sen $\theta_0/\text{sen }\theta = n$, que é a lei de Snell. No resto da nossa discussão, consideraremos apenas por que a luz tem uma velocidade efetiva c/n em um material com índice n, e não mais nos importar, neste capítulo, com a curvatura da direção da luz.

Voltamos agora à situação mostrada na Fig. 31-1. Vemos que o que temos de fazer é calcular o campo produzido em P por todas as cargas oscilantes na placa de vidro. Chamaremos essa parte do campo E_a, que é somente a soma, escrita como o segundo termo na Eq. (31.2). Quando o adicionamos ao termo E_s, devido à fonte, teremos o campo total em P.

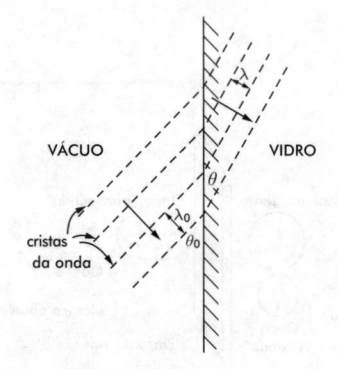

Figura 31–2 Relação entre refração e mudança da velocidade.

Provavelmente, isso é a coisa mais complicada que iremos fazer neste ano, mas é complicado somente porque há muitas partes que têm de ser unidas; cada parte, contudo, é muito simples. Diferentemente de outras deduções em que dissemos "Esqueçam a dedução, somente vejam a resposta!", neste caso não precisamos da resposta tanto quanto da derivação. Em outras palavras, o que precisamos entender é o funcionamento físico para a produção do índice.

Para ver aonde estamos indo, vamos primeiro descobrir o que "o campo de correção" E_a seria se o campo total em P se parecesse com radiação da fonte que é freada ao passar pela placa fina. Se a placa não tivesse nenhum efeito, o campo de uma onda que viaja para a direita (ao longo do eixo z) seria

$$E_s = E_0 \cos \omega(t - z/c) \tag{31.3}$$

ou, usando a notação exponencial,

$$E_s = E_0 e^{i\omega(t-z/c)}. \tag{31.4}$$

O que aconteceria se a onda viajasse mais lentamente ao atravessar a placa? Vamos chamar a espessura da placa de Δz. Se a placa não estivesse presente, a onda viajaria a distância Δz no tempo $\Delta z/c$. Contudo, se ela parece viajar na velocidade c/n, então levaria o tempo mais longo $n\,\Delta z/c$ ou o tempo *adicional* $\Delta t = (n-1)\,\Delta z/c$. Depois disso, a onda continuaria viajando na velocidade c novamente. Podemos considerar o atraso extra em atravessar a placa substituindo t da Eq. (31.4) por $(t - \Delta t)$ ou por $[t - (n-1)\,\Delta z/c]$. Desse modo, a onda depois da inserção na placa deve ser escrita como

$$E_{\text{após a placa}} = E_0 e^{i\omega[t-(n-1)\Delta z/c - z/c]}. \tag{31.5}$$

Também podemos escrever essa equação como

$$E_{\text{após a placa}} = e^{-i\omega(n-1)\Delta z/c} E_0 e^{i\omega(t-z/c)}, \tag{31.6}$$

a qual diz que a onda depois da placa é obtida a partir da onda que poderia existir sem a placa, isto é, a partir de E_s, multiplicando-se pelo fator $e^{-i\omega(n-1)\Delta z/c}$. Sabemos que multiplicar uma função oscilante como $e^{i\omega t}$ por um fator $e^{i\theta}$ somente diz que modificamos a fase da oscilação pelo ângulo θ, que é, naturalmente, o atraso extra causado em passar pela espessura Δz. Esse atraso retardou a fase pelo montante $\omega(n-1)\Delta z/c$ (retardado, por causa do sinal de menos no expoente).

Dissemos antes que a placa deve *acrescentar* um campo E_a ao campo original $E_s = E_0 e^{i\omega(t-z/c)}$, mas obtemos em vez disso que o efeito da placa é *multiplicar* o campo por um fator que muda a sua fase. Contudo, isso está certo porque podemos obter o mesmo resultado adicionando um número complexo conveniente. É especialmente fácil encontrar o número certo a ser somado no caso quando Δz é pequeno, pois você se lembrará de que se x for um número pequeno, então e^x é aproximadamente igual a $(1 + x)$. Portanto, podemos escrever

$$e^{-i\omega(n-1)\Delta z/c} \approx 1 - i\omega(n-1)\Delta z/c. \tag{31.7}$$

Utilizando essa aproximação na Eq. (31.6), temos

$$E_{\text{após a placa}} = \underbrace{E_0 e^{i\omega(t-z/c)}}_{E_s} - \underbrace{\frac{i\omega(n-1)\Delta z}{c} E_0 e^{i\omega(t-z/c)}}_{E_a}. \tag{31.8}$$

O primeiro termo é simplesmente o campo da fonte, e o segundo termo deve ser igual a E_a, o campo produzido à direita da placa pelas cargas oscilantes – expressas aqui em termos do índice de refração n, e dependendo, naturalmente, da intensidade da onda da fonte.

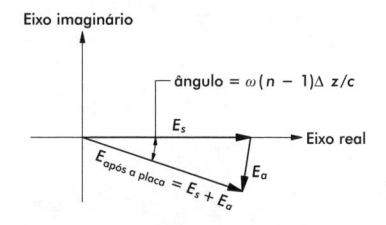

Figura 31-3 Diagrama para a onda transmitida em z e um tempo particular t.

O que estivemos fazendo é facilmente visualizado se olharmos o diagrama de números complexos na Fig. 31-3. Primeiro, desenhamos o número E_s (escolhemos alguns valores de z e t para que E_s resulte na horizontal, mas isso não é necessário). O atraso devido à frenagem na placa atrasaria a fase deste número, isto é, E_s giraria por um ângulo negativo. Isso é equivalente a somar o pequeno vetor E_a aproximadamente em ângulo reto com relação a E_s. Isso é o que o fator $-i$ significa no segundo termo da Eq. (31.8). Ele nos diz que se E_s for real, então E_a é negativo imaginário ou que, em geral, E_s e E_a formam um ângulo reto.

31–2 O campo devido ao material

Agora temos de perguntar: o campo E_a obtido do segundo termo da Eq. (31.8) é o tipo de campo que esperaríamos de cargas oscilando na placa? Se pudermos mostrar que é, então teremos calculado o que o índice n deve ser! [Pois n é o único número não fundamental na Eq. (31.8).] Vamos voltar agora para o cálculo do campo E_a produzido pelas cargas do material. (Para ajudá-lo a acompanhar os muitos símbolos usados até agora, e estaremos usando no resto do nosso cálculo, pusemos todos eles juntos na Tabela 31-1.)

Tabela 31-1

Símbolos usados nos cálculos

$E_s =$ campo da fonte
$E_a =$ campo produzido pelas cargas da placa
$\Delta z =$ espessura da placa
$z =$ distância perpendicular à placa
$n =$ índice de refração
$\omega =$ frequência (angular) da radiação
$N =$ número de cargas por unidade de volume na placa
$\eta =$ número de cargas por unidade de área da placa
$q_e =$ carga do elétron
$m =$ massa do elétron
$\omega_0 =$ frequência ressonante de um elétron ligado em um átomo

Se a fonte S (da Fig. 31-1) estiver à esquerda e muito distante, então o campo E_s terá a mesma fase em todo lugar da placa, portanto podemos escrever que na vizinhança da placa

$$E_s = E_0 e^{i\omega(t-z/c)}. \quad (31.9)$$

Exatamente na placa, onde $z = 0$, teremos

$$E_s = E_0 e^{i\omega t} \text{ (na placa)} \quad (31.10)$$

Cada um dos elétrons nos átomos da placa sentirá esse campo elétrico e será dirigido para cima e para baixo (consideramos que a direção de E_0 é vertical) pela força elétrica qE. Para encontrar o movimento esperado dos elétrons, suporemos que os átomos são pequenos osciladores, isto é, que os elétrons são presos elasticamente aos átomos, o que significa que se uma força for aplicada a um elétron, o seu deslocamento da sua posição usual será proporcional à força.

Você pode pensar que esse é um modelo engraçado para um átomo, caso você já tenha ouvido que os elétrons giram em volta em órbitas, mas esse é somente um cenário simplificado demais. A visão correta de um átomo, que é dada pela teoria da mecânica de onda, diz que, *com relação aos problemas que envolvam luz*, os elétrons se comportam como se fossem presos por molas. Portanto, suporemos que os elétrons têm uma força linear restauradora que, juntamente a sua massa m, os faz comportar-

-se como pequenos osciladores, com uma frequência ressonante ω_0. Já estudamos tais osciladores, e sabemos que a equação para o seu movimento é escrita assim:

$$m\left(\frac{d^2x}{dt^2} + \omega_0^2 x\right) = F, \qquad (31.11)$$

onde F é a força motriz.

Para o nosso problema, a força motriz provém do campo elétrico da onda da fonte, portanto devemos usar

$$F = q_e E_s = q_e E_0 e^{i\omega t}, \qquad (31.12)$$

onde q_e é a carga elétrica no elétron, e para E_S usamos a expressão $E_S = E_0 e^{i\omega t}$ de (31.10). A nossa equação do movimento do elétron é, então,

$$m\left(\frac{d^2x}{dt^2} + \omega_0^2 x\right) = q_e E_0 e^{i\omega t}. \qquad (31.13)$$

Já resolvemos essa equação antes, e sabemos que a solução consiste em

$$x = x_0 e^{i\omega t}, \qquad (31.14)$$

onde, substituindo (em 31.13), encontramos que

$$x_0 = \frac{q_e E_0}{m(\omega_0^2 - \omega^2)}, \qquad (31.15)$$

de modo que

$$x = \frac{q_e E_0}{m(\omega_0^2 - \omega^2)} e^{i\omega t}. \qquad (31.16)$$

Temos o que precisávamos saber – o movimento dos elétrons na placa. E ele é igual para cada elétron, exceto que a posição média (o "zero" do movimento) é, naturalmente, diferente para cada elétron.

Agora estamos prontos para encontrar o campo E_a que esses átomos produzem no ponto P porque já calculamos (ao final do Capítulo 30) o campo produzido por uma placa de cargas que se movem em conjunto. Referindo-nos novamente à Eq. (30.19), vemos que o campo E_a em P é somente uma constante negativa vezes a velocidade das cargas atrasado no tempo pelo montante z/c. Diferenciando-se x na Eq. (31.16) para obter a velocidade, e substituindo no atraso [ou somente colocando x_0 de (31.15) em (30.18)], obtém-se

$$E_a = -\frac{\eta q_e}{2\epsilon_0 c}\left[i\omega \frac{q_e E_0}{m(\omega_0^2 - \omega^2)} e^{i\omega(t-z/c)}\right]. \qquad (31.17)$$

Como esperávamos, o movimento induzido dos elétrons produziu uma onda extra dirigida para a direita (como o fator $e^{i\omega(t-z/c)}$ nos diz), e a amplitude dessa onda é proporcional ao número de átomos por unidade de área na placa (o fator η) e também proporcional à intensidade do campo da fonte (o fator E_0). Então existem alguns fatores que dependem das propriedades atômicas (q_e, m e ω_0), como supúnhamos.

A coisa mais importante, contudo, é que essa fórmula (31.17) para E_a se parece muito com a expressão de E_a que obtivemos na Eq. (31.8) dizendo que a onda original foi atrasada ao passar por um material com um índice de refração n. As duas expressões serão, de fato, idênticas se

$$(n-1)\Delta z = \frac{\eta q_e^2}{2\epsilon_0 m(\omega_0^2 - \omega^2)}. \qquad (31.18)$$

Note que ambos os lados são proporcionais a Δz, pois η, que é o número de átomos *por unidade de área*, é igual a $N \Delta z$, onde N é o número de átomos *por unidade de volume* da placa. Substituindo $N \Delta z$ por η e cancelando o Δz, conseguimos o nosso resultado principal, uma fórmula para o índice de refração em termos das propriedades dos átomos do material – e da frequência da luz:

$$n = 1 + \frac{Nq_e^2}{2\epsilon_0 m(\omega_0^2 - \omega^2)}. \tag{31.19}$$

Essa equação fornece a "explicação" para o índice da refração que desejávamos obter.

31–3 Dispersão

Note que, no processo mencionado anteriormente, obtivemos algo muito interessante. Temos não somente um número para o índice de refração que pode ser computado a partir de quantidades atômicas básicas, mas também aprendemos como o índice de refração deve variar com a frequência ω da luz. Isso é algo que nunca entenderíamos a partir da simples afirmação de que "a luz viaja mais devagar em um material transparente." Ainda temos o problema, é claro, de conhecer quantos átomos existem por unidade de volume, e qual a sua frequência natural ω_0. Ainda não sabemos isso, pois é diferente para materiais distintos, e não podemos obter uma teoria geral sobre isso agora. A formulação de uma teoria geral das propriedades de substâncias diferentes – as suas frequências naturais, e assim por diante – somente é possível com a mecânica quântica atômica. Além disso, materiais diferentes têm propriedades diferentes e índices diferentes, portanto, de qualquer maneira, não podemos esperar obter uma fórmula geral para o índice que se aplique a todas as substâncias.

Contudo, discutiremos a fórmula que obtivemos, em várias circunstâncias possíveis. Em primeiro lugar, para a maioria dos gases comuns (por exemplo, para o ar, a maioria dos gases incolores, hidrogênio, hélio e assim por diante), as frequências naturais dos elétrons que oscilam correspondem à luz ultravioleta. Essas frequências são mais altas do que as frequências da luz visível, isto é, ω_0 é muito maior do que ω da luz visível, e como uma primeira aproximação, podemos desprezar ω^2 em comparação com ω_0^2. Então, constatamos que o índice é quase constante. Portanto, um gás tem o índice quase constante. Isso também é verdade para a maior parte de outras substâncias transparentes, como vidro. Se olharmos a nossa expressão um pouco mais de perto, no entanto, notamos que conforme ω aumenta, diminuindo um pouco o denominador, o índice também aumenta. Assim n cresce lentamente com a frequência. O índice é mais alto para a luz azul do que para a luz vermelha. Essa é a razão por que um prisma curva mais a luz azul do que a vermelha.

O fenômeno no qual o índice depende da frequência é chamado o fenômeno da *dispersão*, pois ele é a base do fato de que a luz é "dispersada" por um prisma em um espectro. A equação do índice de refração em função da frequência é chamada de *equação de dispersão*. Portanto obtivemos uma equação de dispersão. (Nos últimos anos, as "equações de dispersão" encontraram um novo uso na teoria de partículas elementares.)

A nossa equação de dispersão sugere outros efeitos interessantes. Se tivermos uma frequência natural ω_0 na região visível, ou se medirmos o índice de refração de um material como vidro no ultravioleta, onde ω se aproxima de ω_0, vemos que em frequências muito próximas da frequência natural, o índice pode se tornar bastante grande, pois o denominador pode ir a zero. Em seguida, suponha que ω é maior do que ω_0. Isso ocorreria, por exemplo, se tomássemos um material como o vidro e o irradiássemos com raios X. De fato, como muitos materiais que são opacos à luz visível, como o grafite por exemplo, são transparentes a raios X, podemos falar sobre o índice de refração de carbono para raios X. Todas as frequências naturais dos átomos de carbono são muito mais baixas do que a frequência que estamos usando nos raios X, pois a radiação X tem uma frequência muito alta. O índice da refração é dado pela nossa equação de dispersão se fizermos ω_0 igual a zero (desprezamos ω_0^2 em comparação com ω^2).

Uma situação semelhante ocorreria se emitíssemos ondas de rádio (ou luz) em um gás de elétrons livres. Na alta atmosfera, os elétrons são liberados dos seus átomos pela luz ultravioleta do Sol e permanecem lá em cima como elétrons livres. Para elétrons livres $\omega_0 = 0$ (não há nenhuma força elástica restauradora). Fazendo $\omega_0 = 0$ em nossa equação de dispersão, obtemos a fórmula correta para o índice de refração de ondas de rádio na estratosfera, onde N deve representar agora a densidade de elétrons livres (número por unidade de volume) na estratosfera. Vamos olhar novamente a equação, se emitirmos raios X na matéria, ou ondas de rádio (ou qualquer onda elétrica) em elétrons livres, o termo $(\omega_0^2 - \omega^2)$ se torna *negativo*, e obtemos o resultado que *n é menor do que um*. Isso significa que a velocidade efetiva das ondas na substância é *mais rápida* do que *c*. Isso pode estar correto?

É correto. Apesar do fato de dizermos que não é possível enviar sinais mais rápidos do que a velocidade da luz, entretanto, é verdadeiro que o índice da refração de materiais em uma determinada frequência pode ser tanto maior ou menor do que 1. Isso somente significa que o *deslocamento de fase* produzido pela luz espalhada pode ser tanto positivo quanto negativo. Pode ser mostrado, contudo, que a velocidade na qual você pode enviar um *sinal* não é determinada pelo índice em uma frequência, mas depende do que o índice é em *muitas* frequências. O que o índice nos diz é a velocidade na qual os *nodos* (ou cristas) da onda viajam. O nodo de uma onda não é um sinal por si só. Em uma onda perfeita, que não tem nenhuma modulação de qualquer espécie, isto é, com uma oscilação estacionária, não é possível realmente dizer quando ela "começa", portanto não se pode usá-la para um sinal de medição de tempo. Para enviar um *sinal*, é necessário modificar a onda de qualquer maneira, fazendo um chanfro, tornando-a um pouco mais grossa ou mais fina. Isso significa que você tem de ter mais de uma frequência na onda, e pode ser mostrado que a velocidade de propagação dos *sinais* não depende apenas do índice, mas do modo como o índice se modifica com a frequência. Esse assunto também precisará ser adiado (até o Capítulo 48). Então calcularemos a velocidade real de *sinais* através do pedaço vidro, e você verá que não será mais rapidamente do que a velocidade da luz, embora os nodos, que são pontos matemáticos, realmente viajem mais rapidamente do que a velocidade da luz.

Somente para dar uma dica de como isso acontece, você notará que a verdadeira dificuldade tem a ver com o fato de as respostas das cargas estarem opostas ao campo, isto é, o sinal se reverteu. Assim, na nossa expressão para *x* (Eq. 31.16), o deslocamento da carga está na direção oposta ao campo indutor, porque $(\omega_0^2 - \omega^2)$ é negativo para ω_0 pequeno. A fórmula nos diz que quando o campo elétrico está puxando em uma direção, a carga está se movendo no sentido contrário.

Como a carga se move no sentido contrário? Ela certamente não começa no sentido contrário quando o campo é ligado. Quando o movimento se inicia, existe um transiente, que se acalma pouco tempo depois, e só *então* é que a fase de oscilação da carga se torna oposta à do campo indutor. E é aí que a *fase* do campo transmitido pode parecer estar avançada com respeito à onda da fonte. É esse *avanço na fase* que queremos dizer com a "velocidade de fase", ou que a velocidade dos nodos é maior do que *c*. Na Fig. 31-4, damos uma ideia esquemática de como as ondas se pareceriam para um caso no qual a onda é repentinamente ligada (para fazer um sinal). Você verá do diagrama que o *sinal* (isto é, o *início* da onda) não é mais adiantado para a onda que termina com um avanço na fase.

Vamos agora olhar novamente para a nossa equação de dispersão. Deveríamos observar que a nossa análise do índice de refração dá um resultado mais simples do que você encontraria de fato na natureza. Para sermos completamente exatos, devemos acrescentar alguns refinamentos. Primeiramente, devemos esperar que o nosso modelo do oscilador atômico deva ter alguma força de amortecimento (de outra maneira, uma vez começado ele oscilaria para sempre, e não esperamos que isso aconteça). Calculamos anteriormente (Eq. 23.8) o movimento de um oscilador amortecido, e o resultado é que o denominador de Eq. (31.16), e portanto em (31.19), é modificado de $(\omega_0^2 - \omega^2)$ para $(\omega_0^2 - \omega^2 + i\gamma\omega)$, onde γ é o coeficiente de amortecimento.

Precisamos de uma segunda modificação para levar em conta que existem várias frequências ressonantes para um determinado tipo do átomo. É fácil arrumar a nossa equação de dispersão imaginando que há vários tipos diferentes de osciladores, mas

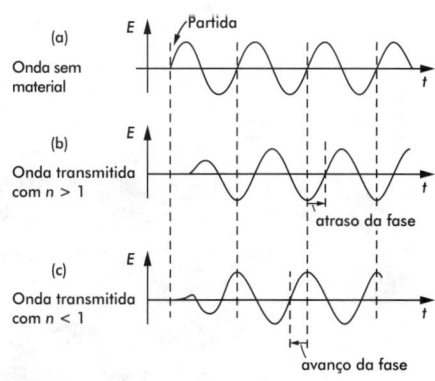

Figura 31-4 "Sinais" de onda.

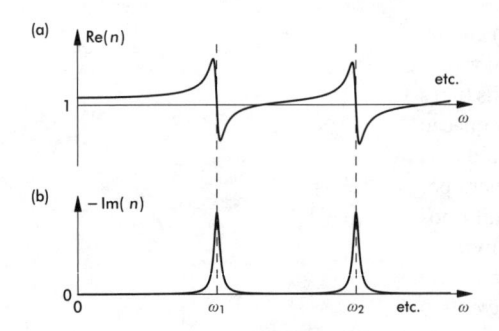

Figura 31-5 Índice de refração como uma função da frequência.

que cada oscilador age separadamente, e dessa maneira simplesmente adicionamos as contribuições de todos os osciladores. Vamos dizer que existam N_k elétrons por unidade do volume, cuja frequência natural é ω_k e cujo fator de amortecimento é γ_k. Teríamos então a nossa equação de dispersão

$$n = 1 + \frac{q_e^2}{2\epsilon_0 m} \sum_k \frac{N_k}{\omega_k^2 - \omega^2 + i\gamma_k\omega}. \qquad (31.20)$$

Temos, finalmente, uma expressão completa que descreve o índice de refração que é observada para muitas substâncias.[1] O índice descrito por esta fórmula varia com a frequência aproximadamente como a curva mostrada na Fig. 31-5.

Você notará que contanto que ω não seja muito próxima de uma das frequências de ressonância, a inclinação da curva é positiva. Tal inclinação positiva é chamada de dispersão "normal" (pois ela é claramente a ocorrência mais comum). Muito perto das frequências de ressonância, contudo, existe um pequeno intervalo de ωs para o qual a inclinação é negativa. Essa inclinação negativa muitas vezes é denominada dispersão "anômala" (significando anormal), pois parecia incomum quando foi primeiramente observada, muito antes de alguém saber que houvesse coisas como elétrons. Do nosso ponto de vista, ambas as inclinações são bastante "normais"!

31-4 Absorção

Talvez você tenha notado algo um pouco estranho sobre a última forma (Eq. 31.20) que obtivemos para a nossa equação de dispersão. Por termos introduzido o termo $i\gamma$ para considerar o amortecimento, o índice da refração é agora um *número complexo*! O que significa *isso*? Calculando as partes reais e imaginárias de n, podemos escrever

$$n = n' - in'', \qquad (31.21)$$

onde n' e n'' são números reais. (Usamos o sinal de menos em frente ao in'' porque então n'' será um número positivo, como você pode mostrar por si mesmo.)

Podemos ver o que tal índice complexo significa voltando à Eq. (31.6), que é a equação da onda após ela atravessar uma placa de material com um índice n. Se pusermos o nosso n complexo nessa equação, e rearranjarmos um pouco, otemos

$$E_{\text{após a placa}} = \underbrace{e^{-\omega n''\Delta z/c}}_{A} \underbrace{e^{-i\omega(n'-1)\Delta z/c}}_{B} E_0 e^{i\omega(t-z/c)} \qquad (31.22)$$

Os últimos fatores, marcados como B na Eq. (31.22), são simplesmente a forma que tínhamos anteriormente, e novamente descrevem uma onda cuja fase foi atrasada pelo ângulo $\omega(n'-1)\Delta z/c$ ao atravessar o material. O primeiro termo (A) é novo, sendo um fator exponencial com um expoente *real*, pois existiam dois *i*s que se cancelaram. Além disso, o expoente é negativo, portanto o fator é um número real menor do que um. Ele descreve uma *redução* na magnitude do campo e, como esperaríamos, por um montante que é maior conforme Δz aumenta. À medida que a onda atravessa o material, ela enfraquece. O material está "absorvendo" parte da onda, e ela sai do outro lado com menos energia. Não devemos nos surpreender com isso, pois o amortecimento que introduzimos nos osciladores é de fato uma força de atrito e espera-se que cause uma perda da energia. Vemos que a parte imaginária n'' de um índice de refração complexo representa uma absorção (ou "atenuação") da onda. De fato, n'' é às vezes referido como o "índice de absorção".

---

[1] De fato, embora em mecânica quântica a Eq. (31.20) seja ainda válida, a sua interpretação é um tanto diferente. Em mecânica quântica, até um átomo com um único elétron, como o hidrogênio, tem várias frequências de ressonância. Portanto, N_k não é realmente o número de elétrons com frequência ω_k, mas é substituído, em vez disso, por Nf_k, onde N é o número de átomos por unidade de volume e f_k (chamada de força de oscilador) é um fator que nos diz quão fortemente o átomo exibe cada uma das suas frequências de ressonância ω_k.

Também podemos mostrar que a parte imaginária do índice n corresponde a curvar o vetor E_a na Fig. 31-3 em direção à origem. É claro, então, por que o campo transmitido é reduzido.

Normalmente, como no vidro, a absorção da luz é muito pequena. Isso deve ser esperado da Eq. (31.20), porque a parte imaginária do denominador, $i\gamma_k\omega$, é muito menor do que o termo $(\omega_k^2 - \omega^2)$. Se a frequência da luz ω é muito próxima de ω_k, então o termo de ressonância $(\omega_k^2 - \omega^2)$ torna-se pequeno quando comparado com $i\gamma_k\omega$, e o índice torna-se quase que completamente imaginário. A absorção da luz se torna o efeito dominante. É esse efeito apenas que causa as linhas escuras vistas no espectro da luz que recebemos do Sol. A luz da superfície solar ao passar pela atmosfera do Sol (bem como a da Terra) é fortemente absorvida nas frequências de ressonância dos átomos da atmosfera solar.

A observação de tais linhas espectrais na luz solar nos permite identificar as frequências de ressonância dos átomos e, portanto, a composição química da atmosfera do Sol. O mesmo tipo de observação nos informa dos materiais nas estrelas. A partir de tais medidas, sabemos que os elementos químicos do Sol e das estrelas são os mesmos que os encontrados na Terra.

31–5 A energia transportada por uma onda elétrica

Vimos que a parte imaginária do índice significa absorção. Usaremos agora esse conhecimento para descobrir quanta energia é transportada por uma onda de luz. Anteriormente argumentamos que a energia transportada pela luz é proporcional a $\overline{E^2}$, a média temporal do quadrado do campo elétrico da onda. A diminuição em E por causa da absorção deve significar uma perda da energia devido ao atrito dos elétrons e, podemos adivinhar, terminaria como calor no material.

Se considerarmos a luz que chega em uma unidade de área, digamos um centímetro quadrado, da nossa placa na Fig. 31-1, então podemos escrever a seguinte equação de energia (se considerarmos que a energia é conservada, *como faremos*!):

Energia entrando por segundo = energia saindo por segundo +
trabalho realizado por segundo. (31.23)

Para o primeiro termo, podemos escrever $\alpha\overline{E_s^2}$, onde α é uma constante de proporcionalidade até agora desconhecida que relaciona o valor médio de E^2 à energia sendo transportada. Para o segundo termo, devemos incluir a parte dos átomos do material que irradiam, portanto devemos usar $\alpha\overline{(E_s + E_a)^2}$, ou (estimando o quadrado) um $\alpha(\overline{E_s^2} + 2\overline{E_sE_a} + \overline{E_a^2})$.

Todos os nossos cálculos foram realizados para uma camada fina de material cujo índice não é muito distante de 1, de maneira que E_a sempre fosse bem menor do que E_S (apenas para facilitar os cálculos). De acordo com as nossas aproximações, devemos, portanto, omitir o termo $\overline{E_a^2}$, por ser muito menor do que $\overline{E_sE_a}$. Você podia dizer: "então você deveria omitir $\overline{E_sE_a}$ também, porque é muito menor do que $\overline{E_s^2}$". É verdade que $\overline{E_sE_a}$ é muito menor do que $\overline{E_s^2}$, mas precisamos manter $\overline{E_sE_a}$ ou a nossa aproximação seria aquela caso negligenciássemos a presença do material completamente! Um modo de verificar que os nossos cálculos são consistentes é ver que sempre mantemos termos que são proporcionais a $N\Delta z$, a densidade de área dos átomos no material, porém omitimos termos que são proporcionais a $(N\Delta z)^2$ ou termos de ordem superior de $N\Delta z$. Essa aproximação deveria ser chamada de "uma aproximação para baixa densidade".

No mesmo caminho, poderíamos observar que a nossa equação de energia desprezou a energia na onda refletida, mas tudo bem porque este termo também é proporcional a $(N\Delta z)^2$, pois a amplitude da onda refletida é proporcional a $N\Delta z$.

Desejamos computar, para o último termo na Eq. (31.23), a taxa na qual a onda incidente está realizando trabalho sobre os elétrons. Sabemos que o trabalho é dado pelo produto da força pela distância, portanto a *taxa* do trabalho realizado (também chamada de potência) é a força vezes a velocidade. Na realidade, é realmente $\mathbf{F} \cdot \mathbf{v}$, mas não precisamos nos preocupar com o produto escalar quando a velocidade e a força estão ao longo da mesma direção, como é o caso aqui (exceto por um possível sinal de menos). Assim, para cada átomo, tomamos $\overline{q_e E_s v}$ como a taxa média do trabalho realizado. Como existem $N\,\Delta z$ átomos por unidade de área, o último termo da Eq. (31.23) deveria ser $N\,\Delta z\, \overline{q_e E_s v}$. A nossa equação da energia agora se parece com

$$\alpha \overline{E_s^2} = \alpha \overline{E_s^2} + 2\alpha \overline{E_s E_a} + N\,\Delta z\, q_e \overline{E_s v}. \qquad (31.24)$$

Os termos em $\overline{E_s^2}$ se cancelam, e temos

$$2\alpha \overline{E_s E_a} = -N\,\Delta z\, q_e \overline{E_s v}. \qquad (31.25)$$

Agora retornamos à Eq. (30.19), que nos diz que para z grandes

$$E_a = -\frac{N\,\Delta z\, q_e}{2\epsilon_0 c}\, v(\text{atrasada por } z/c) \qquad (31.26)$$

(lembrando que $\eta = N\,\Delta z$). Substituindo a Eq. (31.26) no lado esquerdo de (31.25), obtemos

$$-2\alpha\, \frac{N\,\Delta z\, q_e}{2\epsilon_0 c}\, \overline{E_s(\text{em } z) \cdot v(\text{atrasada por } z/c)}.$$

Entretanto, E_S (em z) é E_S (nos átomos) atrasado por z/c. Como a média é independente do tempo, ela é a mesma agora como quando atrasada por z/c, isto é $\overline{E_s\,(no\;átomo)\cdot v}$, a mesma média que aparece no lado direito de (31.25). Os dois lados são, portanto, iguais se

$$\frac{\alpha}{\epsilon_0 c} = 1, \quad \text{ou} \quad \alpha = \epsilon_0 c. \qquad (31.27)$$

Descobrimos que, para que a energia ser conservada, a energia transportada em uma onda elétrica por unidade de área e por unidade de tempo (ou o que chamamos de *intensidade*) deve ser dada por $\epsilon_0 c E^2$. Chamando a intensidade $\overline{S}$, temos

$$\overline{S} = \left\{ \begin{array}{c} \text{intensidade} \\ \text{ou} \\ \text{energia/área/tempo} \end{array} \right\} = \epsilon_0 c \overline{E^2}, \qquad (31.28)$$

onde a *barra* significa a *média no tempo*. Obtivemos um belo bônus como resultado da nossa teoria do índice de refração!

31–6 Difração da luz por um anteparo

Agora é uma boa hora para tratar de um assunto um tanto diferente, que é possível de ser abordado com a maquinaria deste capítulo. No último capítulo, dissemos que quando você tem uma tela opaca e a luz pode passar por alguns buracos, a distribuição de intensidade – o padrão de difração – pode ser obtida imaginando em vez disso que os buracos são substituídos por fontes (osciladores) uniformemente distribuídos pelo buraco. Em outras palavras, a onda difratada é a mesma em que o buraco fosse uma nova fonte. Temos de explicar a razão disso, porque o buraco é, na verdade, onde *não* existe nenhuma fonte, onde *não* há nenhuma carga em aceleração.

Vamos primeiro perguntar: "o que é um anteparo opaco?" Suponha que temos uma tela completamente opaca entre uma fonte S e um observador em P, como na Fig. 31-6(a). Se a tela for "opaca", não há nenhum campo em P. Por que não existe nenhum campo lá? De acordo com os princípios básicos, deveríamos obter o campo em P como o campo E_S da fonte atrasado, mais o campo de todas as outras cargas em volta. No entanto, como vimos acima, as cargas no anteparo serão postas em movimento pelo campo E_S, e esses movimentos irão gerar um novo campo que, se a tela for opaca, deve *cancelar exatamente* o campo E_S no lado de trás da tela. Você diz: "Que milagre que ele é equilibrado exatamente! Suponha que não fosse exatamente!" Se não fosse exatamente balanceado (lembre-se de que esse anteparo opaco tem uma espessura), o campo na parte de trás da tela não seria exatamente nulo. Então, não sendo zero, ele geraria movimento em algumas outras cargas do material da tela e assim faria um pouco mais de campo, tentando equilibrar o campo total. Assim se fizermos a tela grossa o suficiente, não existirá nenhum campo residual, porque existe bastante oportunidade de tranquilizar finalmente a coisa. Quanto às nossas fórmulas acima, diríamos que o anteparo tem um índice grande e imaginário, de modo que a onda é absorvida exponencialmente conforme ela passa. Você sabe, naturalmente, que uma folha fina o suficiente do material mais opaco, até mesmo ouro, é transparente.

Agora vamos ver o que acontece com uma tela opaca que tem buracos nela, como na Fig. 31-6(b). O que esperamos para o campo em P? O campo em P pode ser representado como uma soma de duas partes – o campo devido à fonte S mais o campo devido à parede, isto é, devido aos movimentos das cargas nas paredes. Poderíamos esperar que os movimentos das cargas nas paredes fossem complicados, mas podemos descobrir *quais campos elas produzem* de um modo bastante simples.

Suponha que temos a mesma tela, mas tampamos os buracos, como indicado na parte (c) da figura. Imaginamos que os tampões são exatamente do mesmo material que a parede. Note que os tampões vão onde os buracos estavam no caso (b). Agora vamos calcular o campo em P. O campo em P é certamente zero no caso (c), mas *também* é igual ao campo da fonte mais o campo devido aos movimentos de todos os átomos das paredes e dos tampões. Podemos escrever as seguintes equações:

$$\text{Caso (b): } E_{\text{em } P} = E_s + E_{\text{parede}},$$
$$\text{Caso (c): } E'_{\text{em } P} = 0 = E_s + E'_{\text{parede}} + E'_{\text{tampão}},$$

onde as linhas se referem ao caso quando temos os tampões, mas é claro que E_S é o mesmo em ambos os casos. Subtraindo as duas equações, obtemos

$$E_{\text{em } P} = (E_{\text{parede}} - E'_{\text{parede}}) - E'_{\text{tampão}}.$$

Se os buracos não forem muito pequenos (digamos vários comprimentos de onda), não esperaríamos que a presença dos tampões fosse modificar os campos que chegam às paredes, exceto possivelmente um pouco em volta das bordas dos buracos. Desprezando este pequeno efeito, podemos fazer $E_{\text{parede}} = E'_{\text{parede}}$ e obter que

$$E_{\text{em } P} = -E'_{\text{tampão}}.$$

Temos o resultado que o campo em P *quando existem buracos* em um anteparo (caso b) é o mesmo (exceto pelo sinal) que o campo produzido por aquela parte de uma parede completamente opaca que está *localizada onde os buracos estão*! (O sinal não é muito interessante, pois estamos geralmente interessados na intensidade que é proporcional ao quadrado do campo.) Esse parece um argumento "backwards-forwards" surpreendente. Entretanto, ele não só é verdadeiro (aproximadamente para buracos não tão pequenos) como é útil, e é a justificativa para a teoria comum da difração.

O campo $E'_{\text{tampão}}$ é computado para qualquer caso em particular, lembrando que o movimento das cargas *em todo lugar* da tela é apenas aquele que cancelará o campo E_S na parte de trás da tela. Uma vez que conhecemos esses movimentos, adicionamos os campos de radiação em P devido somente às cargas nos tampões.

Observamos novamente que essa teoria da difração é aproximada apenas, e será boa somente se os buracos não forem muito pequenos. Para buracos muito pequenos, o termo $E'_{\text{tampão}}$ será pequeno e, então, a diferença entre E'_{parede} e E_{parede} (cuja diferença tomamos como sendo zero) pode ser comparável ou maior do que o pequeno termo $E'_{\text{tampão}}$, assim nossa aproximação não será mais válida.

(a) S $E = E_s$ | $E = 0$ P
     anteparo opaco

(b) S $E = E_s$ | $E = E_s + E_{\text{parede}}$ P
     buraco
     parede

(c) S tampão P
   $E = E_s$ | $E = E_s + E'_{\text{parede}} + E'_{\text{tampão}} = 0$
     parede

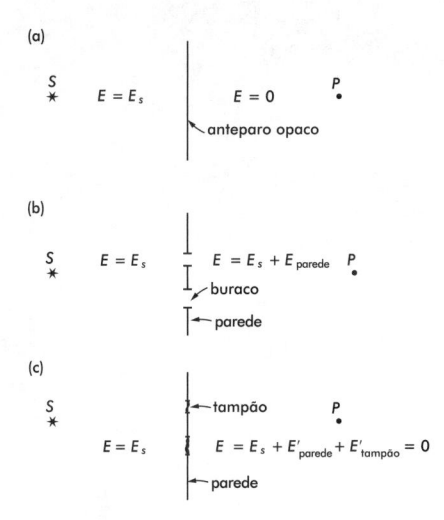

Figura 31-6 Difração por um anteparo.

Amortecimento da Radiação. Espalhamento de Luz

32–1 Resistência de radiação

No último capítulo, aprendemos que quando um sistema está oscilando, a energia é transportada para fora, e deduzimos a fórmula para a energia que é irradiada por um sistema oscilante. Se soubermos o campo elétrico, então a média do quadrado do campo vezes $\epsilon_0 c$ é a quantidade de energia que passa por metro quadrado por segundo através da superfície normal à direção da radiação:

$$S = \epsilon_0 c \langle E^2 \rangle. \tag{32.1}$$

Qualquer carga oscilando irradia energia; por exemplo, uma antena geradora irradia energia. Se o sistema irradia energia, então, para levar em consideração a conversão de energia, precisamos encontrar a potência que está sendo distribuída ao longo dos fios que conduzem à antena. Isto é, para o circuito gerador, a antena age como uma *resistência*, ou um local onde se pode "perder" energia (a energia não é realmente perdida, ela é irradiada para fora, mas no que diz respeito ao circuito, a energia é perdida). Em uma resistência comum, a energia que é "perdida" vira calor; nesse caso a energia perdida vai para o espaço. Do ponto de vista da teoria de circuitos, sem considerar *aonde* a energia vai, o efeito resultante no circuito é o mesmo – a energia é "perdida" do circuito. Portanto, a antena parece ao gerador como tendo uma resistência, embora possa ser feita de um cobre perfeitamente bom. De fato, se ela for bem construída, parecerá quase como uma resistência pura, com muito pouca indutância ou capacitância, pois gostaríamos de irradiar o máximo possível de energia para fora da antena. Essa resistência que a antena apresenta é chamada de *resistência de radiação*.

Se uma corrente I está indo para a antena, então a taxa média na qual a potência é fornecida à antena é a média do quadrado da corrente vezes a resistência. A taxa na qual a potência é *irradiada* pela antena é proporcional ao quadrado da corrente na antena, naturalmente, pois todos os campos são proporcionais às correntes, e a energia liberada é proporcional ao quadrado do campo. O coeficiente de proporcionalidade entre a potência radiada e $\langle I^2 \rangle$ é a resistência de radiação.

Uma questão interessante é: esta resistência de radiação é decorrente de quê? Vamos considerar um simples exemplo: digamos que correntes são geradas para cima e para baixo em uma antena. Descobrimos que temos de acrescentar trabalho, se for para a antena irradiar energia. Se tomarmos um corpo carregado e acelerá-lo para cima e para baixo, ele irradiará energia; se não fosse carregado, não irradiaria energia. Uma coisa é calcular a energia perdida a partir da conservação de energia, mas outra é responder à pergunta, *contra qual força* estamos realizando trabalho? Essa é uma questão interessante e muito difícil que nunca foi respondida completa e satisfatoriamente para elétrons, embora tenha sido para antenas. O que acontece é o seguinte: em uma antena, os campos produzidos por cargas em movimento em uma parte da antena reagem nas cargas em movimento em outra parte da antena. Podemos calcular essas forças e descobrir quanto trabalho elas realizam, desse modo encontrando a regra correta para a resistência de radiação. Quando dizemos "podemos calcular", isso não está completamente certo – não podemos, porque ainda não estudamos as leis da eletricidade em curtas distâncias; apenas sabemos como é o campo elétrico em grandes distâncias. Vimos a fórmula (28.3), mas no momento ela é muito complicada para *nós* calcularmos os campos dentro da zona de onda. Naturalmente, como a conservação de energia é válida, podemos calcular o resultado sem conhecer os campos em curtas distâncias. (De fato, utilizando esse argumento ao contrário, podemos encontrar a fórmula para as forças em curtas distâncias apenas conhecendo o campo em distâncias muito grandes, usando as leis da conservação de energia, mas não entraremos nisso aqui.)

O problema no caso de um único elétron é que, se existe apenas uma carga, no que a força irá agir? Foi proposto, na velha teoria clássica, que a carga era uma pequena

32–1 Resistência de radiação
32–2 A taxa da energia de radiação
32–3 Amortecimento de radiação
32–4 Fontes independentes
32–5 Espalhamento da luz

bola, e que uma parte da carga agia na outra parte. Por causa do atraso na ação através do minúsculo elétron, a força não está exatamente em fase com o movimento. Isto é, se temos o elétron parado, sabemos que "ação igual à reação". Portanto, as várias forças internas são iguais, e não existe uma força resultante. Se os elétrons estão acelerando, então, por causa do atraso no tempo através dele, a força que está agindo na frente devido à parte de trás não é exatamente a mesma que a força atrás devido à frente, por causa do atraso no efeito. Esse atraso no tempo causa uma falta de balanço; portanto, como efeito resultante, a coisa se segura por si só! Esse modelo para a origem da resistência para acelerar, a resistência de radiação de uma carga em movimento, tem encontrado muitas dificuldades, pois nossa visão atual do elétron é que ele *não* é uma "pequena bola"; esse problema nunca foi resolvido. Entretanto podemos calcular exatamente, é claro, o que a força da resistência de radiação precisa ser quando aceleramos uma carga, apesar de não sabermos diretamente o mecanismo de como as forças funcionam.

32–2 A taxa da energia de radiação

Agora calcularemos a energia total irradiada por uma carga em aceleração. Para manter a discussão geral, tomaremos o caso de uma carga que acelera de qualquer maneira, mas não relativisticamente. Em um momento quando a aceleração é, digamos, vertical, sabemos que o campo elétrico gerado é igual ao produto da carga pela projeção da aceleração de retardo, dividida pela distância. Portanto, conhecemos o campo elétrico em qualquer ponto, e, por isso, conhecemos o quadrado do campo elétrico e a energia $\epsilon_0 c E^2$ que sai por unidade de área por segundo.

A quantidade $\epsilon_0 c$ aparece bastante frequentemente em expressões envolvendo a propagação de onda de rádio. O seu recíproco é chamado de *impedância do vácuo*, sendo um número fácil de se lembrar: ele tem o valor de $1/\epsilon_0 c = 377$ ohms. Portanto a potência em watts por metro quadrado é igual à média do quadrado do campo dividido por 377.

Utilizando a nossa expressão (29.1) para o campo elétrico, encontramos que

$$S = \frac{q^2 a'^2 \operatorname{sen}^2 \theta}{16\pi^2 \epsilon_0 r^2 c^3} \qquad (32.2)$$

é a potência por metro quadrado irradiada na direção θ. Notamos que ela vai inversamente como o quadrado da distância, como dissemos antes. Agora suponha que quiséssemos a energia total irradiada em todas as direções: então devemos integrar (32.2) sobre todas as direções. Primeiro, multiplicamos pela área, para encontrar a quantidade que flui para dentro de um pequeno ângulo $d\theta$ (Fig. 32-1). Precisamos da área de uma seção esférica. O modo de pensar nisso é: se r for o raio, então a largura do segmento anular é $rd\theta$, e a circunferência é $2\pi r \operatorname{sen} \theta$, pois $r \operatorname{sen} \theta$ é o raio do círculo. Desse modo, a área da pequena parte da esfera é $2\pi r \operatorname{sen} \theta$ vezes $rd\theta$:

$$dA = 2\pi r^2 \operatorname{sen} \theta\, d\theta. \qquad (32.3)$$

Multiplicando o fluxo [(32.2), a potência por metro quadrado] pela área em metros quadrados incluída no pequeno ângulo $d\theta$, encontramos a quantidade de energia que é liberada nesta direção entre θ e $\theta + d\theta$; então integramos isso em todos os ângulos θ de 0° a 180°:

$$P = \int S\, dA = \frac{q^2 a'^2}{8\pi \epsilon_0 c^3} \int_0^\pi \operatorname{sen}^3 \theta\, d\theta. \qquad (32.4)$$

Escrevendo $\operatorname{sen}^3 \theta = (1 - \cos^2 \theta) \operatorname{sen} \theta$, não é difícil mostrar que $\int_0^\pi \operatorname{sen}^3 \theta\, d\theta = 4/3$. Usando esse fato, finalmente obtemos

$$P = \frac{q^2 a'^2}{6\pi \epsilon_0 c^3}. \qquad (32.5)$$

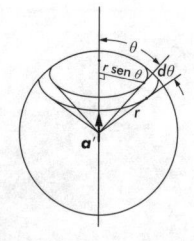

Figura 32–1 A área de um segmento esférico é $2\pi r \operatorname{sen} \theta \cdot r\, d\theta$.

Essa expressão merece alguns comentários. Em primeiro lugar, como o vetor **a**′ tem uma certa direção, a'^2 em (32.5) seria o quadrado do **a**′, isto é, um **a**′ · **a**′, o comprimento do vetor ao quadrado. Em segundo lugar, o fluxo (32.2) foi calculado usando a aceleração de retardo; isto é, a aceleração no tempo em que a energia que agora passa pela esfera foi irradiada. Gostaríamos de dizer que essa energia foi de fato liberada neste tempo anterior, mas isso não é completamente verdadeiro; é somente uma ideia aproximada. O tempo exato de quando a energia foi liberada não pode ser precisamente definido. Tudo o que realmente podemos calcular exatamente é o que acontece em um movimento completo, como uma oscilação ou algo em que a aceleração finalmente cessa. Então encontramos que o fluxo de energia total por ciclo é a média da aceleração ao quadrado, para um ciclo completo. Isso é o que deveria realmente aparecer em (32.5). Ou, se o movimento possui uma aceleração zero no início e no final, então a energia total perdida é a integral no tempo de (32.5).

Para ilustrar as consequências da fórmula (32.5) quando temos um sistema oscilante, vamos ver o que acontece se o deslocamento x da carga está oscilando de modo que a aceleração a é $-\omega^2 x_0 e^{i\omega t}$. A média da aceleração quadrada em um ciclo (lembrem-se de que temos de ter muito cuidado quando elevamos ao quadrado coisas escritas na notação complexa – na realidade é o cosseno, e a média de $\cos^2 \omega t$ é meio), logo

$$\langle a'^2 \rangle = \tfrac{1}{2}\omega^4 x_0^2.$$

Portanto,
$$P = \frac{q^2 \omega^4 x_0^2}{12\pi\epsilon_0 c^3}. \tag{32.6}$$

As fórmulas que estamos discutindo agora são relativamente avançadas e mais ou menos modernas; elas datam do começo do século XX, e são bastante famosas. Por causa do seu valor histórico, é importante sermos capazes de ler sobre elas em livros mais antigos. De fato, os livros mais antigos também usavam um sistema de unidades diferente do nosso sistema atual de mks. Contudo, todas essas complicações podem ser suprimidas das fórmulas finais que tratam de elétrons usando a seguinte regra: a quantidade $q_e^2/4\pi\epsilon_o$, onde q_e é a carga eletrônica (em coulombs), historicamente tem sido escrita como e^2. É muito fácil calcular que e no sistema mks é numericamente igual a $1{,}5188 \times 10^{-14}$, porque sabemos que, numericamente, $q_e = 1{,}60206 \times 10^{-19}$ e $1/4\pi\epsilon_0 = 8{,}98748 \times 10^9$. Por isso, muitas vezes usaremos a seguinte abreviatura conveniente

$$e^2 = \frac{q_e^2}{4\pi\epsilon_0}. \tag{32.7}$$

Se usarmos o valor numérico mencionado acima para e nas fórmulas antigas e as tratarmos como se estivessem escritas em unidades mks, obteríamos os resultados numéricos corretos. Por exemplo, a forma antiga de (32.5) é $P = \tfrac{2}{3} e^2 a'^2 / c^3$. Novamente, a energia potencial de um próton e um elétron a uma distância r é $q_e^2/4\pi\epsilon_0 r$ ou e^2/r, sendo $e = 1{,}5188 \times 10^{-14}$ (mks).

32–3 Amortecimento de radiação

O fato de um oscilador perder certa energia significa que se tivéssemos uma carga presa a uma mola (ou um elétron em um átomo) com uma frequência natural ω_0, então se começamos a oscilação e o depois a liberamos, ela não oscilará para sempre, mesmo que esteja em um espaço vazio a milhões de milhas de qualquer coisa. Não há nenhum óleo, nenhuma resistência, no sentido comum; nenhuma "viscosidade". No entanto, ela não oscilará, como poderíamos ter dito um dia, "para sempre", pois se for carregada, ela está irradiando energia, e por isso a oscilação desaparecerá lentamente. Quão lentamente? Qual é o Q de tal oscilador, causado pelos efeitos eletromagnéticos, a assim chamada resistência de radiação ou o amortecimento de radiação do oscilador? O Q de qualquer sistema oscilante é a quantidade de energia total do oscilador em qualquer momento dividida pela perda de energia por radianos:

$$Q = -\frac{W}{dW/d\phi}.$$

Ou (outro modo de escrevê-lo), como $dW/d\phi = (dW/dt)/(d\phi/dt) = (dw/dt)/\omega$,

$$Q = -\frac{\omega W}{dW/dt}. \qquad (32.8)$$

Se para um dado Q, isto nos diz como a energia da oscilação desaparece, $dW/dt = -(\omega/Q)W$, cuja solução é $W = W_0 e^{-\omega t/Q}$ se W_0 for a energia inicial (em $t = 0$).

Para encontrar Q de um radiador, voltamos a (32.8) e usamos (32.6) para dW/dt.

O que usamos para a energia W do oscilador? A energia cinética do oscilador é $\frac{1}{2}mv^2$, e a energia cinética *média* é $m\omega^2 x_0^2/4$. Lembramos que a energia total de um oscilador, em média, é metade energia cinética e metade energia potencial e, portanto, o nosso resultado é o dobro, e obtemos, para a energia total do oscilador,

$$W = \tfrac{1}{2}m\omega^2 x_0^2. \qquad (32.9)$$

O que usamos para a frequência nas nossas fórmulas? Usamos a frequência natural ω_0 porque, para todos os objetivos práticos, essa é a frequência na qual o nosso átomo está irradiando, e para m usamos a massa do elétron m_e. Então, fazendo as divisões e cancelamentos necessários, a fórmula fica

$$\frac{1}{Q} = \frac{4\pi e^2}{3\lambda m_e c^2}. \qquad (32.10)$$

(Para enxergar melhor a fórmula, escrevemo-la de um modo mais histórico usando a forma abreviada $q_e^2/4\pi\epsilon_0 = e^2$, e o fator ω_0/c que restou foi escrito como $2\pi/\lambda$.) Como Q não tem dimensão, a combinação $e^2/m_e c^2$ deve ser uma propriedade somente da carga e massa do elétron, uma propriedade intrínseca do elétron, e deve ser um *comprimento*. Esse foi denominado de *raio clássico do elétron*, porque os primeiros modelos atômicos, os quais foram inventados para explicar a resistência de radiação baseada na força de uma parte do elétron atuando em suas outras partes, necessitavam de um elétron cujas dimensões fossem genericamente dessa ordem de grandeza. Contudo, essa quantidade não mais significa que acreditamos que o elétron tenha realmente tal raio. Numericamente, a magnitude do raio é

$$r_0 = \frac{e^2}{m_e c^2} = 2{,}82 \times 10^{-15} \text{ m}. \qquad (32.11)$$

Agora vamos de fato calcular Q de um átomo que está emitindo luz – digamos, um átomo de sódio. Para um átomo de sódio, o comprimento de onda é aproximadamente 6.000 angstroms, na parte amarela do espectro visível, sendo um comprimento de onda típico. Assim,

$$Q = \frac{3\lambda}{4\pi r_0} \approx 5 \times 10^7, \qquad (32.12)$$

portanto, o Q de um átomo é da ordem de 10^8. Isso significa que um oscilador atômico oscilará 10^8 radianos ou aproximadamente 10^7 oscilações, antes que a sua energia diminua por um fator $1/e$. A frequência de oscilação da luz correspondente a 6.000 angstroms, $\nu = c/\lambda$, é da ordem de 10^{15} ciclos/segundo e, portanto, o tempo de vida, isto é, o tempo que leva para a energia de um átomo radiante diminuir por um fator $1/e$, é da ordem de 10^{-8} segundos. Em condições normais, átomos livres emitindo normalmente levam esse tempo para irradiar. Isso apenas é válido para átomos que estão no espaço vazio, não sendo perturbados de nenhuma maneira.

Se o elétron estiver em um sólido, ele colidirá com outros átomos ou outros elétrons, então existirão resistências adicionais e um amortecimento diferente.

O termo de resistência efetiva γ da lei de resistência do oscilador pode ser encontrado a partir da relação $1/Q = \gamma/\omega_0$, e lembramos que o tamanho de γ determina a largura da curva de ressonância (Fig. 23-2). Assim acabamos de calcular *as larguras das linhas espectrais* de átomos livres que irradiam! Como $\lambda = 2\pi c/\omega$, temos que

$$\Delta\lambda = 2\pi c\, \Delta\omega/\omega^2 = 2\pi c\gamma/\omega_0^2 = 2\pi c/Q\omega_0$$
$$= \lambda/Q = 4\pi r_0/3 = 1{,}18 \times 10^{-14}\, \text{m}. \tag{32.13}$$

32–4 Fontes independentes

Em preparação para o nosso segundo tópico, o espalhamento da luz, precisamos agora discutir uma certa característica do fenômeno de interferência, a qual negligenciamos anteriormente. Essa característica refere-se à questão de quando a interferência *não* ocorre. Se tivermos duas fontes, S_1 e S_2, com amplitudes A_1 e A_2, e fizermos uma observação em uma dada direção na qual as fases de chegada dos dois sinais são ϕ_1 e ϕ_2 (uma combinação do tempo real da oscilação e o tempo de atraso, dependendo da posição da observação), então a energia recebida pode ser encontrada compondo os dois vetores de número complexos A_1 e A_2, um com ângulo ϕ_1 e outro com ângulo ϕ_2 (como fizemos no Capítulo 29), e obtemos que a energia resultante é proporcional a

$$A_R^2 = A_1^2 + A_2^2 + 2A_1 A_2 \cos(\phi_1 - \phi_2). \tag{32.14}$$

Se o termo cruzado $2A_1A_2 \cos(\phi_1 - \phi_2)$ não estivesse presente, então a energia total recebida em uma certa direção seria simplesmente a soma das energias, $A_1^2 + A_2^2$, que seria liberada por cada fonte individualmente, que é o esperado normalmente. Isto é, a intensidade da luz combinada, que brilha em algo como duas fontes, é a soma das intensidades das duas luzes. Por outro lado, se arranjarmos as coisas corretamente e tivermos um termo cruzado, não será apenas a soma, pois existe também um pouco de interferência. Se houver circunstâncias nas quais este termo não tem nenhuma importância, então diríamos que a interferência foi aparentemente perdida. É claro que na natureza ela está sempre presente, mas podemos não ser capazes de detectá-la.

Vamos considerar alguns exemplos. Em primeiro lugar, suponha que as duas fontes estejam separadas por 7.000.000.000 comprimentos de onda, o que não é um arranjo impossível. Então é verdade que em uma dada direção há um valor bem definido dessas diferenças de fase. Por outro lado, se movermos só um pouquinho em uma direção, alguns comprimentos de onda, que não é quase nada (o nosso olho já tem um buraco tão grande nele que fazemos a média dos efeitos de uma variedade muito grande em comparação com um comprimento de onda), então modificamos a fase relativa, e o cosseno varia muito rapidamente. Se tomarmos a *média* da intensidade em uma pequena região, então o cosseno, que se torna ora mais, ora menos, enquanto nos movemos em volta, tem sua média indo a zero.

Assim se calcularmos a média em regiões onde a fase varia muito rapidamente com a posição, não obtemos nenhuma interferência.

Outro exemplo. Suponha duas rádio-fontes que sejam dois osciladores independentes – e não um único oscilador alimentado por dois arames, o que garante que as fases são mantidas juntas, mas duas fontes independentes – que não estão exatamente sintonizados na mesma frequência (é muito difícil fazer com que eles tenham exatamente a mesma frequência sem conectá-los de fato). Nesse caso, temos o que chamamos de duas fontes *independentes*. Naturalmente, como as frequências não são exatamente iguais, embora tenham começado em fase, um deles começa a tomar a dianteira do outro, e brevemente eles estarão fora da fase, e logo depois ainda mais adiantado em fase, e depois de mais um tempo eles estarão em fase novamente. Portanto, a diferença de fase entre os dois está variando gradualmente com o tempo, mas se a nossa observação for tão grosseira que não possamos detectar pequenos intervalos de tempo, ao calcularmos a média em um tempo muito mais longo, então embora os aumentos e as quedas de intensidade sejam como o que chamamos "batimento" do som, se eles forem rápidos demais para serem detectados pelo nosso equipamento, novamente este termo será anulado.

Em outras palavras, em qualquer circunstância na qual a média do deslocamento de fase se anula, não obteremos nenhuma interferência!

Encontramos muitos livros que dizem que duas fontes de luz distintas nunca interferem. Isso não é uma afirmação da física, mas é simplesmente uma afirmação referente ao grau de sensibilidade da técnica dos experimentos da época em que o livro foi escrito. O que acontece em uma fonte de luz é que primeiro um átomo irradia, então outro átomo irradia e assim por diante. Acabamos de ver que os átomos irradiam um trem de ondas por apenas aproximadamente 10^{-8} segundos; após 10^{-8} segundos, algum átomo provavelmente domina, então outro átomo domina e assim por diante. Portanto, as fases realmente só podem ficar iguais por aproximadamente 10^{-8} segundos. Por isso, se calcularmos a média por muito mais tempo do que 10^{-8} segundos, não veremos uma interferência de duas fontes diferentes, porque elas não conseguem manter as suas fases constantes para mais do que 10^{-8} segundos. Utilizando fotocélulas, a detecção com velocidade muito alta é possível, e podemos mostrar que há uma interferência que varia com o tempo, para cima e para baixo em aproximadamente 10^{-8} segundos. A maior parte dos equipamentos de detecção, naturalmente, não resolve tais intervalos de tempo, e desse modo não vê nenhuma interferência. Certamente, o olho, que calcula a média temporal a cada décimo de segundo, não tem a menor possibilidade de enxergar uma interferência entre duas diferentes fontes comuns.

Recentemente foi possível construir fontes de luz que contornam esse efeito fazendo com que todos os átomos emitam *em conjunto* no tempo. O dispositivo que faz isso é uma coisa muito complicada e tem de ser entendido a partir da mecânica quântica. É chamado de *laser*, e é possível produzir a partir de um laser uma fonte na qual o tempo em que a fase é mantida constante é muito mais longo do que 10^{-8} segundos. Pode ser da ordem de um centésimo, um décimo ou até um segundo; assim, com fotocélulas ordinárias, pode-se detectar a frequência entre dois lasers diferentes. Pode-se descobrir facilmente a pulsação de batimento entre duas fontes de laser. Em breve, não temos dúvida, alguém será capaz de mostrar duas fontes brilhando em uma parede na qual os batimentos são tão lentos que se pode ver a parede tornando-se brilhante e escura!

Outro caso no qual a média da interferência se anula é aquele no qual ao invés de existirem apenas *duas* fontes, temos *muitas*. Nesse caso, escreveríamos a expressão para A_R^2 como a soma de várias amplitudes, números complexos ao quadrado, e obteríamos o quadrado de cada um, todos somados, mais termos cruzados entre cada par, e se as circunstâncias forem tais que a média desse último se anula, então não haverá nenhum efeito de interferência. Pode ser que várias fontes estejam localizadas em posições randômicas que, embora a diferença de fase entre A_2 e A_3 seja também definida, é muito diferente daquela entre A_1 e A_2, etc. Portanto, obteríamos um monte de cossenos, muitos mais, muitos menos, e a média de todos iria a zero.

Por isso é que na maioria das vezes não vemos os efeitos da interferência, mas vemos apenas a intensidade total do conjunto igual à soma de todas as intensidades.

32–5 Espalhamento da luz

O que foi dito acima nos leva a um efeito que ocorre no ar como consequência das posições irregulares dos átomos. Quando discutíamos o índice da refração, vimos que um raio de luz incidente fará os átomos irradiarem novamente. O campo elétrico do raio incidente induz os elétrons para cima e para baixo, e eles irradiam por causa da sua aceleração. Essa radiação espalhada combina-se para produzir um raio na mesma direção que o raio incidente, mas com uma fase um tanto diferente, e essa é a origem do índice de refração.

O que podemos dizer sobre a quantidade de luz reirradiada em alguma outra direção? Normalmente, se os átomos são muito bem localizados com um belo padrão, é fácil mostrar que não obtemos nada nas outras direções, pois estamos adicionando muitos vetores com as suas fases sempre variando, e o resultado vai a zero, mas se os objetos estão *randomica-*

mente localizados, então a intensidade total em qualquer direção é a *soma* das intensidades que são espalhadas por cada átomo, como acabamos de discutir. Além disso, os átomos em um gás estão realmente em movimento, de maneira que embora a fase relativa dos dois átomos seja uma quantia definida agora, depois a fase será bastante diferente, e por isso a média de cada termo em cosseno será nula. Portanto, para descobrir a quantidade de luz espalhada em uma certa direção por um gás, simplesmente estudamos os efeitos de *um átomo* e multiplicamos a intensidade que ele irradia pelo número de átomos.

Antes, notamos que o fenômeno de espalhamento da luz desta natureza é a origem do azul do céu. A luz solar atravessa o ar, e quando olhamos ao lado do Sol – digamos a 90° do raio –, vemos a luz azul; o que agora temos de calcular é *quanta* luz estamos vendo e *por que ela é azul*.

Se o raio incidente tiver o campo elétrico[1] $\mathbf{E} = \hat{\mathbf{E}}_0 e^{i\omega t}$ no ponto onde o átomo está localizado, sabemos que um elétron no átomo vibrará para cima e para baixo em resposta a este $\mathbf{E}$ (Fig. 32-2). Da Eq. (23.8), a resposta será

$$\hat{\mathbf{x}} = \frac{q_e \hat{\mathbf{E}}_0}{m(\omega_0^2 - \omega^2 + i\gamma\omega)}. \qquad (32.15)$$

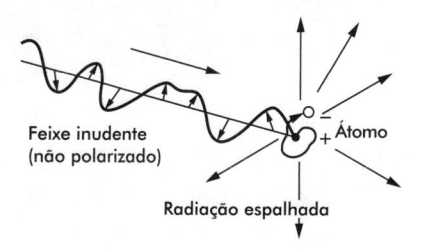

Figura 32-2 Um feixe de radiação recai sobre um átomo e faz com que as cargas (elétrons) do átomo se movam. Os elétrons em movimento, por sua vez, irradiam em várias direções.

Poderíamos incluir o amortecimento e a possibilidade de que o átomo aja como vários osciladores de frequência diferente e somar nas várias frequências, mas por simplicidade vamos tomar apenas um oscilador e desprezar o amortecimento. Então a resposta ao campo elétrico externo, que já usamos no cálculo do índice de refração, é simplesmente

$$\hat{\mathbf{x}} = \frac{q_e \hat{\mathbf{E}}_0}{m(\omega_0^2 - \omega^2)}. \qquad (32.16)$$

Poderíamos agora calcular facilmente a intensidade da luz que é emitida nas várias direções usando a fórmula (32.2) e a aceleração correspondente ao $\hat{\mathbf{x}}$ acima mencionado.

Ao invés disso, contudo, simplesmente calcularemos a *quantidade total* de luz espalhada em *todas* as direções, somente para poupar tempo. A quantia total de energia da luz por segundo, espalhada em todas as direções pelo único átomo, é naturalmente dada por Eq. (32.7) Desse modo, juntando as várias partes e as reagrupando, obtemos

$$\begin{aligned} P &= [(q_e^2 \omega^4 / 12\pi\epsilon_0 c^3) q_e^2 E_0^2 / m_e^2 (\omega^2 - \omega_0^2)^2] \\ &= (\tfrac{1}{2}\epsilon_0 c E_0^2)(8\pi/3)(q_e^4/16\pi^2\epsilon_0^2 m_e^2 c^4)[\omega^4/(\omega^2 - \omega_0^2)^2] \\ &= (\tfrac{1}{2}\epsilon_0 c E_0^2)(8\pi r_0^2/3)[\omega^4/(\omega^2 - \omega_0^2)^2] \end{aligned} \qquad (32.17)$$

para a potência total espalhada, irradiada em todas as direções.

Escrevemos o resultado na forma acima porque é fácil de lembrar: primeiro, a energia total que é espalhada é proporcional ao quadrado do campo incidente. O que isso significa? Obviamente, o quadrado do campo incidente é proporcional à energia que está entrando por segundo. De fato, a energia incidente por metro quadrado por segundo é $\epsilon_0 c$ vezes a média $\langle E^2 \rangle$ do quadrado do campo elétrico, e se E_0 for o valor máximo de E, então $\langle E^2 \rangle = \tfrac{1}{2} E_0^2$. Em outras palavras, a energia total espalhada é proporcional à energia por metro quadrado incidente; quanto mais brilhante a luz solar que está brilhando no céu, mais brilhante o céu se parecerá.

Agora, qual a *fração* de luz incidente que é espalhada? Vamos imaginar um "alvo" com uma certa área, digamos σ, no raio (não um alvo material de verdade, pois ele causaria a difração da luz; queremos dizer uma área imaginária desenhada no espaço). A quantidade total de energia que atravessaria essa superfície σ para uma dada circunstância é proporcional tanto à intensidade incidente como a σ, e a potência total seria

$$P = (\tfrac{1}{2}\epsilon_0 c E_0^2)\sigma. \qquad (32.18)$$

---

[1] Quando um vetor traz um acento circunflexo, significa que as *componentes* do vetor são complexas: $\hat{E} = (\hat{E}_x, \hat{E}_y, \hat{E}_z)$.

Em seguida, inventamos uma ideia: dizemos que o átomo espalha uma quantia total de intensidade, a qual é a porção que cairia em certa área geométrica, e damos a resposta dando aquela área. A resposta, então, é independente da intensidade incidente; ela dá razão da energia espalhada pela energia incidente por metro quadrado. Em outras palavras, a razão

$$\frac{\text{energia total espalhada por segundo}}{\text{energia incidente por metro quadrado por segundo}} \text{ é uma } \textit{área}.$$

O significado desta área é que se toda a energia que impingiu nessa área for espirrada em todas as direções, então essa é a quantidade de energia que seria espalhada pelo átomo.

Essa área é chamada de *seção de choque de espalhamento*; a ideia da seção de choque é usada constantemente, sempre que algum fenômeno é proporcional à intensidade do raio. Em tais casos, sempre se descreve a quantidade do fenômeno dizendo qual deveria ser a área efetiva a fim de coletar esse tanto do raio. Isso não significa de modo algum que esse oscilador de fato *tenha* tal área. Se não houvesse nada presente exceto um elétron livre balançando para cima e para baixo, não haveria nenhuma área diretamente associada fisicamente a ele. Isso é meramente uma maneira de exprimir a resposta a um certo tipo de problema; que nos diz qual área o raio incidente deveria atingir para dar conta da quantidade de energia que sai. Assim, para o nosso caso,

$$\sigma_s = \frac{8\pi r_0^2}{3} \cdot \frac{\omega^4}{(\omega^2 - \omega_0^2)^2} \tag{32.19}$$

(o subscrito *s* refere-se a "espalhamento").

Vamos ver alguns exemplos. Primeiro, no caso de uma frequência natural muito baixa ω_o, ou para liberarmos completamente um elétron, para o qual $\omega_o = 0$, a frequência ω se anula e a seção de choque é uma constante. Esse limite de frequência baixa, ou a seção de choque de um elétron livre, é conhecido como a *seção de choque de espalhamento Thomson*. Ela é uma área cujas dimensões são aproximadamente 10^{-15} metros, mais ou menos, de lado, isto é, 10^{-30} metros quadrados, que é bastante pequena!

Por outro lado, considerando o caso da luz no ar, lembramos que para o ar as frequências naturais dos osciladores são mais altas do que a frequência da luz que usamos. Isso significa que, em primeira aproximação, podemos desprezar ω^2 no denominador, e encontramos que o espalhamento é proporcional à *quarta potência* da frequência. Isso é, a luz de frequência mais alta, digamos, por um fator de dois, é espalhada *dezesseis vezes* mais intensamente, que é uma diferença relativamente bastante grande. Isso quer dizer que a luz azul, que tem aproximadamente duas vezes a frequência da luz avermelhada do espectro, é espalhada em uma extensão muito maior do que a luz vermelha. Assim, quando olhamos o céu, ele parece de um glorioso azul como vemos todo o tempo!

Existem vários pontos a serem analisados sobre os resultados mencionados acima. Uma pergunta interessante é: por que vemos *nuvens*? De onde vêm as nuvens? Todo o mundo sabe que elas são a condensação do vapor de água. Naturalmente, o vapor de água já está na atmosfera mesmo *antes* de se condensar, por que não o vemos então? Depois que ele se condensa, fica perfeitamente óbvio. Não estava lá, agora *está* lá. Portanto, o mistério de onde as nuvens vêm não é na verdade um mistério tão infantil como "De onde a água vem, papai?", mas deve ser explicado.

Acabamos de explicar que cada átomo espalha a luz, e naturalmente o vapor de água espalhará a luz também. O mistério é por que, quando a água é condensada em nuvens, ele espalha uma *quantia tão tremendamente maior* de luz?

Considere o que aconteceria se, em vez de um único átomo, tivéssemos um aglomerado de átomos, digamos dois, muito próximos um do outro em comparação com o comprimento de onda da luz. Lembre que os átomos têm apenas aproximadamente um angstrom de tamanho, enquanto o comprimento de onda da luz é aproximadamente 5.000 angstrons, assim quando eles formam um amontoado, alguns átomos juntos, eles podem *estar* muito juntos comparados com o comprimento de onda da luz. Então quando o campo elétrico age, *ambos os átomos se moverão em conjunto*. O campo elétrico que é espalhado será a soma dos dois campos elétricos em fase, isto é, a amplitude será o dobro do que a de um único átomo, e por isso a *energia* espalhada será *quatro vezes* a de apenas um átomo, e não duas vezes! Portanto, amontoados de átomos irradiam ou espalham mais energia do que fariam enquanto átomos únicos. O nosso argumento de que as fases são independentes é baseado na suposição de que existe uma grande e real diferença de fase entre quaisquer dois átomos, que é verdade somente se eles estiverem separados por vários comprimentos de onda e espaçados randomicamente, ou em movimento. No entanto, se eles estiverem bem ao lado um do outro, necessariamente espalham em fase e têm uma interferência coerente que produz um aumento no espalhamento.

Se tivermos N átomos no aglomerado, que é uma gotinha muito pequena de água, então cada um será induzido pelo campo elétrico aproximadamente do mesmo modo que anteriormente (o efeito de um átomo no outro não é importante; é apenas para termos uma ideia), e a amplitude de espalhamento de cada um é a mesma, portanto o campo total que é espalhado é aumentado N vezes. A *intensidade* da luz espalhada é então o quadrado, ou aumentada N^2 vezes. Se os átomos estivessem distribuídos no espaço, esperaríamos somente N vezes a mais do que 1, ao passo que obtemos N^2 a mais do que 1! Isto é, o espalhamento de água por aglomerados de N moléculas cada um é N vezes mais intenso do que o espalhamento de um único átomo. Portanto, conforme a água se aglomera, o espalhamento aumenta. Ele aumenta *infinitamente*? Não! Quando essa análise começará a falhar? Quantos átomos podemos juntar até que não seja mais possível levar esse argumento adiante? *Resposta*: se a gota d'água se tornar tão grande que de um lado ao outro seja mais ou menos um comprimento de onda, então os átomos não estarão mais todos em fase, pois estão demasiado longe. Portanto, se continuarmos aumentando o tamanho da gota, obtemos cada vez mais espalhamento, até a hora em que uma gota se torna do tamanho de um comprimento de onda, e então o espalhamento não aumenta mais tão rapidamente conforme a gota cresce. Além disso, o azul desaparece, porque para comprimentos de onda longos as gotas podem ser maiores, antes que esse limite seja atingido, do que o tamanho que elas podem ter para comprimentos de onda curtos. Embora as ondas curtas espalhem mais, por átomo, do que as ondas longas, há um maior aumento para o vermelho no final do espectro do que para o final azul quando todas as gotas são maiores do que o comprimento de onda, portanto a cor é deslocada do azul em direção ao vermelho.

Agora podemos fazer um experimento que demonstra isso. Podemos fazer partículas que são muito pequenas inicialmente, e gradualmente crescem em tamanho. Usamos uma solução thiosulfato (hypo) de sódio com ácido sulfúrico, que precipita grãos muito pequenos de enxofre. Conforme o enxofre se precipita, os grãos primeiro começam bem pequenos, e o espalhamento é um pouco azulado. À medida que mais é precipitado, o espalhamento se torna mais intenso, e logo vai se tornando esbranquiçado conforme as partículas se tornam maiores. Ainda mais, a luz que atravessa diretamente terá seu azul subtraído. Por isso o pôr do sol é vermelho, é claro, porque a luz que atravessa muito ar até chegar ao olho teve muita luz azul espalhada para fora e, portanto, parece vermelho amarelada.

Finalmente, existe outra característica importante que realmente pertence ao capítulo seguinte, sobre polarização, mas é tão interessante que a mencionamos agora. O campo elétrico da luz espalhada tende a vibrar em uma determinada direção. O campo elétrico da luz incidente está oscilando de alguma maneira, e o oscilador induzido vai nessa mesma direção; se estivermos situados aproximadamente a um ângulo reto do raio, veremos a luz *polarizada*, isto é, luz na qual o campo elétrico está indo em apenas uma direção. Em geral, os átomos podem vibrar em qualquer direção em ângulo reto ao raio, mas se forem dirigidos diretamente na nossa direção ou na direção oposta para longe de nós, não a veremos. Assim, se a luz incidente tiver um campo elétrico que varia e oscila em qualquer direção, que chamamos de luz não polarizada, então a luz que está saindo a 90° do raio vibrará em apenas uma direção! (Ver Fig. 32-3.)

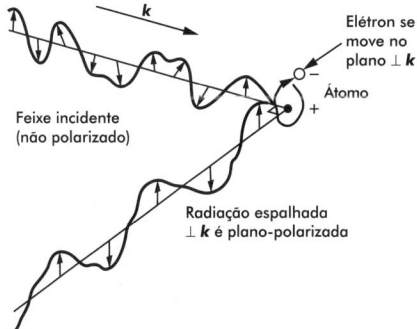

Figura 32–3 Ilustração da origem da polarização da radiação espalhada na direção perpendicular ao raio incidente.

Existe outra substância chamada polaroide que tem a propriedade que quando a luz a atravessa, somente a parte do campo elétrico direcionada ao longo de um determinado eixo poderá atravessá-la. Podemos usar isso para testar para a polarização, e de fato vemos que a luz espalhada pela solução hypo é fortemente polarizada.

33

Polarização

33–1 O vetor elétrico de luz

Neste capítulo, consideraremos aqueles fenômenos que dependem do fato de que o campo elétrico que descreve a luz é um vetor. Em capítulos anteriores, não estávamos preocupados com a direção da oscilação do campo elétrico, exceto para observar que o vetor elétrico estava em um plano perpendicular à direção de propagação. A direção em particular nesse plano não nos interessou. Agora consideramos aqueles fenômenos cuja característica central é a direção da oscilação do campo elétrico.

Em uma luz monocromática ideal, o campo elétrico deve oscilar com uma frequência definida, mas como a componente x e a componente y podem oscilar independentemente com uma frequência definida, devemos considerar primeiro o efeito resultante produzido pela superposição das duas oscilações independentes em ângulos retos uma com a outra. Que tipo de campo elétrico é composto de uma componente x e uma componente y que oscilam na mesma frequência? Acrescentando a uma vibração x um certo montante de vibração y com a mesma fase, o resultado é uma vibração em uma nova direção no plano xy. A Figura 33–1 ilustra a superposição de diferentes amplitudes para a vibração x e para a vibração y, mas as resultantes mostradas na Fig. 33-1 não são as únicas possibilidades; em todos esses casos, supomos que a vibração x e a vibração y estão *em fase*, mas não precisa ser assim. Pode ser que a vibração x e a vibração y estejam fora da fase.

Quando a vibração x e a vibração y não estão em fase, o vetor campo elétrico gira contornando uma elipse, e podemos ilustrar isso de uma maneira familiar. Se pendurarmos uma bola em um suporte por um longo fio, de modo que ela possa balançar livremente em um plano horizontal, ela executará oscilações senoidais. Se imaginarmos coordenadas horizontais x e y com a sua origem na posição de repouso da bola, a bola pode balançar tanto na direção x ou y com a mesma frequência de pêndulo. Selecionando deslocamento e velocidade iniciais adequados, podemos fazer com que a bola oscile tanto ao longo do eixo x quanto ao longo do eixo y, ou ao longo de qualquer linha reta no plano xy. Esses movimentos da bola são análogos às oscilações do vetor do campo elétrico ilustrado na Fig. 33-1. Em cada exemplo, como as vibrações x e as vibrações y atingem os seus máximos e mínimos ao mesmo tempo, as oscilações x e y estão em fase. No entanto, sabemos que o movimento mais geral da bola é o movimento ao longo de uma elipse, que corresponde às oscilações nas quais as direções x e y *não* estão com a mesma fase. A superposição das vibrações x e y que não estão em fase é ilustrada na Fig. 33-2 para vários ângulos entre a fase da vibração x e da vibração y. O resultado geral é que o vetor elétrico se move ao longo de uma elipse. O movimento em uma linha reta é um caso particular correspondente a uma diferença de fase zero (ou um múltiplo inteiro de π); o movimento em um círculo corresponde a amplitudes iguais com uma diferença de fase de 90° (ou qualquer múltiplo inteiro ímpar de $\pi/2$).

Na Fig. 33-2, identificamos os vetores de campo elétricos nas direções x e y com números complexos, que são uma representação conveniente para se exprimir a diferença de fase. Não confunda as componentes real e imaginária do vetor elétrico complexo nessa

33–1 O vetor elétrico de luz
33–2 Polarização de luz espalhada
33–3 Birefringência
33–4 Polarizadores
33–5 Atividade ótica
33–6 A intensidade da luz refletida
33–7 Refração anômala

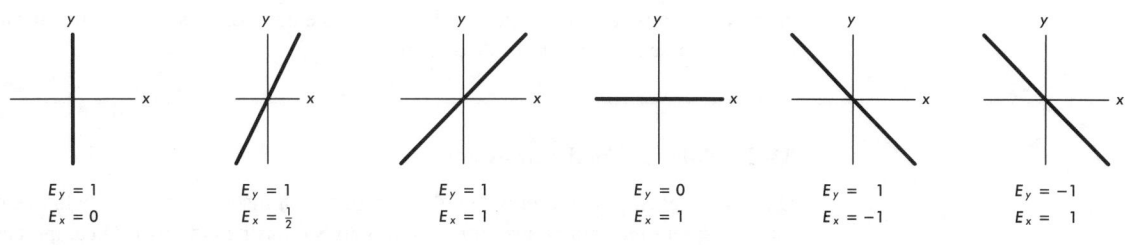

| $E_y = 1$ | $E_y = 1$ | $E_y = 1$ | $E_y = 0$ | $E_y = 1$ | $E_y = -1$ |
| $E_x = 0$ | $E_x = \frac{1}{2}$ | $E_x = 1$ | $E_x = 1$ | $E_x = -1$ | $E_x = 1$ |

Figura 33–1 Superposição das vibrações x e y em fase.

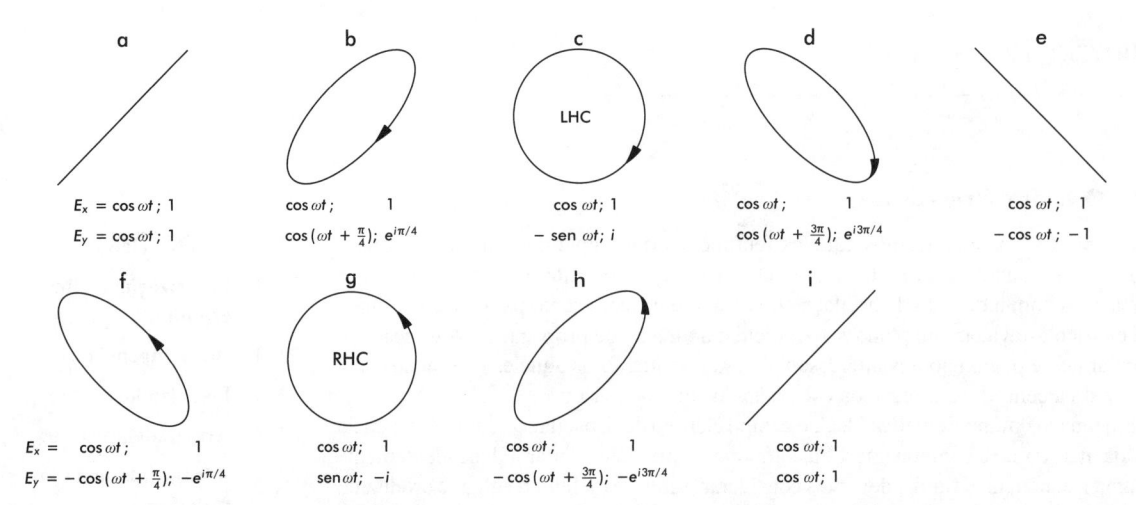

Figura 33–2 Superposição das vibrações x e y com amplitudes iguais, mas com várias fases relativas. As componentes E_x e E_y são expressas tanto na notação real quanto na complexa.

notação com as coordenadas x e y do campo. As coordenadas x e y traçadas na Fig. 33-1 e na Fig. 33-2 são campos elétricos reais possíveis de serem medidos. As componentes real e imaginária de um vetor de campo elétrico complexo são apenas uma conveniência matemática e não têm nenhum significado físico.

Agora vamos definir um pouco a terminologia. A luz é *linearmente polarizada* (às vezes chamada plano-polarizada) quando o campo elétrico oscila em uma linha reta; a Fig. 33-1 ilustra a polarização linear. Quando a ponta do vetor de campo elétrico traça uma elipse, a luz é *elipticamente polarizada.* Quando a extremidade do vetor de campo elétrico demarca um círculo, temos *a polarização circular.* Se a ponta do vetor elétrico, como o vemos quando a luz vem diretamente em nossa direção, anda no sentido anti-horário, chamamos de polarização circular à direita. A Figura 33–2(g) ilustra a polarização circular à direita, e a Fig. 33-2(c) mostra a polarização circular à esquerda. Em ambos os casos, a luz está saindo do papel. A nossa convenção para classificar a polarização circular à esquerda e à direita é consistente com o que é usado atualmente para todas as outras partículas na física que exibem polarização (por exemplo, elétrons). Contudo, em alguns livros sobre ótica, as convenções opostas são usadas, portanto é necessário ter cuidado.

Consideramos luz linear, circular e elipticamente polarizada, o que cobre tudo exceto o caso da luz *não polarizada*. Como pode a luz ser não polarizada quando sabemos que ela deve vibrar em alguma dessas elipses? Se a luz não for exatamente monocromática, ou se as fases em x e y não forem mantidas perfeitamente juntas, de modo que o vetor elétrico primeiro vibre em uma direção e depois na outra, a polarização estará se modificando constantemente. Lembre que um átomo emite durante 10^{-8} segundos, e se um átomo emitir uma certa polarização, enquanto outro átomo emitir a luz com uma polarização diferente, a polarização se modificará a cada 10^{-8} segundos. Se a polarização se modificar mais rapidamente do que podemos detectá-la, então denominamos a luz de não polarizada, porque todos os efeitos da polarização se cancelam. Nenhum dos efeitos de interferência da polarização seriam identificados com a luz não polarizada, mas como vimos a partir da definição, a luz somente é não polarizada se formos incapazes de descobrir se a luz é polarizada ou não.

33–2 Polarização de luz espalhada

O primeiro exemplo do efeito de polarização, que já discutimos, é o espalhamento da luz. Considere um raio de luz, por exemplo do Sol, brilhando no ar. O campo elétrico produzirá oscilações de cargas no ar, e o movimento dessas cargas produzirá luz com intensidade máxima em um plano normal à direção da vibração das cargas. O raio do Sol é não polarizado, portanto a direção de polarização muda constantemente, e a direção da vibração das cargas no ar varia constantemente. Se considerarmos a luz espalhada em 90°, a vibração das partículas carregadas irradia na direção do observador somente quando a vibração for perpendicular à linha de visão do observador, e assim a luz será polarizada ao longo da direção de vibração. Portanto, o espalhamento é um exemplo de uma maneira de se produzir polarização.

33–3 Birefringência

Outro efeito interessante da polarização é o fato de que há substâncias para as quais o índice da refração é diferente para a luz linearmente polarizada em uma direção e linearmente polarizada em outra. Considere um material composto de moléculas longas, não esféricas, mais longas do que largas, e suponha que essas moléculas estejam arranjadas na substância com os seus eixos longos paralelos. Então o que acontece quando o campo elétrico oscilante passa por essa substância? Suponha que por causa da estrutura da molécula, os elétrons na substância respondem mais facilmente às oscilações na direção paralela aos eixos das moléculas do que eles responderiam caso o campo elétrico tentasse empurrá-los na direção perpendicular ao eixo molecular. Desse modo, esperamos uma resposta diferente para a polarização em uma direção do que para a polarização em ângulos retos àquela direção. Vamos chamar a direção dos eixos das moléculas de *eixo óptico*. Quando a polarização é na direção do eixo óptico, o índice de refração é diferente do que seria se a direção de polarização fosse na direção perpendicular. Tal substância é chamada de *birefringente*. Ela tem duas refratabilidades, isto é, dois índices da refração, dependendo da direção de polarização dentro da substância. Que tipo de substância pode ser birefringente? Em uma substância birefringente deve haver uma certa quantidade de alinhamento de moléculas não simétricas, por uma razão ou por outra. Certamente um cristal cúbico, que tem a simetria de um cubo, não pode ser birefringente, mas os cristais longos em forma de agulha sem dúvida contêm moléculas que são assimétricas, e esse efeito pode ser observado muito facilmente.

Vamos ver quais os efeitos esperados quando incidimos luz polarizada em uma placa de substância birefringente. Se a polarização for paralela ao eixo óptico, a luz atravessará com uma velocidade; se a polarização for perpendicular ao eixo, a luz é transmitida com uma velocidade diferente. Uma situação interessante surge quando, digamos, a luz é linearmente polarizada a 45° do eixo ótico. Já notamos que a polarização a 45° pode ser representada como uma superposição das polarizações x e y de iguais amplitude e fase, como mostrado na Fig. 33-2(a). Como as polarizações x e y viajam com velocidades diferentes, suas fases se modificam com uma taxa diferente conforme a luz atravessa a substância. Desse modo, embora inicialmente as vibrações x e y estejam em fase, dentro do material a diferença de fase entre vibrações x e y é proporcional à profundidade dentro da substância. À medida que a luz prossegue pelo material, a polarização varia como mostrado na série de diagramas na Fig. 33-2. Se a espessura da placa for justamente aquela capaz de introduzir uma mudança de 90° na fase entre as polarizações x e y, como na Fig. 33-2(c), a luz sairá circularmente polarizada. Tal espessura é chamada de placa quarto-de-onda, porque introduz uma diferença de fase de um quarto de ciclo entre as polarizações x e y. Se a luz linearmente polarizada atravessar duas placas quarto-de-onda, ela sairá plano-polarizada novamente, mas em ângulo reto com relação à direção original, como podemos ver da Fig. 33-2(e).

Pode-se ilustrar facilmente esse fenômeno com um pedaço de celofane. O celofane é feito de moléculas longas, fibrosas, e não é isotrópico, pois as fibras encontram-se preferencialmente em uma dada direção. Para demonstrar birefringência, precisamos de um raio da luz linearmente polarizado, e podemos obtê-lo convenientemente passando luz não polarizada por uma folha de polaroide. O polaroide, que será discutido depois mais detalhadamente, tem a propriedade útil de transmitir a luz que é linearmente polarizada paralelamente ao eixo do polaroide com muito pouca absorção, mas luz polarizada em uma direção perpendicular ao eixo do polaroide é fortemente absorvida. Quando passamos luz não polarizada por uma folha de polaroide, somente aquela parte do raio

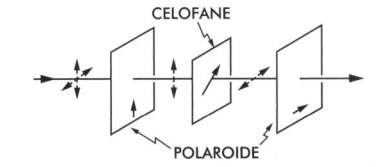

Figura 33–3 Uma demonstração experimental da birefringência do celofane. Os vetores elétricos na luz são denotados pelas linhas pontilhadas. O eixo de passagem das folhas de polaroides e os eixos ópticos do celofane são indicados pelas setas. O feixe incidente é não polarizado.

não polarizado que está vibrando paralela ao eixo do polaroide consegue atravessar, de maneira que o raio transmitido é linearmente polarizado. Essa mesma propriedade de polaroide é também útil na detecção da direção de polarização de um raio linearmente polarizado, ou na determinação se um raio é linearmente polarizado ou não. Simplesmente passa-se o raio da luz pela folha de polaroide e rotaciona-se o polaroide no plano normal ao raio. Se o raio for linearmente polarizado, esse não será transmitido através da folha quando o eixo do polaroide for normal à direção da polarização. O raio transmitido é apenas ligeiramente atenuado quando o eixo da folha de polaroide é girado por 90°. Se a intensidade transmitida for independente da orientação do polaroide, o raio não é linearmente polarizado.

Para demonstrar a birefringência do celofane, usamos duas folhas de polaroide, como mostrado na Fig. 33-3. A primeira nos fornece um raio linearmente polarizado que passamos pelo celofane e então pela segunda folha de polaroide, que serve para descobrir qualquer efeito que o celofane possa ter tido na luz polarizada que o atravessou. Se inicialmente fizermos com que os eixos das duas folhas polaroide sejam perpendiculares um ao outro e retirarmos o celofane, nenhuma luz será transmitida através do segundo polaroide. Se agora introduzirmos o celofane entre as duas folhas polaroide e girarmos a folha em torno do eixo do raio, observamos que em geral o celofane permite que um pouco de luz passe pelo segundo polaroide. Contudo, existem duas orientações da folha de celofane, com ângulo reto um em relação ao outro, o que não permite que nenhuma luz atravesse o segundo polaroide. Essas orientações nas quais a luz linearmente polarizada é transmitida pelo celofane sem nenhum efeito na direção de polarização devem ser as direções paralela e perpendicular ao eixo óptico da folha de celofane.

Supomos que a luz passa pelo celofane com duas velocidades distintas nessas duas orientações diferentes, mas é transmitida sem modificar a direção da polarização. Quando o celofane é virado a meio caminho entre essas duas orientações, como mostrado na Fig. 33-3, vemos que a luz transmitida pelo segundo polaroide é brilhante.

Acontece que o celofane comum usado em embalagens comerciais está bem próximo da espessura de meia-onda da maior parte das cores na luz branca. Tal folha virará o eixo da luz linearmente polarizada por 90° se o raio incidente linearmente polarizado fizer um ângulo de 45° com o eixo óptico, de modo que o raio emergente do celofane esteja então vibrando na direção certa para passar pela segunda folha de polaroide.

Se usarmos a luz branca na nossa demonstração, a folha de celofane terá a espessura de meio-onda apenas para um determinado componente da luz branca, e o raio transmitido terá a cor deste componente. A cor transmitida depende da espessura da folha de celofane, e podemos variar a espessura efetiva do celofane inclinando-o para que a luz passe pelo celofane com um ângulo, consequentemente por um caminho mais longo no celofane. Conforme a folha é inclinada, as cores transmitidas se modificam. Com um celofane de espessura diferente, é possível construir filtros capazes de transmitir cores diferentes. Uma propriedade interessante desses filtros é que eles transmitem uma cor quando as duas folhas de polaroide têm seus eixos perpendiculares, e a cor complementar quando os eixos das duas folhas de polaroide são paralelos.

Outra aplicação interessante de moléculas alinhadas é bastante prática. Certos plásticos são compostos de moléculas muito longas e complicadas, todas torcidas em conjunto. Quando o plástico é solidificado muito cuidadosamente, as moléculas são todas torcidas em uma massa, de maneira que existam tantas alinhadas em uma direção como na outra e, portanto, o plástico não é particularmente birefringente. Normalmente, há tensões e estresse introduzidos quando o material é solidificado, portanto o material não é perfeitamente homogêneo. Contudo, se aplicamos a tensão a uma parte desse material plástico, é como se puxássemos um emaranhado inteiro de barbantes, e existirão mais fios alinhados preferencialmente na direção paralela à tensão do que em qualquer outra. Assim quando o estresse é aplicado a certos plásticos, eles ficam birefringentes, e pode-se ver os efeitos da birefringência passando luz polarizada pelo plástico. Se examinarmos a luz transmitida por uma folha polaroide, padrões de franjas claras e escuras serão observados (em cores, se a luz branca for usada). O padrão se move à medida que o estresse é aplicado à amostra, e contando as franjas e vendo onde a maior parte delas está, pode-se determinar o stress. Os engenheiros usam esse fenômeno como um meio de determinar o estresse em pedaços com forma estranha que são difíceis de se calcular.

Outro exemplo interessante de um modo de obtenção da birefringência é por meio de uma substância líquida. Considere um líquido composto por moléculas assimétricas longas que possuem uma carga média positiva ou negativa perto da extremidade da molécula, de modo que a molécula seja um dipolo elétrico. Devido às colisões no líquido, as moléculas serão randomicamente orientadas, com tantas moléculas apontadas em uma direção como na outra. Se aplicarmos um campo elétrico, as moléculas tenderão a se alinhar, e no momento em que elas se alinham, o líquido se torna birefringente. Com duas folhas de polaroide e uma célula transparente que contém tal líquido polar, podemos inventar um dispositivo com a propriedade que a luz é transmitida somente quando o campo elétrico for aplicado. Portanto temos um interruptor elétrico para a luz, que é chamado de *célula Kerr*. Esse efeito, no qual um campo elétrico é capaz de produzir birefringência em certos líquidos, é chamado de efeito Kerr.

33–4 Polarizadores

Por enquanto, consideramos substâncias nas quais o índice de refração é diferente para a luz polarizada em direções distintas. Um valor muito prático têm aqueles cristais e outras substâncias nas quais não só o índice, mas também o coeficiente de absorção, é diferente para a luz polarizada em direções distintas. Usando os mesmos argumentos que apoiaram a ideia de birefringência, é compreensível que a absorção possa variar com a direção na qual as cargas são forçadas a vibrar em uma substância anisotrópica. A turmalina é um exemplo antigo e famoso, o polaroide é o outro. O polaroide consiste em uma fina camada de pequenos cristais de herapatite (um sal de iodo e quinina), todos alinhados com seus eixos paralelos. Esses cristais absorvem a luz quando as oscilações estão em uma direção, mas não absorvem tanto quando as oscilações estão em outra direção.

Suponha que a luz incide em uma folha de polaroide polarizada linearmente com um ângulo θ em relação à direção do caminho. Que intensidade conseguirá atravessar? Essa luz incidente pode ser decomposta em um componente perpendicular à direção do caminho que é proporcional a sen θ e um componente ao longo da direção do caminho que é proporcional a cos θ. A amplitude que sai do polaroide é somente a parte cossenoidal; o componente sen θ é absorvido. A amplitude que passa pelo polaroide é menor do que a amplitude que entrou, por fator cos θ. A energia que passa pelo polaroide, isto é, a intensidade da luz, é proporcional ao quadrado de cos θ. O $\cos^2 \theta$, então, é a intensidade transmitida quando a luz entra polarizada com um ângulo θ em relação à direção do caminho. A intensidade absorvida, naturalmente, é $\sen^2 \theta$.

Um paradoxo interessante é apresentado pela seguinte situação. Sabemos que não é possível enviar um raio da luz por duas folhas de polaroide com os seus eixos perpendiculares. Contudo, se colocarmos uma terceira folha de polaroide *entre* os primeiros dois, com o seu eixo do caminho a 45° aos outros dois eixos, um pouco de luz é transmitida. Sabemos que o polaroide absorve a luz, ele não cria nada. Entretanto, a adição de um terceiro polaroide a 45° permite que mais luz atravesse. A análise desse fenômeno é deixada como um exercício para o estudante.

Um dos exemplos mais interessantes sobre polarização não diz respeito a cristais complicados ou substâncias difíceis, mas sim a uma situação mais simples e familiar – a reflexão da luz por uma superfície. Acredite se quiser, quando a luz é refletida em uma superfície de vidro, ela pode ser polarizada, e a explicação física disso é muito simples. Brewster descobriu empiricamente que a luz refletida de uma superfície é completamente polarizada se o raio refletido e o raio refratado no material formarem um ângulo reto. A situação é ilustrada na Fig. 33-4. Se o raio incidente for polarizado no plano de incidência, não haverá nenhuma reflexão. Somente se o raio incidente for polarizado normal ao plano de incidência ele será refletido. A razão é muito fácil de se entender. No material refletor, a luz é polarizada transversalmente, e sabemos que é o movimento das cargas no material que gera o raio emergente, que chamamos de raio refletido. A fonte da chamada luz refletida não é simplesmente que o raio incidente é refletido; a nossa

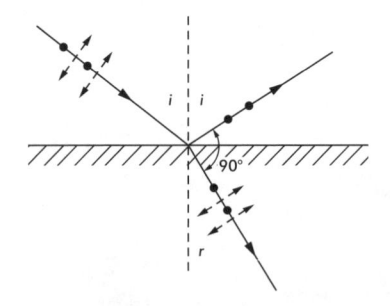

Figura 33-4 Reflexão da luz linearmente polarizada no ângulo de Brewster. A direção de polarização é indicada pelas setas tracejadas; pontos circulares indicam a polarização normal ao plano do papel.

compreensão mais profunda desse fenômeno nos diz que o raio de incidência induz uma oscilação das cargas do material, que por sua vez gera o raio refletido. Da Fig. 33-4 fica claro ver que apenas as oscilações normais ao papel podem irradiar na direção da reflexão, e consequentemente o raio refletido será polarizado normal ao plano de incidência. Se o raio incidente for polarizado no plano de incidência, não haverá nenhuma luz refletida.

Esse fenômeno é prontamente demonstrado refletindo um raio linearmente polarizado em um pedaço de vidro plano. Se o vidro for girado de modo a formar ângulos diferentes de incidência com o raio polarizado, uma forte atenuação da intensidade refletida será observada quando o ângulo da incidência passar pelo ângulo de Brewster. Essa atenuação é observada somente se o plano da polarização estiver no plano de incidência. Se o plano de polarização for normal ao plano de incidência, a intensidade refletida comum é observada em todos os ângulos.

33-5 Atividade ótica

Outro efeito notável da polarização é observado em materiais compostos por moléculas que não têm simetria de reflexão: moléculas que se assemelham a algo como um saca-rolhas, uma mão com luva ou qualquer forma que, se vista por um espelho, seria invertida do mesmo modo que uma luva da mão esquerda é refletida como uma luva da mão direita. Suponha que todas as moléculas da substância sejam as mesmas, isto é, nenhuma é uma imagem espelhar de alguma outra. Tal substância pode mostrar um efeito interessante chamado de atividade ótica, que diz que, conforme luz linearmente polarizada passa pela substância, a direção de polarização gira em torno do eixo do raio.

Para entender o fenômeno da atividade ótica é preciso um pouco de cálculo, mas podemos ver qualitativamente como o efeito poderia acontecer, sem necessariamente realizar os cálculos. Considere uma molécula assimétrica em forma de uma espiral, como mostrado na Fig. 33-5. As moléculas não têm que necessariamente ter a forma de um saca-rolhas para exibir atividade ótica, mas esta é uma forma simples que tomaremos como um exemplo típico daquelas moléculas que não têm simetria de reflexão. Quando um raio de luz linearmente polarizado ao longo da direção y incide nesta molécula, o campo elétrico induzirá cargas para cima e para baixo dessa hélice, gerando assim uma corrente na direção y e irradiando campo elétrico E_y polarizado na direção y. Contudo, se os elétrons estão restritos a moverem-se ao longo da espiral, eles também devem se mover na direção x à medida que são forçados para cima para baixo. Quando uma corrente flui para cima da espiral, ela também está fluindo para dentro do papel em $z = z_1$ e fora do papel em $z = z_1 + A$, onde A é o diâmetro da nossa espiral molecular. É possível supor que a corrente na direção x não produziria nenhuma radiação resultante, pois as correntes estão em direções opostas nos lados opostos da espiral. Contudo, se considerarmos as componentes x do campo elétrico chegando a $z = z_2$, veremos que o campo irradiado pela corrente em $z = z_1 + A$ e o campo irradiado de $z = z_1$ chegam a z_2 separados no tempo pela quantidade A/c, e portanto separados em fase por $\pi + \omega A/c$. Como a diferença de fase não é exatamente π, os dois campos não se cancelam exatamente, e sobra uma pequena componente x do campo elétrico gerada pelo movimento dos elétrons na molécula, enquanto que o campo elétrico motriz tinha somente uma componente y. Essa pequena componente x, somada à grande componente y, produz um campo resultante que é ligeiramente inclinado com respeito ao eixo y, a direção original da polarização. Conforme a luz se move através do material, a direção da polarização gira em torno do eixo do raio. Extraindo alguns exemplos e considerando as correntes que serão postas em movimento por um campo elétrico incidente, é possível se convencer de que a existência da atividade ótica e o sinal de rotação são independentes da orientação das moléculas.

O xarope de milho é uma substância comum que possui atividade ótica. O fenômeno é facilmente demonstrado com uma folha de polaroide para produzir um raio linearmente polarizado, uma célula de transmissão contendo xarope de milho e uma segunda folha de polaroide para descobrir a rotação da direção de polarização à medida que a luz passa pelo xarope de milho.

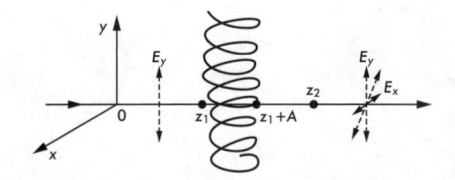

Figura 33-5 Uma molécula com uma forma que não é simétrica quando refletida em um espelho. Um feixe de luz linearmente polarizado na direção y incide sobre a molécula.

33–6 A intensidade da luz refletida

Vamos agora considerar quantitativamente o coeficiente de reflexão em função do ângulo. A Figura 33–6(a) mostra um raio da luz atingindo uma superfície de vidro, na qual é parcialmente refletido e em parte refratado dentro do vidro. Vamos supor que o raio incidente, de amplitude unitária, é linearmente polarizado normal ao plano do papel. Chamaremos a amplitude da onda refletida de b e a amplitude da onda refratada de a. As ondas refratadas e refletidas serão, naturalmente, linearmente polarizadas, e os vetores de campo elétrico das ondas incidente, refletida e refratada serão todos paralelos uns aos outros. A Figura 33–6(b) mostra a mesma situação, mas agora supomos que a onda incidente, de amplitude unitária, é polarizada no plano do papel. Vamos então chamar a amplitude da onda refletida e refratada de B e A, respectivamente.

Desejamos calcular quão forte é a reflexão nas duas situações ilustradas na Fig. 33-6(a) e 33-6(b). Já sabemos que quando o ângulo entre o raio refletido e o raio refratado for um ângulo reto, não haverá nenhuma onda refletida na Fig. 33-6(b), mas veremos se não é possível obter uma resposta quantitativa – uma fórmula exata para B e b como uma função do ângulo de incidência, i.

O princípio que precisamos entender é o seguinte. As correntes que são geradas no vidro produzem duas ondas. Primeiro, elas produzem a onda refletida. Além disso, sabemos que se não houvesse nenhuma corrente produzida no vidro, a onda incidente continuaria diretamente para dentro do vidro. Lembre que o campo resultante é determinado por todas as fontes no mundo. A fonte do raio de luz incidente produz um campo da amplitude unitária que se moveria no vidro ao longo da linha pontilhada da figura. Esse campo não é observado, e por isso as correntes geradas no vidro devem produzir um campo com amplitude -1, que se move ao longo da linha pontilhada. Utilizando esse fato, calcularemos a amplitude das ondas refratadas, a e A.

Na Fig. 33-6(a), vemos que o campo de amplitude b é irradiado pelo movimento das cargas dentro do vidro, as quais respondem a um campo a interior ao vidro, e que, portanto, b é proporcional a a. Poderíamos supor que como as nossas duas figuras são exatamente as mesmas, exceto pela direção de polarização, a razão B/A seria a mesma da razão b/a. Contudo, isso é não completamente verdadeiro, pois na Fig. 33-6(b), as direções de polarização não são todas paralelas umas às outras, como são na Fig. 33-6(a). Apenas a componente do campo elétrico no vidro que é perpendicular a B, $A \cos(i+r)$, que é eficaz na produção de B. A expressão correta para a proporcionalidade é então

$$\frac{b}{a} = \frac{B}{A \cos(i+r)}. \tag{33.1}$$

Agora usaremos um truque. Sabemos que, tanto em (a) quanto em (b) da Fig. 33-6, o campo elétrico no vidro deve produzir oscilações nas cargas que geram um campo de amplitude -1, polarizado paralelamente ao raio incidente e movendo-se na direção da linha pontilhada. No entanto, vemos da parte (b) da figura que somente a componente do campo elétrico no vidro que é normal à linha tracejada possui a polarização correta para produzir esse campo, enquanto que na Fig. 33-6(a) a amplitude completa a é que é eficaz, pois a polarização da onda a é paralela à polarização da onda de amplitude -1. Por isso, podemos escrever

$$\frac{A \cos(i-r)}{a} = \frac{-1}{-1}, \tag{33.2}$$

pois cada uma das duas amplitudes no lado esquerdo da Eq. (33.2) produz a onda de amplitude -1.

Dividindo a Eq. (33.1) pela Eq. (33.2), obtemos

$$\frac{B}{b} = \frac{\cos(i+r)}{\cos(i-r)}, \tag{33.3}$$

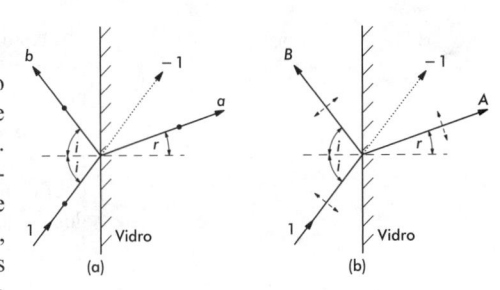

um resultado que podemos verificar com relação ao que já conhecemos. Se fizermos $(i + r) = 90°$, a Eq. (33.3) resulta em $B = 0$, como Brewster diz que deve ser, portanto os nossos resultados até o momento não estão, pelo menos, obviamente errados.

Consideramos amplitudes unitárias para as ondas incidentes, de maneira que $|B|^2/1^2$ é o coeficiente de reflexão para ondas polarizadas no plano de incidência e $|b|^2/1^2$ é o coeficiente de reflexão de ondas polarizadas normais ao plano de incidência. A razão desses dois coeficientes de reflexão é determinada pela Eq. (33.3).

Agora faremos um milagre computando não somente a razão, mas cada coeficiente $|B|^2$ e $|b|^2$ individualmente! Sabemos, da conservação de energia, que a energia da onda refratada deve ser igual à energia incidente menos a energia da onda refletida, $1 - |B|^2$ em um caso, $1 - |b|^2$ no outro. Além disso, a energia que passa dentro do vidro da Fig. 33-6(b) está para a energia que passa dentro do vidro da Fig. 33-6(a) assim como a razão dos quadrados das amplitudes refratadas, $|A|^2/|a|^2$. Poderíamos perguntar se realmente sabemos como computar a energia dentro do vidro, porque, afinal, existem as energias do movimento dos átomos em adição à energia do campo elétrico. É óbvio que todas as várias contribuições para a energia total serão proporcionais ao quadrado da amplitude do campo elétrico. Portanto, podemos escrever

$$\frac{1 - |B|^2}{1 - |b|^2} = \frac{|A|^2}{|a|^2}. \tag{33.4}$$

Substituímos a Eq. (33.2) para eliminar A/a da expressão acima e expressamos B em termos de b por meio da Eq. (33.3):

$$\frac{1 - |b|^2 \frac{\cos^2(i+r)}{\cos^2(i-r)}}{1 - |b|^2} = \frac{1}{\cos^2(i-r)}. \tag{33.5}$$

essa equação contém apenas uma amplitude desconhecida, b. Resolvendo para $|b|^2$, obtemos

$$|b|^2 = \frac{\text{sen}^2(i-r)}{\text{sen}^2(i+r)} \tag{33.6}$$

e com a ajuda de (33.3),

$$|B|^2 = \frac{\text{tg}^2(i-r)}{\text{tg}^2(i+r)}. \tag{33.7}$$

Portanto, encontramos o coeficiente de reflexão $|b|^2$ para uma onda incidente polarizada perpendicularmente ao plano da incidência, e também o coeficiente de reflexão $|B|^2$ para uma onda incidente polarizada no plano da incidência!

É possível continuar com argumentos desta natureza e deduzir que b é real. Para comprovar isso, temos de considerar um caso no qual a luz está vindo simultaneamente de ambos os lados da superfície do vidro, uma situação não tão fácil de se arranjar experimentalmente, mas divertida de analisar teoricamente. Se analisarmos esse caso geral, podemos comprovar que b deve ser real, e portanto, de fato, que $b = \pm \text{sen}(i-r)/\text{sen}(i+r)$. É até possível determinar o sinal considerando o caso de uma camada muito, muito fina na qual há reflexão nas superfícies dianteira e traseira, e calculando-se quanta luz é refletida. Sabemos quanta luz deve ser refletida por uma camada fina, porque conhecemos a quantidade de corrente gerada, e até já determinamos os campos produzidos por tais correntes.

Pode-se mostrar por esses argumentos que

$$b = -\frac{\text{sen}(i-r)}{\text{sen}(i+r)}, \quad B = -\frac{\text{tg}(i-r)}{\text{tg}(i+r)}. \tag{33.8}$$

Essas expressões para os coeficientes de reflexão em uma função dos ângulos de incidência e refração são chamadas de fórmulas de reflexão de Fresnel.

Se considerarmos o limite conforme os ângulos i e r vão a zero, encontramos, para o caso da incidência normal, que $B^2 \approx b^2 \approx (i-r)^2/(i+r)^2$ para ambas as polarizações, pois os senos são praticamente iguais aos ângulos, assim como as tangentes. Sabemos que o sen i/sen $r = n$, e quando os ângulos são pequenos, $i/r \approx n$. Então é fácil mostrar que o coeficiente da reflexão para incidência normal é

$$B^2 = b^2 = \frac{(n-1)^2}{(n+1)^2}.$$

É interessante descobrir quanta luz é refletida para incidência normal na superfície d'água, por exemplo. Para a água, o n é 4/3, de modo que o coeficiente de reflexão é $(1/7)^2 \approx 2\%$. Com incidência normal, apenas dois por cento da luz são refletidos pela superfície de água.

33–7 Refração anômala

O último efeito de polarização que consideraremos foi de fato um dos primeiros a serem descobertos: a refração anômala. Marinheiros que visitaram a Islândia trouxeram de volta à Europa cristais do mastro da Islândia ($CaCO_3$) que tinham a curiosa propriedade de fazer com que algo visto através do cristal parecesse duplicado, isto é, como duas imagens. Isso chegou ao conhecimento de Huygens e desempenhou um papel importante na descoberta da polarização. Como é muitas vezes o caso, os fenômenos que são descobertos primeiro são os mais difíceis de se explicar no final das contas. Apenas depois de entendermos um conceito físico completamente é que podemos selecionar cuidadosamente aqueles fenômenos que mais clara e simplesmente demonstram o conceito.

A refração anômala é um caso particular da mesma birefringência considerada anteriormente. Ela ocorre quando o eixo ótico, o eixo longo das nossas moléculas assimétricas, *não* é paralelo à superfície do cristal. Na Fig. 33-7 estão desenhadas duas partes de um material birefringente, com o eixo ótico como mostrado. Na figura superior, o raio incidente no material é linearmente polarizado na direção perpendicular ao eixo ótico do material. Quando esse raio atinge a superfície do material, cada ponto na superfície age como uma fonte de uma onda que viaja no cristal com velocidade $v_\perp$, a velocidade da luz no cristal quando o plano de polarização é normal ao eixo ótico. A frente de onda é apenas o envelope ou o lugar de todas essas pequenas ondas esféricas, e esta frente de onda atravessa diretamente o cristal e para fora do outro lado. Esse é justamente o comportamento comum que esperaríamos, e este raio é chamado de *raio ordinário*.

Na figura inferior, a luz linearmente polarizada incidente no cristal tem a sua direção de polarização girada por 90°, para que o eixo ótico esteja no plano de polarização. Quando agora consideramos as pequenas ondas que se originam em qualquer ponto da superfície do cristal, vemos que elas não se espalham como ondas esféricas. A luz que viaja ao longo do eixo ótico viaja com a velocidade $v_\perp$, pois a polarização é perpendicular ao eixo ótico, ao passo que a luz viajando perpendicularmente ao eixo ótico viaja com a velocidade $v_\parallel$ porque a polarização é paralela ao eixo ótico. Em um material birefringente $v_\parallel \neq v_\perp$, e na figura $v_\parallel < v_\perp$. Uma análise mais completa mostrará que as ondas se espalharam na superfície de um elipsoide, com o eixo ótico como eixo principal do elipsoide. O envelope de todas essas ondas elípticas é a frente de onda que prossegue pelo cristal na direção mostrada. Novamente, na superfície traseira o raio será defletido assim como foi na superfície dianteira, de maneira que a luz emerge paralela ao raio incidente, mas deslocado dele. Claramente, esse raio não segue a lei de Snell, mas segue uma direção extraordinária. Por isso, é chamado de *raio extraordinário*.

Quando um raio não polarizado atinge um cristal com refração anômala refrativa, ele é separado em um raio ordinário, que viaja continuamente de uma maneira normal, e um raio extraordinário que é deslocado conforme ele passa pelo cristal. Esses dois raios emergentes são linearmente polarizados

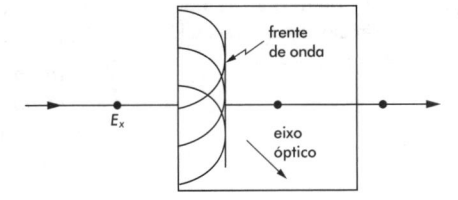

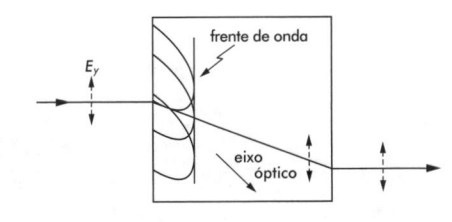

Figura 33–7 O diagrama superior mostra o caminho de um raio ordinário através de um cristal duplamente refrator. O raio extraordinário é mostrado no diagrama inferior. O eixo óptico situa-se no plano do papel.

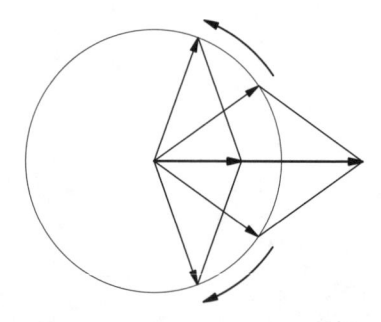

Figura 33–8 Dois vetores de igual amplitude girando em direções opostas somam-se para produzir um vetor em uma direção fixa, mas com uma amplitude que oscila.

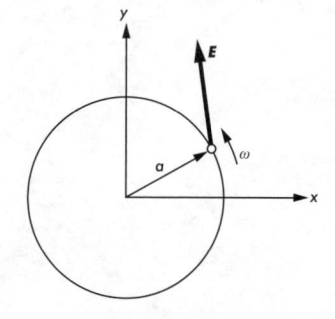

Figura 33–9 Uma carga se movendo em um círculo em resposta à luz circularmente polarizada.

formando um ângulo reto entre eles. Podemos prontamente demonstrar que isso é verdade com uma folha de polaroide a fim de analisar a polarização dos raios emergentes. Também podemos demonstrar que a nossa interpretação desse fenômeno está correta enviando luz linearmente polarizada para o cristal. Orientando adequadamente a direção da polarização do raio incidente, podemos fazer essa luz atravessar diretamente sem divisão, ou podemos fazê-lo passar sem dividir, mas com um deslocamento.

Todos os vários casos de polarização estão representados nas Figuras 33-1 e 33-2 como superposições dos dois casos de polarização especiais, a saber x e y em várias quantidades e fases. Outros pares poderiam ter sido usados igualmente bem. Polarização ao longo de quaisquer dois eixos perpendiculares x', y' inclinados com relação a x e y também serviriam [por exemplo, qualquer polarização pode ser composta de superposições dos casos (a) e (e) da Fig. 33-2]. No entanto, é interessante que essa ideia pode ser estendida também a outros casos. Por exemplo, qualquer polarização *linear* pode ser construída superpondo-se quantias convenientes em fases convenientes de polarizações *circulares* à direita e à esquerda [casos (c) e (g) da Fig. 33-2], pois dois vetores idênticos que giram em direções opostas se somam para dar um único vetor que oscila em uma linha reta (Fig. 33-8). Se a fase de um for deslocada relativamente ao outro, a linha é inclinada. Assim todos os painéis da Fig. 33-1 poderiam ser rotulados como "a superposição de quantidades iguais de luz circularmente polarizada à direita e à esquerda em várias fases relativas". Como a da esquerda se atrasa em relação à da direita em fase, a direção da polarização linear varia. Portanto materiais oticamente ativos são, de certo modo, birefringentes. As suas propriedades podem ser descritas dizendo que eles têm índices diferentes para a luz circularmente polarizada à direita e à esquerda. A superposição de luz circularmente polarizada à direita e à esquerda de intensidades diferentes produz a luz elipticamente polarizada.

A luz circularmente polarizada tem outra propriedade interessante – ela transporta *momento angular* (ao longo da direção de propagação). Para ilustrar isso, suponha que tal luz atinja um átomo representado por um oscilador harmônico que pode ser deslocado igualmente bem em qualquer direção no plano xy. Então o deslocamento x do elétron responderá à componente E_x do campo, enquanto a componente y responde, do mesmo modo, à igual componente E_y do campo, porém 90° atrás em fase. Isto é, o elétron anda em um círculo, com a velocidade angular ω, em resposta à rotação do campo elétrico da luz (Fig. 33-9). Dependendo das características de amortecimento da resposta do oscilador, a direção do deslocamento **a** do elétron e a direção da força $q_e\mathbf{E}$ sobre ele não necessariamente têm de ser a mesma, mas elas giram em volta juntas. O **E** pode ter uma componente formando um ângulo reto com **a**, portanto trabalho é feito sobre o sistema e um torque τ é exercido. O trabalho realizado por segundo é $\tau\omega$. Durante um período de tempo T, a energia absorvida é $\tau\omega T$, enquanto τT é o momento angular fornecido à matéria que absorve a energia. Vemos, portanto, que *um raio de luz circularmente polarizada à direita com uma energia total $\mathcal{E}$ transporta momento angular (com o vetor direcionado ao longo da direção de propagação) $\mathcal{E}/\omega$*. Pois quando esse raio for absorvido, o momento angular será fornecido para o absorvedor. A luz circular à esquerda transporta momento angular de sinal oposto, $-\mathcal{E}/\omega$.

34

Efeitos Relativísticos na Radiação

34–1 Fontes em movimento

Neste capítulo, descreveremos um número de efeitos diversos com relação à radiação, e então teremos finalizado a teoria clássica da propagação da luz. Em nossa análise da luz, fomos bastante longe e consideravelmente detalhistas. Os únicos fenômenos ainda não discutidos associados à radiação eletromagnética estão relacionado ao que acontece com ondas de rádio contidas em uma caixa com paredes refletoras, o tamanho da caixa sendo comparável ao comprimento de onda, ou transmitidas através de um tubo longo. Os fenômenos denominados *ressonadores de cavidade* e *guias de onda* serão discutidos depois; usaremos primeiro outro exemplo físico – som – e então retornaremos a este assunto. A não ser por isso, o presente capítulo é a nossa última consideração da teoria clássica da luz.

Podemos resumir todos os efeitos que discutiremos agora observando que eles têm a ver com os efeitos *de fontes móveis*. Não mais supomos que a fonte é localizada, com todo o seu movimento a uma velocidade relativamente baixa perto de um ponto fixo.

Relembramos que as leis fundamentais da eletrodinâmica dizem que, a grandes distâncias de uma carga móvel, o campo elétrico é dado pela fórmula

$$\mathbf{E} = -\frac{q}{4\pi\epsilon_0 c^2}\frac{d^2\mathbf{e}_{R'}}{dt^2}. \tag{34.1}$$

A segunda derivada do vetor de unitário $\mathbf{e}_{R'}$, que aponta na direção aparente da carga, é a característica determinante do campo elétrico. Esse vetor unitário não aponta na direção da posição *atual* da carga, naturalmente, mas na direção em que a carga pareceria estar, se a informação viaja apenas na velocidade finita c da carga ao observador.

Associado ao campo elétrico está um campo magnético, sempre em ângulo reto com relação ao campo elétrico e em ângulo reto à direção aparente da fonte, dada pela fórmula

$$\mathbf{B} = -\mathbf{e}_{R'} \times \mathbf{E}/c. \tag{34.2}$$

Até o momento, consideramos somente o caso no qual os movimentos são não relativísticos em velocidade, para que não haja nenhum movimento apreciável na direção da fonte a ser considerada. Agora seremos mais gerais e estudaremos o caso no qual o movimento está com uma velocidade arbitrária, e veremos os possíveis distintos efeitos esperados nessas circunstâncias. Consideramos o movimento com uma velocidade arbitrária, mas naturalmente ainda supomos que o detector está muito distante da fonte.

Já conhecemos, da nossa discussão no Capítulo 28, que as únicas coisas que importam em $d^2\mathbf{e}_{R'}/dt^2$ são as variações na *direção de* $\mathbf{e}_{R'}$. Sejam as coordenadas da carga (x, y, z), com z medido ao longo da direção da observação (Fig. 34-1). Em um dado momento no tempo, digamos o momento τ, as três componentes da posição são $x(\tau), y(\tau)$ e $z(\tau)$. A distância R é quase igual a $R(\tau) = R_0 + z(\tau)$. A direção do vetor $\mathbf{e}_{R'}$ depende principalmente de x e y, mas quase nada de z: as componentes transversais do vetor unitário são x/R e y/R, e quando diferenciamos essas componentes obtemos coisas como R^2 no denominador:

$$\frac{d(x/R)}{dt} = \frac{dx/dt}{R} - \frac{dz}{dt}\frac{x}{R^2}.$$

Deste modo, quando estamos bem distantes, os únicos termos com os quais temos de nos preocupar são as variações de x e y. Assim retiramos o fator R_0 e obtemos

34–1	Fontes em movimento
34–2	Encontrando o movimento "aparente"
34–3	Radiação síncrotron
34–4	Radiação síncrotron cósmica
34–5	Bremsstrahlung
34–6	O efeito Doppler
34–7	O quadrivetor ω, k
34–8	Aberração
34–9	O momento da luz

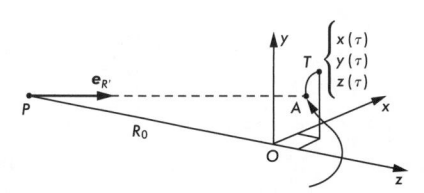

Figura 34–1 O caminho de uma carga em movimento. A posição real no tempo τ é T, mas a posição retardada é em A.

$$E_x = -\frac{q}{4\pi\epsilon_0 c^2 R_0}\frac{d^2 x'}{dt^2},$$

$$E_y = -\frac{q}{4\pi\epsilon_0 c^2 R_0}\frac{d^2 y'}{dt^2}, \quad (34.3)$$

onde R_0 é mais ou menos a distância até q; vamos considerá-la como a distância OP à origem das coordenadas (x, y, z). Assim, o campo elétrico é uma constante multiplicada por algo muito simples, as segundas derivadas das coordenadas x e y. (Poderíamos escrevê-lo mais matematicamente chamando x e y como as componentes *transversais* do vetor de posição **r** da carga, mas isso não acrescentaria mais clareza.)

Naturalmente, percebemos que as coordenadas devem ser medidas em um tempo retardado. Aqui encontramos que $z(\tau)$ *realmente* afeta a retardação. Qual tempo é o tempo retardado? Se o tempo da observação for chamado t (o tempo em P), então o tempo τ ao qual isso corresponde em A não é o tempo t, mas é atrasado pela distância total que a luz caminha dividida pela velocidade da luz. Na primeira aproximação, esse atraso é R_0/c, uma constante (uma característica desinteressante), mas na seguinte aproximação é necessário incluir os efeitos da posição na direção z no tempo τ, porque se q estiver um pouco mais atrás, existirá mais um pouco de atraso. Esse efeito foi negligenciado antes e é a única modificação necessária para tornar válidos os nossos resultados para todas as velocidades.

Agora devemos escolher um certo valor de t e calcular o valor de τ a partir dele, assim descobrindo onde estão x e y em τ. Esses são então os x e y atrasados, que chamamos x' e y', cujas segundas derivadas determinam o campo. Portanto, τ é determinado por

$$t = \tau + \frac{R_0}{c} + \frac{z(\tau)}{c}$$

e

$$x'(t) = x(\tau), \quad y'(t) = y(\tau). \quad (34.4)$$

Essas são equações complicadas, mas é suficientemente fácil montar um cenário geométrico para descrever a sua solução. Esse cenário nos fornecerá uma boa ideia qualitativa de como as coisas funcionam, mas ele ainda necessita de muita matemática detalhada para deduzir os resultados exatos de um problema complicado.

34–2 Encontrando o movimento "aparente"

A equação acima tem uma simplificação interessante. Se desconsiderarmos o atraso constante e desinteressante, R_0/c, que justamente significa que devemos modificar a origem de t por uma constante, então ela diz que

$$ct = c\tau + z(\tau), \quad x' = x(\tau), \quad y' = y(\tau). \quad (34.5)$$

Agora temos de encontrar x' e y' como funções de t, não de τ, e podemos fazer isso da seguinte maneira: a Eq. (34.5) nos diz que devemos considerar o movimento real e acres-

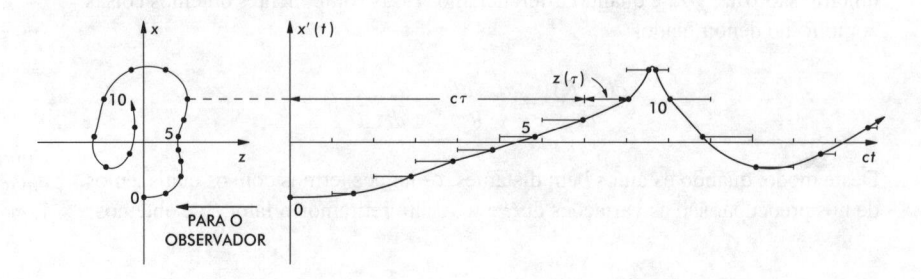

Figura 34–2 Uma solução geométrica para encontrar $x'(t)$ da Eq. (34.5).

centar uma constante (a velocidade da luz) vezes τ. O resultado do que isso significa é mostrado na Fig. 34-2. Consideramos o movimento real da carga (mostrado à esquerda) e imaginamos que conforme a carga anda ela está sendo varrida do ponto P na velocidade c (não existe uma contração da relatividade ou algo parecido; isso é apenas uma adição matemática de $c\tau$). Desse modo, obtemos um novo movimento, em que a coordenada da linha de visão é ct, como mostrado à direita. (A figura mostra o resultado de um movimento um tanto complicado em um plano, mas naturalmente o movimento pode não estar em um plano – pode até ser mais complicado do que o movimento em um plano.) O caso é que a distância horizontal (isto é, a linha de visão) agora não é mais o antigo z, mas é $z + c\tau$, e por isso é ct. Assim encontramos um desenho da curva, x' (e y') em função de t! Tudo que temos de fazer para encontrar o campo é olhar a aceleração dessa curva, isto é, diferenciá-lo duas vezes. Portanto a resposta final é: para encontrar o campo elétrico de uma carga móvel, considere o movimento da carga e translade-o para trás na velocidade c para "abri-lo"; então a curva, assim desenhada, é uma curva das posições x' e y' em função de t. A aceleração dessa curva fornece o campo elétrico como uma função de t. Ou, se desejarmos, podemos imaginar agora que esta curva "rígida" se adianta inteira na velocidade c através do plano de visão, para que o ponto da intersecção com o plano de visão tenha as coordenadas x' e y'. A aceleração desse ponto constitui o campo elétrico. Essa solução é tão exata quanto a fórmula com a qual iniciamos – ela é simplesmente uma representação geométrica.

Se o movimento for relativamente lento – por exemplo, se tivermos um oscilador que somente vai para cima e para baixo lentamente, então quando disparamos esse movimento na velocidade da luz –, obtemos, naturalmente, uma simples curva de cosseno, e isso resulta em uma fórmula que vimos durante um longo tempo: a do campo produzido por uma carga oscilante. Um exemplo mais interessante é o de um elétron se movendo rapidamente, quase na velocidade da luz, em um círculo. Se olharmos no plano do círculo, o $x'(t)$ retardado aparece como mostrado na Fig. 34-3. Que curva é esta? Se imaginarmos um raio vetor a partir do centro do círculo até a carga, e se estendermos essa linha radial um pouco além da carga, apenas uma sombra se estiver indo rápido, então chegamos a um ponto na linha que viaja na velocidade da luz. Por isso, quando transladamos o movimento para trás na velocidade da luz, isso corresponde a ter uma roda com uma carga rolando para trás (sem deslizar) na velocidade c; assim encontramos uma curva que é muito parecida com uma cicloide – que é chamada de *hipociclóide*. Se a carga estiver se movendo bem próxima da velocidade da luz, "as cúspides" são de fato muito pontudas; se ela tivesse exatamente à velocidade da luz, elas seriam cúspides verdadeiras, infinitamente pontudas. "Infinitamente pontudo" é algo interessante, pois significa que perto de uma cúspide a segunda derivada é enorme. Uma vez a cada ciclo, obtemos um pulso pronunciado do campo elétrico. Isso não é de modo algum o que obteríamos para um movimento não relativístico, no qual cada vez que a carga passa há uma oscilação que tem aproximadamente a mesma "intensidade" todo o tempo. Ao invés disso, existem pulsos muito pronunciados do campo elétrico espaçados em intervalos de tempo de T_0, onde T_0 é o período de revolução. Esses campos elétricos fortes são emitidos em um cone estreito na direção do movimento da carga. Quando a carga se afasta de P, existe uma curvatura muito pequena e o campo irradiado é muito pequeno na direção de P.

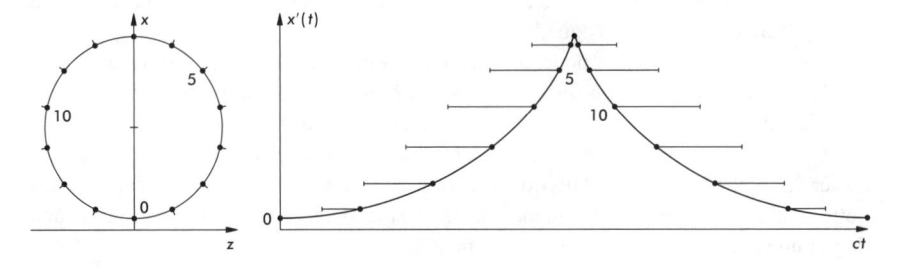

Figura 34–3 A curva $x'(t)$ para uma partícula em movimento com velocidade constante $v = 0{,}94c$ em um círculo.

34–3 Radiação síncrotron

Temos elétrons muito rápidos se movendo em caminhos circulares no síncrotron; eles estão se movendo muito próximos à velocidade c, e é possível ver a radiação mencionada acima como *luz* de fato! Vamos discutir isso mais detalhadamente.

No síncrotron temos elétrons que andam em círculos em um campo magnético uniforme. Primeiramente, vejamos por que eles andam em círculos. Da Eq. (28.2), sabemos que a força em uma partícula em um campo magnético é dada por

$$\mathbf{F} = q\mathbf{v} \times \mathbf{B}, \tag{34.6}$$

e forma ângulos retos tanto com o campo quanto com a velocidade. Como de hábito, a força é igual à taxa de variação do momento com o tempo. Se o campo for dirigido para cima e para fora do papel, o momento da partícula e a força nela são mostrados na Fig. 34-4. Como a força faz um ângulo reto com a velocidade, a energia cinética e, portanto, a velocidade permanecem *constantes*. Tudo o que o campo magnético faz é modificar a *direção do movimento*. Em um curto intervalo de tempo Δt, o vetor de momento varia em ângulo reto com relação a si mesmo por uma quantidade $\Delta \mathbf{p} = \mathbf{F}\Delta t$, portanto $\mathbf{p}$ gira de um ângulo $\Delta\theta = \Delta p/p = qvB\,\Delta t/p$, pois $|\mathbf{F}| = qvB$. Nesse mesmo tempo, a partícula se moveu uma distância $\Delta s = v\Delta t$. Evidentemente, as duas linhas, AB e CD, se cruzarão em um ponto O tal que $OA = OC = R$, onde $\Delta s = R\,\Delta\theta$. Combinando isso com as expressões anteriores, encontramos $R\,\Delta\theta/\Delta t = R\omega = v = qvBR/p$, a partir de que obtemos

$$p = qBR \tag{34.7}$$

e

$$\omega = qvB/p. \tag{34.8}$$

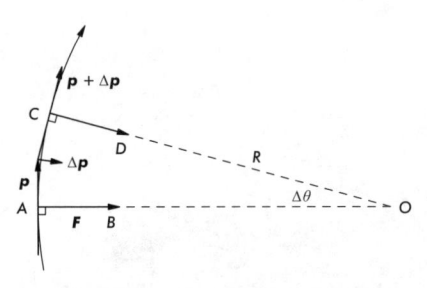

Figura 34-4 Uma partícula carregada se move em um caminho circular (ou helicoidal) em um campo magnético uniforme.

Como esse mesmo argumento pode ser aplicado para o próximo instante, o instante seguinte e assim por diante, concluímos que a partícula deve estar se movendo em um *círculo* de raio R, com velocidade angular ω.

O resultado que o momento da partícula é igual à carga vezes o raio vezes o campo magnético é uma lei muito importante, a qual é bastante utilizada. É importante para finalidades práticas porque, se tivermos partículas elementares as quais têm todas a mesma carga e as observarmos em um campo magnético, podemos medir os raios de curvatura das suas órbitas e, conhecendo o campo magnético, determinar assim os momentos dessas partículas. Se multiplicarmos ambos os lados da Eq. (34.7) por c e escrevermos q em termos da carga eletrônica, podemos medir o momento em unidades *elétron volts*. Nessas unidades, a nossa fórmula é

$$pc(\text{ev}) = 3 \times 10^8 (q/q_e)BR, \tag{34.9}$$

onde B, R e a velocidade da luz são todos escritos no sistema mks, a última sendo 3×10^8, numericamente.

A unidade mks do campo magnético é chamada de um *weber por metro quadrado*. Existe uma unidade mais antiga que ainda é usada comumente, chamada um *gauss*. Um weber/m² é igual a 10^4 gauss. Para dar uma ideia do tamanho dos campos magnéticos, o campo magnético mais forte que se pode fazer normalmente no ferro é de aproximadamente $1,5 \times 10^4$ gauss; acima disso e a vantagem de usar o ferro desaparece. Atualmente, eletroímãs enrolados com fios supercondutores são capazes de produzir campos estáveis com mais de 10^5 gauss de intensidade – isto é, 10 unidades mks. O campo da Terra é de alguns décimos de gauss no equador.

Retornando à Eq. (34.9), podemos imaginar o síncrotron funcionando com um bilhão de elétron volts, portanto pc seria 10^9 para um bilhão de elétron volts. (Voltaremos à energia em apenas um momento.) Então, se tivermos um B correspondente a, digamos, 10.000 gauss, que é um campo substancial, uma unidade mks, então vemos que R teria de ser 3,3 metros. O raio de fato do síncrotron do Caltech é 3,7 metros, o campo é um pouco maior e a energia é 1,5 bilhão, mas é a mesma ideia. Então agora temos uma ideia de por que o síncrotron tem o tamanho que tem.

Calculamos o momento, mas sabemos que a energia total, incluindo a energia de repouso, é dada por $W = \sqrt{p^2c^2 + m^2c^4}$, e para um elétron a energia de repouso correspondente a mc^2 é $0{,}511 \times 10^6$ eV, assim quando pc for 10^9 eV podemos desprezar mc^2; portanto, para todos os objetivos práticos, $W = pc$ quando as velocidades são relativísticas. É praticamente o mesmo dizer que a energia de um elétron é um bilhão de elétron volts do que dizer que o momento vezes c é um bilhão elétron volts. Se $W = 10^9$ eV, é fácil mostrar que a velocidade difere da velocidade da luz por apenas uma parte em oito milhões!

Consideraremos agora a radiação emitida por tal partícula. Uma partícula se movendo em um círculo de raio 3,3 metros, ou uma circunferência de 20 metros, completa uma volta aproximadamente no tempo que leva para a luz andar 20 metros. Portanto, o comprimento de onda que deve ser emitido por tal partícula seria 20 metros – na região de ondas curtas de rádio. Por causa do efeito de acumulação que estivemos discutindo (Fig. 34-3), e porque a distância pela qual devemos aumentar o raio para conseguir a velocidade c é somente uma parte em oito milhões do raio, as cúspides do hipociclóide são enormemente pronunciadas quando comparadas com a distância entre elas. A aceleração, que implica a segunda derivada com respeito ao tempo, obtém duas vezes o "fator de compressão" de 8×10^6, pois a escala de tempo é reduzida por oito milhões duas vezes na vizinhança da cúspide. Logo, poderíamos esperar que o comprimento de onda efetivo ficasse muito mais curto, 64 vezes 10^{12} menor do que 20 metros, o que corresponde à região de raio X. (De fato, a própria cúspide não é todo o fator determinante; também precisamos incluir uma certa região em torno da cúspide. Isso modifica o fator à potência 3/2 em vez do quadrado, mas ainda nos deixa acima da região óptica.) Assim, embora um elétron que se move lentamente tivesse irradiado ondas de rádio de 20 metros, o efeito relativístico reduz o comprimento de onda tanto que podemos *vê-lo*! Claramente, a luz deve ser *polarizada*, com o campo elétrico perpendicular ao campo magnético uniforme.

Para apreciarmos ainda mais o que seria observado, suponha que pegássemos tal luz (para simplificar as coisas consideraremos apenas um pulso, pois esses pulsos estão bastante distantes no tempo) e a direcionássemos para uma grade de difração, composta por muitas fendas espalhadoras. Depois que esse pulso sai da grade, o que vemos? (Deveríamos ver luz vermelha, luz azul e assim por diante, se virmos qualquer luz.) O que *vemos*? O pulso atinge a grade frontalmente, e todos os osciladores na grade são violentamente sacudidos para cima e para baixo novamente em conjunto, somente uma vez. Eles então produzem efeitos nas várias direções, como mostrado na Fig. 34-5, mas o ponto P é mais próximo de uma extremidade da grade do que da outra, portanto nesse ponto o campo elétrico da fenda A chega primeiro, depois o de B e assim por diante; finalmente, chega o pulso da última fenda. Em resumo, a soma das reflexões de todas as fendas sucessivas é como mostrada na Fig. 34-6(a); é um campo elétrico com uma série de pulsos e se parece muito a uma onda senoidal cujo comprimento de onda é a distância entre os pulsos, da mesma maneira que para uma luz monocromática incidente na grade! Deste modo, conseguimos luz colorida sem problemas. No entanto, pelo mesmo argumento, não obteremos luz de algum tipo de "pulso"? Não. Suponha que a curva fosse bem mais suave; então somaríamos todas as ondas espalhadas juntas, separadas por um pequeno tempo entre elas (Fig. 34-6b). Então vemos que o campo não balançaria de maneira alguma, seria uma curva bem lisa, pois cada pulso não varia muito no intervalo de tempo entre pulsos.

A radiação eletromagnética emitida por partículas carregadas relativísticas circulando em um campo magnético é chamada de *radiação síncrotron*. É assim denominada por razões óbvias, mas não está limitada especificamente a síncrotrons, ou até a laboratórios terrestres. É empolgante e interessante que ela também ocorra na natureza!

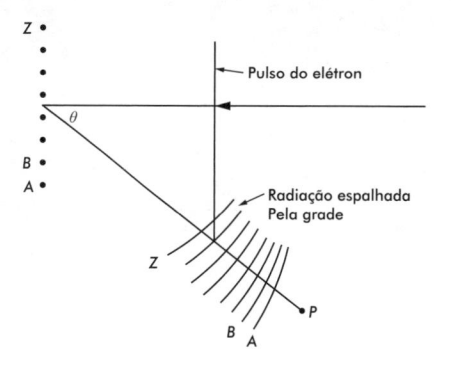

Figura 34–5 A luz incidente em uma grade, como um único pulso bem-definido, é espalhada em várias direções como cores diferentes.

Figura 34–6 O campo elétrico total devido a uma série de (a) pulsos bem-definidos e (b) pulsos suaves.

34–4 Radiação síncrotron cósmica

Em 1054, as civilizações chinesas e japonesas estavam entre as mais desenvolvidas do mundo; elas tinham consciência do universo externo e registraram, notavelmente, a explosão de uma estrela brilhante naquele ano. (É assombroso que nenhum dos monges europeus, escrevendo todos os livros da Idade Média, tenha se incomodado em escrever

Figura 34-7 A nebulosa do Caranguejo vista com todas as cores (sem filtros).

Figura 34-8 A nebulosa do Caranguejo vista através de um filtro azul e um polaroide. (a) Vetor elétrico vertical. (b) Vetor elétrico horizontal.

que uma estrela explodiu no céu, mas eles não o fizeram.) Hoje podemos tirar uma foto daquela estrela, e o que vemos é mostrado na Fig. 34-7. No exterior é uma grande massa de filamentos vermelhos, que é produzida pelos átomos do gás rarefeito "ressonando" nas suas frequências naturais; isto faz um espectro de linhas brilhantes com diferentes frequências. Nesse caso, o vermelho é devido ao nitrogênio. Por outro lado, a região central é um misterioso borrão de luz com uma distribuição *contínua* em frequência, isto é, não exite nenhuma frequência especial associada a determinados átomos, mas isto não é poeira "iluminada" por estrelas próximas, que é uma maneira de se obter um espectro contínuo. Podemos ver estrelas através dele, portanto é transparente, mas ele está *emitindo* a luz.

Na Fig. 34-8, vemos o mesmo objeto, usando luz em uma região do espectro que não tem nenhuma linha espectral brilhante, para enxergarmos apenas a região central. Nesse caso, os polarímetros também foram postos no telescópio, e as duas visões correspondem a duas orientações separadas por 90°. Vemos que as fotos são diferentes! Isto é, a luz é polarizada. A razão, possivelmente, é que há um campo magnético local, e muitos elétrons bastante enérgicos estão girando em torno daquele campo magnético.

Acabamos de ilustrar como os elétrons podem girar em volta do campo em um círculo. Podemos acrescentar a isso, naturalmente, qualquer movimento uniforme na direção do campo, uma vez que a força, $q\mathbf{v} \times \mathbf{B}$, não tem nenhuma componente nesta direção e, como já notamos, a radiação síncrotron é evidentemente polarizada em uma direção com ângulo reto em relação à projeção do campo magnético no plano de visão.

Juntando esses dois fatos, vemos que na região que em uma foto é brilhante e na outra é preta, a luz deve ter o seu campo elétrico completamente polarizado em uma direção. Isso significa que existe um campo magnético com um ângulo reto com respeito a essa direção, enquanto que em outras regiões, em que há uma emissão forte na outra foto, o campo magnético deve estar virado para o outro lado. Se olharmos cuidadosamente para a Fig. 34-8, podemos notar que há, grosseiramente falando, um conjunto geral de "linhas" que vão para um lado em uma foto e em ângulos retos a essa direção na outra. As fotos mostram uma espécie de estrutura de fibras. Possivelmente, as linhas de campo magnético tenderão a se estender por distâncias relativamente longas na sua própria direção; assim, presumivelmente existem regiões extensas de campo magnético com todos os elétrons espiralando de uma maneira, enquanto em outra região o campo possui outra direção e os elétrons também estão espiralando de outra maneira.

O que mantém a energia dos elétrons tão alta durante um tempo tão longo? Afinal, são 900 anos desde a explosão – como eles podem continuar indo tão rapidamente? Como eles mantém a sua energia e como toda a coisa é mantida ainda não é completamente entendido.

34–5 Bremsstrahlung

Em seguida, faremos resumidamente uma observação sobre outro efeito interessante de uma partícula muito rápida que irradia energia. A ideia é muito semelhante àquela que acabamos de discutir. Suponha que existam partículas carregadas em uma parte da matéria e um elétron muito rápido chega (Fig. 34-9). Então, por causa do campo elétrico em volta do núcleo atômico, o elétron é puxado, acelerado, de maneira que a curva ou o seu movimento tenham uma leve corcova ou curva nele. Se o elétron estiver viajando quase na velocidade da luz, qual é o campo elétrico produzido na direção C? Lembre-se da nossa regra: tomamos o movimento real, transladamo-lo para trás na velocidade c e isso nos fornece uma curva cuja curvatura mede o campo elétrico. Ele vinha em nossa direção na velocidade v, portanto obtemos um movimento reverso, com o cenário inteiro comprimido em uma distância menor na proporção que $c - v$ é menor do que c. Deste modo, se $1 - v/c \ll 1$, existe uma curvatura muito pronunciada e rápida em B', e quando tomamos a segunda derivada obtemos um campo muito alto na direção do movimento. Assim quando elétrons muito enérgicos se movem pela matéria, eles cospem radiação na direção para frente. Isto é chamado de *bremsstrahlung*. De fato, o síncrotron é usado menos para gerar elétrons de alta energia (de fato se conseguíssemos obtê-los fora da máquina de uma forma mais conveniente, não diríamos isso), e mais para criar fótons muito enérgicos – raios gama – passando os elétrons enérgicos por um "alvo" de tungstênio sólido e deixando-os irradiar fótons por este efeito de bremsstrahlung.

Figura 34–9 Um elétron rápido passando próximo a um núcleo irradia energia na direção do seu movimento.

34–6 O efeito Doppler

Agora vamos considerar alguns outros exemplos dos efeitos de fontes em movimento. Vamos supor que a fonte é um átomo estacionário que está oscilando em uma de suas frequências naturais, ω_0. Então sabemos que a frequência da luz que observaríamos é ω_0. Vamos considerar outro exemplo, no qual temos um oscilador semelhante oscilando com uma frequência ω_1 e ao mesmo tempo o átomo inteiro, o oscilador inteiro, está se movendo ao longo de uma direção na direção do observador com velocidade v. Então o movimento real no espaço, naturalmente, é o mostrado na Fig. 34-10(a). Agora fazemos o nosso jogo habitual, acrescentamos $c\tau$; isto é, transladamos a curva inteira para trás e encontramos então que ela oscila como na Fig. 34-10(b). Em um certo tempo τ, quando o oscilador percorreu uma distância $v\tau$, no diagrama x' versus ct, ele caminha uma distância $(c-v)/\tau$. Portanto, todas as oscilações de frequência ω_1 no tempo $\Delta\tau$ são encontradas agora no intervalo $\Delta t = (1 - v/c)\,\Delta\tau$; elas foram comprimidas juntas, e conforme essa curva passa por nós na velocidade c, veremos a luz com *frequência mais alta*, mais alta justamente pelo fator de compressão $(1 - v/c)$. Assim notamos que

$$\omega = \frac{\omega_1}{1 - v/c}. \qquad (34.10)$$

É claro que podemos analisar essa situação de diferentes maneiras. Suponha que o átomo estivesse emitindo, ao invés de ondas senoidais, uma série de pulsos, pip, pip, pip, pip, com uma certa frequência ω_1. Em que frequência eles seriam recebidos por nós? O primeiro que chega tem um certo atraso, mas o seguinte é atrasado menos porque nesse meio-tempo o átomo se aproximou do receptor. Portanto, o tempo entre os "pips" é reduzido pelo movimento. Se analisarmos a geometria da situação, encontramos que a frequência dos "pips" é aumentada pelo fator $1/(1 - v/c)$.

É $\omega = \omega_0/(1-v/c)$, então, a frequência que seria observada se tomássemos um átomo comum, com uma frequência natural ω_0, e o movêssemos na direção do receptor na velocidade v? Não; como sabemos bem, a frequência natural ω_1 de um átomo em movimento não é a mesma que a medida quando ele está imóvel, por causa da dilatação relativística na taxa de passagem do tempo. Assim, se ω_0 fosse a frequência natural verdadeira, então a frequência natural modificada ω_1 seria

$$\omega_1 = \omega_0 \sqrt{1 - v^2/c^2}. \qquad (34.11)$$

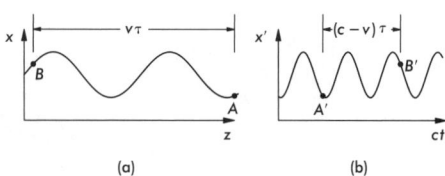

Figura 34–10 As curvas $x - z$ e $x' - t$ de um oscilador em movimento.

Portanto, a frequência observada ω é

$$\omega = \frac{\omega_0 \sqrt{1 - v^2/c^2}}{1 - v/c}. \qquad (34.12)$$

O deslocamento em frequência observado na situação mencionada acima é chamado de *efeito Doppler:* se algo se move em nossa direção, a luz emitida parece mais azul, e se ele se afasta, parece mais vermelho.

Faremos agora mais duas derivações desse mesmo resultado interessante e importante. Suponha que a *fonte* está imóvel e emitindo ondas na frequência ω_0, enquanto que o *observador* está se movendo com velocidade v em direção à fonte. Após um certo período de tempo t, o observador terá se movido para uma nova posição, uma distância vt de onde ele estava em $t = 0$. Quantos radianos da fase ele terá visto passar? Um certo número, $\omega_0 t$, passou por qualquer ponto fixo, além disso o observador passou por mais um pouco devido ao seu próprio movimento, a saber um número vtk_0 (o número de radianos por metro vezes a distância). Portanto, o número total de radianos no tempo t, ou a frequência observada, seria $\omega_1 = \omega_0 + k_0 v$. Fizemos esta análise do ponto da vista de um homem em repouso; agora gostaríamos de saber como se pareceria para um homem em movimento. Aqui temos de nos preocupar novamente com a diferença da taxa de tempo dos dois observadores, e dessa vez isso significa que temos que *dividir* por $\sqrt{1 - v^2/c^2}$. Assim se k_0 é o número de onda, o número de radianos por metro na direção do movimento, e ω_0 é a frequência, então a frequência observada para um homem em movimento é

$$\omega = \frac{\omega_0 + k_0 v}{\sqrt{1 - v^2/c^2}}. \qquad (34.13)$$

Para o caso da luz, sabemos que $k_0 = \omega_0/c$. Desse modo, neste determinado problema, a equação seria

$$\omega = \frac{\omega_0(1 + v/c)}{\sqrt{1 - v^2/c^2}}, \qquad (34.14)$$

que parece completamente diferentemente da fórmula (34.12)! Será que a frequência que observaríamos quando nos movemos em direção a uma fonte seria diferente da frequência que veríamos se a fonte estivesse se movendo em nossa direção? Claro que não! A teoria da relatividade nos diz que essas duas devem ser *exatamente iguais*. Se fôssemos matemáticos peritos, reconheceríamos provavelmente que essas duas expressões matemáticas *são* exatamente iguais! De fato, a igualdade *necessária* das duas expressões é uma das maneiras pelas quais algumas pessoas gostam de demonstrar que a relatividade precisa de uma dilatação do tempo, porque se não incluíssemos aqueles fatores de raiz quadrada, elas não seriam mais iguais.

Como conhecemos a relatividade, vamos ainda analisar o problema de um terceiro modo, que pode parecer um pouco mais geral. (Ele é realmente a mesma coisa, pois não faz nenhuma diferença *como* o fazemos!) Segundo a teoria da relatividade, existe uma relação entre a posição e o tempo como observado por um homem e a posição e o tempo vistos por um outro homem que está se movendo em relação ao primeiro. Escrevemos essas relações há muito tempo (Capítulo 16), a *transformação Lorentz* e a sua inversa:

$$x' = \frac{x + vt}{\sqrt{1 - v^2/c^2}}, \qquad x = \frac{x' - vt'}{\sqrt{1 - v^2/c^2}},$$

$$t' = \frac{t + vx/c^2}{\sqrt{1 - v^2/c^2}}, \qquad t = \frac{t' - vx'/c^2}{\sqrt{1 - v^2/c^2}}. \qquad (34.15)$$

Se ficássemos imóveis no solo, a forma de uma onda seria $\cos(\omega t - kx)$; todos os nodos, os máximos e os mínimos seguiriam essa forma. O que o homem em movimento veria, observando a mesma onda física? Onde o campo é o zero, as posições de todos os nodos são as mesmas (quando o campo é *zero, todos* medem o campo como zero); esse é um invariante relativístico. Portanto a forma é a mesma para o outro homem também, exceto que devemos transformá-la para o seu sistema de referência:

$$\cos(\omega t - kx) = \cos\left[\omega \frac{t' - vx'/c^2}{\sqrt{1 - v^2/c^2}} - k \frac{x' - vt'}{\sqrt{1 - v^2/c^2}}\right].$$

Se reagruparmos os termos dentro dos colchetes, obtemos

$$\cos(\omega t - kx) = \cos\left[\underbrace{\frac{\omega + kv}{\sqrt{1 - v^2/c^2}}}_{\omega'} t' - \underbrace{\frac{k + v\omega/c^2}{\sqrt{1 - v^2/c^2}}}_{k'} x'\right]$$
$$= \cos[\quad \omega' \quad t' - \quad k' \quad x']. \quad (34.16)$$

Isso é novamente uma onda, uma onda cosseno, na qual há uma certa frequência ω', uma constante de multiplicação t' e alguma outra constante, k', multiplicando x'. Chamamos k' de o número de onda, ou o número de ondas por metro, para o outro homem. Portanto, o outro homem verá uma nova frequência e um novo número de onda dados por

$$\omega' = \frac{\omega + kv}{\sqrt{1 - v^2/c^2}}, \quad (34.17)$$

$$k' = \frac{k + \omega v/c^2}{\sqrt{1 - v^2/c^2}}. \quad (34.18)$$

Se olharmos para (34.17), veremos que ela é a mesma fórmula (34.13), que obtivemos por um argumento mais físico.

34–7 O quadrivetor ω, k

As relações indicadas pelas Eqs. (34.17) e (34.18) são muito interessantes, pois nos dizem que a nova frequência ω' é uma combinação da frequência antiga com o antigo número de onda k, e que o novo número de onda é uma combinação do antigo número de onda e frequência. O número de onda é a taxa de variação da fase com a distância, e a frequência é a taxa de variação da fase no tempo, e nessas expressões vemos uma analogia bastante próxima com a transformação Lorentz para a posição e o tempo: se ω for considerado como sendo t, e k como x dividido por c^2, então o novo ω' será como t' e o novo k' será como x'/c^2. Isto é, *sob uma transformação de Lorentz, ω e k se transformam da mesma maneira que t e x*. Eles constituem o que chamamos um *quadrivetor*; quando uma quantidade tem quatro componentes que se transformam como tempo e espaço, ela é um quadrivetor. Tudo parece muito bem, então, exceto por um detalhe: dissemos que um quadrivetor tem *quatro componentes*; onde estão as outras duas componentes? Vimos que ω e k se parecem com tempo e espaço em uma direção espacial, mas não em todas as direções, portanto devemos estudar a seguir o problema da propagação da luz em três dimensões espaciais, e não somente em uma direção, como fizemos até agora.

Considere um sistema de coordenadas, x, y, z, e uma onda se propagando cuja frente está mostrada na Fig. 34-11. O comprimento de onda da onda é λ, mas a direção do movimento da onda não está na direção de um dos eixos. Qual a fórmula dessa onda? A resposta é claramente $\cos(\omega t - ks)$, onde $k = 2\pi/\lambda$ e s é a distância ao longo da direção do movimento da onda – a componente da posição espacial na direção do movimento. Colocando da seguinte forma: se $\mathbf{r}$ for o vetor posição de um ponto no espaço, então s é $\mathbf{r} \cdot \mathbf{e}_k$, onde $\mathbf{e}_k$ é um vetor unitário na direção do movimento. Isto é, s é justamente $r \cos(\mathbf{r}, \mathbf{e}_k)$, a componente da distância na direção do movimento. Portanto, a nossa onda é $\cos(\omega t - k\mathbf{e}_k \cdot \mathbf{r})$.

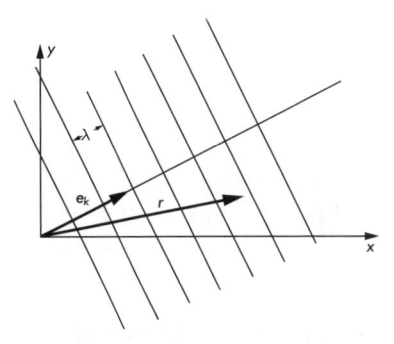

Figura 34–11 Uma onda plana se propagando em uma direção oblíqua.

É muito conveniente definir um vetor **k**, que é chamado de *vetor de onda*, que tem uma magnitude igual ao número de onda, $2\pi/\lambda$, e aponta na direção da propagação das ondas:

$$\mathbf{k} = 2\pi\mathbf{e}_k/\lambda = k\mathbf{e}_k. \tag{34.19}$$

Usando esse vetor, a nossa onda pode ser escrita como $\cos(\omega t - \mathbf{k} \cdot \mathbf{r})$, ou como $\cos(\omega t - k_x x - k_y y - k_z z)$. Qual o significado de uma componente de **k**, digamos k_x? Claramente, o k_x é a taxa de variação da fase com respeito a x. Referindo-nos à Fig. 34-11, vemos que a fase se modifica conforme modificamos x, exatamente como se houvesse uma onda ao longo de x, *mas com um comprimento de onda mais longo*. O "comprimento de onda na direção x" é mais longo do que um comprimento da onda natural verdadeira pela secante do ângulo α entre a direção real da propagação e o eixo x:

$$\lambda_x = \lambda/\cos \alpha. \tag{34.20}$$

Por isso, a taxa de variação da fase, que é proporcional ao *recíproco* de λ_x é *menor* pelo fator $\cos \alpha$; é justamente como k_x se modificaria – seria a magnitude de **k** vezes o cosseno do ângulo entre **k** e o eixo x!

Essa, então, é a natureza do vetor de onda que usamos para representar uma onda em três dimensões. As quatro quantidades ω, k_x, k_y, k_z se transformam na relatividade como um quadrivetor, onde ω corresponde ao tempo e k_x, k_y, k_z correspondem às componentes x, y e z do quadrivetor.

Em nossa discussão anterior sobre relatividade especial (Capítulo 17), aprendemos que existem maneiras de realizar produtos escalares relativísticos com quadrivetores. Se usarmos o vetor de posição x_μ, onde μ representa as quatro componentes (o tempo e as três espaciais), e se chamarmos o vetor de onda k_μ onde o índice μ novamente tem quatro valores, o tempo e as três espaciais, então o produto escalar de x_μ e k_μ é escrito como $\Sigma' k_\mu x_\mu$ (ver o Capítulo 17). Este produto escalar é um invariante, independente do sistema de coordenadas; a que ele é igual? Pela definição desse produto escalar em quatro dimensões, ele é

$$\Sigma' k_\mu x_\mu = \omega t - k_x x - k_y y - k_z z. \tag{34.21}$$

A partir do nosso estudo de vetores, sabemos que $\Sigma' k_\mu x_\mu$ é invariante para a transformação Lorentz, pois k_μ é um quadrivetor. Essa quantidade é precisamente o que aparece dentro do cosseno de uma onda plana, e *deveria* ser invariante em uma transformação Lorentz. Não podemos ter uma fórmula com algo que se modifique dentro do cosseno, pois sabemos que a fase da onda não pode se modificar quando mudamos o sistema de coordenadas.

34–8 Aberração

Na derivação das Eqs. (34.17) e (34.18), tomamos um exemplo simples no qual **k** encontrava-se na direção do movimento, mas naturalmente podemos generalizá-lo a outros casos também. Por exemplo, suponha que há uma fonte emitindo luz em uma certa direção a partir do ponto da vista de um homem em repouso, mas estamos nos movendo junto com a Terra, digamos (Fig. 34-12). De qual direção a luz parece vir? Para descobrir, teremos de escrever as quatro componentes de k_μ e aplicar a transformação de Lorentz. A resposta, contudo, pode ser encontrada pelo seguinte argumento: temos de apontar o nosso telescópio a um certo ângulo para ver a luz. Por quê? Como a luz está vindo à velocidade c, e estamos nos movendo para o lado à velocidade v, o telescópio tem de ser inclinado para a frente para que, conforme a luz chegue, ela vá "diretamente" para dentro do tubo. É muito fácil ver que a distância horizontal é vt quando a distância vertical é ct, e portanto, se θ' for o ângulo de inclinação, $\mathrm{tg}\,\theta' = v/c$. Que belo! Belo, de fato – exceto por uma pequena coisa: θ' não é o ângulo no qual teríamos que arrumar o telescópio *relativamente à Terra*, pois fizemos a nossa análise do ponto da vista de um observador "fixo". Quando dissemos que a distância horizon-

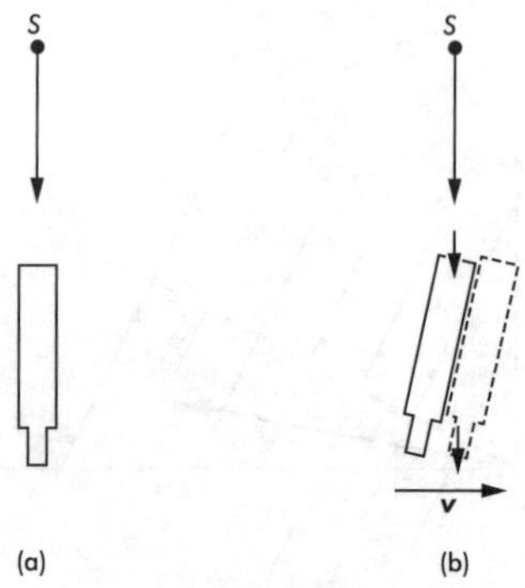

Figura 34–12 Uma fonte distante S é vista por (a) um telescópio estacionário e (b) um telescópio com movimento lateral.

tal é vt, o homem na Terra teria encontrado uma distância diferente, pois ele mediu com uma régua "comprimida". Acontece que, por causa desse efeito de contração,

$$\operatorname{tg} \theta = \frac{v/c}{\sqrt{1 - v^2/c^2}}, \qquad (34.22)$$

que é equivalente a

$$\operatorname{sen} \theta = v/c. \qquad (34.23)$$

Será instrutivo para o estudante deduzir esse resultado, usando a transformação Lorentz.

Esse efeito, que um telescópio tem de ser inclinado, é chamado de *aberração* e já foi observado. *Como* podemos observá-lo? Quem pode dizer onde uma certa *deve* estar? Suponha que *realmente* tenhamos de olhar na direção incorreta para ver uma estrela; como sabemos que ela é a direção incorreta? Porque a Terra gira em torno do Sol. Hoje temos de apontar o telescópio de uma maneira; seis meses depois, temos de inclinar o telescópio de outra maneira. Assim, podemos afirmar que tal efeito existe.

34–9 O momento da luz

Agora mudamos para um tópico diferente. Não falamos, em toda a nossa discussão dos poucos capítulos passados, sobre os efeitos do campo *magnético* associado à luz. Geralmente, os efeitos do campo magnético são muito pequenos, mas existe um efeito interessante e importante que é consequência do campo magnético. Considere que a luz está vindo de uma fonte e está atuando em uma carga, induzindo essa carga para cima e para baixo. Suporemos que o campo elétrico está na direção x, portanto o movimento da carga também está na direção x: ela tem uma posição x e uma velocidade v, como mostrado na Fig. 34-13. O campo magnético está a um ângulo reto em relação ao campo elétrico, e como o campo elétrico atua na carga e a movimenta para cima e para baixo, o que o campo magnético faz? O campo magnético atua na carga (digamos, um elétron) somente quando ele está se movendo; mas o elétron *está* se movendo, induzido pelo campo elétrico, portanto os dois trabalham juntos: enquanto a coisa está indo para cima e para baixo, ela tem uma velocidade e uma força atua nela, B vezes v vezes q; mas em que *direção* está essa força? Ela está na direção de propagação da luz. Portanto, quando a luz está incidindo em uma carga e esta está oscilando em resposta a tal luz, há uma força motriz na direção do raio de luz. Isso é chamado de *pressão de radiação* ou de pressão da luz.

Vamos determinar quão forte é a pressão de radiação. Evidentemente ela é $F = qvB$ ou, como tudo está oscilando, ela é a *média no tempo* disso, $\langle F \rangle$. A partir de (34.2), a intensidade do campo magnético é a mesma intensidade do campo elétrico dividida por c, portanto temos de encontrar a média do campo elétrico vezes a velocidade vezes a carga vezes $1/c$: $\langle F \rangle = q \langle vE \rangle / c$. A carga q vezes o campo E é a força elétrica em uma carga, e a força na carga vezes a velocidade é o trabalho dW/dt sendo realizado sobre a carga! Portanto, a força, "o momento que empurra", que é fornecido por segundo pela luz, é igual a $1/c$ vezes a *energia absorvida* a partir da luz por segundo! É uma regra geral, pois não dissemos quão forte era o oscilador ou se algumas das cargas se cancelavam. *Em qualquer circunstância na qual a luz está sendo absorvida, há uma pressão.* O momento que a luz fornece é sempre igual à energia que é absorvida dividida por c:

$$\langle F \rangle = \frac{dW/dt}{c}. \qquad (34.24)$$

Que a luz transporta energia já sabíamos. Agora entendemos que ela também transporta *momento* e, além disso, que o momento transportado é sempre $1/c$ vezes a energia.

Quando uma fonte emite luz, há um efeito de recuo: a mesma coisa ao contrário. Se um átomo estiver emitindo uma energia W em alguma direção, então existe um

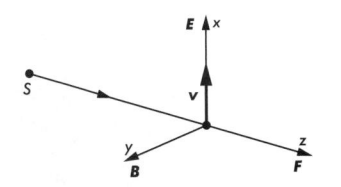

Figura 34–13 A força magnética em uma carga que é movida por um campo elétrico encontra-se na direção do feixe de luz.

momento de recuo $p = W/c$. Se a luz for *refletida* normalmente de um espelho, obtemos duas vezes a força.

Isto é o mais longe que vamos chegar usando a teoria clássica da luz. Naturalmente sabemos que existe uma teoria quântica, e que sob muitos aspectos a luz age como uma partícula. A energia de uma partícula-luz é uma constante vezes a frequência:

$$W = h\nu = \hbar\omega \tag{34.25}$$

Agora vemos que a luz também transporta um momento igual à energia dividida por c, portanto é também verdadeiro que essas partículas efetivas, esses *fótons*, transportam um momento

$$p = W/c = \hbar\omega/c = \hbar k. \tag{34.26}$$

A *direção* do momento é, naturalmente, a direção de propagação da luz. Desse modo, colocando na forma vetorial,

$$W = \hbar\omega, \quad \mathbf{p} = \hbar\mathbf{k}. \tag{34.27}$$

Também sabemos, é claro, que a energia e o momento de uma partícula devem formar um quadrivetor. Acabamos de descobrir que ω e $\mathbf{k}$ formam um quadrivetor. Portanto, ainda bem que (34.27) tem a mesma constante em ambos os casos; isso significa que a teoria quântica e a teoria da relatividade são mutuamente consistentes.

A Equação (34.27) pode ser escrita mais elegantemente como $p_\mu = \hbar k_\mu$ uma equação relativística, para uma partícula associada com uma onda. Embora tenhamos discutido isso somente para fótons, para os quais k (a magnitude de $\mathbf{k}$) se iguala a ω/c e $p = W/c$, a relação é muito mais geral. Na mecânica quântica, *todas* as partículas, não apenas os fótons, exibem propriedades similares às de uma onda, mas a frequência e o número de onda estão relacionados à energia e ao momento das partículas por (34.27) (denominadas relações de Broglie) mesmo quando p não for igual a W/c.

No último capítulo, vimos que um raio de luz circularmente polarizada à direita ou à esquerda também transporta *o momento angular* em uma quantidade proporcional à energia $\mathcal{E}$ da onda. Na visão quântica, um raio da luz circularmente polarizada é considerado como uma corrente de fótons, cada um transportando um momento angular $\pm\hbar$ ao longo da direção de propagação. É o que acontece com a polarização do ponto de vista corpuscular – os fótons transportam o momento angular como balas de rifle girando. Ainda assim, esse cenário de "bala" é realmente tão incompleto quanto o cenário de "onda", e teremos de discutir essas ideias mais completamente em um capítulo posterior sobre Comportamento Quântico.

35

Visão em Cores

35–1 O olho humano

O fenômeno das cores depende parcialmente do mundo físico. Discutimos as cores de filmes de sabão e assim por diante como sendo produzidas pela interferência, mas também, naturalmente, depende do olho, ou o que acontece atrás do olho, no cérebro. A física caracteriza a luz que entra no olho, mas depois disso, as nossas sensações são o resultado de processos neurais fotoquímicos e de respostas psicológicas.

Existem muitos fenômenos interessantes associados com a visão que implicam uma mistura de fenômenos físicos e processos fisiológicos, e a apreciação completa dos fenômenos naturais, como os *vemos*, deve ultrapassar a física no sentido habitual. Não pedimos desculpa por fazer essas excursões em outros campos, porque a separação de campos, como enfatizamos, é simplesmente uma conveniência humana, e uma coisa não natural. A natureza não está interessada nas nossas divisões, e muitos dos fenômenos interessantes preenchem as lacunas entre os campos.

No Capítulo 3, já discutimos a relação entre a física e as outras ciências em termos gerais, mas agora iremos olhar com algum detalhe para um campo específico no qual a física e as outras ciências estão muito estreitamente relacionadas. Essa área é a *visão*. Especialmente, discutiremos a *visão em cores*. No presente capítulo, discutiremos principalmente os fenômenos observáveis da visão humana, e no próximo capítulo consideraremos os aspectos fisiológicos da visão, tanto no ser humano como em outros animais.

Tudo começa com o olho; assim, para entender os fenômenos que vemos, um pouco de conhecimento sobre o olho é necessário. No capítulo seguinte, discutiremos em algum detalhe como funcionam as várias partes do olho e como elas são interligadas com o sistema nervoso. Por enquanto, descreveremos somente resumidamente como o olho funciona (Fig. 35-1).

A luz entra no olho pela *córnea*; já discutimos como é ela curvada e a imagem é formada em uma camada chamada *retina* atrás do olho, de modo que partes diferentes da retina recebem luz de partes distintas do campo visual externo. A retina não é uniforme: há um lugar, uma região, no centro do nosso campo da visão que usamos quando estamos tentando ver as coisas muito cuidadosamente, e no qual temos a acuidade maior da visão; é chamado *fóvea* ou *mácula*. As partes laterais do olho, como apreciamos imediatamente da nossa experiência em ver as coisas, não são tão eficazes para enxergar os detalhe como é o centro do olho. Existe também uma mancha na retina na qual os nervos que transportam toda a informação se esgotam; é um ponto cego. Não há nenhuma parte sensível da retina ali, e é possível demonstrar que se fecharmos, digamos, o olho esquerdo e olharmos diretamente para algo, e logo movermos um dedo ou outro pequeno objeto lentamente fora do campo da visão, ele repentinamente desaparece em algum lugar. O único uso prático conhecido desse fato foi por um fisiologista, que se tornou favorito na corte de um rei da França ao mostrar-lhe isso; nas sessões maçantes que o rei tinha com seus cortesões, ele podia se divertir "cortando as cabeças", olhando para uma e vendo a cabeça de outro desaparecer.

A Figura 35–2 mostra uma visão ampliada do interior da retina de uma forma um tanto esquemática. Em partes diferentes da retina existem tipos diferentes de estruturas. Os objetos que se encontram mais densamente perto da periferia da retina são chamados de *bastonetes*. Próximo à fóvea, encontramos, além dessas células de bastonetes, também células *cone*. Descreveremos a estrutura dessas células depois. Conforme nos aproximamos da fóvea, o número de cones aumenta, e na fóvea propriamente dita existem de fato apenas as células cone, compactadas tão comprimidamente que as células cone são muito mais finas, ou mais estreitas, aqui do que em qualquer outro lugar. Portanto devemos perceber que enxergamos com os cones bem no meio do campo da visão, mas conforme vamos à periferia temos outras

35–1 O olho humano

35–2 A cor depende da intensidade

35–3 Medindo a sensação de cor

35–4 O diagrama de cromaticidade

35–5 O mecanismo da visão em cores

35–6 Fisioquímica da visão em cores

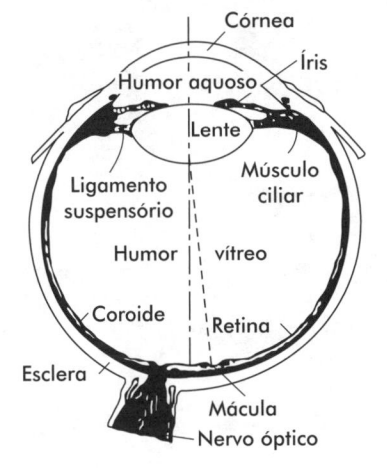

Figura 35–1 O olho.

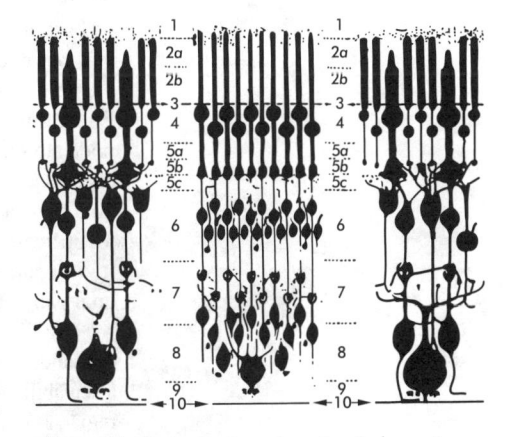

Figura 35–2 A estrutura da retina (a luz entra pela parte de baixo).

células, os bastonetes. O ponto interessante é que, na retina, cada uma das células sensíveis a luz não são conectadas por uma fibra diretamente ao nervo óptico, mas são unidas a muitas outras células, conectadas umas às outras. Há vários tipos de células: há as que transportam a informação para o nervo óptico, mas há outras que são principalmente interligadas "horizontalmente". Existem essencialmente quatro tipos de células, mas não entraremos nesses detalhes agora. O principal ponto que enfatizamos é que o sinal de luz já "foi pensado". Isto é, a informação de várias células não vai imediatamente para o cérebro, ponto por ponto, mas na retina uma certa quantidade de informação já foi digerida, ao combinar a informação de vários receptores visuais. É importante entender que alguns fenômenos da função cerebral ocorrem no próprio olho.

35–2 A cor depende da intensidade

Um dos fenômenos mais impressionante da visão é a adaptação do olho ao escuro. Se entrarmos no escuro vindos de uma sala bem iluminada, não podemos ver muito bem durante algum tempo, mas gradualmente as coisas ficam cada vez mais evidentes, e logo conseguimos ver algo onde não podíamos ver nada antes. Se a intensidade da luz for muito baixa, as coisas que vemos não têm *nenhuma cor*. É sabido que essa visão adaptável ao escuro é quase que inteiramente decorrente dos bastonetes, enquanto que a visão na luz brilhante se deve aos cones. Por conseguinte, há um número de fenômenos que podemos apreciar facilmente por causa dessa transferência de função dos cones e bastonetes juntos para somente os bastonetes.

Há muitas situações nas quais, se a intensidade da luz fosse mais forte, poderíamos enxergar a cor, e acharíamos essas coisas bastante bonitas. Um exemplo disso é que quase sempre através de um telescópio vemos as imagens "pretas e brancas" das nebulosas fracas, mas W. C. Miller dos Observatórios de Mt. Wilson e Palomar teve a paciência de tirar fotos em *cores* de alguns desses objetos. Ninguém realmente já viu alguma vez essas cores com seus olhos, mas elas não são cores artificiais, é simplesmente que a intensidade da luz não é bastante forte para que seja vista pelos cones no nosso olho. Entre os objetos mais espetaculares estão a nebulosa do anel e a nebulosa do Caranguejo. A primeira mostra uma bela parte interior azul, com um halo externo vermelho brilhante, e a última mostra uma neblina azulada geral permeada por filamentos de cor laranja-vermelho brilhante.

Aparentemente, os bastonetes têm uma sensibilidade muito baixa para a luz brilhante, mas na escuridão, conforme o tempo passa, eles adquirem a capacidade de ver a luz. As variações na intensidade da luz às quais podemos nos adaptar são de mais de um milhão para um. A natureza não faz tudo isso somente com uma espécie da célula, mas delega o trabalho das células que veem luz brilhante e cor, isto é, os cones, para as células de baixa intensidade e adaptadas ao escuro, ou seja, os bastonetes. Entre as consequências interessantes dessa troca está, em primeiro lugar, que não existe nenhuma cor, e segundo, que há uma diferença no brilho relativo de objetos de diferentes coloridos. Acontece que os bastonetes enxergam o azul melhor do que os cones, enquanto que os cones podem ver, por exemplo, a luz de um vermelho profundo, que para os bastonetes é absolutamente impossível de se ver: a luz vermelha é preta no que diz respeito aos bastonetes. Então dois pedaços de papel colorido, digamos azul e vermelho, em que o vermelho pode até ser mais brilhante do que o azul na luz, parecerão completamente invertidos na escuridão. Esse é um efeito bastante notável. Se estivermos no escuro e encontrarmos uma revista ou algo que tenha cores, antes que saibamos com certeza quais são as cores, identificamos quais são as áreas mais claras e as mais escuras, e se então levarmos a revista para a luz, veremos essa troca bastante notável entre qual cor é mais brilhante e qual não é. O fenômeno é chamado o *efeito de Purkinje*.

Na Fig. 35-3, a curva tracejada representa a sensibilidade do olho na escuridão, isto é, usando os bastonetes, enquanto a curva sólida é a representação para a luz. Vemos que a sensibilidade máxima dos bastonetes está na região verde e que a dos cones está mais na região amarela. Se houver uma página colorida de vermelho (vermelho é aproximadamente 650 nm) podemos ver se ele é brilhantemente iluminado, mas na escuridão ele é quase invisível.

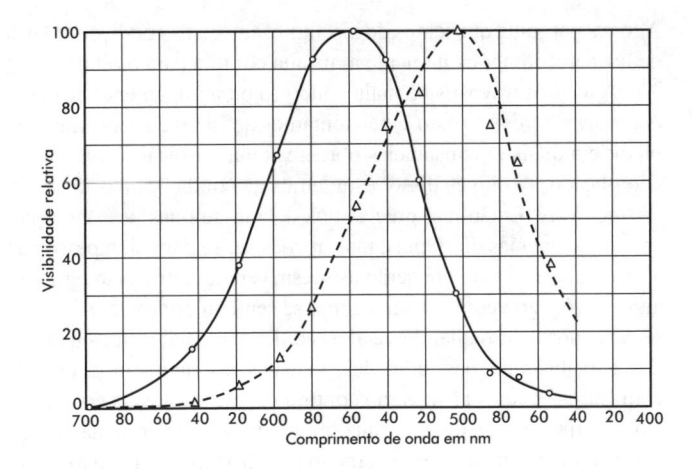

Figura 35-3 A sensibilidade espectral do olho. A curva tracejada representa os bastonetes; a curva contínua, os cones.

Outro efeito do fato de que os bastonetes dominam na escuridão, e de que não há nenhum bastonete na fóvea, é que quando olhamos diretamente para algo na escuridão, a nossa visão não é tão aguda como quando olhamos de lado. Às vezes, uma estrela fraca ou uma nebulosa pode ser mais bem vistas olhando um pouco para o lado em vez de diretamente para ela, porque não temos bastonetes sensíveis no meio da fóvea.

Outro efeito interessante do fato de que o número de cones diminui à medida que nos afastamos mais para o lado do campo da visão é que, mesmo na luz brilhante, uma cor desaparece conforme o objeto se desloca para o lado. O modo de testar isso é olhar em alguma determinada direção fixa, enquanto um amigo entra por um lado com cartões coloridos e então tentar decidir de que cor eles são antes que eles estejam diretamente na sua frente. Percebemos que se pode ver que os cartões estão lá muito antes que se possa determinar a sua cor. Quando fizer isso, é aconselhável entrar pelo lado oposto ao do ponto cego, porque senão pode ser um tanto confuso quase ver a cor, então não ver nada e depois ver a cor novamente.

Outro fenômeno interessante é que a periferia da retina é muito sensível a movimentos. Embora não possamos ver muito bem com o canto dos nossos olhos, se um pequeno inseto se move e não esperamos que nada esteja se movendo lá, somos imediatamente sensíveis a isso. Somos todos "conectados" para procurar algo que se mexe nos lados do campo.

35-3 Medindo a sensação de cor

Agora nos concentramos na visão do cone, a visão mais brilhante, e nos defrontamos com o ponto mais característico da visão de cone: a cor. Como sabemos, a luz branca pode ser dividida por um prisma em um espectro inteiro de comprimentos de onda que parecem ter cores diferentes; naturalmente, é isso que as cores são: aparências. Qualquer fonte de luz pode ser analisada por uma grade ou um prisma, e pode-se determinar a distribuição espectral, isto é, "a quantidade" de cada comprimento de onda. Certa luz pode ter muito azul, uma quantia considerável de vermelho, muito pouco amarelo e assim por diante. Isso tudo é muito preciso no tocante à física, mas a pergunta é: qual *cor* ela parecerá ter? É evidente que as cores distintas dependem de alguma maneira da distribuição espectral da luz, mas o problema é encontrar quais as características da distribuição espectral que produzem as várias sensações. Por exemplo, o que temos de fazer para obter uma cor verde? Todos sabemos que podemos simplesmente tomar a parte do espectro que é verde, mas esse é o *único* modo de se obter verde, ou laranja ou qualquer outra cor?

Existe mais de uma distribuição espectral que produz o mesmo efeito visual evidente? A resposta é, definitivamente, *sim*. Há um número muito limitado de efeitos visuais, de fato apenas cópias tridimensionais deles, como veremos em breve, mas existe um número infinito de curvas diferentes que podemos traçar para a luz que vem de fontes distintas.

Agora a pergunta que temos de discutir é: sob quais condições as distribuições diferentes de luz parecem ter exatamente a mesma cor que para o olho?

A técnica psico-física mais poderosa para julgamento de cores é usar o olho como *um instrumento nulo*. Isto é, não tentamos definir o que constitui uma sensação verde, ou medir em quais circunstâncias obtemos uma sensação verde, pois isso é extremamente complicado. Ao invés disso, estudamos as condições nas quais dois estímulos são *indistinguíveis*. Então não precisamos decidir se duas pessoas veem a mesma sensação em circunstâncias diferentes, mas apenas se, se para uma pessoa as duas sensações são as mesmas, elas também serão as mesmas para outra. Não temos de decidir se, quando alguém vê algo verde, a forma como se sente interiormente é igual a como outra pessoa se sente por dentro quando vê algo verde; não conhecemos nada sobre isso.

Para ilustrar as possibilidades, podemos usar uma série de quatro lâmpadas de projetor com filtros, e cujos brilhos são continuamente ajustáveis com uma larga variedade: um tem um filtro vermelho e produz um ponto de luz vermelha na tela, o seguinte tem um filtro verde e gera um ponto verde, o terceiro tem um filtro azul e o quarto é um círculo branco com um ponto preto no meio. Se acendermos um pouco a luz vermelha, e ao lado dela pusermos um pouco de verde, veremos que na área da sobreposição é produzida uma sensação que não é o que chamamos de verde avermelhado, mas uma nova cor, amarela nesse caso específico. Modificando as proporções do vermelho e do verde, podemos obter várias tonalidades de laranja e assim por diante. Se estabelecermos um certo amarelo, também podemos obter esse mesmo amarelo, não misturando essas duas cores, mas misturando outras, talvez um filtro amarelo com a luz branca, ou algo assim, para obtermos a mesma sensação. Em outras palavras, é possível fazer várias cores de mais de uma maneira misturando as luzes dos vários filtros.

O que acabamos de descobrir pode ser expresso analiticamente como se segue. Um determinado amarelo, por exemplo, pode ser representado por certo símbolo Y, que é a "soma" de certas quantias de luz vermelha filtrada (R) e luz verde filtrada (G). Usando dois números, digamos r e g, para descrever quão intensas (R) e (G) são, podemos escrever uma fórmula para esse amarelo:

$$Y = rR + gG. \tag{35.1}$$

A pergunta é se podemos fazer *todas* as cores diferentes somando duas ou três luzes de diferentes cores fixas. Vamos ver o que pode ser feito em relação a isso. Certamente não podemos obter todas as cores diferentes misturando somente vermelho e verde, porque, por exemplo, azul nunca aparece em tal mistura. No entanto, colocando um pouco de azul na região central, onde os três pontos se sobrepõem, isso pode se tornar um branco bem bonito. Misturando as várias cores e analisando essa região central, encontramos que podemos obter uma gama considerável de cores nessa região modificando as proporções e, portanto, não é impossível que *todas* as cores possam ser obtidas misturando-se essas três luzes coloridas. Discutiremos até que ponto isso é verdadeiro; de fato, isso está essencialmente correto, e em breve veremos como definir melhor essa proposição.

Para ilustrar o nosso argumento, movemos os pontos na tela de maneira que eles todos caiam um em cima de outro, e logo tentamos casar uma determinada cor que aparece no anel anular produzido pela quarta lâmpada. O que uma vez pensamos ser luz "branca" oriunda da quarta lâmpada agora parece amarelado. Podemos tentar igualar essa cor ajustando o vermelho, o verde e o azul o melhor que podemos por uma espécie de tentativa e erro, e descobrimos que podemos nos aproximar até razoavelmente dessa determinada tonalidade da cor "creme". Portanto não é difícil acreditar que podemos criar todas as cores. Tentaremos fazer amarelo em um momento, mas antes de fazer isso, existe uma cor que é muito difícil de fazer. Pessoas que dão palestra sobre cores fazem todas as cores "brilhantes", mas nunca fazem *marrom,* e é difícil recordar ter visto alguma vez a luz marrom. Na verdade, essa cor nunca é usada para nenhum efeito no palco, nunca se vê um refletor de luz marrom; portanto pensaríamos que é impossível fazer marrom. Para descobrir se é possível fazer marrom, observamos que a luz marrom é simplesmente algo que não estamos acostumados a ver sem o seu fundo. Na verdade, podemos fazê-la misturando um pouco de vermelho e amarelo. Para comprovar que estamos vendo a luz marrom, simplesmente aumentamos o brilho do fundo anular contra o qual vemos a mesma luz, e vemos que, de fato, é o que chamamos de marrom! Marrom é sempre uma cor escura em relação a um fundo mais claro. Podemos facilmente modificar o tipo de marrom. Por exemplo, se tirarmos um pouco do verde, obtemos um marrom avermelhado, aparentemente um marrom avermelhado cor de chocolate, e se adicionarmos mais verde, obtemos aquela cor horrível da qual são feitos todos os uniformes do Exército, mas a luz dessa cor não é tão horrível por si própria; é de um verde amarelado, mas visto contra fundo claro.

Agora colocamos um filtro amarelo em frente da quarta luz e tentamos igualar essa cor. (Naturalmente, a intensidade deve ser compatível com a das várias lâmpadas, pois não podemos combinar algo que é brilhante demais, porque não temos potência suficiente na lâmpada.) *Podemos* obter o amarelo; usamos uma mistura de verde com vermelho, e pomos em uma pitada de azul para fazê-lo ainda mais perfeito. Talvez estejamos prontos para acreditar que, em boas condições, podemos fazer um casamento perfeito de qualquer cor.

Agora vamos discutir as leis da mistura de cores. Em primeiro lugar, encontramos que distribuições espectrais diferentes podem produzir a mesma cor; depois vimos que "qualquer" cor pode ser feita acrescentando juntamente três cores especiais, vermelho, azul e verde. A característica mais interessante da mistura de cores é que se tivermos certa luz, que podemos chamar de X, e se ela parecer indistinguível de Y ao olho (pode ser uma distribuição espectral diferente, mas *aparenta* ser indistinguível), chamamos essas cores de "iguais", no sentido de que o olho as vê como iguais, e escrevemos

$$X = Y. \tag{35.2}$$

Aqui está uma das grandes leis sobre cor: se duas distribuições espectrais forem indistinguíveis, e *acrescentarmos* certa luz a *cada uma*, digamos Z (se escrevermos $X + Z$, isso significa que brilhamos ambas as luzes no mesmo local), e então tomarmos Y e acrescentarmos igual quantidade da mesma outra luz, Z, *as novas misturas são também indistinguíveis*:

$$X + Z = Y + Z. \tag{35.3}$$

Acabamos de encontrar nosso amarelo; se agora incidirmos luz cor-de-rosa na coisa inteira, a correspondência ainda será possível. Assim a soma de qualquer outra luz às luzes combinadas ainda resulta em um casamento de cores. Em outras palavras, podemos resumir todos esses fenômenos sobre cores dizendo que uma vez que temos um casamento entre duas luzes coloridas, vistas lado a lado nas mesmas circunstâncias, então essa combinação permanecerá, e uma luz pode ser substituída por outra luz em qualquer outra situação de mistura de cores. De fato, e isso é muito importante e interessante, acontece que esta correspondência da cor das luzes não depende das características do olho no momento da observação: sabemos que se olharmos por um longo tempo uma brilhante superfície vermelha, ou uma luz vermelha brilhante, e logo olharmos um papel branco, este parecerá esverdeado, e outras cores também são alteradas por termos olhado por muito tempo o vermelho brilhante. Se agora tivermos uma combinação entre, digamos, dois amarelos, e vendo-os, fazemo-los combinar, então olharmos uma superfície vermelha brilhante durante um longo tempo, e logo retornarmos para o amarelo, ele pode não parecer mais amarelo; não sei de que cor ele parecerá, mas não será amarelo. No entanto, os *amarelos ainda estarão casados*, e assim, conforme o olho se adapta a vários níveis da intensidade, a correspondência de cores ainda funciona, com a exceção óbvia de quando consideramos a região onde a intensidade da luz se torna tão baixa que mudamos de cones para bastonetes; então a combinação de cores não é mais uma combinação de cores, porque estamos usando um sistema diferente.

O segundo princípio da mistura de cores das luzes é que *absolutamente qualquer cor pode ser obtida a partir de três cores diferentes,* no nosso caso, as luzes vermelha, verde e azul. Misturando apropriadamente as três juntas, podemos fazer absolutamente qualquer coisa, como demonstramos com os nossos dois exemplos. Além disso, essas leis são muito interessantes matematicamente. Para aqueles que estão interessados na matemática da coisa, é o seguinte. Suponha que tomemos as nossas três cores, que são vermelho, verde e azul, as identifiquemos como A, B e C e as chamemos de cores *primárias*. Então qualquer cor pode ser feita a partir de certas quantidades dessas três: digamos uma quantia a da cor A, uma quantia b da cor B e uma quantia c da cor C resultam em X:

$$X = aA + bB + cC. \tag{35.4}$$

Agora considere outra cor Y que é feita das mesmas três cores:

$$Y = a'A + b'B + c'C. \tag{35.5}$$

Então, a mistura das duas luzes (que é uma das consequências das leis que já mencionamos) é obtida a partir da soma das componentes de X e Y:

$$Z = X + Y = (a + a')A + (b + b')B + (c + c')C. \tag{35.6}$$

É como a matemática da adição de vetores, em que (a, b, c) são as componentes de um vetor e (a', b', c') são as do outro vetor, e a nova luz Z é então a "soma" dos vetores. Esse tema sempre teve apelo para físicos e matemáticos. De fato, Schrödinger escreveu um maravilhoso artigo sobre a visão em cores no qual ele desenvolveu essa teoria de análise vetorial aplicada à mistura de cores.[1]

Perguntamos agora: quais são as cores primárias corretas que devemos usar? Não existe essa coisa de "as" cores primárias corretas para a mistura de luzes. Podem existir, para objetivos práticos, três tintas que são mais úteis do que outras para se adquirir uma maior variedade de mistura de pigmentos, mas não estamos discutindo esse assunto agora. *Quaisquer três luzes de diferentes cores*[2] sempre podem ser misturadas na proporção correta para produzir *absolutamente qualquer cor*. Podemos demonstrar esse fato fantástico? Em vez de usar vermelho, verde e azul, vamos usar vermelho, azul e amarelo no nosso projetor. Podemos usar vermelho, azul e amarelo para fazer, digamos, verde?

Misturando essas três cores em proporções variadas, obtemos um verdadeiro arranjo de diferentes cores, que percorrem um espectro e tanto, mas na verdade, depois de muita tentativa e erro, vemos que nada se parece com verde. *Podemos* fazer verde? A resposta é sim. Como? *Projetando um pouco de vermelho sobre o verde,* então podemos fazer uma combinação com uma certa mistura de amarelo e azul! Portanto fizemos a combinação, exceto que tivemos que trapacear colocando o vermelho do outro lado. Como temos alguma sofisticação matemática, podemos apreciar que o que realmente mostramos não foi que X sempre pode ser obtido, digamos, do vermelho, azul e amarelo, mas adicionando o vermelho do outro lado encontramos que o vermelho mais X pode ser obtido a partir do azul e amarelo. Colocando-o do outro lado da equação, podemos interpretar isso como uma *quantidade negativa,* assim se permitirmos que os coeficientes de equações como (35.4) possam ser tanto positivos como negativos, e se interpretarmos quantias negativas como significando que temos de *acrescentá-las* do *outro lado,* então qualquer cor pode ser combinada a partir de quaisquer três, e não existe tal coisa como "as" primárias fundamentais.

Podemos perguntar se existem três cores que somente podem ser obtidas a partir de quantias positivas para todas as misturas. A resposta é não. Cada conjunto de três primárias necessita de quantias negativas para algumas cores e, portanto, não existe uma única maneira de se definir uma primária. Em livros elementares diz-se que elas são vermelho, verde e azul, mas é simplesmente porque usando essas cores, *uma gama maior de variedade* de cores está disponível sem a necessidade de sinais de menos para algumas das combinações.

35–4 O diagrama de cromaticidade

A seguir vamos discutir a combinação de cores matematicamente como uma proposição geométrica. Se uma cor é representada pela Eq. (35.4), podemos traçá-la como

---

[1] Sitzber. Akad. Wiss. Wien (2a) **134**, 471 (1925).
[2] Exceto, naturalmente, se uma das três pode ser combinada misturando as outras duas.

um vetor no espaço traçando o gráfico ao longo de três eixos das quantidades *a*, *b* e *c*, e então uma dada cor é um ponto. Se outra cor for *a'*, *b'*, *c'*, essa cor estará localizada em outro lugar. A soma dos dois, como sabemos, é a cor que resulta quando são somados vetorialmente. Podemos simplificar esse diagrama e representar tudo em um plano usando a seguinte observação: se tivéssemos uma luz de certa cor, e simplesmente dobrássemos *a*, *b* e *c*, isto é, se tornássemos todos eles mais fortes na mesma proporção, isso resultaria na mesma cor, só que mais brilhante. Assim se aceitarmos reduzir tudo *na mesma intensidade da luz*, então podemos projetar tudo em um plano, como foi feito na Fig. 35-4. Acontece que qualquer cor obtida misturando determinadas outras duas em alguma proporção estará em algum lugar de uma linha traçada entre os dois pontos. Por exemplo, uma mistura de 50% cada apareceria no meio do caminho entre eles, e 1/4 de um e 3/4 do outro estaria a 1/4 do caminho de um ponto ao outro, assim por diante. Se usarmos azul, verde e vermelho, como primárias, vemos que todas as cores que podemos obter com coeficientes positivos estão dentro do triângulo pontilhado, que contém quase todas as cores possíveis, porque todas as cores que veremos alguma vez na vida estão contidas na área irregular delimitada pela curva. De onde veio esta área? Uma vez alguém fez uma correspondência muito cuidadosa de todas as cores que podemos ver contra as três especiais, mas não precisamos verificar *todas* as cores possíveis, apenas temos de checar as cores espectrais puras, as linhas do espectro. Qualquer luz pode ser considerada como uma soma de várias quantias positivas de várias cores espectrais puras – puras do ponto de vista físico. Uma dada luz conterá uma certa quantidade de vermelho, amarelo, azul e assim por diante – cores espectrais. Assim, se soubermos quanto de cada um das nossas três primárias escolhidas é necessário para fazer cada uma dessas componentes puras, podemos calcular quanto de cada uma é necessário para fazer a nossa cor determinada. Desse modo, se descobrimos quais são os *coeficientes de cor* de todas as cores espectrais para quaisquer três cores primárias específicas, podemos calcular completamente a tabela de mistura a cores.

Um exemplo de resultados experimentais para mistura de três luzes juntas é dado na Fig. 35-5. Esta figura mostra a quantidade de cada uma das três diferentes primárias específicas, vermelho, verde e azul, necessárias para se obter cada uma das cores espectrais. Vermelho encontra-se na extremidade esquerda do espectro, amarelo vem em seguida, e assim por diante, até o azul. Note que, em alguns pontos, sinais negativos são necessários. A partir desses dados é possível localizar a posição de todas das cores em um diagrama, no qual as coordenadas *x* e *y* são relacionadas às quantias das primárias diferentes utilizadas. Foi assim que a linha divisória curva foi encontrada. Ela é o lugar das cores espectrais puras. Qualquer outra cor pode ser obtida acrescentando linhas espectrais, naturalmente, e, portanto, encontramos que qualquer coisa que pode ser produzida conectando uma parte dessa curva a outra é uma cor disponível na natureza. A linha reta une o violeta extremo do final do espectro com o final extremo do vermelho. Esse é o lugar dos roxos. Dentro do limite estão as cores que podem ser feitas com luzes, e fora dele encontram-se as cores que não podem ser feitas com luzes, e ninguém nunca as viu (exceto, possivelmente, em imagens do além!).

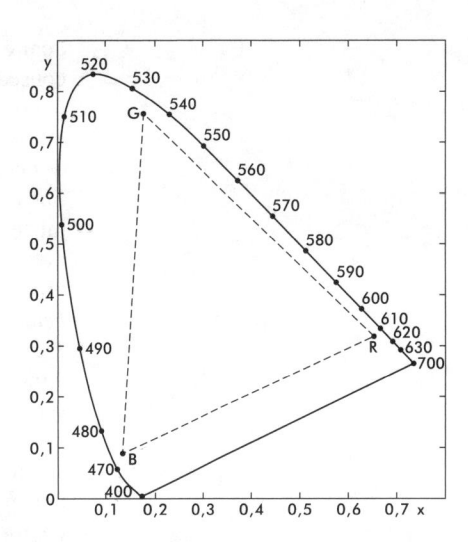

Figura 35-4 O diagrama da cromaticidade padrão.

35-5 O mecanismo da visão em cores

A próxima pergunta é *por que* as cores comportam-se desse modo. A teoria mais simples, proposta por Young e Helmholtz, supõe que no olho existem três pigmentos diferentes que recebem a luz e que estes têm espectros de absorção diferentes, de modo que um pigmento absorve fortemente, digamos, no vermelho, o outro absorve fortemente no azul e o outro absorve no verde. Então, quando incidirmos uma luz sobre eles, vamos obter quantidades diferentes de absorção nas três regiões, e esses três pedaços de informação são de alguma maneira processados no cérebro ou no olho, ou em algum lugar, para decidir

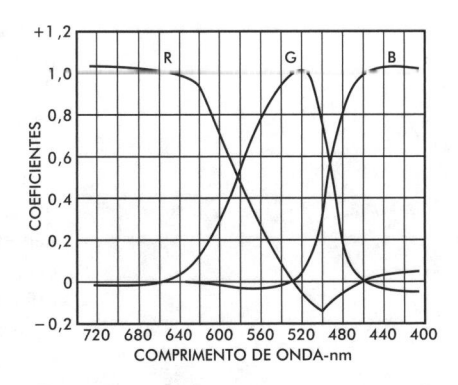

Figura 35-5 Os coeficientes de cor das cores espectrais puras, em termos de um certo conjunto padrão de cores primárias.

qual é a cor. É fácil demonstrar que todas as regras da mistura a cores seriam uma consequência dessa proposição. Tem havido um debate considerável sobre isso, pois o próximo problema, naturalmente, é encontrar as características de absorção de cada pigmento. Infelizmente, acontece que, porque podemos transformar as coordenadas das cores de qualquer maneira que desejarmos, podemos apenas encontrar todos os tipos de combinações lineares das curvas de absorção por meio dos experimentos de mistura de cor, mas não as curvas para os pigmentos individuais. Pessoas tentaram obter de várias maneiras uma curva específica que realmente descrevesse alguma propriedade física do olho em particular. Uma dessas curvas é chamada de *curva de brilho,* mostrada na Fig. 35-3. Essa figura mostra duas curvas, uma para os olhos na escuridão e a outra para os olhos na luz; a última é a curva de brilho dos cones. Isso é medido encontrando-se qual a menor quantidade de luz colorida necessária para sermos capazes de vê-la por uma mínima margem. Isso mede quão sensível é o olho nas diferentes regiões espectrais. Há outro modo muito interessante de se medir isso: se tomarmos duas cores e as projetarmos em uma área, alternando rapidamente de uma para a outra, vemos um tremular se a frequência for demasiado baixa. Contudo, conforme a frequência aumenta, o bruxuleio desaparecerá finalmente em uma certa frequência que depende do brilho da luz, digamos em 16 repetições por segundo. Se ajustamos o brilho ou a intensidade de uma cor contra outra, existe uma intensidade na qual o pisca-pisca em 16 ciclos desaparece. Para obtermos um bruxuleio com o brilho ajustado dessa maneira, teremos de usar uma frequência muito mais baixa a fim de um bruxuleio da cor. Portanto, obtemos o que chamamos um bruxuleio do brilho em uma frequência mais alta e, em uma frequência mais baixa, um bruxuleio da cor. É possível combinar duas cores com "brilho igual" por essa técnica de bruxuleio. Os resultados são quase, mas não exatamente, os mesmos que os obtidos medindo-se a sensibilidade limite do olho para enxergar a luz débil pelos cones. A maior parte de pesquisadores usa o sistema de bruxuleio como uma definição da curva de brilho.

Se existem três pigmentos sensíveis à cor no olho, o problema consiste em determinar a forma do espectro de absorção de cada um. Como? Sabemos que existem pessoas daltônicas – oito por cento da população masculina e meio por cento da população feminina. A maior parte dos daltônicos ou daqueles com uma visão em cores anormal possui um grau diferente de sensibilidade a uma variação da cor do que as outras pessoas, mas elas ainda necessitam combinar três cores. Contudo, há aqueles que são chamados *dicromatas,* para quem qualquer cor pode ser combinada usando somente *duas* cores primárias. A sugestão óbvia, então, é dizer que está faltando um dos três pigmentos. Se pudermos encontrar três tipos de dicromatas daltônicos que possuam regras de mistura de cor diferentes, para um tipo deve estar faltando o *vermelho,* para o outro o *verde* e para o outro a pigmentação *azul.* Medindo todos esses tipos, podemos determinar as três curvas! Acontece que *há* três tipos dicromatas daltônicos; existem dois tipos comuns e um terceiro tipo muito raro, e a partir desses três foi possível deduzir os espectros de absorção do pigmento.

A Figura 35–6 mostra que a mistura de cores de um determinado tipo de pessoa daltônica chamada de deuteranope. Para ela, os locais de cores constantes não são pontos, mas certas linhas, ao longo das quais a cor lhe parece ser a mesma. Se a teoria de que lhe falta uma das três partes da informação estiver correta, todas essas linhas devem se intersectar em um ponto. Se medirmos neste gráfico cuidadosamente, elas *realmente* se cruzam perfeitamente. Fica claro, portanto, que isso foi feito por um matemático e não representa dados reais! Na verdade, se lermos o último artigo com dados reais, veremos que no gráfico da Fig. 35-6, o ponto de foco de todas as linhas não está exatamente no lugar certo. Usando as linhas dessa figura, não conseguimos encontrar espectros razoáveis; precisamos de absorções negativa e positiva em regiões diferentes. Usando os novos dados de Yustova, obtemos que cada uma das curvas de absorção é positiva em todo lugar.

A Figura 35–7 mostra uma espécie diferente de daltonismo, aquela do protanope, cujo foco é próximo à extremidade vermelha da curva divisória. Yustova obteve aproximadamente a mesma posição nesse caso. Usando os três tipos diferentes de daltonismo, as três curvas de resposta do pigmento foram finalmente determinadas e são mostradas

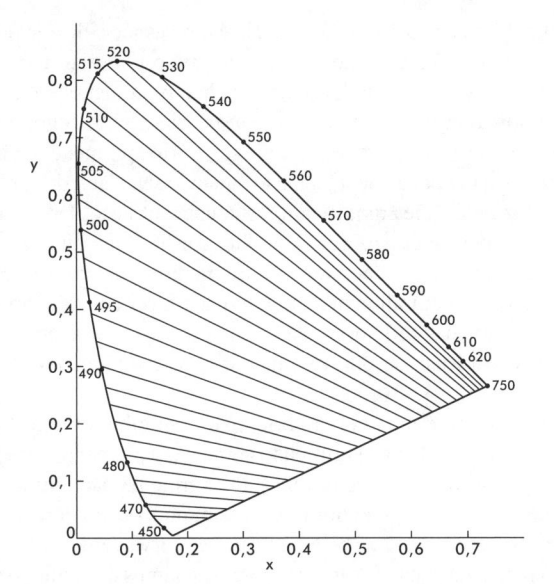

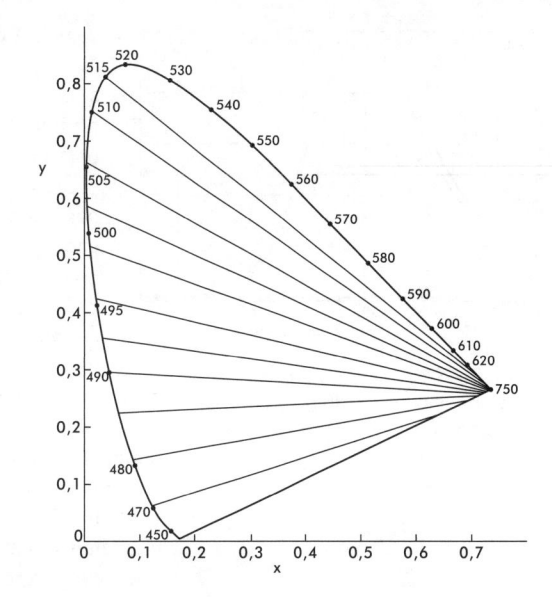

Figura 35-6 Locais das cores que são confundidas pelos deuteranopes.

Figura 35-7 Locais das cores confundidas por protanopes.

na Fig. 35-8. Finalmente? Talvez. *Existe* um questionamento se a ideia de três pigmentos é correta, se o daltonismo resulta da falta de um pigmento e até se os dados de mistura de cores sobre daltonismo são corretos. Diferentes pesquisadores obtêm resultados distintos. Esse campo ainda está em desenvolvimento.

35–6 Fisioquímica da visão em cores

Que tal verificarmos essas curvas contra os pigmentos reais do olho? Os pigmentos que podem ser obtidos da retina compõem-se basicamente de um pigmento chamado *púrpura visual*. As características mais notáveis disso são, primeiramente, que quase todo animal vertebrado o possui em seus olhos, e em segundo lugar, que a sua curva de resposta se ajusta belíssimamente bem à sensibilidade do olho, como visto na Fig. 35-9, na qual são traçadas, na mesma escala, a absorção da púrpura visual e a sensibilidade do olho adaptado ao escuro. Esse pigmento é evidentemente o pigmento com o qual enxergamos na escuridão: púrpura visual é o pigmento dos bastonetes, e não tem nada a ver com a visão colorida. Esse fato foi descoberto em 1877. Ainda hoje pode-se dizer que os pigmentos de cores dos cones nunca foram obtidos em um tubo de ensaio. Em 1958, podia-se dizer que os pigmentos de cores nunca tinham sido vistos em absoluto. Desde então, dois deles foram detectados por Rushton através de uma técnica muito simples e bela.

O problema é que, presumivelmente, como o olho é tão pouco sensível à luz brilhante comparado com a luz de baixa intensidade, ele precisa de muita púrpura visual para enxergar, mas não de muitos pigmentos de cores para ver cores. A ideia de Rusbton é *deixar o pigmento no olho* e medi-lo de qualquer maneira. Ele faz o seguinte. Há um instrumento chamado oftalmoscópio para enviar a luz para dentro do olho por uma lente e então focar a luz que retorna. Assim é possível medir quanto é refletido. Portanto, mede-se o coeficiente de reflexão da luz que atravessou *duas vezes* o pigmento (refletido por uma camada atrás do globo ocular e saindo através do pigmento do cone novamente). A natureza nem sempre é tão belamente projetada. Os cones são projetados de maneira interessante para que a luz incidente nos cones seja refletida várias vezes até conseguir achar o caminho para os pequenos pontos sensíveis no ápice. A luz vai diretamente para o ponto sensível, é refletida e volta para trás novamente, tendo atravessado uma quantia do pigmento de visão colorida; além disso, olhando a fóvea, na qual não há nenhum bastonete, não somos confundidos pela púrpura

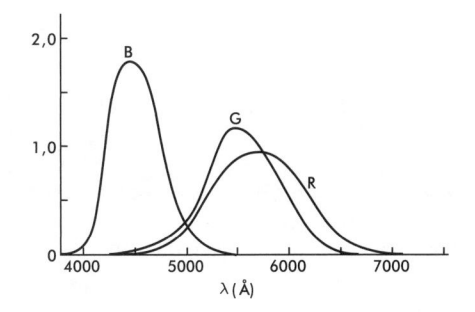

Figura 35-8 As curvas de sensibilidade espectral dos receptores de um tricomata normal.

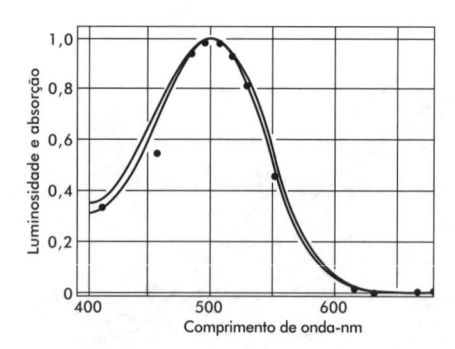

Figura 35–9 A curva de sensibilidade de um olho adaptado ao escuro, comparada à curva de absorção da púrpura visual.

visual. A cor da retina foi vista há muito tempo: ela é uma espécie de cor-de-rosa alaranjado; existem todos os vasos sanguíneos, e a cor do material de fundo e assim por diante. Como sabemos quando estamos vendo o pigmento? *Resposta:* primeiro, consideramos uma pessoa daltônica que possui menos pigmentos e, portanto, é mais fácil analisarmos. Em segundo lugar, vários pigmentos, como a púrpura visual, sofrem uma variação de intensidade quando são clareados pela luz; quando brilhamos a luz neles, eles modificam a sua concentração. Desse modo, enquanto observava o espectro de absorção do olho, Rushton incidiu *outro* raio no olho inteiro, modificando a concentração do pigmento, e mediu a *mudança* do espectro. Essa diferença, naturalmente, não tem nada a ver com a quantidade de sangue ou a cor das camadas refletoras, e assim por diante, mas apenas com o pigmento, e dessa maneira Rushton obteve uma curva para o pigmento do olho de um protanope, que é dada na Fig. 35-10.

A segunda curva da Fig. 35-10 é uma curva obtida para um olho normal. Ela foi obtida tomando um olho normal e, tendo já determinado como era o pigmento, alvejando um outro no vermelho onde o primeiro é insensível. A luz vermelha não tem nenhum efeito no olho do protanope, mas sim no olho normal, e assim pode-se obter a curva do pigmento ausente. A forma da curva ajusta-se belamente com a curva verde de Yustova, mas a curva vermelha é um pouco deslocada. Portanto talvez estejamos no caminho certo, ou talvez não – o último trabalho com deuteranopes não mostra nenhuma ausência de pigmento definida.

A cor não diz respeito à física da própria luz. A cor é *uma sensação,* e a sensação para cores diferentes é diferente em circunstâncias distintas. Por exemplo, se temos uma luz cor-de-rosa composta superimpondo raios de luz branca e vermelha que se cruzam (tudo o que podemos fazer com branco e vermelho é cor-de-rosa, obviamente), podemos mostrar que a luz branca pode parecer azul. Se colocarmos um objeto nos raios, ele projeta duas sombras – uma iluminada apenas pela luz branca e outra pela vermelha. Para a maior parte de pessoas, a sombra "branca" de um objeto parece azul, mas se continuarmos aumentando essa sombra até que ela ocupe a tela inteira, vemos que repentinamente parece branco, não azul! Podemos obter outros efeitos da mesma natureza misturando luz vermelha, amarela e branca. As luzes vermelha, amarela e branca podem produzir apenas amarelos alaranjados, e assim por diante. Assim, se misturarmos tais luzes, aproximadamente em igual proporção, obtemos somente a luz cor de laranja. No entanto, projetando tipos diferentes de sombras na luz, com várias sobreposições de cores, obtém-se uma verdadeira série de belas cores que não estão propriamente na luz (apenas de cor de laranja), mas nas nossas *sensações*. Claramente *vemos* muitas cores diferentes que são bastante distintas das cores "físicas" em um raio. É muito importante notar que uma retina já está "pensando" na luz; ela está comparando o que vê em uma região com o que vê em outra, embora não conscientemente. O que sabemos sobre como ela faz isso é o assunto do próximo capítulo.

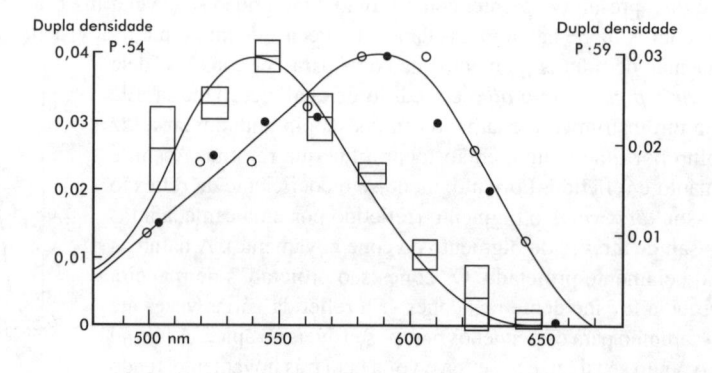

Figura 35–10 Espectro de absorção do pigmento de cor do olho de um daltônico protanope (quadrados) e um olho normal (pontos).

BIBLIOGRAFIA

Committee on Colorimetry, Optical Society of America, *The Science of Color,* Thomas Y. Crowell Company, New York, 1953.

HECHT, S., S. SHLAER, And M. H. PIRENNE, "Energy, Quanta, and Vision," *Journal of General Physiology,* 1942, **25**, 819-840.

MORGAN, CLIFFORD And ELIOT STELLAR, *Physiological Psychology,* 2nd ed., McGraw-Hill Book Company, Inc., 1950.

NUBERG, N. D. And E. N. YUSTOVA, "Researches on Dichromatic Vision and the Spectral Sensitivity of the Receptors of Trichromats," presented at Symposium No. 8, *Visual Problems of Colour,* Vol. II, National Physical Laboratory, Teddington, England, September 1957. Published by Her Majesty's Stationery Office, London, 1958.

RUSHTON, W. A., "The Cone Pigments of the Human Fovea in Colour Blind and Normal," presented at Symposium No. 8, *Visual Problems of Colour,* Vol. I, National Physical Laboratory, Teddington, England, September 1957. Published by Her Majesty's Stationery Office, London, 1958.

WOODWORTH, ROBERT S., *Experimental Psychology,* Henry Holt and Company, New York, 1938. Revised edition, 1954, by Robert S. Woodworth and H. Schlosberg.

36

Mecanismos da Visão

36–1 A sensação de cor

Na discussão da compreensão da visão, temos de perceber que uma pessoa não vê (fora de uma galeria de arte moderna!) manchas randômicas de cor ou pontos de luz. Quando olhamos um objeto, vemos um *ser humano* ou um *objeto;* em outras palavras, o cérebro interpreta o que vemos. Como ele faz isto, ninguém sabe, e ele o faz, naturalmente, em um nível muito alto. Embora evidentemente aprendamos a reconhecer como um ser humano se parece depois de muita experiência, algumas características da visão são mais elementares, mas que também envolvem combinar a informação de partes diferentes do que vemos. Para nos ajudar a entender como fazemos uma interpretação de uma imagem inteira, vale a pena estudar as etapas iniciais da reunião de informação das diferentes células da retina. Neste capítulo, vamos nos concentrar principalmente nesse aspecto da visão, embora também mencionemos outras questões relacionadas à medida que prosseguimos.

Um exemplo, em um nível muito elementar, do acúmulo de informação de várias partes do olho ao mesmo tempo, além do nosso controle voluntário ou capacidade de aprender, foi a sombra azul produzida pela luz branca quando tanto branco como vermelho incidiam na mesma tela. Esse efeito ao menos implica o conhecimento de que o fundo da tela é cor-de-rosa, embora, quando estamos vendo a sombra azul, seja apenas a luz "branca" entrando em um determinado ponto do olho; em algum lugar, as partes da informação foram reunidas. Quanto mais completo e familiar é o contexto, mais o olho fará correções para peculiaridades. De fato, Land mostrou que se misturarmos aquele azul aparente e o vermelho em várias proporções, usando duas transparências fotográficas com a absorção no vermelho e no branco em proporções diferentes, pode-se representar fielmente uma cena verdadeira, com objetos reais. Nesse caso obtemos muitas cores intermediárias aparentes também, analogamente ao que obteríamos misturando vermelho e azul esverdeado; parece ser um conjunto quase completo de cores, mas se olharmos atentamente, elas não parecem tão boas. Mesmo assim, é surpreendente quanto pode ser obtido somente de vermelho e branco. Quanto mais a cena parece ser uma situação verdadeira, mais somos capazes de compensar o fato de que toda a luz é de fato apenas cor-de-rosa!

Outro exemplo é a aparência das "cores" em um disco de rotação preto e branco, cujas áreas pretas e brancas são mostradas na Fig. 36–1. Quando o disco é posto para girar, as variações de claro e escuro em qualquer raio são exatamente as mesmas; apenas o fundo é diferente para os dois tipos de "faixas". Entretanto, um dos "anéis" parece colorido com uma cor e outro com outra.[1] Ninguém ainda entende a razão dessas cores, mas é claro que a informação está sendo reunida em um nível muito elementar, mais provavelmente no próprio olho.

Quase todas as teorias atuais da visão em cores aceitam que os dados de mistura de cor indicam que existem apenas três pigmentos nos cones do olho, e que é a absorção espectral nesses três pigmentos que fundamentalmente produz a percepção de cores. Ainda assim, a sensação total que está associada às características de absorção dos três pigmentos que atuam em conjunto não é necessariamente a soma das sensações individuais. Todos concordamos que amarelo simplesmente *não* parece ser verde avermelhado; de fato pode ser uma tremenda surpresa à maioria das pessoas descobrir que a luz é, na realidade, uma mistura de cores, porque presumivelmente a sensação da luz decorre de algum outro processo do que de uma simples mistura, como um acorde músical, no qual as três notas estão lá ao mesmo tempo e se escutarmos atentamente podemos ouvi-las individualmente. Não podemos olhar atentamente e enxergar o vermelho e o verde.

36–1 A sensação de cor
36–2 A fisiologia do olho
36–3 As células bastonetes
36–4 O olho composto (dos insetos)
36–5 Outros olhos
36–6 Neurologia da visão

Figura 36–1 Quando um disco como este é rodado, as cores aparecem em apenas um dos dois "anéis" mais escuros. Se a direção de rotação for invertida, as cores aparecem no outro anel.

---

[1] As cores dependem da velocidade de rotação, do brilho da iluminação e, até certo ponto, de quem olha e do quão atentamente elas são fitadas.

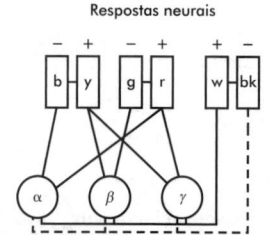

$y - b = k_1(\beta + \gamma - 2\alpha)$
$r - g = k_2(\alpha + \gamma - 2\beta)$
$w - bk = k_3(\alpha + \gamma + \beta) - k_4(\alpha + \beta + \gamma)$

Figura 36–2 Conexões neurais de acordo com um "oponente" da teoria de visão em cores.

As primeiras teorias da visão diziam que existem três pigmentos e três tipos de cones, cada tipo contendo um pigmento; que um nervo conecta cada cone ao cérebro, para que as três partes da informação sejam transportadas ao cérebro; e então no cérebro, qualquer coisa pode acontecer. Essa, naturalmente, é uma ideia incompleta: não adianta descobrir que a informação é transportada ao longo do nervo ótico para o cérebro, porque ainda nem começamos a resolver o problema. Devemos fazer perguntas mais básicas: faz alguma diferença *onde* a informação é reunida? É necessário que ela seja transportada direto para o cérebro pelo nervo ótico, ou a retina pode fazer alguma análise primeiro? Vimos uma imagem da retina como uma coisa extremamente complicada com muitas ligações (Fig. 35-2) e poderíamos fazer algumas análises.

Na verdade, pessoas que estudam a anatomia e o desenvolvimento do olho mostraram que a retina é, de fato, o cérebro: no desenvolvimento do embrião, uma parte do cérebro se desenvolve na frente, e fibras longas crescem para trás, conectando os olhos ao cérebro. A retina é organizada do mesmo modo que o cérebro é organizado e, como alguém belamente exprimiu, "o cérebro desenvolveu um modo de olhar para fora para o mundo". O olho é uma parte do cérebro que está tocando a luz, por assim dizer, no exterior. Portanto não é nada improvável que alguma análise de cor já tenha sido feita na retina.

Isso nos dá uma oportunidade muito interessante. Nenhum dos outros sentidos implica uma quantidade tão grande de cálculo, por assim dizer, antes que o sinal entre em um nervo no qual é possível fazer medições. Os cálculos para todos os outros sentidos normalmente acontecem no próprio cérebro, no qual é muito difícil alcançar lugares específicos para fazer medições, pois existem muitas interconexões. Aqui, com o sentido visual, temos a luz, três camadas de células fazendo cálculos, e os resultados dos cálculos sendo transmitidos pelo nervo ótico. Portanto temos a primeira possibilidade de observar fisiologicamente quais são, talvez, os primeiros passos do trabalho das primeiras camadas do cérebro. É, portanto, de um duplo interesse, não apenas interessante para a visão, mas interessante para o problema inteiro da fisiologia.

O fato de que há três pigmentos não significa que deve haver três tipos de sensações. Uma das outras teorias da visão colorida diz que realmente existem esquemas de cores opostos (Fig. 36–2). Isto é, uma das fibras do nervo transporta muitos impulsos se o amarelo for visto, e menos do que o habitual para o azul. Outra fibra do nervo transporta informação do verde e do vermelho da mesma maneira, e o outra, branco e preto. Em outras palavras, nessa teoria alguém já começou a fazer suposições quanto ao sistema de conexões, o método de cálculo.

Os problemas que estamos tentando resolver ao tentar adivinhar esses primeiros cálculos são perguntas sobre as cores aparentes que são vistas em um fundo cor-de-rosa, o que acontece quando o olho está adaptado para cores diferentes, e também os chamados fenômenos psicológicos. Os fenômenos psicológicos são, por exemplo, de natureza que o branco "não é sentido" como vermelho, amarelo e azul, e essa teoria foi desenvolvida porque os psicólogos dizem que há *quatro* cores aparentes puras: "existem quatro estímulos que têm uma capacidade notável para evocar psicologicamente matizes simples de azul, amarelo, verde e vermelho, respectivamente. Diferentemente de siena, magenta, roxo, ou a maior parte das cores que podem ser discriminadas, essas matizes simples não são misturadas no sentido de que nenhuma participa da natureza da outra; especificamente, azul não é amarelado, avermelhado ou esverdeado, e assim por diante; essas são psicologicamente cores primárias". Esse fato é chamado de um fato psicológico. Para descobrir de qual evidência esse fato psicológico foi deduzido, precisamos procurar com bastante empenho por toda a literatura. Na literatura moderna, tudo que encontramos sobre o assunto são repetições da mesma afirmação, feitas por um psicólogo alemão, que tem como uma das suas autoridades Leonardo da Vinci, que sabemos, é claro, foi um grande artista. Ele diz, "Leonardo pensou que existiam cinco cores." Então, procurando mais ainda além, encontramos, em um livro ainda mais antigo, a evidência para o assunto. O livro diz algo como: "Roxo é azul avermelhado, cor-de-laranja é amarelo avermelhado, mas pode o vermelho ser visto como laranja arroxeado? Não são vermelho e amarelo mais unitários do que roxo ou cor-de-laranja? A pessoa comum quando pedida para afirmar quais as cores unitárias nomeia o vermelho, o amarelo e o azul, mas alguns observadores acrescentam um quarto, o verde. Os psicólogos estão acostumados a aceitar as quatro como matizes evidentes". Portanto, essa é a situação da análise psicológica desse assunto: se todo o mundo disser que existem três, e alguém diz que há quatro, e eles querem que seja quatro, então será quatro. Isso mostra a dificuldade com pesquisas psicológicas. É claro que temos tais sensações, mas é muito difícil obter muita informação sobre elas.

Portanto outra direção a se tomar é a direção fisiológica, descobrir experimentalmente o que de fato ocorre no cérebro, no olho, na retina ou onde quer que seja, e talvez descobrir que algumas combinações de impulsos de várias células se movem ao longo de certas fibras do nervo. Incidentemente, os pigmentos primários não precisam estar em células separadas; podem existir células com misturas de vários pigmentos, células com os pigmentos vermelho e verde, células com todos os três (a informação de todos os três é então informação branca) e assim por diante. Há muitos modos de conectar o sistema, e temos de descobrir qual o caminho utilizado pela natureza. Finalmente, espera-se que quando entendermos as conexões fisiológicas, compreendamos um pouco de alguns daqueles aspectos da psicologia, portanto olhamos nessa direção.

36–2 A fisiologia do olho

Começamos falando não somente sobre a visão colorida, mas sobre a visão em geral, apenas para recordar as interconexões da retina, mostradas na Fig. 35-2. A retina é realmente como a superfície do cérebro. Embora o quadro real visto através de um microscópio pareça ser um pouco mais complicado do que esse desenho um tanto esquematizado, por meio de uma análise cuidadosa é possível ver todas essas ligações. Sem dúvida, uma parte da superfície da retina é conectada a outras partes, e a informação que sai nos longos axônios, que produzem o nervo ótico, é a combinação da informação de muitas células. Existem três camadas de células na sucessão da função: há células da retina, que são aquelas afetadas pela luz, uma célula intermediária que pega a informação de apenas uma ou algumas células da retina e a distribui novamente a várias células em uma terceira camada de células que a transporta ao cérebro. Existem todos os tipos de conexões cruzadas entre as células nas camadas.

Agora nos voltamos para alguns aspectos da estrutura e do desempenho do olho (ver a Fig. 35-1). A focalização da luz é realizada principalmente pela córnea, pelo fato de que ela tem uma superfície curvada que "dobra" a luz. É por isso que não podemos ver claramente embaixo da água, porque dessa maneira não temos diferença suficiente entre o índice da córnea, que é 1,37, e o da água, que é 1,33. Atrás da córnea existe água, praticamente, com um índice de 1,33, e atrás disso está uma lente que tem uma estrutura muito interessante: ela possui uma série de camadas, como uma cebola, exceto que é toda transparente, e tem um índice de 1,40 no meio e 1,38 no lado externo. (Seria bom se pudéssemos fazer vidro óptico no qual pudéssemos ajustar o índice em toda parte, pois então não teríamos de curvá-lo tanto como fazemos quando temos um índice uniforme.) Além do mais, a forma da córnea não é a de uma esfera. Uma lente esférica tem uma certa quantidade de aberração esférica. A córnea é "mais achatada" no exterior do que uma esfera, justamente de tal maneira que a aberração esférica é menor para a córnea do que seria se puséssemos uma lente esférica lá! A luz é focalizada pelo sistema lente-córnea na retina. Conforme olhamos para objetos que estão mais próximos ou mais distantes, a lente se aperta ou afrouxa modificando o foco para ajustar às diferentes distâncias. Para ajustar à quantidade total de luz, existe a íris, que é o que chamamos de cor do olho, marrom ou azul, dependendo da pessoa; conforme a quantidade de luz aumenta ou diminui, a íris se move para dentro e para fora.

Vamos ver agora o aparato neural que controla a acomodação da lente, o movimento do olho, os músculos que viram o olho na órbita e a íris, mostrados esquematicamente na Fig. 36–3. De toda a informação que sai do nervo ótico *A*, a grande maioria é dividida em um de dois feixes (sobre o qual falaremos depois) e dali para o cérebro. Existem algumas fibras, de nosso interesse agora, que não vão diretamente para o córtex visual do cérebro onde "vemos" as imagens, mas em vez disso entram no mesencéfalo *H*. Essas são as fibras que medem a luz média e fazem o ajuste da íris; ou, se a imagem parece nebulosa, elas tentam corrigir a lente; ou, se há uma imagem dupla, elas tentam ajustar

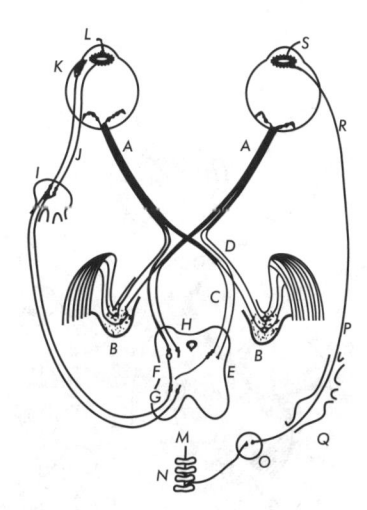

Figura 36–3 As interconexões neurais para o funcionamento mecânico dos olhos.

o olho para visão binocular. Pelo menos, elas atravessam o mesencéfalo e voltam para o olho. Em *K* estão os músculos que dirigem a acomodação da lente, e em *L* outro que chega na íris. A íris tem dois sistemas de músculos. Um é um músculo circular *L* que, quando excitado, puxa para dentro e fecha a íris; ele atua muito rapidamente, e os nervos estão diretamente conectados por axônios curtos do cérebro à íris. Os músculos opostos são músculos radiais, de maneira que, quando as coisas escurecem e o músculo de circular descansa, esses músculos radiais puxam para fora. Como em muitos lugares do corpo, temos aqui um par de músculos que trabalham em direções opostas, e em quase todos os casos os sistemas de nervo que controlam os dois são ajustados muito delicadamente, de maneira que quando sinais são enviados para se apertar um deles, sinais são automaticamente enviados para relaxar o outro. A íris é uma exceção peculiar: os nervos que fazem a íris se contrair são aqueles que já descrevemos, mas os nervos que fazem a íris se *expandir* saem ninguém sabe exatamente de onde, vão para baixo na corda espinal atrás do peito, na seção torácica, saem da corda espinal, vão para cima pelos gânglios do pescoço, e dão a volta para retornar à cabeça para comandar a outra extremidade da íris. De fato, o sinal atravessa um sistema nervoso completamente diferente, que não é absolutamente o sistema nervoso central, mas o sistema nervoso simpático, portanto é uma maneira muito estranha de fazer as coisas.

Já enfatizamos outra coisa estranha sobre o olho, que as células sensíveis à luz estão do lado errado, de maneira que a luz tem de atravessar várias camadas de outras células antes de chegar aos receptores – ele é construído às avessas! Portanto algumas características são maravilhosas, enquanto outras parecem estúpidas.

A Figura 36–4 mostra as conexões do olho com a parte do cérebro relacionada mais diretamente com o processo visual. As fibras do nervo óptico convergem para uma certa área pouco além de *D,* chamada de geniculado lateral, de onde saem para terminar em uma seção do cérebro chamado córtex visual. Note que algumas fibras de cada olho são enviadas para o outro lado do cérebro, portanto o quadro formado é incompleto. Os nervos óticos do lado esquerdo do olho direito cruzam o quiasma ótico *B*, enquanto aqueles do lado esquerdo do olho esquerdo retornam e tomam esse mesmo caminho. Portanto o lado esquerdo do cérebro recebe toda a informação que vem do lado esquerdo do globo ocular de cada olho, isto é, do lado direito do campo de visão, enquanto o lado direito do cérebro vê o lado esquerdo do campo de visão. Essa é a maneira na qual a informação de cada um dos dois olhos é reunida para dizer quão distantes as coisas estão. Esse é o sistema da visão binocular.

As conexões entre a retina e o córtex visual são interessantes. Se um ponto na retina for extirpado ou destruído de alguma maneira, então a fibra inteira morrerá, e por meio disso podemos descobrir onde ele está conectado. Acontece que, essencialmente, as conexões são uma a uma – a cada ponto na retina corresponde um ponto no córtex visual –, e pontos que são muito próximos na retina são muito próximos no córtex visual. Portanto, o córtex visual ainda representa o arranjo espacial dos bastonetes e cones, mas naturalmente bastante alterado. As coisas que estão no centro do campo, que ocupam uma parte muito pequena da retina, são expandidas por muitas e muitas células no córtex visual. É claro que é útil ter as coisas que eram originalmente próximas ainda próximas. O aspecto mais notável do assunto, contudo, é o seguinte. O lugar onde pensaríamos ser mais importante ter as coisas bastante perto uma das outras seria bem no meio do campo de visão. Acredite ou não, a linha para cima e para baixo no nosso campo de visão quando vemos algo é de tal natureza que a informação de todos os pontos do lado direito daquela linha está indo para o lado esquerdo do cérebro, e a informação dos pontos do lado esquerdo está entrando no lado direito do cérebro, e da maneira como essa área é feita, existe um corte vertical passando bem pelo meio, para que as coisas que são muito próximas bem no centro estejam muito longe no cérebro! De alguma maneira, a informação precisa ir de um lado do cérebro ao outro por alguns outros canais, o que é bastante surpreendente.

A pergunta de como essa rede é "conectada" inicialmente é muito interessante. O problema de quanto já está conectado e quanto é aprendido é antigo. Pensava-se, muito tempo atrás, que talvez não precisasse ser conectado cuidadosamente de maneira alguma, estando mesmo rudemente interligado, e então, através da experiência, a criança

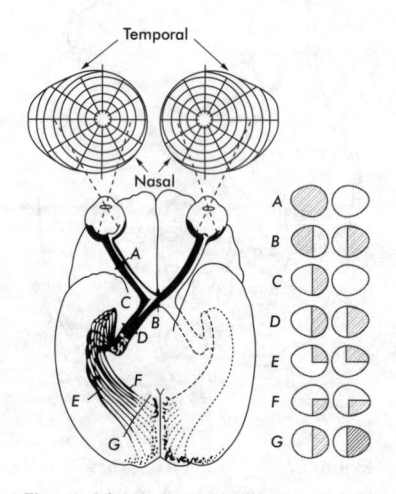

Figura 36–4 As conexões neurais desde os olhos até o córtex visual.

pequena aprende que quando uma coisa está "lá em cima" ela produz alguma sensação no cérebro. (Médicos sempre nos dizem o que as crianças pequenas "sentem", mas como *eles* sabem o que uma criança de um ano de idade sente?) A criança, de um ano de idade, supostamente vê que um objeto está "lá em cima", adquire uma certa sensação, e aprende a alcançar "lá", porque quando ela alcança "aqui", nada acontece. Essa aproximação provavelmente não é correta, porque já vimos que em muitos casos existem essas detalhadas interconexões especiais. Mais esclarecedores são alguns experimentos notáveis feitos com uma salamandra. (Incidentemente, na salamandra há uma conexão cruzada direta, sem o quiasma ótico, porque os olhos estão um em cada lado da cabeça e não existe nenhuma área comum. As salamandras não têm visão binocular.) O experimento é o seguinte. Cortamos o nervo óptico de uma salamandra e o nervo crescerá novamente dos olhos. Milhares e milhares de fibras de célula se restabelecem assim. No nervo ótico as fibras não ficam adjacentes umas às outras – parece um grande cabo telefônico feito de maneira relapsa, todas as fibras torcidas e entrelaçadas, mas quando chegam ao cérebro elas são todas arrumadas novamente. Quando cortamos o nervo óptico da salamandra, a pergunta de interesse era se algum dia ele se arrumaria. A resposta extraordinária é sim. Se cortarmos o nervo óptico da salamandra e ele crescer novamente, a salamandra terá uma boa acuidade visual novamente. Contudo, se cortarmos o nervo óptico, *virarmos o olho de ponta cabeça* e o deixarmos crescer novamente, ela terá uma boa acuidade visual, mas comete um erro terrível: quando a salamandra vê uma mosca "lá em cima", ele pula "aqui embaixo", e ela nunca aprende. Por isso, existe algum caminho misterioso pelo qual as milhares e milhares de fibras encontram seus lugares corretos no cérebro.

Esse problema de quanto já vem conectado e quanto não vem é importante na teoria do desenvolvimento das criaturas. A resposta não é conhecida, mas está sendo estudada intensivamente.

O mesmo experimento no caso de um peixe-vermelho mostra que existe um nó terrível, como uma grande cicatriz ou complicação, no nervo ótico no ponto em que o cortamos, mas apesar de tudo isso as fibras crescem de volta aos seus lugares corretos no cérebro.

A fim de fazer isso, conforme elas crescem nos antigos canais do nervo óptico, elas precisam tomar várias decisões sobre a direção na qual elas devem crescer. Como elas fazem isso? Parecem existir pistas químicas às quais fibras distintas respondem diferentemente. Pense no número enorme de fibras em crescimento, cada uma das quais é um indivíduo que se diferencia de algum modo dos seus vizinhos; ao responder a quaisquer que sejam as pistas químicas, ela responde de uma maneira suficientemente única para encontrar o seu próprio lugar da conexão derradeira no cérebro! Isso é uma coisa interessante – fantástica. Esse é um dos grandes fenômenos recentemente descobertos na biologia e está indubitavelmente conectado a muitos problemas mais antigos ainda não solucionados sobre crescimento, organização e desenvolvimento de organismos, e em particular de embriões.

Outro fenômeno interessante tem a ver com o movimento do olho. Os olhos devem ser movidos para fazer as duas imagens coincidir em circunstâncias diferentes. Esses movimentos possuem tipos diferentes: um serve para acompanhar algo, que necessita que ambos os olhos se movam na mesma direção, direita ou esquerda, e o outro serve para apontá-los em direção ao mesmo lugar para várias distâncias diferentes, que necessita que se movam de maneira oposta. Os nervos que entram nos músculos do olho já são conectados justamente para tais objetivos. Existe um conjunto desses nervos que puxa os músculos do lado de dentro de um olho e do lado de fora do outro, e relaxam os músculos opostos, para que os dois olhos se movam em conjunto. Há outro centro onde uma excitação irá fazer os olhos se moverem um em direção ao outro do que paralelo. Um olho pode ser movido para o canto se o outro olho se mover em direção ao nariz, mas é impossível, consciente ou inconscientemente, mover os dois olhos para fora ao mesmo tempo, não porque não exista um *músculo,* mas porque não há como enviar um sinal para virar ambos os olhos para fora, a menos que tenhamos sofrido um acidente ou haja alguma alteração, por exemplo, se um nervo tiver sido cortado. Embora os músculos de um olho possam claramente manobrar aquele olho, nem mesmo um iogue é capaz de mover ambos os olhos *para* fora livremente com controle voluntário, pois não parece haver qualquer modo de fazê-lo. Já nascemos conectados até certo ponto. Esse é um

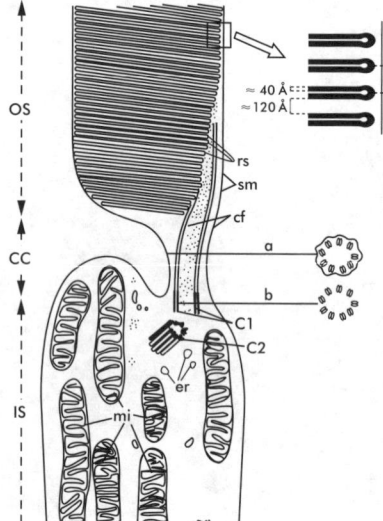

Figura 36–5 Micrográfico eletrônico de uma célula bastonete.

Figura 36–6 A estrutura do retinol.

ponto importante, porque a maioria dos livros mais antigos de anatomia e psicologia não aprecia ou não enfatiza o fato de que nascemos tão completamente conectados – eles dizem justamente que tudo é aprendido.

36–3 As células bastonetes

Vamos agora examinar mais detalhadamente o que acontece nas células bastonetes. A Figura 36–5 mostra um micrográfico eletrônico do meio de uma célula de bastonete (a célula de bastonete continua para fora do campo da figura). Existem camadas e camadas de estruturas planas, mostradas ampliadas à direita, que contém a substância rodopsina (púrpura visual), a tintura, ou o pigmento, que produz os efeitos de visão nos bastonetes. A rodopsina, que é o pigmento, é uma grande proteína que contém um grupo especial chamado retinol, que pode ser extraído da proteína e é, indubitavelmente, a causa principal da absorção da luz. Não entendemos a razão dos planos, mas é bem provável que exista alguma razão para manter todas as moléculas de rodopsina paralelas. A química da coisa já é extensamente conhecida, mas pode haver um pouco de física nela. Pode ser que todas as moléculas estejam arranjadas em uma espécie de fila para que quando cada uma for excitada, um elétron seja gerado e, digamos, possa percorrer todo o trajeto até um lugar no final para enviar o sinal para fora. Esse assunto é muito importante, e ainda não foi elaborado. É um campo no qual tanto a bioquímica como a física de estado sólido, ou algo parecido, serão utilizadas no final das contas.

Esse tipo de estrutura, com camadas, aparece em outras circunstâncias em que a luz é importante, por exemplo no cloroplasto das plantas, nos quais a luz causa a fotossíntese. Se os ampliarmos, encontramos a mesma coisa com quase o mesmo tipo de camadas, mas nesse caso temos a clorofila, naturalmente, em vez do retinol. A fórmula química do retinol é mostrada na Fig. 36–6. Ele tem uma série de ligações duplas alternadas ao longo da cadeia lateral, que é característica de quase todas as substâncias orgânicas fortemente absorventes, como clorofila, sangue e assim por diante. É impossível para seres humanos manufaturar essa substância em suas próprias células – temos de comê-la. Portanto o comemos na forma de uma substância especial, e ocorre exatamente o mesmo para o retinol, exceto que há um hidrogênio preso na extremidade direita; é chamado vitamina A, e se não comermos bastante dela, não adquirimos uma provisão de retinol, e o olho adquire o que chamamos de *cegueira noturna,* porque não há então pigmentos suficientes na rodopsina para enxergarmos durante a noite com os bastonetes.

A razão pela qual essa série de ligações duplas absorve muito fortemente a luz também é conhecida. Damos apenas uma dica: a série alternada de ligações duplas é chamada de ligação dupla *conjugada*; uma ligação dupla significa que existe um elétron extra, e este elétron extra é facilmente deslocado para a direita ou esquerda. Quando a luz atinge esta molécula, o elétron de cada ligação dupla é deslocado por um passo. Todos os elétrons da cadeia inteira se deslocam, como uma fileira de dominós tombando, e embora cada um se mova somente uma pequena distância (esperaríamos que, em um único átomo, possamos mover o elétron apenas uma pequena distância), o efeito resultante é o mesmo que se o elétron de uma extremidade fosse transportado para a outra extremidade! É o mesmo que se um elétron percorresse a distância inteira para frente e para trás e, dessa maneira, obtém-se uma absorção muito mais forte sob a influência do campo elétrico do que se somente pudéssemos mover o elétron a distância associada a um átomo. Desse modo, como é fácil mover os elétrons para frente e para trás, o retinol absorve muito fortemente a luz; essa é a maquinaria da finalidade fisio-química dele.

36–4 O olho composto (dos insetos)

Voltamo-nos agora para a biologia. O olho humano não é o único tipo de olho. Nos vertebrados, quase todos os olhos parecem-se essencialmente com o olho humano. Contudo, nos animais mais simples há muitas outras variedades de olhos: manchas ocelares, vários ocelos e outras coisas menos sensíveis, que não temos tempo para discutir. No entanto, existe outro olho altamente desenvolvido entre os invertebrados, o olho *composto* dos insetos. (A maior parte dos insetos que têm grandes olhos compostos também possui vários olhos adicionais mais simples.) A abelha é um inseto cuja visão foi estudada muito cuidadosamente. É fácil estudar as propriedades da visão de abelhas porque elas são atraídas pelo mel, e podemos fazer experimentos nos quais identificamos o mel pondo-o em papel azul ou papel vermelho, e notando para qual elas vêm. Por meio desse método, algumas coisas muito interessantes foram descobertas sobre a visão da abelha.

Em primeiro lugar, na tentativa de medir quão aguçadamente as abelhas enxergam a diferença de cores entre dois pedaços de papel "branco", alguns pesquisadores concluíram que elas não eram muito boas, enquanto outros descobriram que elas conseguiam fazer isso fantasticamente bem. Mesmo que os dois pedaços de papel branco fossem quase que exatamente iguais, as abelhas ainda conseguiam distinguir. Os experimentadores usaram o zinco branco para uma parte de papel e chumbo branco para a outra, e embora eles pareçam exatamente iguais para nós, a abelha pode distingui-los facilmente, pois eles refletem uma quantidade diferente no ultravioleta. Desse modo foi descoberto que o olho da abelha é sensível a um intervalo do espectro maior do que o nosso. Nossos olhos enxergam de 7.000 angstrons a 4.000 angstrons, do vermelho ao violeta, mas a abelha pode ver abaixo de 3.000 angstrons no ultravioleta! Isso da conta de um número de diferentes efeitos interessantes. Em primeiro lugar, as abelhas conseguem distinguir entre muitas flores que parecem iguais para nós. É claro que devemos perceber que as cores das flores não foram projetadas para os *nossos* olhos, mas para a abelha; elas são os sinais para atrair as abelhas a uma flor específica. Sabemos que há muitas flores "brancas". Aparentemente, branco não é muito interessante para as abelhas, porque todas as flores brancas têm proporções diferentes de reflexão no *ultravioleta;* elas não refletem cem por cento do ultravioleta como um branco verdadeiro. Nem toda a luz está retornando, o ultravioleta está ausente, e isso é uma cor, tal como, para nós, se o azul estiver faltando, ele sai amarelo. Dessa maneira, todas as flores são coloridas para as abelhas. Entretanto, também sabemos que as abelhas não enxergam o vermelho. Assim esperaríamos que todas as flores vermelhas parecessem pretas para a abelha, mas não! Um estudo cuidadoso de flores vermelhas mostrou que, primeiro, até com nossos próprios olhos conseguimos ver que uma grande maioria de flores vermelhas tem uma cor azulada, pois elas refletem principalmente uma quantia adicional de azul, que é a parte vista pela abelha. Além disso, os experimentos também mostram que as flores variam na sua reflexão do ultravioleta em diferentes partes das pétalas, e assim por diante. Portanto, se pudéssemos enxergar as flores como as abelhas as veem, elas seriam ainda mais belas e variadas!

Contudo, foi mostrado que algumas flores vermelhas *não* refletem no azul ou no ultravioleta, e por causa disso *pareceriam* pretas para a abelha! Isso foi bastante preocupante para as pessoas que se incomodam com esse assunto, pois preto não parece uma cor interessante, pois é difícil de distinguir de uma sombra suja. De fato acontece que essas flores *não* foram visitadas pelas abelhas, essas são as flores visitadas por *beija-flores,* e os beija-flores *podem* ver o vermelho!

Outro aspecto interessante da visão da abelha é que as abelhas podem saber a direção do Sol enxergando uma parte azul do céu, sem ver o próprio Sol. Não podemos fazer isso facilmente. Se olharmos para fora da janela para o céu e virmos que é azul, em qual direção está o Sol? A abelha consegue dizer, pois a abelha é bastante sensível à *polarização* da luz, e a luz espalhada do céu é polarizada.[2] Existe ainda algum debate sobre como essa sensibilidade funciona. Ainda não é conhecido se é porque as reflexões de luz são diferentes em circunstâncias distintas ou se o olho da abelha é diretamente sensível.[3]

---

[2] O olho humano também tem uma leve sensibilidade à polarização da luz, e *pode-se* aprender a reconhecer a direção do Sol! O fenômeno que está implicado aqui é chamado de *Haidinger's brush*; ele é um padrão em forma de uma ampulheta amarelada e fraca visto no centro do campo visual quando se vê uma extensa região sem traços característicos usando óculos de polarização. Também pode ser visto no céu azul sem óculos de polarização se girarmos a cabeça para frente e para trás em torno do eixo de visão.

[3] Evidências obtidas desde que esta palestra foi dada indicam que o olho é diretamente sensível.

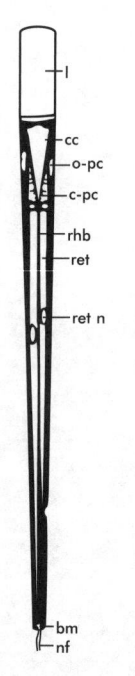

Figura 36–7 A estrutura de um omatídeo (uma única célula do olho composto).

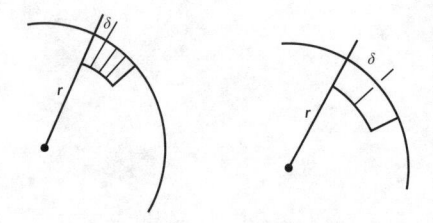

Figura 36–8 Visão esquemática do empacotamento de omatídeos no olho da abelha.

Também é dito a abelha pode notar um pisca-pisca de até 200 oscilações por segundo, enquanto enxergamos apenas até 20. Os movimentos das abelhas na colmeia são muito rápidos; os pés se movem e as asas vibram, mas é muito difícil para nós ver esses movimentos com nossos olhos. Contudo, se pudéssemos enxergar mais rapidamente, seríamos capazes de ver o movimento. É provavelmente muito importante para a abelha que o seu olho tenha uma resposta tão rápida.

Agora vamos discutir a acuidade visual que se pode esperar da abelha. O olho de uma abelha é um olho composto, e é constituído de um grande número de células especiais chamadas *omatídeos*, que são arranjados em forma de um cone na superfície de uma esfera (aproximadamente) no exterior da cabeça da abelha. A Figura 36–7 mostra um esquema de um omatídeo. No topo existe uma área transparente, uma espécie de "lente", mas na verdade se parece mais com filtro ou um tubo de luz para fazer a luz passar ao longo da fibra estreita, que é onde a absorção presumivelmente ocorre. Na outra extremidade está a fibra do nervo. A fibra central é rodeada lateralmente por seis células que, de fato, secretaram a fibra. Essa descrição é suficiente para os nossos objetivos; o importante é que é uma coisa cônica e cabem muitas lado a lado em toda a superfície do olho da abelha.

Agora vamos discutir a resolução do olho da abelha. Se desenharmos linhas (Fig. 36–8) para representar o omatídeo na superfície, que supomos ser uma esfera de raio r, podemos *calcular* de fato a largura de cada omatídeo usando os nossos cérebros, e supondo que a evolução seja tão inteligente como somos! Se tivermos um omatídeo muito grande, não teremos muita resolução. Isto é, uma célula obtém parte da informação de uma direção, e a célula adjacente adquire uma parte da informação de outra direção, e assim por diante, e a abelha não consegue ver as coisas no meio muito bem. Portanto a incerteza da acuidade visual no olho certamente corresponderá a um ângulo, o ângulo do final do omatídeo em relação ao centro da curvatura do olho. (As células de olho, é claro, existem somente na superfície da esfera; para dentro disso está a cabeça da abelha.) O ângulo de um omatídeo até o próximo é, naturalmente, o diâmetro dos omatídeos dividido pelo raio da superfície do olho:

$$\Delta\theta_g = \delta/r. \quad (36.1)$$

Portanto, podemos dizer, "Quanto mais fino for δ, maior a acuidade visual. Então, por que a abelha não usa somente omatídeos muito, muito finos?" *Resposta:* sabemos o suficiente de física para perceber que se estamos tentando fazer com que a luz passe por uma fenda estreita, não poderemos enxergar perfeitamente em uma direção por causa do efeito da difração. A luz que vem de várias direções pode entrar e, devido à difração, obteremos luz entrando com um ângulo $\Delta\theta_d$ tal que

$$\Delta\theta_d = \lambda/\delta. \quad (36.2)$$

Agora vemos que se fizermos δ pequeno demais, então cada omatídeo não enxergará apenas em uma direção, por causa da difração! Se os fizermos demasiado grandes, cada um enxerga em uma direção definida, mas não há bastantes deles para se obter uma boa visão da cena. Portanto, ajustamos a distância δ para fazer minimizar o efeito total desses dois. Se somarmos os dois juntos, e acharmos o lugar onde a soma tem um mínimo (Fig. 36–9), encontramos que

$$\frac{d(\Delta\theta_g + \Delta\theta_d)}{d\delta} = 0 = \frac{1}{r} - \frac{\lambda}{\delta^2}, \quad (36.3)$$

que nos dá uma distância

$$\delta = \sqrt{\lambda r}. \quad (36.4)$$

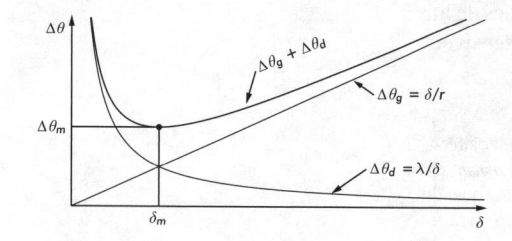

Figura 36–9 O tamanho otimizado para um omatídeo é δ_m.

Supondo que *r* é aproximadamente 3 milímetros, considere a luz que a abelha vê como 4.000 angstrons; juntando os dois e tomando a raiz quadrada, encontramos

$$\delta = (3 \times 10^{-3} \times 4 \times 10^{-7})^{1/2} \text{ m}$$
$$= 3{,}5 \times 10^{-5} \text{ m} = 35 \,\mu\text{m}. \tag{36.5}$$

O livro diz que o diâmetro é 30μm, logo isso é um acordo bastante bom! Portanto, aparentemente, realmente funciona, e podemos entender o que determina o tamanho do olho da abelha! É fácil também colocar o número mencionado acima de volta e descobrir quão bom o olho da abelha de fato é em resolução angular; é muito pobre em relação ao nosso próprio olho. Podemos ver coisas trinta vezes menores em tamanho aparente do que a abelha; a abelha tem uma imagem um tanto nebulosa e desfocada em relação ao que podemos ver. Entretanto, está tudo bem, pois é o melhor que elas podem fazer. Poderíamos perguntar por que as abelhas não desenvolvem um olho tão bom como o nosso próprio olho, com uma lente, e assim por diante. Existem várias razões interessantes. Em primeiro lugar, a abelha é pequena demais; se ela tivesse um olho como o nosso, mas na sua escala, a abertura teria um tamanho de aproximadamente 30μm, e a difração seria tão importante que ela não seria capaz de ver muito bem de qualquer maneira. O olho não é bom se for demasiadamente pequeno. Em segundo lugar, se fosse tão grande quanto a cabeça da abelha, então o olho ocuparia a cabeça inteira da abelha. A beleza do olho composto consiste em que ele não toma nenhum espaço, é somente uma camada muito fina na superfície da abelha. Assim, quando argumentamos que elas deveriam ter feito do nosso jeito, precisamos lembrar que elas têm seus próprios problemas!

36–5 Outros olhos

Além das abelhas, muitos outros animais podem ver colorido. O peixe, as borboletas, os pássaros e os répteis podem ver colorido, mas acredita-se que a maior parte de mamíferos não consegue. Os primatas conseguem enxergar as cores. Os pássaros certamente veem a cor, e disso resultam as cores de pássaros. Não haveria nenhuma razão para os machos serem intensamente coloridos se as fêmeas não pudessem notá-los! Isto é, a evolução sexual de "sei lá o quê" que os pássaros têm é resultado de a fêmea ser capaz de enxergar a cor. Assim, da próxima vez que virmos um pavão e pensarmos que brilhante exposição de cores magníficas, quão delicadas são todas essas cores e que maravilhoso senso estético é necessário para se apreciar tudo isso, não devemos cumprimentar o pavão, mas sim a acuidade visual e o senso estético da pavoa, porque foi isso que gerou essa bela cena!

Todos os invertebrados têm olhes deficientemente desenvolvidos ou olhos compostos, mas todos os vertebrados têm olhos muito semelhantes ao nosso próprio, com uma exceção. Se considerarmos o animal superior, normalmente dizemos, "Aqui estamos!," mas se tomarmos um ponto de vista com menos preconceitos e nos restringirmos aos invertebrados, para que não possamos incluir-nos, e perguntarmos qual é o animal invertebrado superior, a maior parte dos zoólogos aceita que é o *polvo*! É muito interessante que, além do desenvolvimento do seu cérebro e das suas reações e assim por diante, que são bastante boas para um invertebrado, ele também tenha desenvolvido, independentemente, um olho diferente. Não é um olho composto ou uma mancha ocelar – ele tem uma córnea, tem pálpebras, tem uma íris, tem uma lente, tem duas regiões aquosas e tem uma retina na parte traseira. Ele é essencialmente o mesmo que o olho dos vertebrados! É um exemplo notável de uma coincidência na evolução no qual a natureza descobriu duas vezes a mesma solução para um problema, com uma leve melhora. Surpreendentemente, no polvo também acontece da retina ser uma parte do cérebro que veio para fora no seu desenvolvimento embrionário da mesma maneira que nos vertebrados, mas o ponto interessante que é diferente é que as células que são sensíveis à luz estão no *interior*, e as células que fazem o cálculo estão atrás delas, e não "às avessas", como no nosso olho. Portanto vemos, pelo menos nesse caso, que não há razão para ser às avessas. Da outra vez que a natureza tentou, ela consertou! (Ver a Fig. 36–10.) Os maiores olhos do mundo são os da lula gigante; podendo chegar até 15 polegadas de diâmetro!

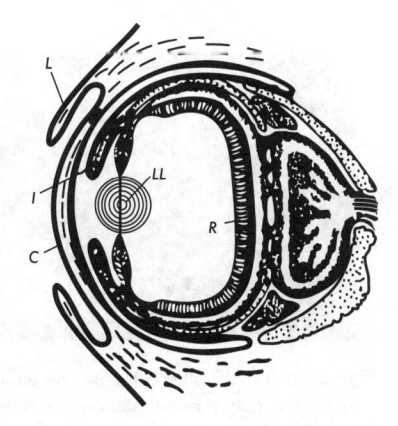

Figura 36–10 O olho de um polvo.

36–6 Neurologia da visão

Um dos pontos principais do nosso assunto é a interconexão da informação de uma parte do olho à outra. Vamos considerar o olho composto do caranguejo ferradura, no qual considerável experimentação já foi feita. Em primeiro lugar, devemos apreciar que tipo de informação pode passar pelos nervos. Um nervo transporta uma espécie de perturbação que tem um efeito elétrico fácil de detectar, uma espécie de perturbação parecida com uma onda que atravessa o nervo e produz um efeito na outra extremidade: uma parte longa da célula do nervo, chamada axônio, transporta a informação, e um certo tipo de impulso, um "pico", atravessa se for excitado em uma das extremidades. Quando um pico atravessa o nervo, outro não pode seguir imediatamente. Todos os picos são do mesmo tamanho, assim não é porque obtemos picos *mais altos* quando a coisa é mais fortemente excitada, mas porque adquirimos *mais picos por segundo*. O *tamanho* do pico é determinado pela fibra. É importante compreender isso para ver o que acontece depois.

A Figura 36–11(a) mostra o olho composto do caranguejo ferradura; ele não é grande coisa, pois tem aproximadamente apenas mil omatídeos. A Fig. 36–11(b) é uma seção reta através do sistema; pode-se ver os omatídeos, com as fibras do nervo que saem deles e entram no cérebro. Note que até mesmo em um caranguejo ferradura há pequenas interconexões. Como são bem menos complicados do que no olho humano, eles nos oferecem a possibilidade de estudar um exemplo mais simples.

Vamos agora ver os experimentos que foram feitos colocando-se finos eletrodos no nervo ótico do caranguejo ferradura e incidindo luz em somente um dos omatídeos, o que é fácil de se fazer com lentes. Se acendermos uma luz em algum instante t_0 e medirmos os pulsos elétricos que saem, vemos que há um pequeno atraso e logo uma série rápida de descargas que gradualmente ficam mais devagar até uma taxa uniforme, como mostrado na Fig. 36–12(a). Quando a luz sai, as descargas param. Porém é muito interessante que se, enquanto o nosso ampliador estiver conectado a essa mesma fibra de nervo, incidirmos luz em um omatídeo *diferente*, nada acontece; nenhum sinal.

Agora fazemos outro experimento: incidimos luz no omatídeo original e obtemos a mesma resposta, mas se agora incidirmos também em um outro próximo, os pulsos são interrompidos brevemente e logo depois correm com uma taxa muito mais baixa (Fig. 36–12b). A taxa de um é inibida pelos impulsos que estão saindo do outro! Em outras palavras, cada fibra do nervo transporta a informação de um omatídeo, mas a quantidade que ela transporta é inibida pelos sinais das outras. Portanto, por exemplo, se o olho inteiro for mais ou menos uniformemente iluminado, a informação oriunda de qualquer omatídeo será relativamente fraca, pois será inibida por tantos outros. De fato, a inibição é aditiva – se incidirmos luz em vários omatídeos próximos, a inibição será muito grande. A inibição é tanto maior quando os omatídeos estão mais próximos, e se os omatídeos estiverem longe o suficiente um dos outros, a inibição será praticamente zero. Portanto, é aditiva e depende da distância; eis aqui um primeiro exemplo de informação de partes diferentes do olho sendo combinadas no próprio olho. Talvez possamos enxergar, se pensarmos nele um pouquinho, que esse é um dispositivo para *realçar o contraste* nas

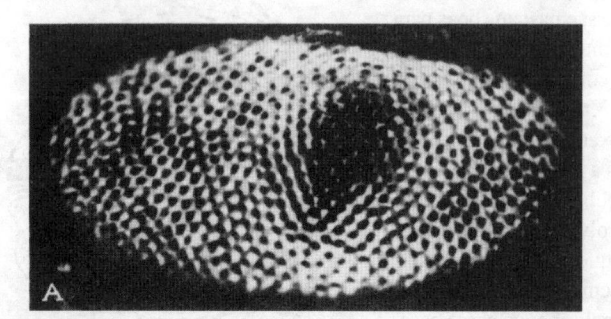

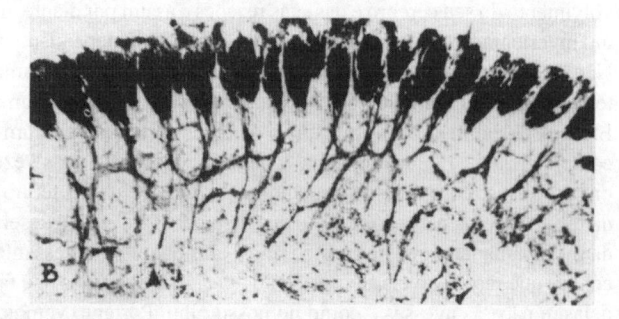

Figura 36–11 O olho composto de um caranguejo-ferradura. (a) Visão normal. (b) Secção transversal. (Figuras 36-7, 11, 12, 13 reimpressas com a permissão de Goldsmith, *Sensory Communications*, W. A. Rosenblith, ed. Copyright 1961, Massachusetts Institute of Technology.)

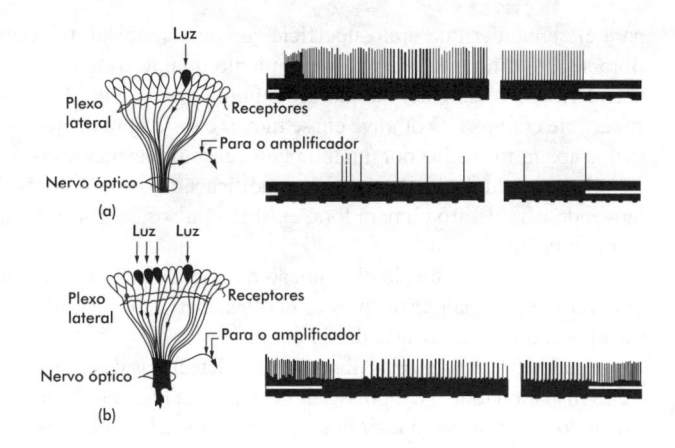

Figura 36–12 A resposta à luz das fibras do nervo do olho de um caranguejo-ferradura.

bordas de objetos, pois se uma parte da cena for clara e a outra parte for preta, então os omatídeos da área iluminada dão impulsos que são inibidos por toda a luz da vizinhança, portanto é relativamente fraca. Por outro lado, um omatídeo na divisa que produziu um impulso "branco" também é inibido pelos outros da vizinhança, mas como alguns são pretos, não há muitos deles; o sinal resultante é, por isso, mais forte. O resultado seria uma curva, algo como a da Fig. 36–13. O caranguejo verá um aumento do contorno.

O fato de que há um aumento dos contornos é conhecido há muito tempo; de fato, ele é uma coisa notável comentada por psicólogos muitas vezes. Para desenhar um objeto, temos apenas de desenhar o seu contorno. Como estamos acostumados a ver desenhos que têm somente o contorno! Qual é o contorno? O contorno é somente a diferença da fronteira entre o claro e o escuro ou uma cor e a outra. Não é algo definido. Não é, acredite ou não, como se cada objeto tivesse uma linha ao seu redor! Não existe tal linha. É apenas na nossa própria fantasia psicológica que existe uma linha; estamos começando a entender as razões pelas quais "a linha" é uma dica suficiente para se obter tudo isso. Possivelmente o nosso próprio olho funciona de alguma maneira similar – muito mais complicada, mas semelhante.

Finalmente, descreveremos resumidamente um trabalho mais complicado, o lindo trabalho avançado realizado com o sapo. Fazendo um experimento correspondente em um sapo, colocando pequenas sondas belamente construídas em forma de agulha no nervo ótico de um sapo, é possível obter os sinais que estão passando por um determinado axônio e, tal como no caso do caranguejo ferradura, concluímos que a informação não depende somente de um ponto do olho, mas é a soma da informação de vários lugares.

O cenário mais recente de como o olho do sapo opera é o seguinte. É possível encontrar quatro tipos diferentes de fibras do nervo óptico, no sentido de que há quatro espécies diferentes de respostas. Esses experimentos não foram feitos incidindo pulsos periódicos de luz, porque não é assim que um sapo enxerga. Um sapo apenas fica ali sentado e os seus olhos nunca se movem, a menos que a folha do lírio esteja oscilando para frente e para trás, e nesse caso seus olhos oscilam apenas o suficiente para manter a imagem parada. Ele não vira os seus olhos. Se algo se mover no seu campo de visão, como um pequeno inseto (ele tem de ser capaz de ver algo pequeno se movendo contra um fundo fixo), existem quatro tipos diferentes de fibras com descargas, cujas propriedades são resumidas na Tabela 36–1. Detecção de borda mantida, não apagável, significa que se trouxermos um objeto com uma borda no campo da visão do sapo, então existirão muitos impulsos nessa determinada fibra enquanto o objeto está se movendo, mas eles decrescem para um impulso mantido que continua enquanto a borda está lá, mesmo que esteja se tornando imóvel. Se apagarmos a luz, os impulsos param. Se a acendermos novamente, enquanto a borda ainda está à vista, eles começam novamente. Eles não são apagáveis. Outra espécie da fibra é muito semelhante, exceto que se a borda for reta ela não funciona. Ela deve ser uma borda convexa com um fundo escuro atrás! Quão complicado deve ser o sistema de interconexões na retina do olho do sapo

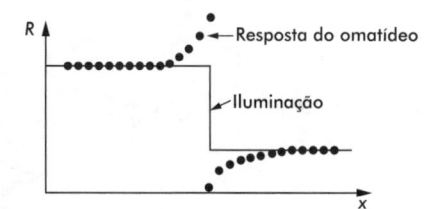

Figura 36–13 A resposta efetiva do omatídeo do caranguejo-ferradura perto de uma mudança brusca na iluminação.

para ele entender que uma superfície convexa se instalou! Além disso, embora esta fibra segure um tanto, ele não segura tanto quanto o outro, e se apagarmos a luz e a acendermos novamente ela *não* se acumula novamente. Depende do movimento na superfície convexa. O olho vê ele se mover e se lembra de que está lá, mas se simplesmente apagarmos a luz por um momento, ele simplesmente esquece-o e não mais o vê.

Outro exemplo é a detecção de modificação do contraste. Se houver uma borda se movendo para dentro ou para fora, existirão pulsos, mas se a coisa ficar imóvel não há nenhum pulso.

Existe um detector de diminuição da intensidade. Se a intensidade da luz estiver diminuindo ele cria pulsos, mas se ela ficar baixa ou ficar alta, o impulso para; ele só trabalha enquanto a luz está diminuindo.

Finalmente, há algumas fibras que são detectoras de escuro – uma coisa assombrosa – elas disparam todo o tempo! Se aumentarmos a luz, elas disparam menos rapidamente, mas todo o tempo. Se reduzirmos a luz, elas disparam mais rapidamente, o tempo todo. Na escuridão, elas disparam como loucas, dizendo perpetuamente "Está escuro! Está escuro! Está escuro!"

Porém essas respostas parecem ser um tanto complicadas de classificar, e poderíamos nos perguntar se talvez os experimentos estariam sendo mal interpretados, mas é muito interessante que essas mesmas classes estejam muito claramente separadas na anatomia do sapo! Através de outras medidas, depois que essas respostas foram classificadas (*posteriormente,* isso que é importante), foi descoberto que a *velocidade* dos sinais em fibras diferentes não era a mesma, portanto esse era outro modo independente de se verificar que tipo de fibra encontramos!

Outra pergunta interessante diz respeito ao tamanho da área a partir da qual uma determinada fibra faz seus cálculos. A resposta é diferente para classes distintas.

A Figura 36–14 mostra a superfície do chamado tectum de um sapo, no qual os nervos entram no cérebro a partir do nervo ótico. Todas as fibras nervosas oriundas do nervo ótico fazem conexões em várias camadas do tectum. Essa estrutura em camadas é análoga à da retina; é em parte por isso que sabemos que o cérebro e a retina são muito semelhantes. Agora, tomando um eletrodo e movendo-o para baixo sucessivamente pelas camadas, podemos descobrir quais os tipos de nervos ópticos e onde eles terminam. O resultado belo e maravilhoso é que os tipos diferentes de fibras terminam em camadas diferentes! As primeiras terminam no tipo número 1, as segundas no número 2, as terceiras e as quintas terminam no mesmo lugar e o mais profundo de todos é o número quatro. (Que coincidência, eles obtiveram os números quase na ordem correta! Não, eles as numeraram assim, o primeiro artigo tinha os números em uma ordem diferente!)

Podemos resumir rapidamente o que acabamos de aprender desta maneira: há três pigmentos, possivelmente. Pode haver muitos tipos diferentes de células receptoras que contêm os três pigmentos em proporções diferentes, mas há muitas conexões cruzadas que podem permitir adições e subtrações por adição e reforço no sistema nervoso. Portanto, antes que possamos realmente entender a visão em cores, teremos de entender a sensação final. Esse assunto está ainda aberto, mas as pesquisas com microeletrodos e assim por diante irão talvez fornecer finalmente mais informação sobre como enxergamos as cores.

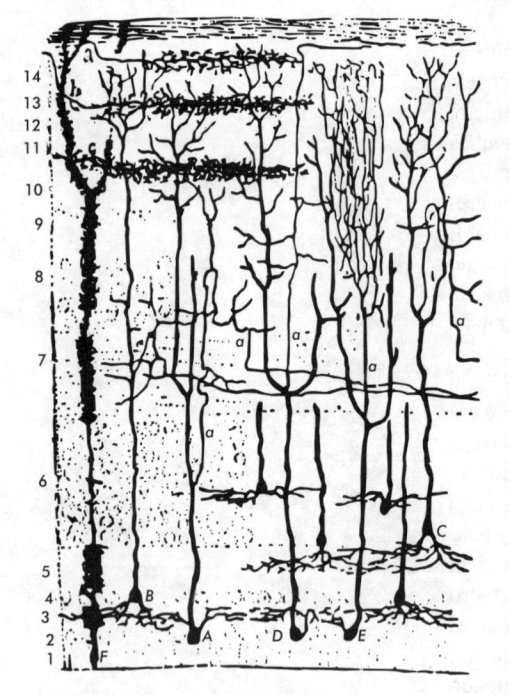

Figura 36–14   O tectum de um sapo.

Tabela 36–1
Tipos de resposta nas fibras do nervo óptico de um sapo

Tipo	Velocidade	Campo angular
1. Detecção de borda mantida (não apagável)	0,2-0,5 m/s	1°
2. Detecção de borda convexa (apagável)	0,5 m/s	2°–3°
3. Detecção de variação de contraste	1-2 m/s	7°–10°
4. Detecção de diminuição de intensidade	Até ½ m/s	Até 15°
5. Detecção de escuridão	?	Muito grande

BIBLIOGRAFIA

Committee on Colorimetry, Optical Society of America, *The Science of Color*, Thomas Y. Crowell Company, New York, 1953.

"Mechanisms of Vision", 2º Suplemento do *Journal of General Physiology*, Vol. 43, No. 6, Part 2, July de 1960, Rockefeller Institute Press.

ARTIGOS ESPECÍFICOS

DeROBERTIS, E., Some Observation son the Ultrastrucutre and Morphogenesis of Photoreceptors", pp. 1-15.

HURVICH, L. M. e D. JAMESON, "Perceived Color, Induction Effects, and Opponent-Response Mechanisms", pp. 63-80.

ROSENBLITH, W. A. ed. *Sensory Communication*, Massachusetts Institute of Technology Press, Cambridge, Mass., 1961.

"Sight, Sense of", *Encyclopaedia Britannica*, Vol. 20, 1957, pp. 628-635.

37

Comportamento Quântico

37–1 Mecânica atômica

Nos capítulos anteriores, tratamos das ideias essenciais necessárias à compreensão da maioria dos fenômenos importantes da luz – ou radiação eletromagnética em geral. (Deixamos alguns tópicos especiais para o próximo ano. Especificamente, a teoria do índice de materiais densos e a reflexão interna total.) Tratamos até agora da chamada "teoria clássica" das ondas elétricas, que aparenta ser uma descrição completamente adequada da natureza para um grande número de efeitos. Ainda não tivemos de nos preocupar com o fato de que a energia da luz vem em pacotes ou "fótons".

Gostaríamos de tomar como nosso próximo assunto o problema do comportamento de partes relativamente grandes da matéria – as suas propriedades mecânicas e térmicas, por exemplo. Na discussão sobre elas, encontraremos que a teoria "clássica" (ou mais antiga) falha quase que imediatamente, porque a matéria realmente é composta por partículas de tamanho atômico. Entretanto, trataremos somente da parte clássica, porque é a única parte que podemos entender utilizando a mecânica clássica que aprendemos até o presente. No entanto, não teremos muito sucesso. Veremos que no caso da matéria, diferentemente do caso da luz, estaremos em dificuldades relativamente cedo. Naturalmente, podemos continuamente contornar os efeitos atômicos, mas ao invés disso, interporemos aqui uma curta excursão para descrever as ideias básicas das propriedades quânticas da matéria, isto é, as ideias quânticas da física atômica, para que você tenha uma noção do que está sendo omitido. Teremos de omitir alguns assuntos importantes, embora não seja possível não nos aproximarmos deles.

Portanto faremos agora uma *introdução* ao assunto da mecânica quântica, mas não seremos capazes de entrar de fato no tema até muito mais tarde.

A "mecânica quântica" é a descrição do comportamento da matéria em todos os seus detalhes e, especialmente, dos acontecimentos em uma escala atômica. As coisas em uma escala muito pequena não se comportam como nada com que você tenha qualquer experiência direta. Elas não se comportam como ondas, nem como partículas, elas não se comportam como nuvens, bolas de bilhar, pesos em molas ou como qualquer coisa que você já tenha visto.

Newton pensava que a luz era composta de partículas, mas então se descobriu, como vimos aqui, que ela se comporta como uma onda. Entretanto, depois (no começo do século XX) foi constatado que a luz realmente às vezes se comporta como uma partícula. Historicamente, pensou-se que o elétron, por exemplo, comportava-se como uma partícula, e então se percebeu que em muitos aspectos ele se comporta como uma onda. Logo, ele realmente não se comporta como nenhum dos dois. Agora desistimos. Dizemos: "ele não se parece com *nenhum*".

Contudo existe uma trégua feliz – elétrons se comportam como a luz. O comportamento quântico de objetos atômicos (elétrons, prótons, nêutrons, fótons e assim por diante) é o mesmo para todos eles, são as "ondas de partícula", ou qualquer nome que você quiser usar. Assim o que aprenderemos sobre as propriedades de elétrons (que usaremos para os nossos exemplos) vai se aplicar também a todas as "partículas", inclusive os fótons da luz.

O acúmulo gradual de informação sobre os comportamentos atômico e em pequena escala durante o primeiro quarto do século XX, os quais forneceram algumas indicações sobre como as coisas pequenas realmente se comportam, produziu uma confusão crescente que foi finalmente resolvida em 1926 e 1927 por Schrödinger, Heisenberg e Born. Eles finalmente obtiveram uma descrição consistente do comportamento da matéria em pequena escala. Usaremos as principais características dessa descrição neste capítulo.

Como o comportamento atômico é tão diferente da experiência comum, é muito difícil se acostumar com ele, parecendo então peculiar e misterioso a todo o mundo, tanto para o novato quanto para o físico experiente. Mesmo os peritos não o entendem do modo como gostariam, e é perfeitamente razoável que eles não o façam, porque

37–1 Mecânica atômica
37–2 Um experimento com projéteis
37–3 Um experimento com ondas
37–4 Um experimento com elétrons
37–5 A interferência de ondas de elétrons
37–6 Observação de elétrons
37–7 Primeiros princípios da mecânica quântica
37–8 O princípio da incerteza

toda a experiência humana direta e a intuição humana se aplicam a grandes objetos. Sabemos como os grandes objetos irão atuar, mas as coisas em uma escala pequena apenas não atuam dessa maneira. Portanto, temos de aprender sobre elas de uma maneira abstrata ou imaginária, e não a partir de uma conexão com a nossa experiência direta.

Neste capítulo abordaremos imediatamente o elemento básico do comportamento misterioso na sua forma mais estranha. Decidimos examinar um fenômeno que é impossível, *absolutamente* impossível, de ser explicado por qualquer modo clássico, e que vai direto ao cerne da mecânica quântica. Na verdade, ele contém o *único* mistério. Não podemos explicar o mistério no tocante à "explicação" de como ele funciona. *Contaremos* como ele funciona e, ao fazer isso, iremos falar sobre as peculiaridades básicas de toda a mecânica quântica.

37–2 Um experimento com projéteis

Para tentar entender o comportamento quântico dos elétrons, vamos comparar e contrastar o seu comportamento em um determinado arranjo experimental, com o comportamento mais familiar de partículas como projéteis e com o comportamento de ondas como ondas de água. Consideramos primeiro o comportamento de projéteis no arranjo experimental mostrado esquematicamente na Fig. 37–1. Temos uma metralhadora que dispara uma torrente de balas. Não se trata de uma arma muito boa, pois os projéteis são espalhados (randomicamente) ao longo de uma extensão angular razoavelmente grande, como indicado na figura. Na frente da arma temos uma parede (feito da placa blindada) com dois orifícios grandes o bastante para deixar passar um projétil. Além da parede está um anteparo (digamos uma parede espessa de madeira) que "absorverá" os projéteis quando eles o atingirem. Em frente da parede temos um objeto que chamaremos de "detector" de projéteis. Pode ser uma caixa com areia. Qualquer projétil que entre no detector será parado e acumulado. Quando desejarmos, podemos esvaziar a caixa e contar o número de projéteis que foram pegos. O detector pode ser movido para frente e para trás (no que chamaremos direção x). Com esse aparelho, podemos descobrir experimentalmente a resposta à pergunta: "qual é a probabilidade de um projétil que passe pelos orifícios da parede chegar à distância x do centro do anteparo?" Primeiro, você deve perceber que devemos falar sobre a probabilidade, porque não podemos dizer definitivamente aonde irá um determinado projétil. Um projétil pode bater em um dos orifícios, ricochetear nas bordas do orifício e terminar em qualquer lugar. Por "probabilidade" queremos dizer a possibilidade de o projétil chegar ao detector, a qual podemos medir contando o número de todos os que chegam ao detector em certo tempo e então calcular a razão desse número com o número *total* dos que batem no anteparo durante aquele tempo. Ou, se supomos que a arma sempre atira na mesma taxa durante as medições, a probabilidade que queremos é justamente proporcional ao número dos que conseguem chegar no detector em algum intervalo de tempo padrão.

Para o nosso propósito, gostaríamos de imaginar um experimento um tanto idealizado no qual os projéteis não são verdadeiros projéteis, mas são projéteis *indestrutíveis* – eles não podem se partir pela metade. No nosso experimento, sempre temos que os projéteis chegam em pacotes, e quando encontramos algo no detector, ele é sempre um projétil inteiro. Se a taxa na qual a metralhadora dispara for muito baixa, temos que, em qualquer momento dado, ou não chega nada, ou um e somente um – exatamente um projétil chega ao anteparo. Também, o tamanho do pacote certamente não depende da taxa do tiroteio da arma. Diremos: os "projéteis *sempre* chegam em pacotes idênticos". O que medimos com o nosso detector é a probabilidade da chegada de um pacote. E medimos a probabilidade como uma função de x. O resultado de tais medições com esse aparelho (ainda não fizemos o experimento, portanto realmente estamos imaginando o resultado) é traçado no gráfico desenhado na parte (c) da Fig. 37–1. No gráfico, traçamos a probabilidade aumentando para a direita e x aumentando verticalmente, de maneira que a escala x se ajuste ao diagrama do aparelho. Chamamos a probabilidade P_{12} porque os projéteis podem ter vindo tanto pelo orifício 1 quanto pelo orifício 2. Você não se surpreenderá que P_{12} seja grande perto do meio do gráfico mas se torna pequeno se x for muito grande. Você se pode se perguntar, contudo, por que P_{12} tem o seu valor máximo em $x = 0$. Podemos entender esse fato se fizermos o nosso experimento novamente depois de cobrir o orifício 2, e mais uma vez cobrindo o orifício 1. Quando o orifício 2 é coberto, os projéteis podem passar somente pelo orifício 1, e obtemos a curva marcada como P_1 na parte (b) da figura. Como você esperaria, o máximo de P_1 ocorre no valor de x que está em uma linha reta com a arma e o orifício 1. Quando o orifício 1 é fechado, obtemos a curva simétrica P_2, desenhada na figura. P_2 é a distribuição de probabilidades de projéteis que passam pelo orifício 2. Comparando as partes (b) e (c) da Fig. 37–1, encontramos o importante resultado que

$$P_{12} = P_1 + P_2 \qquad (37.1)$$

As probabilidades apenas se somam em conjunto. O efeito com ambos os orifícios abertos é a soma dos efeitos com cada orifício aberto individualmente. Chamaremos esse resultado de uma observação de "*nenhuma interferência*" por uma razão que você verá depois. Chega de projéteis. Eles vêm em pacotes e a sua probabilidade de chegada não mostra nenhuma interferência.

37–3 Um experimento com ondas

Agora desejamos considerar um experimento com ondas de água. O aparelho é mostrado esquematicamente na Fig. 37–2. Temos um recipiente raso com água. Um pequeno objeto etiquetado "fonte de onda" é oscilado para cima e para baixo por um motor e faz ondas circulares. À direita da fonte temos novamente uma parede com dois orifícios, e além dela está uma segunda parede, que, para manter as coisas simples, é um "absorvedor", para que não haja nenhuma reflexão das ondas que chegam lá. Isso pode ser feito construindo uma "praia" gradual de areia. Em frente à praia colocamos um detector que pode ser movido para frente e para trás na direção x, como antes. O detector é agora um dispositivo que mede a "intensidade" do movimento de onda. Você pode imaginar um aparelho que mede a altura do movimento de onda, mas cuja escala é calibrada na proporção do *quadrado* da altura real, para que a leitura seja proporcional à intensidade da onda. O nosso detector lê, então, na proporção da *energia* que é transportada pela onda – ou melhor, a taxa na qual a energia é transportada ao detector.

Com o nosso aparelho de onda, a primeira coisa a notar é que a intensidade pode ter *qualquer* tamanho. Se a fonte somente se mover uma quantidade muito pequena, então existe apenas um pouco do movimento de onda no detector. Quando há mais movimento na fonte, há mais intensidade no detector. A intensidade da onda pode ter qualquer valor. *Não* diríamos que existe algum "amontoamento" na intensidade de onda.

Agora vamos medir a intensidade de onda para vários valores de x (mantendo a fonte de onda funcionando sempre de mesmo modo). Obtemos a curva de aspecto interessante marcada I_{12} na parte (c) da figura.

Já desenvolvemos como tais padrões aparecem quando estudamos a interferência de ondas elétricas. Nesse caso, observaríamos que a onda original é difratada nos orifícios, e

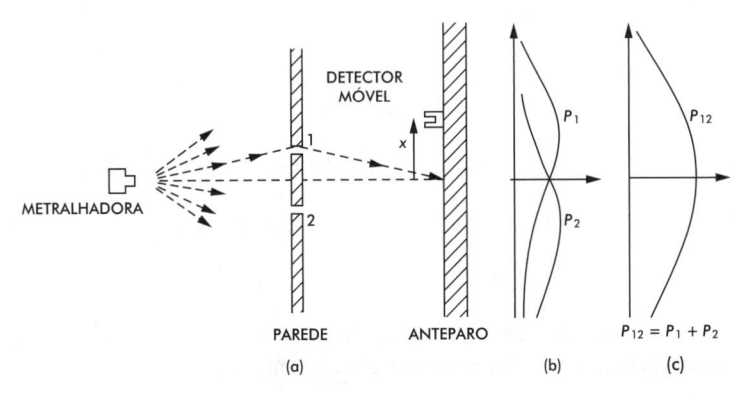

Figura 37–1 Experimento de interferência com projéteis.

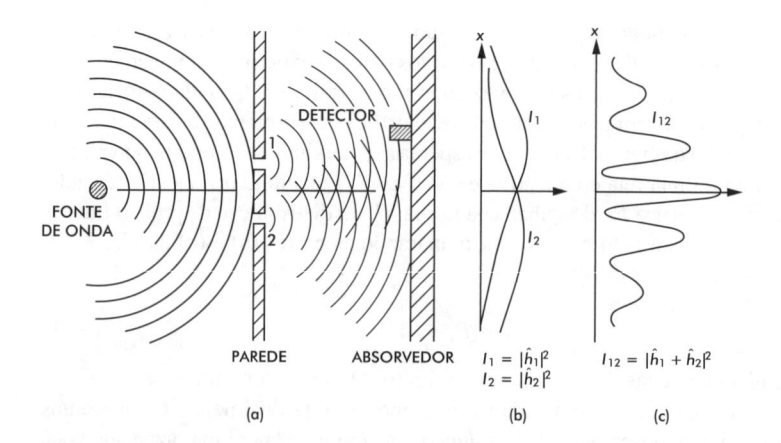

Figura 37–2 Experimento de interferência com ondas de água.

novas ondas de circular se expandem a partir de cada orifício. Se cobrirmos um orifício por vez e medirmos a distribuição de intensidade no absorvedor, encontramos as curvas bem simples de intensidade mostradas na parte (b) da figura. I_1 é intensidade da onda a partir do orifício 1 (encontrada fazendo a medida quando o orifício 2 está tampado) e I_2 é a intensidade da onda do orifício 2 (visto quando o orifício 1 está bloqueado).

A intensidade I_{12} observada quando ambos os orifícios estão abertos certamente *não* é a soma *de* I_1 e I_2. Dizemos que ocorre a "interferência" das duas ondas. Em alguns lugares (onde a curva 1_{12} tem os seus máximos), as ondas estão "em fase", e os picos da onda se somam em conjunto para dar uma grande amplitude e, portanto, uma grande intensidade. Dizemos que as duas ondas estão "interferindo construtivamente" em tais lugares. Haverá tal interferência construtiva onde quer que a distância do detector até um dos orifícios seja um número inteiro de comprimentos de onda maior (ou menor) do que a distância do detector ao outro orifício.

Naqueles lugares onde as duas ondas chegam ao detector com uma diferença de fase de π (onde eles estão "fora de fase"), o movimento de onda resultante no detector será a diferença das duas amplitudes. As ondas "interferem destrutivamente", e obtemos um valor baixo para a intensidade da onda. Esperamos esses baixos valores onde quer que a distância entre o orifício 1 e o detector seja diferente da distância entre o orifício 2 e o detector por um número ímpar de meios comprimentos de onda. Os valores baixos de I_{12} da Fig. 37–2 correspondem aos lugares onde as duas ondas interferem destrutivamente.

Você lembrará que a relação quantitativa entre I_1, I_2 e 1_{12} pode ser expressa da seguinte maneira: a altura instantânea da onda de água no detector para a onda do orifício 1 pode ser escrita como (parte real de) $\hat{h}_1 e^{i\omega t}$, onde a "amplitude" $\hat{h}_1$ é, geralmente, um número complexo. A intensidade é proporcional à altura média ao quadrado ou, quando usamos números complexos, a $|\hat{h}_1|^2$. Analogamente, para o orifício 2 a altura é $\hat{h}_2 e^{i\omega t}$ e a intensidade é proporcional a $|\hat{h}_2|^2$. Quando ambos os orifícios estão abertos, as alturas de onda se adicionam para dar a altura $(\hat{h}_1 + \hat{h}_2) e^{i\omega t}$ e a intensidade $|\hat{h}_1 + \hat{h}_2|^2$. Omitindo a constante de proporcionalidade para o nosso objetivo, as relações de *ondas de interferência* são

$$I_1 = |\hat{h}_1|^2, \quad I_2 = |\hat{h}_2|^2, \quad I_{12} = |\hat{h}_1 + \hat{h}_2|^2. \tag{37.2}$$

Você notará que o resultado é bastante diferente do obtido com projéteis (Eq. 37.1). Expandindo $|\hat{h}_1 + \hat{h}_2|^2$, vemos que

$$|\hat{h}_1 + \hat{h}_2|^2 = |\hat{h}_1|^2 + |\hat{h}_2|^2 + 2|\hat{h}_1||\hat{h}_2| \cos \delta, \tag{37.3}$$

onde δ é a diferença de fase entre $\hat{h}_1$ e $\hat{h}_2$. Em termos das intensidades, podemos escrever

$$I_{12} = I_1 + I_2 + 2\sqrt{I_1 I_2} \cos \delta. \tag{37.4}$$

O último termo em (37.4) é o "termo de interferência". Chega de ondas de água. A intensidade pode ter qualquer valor, e ela exibe interferência.

37–4 Um experimento com elétrons

Agora imaginemos um experimento semelhante com elétrons, o qual é mostrado esquematicamente na Fig. 37–3. Construímos uma canhão de elétrons que é composto por um fio de tungstênio aquecido por uma corrente elétrica e rodeado de uma caixa metálica com um orifício. Se o fio estiver a uma voltagem negativa com respeito à caixa, os elétrons emitidos pelo fio serão acelerados em direção às paredes e alguns passarão pelo orifício. Todos os elétrons que saem do canhão terão (quase) a mesma energia. Em frente do canhão está novamente uma parede (apenas uma placa metálica fina) com dois orifícios. Além da parede está outra placa que servirá de "anteparo". Em frente ao anteparo colocamos um detector móvel. O detector poder ser um contador Geiger ou, ainda melhor, um multiplicador de elétrons, que está conectado a um alto-falante.

Devemos avisar imediatamente que você não deve tentar montar esse experimento (como você poderia ter feito com os dois descritos anteriormente). Esse experimento nunca foi feito exatamente desse modo. O problema é que o aparato teria de ser feito em uma escala impossivelmente pequena para mostrar os efeitos nos quais estamos interessados. Estamos fazendo um "experimento de pensamento," escolhido porque é fácil de pensá-lo. Conhecemos os resultados que *seriam* obtidos porque *há* muitos experimentos que já foram feitos, nos quais a escala e as proporções foram escolhidas a fim de mostrar os efeitos que descreveremos.

A primeira coisa que notamos com o nosso experimento de elétrons é que ouvimos "cliques" agudos do detector (isto é, do alto-falante). E todos os "cliques" são os mesmos. Não há *nenhum* "meio-clique".

Também notamos que os "cliques" vêm muito irregularmente. Algo como: clique.... clique-clique... clique....... clique.... clique-clique....... clique..., etc., sem dúvida como você já ouviu um contador Geiger funcionando. Se contarmos os cliques que chegam em um tempo suficientemente longo – digamos durante muitos minutos – e então contarmos novamente durante um período igual, veremos que os dois números são quase os mesmos. Portanto podemos falar da *taxa média* na qual os cliques são ouvidos (tantos cliques por minuto, em média).

Conforme movemos o detector continuamente, a *taxa* na qual os cliques aparecem é mais rápida ou mais lenta, mas o tamanho (a sonoridade) de cada clique é sempre o mesmo. Se abaixarmos a temperatura do fio no canhão, a taxa do clique diminui, mas ainda cada clique soa o mesmo. Notaríamos também que se puséssemos dois detectores separados no anteparo, um *ou* o outro clicaria, mas nunca ambos ao mesmo tempo. (Exceto esporadicamente quando houvesse dois cliques muito próximos no tempo, e nosso ouvido não conseguir distinguir a separação.) Concluímos, portanto, que independentemente do que chega ao anteparo, chega em "pacotes". Todos os "pacotes" são do mesmo tamanho: apenas "pacotes" inteiros chegam, e chegam um por vez no anteparo. Diremos, então: "Os elétrons sempre chegam em pacotes idênticos."

Tal como para o nosso experimento com projéteis, agora podemos encontrar experimentalmente a resposta à pergunta: "qual é a probabilidade relativa de um 'pacote' de elétrons chegar ao anteparo a várias distâncias x do centro?" Como antes, obtemos a

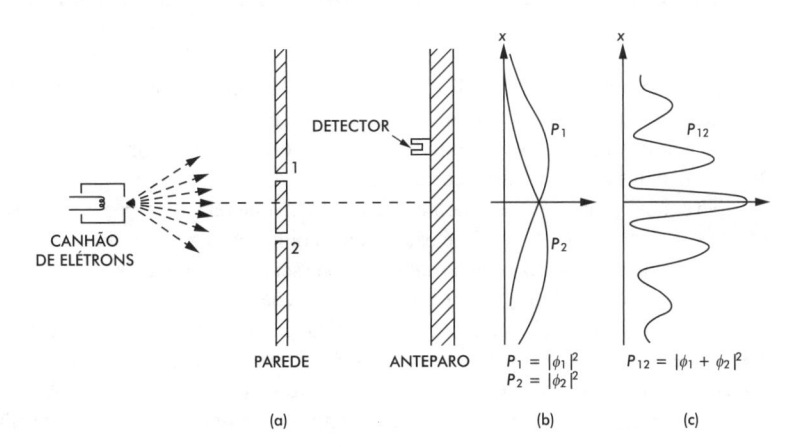

Figura 37–3 Experimento de interferência com elétrons.

$P_1 = |\phi_1|^2$
$P_2 = |\phi_2|^2$
$P_{12} = |\phi_1 + \phi_2|^2$

probabilidade relativa observando a taxa dos cliques, mantendo a operação do canhão constante. A probabilidade de que os pacotes cheguem a um determinado x é proporcional à taxa média de cliques nesse x.

O resultado do nosso experimento é a interessante curva P_{12} na parte (c) da Fig. 37–3. Sim! Essa é a maneira como os elétrons se comportam.

37–5 A interferência de ondas de elétrons

Vamos tentar analisar a curva da Fig. 37–3 para ver se podemos entender o comportamento dos elétrons. A primeira coisa que diríamos é que como eles vêm em pacotes, cada pacote, que podemos muito bem chamar de um elétron, passou pelo orifício 1 ou pelo orifício 2. Vamos escrever isso na forma de uma "Proposição":

Proposição A: Cada elétron atravessa ou o orifício 1 ou o orifício 2.

Considerando a Proposição A, todos os elétrons que chegam ao anteparo podem ser divididos em duas classes: (1) aqueles que atravessam o orifício 1 e (2) aqueles que atravessam o orifício 2. Portanto, a curva observada deve ser a soma dos efeitos dos elétrons que atravessam o orifício 1 e os elétrons que passam pelo orifício 2. Vamos verificar essa ideia pelo experimento. Primeiro, faremos uma medida daqueles elétrons que passam pelo orifício 1. Bloqueamos o orifício 2 e fazemos as nossas contagens de cliques no detector. A partir da taxa de cliques, obtemos P_1. O resultado das medidas é mostrado pela curva P_1 na parte (b) da Fig. 37–3. O resultado parece bastante razoável. Analogamente, medimos P_2, a distribuição de probabilidade dos elétrons que atravessam o orifício 2. O resultado dessa medida também é mostrado na figura.

O resultado P_{12} obtido com *ambos* os orifícios abertos claramente não é a soma de P_1 mais P_2, as probabilidades de cada orifício isolado. Na analogia com o nosso experimento de ondas de água, dizemos: "Existe interferência".

$$\text{Para os elétrons:} \qquad P_{12} \neq P_1 + P_2. \qquad (37.5)$$

Como tal interferência pode acontecer? Talvez devêssemos dizer: "Bem, isso significa, provavelmente, que *não é verdade* que os pacotes atravessam ou pelo orifício 1 ou pelo orifício 2, porque se eles o fizessem, as probabilidades deveriam se somar. Possivelmente eles fazem um caminho mais complicado. Eles se partem ao meio e..." Não! Eles não podem, eles sempre chegam em pacotes... "Bem, talvez alguns deles atravessam por 1, e então dão a volta por 2, e depois dão mais voltas várias vezes, ou por algum outro caminho complicado... então fechando o orifício 2, modificamos a possibilidade que um elétron que *começou* através do orifício 1 atinja finalmente o anteparo..." Notem! Há alguns pontos nos quais muito poucos elétrons chegam quando *ambos* os orifícios estão abertos, mas que recebem muitos elétrons se fecharmos um orifício, portanto *fechando* um orifício *aumentamos* o número do outro. Observe, contudo, que no centro do padrão, P_{12} é mais do que duas vezes maior que $P_1 + P_2$. É como se fechar um orifício *reduzisse* o número de elétrons que conseguem atravessar o outro orifício. Parece difícil explicar *ambos* os efeitos supondo que os elétrons viajem em caminhos complicados.

Tudo é muito misterioso. E quanto mais você olha o problema, mais misterioso ele parece. Muitas ideias foram inventadas para tentar explicar a curva P_{12} por elétrons individuais andando de modos complicados pelos orifícios. Nenhuma delas teve sucesso. Nenhuma delas obteve a curva correta para P_{12} em termos de P_1 e P_2.

No entanto, surpreendentemente, a *matemática* que relaciona P_1 e P_2 a P_{12} é extremamente simples. A curva para P_{12} é exatamente como a curva I_{12} da Fig. 37–2, *que* é bem simples. O que está acontecendo no anteparo pode ser descrito por dois números complexos que podemos chamar de $\hat{\phi}_1$ e $\hat{\phi}_2$ (os quais são funções de x, é claro). O quadrado do valor absoluto de $\hat{\phi}_1$ dá o efeito com apenas o orifício 1 aberto. Isto é, $P_1 = |\hat{\phi}_1|^2$. O efeito com somente o orifício 2 aberto é dado por $\hat{\phi}_2$ da mesma maneira. Isto é, $P_2 = |\hat{\phi}_2|^2$. E o efeito combinado dos dois orifícios é somente $P_{12} = |\hat{\phi}_1 + \hat{\phi}_2|^2$. A *matemática* é a mesma que tínhamos para as ondas de água! (É difícil ver como um resultado tão simples pode ser obtido de um jogo complicado de elétrons indo e voltando da placa com alguma estranha trajetória.)

Concluímos o seguinte: os elétrons chegam em pacotes, como partículas, e a probabilidade da chegada desses pacotes é distribuída como a distribuição de intensidade de uma onda. É nesse sentido que um elétron se comporta "às vezes como uma partícula e às vezes como uma onda".

Incidentemente, quando tratávamos com ondas clássicas, definimos a intensidade como a média temporal do quadrado da amplitude da onda, e usamos números complexos como um truque matemático para simplificar a análise. Na mecânica quântica as amplitudes *precisam* ser representadas por números complexos. As partes reais sozinhas não serão suficientes. Por enquanto, esse é um ponto técnico, pois parecem as mesmas.

Como a probabilidade da chegada por ambos os orifícios é dada de forma tão simples, embora não seja igual a $(P_1 + P_2)$, isso é tudo que pode ser dito, mas existe um grande número de sutilezas implicadas no fato de que a natureza realmente funciona desse jeito. Gostaríamos de ilustrar algumas dessas sutilezas para você agora. Primeiro, como o número que chega a um determinado ponto não é igual ao número que chega através de 1 mais o número que chega através de 2, como teríamos concluído a partir da Proposição A, sem dúvida devemos concluir que a *Proposição A é falsa*. Não é verdade que os elétrons passam *ou* pelo orifício 1 *ou* pelo orifício 2, mas essa conclusão pode ser testada por outro experimento.

37–6 Observação de elétrons

Tentaremos agora o experimento seguinte. Acrescentamos uma fonte de luz muito forte ao nosso aparelho de elétrons, colocada atrás da parede e entre os dois orifícios, como mostrado na Fig. 37–4. Sabemos que as cargas elétricas espalham a luz. Assim, quando um elétron passar, de qualquer maneira que ele passe, ao longo do seu caminho para o detector, ele espalhará um pouco de luz em direção ao nosso olho, e poderemos *ver* por onde o elétron passou. Se, por exemplo, um elétron tomou o caminho via orifício 2, como esboçado na Fig. 37–4, devemos ver um sinal luminoso que vem da vizinhança do lugar marcado por A na figura. Se um elétron passa pelo orifício 1, esperamos ver um sinal luminoso da vizinhança do orifício superior. Se acontecer de observarmos luzes de ambos os lugares ao mesmo tempo, é porque o elétron se dividiu ao meio... Vamos apenas realizar o experimento!

Aqui está o que vemos: *cada* vez que ouvimos um "clique" no nosso detector de elétrons (no anteparo), *também vemos* um lampejo de luz próximo ao orifício 1 *ou* perto do orifício 2, mas *nunca* ambos ao mesmo tempo! E observamos o mesmo resultado não importando onde colocamos o detector. Dessa observação, concluímos que quando examinamos os elétrons, vemos que eles passam por um orifício ou pelo outro. Experimentalmente, a Proposição A é necessariamente verdadeira.

O que, então, está errado com o nosso argumento *contra* a Proposição A? Por que P_{12} *não é* justamente igual a $P_1 + P_2$? De volta ao experimento! Vamos acompanhar o

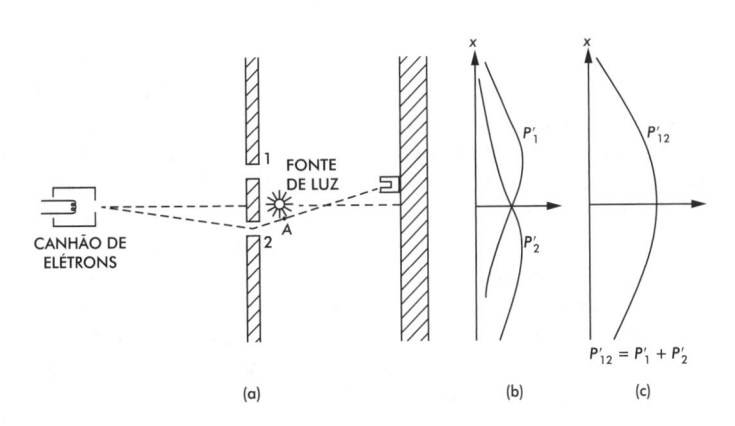

Figura 37–4 Um experimento diferente com elétrons.

caminho dos elétrons e descobrir o que eles estão fazendo. Para cada posição (a posição *x*) do detector, contaremos os elétrons que chegam e *também* acompanharemos por qual orifício eles passaram, a partir da observação dos sinais luminosos. Podemos acompanhar as coisas desta maneira: sempre que ouvirmos um "clique", somaremos um ponto na Coluna 1 se virmos o lampejo perto do orifício 1, e se virmos o sinal perto do orifício 2, registraremos um ponto na Coluna 2. Cada elétron que chega é registrado em uma das duas classes: aqueles que atravessam 1 e aqueles que chegam por 2. A partir do número registrado na Coluna 1, obtemos a probabilidade P'_1 de que um elétron chegue ao detector via o orifício 1; e do número registrado na Coluna 2 obtemos P'_2, a probabilidade de que um elétron chegue ao detector via o orifício 2. Se agora repetirmos tal medida para muitos valores de *x*, obtemos as curvas P'_1 e P'_2 mostradas na parte (b) da Fig. 37–4.

Bem, isso não é tão surpreendente! Obtemos para P'_1 algo bastante semelhante ao que encontramos anteriormente para P_1 ao bloquear o orifício 2; e P'_2 é semelhante ao que vimos bloqueando o orifício 1. Portanto *não* existe nada complicado como atravessar ambos os orifícios. Quando os observamos, os elétrons chegam justamente como esperaríamos que eles chegassem. Se os orifícios estão fechados ou abertos, aqueles que vemos atravessar o orifício 1 são distribuídos do mesmo modo independentemente de se o orifício 2 está aberto ou fechado.

Espere! O que temos *agora* para a probabilidade *total*, a probabilidade de que um elétron chegue ao detector por qualquer caminho? Já temos essa informação. Apenas fingimos que nunca vimos os sinais luminosos e juntamos os cliques do detector que havíamos separado em duas colunas. *Precisamos* apenas *somar* os números. Para a probabilidade de que um elétron chegue ao anteparo passando por *qualquer* orifício, realmente encontramos $P'_{12} = P'_1 + P'_2$. Isto é, embora tivéssemos sucesso na observação de por qual orifício os nossos elétrons passaram, não encontramos mais a antiga curva de interferência P_{12}, mas uma nova P'_{12} na qual não há nenhuma interferência! Se desligarmos a luz, recuperamos P_{12}.

Concluímos, então, que *quando vemos os elétrons*, a sua distribuição na tela é diferente do que quando não estamos olhando. Talvez seja o fato de acender a fonte de luz que perturba as coisas? Os elétrons devem ser muito delicados, e a luz, quando espalhada pelos elétrons, dá-lhes um solavanco que modifica o seu movimento. Sabemos que o campo elétrico da luz atuando em uma carga exercerá uma força sobre ela. Talvez então *devamos* esperar que o movimento se modifique. De qualquer maneira, a luz exerce uma grande influência nos elétrons. Ao tentar "olhar" os elétrons, modificamos os seus movimentos. Isto é, o solavanco dado ao elétron quando o fóton é espalhado por ele é tal, que é capaz de modificar o movimento do elétron o suficiente para que se ele *pudesse* ter ido onde P_{12} tem um máximo, ao invés disso ele aterrissará onde P_{12} tem um mínimo; por isso não vemos mais os efeitos ondulatórios de interferência.

Você pode estar pensando: "não use uma fonte tão brilhante! Diminua o brilho! As ondas de luz serão então mais fracas e não perturbarão tanto os elétrons. Seguramente, fazendo a luz cada vez mais fraca, eventualmente a onda será fraca o suficiente que terá um efeito desprezível." Tudo bem. Vamos tentar. A primeira coisa que observamos é que os clarões da luz espalhada pelos elétrons conforme eles passam *não* se tornam mais fracos. *O clarão de luz tem sempre o mesmo tamanho*. A única coisa que acontece conforme a luz é diminuída é que às vezes ouvimos um "clique" no detector, mas não vemos *absolutamente nenhum sinal luminoso*. O elétron passou sem "ser visto". Estamos observando que a luz *também* atua como os elétrons, *sabíamos* que era "ondulatória", mas agora vemos que também vem em "pacotes". Ela sempre chega – ou é espalhada – em pacotes que chamamos de "fótons". Conforme diminuímos a *intensidade* da fonte de luz, não modificamos o *tamanho* dos fótons, somente a *taxa* com a qual eles são emitidos. *Isso* explica por que, quando a nossa fonte é fraca, alguns elétrons passam sem ser vistos. Não havia um fóton por ali na hora que o elétron atravessou.

Isso tudo é um pouco desanimador. Se for verdade que sempre que "vemos" o elétron vemos o clarão com o mesmo tamanho, então aqueles elétrons que vemos são *sempre* os perturbados. Vamos tentar o experimento com uma luz fraca assim mesmo. Agora, sempre que ouvirmos um clique no detector, marcaremos um ponto em uma de três colunas: na Coluna (1) aqueles elétrons vistos pelo orifício 1, na Coluna (2) aqueles elétrons vistos pelo orifício 2 e na Coluna (3) aqueles elétrons que não são vistos de maneira alguma. Quando trabalhamos em cima dos nossos dados (calculando a probabilidade), encontramos estes resultados: aqueles "vistos pelo orifício 1" têm uma distribuição como P'_1; aqueles "vistos pelo orifício 2" têm uma distribuição como P'_2 (de modo que aqueles "vistos pelo orifício 1 ou 2" tenham uma distribuição como P'_{12}); e aqueles que "não são vistos de modo algum" têm uma distribuição "ondulatória" como P_{12} da Fig. 37–3! *Se os elétrons não forem vistos, temos interferência!*

Isso é compreensível. Quando não vemos o elétron, nenhum fóton o perturba, e quando realmente o vemos, um fóton o perturbou. Existe sempre a mesma quantidade de perturbação porque os fótons de luz produzem efeitos de mesmo tamanho, e o efeito dos fótons sendo espalhados é suficiente para borrar qualquer efeito de interferência.

Não existe então *algum* modo pelo qual podemos ver os elétrons sem perturbá-los? Aprendemos em um capítulo anterior que o momento transportado por um "fóton" é inversamente proporcional ao seu comprimento de onda ($p = h/\lambda$). Certamente o solavanco dado ao elétron quando o fóton é espalhado em direção ao nosso olho depende do momento que o fóton transporta. Aha! Se quiséssemos perturbar os elétrons apenas levemente, não deveríamos ter diminuído a *intensidade* da luz, deveríamos ter diminuído a sua *frequência* (o mesmo que aumentar o seu comprimento de onda). Vamos usar uma luz de uma cor mais vermelha. Poderíamos até usar luz infravermelha, ou ondas de rádio (como radar), e "ver" onde o elétron passou com a ajuda de algum equipamento capaz de "ver" a luz desses comprimentos de onda mais longos. Se usarmos uma luz mais "suave", talvez possamos evitar perturbar tanto os elétrons.

Vamos tentar o experimento com ondas mais longas. Continuaremos repetindo o nosso experimento, cada vez com luz de comprimento de onda mais longo. Inicialmente, nada parece se modificar. Os resultados são os mesmos. Então uma coisa terrível acontece. Lembre que, quando discutimos o microscópio, indicamos que, devido à *natureza ondulatória* da luz, há uma limitação de quão perto dois pontos podem estar e ainda serem vistos como dois pontos separados. Essa distância é da ordem do comprimento de onda da luz. Portanto agora, quando fizermos o comprimento de onda mais longo do que a distância entre os nossos orifícios, vemos um *grande* sinal luminoso indistinto quando a luz é espalhada pelos elétrons. Não podemos mais saber por qual orifício o elétron passou! Somente sabemos que ele passou por algum lugar, e é somente com a luz dessa cor que encontramos que os solavancos dados ao elétron são pequenos o suficiente para que P'_{12} comece a se parecer com P_{12} – que começamos a obter um pouco dos efeitos de interferência. Somente para comprimentos de onda muito mais longos do que a separação dos dois orifícios (quando não temos nenhuma possibilidade de saber por onde o elétron passou) que a perturbação devido à luz se torna suficientemente pequena para que novamente recuperemos a curva P_{12} mostrada na Fig. 37–3.

Em nosso experimento, vemos que é impossível preparar a luz de tal modo que se pode contar por qual orifício o elétron passou e, ao mesmo tempo, não perturbar o padrão. Heisenberg sugeriu que as então novas leis da natureza apenas poderiam ser consistentes se houvesse alguma limitação básica nas nossas capacidades experimentais que não tivesse sido reconhecida anteriormente. Ele propôs, como um princípio geral, o seu *princípio de incerteza*, que podemos afirmar em termos do nosso experimento como se segue: "É impossível projetar um aparelho para determinar por qual orifício o elétron passa que ao mesmo tempo não perturbe os elétrons o suficiente para destruir o padrão de interferência". Se um aparelho for capaz de determinar por qual orifício o elétron passa, *não pode* ser tão delicado que não perturbe o padrão de uma maneira substancial. Ninguém encontrou ainda (ou mesmo concebeu) uma maneira para contornar o princípio de incerteza. Portanto devemos supor que ele descreve uma característica básica da natureza.

A teoria completa da mecânica quântica que agora usamos para descrever átomos e, de fato, toda a matéria dependem do princípio de incerteza estar correto. Como a mecânica quântica é uma teoria tão bem-sucedida, a nossa crença no princípio de incerteza é reforçada. Se uma maneira de "derrubar" o princípio de incerteza for alguma vez descoberta, a mecânica quântica daria resultados inconsistentes e teria de ser descartada como uma teoria válida da natureza.

"Bem" você diz, "e sobre a Proposição A? É verdade ou *não* que o elétron atravessa ou o orifício 1 ou o orifício 2?" A única resposta que pode ser dada é a que encontramos a partir do experimento que há uma certa maneira especial em que temos que pensar para que não resultem inconsistências. O que precisamos dizer (para evitar fazer previsões incorretas) é o seguinte. Se olharmos os orifícios ou, mais precisamente, se existir um aparelho capaz de determinar se os elétrons atravessam o orifício 1 ou o orifício 2, então *pode-se* dizer se ele passa pelo orifício 1 ou orifício 2. Quando *não* se tenta saber por qual caminho o elétron passa, quando não há nada no experimento para perturbar os elétrons, então *não* se pode dizer se um elétron atravessou pelo orifício 1 ou pelo orifício 2. Se realmente dissermos isso, e começarmos a fazer qualquer dedução a partir dessa afirmação, cometeremos erros na análise. Essa é a corda bamba lógica na qual devemos andar se desejarmos descrever a natureza com sucesso.

Se o movimento de toda a matéria – bem como dos elétrons – deve ser descrito em termos de ondas, como fazemos com os projéteis do nosso primeiro experimento? Por que não vimos um padrão de interferência lá? Para os projéteis, os comprimentos de onda eram tão pequenos que os padrões de interferência ficaram muito finos. Tão finos, de fato, que com qualquer detector do tamanho finito não se pode distinguir separadamente os máximos e os mínimos. O que vimos foi apenas uma espécie de média, que é a curva clássica. Na Fig. 37–5 tentamos indicar esquematicamente o que acontece com objetos de grande escala. A parte (a) da figura mostra a distribuição de probabilidade predita para projéteis, usando a mecânica quântica. Os rabiscos rápidos supostamente representam o padrão de interferência que se obtém para ondas de comprimento de onda muito curto. Qualquer detector físico, contudo, abrange vários rabiscos da curva de probabilidade, de modo que as medidas mostram a curva suave desenhada na parte (b) da figura.

37–7 Primeiros princípios da mecânica quântica

Escreveremos agora um resumo das conclusões principais dos nossos experimentos. Iremos, contudo, apresentar os resultados em uma forma que os torna verdadeiros para uma classe geral de tais experimentos. Podemos escrever o nosso resumo mais simplesmente se primeiro definirmos um "experimento ideal" como aquele no qual não há nenhuma influência externa incerta, isto é, nenhuma oscilação ou outras coisas acontecendo as quais não possam ser consideradas. Seríamos precisos o suficiente se disséssemos: "um experimento ideal é aquele no qual todas das condições iniciais e finais do experimento estão completamente especificadas". O que chamaremos "um evento" é, geralmente, apenas um conjunto específico de condições iniciais e finais. (Por exemplo: "um elétron deixa o canhão, chega ao detector e nada mais acontece".) Vamos agora para o nosso resumo.

Resumo

(1) A probabilidade de um evento em um experimento ideal é dada pelo quadrado do valor absoluto de um número complexo ϕ que é chamado de amplitude de probabilidade.

$$P = \text{probabilidade},$$
$$\phi = \text{amplitude de probabilidade}, \quad (37.6)$$
$$P = |\phi|^2.$$

(2) Quando um evento pode ocorrer de vários modos alternativos, a amplitude de probabilidade do evento é a soma das amplitudes de probabilidade de cada maneira considerada separadamente. Ocorre interferência.

$$\phi = \phi_1 + \phi_2,$$
$$P = |\phi_1 + \phi_2|^2. \quad (37.7)$$

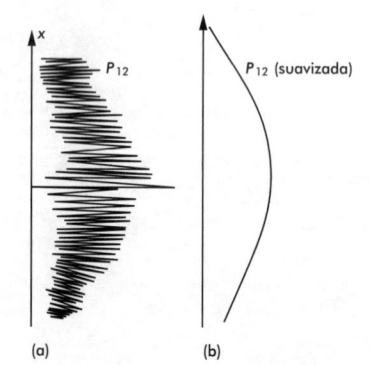

Figura 37–5 Padrão de interferência com projéteis: (a) real (esquemático), (b) observado.

(3) Se um experimento for executado o qual é capaz de determinar se uma ou outra alternativa de fato ocorre, a probabilidade do evento é a soma da probabilidade de cada alternativa. A interferência é perdida.

$$P = P_1 + P_2. \tag{37.8}$$

Ainda poderia ser perguntado: "Como isso funciona? Qual é o mecanismo por trás da lei?" Ninguém encontrou qualquer mecanismo por trás da lei. Ninguém pode "explicar" mais do que acabamos de "explicar". Ninguém lhe dará qualquer representação mais profunda da situação. Não temos ideia alguma sobre um mecanismo mais básico a partir do qual esses resultados podem ser deduzidos.

Gostaríamos de enfatizar uma diferença muito importante entre a mecânica clássica e a quântica. Estivemos falando sobre a probabilidade de que um elétron chegue a uma circunstância dada. Inferimos que no nosso arranjo experimental (ou até no melhor possível) seria impossível predizer exatamente o que aconteceria. Somente podemos predizer as possibilidades! Isso significaria, se fosse verdade, que a física desistiu do problema de tentar predizer exatamente o que acontecerá em uma dada circunstância. Sim! A física *desistiu*. *Não sabemos como prever o que aconteceria em uma dada circunstância,* e acreditamos agora que é impossível, que a única coisa que pode ser predita é a probabilidade de diferentes eventos. Deve ser reconhecido que isso é uma redução no nosso ideal anterior de entender a natureza. Pode ser um passo para trás, mas ninguém tem um modo de evitá-lo.

Faremos agora algumas observações sobre uma sugestão feita às vezes para tentar evitar a descrição que demos: "Talvez o elétron tenha uma espécie de mecanismos internos – algumas variáveis internas – que ainda não conhecemos. Talvez seja por isso que não podemos prever o que acontecerá. Se pudéssemos olhar mais de perto para o elétron, poderíamos ser capazes de saber onde ele terminaria" Pelo que conhecemos até o momento, isso é impossível. Ainda estaríamos em dificuldades. Suponha que considerássemos que dentro do elétron existe uma espécie de maquinaria que determina para onde ele irá. Essa máquina *também* deve determinar por qual orifício ele passará no seu caminho, mas não devemos nos esquecer de que o que estiver dentro do elétron não pode depender do que fazemos, especialmente se abrimos ou fechamos um dos orifícios. Portanto, se antes que um elétron inicie a jornada, ele já se decidiu sobre (a) qual orifício ele irá usar e (b) onde ele irá aterrissar, devemos encontrar P_1 para aqueles elétrons que escolheram o orifício 1, P_2 para aqueles que escolheram o orifício 2 *e necessariamente* a soma de $P_1 + P_2$ para aqueles que chegam pelos dois orifícios. Parece não haver nenhuma maneira de evitar isso. Porém verificamos experimentalmente que esse não é o caso. Ninguém ainda imaginou uma solução para esse quebra-cabeça. Portanto, no momento devemos nos limitar a calcular probabilidades. Dissemos "no momento", mas suspeitamos muito fortemente que é algo que estará conosco para sempre – que é impossível resolver esse quebra-cabeça – que essa é a maneira como a natureza realmente *é*.

37–8 O princípio da incerteza

A maneira como Heisenberg descreveu o princípio da incerteza originalmente é: se você fizer a medida em algum objeto e puder determinar a componente x do momento com uma incerteza Δp, você não pode conhecer, ao mesmo tempo, a sua posição x mais precisamente do que $\Delta x \geq \hbar/2\Delta p$. O produto das incertezas na posição e no momento em qualquer instante deve ser maior que ou igual à metade da constante reduzida de Planck. Esse é um caso especial do princípio de incerteza que foi afirmado mais geralmente acima. A afirmação mais geral foi que não se pode projetar um equipamento de nenhuma maneira para se determinar qual de duas alternativas é escolhida sem, ao mesmo tempo, destruir o padrão da interferência.

Vamos mostrar para um determinado caso que o tipo de relação dada por Heisenberg precisa ser verdadeira a fim de impedir que nos metamos em confusão. Imaginemos uma modificação do experimento da Fig. 37–3, no qual a parede com os orifícios é composta

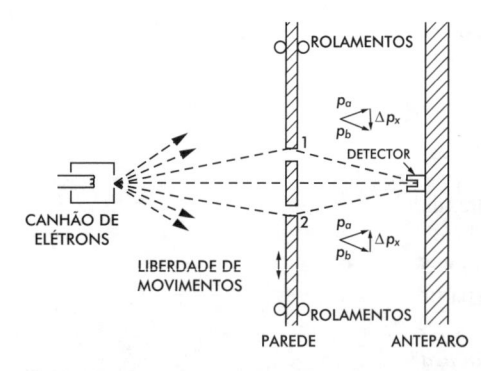

Figura 37–6 Um experimento no qual se mede o recuo da parede.

por uma placa montada em rolamentos para que ela possa se mover livremente para cima e para baixo (na direção x), como mostrado na Fig. 37–6. Observando o movimento da placa cuidadosamente, podemos tentar saber por qual orifício um elétron passa. Imagine o que acontece quando o detector é colocado em $x = 0$. Esperaríamos que um elétron que passa pelo orifício 1 deve ser desviado para baixo pela placa para conseguir atingir o detector. Como a componente vertical do momento do elétron mudou, a placa deve recuar com um momento igual no sentido contrário. A placa adquire um impulso para cima. Se o elétron atravessar o orifício mais baixo, a placa deve sentir um impulso para baixo. É claro que para cada posição do detector, o impulso recebido pela placa terá um valor diferente de uma travessia via o orifício 1 do que para um travessia via o orifício 2. Aí está! Sem perturbar *de qualquer maneira* os elétrons, mas apenas olhando a *placa*, podemos dizer qual o caminho usado pelo elétron.

Porém para fazer isso é necessário conhecer o impulso da tela antes de o elétron passar. De modo, quando medirmos o momento depois do elétron atravessar, podemos determinar quanto o momento da placa variou. Lembre que segundo o princípio da incerteza não podemos conhecer ao mesmo tempo a posição da placa com uma exatidão arbitrária. Contudo, se não soubermos exatamente *onde* a placa está, não podemos dizer precisamente onde os dois orifícios estão. Eles estarão em lugares diferentes para cada elétron que passa. Isso significa que o centro do nosso padrão de interferência terá uma posição diferente para cada elétron. As oscilações do padrão de interferência serão borradas. Mostraremos quantitativamente no capítulo seguinte que se determinamos o momento da placa com precisão suficiente para determinar a partir da medida de recuo qual orifício foi usado, então a incerteza na posição x da placa, de acordo com o princípio da incerteza, será suficiente para deslocar o padrão observado no detector para cima e para baixo na direção x aproximadamente da distância entre um máximo e o mínimo mais próximo. Esse deslocamento randômico é justamente o bastante para borrar o padrão de modo que nenhuma interferência seja observada.

O princípio da incerteza "protege" a mecânica quântica. Heisenberg reconheceu que se fosse possível medir o momento e a posição simultaneamente com uma maior exatidão, a mecânica quântica fracassaria. Portanto, ele propôs que seria impossível. Então as pessoas tentaram descobrir maneiras fazê-lo, mas ninguém conseguiu encontrar um modo de medir a posição e o momento de qualquer coisa – uma tela, um elétron, uma bola de bilhar, qualquer coisa – com uma maior exatidão. A mecânica quântica mantém a sua arriscada mas precisa existência.

38

A Relação dos Pontos de Vista de Partícula e de Onda

38–1 Amplitudes da onda de probabilidade

Neste capítulo, discutiremos a relação dos pontos de vista de partícula e de onda. Já sabemos do capítulo anterior que nem o ponto de vista de onda nem o de partícula estão corretos. Geralmente tentamos apresentar as coisas de uma forma exata, ou pelo menos precisa o suficiente, para que não tenhamos que modificá-las à medida que aprendemos mais – pode ser extensa, mas não será modificada! Quando tentamos falar sobre o cenário de onda ou o cenário de partícula, ambos são aproximados e ambos serão modificados. Portanto, o que aprendemos neste capítulo não será preciso em um certo sentido; é uma espécie de argumento meio-intuitivo que se tornará mais exato mais tarde, porém certas coisas serão um pouco modificadas quando as interpretarmos corretamente usando a mecânica quântica. A razão de fazer tal coisa, naturalmente, é que não entramos diretamente na mecânica quântica, mas queremos ter pelo menos alguma ideia dos tipos de efeitos que encontraremos. Além disso, todas as nossas experiências são com ondas e com partículas e, portanto, é bastante útil utilizar as ideias de onda e de partícula para adquirir alguma compreensão do que acontece em certas circunstâncias antes de conhecermos a matemática completa das amplitudes da mecânica quântica. Ilustraremos os pontos fracos conforme progredimos, mas a maior parte é quase correta – é apenas uma questão de interpretação.

Em primeiro lugar, sabemos que a nova maneira de representar o mundo em mecânica quântica – a nova estrutura – deve fornecer uma amplitude para cada evento possível, e se o evento implicar a recepção de uma partícula, então podemos prover a amplitude para encontrar uma partícula em lugares diferentes e em tempos diferentes. Logo, a probabilidade de encontrar a partícula é proporcional ao quadrado do valor absoluto da amplitude. Geralmente, a amplitude para encontrar a partícula em lugares diferentes em tempos diferentes varia com posição e tempo.

Em um caso especial, a amplitude varia de forma senoidal no espaço e tempo como $e^{i(\omega t - \mathbf{k}\cdot\mathbf{r})}$ (não esqueça que essas amplitudes são números complexos, e não números reais) e implica uma frequência definida ω e um número de onda $\mathbf{k}$. Isso corresponde, então, a uma situação clássica limite na qual teríamos acreditado que temos uma partícula cuja energia E é conhecida e está relacionada à frequência por

$$E = \hbar\omega, \qquad (38.1)$$

e cujo momento $\mathbf{p}$ também é conhecido e está relacionado ao número de onda por

$$\mathbf{p} = \hbar\mathbf{k}. \qquad (38.2)$$

Isso significa que a ideia de uma partícula é limitada. A ideia de uma partícula – a sua posição, o seu momento, etc. – que usamos tanto é de certo modo insatisfatória. Por exemplo, se a amplitude de encontrar uma partícula em lugares diferentes é dada por $e^{i(\omega t - \mathbf{k}\cdot\mathbf{r})}$, cujo quadrado do valor absoluto é uma constante, isso significa que a probabilidade de encontrar a partícula é o mesma em todos os pontos, o que quer dizer que não sabemos *onde* ela está – pode estar em qualquer lugar –, existe uma grande incerteza na sua posição.

Por outro lado, se a posição de uma partícula for mais ou menos bem conhecida e pudermos predizê-la razoavelmente de forma precisa, então a probabilidade de encontrá-la em lugares diferentes deve estar confinada a uma certa região, cujo comprimento chamaremos Δx. Fora dessa região, a probabilidade é o zero. Essa probabilidade é o quadrado do valor absoluto de uma amplitude, e se o quadrado do valor absoluto for zero, a amplitude também será zero, de maneira que temos um trem de onda cujo comprimento é Δx (Fig. 38–1), e o comprimento de onda (a distância entre os nodos das ondas no trem) daquele trem de onda é o que corresponde ao momento de partícula.

Aqui encontramos uma coisa estranha sobre ondas; uma coisa muito simples que não tem nada a ver estritamente com a mecânica quântica. É algo que qualquer pessoa que

38–1 Amplitudes da onda de probabilidade
38–2 Medidas de posição e de momento
38–3 Difração em cristais
38–4 O tamanho de um átomo
38–5 Níveis de energia
38–6 Implicações filosóficas

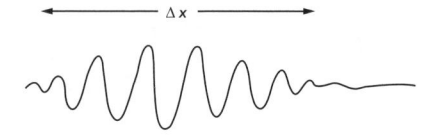

Figura 38–1 Um pacote de onda de comprimento Δx.

trabalhe com ondas, mesmo se não souber nada de mecânica quântica, conhece: a saber, *não podemos definir um comprimento de onda único para um trem de onda curto*. Esse trem de onda não *tem* um comprimento de onda definido; há uma incerteza no número de onda que está relacionada ao comprimento finito do trem, e assim há uma incerteza no momento.

38–2 Medidas de posição e de momento

Vamos considerar dois exemplos dessa ideia – para vermos qual a razão da existência de uma incerteza na posição e/ou o momento, se a mecânica quântica estiver correta. Também vimos anteriormente que se não houvesse tal coisa – se fosse possível medir a posição e o momento de qualquer coisa simultaneamente – teríamos um paradoxo; felizmente não temos tal paradoxo, e o fato de essa incerteza surgir naturalmente do cenário de ondas demonstra que tudo é mutuamente consistente.

Aqui está um exemplo que mostra a relação entre a posição e o momento em uma circunstância fácil de entender. Suponha que temos uma fenda única, e as partículas estão vindo de muito longe com certa energia – para que todas elas estejam vindo essencialmente na horizontal (Fig. 38–2). Então nos concentraremos nas componentes verticais do momento. Todas essas partículas têm certo momento horizontal p_0, digamos, em um sentido clássico. Desse modo, classicamente, o momento vertical p_y, antes que a partícula atravesse o orifício, é certamente conhecido. A partícula não está subindo nem descendo, pois ela veio de uma fonte bem distante – e portanto o momento vertical é naturalmente zero. Agora vamos supor que ela atravessa um orifício cuja largura é B. Então, depois que ela sair pelo orifício, conhecemos a posição vertical – a posição y – com a exatidão considerável, a saber $\pm B$.[1] Isto é, a incerteza na posição, Δy, é da ordem B. Porém como sabemos que o momento é totalmente horizontal, também poderíamos querer dizer que Δy é zero; mas isso está errado. *Em algum instante* sabíamos que o momento era horizontal, mas não o conhecemos mais. Antes de as partículas passarem pelo orifício, não conhecíamos as suas posições verticais. Agora que encontramos a posição vertical fazendo a partícula atravessar o orifício, perdemos nossa informação do momento vertical! Por quê? De acordo com a teoria de ondas, há um espalhamento, ou difração, das ondas depois que elas atravessam a fenda, assim como acontece com a luz. Por isso, existe uma certa probabilidade de que as partículas que saem da fenda não estejam mais vindo exatamente em linha reta. O padrão é alargado pelo efeito de difração, e o ângulo da expansão, que podemos definir como o ângulo do primeiro mínimo, é uma medida da incerteza do ângulo final.

Como o padrão se torna alargado? Dizer que é alargado significa que há alguma possibilidade de a partícula estar se movendo para cima ou para baixo, isto é, ter uma componente do momento para cima ou para baixo. Dizemos *possibilidade* e *partícula* porque podemos inferir esse padrão de difração com um contador de partícula, e quando o contador recebe a partícula, digamos em C da Fig. 38–2, ele recebe a partícula *inteira*, de maneira que, classicamente, a partícula tem um momento vertical, a fim de ir da fenda até C.

Para adquirir uma ideia grosseira do alargamento do momento, o momento vertical p_y tem uma variação que é igual a $p_0 \Delta\theta$, onde o p_0 é o momento horizontal. Qual o tamanho de $\Delta\theta$ no padrão alargado? Sabemos que o primeiro mínimo ocorre em um ângulo $\Delta\theta$ tal que as ondas de uma extremidade da fenda têm de viajar um comprimento de onda a mais do que as ondas da outra extremidade – calculamos isso antes (Capítulo 30). Por isso, $\Delta\theta$ é λ/B, portanto Δp_y nesse experimento é $p_0\lambda/B$. Observe que se fizermos B menor e fizermos uma medida mais exata da posição da partícula, o padrão de difração se torna mais largo. Lembre-se de que quando fechamos as fendas no experimento com as micro-ondas obtivemos uma maior intensidade mais longe. Assim, quanto mais estreita fazemos a fenda, mais largo o padrão se torna e maior é a probabilidade de a partícula ter uma componente vertical do momento. Dessa maneira, a incerteza no momento vertical é inversamente proporcional à incerteza de y. De fato, vemos que o produto dos dois é igual a $p_0\lambda$, mas λ é o comprimento de onda e p_0 é o momento, e conforme a mecânica

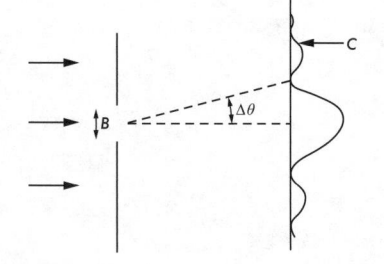

Figura 38–2 Difração das partículas ao passarem por uma fenda.

---
[1] Mais precisamente, o erro em nosso conhecimento de y é $\pm B/2$, mas agora estamos interessados apenas na ideia geral, então não vamos nos preocupar com fatores de 2.

quântica, o comprimento de onda vezes o momento é a constante de Planck h. Portanto, obtivemos a regra que as incertezas do momento vertical e da posição vertical têm um produto da ordem de h:

$$\Delta y \Delta p_y \geq \hbar/2. \tag{38.3}$$

Não podemos elaborar um sistema no qual conheçamos a posição vertical de uma partícula e possamos prever como ela se moverá verticalmente com precisão maior do que a dada por (38.3). Isto é, a incerteza do momento vertical deve exceder $\hbar/2y$, onde Δy é a incerteza do nosso conhecimento da posição.

Às vezes, as pessoas dizem que a mecânica quântica está toda errada. Quando a partícula chegou da esquerda, seu momento vertical era zero. E agora que ela atravessou a fenda, a sua posição é conhecida. Tanto a posição quanto o momento parecem ser conhecidos com uma exatidão arbitrária. É bem verdade que podemos detectar uma partícula, e na detecção sejamos capazes de determinar sua posição e qual o momento necessário para que tivesse chegado lá. Isso é verdadeiro, mas não é ao que se refere o princípio da incerteza (38.3). A Equação (38.3) refere-se à *capacidade de prever* uma situação, e não a comentários sobre o *passado*. Não adianta nada dizer "eu conhecia o momento antes de a partícula atravessar a fenda, e agora conheço a posição", porque agora o conhecimento sobre o momento foi perdido. O fato de a partícula atravessar a fenda não mais nos permite predizer o momento vertical. Estamos falando sobre uma teoria de previsões, e não apenas de medidas após o fato consumado. Portanto devemos falar sobre o que podemos predizer.

Agora vamos olhar a coisa de outro modo. Vamos considerar outro exemplo do mesmo fenômeno, um pouco mais quantitativamente. No exemplo prévio, medimos o momento por um método clássico. A saber, consideramos a direção, a velocidade e os ângulos, etc., portanto obtivemos o momento a partir de uma análise clássica. Como o momento está relacionado ao número de onda, existe ainda na natureza outra maneira de medir o momento de uma partícula – um fóton ou qualquer outra – que não tem nenhum análogo clássico, pois usa-se a Eq. (38.2). Medimos os *comprimentos de onda das ondas*. Vamos tentar medir o momento desse modo.

Suponha que tenhamos uma grade com um número grande de linhas (Fig. 38–3) e enviemos um feixe de partículas para a grade. Frequentemente discutimos este problema: se as partículas tiverem um momento definido, então obtemos um padrão muito estreito em certa direção, por causa da interferência. Também falamos sobre quão exatamente podemos determinar esse momento, isto é, qual o poder de resolução de tal grade. Ao invés de derivá-lo novamente, fazemos referência ao Capítulo 30, no qual obtivemos que a incerteza relativa do comprimento de onda que pode ser medido com uma determinada grade é $1/Nm$, onde N é o número de linhas da grade e m é a ordem do padrão de difração. Isto é,

$$\Delta\lambda/\lambda = 1/Nm. \tag{38.4}$$

A fórmula (38.4) pode ser reescrita como

$$\Delta\lambda/\lambda^2 = 1/Nm\lambda = 1/L, \tag{38.5}$$

onde L é a distância mostrada na Fig. 38–3. Essa distância é a diferença entre a distância total que a partícula ou a onda ou qualquer coisa tem de viajar se for refletida na parte inferior da grade, e a distância que ela tem de viajar se for refletida do topo da grade. Isto é, as ondas que formam o padrão de difração são ondas que vêm de partes diferentes da grade. As primeiras a chegar vêm do extremo inferior da grade, do começo do trem de onda, e o resto delas vem das partes posteriores do trem de onda, as quais chegam de partes diferentes da grade, até que a última chegue finalmente, e isso implica um ponto do trem de onda situado a uma distância L atrás do primeiro ponto. Assim, para que tenhamos uma linha bem distinta no nosso espectro correspondente a um momento bem definido, com uma incerteza dada por (38.4), temos de ter um trem de onda com, pelo menos, um comprimento L. Se o trem de onda for curto demais, não estaremos usando a

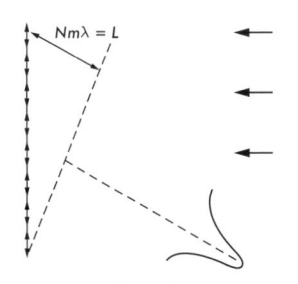

Figura 38-3 Determinação do momento usando uma grade de difração.

grade inteira. As ondas que formam o espectro estão sendo refletidas por apenas um setor muito pequeno da grade se o trem de onda for demasiado curto, e a grade não funcionará direito – encontraremos um grande alargamento angular. Para obter um mais estreito, temos de usar a grade inteira, para que pelo menos em algum momento o trem de onda inteiro seja espalhando simultaneamente por todas as partes da grade. Portanto, o trem de onda deve ter comprimento L a fim de ter uma incerteza do comprimento de onda menor do que a dada por (38.5). Incidentemente,

$$\Delta\lambda/\lambda^2 = \Delta(1/\lambda) = \Delta k/2\pi. \quad (38.6)$$

Portanto,

$$\Delta k = 2\pi/L, \quad (38.7)$$

onde L é o comprimento do trem de onda.

Isso significa que se tivermos um trem de onda cujo comprimento é menor do que L, a incerteza no número de onda deve exceder $2\pi/L$. Ou a incerteza do número de onda vezes o comprimento do trem de onda – chamaremos isso brevemente de Δx – deve exceder 2π. Chamamos de Δx pois é a incerteza na posição da partícula. Se o trem de onda existir somente em um comprimento finito, então é onde podemos encontrar a partícula, dentro de uma incerteza Δx. Porém esta propriedade de ondas, de que o comprimento do trem de onda vezes a incerteza do número de onda associado a ele é pelo menos 2π, é uma propriedade conhecida por todos que a estudam. Ela não tem nada a ver com a mecânica quântica. Simplesmente significa que se tivermos um trem finito, não podemos contar as ondas contidas nele muito precisamente. Vamos tentar outro modo de enxergar a razão disso.

Suponha que temos um trem finito de comprimento L; então por causa da maneira como ele tem que diminuir nas extremidades, como na Fig. 38–1, o número de ondas no comprimento L é incerto por algo como ± 1. O número de ondas em L é $kL/2\pi$. Assim k é incerto, e novamente obtemos o resultado (38.7), meramente uma propriedade das ondas. O mesmo é válido se as ondas estão no espaço e k é o número de radianos por centímetro e L é o comprimento do trem, ou se são ondas no tempo e ω é o número de radianos por segundo e T é o "comprimento" no tempo para que o trem de onda passe. Isto é, se tivermos um trem de onda que dura somente um certo tempo finito T, então a incerteza na frequência é dada por

$$\Delta\omega = 2\pi/T. \quad (38.8)$$

Tentamos enfatizar que essas são propriedades de ondas apenas, e elas são bem conhecidas, por exemplo, na teoria do som.

O caso é que na mecânica quântica interpretamos o número de onda como uma medida do momento de uma partícula, com a regra que $p = \hbar k$, portanto a relação (38.7) nos diz que $\Delta p \approx h/\Delta x$. Essa, então, é uma limitação da ideia clássica do momento. (Naturalmente, deve ser limitado de alguma maneira se representarmos as partículas por ondas!) É bom que encontramos uma regra que nos dá alguma ideia de quando ocorre uma falha das ideias clássicas.

38–3 Difração em cristais

A seguir vamos considerar a reflexão de ondas de partícula em um cristal. Um cristal é uma coisa espessa com muitos átomos semelhantes – incluiremos algumas complicações depois – em um bonito arranjo. O problema é como estabelecer o arranjo para que obtenhamos um forte máximo de reflexão em uma certa direção para um dado feixe, digamos, de luz (raios X), elétrons, neutrons ou qualquer outra coisa. Para obter uma reflexão forte, o espalhamento por todos os átomos deve estar em fase. Não pode haver números iguais em fase e fora da fase, ou as ondas se cancelarão. A maneira de configurar as coisas é encontrar as regiões de fase constante, como já explicamos; são os planos que fazem ângulos iguais com as direções inicial e final (Fig. 38–4).

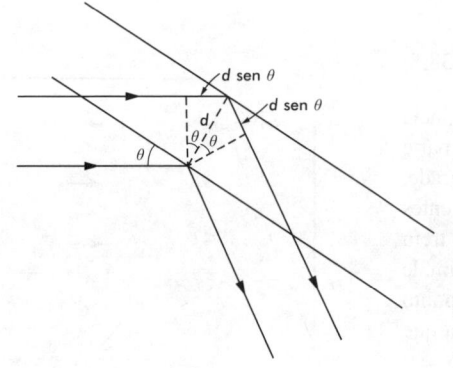

Figura 38–4 Espalhamento de ondas pelos planos de um cristal.

Se considerarmos dois planos paralelos, como na Fig. 38–4, as ondas espalhadas pelos dois planos estarão em fase desde que a diferença na distância viajada por uma frente de onda seja um número inteiro de comprimentos de onda. Esta diferença é $2d\,\text{sen}\,\theta$, onde d é a distância perpendicular entre os planos. Assim a condição para reflexão coerente é

$$2d\,\text{sen}\,\theta = n\lambda \qquad (n = 1, 2, \ldots). \tag{38.9}$$

Se, por exemplo, o cristal for tal que os átomos estejam em planos que obedeçam à condição (38.9) com $n = 1$, então haverá uma reflexão forte. Se, por outro lado, houver outros átomos da mesma natureza (de igual densidade) no meio do caminho, então os planos intermediários também espalharão igualmente fortes, irão interferir com os outros e não irão produzir efeito algum. Portanto d em (38.9) deve se referir a planos *adjacentes*; não podemos considerar um plano separado por cinco outras camadas e aplicar essa fórmula!

Como curiosidade, os cristais reais geralmente não são tão simples, compostos por uma espécie única de átomo repetido de uma certa maneira. Ao invés disso, fazendo um análogo em duas dimensões, eles se parecem bastante com papel de parede, no qual há um tipo de figura que se repete por todo o papel de parede. Por "figura" queremos dizer, no caso de átomos, algum arranjo – cálcio e um carbono e três oxigênios, etc., para o carbonato de cálcio, e assim por diante – que pode implicar um número relativamente grande de átomos. Qualquer que seja, a figura é um padrão que se repete. Essa figura básica é chamada de *célula unitária*.

O padrão básico da repetição define o que chamamos de *tipo de rede;* o tipo de rede pode ser imediatamente determinado olhando-se as reflexões e vendo qual a sua simetria. Em outras palavras, o ponto onde encontramos *qualquer* reflexão determina o tipo de rede, mas para determinar o que está em cada um dos elementos da rede devemos considerar a *intensidade* do espalhamento nas várias direções. *Quais* são as direções do espalhamento depende do tipo da rede, mas *quão fortemente* cada uma espalha é determinado pelo que está dentro de cada célula unitária, e desse modo a estrutura dos cristais é determinada.

Duas fotografias de padrões de difração de raios X são mostradas nas Figs. 38–5 e 38–6; elas ilustram o espalhamento do sal grosso e da mioglobina, respectivamente.

Incidentemente, uma coisa interessante acontece se os espaçamentos entre planos mais próximos são menores do que $\lambda/2$. Neste caso, (38.9) não tem nenhuma solução para n. Assim se λ for maior do que duas vezes a distância entre planos adjacentes, não há nenhum padrão de difração lateral, e a luz – ou o que quer que seja – passará diretamente pelo material sem ricochetear ou se perder. Portanto, no caso da luz, em que λ é muito maior do que o espaçamento, naturalmente ela de fato passa, e não há nenhum padrão da reflexão dos planos do cristal.

Esse fato também tem uma consequência interessante no caso de uma pilha que produz nêutrons (esses são obviamente partículas, para quem quiser apostar!). Se tomamos esses nêutrons e os deixamos em um longo bloco da grafite, os nêutrons difundem e percorrem o caminho ao longo da (Fig. 38–7). Eles difundem porque batem nos átomos, mas estritamente, na teoria de onda, eles são ricocheteados pelos átomos por causa da difração dos planos cristalinos. Acontece que se tomarmos um pedaço muito longo de grafite, os nêutrons que saem pela extremidade são todos de comprimento de onda longo! De fato, se traçarmos a intensidade como uma função do comprimento de onda, não obtemos nada, exceto para comprimentos de onda mais longos do que um certo mínimo (Fig. 38–8). Em outras palavras, podemos conseguir nêutrons muito lentos dessa maneira. Apenas os nêutrons mais lentos chegam; eles não são difratados ou espalhados pelos planos cristalinos da grafite, mas continuam passando diretamente como a luz atravessa o vidro, e não são espalhados lateralmente para fora. Há muitas outras manifestações da realidade de ondas de nêutron e ondas de outras partículas.

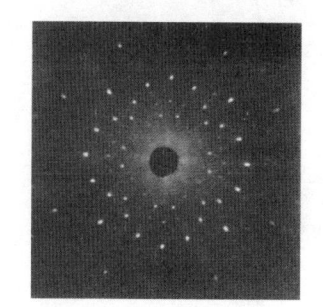

Figura 38–5

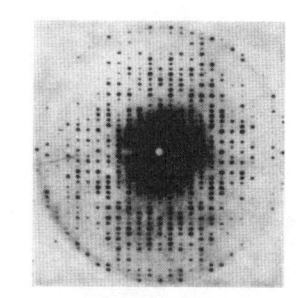

Figura 38–6

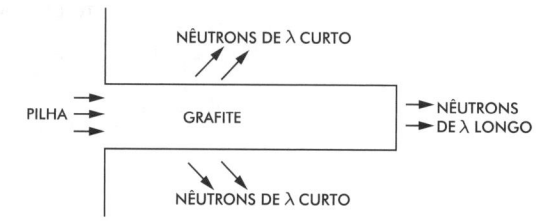

Figura 38–7 Difusão dos nêutrons de uma pilha através de um bloco de grafite.

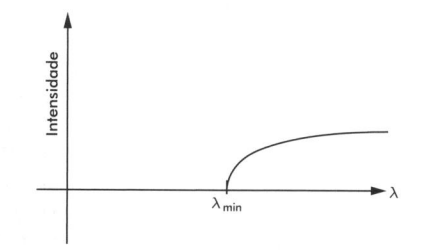

Figura 38–8 Intensidade dos nêutrons que saem do bloco de grafite em função do comprimento de onda.

38–4 O tamanho de um átomo

Agora consideramos outra aplicação da relação de incerteza, a Eq. (38.3). Ela não deve ser lavada tão a sério; a ideia está correta, mas a análise não é muito exata. A ideia tem a ver com a determinação do tamanho dos átomos, e o fato de, classicamente, os elétrons irradiarem a luz e espiralarem para dentro até se instalarem diretamente em cima do núcleo. Isso não pode estar correto de acordo com a mecânica quântica porque então saberíamos onde cada elétron está e a que velocidade ele se move.

Suponha que temos um átomo de hidrogênio e medimos a posição do elétron; não devemos ser capazes de predizer exatamente onde o elétron estará, ou o alargamento do momento então se tornará infinito. Cada vez que observamos o elétron, ele está em algum lugar, mas tem uma amplitude para estar em lugares diferentes, portanto existe uma probabilidade de ele ser encontrado em lugares diferentes. Esses lugares não podem estar todos no núcleo; suporemos que há um alargamento na posição de ordem a. Isto é, a distância do elétron ao núcleo é normalmente cerca de a. Determinaremos a minimizando a energia total do átomo.

O alargamento do momento é grosseiramente $\hbar/a$ por causa da relação de incerteza, portanto se tentamos medir o momento do elétron de alguma maneira, como espalhando raios X dele e procurando o efeito Doppler de um espalhador em movimento, esperaríamos não obter zero todas as vezes – o elétron não está parado –, mas os momentos devem ser da ordem de $p \approx \hbar/a$. Então a energia cinética é aproximadamente $\frac{1}{2}mv^2 = p^2/2m = \hbar^2/2ma^2$. (De certo modo, isso é uma espécie de análise dimensional para descobrir de qual maneira a energia cinética depende da constante reduzida de Planck, do m e do tamanho do átomo. Não temos de precisar nossa resposta a menos de fatores como 2, π, etc. Ainda não definimos a muito precisamente.) A energia potencial é menos e^2 sobre a distância ao centro, digamos $-e^2/a$, onde lembramos que e^2 é a carga de um elétron ao quadrado dividida por $4\pi\epsilon_0$. O caso é que a energia potencial é reduzida se a diminui, mas quanto menor a, mais alto terá de ser o momento, por causa do princípio da incerteza, e por isso maior a energia cinética. A energia total é

$$E = \hbar^2/ma^2 - e^2/a. \tag{38.10}$$

Não sabemos o que a deva ser, mas sabemos que o átomo irá se rearranjar para conseguir uma espécie de compromisso para que a energia seja tão pequena quanto possível. A fim de minimizar E, diferenciamos com respeito a a, fazemos a derivada igual a zero e resolvemos para a. A derivada de E é

$$dE/da = -\hbar^2/ma^3 + e^2/a^2, \tag{38.11}$$

e fazendo $dE/da = 0$ obtemos, para o valor de a,

$$\begin{aligned} a_0 = \hbar^2/me^2 &= 0{,}528 \text{ angstrom} \\ &= 0{,}528 \times 10^{-10} \text{ metros.} \end{aligned} \tag{38.12}$$

Essa determinada distância é chamada de *raio Bohr*, e aprendemos assim que as dimensões atômicas são da ordem de angstrons, que é correto: isso está bastante bem – de fato, é surpreendente, pois até agora não tivemos nenhuma base para entender o tamanho de átomos! Os átomos são completamente impossíveis do ponto de vista clássico, uma vez que os elétrons espiralariam em direção ao núcleo.

Agora se substituirmos o valor (38.12) para a_0 em (38.10) para encontrar a energia, ele se torna

$$E_0 = -e^2/2a_0 = -me^4/2\hbar^2 = -13{,}6 \text{ eV.} \tag{38.13}$$

O que significa uma energia negativa? Significa que o elétron tem menos energia quando está em um átomo do que quando está livre. Significa que ele está ligado. Significa que é preciso energia para arrancar o elétron; energia da ordem de 13,6 eV para ionizar um átomo de hidrogênio. Não temos nenhuma razão para pensar que não seria duas ou três vezes isso – ou metade disso – ou $(1/\pi)$ vezes isso, pois usamos um argumento malfeito. Contudo, trapaceamos, usando todas as constantes de tal modo a chegar no número correto! Esse número, 13,6 elétrons volts, é chamado um Rydberg de energia; ele é a energia de ionização do hidrogênio.

Portanto agora entendemos por que não caímos chão adentro. Conforme andamos, os nossos sapatos com as suas massas de átomos empurram contra o chão com a *sua* massa de átomos. Para esmagar os átomos mais perto uns dos outros, os elétrons seriam confinados em um espaço menor e, pelo princípio da incerteza, os seus momentos teriam de ser mais altos em média, o que significa altas energias; a resistência à compressão atômica é um efeito da mecânica quântica e não um efeito clássico. Classicamente, esperaríamos que, se juntássemos todos os elétrons e prótons mais próximos uns dos outros, a energia seria ainda mais reduzida e, além disso, na física clássica o melhor arranjo de cargas positivas e negativas são todas umas em cima das outras. Isso era bem conhecido na física clássica e era um quebra-cabeça por causa da existência do átomo. Naturalmente, os primeiros cientistas inventaram alguns caminhos para evitar esse problema – mas não importa, temos o caminho *correto* agora! (Talvez).

Embora não tenhamos nenhuma razão para entender isso no momento atual, uma situação na qual há muitos elétrons resulta em que eles tentam se conservar distantes uns dos outros. Se um elétron estiver ocupando um certo espaço, então o outro não ocupa o mesmo espaço, mais precisamente, existem dois casos de spin, para que os dois possam estar um em cima do outro, um gira com spin para um lado e o outro para o outro lado, mas depois não podemos colocar mais nenhum elétron lá. Temos de colocar os outros em outro lugar, e essa é a verdadeira razão pela qual a matéria tem força. Se pudéssemos juntar todos os elétrons no mesmo lugar, eles iriam se condensar ainda mais. É o fato de que os elétrons não podem ficar todos uns em cima dos outros que faz com que mesas e todas as coisas sejam sólidas.

Obviamente, para entender as propriedades da matéria, teremos de utilizar a mecânica quântica e não ficarmos satisfeitos com a mecânica clássica.

38–5 Níveis de energia

Falamos sobre o átomo na sua condição de energia mais baixa possível, mas acontece que o elétron pode fazer outras coisas. Ele pode bambolear e oscilar de uma maneira mais enérgica, e assim há muitos movimentos possíveis diferentes do átomo. Segundo a mecânica quântica, em uma condição estacionária um átomo somente pode ter energias definidas. Fazemos um diagrama (Fig. 38–9) no qual traçamos a energia verticalmente, e fazemos uma linha horizontal para cada valor permitido da energia. Quando o elétron está livre, i.e., quando a sua energia é positiva, ele pode ter qualquer energia; ele pode estar se movendo a qualquer velocidade, mas as energias ligadas não são arbitrárias. O átomo precisa ter uma ou o outra energia dentro de um conjunto de valores permitidos, como aqueles da Fig. 38–9.

Vamos chamar os valores permitidos da energia como E_0, E_1, E_2, E_3. Se um átomo estiver inicialmente em um desses "estados excitados", E_1, E_2, etc., ele não permanecerá naquele estado para sempre. Mais cedo ou mais tarde, ele decai para um estado mais baixo e irradia a energia na forma da luz. A frequência da luz emitida é determinada pela conservação de energia mais a compreensão de mecânica quântica de que a frequência da luz está relacionada à energia da luz por (38.1). Por isso, a frequência da luz que é liberada em uma transição da energia E_3 para a energia E_1 (por exemplo) é

$$\omega_{31} = (E_3 - E_1)/\hbar. \qquad (38.14)$$

Isso, então, é uma frequência característica do átomo e define uma linha de emissão espectral. Outra transição possível seria de E_3 a E_0. Isso teria uma frequência diferente

$$\omega_{30} = (E_3 - E_0)/\hbar. \qquad (38.15)$$

Outra possibilidade consiste em que se o átomo foi excitado para o estado E_1 ele pode cair ao estado fundamental E_0, emitindo um fóton de frequência

$$\omega_{10} = (E_1 - E_0)/\hbar. \qquad (38.16)$$

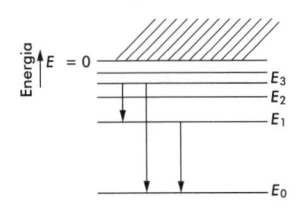

Figura 38-9 Diagrama de níveis de energia para um átomo, mostrando as várias transições possíveis.

A razão pela qual mencionamos três transições é para indicar uma relação interessante. É fácil ver, de (38.14), (38.15) e (38.16), que

$$\omega_{30} = \omega_{31} + \omega_{10}. \tag{38.17}$$

Em geral, se encontrarmos duas linhas espectrais, esperaremos encontrar outra linha na soma das frequências (ou a diferença das frequências), e que todas as linhas podem ser entendidas encontrando-se uma série de níveis tais que cada linha corresponde à diferença em energia de algum par de níveis. Essa coincidência notável nas frequências espectrais foi observada antes que a mecânica quântica tivesse sido descoberta e é chamada de *princípio de combinação de Ritz*. Isso é novamente um mistério da perspectiva da mecânica clássica. Não vamos reelaborar o ponto segundo o qual a mecânica clássica é um fracasso no domínio atômico; parecemos ter demonstrado isso bastante bem.

Já falamos sobre a mecânica quântica ser representada por amplitudes que se comportam como ondas, com certas frequências e números de onda. Vamos observar como, do ponto de vista de amplitudes, o átomo tem estados de energia definidos. Isso é algo que não podemos entender a partir do que foi dito por enquanto, mas todos temos familiaridade com o fato de que as ondas confinadas têm frequências definidas. Por exemplo, se o som é confinado a um tubo de órgão, ou algo assim, então existe mais de uma maneira na qual o som pode vibrar, mas para cada maneira há uma frequência definida. Portanto, um objeto no qual as ondas estão confinadas possui certas frequências de ressonância. Isso é, portanto, uma propriedade das ondas em um espaço confinado – um assunto que discutiremos detalhadamente com fórmulas mais tarde –, que elas existem somente em frequências definidas. Como existe a relação geral entre frequências da amplitude e energia, não ficamos surpresos ao encontrar energias definidas associadas aos elétrons ligados de átomos.

38–6 Implicações filosóficas

Vamos considerar rapidamente algumas implicações filosóficas da mecânica quântica. Como sempre, há dois aspectos do problema: um é a implicação filosófica para a física e o outro é a extrapolação de assuntos filosóficos para outros campos. Quando as ideias filosóficas associadas com a ciência são levadas para outro campo, elas em geral são completamente distorcidas. Por isso, confinaremos as nossas observações à própria física tanto quanto possível.

Em primeiro lugar, o aspecto mais interessante é a ideia do princípio de incerteza; fazer uma observação afeta o fenômeno. Sempre se soube que realizar uma observação afetava o fenômeno, mas o caso é que o efeito não pode ser desconsiderado ou minimizado ou reduzido arbitrariamente reajustando-se o aparelho. Quando procuramos um certo fenômeno, não podemos evitar perturbá-lo minimamente, e *a perturbação é necessária para a coerência com o ponto de vista*. Na física pré-quântica, o observador era às vezes importante, mas somente em um sentido um pouco trivial. Levantou-se o seguinte problema: se uma árvore cai em uma floresta e não há ninguém lá para ouvi-la, ela faz barulho? *Uma verdadeira* árvore que cai *em uma verdadeira* floresta faz um som, naturalmente, mesmo se ninguém estiver lá. Mesmo se ninguém está presente para ouvi-lo, existem outros vestígios que são deixados. O som sacudirá algumas folhas, e se formos bastante cuidadosos podemos notar em algum lugar que algum espinho pode ter roçado em uma folha e feito um arranhão muito pequeno que não poderia ser explicado a menos que supuséssemos que a folha estava vibrando. Logo, de um certo modo, teríamos de admitir que um som foi feito. Poderíamos perguntar: houve uma *sensação* do som? Não, as sensações têm a ver, presumivelmente, com a consciência. Se as formigas são conscientes e se existem formigas na floresta, ou se a árvore tinha consciência, não sabemos. Vamos deixar o problema nessa forma.

Outra coisa que as pessoas enfatizaram desde que a mecânica quântica foi desenvolvida é a ideia de que não devemos falar sobre as coisas que não podemos medir. (Na verdade a teoria de relatividade também disse isso.) A menos que uma coisa possa ser definida pela medida, ela não pode fazer parte de uma teoria. E como um valor exato do momento de uma partícula localizada não pode ser definido pela medida, não deve aparecer na teoria. A ideia de que esse era o problema com a teoria clássica *é uma posição falsa*, uma análise não cuidadosa da situação. Simplesmente porque não podemos *medir* a posição e o momento de forma precisa não significa *a priori* que *não podemos* falar sobre eles. Somente significa que não *precisamos* falar sobre eles. A situação nas ciências é a seguinte: um conceito ou uma ideia que não podem ser medidos ou que não podem ser referidos pela experimentação podem ou não ser úteis. Não precisam existir em uma teoria. Em outras palavras, suponha que comparemos a teoria clássica do mundo com a teoria quântica do mundo, e suponha que seja verdadeiro experimentalmente que podemos medir a posição e o momento apenas de maneira imprecisa. A pergunta é se as *ideias* da posição exata de uma partícula e o exato momento de uma partícula são válidos ou não. A teoria clássica admite as ideias; a teoria quântica não. Isso não significa por si só que a física clássica esteja errada. Quando a nova mecânica quântica foi descoberta, as pessoas clássicas – que incluíam todo o mundo exceto Heisenberg, Schrödinger e Born – diziam: "Olhem, a sua teoria não serve porque você não pode responder a certas perguntas como: qual é a posição exata de uma partícula?, por qual orifício ela atravessa?, e outras." A resposta de Heisenberg foi: "Eu não preciso responder a tais perguntas porque você não pode fazer tal pergunta experimentalmente". É que *não temos* essa obrigação. Considere duas teorias, (a) e (b); (a) contém uma ideia que não pode ser verificada diretamente mas que é usada na análise, (b) não contém a ideia. Se elas desacordam nas suas previsões, não se pode afirmar que (b) é falsa porque ela não pode explicar essa ideia que está em (a), porque aquela ideia é uma das coisas que não podem ser verificadas diretamente. É sempre bom saber quais ideias não podem ser verificadas diretamente, mas não é necessário retirá-las todas. Não é verdade que podemos buscar a ciência completamente usando somente aqueles conceitos que estão diretamente sujeitos à experimentação.

Na própria mecânica quântica existe uma amplitude da função de onda, existe um potencial e existem muitos conceitos que não podemos medir diretamente. A base de uma ciência é a sua capacidade de *predizer*. Predizer meios de dizer o que acontecerá em um experimento que nunca foi feito. Como podemos fazer isso? Supondo que conhecemos o que está lá, independentemente do experimento. Devemos extrapolar os experimentos a uma região na qual eles não foram feitos. Devemos estender os nossos conceitos a lugares onde eles ainda não foram verificados. Se não fizermos isso, não teremos nenhuma previsão. Portanto era perfeitamente sensato para os físicos clássicos concordarem alegremente com a suposição que a posição – que obviamente significa algo para uma bola de beisebol – significava algo também para um elétron. Não era uma estupidez. Era um procedimento sensato. Hoje dizemos que a lei da relatividade é supostamente verdadeira para todas as energias, mas um dia alguém pode chegar e dizer quão estúpidos nós éramos. Não sabemos em que somos "estúpidos" até que "coloquemos nosso pescoço em risco"; portanto, toda ideia é colocar o pescoço em risco. E o único modo de descobrir que estamos errados é descobrir *quais* são as nossas previsões. É absolutamente necessário elaborar conceitos.

Já fizemos algumas observações sobre a indeterminação da mecânica quântica. Isto é, que somos incapazes agora de predizer o que acontecerá na física em uma dada circunstância física que é elaborada tão cuidadosamente quanto possível. Se tivermos um átomo que está em um estado excitado e, portanto, emitirá um fóton, não podemos dizer *quando* ele emitirá o fóton. Ele tem uma certa amplitude para emitir o fóton em qualquer momento, e podemos prever somente uma probabilidade de emissão; não podemos predizer o futuro exatamente. Isso deu origem a todo tipo de absurdo e a perguntas sobre o significado do livre arbítrio, e da ideia de que o mundo é incerto.

Naturalmente devemos enfatizar que a física clássica é também indeterminada, de certo modo. Pensa-se normalmente que esta indeterminação, que não podemos prever o futuro, é uma coisa importante da mecânica quântica, e diz-se que isso explica o comportamento da mente, as sensações da vontade espontânea, etc. Se o mundo *fosse* clássico – se as leis da mecânica fossem clássicas –, não é tão óbvio que a mente não se sentiria mais ou menos a mesma. É verdade classicamente que se conhecêssemos a posição e a velocidade de cada partícula no mundo, ou do gás em uma caixa, poderíamos predizer exatamente o que aconteceria. E por isso o mundo clássico é determinista. Suponha, contudo, que temos uma exatidão finita e não sabemos *exatamente* onde um único átomo está, digamos uma parte em um bilhão. Então, conforme ele prossegue, ele bate em outro átomo, e porque não conhecíamos a posição melhor do que uma parte em um bilhão, encontramos um erro ainda maior na posição depois do choque. Isso é amplificado, naturalmente, no choque seguinte, de maneira que se começarmos apenas com um erro muito pequeno, ele rapidamente se amplia até uma incerteza muito grande. Damos um exemplo: se a água cai em uma represa, ela espirra. Se estivermos próximos, de vez em quando uma gota atingirá nosso nariz. Isso parece ser completamente casual, no entanto tal comportamento seria predito por leis puramente clássicas. A posição exata de todas as gotas depende das sacudidelas exatas da água antes que ela caia na represa. Como? A menor das irregularidades é ampliada na queda para adquirirmos a aleatoriedade completa. Obviamente, não podemos realmente predizer a posição das gotas a menos que conheçamos o movimento da água *exatamente de maneira absoluta*.

Falando mais precisamente, dada uma precisão arbitrária, não importa quão exata, pode-se encontrar um tempo longo o suficiente que não possamos fazer previsões válidas para esse tempo longo. O caso é que essa duração do tempo não é muito grande. Não é que o tempo seja de milhões de anos se a precisão for uma parte em um bilhão. O tempo varia, de fato, somente logaritmicamente com o erro, e ocorre que apenas em um tempo muito, muito pequeno perdemos toda a nossa informação. Se a precisão for suposta como uma parte em bilhões e bilhões e bilhões – não importa quantos bilhões desejemos, desde que realmente paremos em algum lugar –, então podemos encontrar um tempo menor do que o tempo necessário para afirmar a precisão – após o qual não podemos mais prever o que irá acontecer! Por isso não é justo dizer que, a partir da liberdade aparente e da indeterminação da mente humana, devíamos ter percebido que a física "determinista" clássica nunca iria entender o universo, e dar as boas-vindas à mecânica quântica como o lançamento de um universo "completamente mecanicista", pois já na mecânica clássica existe indeterminabilidade do ponto de vista prático.

Teoria Cinética dos Gases

39–1 Propriedades da matéria

Com este capítulo começamos um novo assunto que nos ocupará durante algum tempo. Ele é a primeira parte da análise das propriedades da matéria do ponto de vista físico, no qual, reconhecendo que a matéria é composta de muitos átomos, ou partes elementares, que interagem eletricamente e obedecem às leis da mecânica, tentamos entender por que vários agregados de átomos se comportam do modo como o fazem.

É óbvio que este é um assunto difícil, e enfatizamos logo de início que é de fato um assunto *extremamente* difícil, e que temos de tratá-lo diferentemente da maneira com que tratamos outros assuntos até o momento. No caso da mecânica e no caso da luz, fomos capazes de começar com uma afirmação exata de algumas leis, como as leis de Newton, ou a fórmula do campo produzido por uma carga acelerada, a partir da qual um conjunto inteiro de fenômenos pudesse ser essencialmente entendido, produzindo uma base para a nossa futura compreensão da mecânica e da luz. Isto é, podemos aprender mais posteriormente, mas não aprendemos uma física diferente, apenas aprenderemos melhores métodos de análise matemática para tratar a situação.

Não podemos usar essa estratégia efetivamente no estudo das propriedades da matéria. Podemos discutir a matéria somente da maneira mais elementar; é um assunto por demais complicado para se analisar diretamente a partir das suas leis específicas básicas, que não são outras do que as leis da mecânica e da eletricidade. Elas estão um pouco longe demais das propriedades que desejamos estudar; são necessários muitos passos para ir das leis de Newton às propriedades da matéria, e esses passos são razoavelmente complicados. Começaremos agora a tomar alguns desses passos, mas enquanto muitas das nossas análises serão bastante exatas, elas irão se tornando eventualmente cada vez menos exatas. Teremos apenas uma compreensão aproximada das propriedades da matéria.

Uma das razões do porquê faremos essa análise tão imperfeitamente é que a matemática necessária requer uma compreensão profunda da teoria de probabilidades; não queremos saber onde cada átomo está de fato se movendo, mas antes quantos se movem aqui e lá em média, e qual a probabilidade de diferentes efeitos. Portanto esse assunto implica um conhecimento da teoria de probabilidade, e a nossa matemática ainda não está razoavelmente pronta e não queremos forçá-la muito.

Em segundo lugar, e mais importante do ponto de vista físico, o comportamento real dos átomos não ocorre de acordo com a mecânica clássica, mas de acordo a mecânica quântica, e uma compreensão correta do assunto não pode ser alcançada até que entendamos a mecânica quântica. Aqui, diferentemente do caso de bolas de bilhar e automóveis, a diferença entre as leis da mecânicas clássica e as leis da mecânica quântica é muito importante e muito significativa, de maneira que muitas coisas que deduziremos pela física clássica estarão fundamentalmente incorretas. Por isso, haverá certas coisas que devem ser parcialmente desaprendidas; contudo, indicaremos em cada caso quando um resultado é incorreto, para que saibamos justamente onde os "limites" estão. Uma das razões para se discutir mecânica quântica nos capítulos precedentes foi para dar uma ideia do porquê, mais ou menos, a mecânica clássica é incorreta em vários sentidos.

Por que tratamos do assunto agora? Por que não esperar meio ano, ou um ano, até que saibamos a matemática de probabilidades melhor, e aprendamos um pouco de mecânica quântica e, portanto, possamos fazê-lo de um modo mais fundamental? A resposta é que é um assunto difícil, e o melhor modo de aprender é fazê-lo lentamente! A primeira coisa a fazer é adquirir-se alguma noção, mais ou menos, do que deveria ocorrer em circunstâncias diferentes, e então, depois, quando conhecermos melhor as leis, as formularemos melhor.

Qualquer um que queira analisar as propriedades da matéria em um problema real poderia querer começar escrevendo as equações fundamentais e então tentar resolvê-

39–1 Propriedades da matéria
39–2 A pressão de um gás
39–3 Compressibilidade da radiação
39–4 Temperatura e energia cinética
39–5 A lei de gás ideal

-las matematicamente. Embora existam pessoas que tentem usar tal abordagem, essas pessoas constituem os fracassos nesse campo; os verdadeiros êxitos vêm daqueles que começam de um ponto de vista *físico*, pessoas com uma ideia grosseira de aonde estão indo, e então iniciam fazendo o tipo certo de aproximações, sabendo o que é grande e o que é pequeno em uma dada situação complicada. Esses problemas são tão complicados que até uma compreensão elementar, embora inexata e incompleta, vale a pena e, portanto, retomaremos ao assunto muitas vezes, cada vez com maior exatidão, conforme evoluirmos em nosso curso na física.

Outra razão para iniciar o assunto agora mesmo é que já utilizamos muitas dessas ideias, por exemplo, em química, e até ouvimos algumas delas no ensino médio. É interessante conhecer a base física dessas coisas.

Como um exemplo interessante, sabemos que volumes iguais de gases, na mesma pressão e temperatura, contêm o mesmo número de moléculas. A lei de múltiplas proporções, segundo a qual quando dois gases se combinam em uma reação química os volumes necessários sempre são múltiplos inteiros simples, foi enfim entendida por Avogadro como significando que volumes iguais têm números iguais de átomos. *Por que* eles têm números iguais de átomos? Podemos, a partir das leis de Newton, deduzir que o número de átomos deve ser igual? Vamos nos dedicar a esse assunto específico neste capítulo. Nos capítulos seguintes, discutiremos vários outros fenômenos envolvendo pressões, volumes, temperatura e calor.

O assunto também pode ser abordado de um ponto de vista não atômico, e vemos que existem muitas inter-relações das propriedades das substâncias. Por exemplo, quando comprimimos alguma coisa, ela se aquece; se a aquecermos, ela se expande. Há uma relação entre esses dois fatos que pode ser deduzida independentemente do mecanismo envolvido. Esse assunto é chamado de *termodinâmica*. A compreensão mais profunda da termodinâmica vem, naturalmente, de entender o funcionamento efetivo por trás, e é o que faremos: tomaremos o ponto de vista atômico do início e o usaremos para entender várias propriedades da matéria e as leis da termodinâmica.

Vamos, então, discutir as propriedades de gases do ponto de vista das leis de Newton da mecânica.

39–2 A pressão de um gás

Primeiramente, sabemos que um gás exerce uma pressão, e devemos entender claramente a que isso é devido. Se as nossas orelhas fossem algumas vezes mais sensíveis, ouviríamos um barulho perpétuo de correnteza. A evolução não desenvolveu a orelha a esse ponto, porque essa sensibilidade seria inútil – ouviríamos um barulho incessante. A razão é que o tímpano está em contato com o ar, e o ar é constituído de muitas moléculas em eterno movimento que batem contra os tímpanos. Ao bater contra os tímpanos, elas fazem um tamborilar irregular – bum, bum, bum – que não ouvimos porque os átomos são muito pequenos e a sensibilidade da orelha não é suficiente para notá-lo. O resultado desse bombardeio perpétuo deve empurrar o tambor, mas naturalmente há um eterno bombardeio igual dos átomos do outro lado do tímpano, portanto a força líquida nele é o zero. Se retirássemos o ar de um lado, ou modificássemos as quantidades relativas do ar nos dois lados, então o tímpano seria empurrado de um jeito ou de outro, porque a quantidade de bombardeio em um lado seria maior do que no outro. Às vezes sentimos esse efeito pouco confortável quando subimos demasiadamente rápido em um elevador ou um avião, especialmente se também estivermos resfriados (quando estamos resfriados, a inflamação fecha o tubo que conecta o ar de dentro do tímpano com o ar exterior através da garganta, de maneira que as duas pressões não possam igualar-se prontamente).

Considerando como analisar a situação quantitativamente, imaginamos que temos um certo volume de gás em uma caixa, no final da qual está um pistão que pode ser movido (Fig. 39–1). Gostaríamos de descobrir a força no pistão que resulta da existência de átomos nessa caixa. O volume da caixa é V, e conforme os átomos se movimentam dentro do interior da caixa com várias velocidades, eles batem contra o pistão. Suponha que não haja vácuo no lado exterior do pistão. E daí? Se o pistão fosse deixado em paz, e ninguém o segurasse, cada vez que um átomo o atingisse ele adquiriria um pouco de momento e seria gradualmente empurrado para fora da caixa. Assim para impedi-lo de ser empurrado para fora da caixa, temos de mantê-lo com uma força F. O problema é, qual força? Um modo de exprimir a força é falar sobre a força por área de unidade: se A for a área do pistão, então a força no pistão será escrita com um número vezes a área. Definimos a pressão, então, como igual à força que temos de aplicar a um pistão, dividida pela área do pistão:

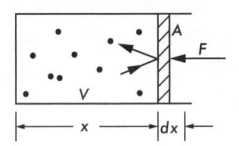

$$P = F/A. \qquad (39.1)$$

Figura 39-1 Átomos de um gás em uma caixa com um pistão sem atrito.

Para termos certeza de que entendemos a ideia (temos de derivá-lo para outro propósito de qualquer maneira), o *trabalho* diferencial dW realizado sobre o gás devido à compressão pelo movimento do pistão de uma quantidade diferencial dx seria a força vezes a distância da compressão, que de acordo com (39.1) seria a pressão vezes a área, vezes a distância, que é igual a menos a pressão vezes a variação do volume:

$$dW = F(-dx) = -PA\,dx = -P\,dV. \qquad (39.2)$$

(A área A vezes a distância dx é a variação de volume.) O sinal de menos está presente porque, como o comprimimos, *reduzimos* o volume; pensando sobre isso vemos que, se um gás for comprimido, trabalho é realizado *sobre* ele.

Qual a força que deve ser aplicada para equilibrar as colisões das moléculas? Em cada colisão, o pistão recebe uma certa quantidade de momento de cada colisão. Uma certa quantidade do momento por segundo fluirá para o pistão, e ele começará a se mover. Para impedi-lo de se mover, devemos colocar de volta nele a mesma quantidade de momento por segundo pela nossa força. Naturalmente, a força *é* a quantidade de momento por segundo que devemos inserir. Existe uma outra maneira de se dizer isso: se liberarmos o pistão, ele adquirirá velocidade por causa das colisões; com cada colisão, obtém-se um pouco mais de velocidade, e a velocidade então acelera. A taxa na qual o pistão adquire velocidade, ou acelera, é proporcional à força aplicada. Portanto vemos que a força, que já dissemos que é a pressão vezes a área, é igual ao momento por segundo fornecido ao pistão pelas moléculas que colidem.

Calcular o momento por segundo é fácil – podemos fazê-lo em duas partes: primeiro, encontramos o momento fornecido ao pistão por um determinado átomo em uma colisão com o pistão, então temos de multiplicar pelo número de vezes por segundo que os átomos colidem com a parede. A força será o produto desses dois fatores. Agora vamos ver quais são os dois fatores: em primeiro lugar, suporemos que o pistão é um "refletor" perfeito de átomos. Se não for, a teoria inteira está errada, o pistão começará a esquentar e as coisas irão se modificar, mas eventualmente, quando o equilíbrio se estabelecer, o resultado efetivo é que as colisões são efetivamente perfeitamente elásticas. Em média, cada partícula que chega sai com a mesma energia. Portanto, imaginaremos que o gás está em uma condição estacionária, e não perdemos nenhuma energia para o pistão porque o pistão permanece imóvel. Nessas circunstâncias, se uma partícula entrar com uma certa velocidade, ele sai com a mesma velocidade e, diremos, com a mesma massa.

Se **v** é a velocidade de um átomo e v_x é a componente x de **v**, então mv_x é a componente x do momento que "entra"; mas também temos uma componente igual para momento que "sai" e, portanto, o momento total fornecido ao pistão pela partícula, em um colisão, é $2mv_x$, porque é "refletido".

Agora, precisamos do número de colisões dos átomos em um segundo, ou em uma certa quantidade de tempo dt; então dividimos por dt. Quantos átomos estão colidindo? Vamos supor que existam N átomos no volume V, ou $n = N/V$ em cada unidade do volume. Para encontrar quantos átomos colidiram com o pistão, observamos que, considerando uma certa quantidade de tempo t, se uma partícula tiver uma certa velocidade em direção ao pistão, ela baterá durante o tempo t, desde que esteja perto o suficiente. Se estiver longe demais, ela percorrerá apenas parte caminho em direção ao pistão no tempo t, mas não conseguirá atingir o pistão. Portanto, está claro que somente aquelas moléculas que estão a uma distância $v_x t$ do pistão colidirão com o pistão no tempo t. Assim, o número de colisões em um tempo t é igual ao número de átomos que estão em uma região a menos da distância $v_x t$, e como a área do pistão é A, o *volume* ocupado pelos átomos que colidirão com o pistão é $v_x tA$. O *número* de átomos que colidirão com o pistão é esse volume vezes o número de átomos por unidade de volume, $nv_x tA$. Naturalmente não queremos o número que colida em um tempo t, queremos o número que colida por segundo, portanto dividimos por t, obtendo $nv_x A$. (Esse tempo t pode ser muito curto; se quisermos ser mais elegantes, podemos chamá-lo de dt, então o diferenciamos, mas é a mesma coisa.)

Portanto encontramos que a força é

$$F = nv_x A \cdot 2mv_x. \qquad (39.3)$$

Veja, a força *é* proporcional à área, se mantivermos fixa a densidade de partículas à medida que modificamos a área! A pressão é então

$$P = 2nmv_x^2. \qquad (39.4)$$

Agora notamos um pequeno problema com essa análise: primeiramente, todas as moléculas não têm a mesma velocidade, e elas não se movem na mesma direção. Deste modo, todas as v_x^2 são diferentes! Portanto devemos, naturalmente, fazer uma *média* das v_x^2, pois cada uma tem a sua própria contribuição. O que queremos é o quadrado de v_x, calculando a média sobre todas as moléculas:

$$P = nm\langle v_x^2 \rangle. \qquad (39.5)$$

Esquecemos de incluir o fator 2? Não; de todos os átomos, somente a metade está direcionada para o pistão. A outra metade está direcionada para o outro lado, então o número de átomos por unidade de volume *que estão atingindo o pistão* é apenas $n/2$.

Agora como os átomos se movem para todos os lados, é claro que não há nada especial em relação à "direção x"; os átomos podem também estar se movendo para cima e para baixo, para a frente e para trás, para dentro e para fora. Por isso, será verdade que $\langle v_x^2 \rangle$, o movimento médio dos átomos em uma direção, e a média nas outras duas direções, serão todos iguais a:

$$\langle v_x^2 \rangle = \langle v_y^2 \rangle = \langle v_z^2 \rangle. \qquad (39.6)$$

É apenas uma questão de matemática razoavelmente trabalhosa para notar, entretanto, que cada um é igual a um terço da sua soma, que é naturalmente o quadrado da magnitude da velocidade:

$$\langle v_x^2 \rangle = \tfrac{1}{3}\langle v_x^2 + v_y^2 + v_z^2 \rangle = \langle v^2 \rangle/3. \qquad (39.7)$$

Isso tem a vantagem de não termos de nos importar com nenhuma determinada direção e, portanto, escrevemos novamente a fórmula de pressão nesta forma:

$$P = (\tfrac{2}{3})n\langle mv^2/2 \rangle. \qquad (39.8)$$

A razão de escrevermos o fator último como $\langle mv^2/2 \rangle$ é que isso é a *energia cinética* do movimento do centro de massa da molécula. Encontramos, por isso, que

$$PV = N(\tfrac{2}{3})\langle mv^2/2 \rangle. \qquad (39.9)$$

Com essa equação, podemos calcular a pressão, se conhecermos as velocidades.

Como um exemplo muito simples vamos considerar o gás hélio, ou qualquer outro gás, como vapor de mercúrio, vapor de potássio à temperatura bastante alta, ou argônio, no qual todas as moléculas são átomos únicos, para os quais podemos supor que não existem movimentos internos no átomo. Se tivéssemos uma molécula complexa, poderia haver algum movimento interno, vibrações mútuas ou algo parecido. Supomos que podemos desconsiderar isso; esse é de fato um assunto sério o qual teremos de retomar, mas no final está tudo bem. Supomos que o movimento interno dos átomos pode ser desconsiderado, e para esse propósito, que a energia cinética do movimento do centro de massa é toda a energia existente. Assim, para um gás monoatômico, a energia cinética é a energia total. Em geral, chamaremos a energia total de U (algumas vezes ela é chamada de energia *interna* total – podemos nos perguntar por que, pois não há nenhuma energia *externa* para um gás), isto é, toda a energia de todas as moléculas do gás, ou do objeto, qualquer que seja.

Para um gás monoatômico, consideraremos que a energia total U é igual ao número de átomos vezes a energia cinética média de cada um, porque estamos desconsiderando qualquer possibilidade de excitação ou movimento dentro dos próprios átomos. Então, nessas circunstâncias, teríamos

$$PV = \tfrac{2}{3}U. \tag{39.10}$$

Podemos parar aqui e encontrar a resposta à seguinte pergunta: suponha que peguemos uma lata de gás e comprimimos o gás lentamente, qual a pressão que precisamos aplicar para diminuir o volume? É fácil descobrir, uma vez que a pressão é $^2/_3$ da energia dividida por V. Conforme apertamos a lata, realizamos trabalho no gás e assim aumentamos a energia U. Portanto teremos um tipo de equação diferencial: se começarmos em uma dada circunstância com uma certa energia e um certo volume, então conheceremos a pressão. Agora começamos a espremer, mas nesse momento, a energia U aumenta e o volume V decresce, portanto a pressão sobe.

Desse modo, temos de resolver uma equação diferencial, e a resolveremos em um momento. Devemos enfatizar primeiro, contudo, que conforme comprimimos este gás, estamos supondo que todo o trabalho é utilizado no aumento da energia dos átomos no seu interior. Podemos perguntar, "Isso não é necessário? Onde mais ele pode ir?" Acontece que ele *pode* ir a outro lugar. Existem o que chamamos de "vazamentos de calor" através das paredes: os átomos quentes (isto é, que se movem rápido) que bombardeiam as paredes aquecem as paredes, e a energia é perdida. Suporemos por enquanto que esse não é o caso.

Para uma maior generalidade, embora ainda estejamos fazendo algumas suposições muito especiais sobre o nosso gás, não escreveremos $PV = {}^2/_3 U$, mas

$$PV = (\gamma - 1)U. \tag{39.11}$$

Escrevemos $(\gamma - 1)$ vezes U por razões de convenção, porque trataremos com alguns outros casos depois nos quais o número na frente de U não será $^2/_3$, e sim um número diferente. Desse modo, para fazer a coisa mais geral, escrevemos $\gamma - 1$, pois assim era escrito pelas pessoas durante quase cem anos. Esse γ, então, é 5/3 para um gás monoatômico como o hélio, porque 5/3 – 1 = 2/3.

Já notamos que quando comprimimos um gás, o trabalho realizado é $-PdV$. Uma compressão na qual não há nenhuma energia em forma de calor acrescentada ou retirada é chamada de compressão *adiabática*, do grego *a* (não) + *dia* (através) + *bainein* (ir). (A palavra adiabática é usada na física de vários modos, e às vezes é difícil saber o que é comum entre elas.) Isto é, para uma compressão adiabática todo o trabalho realizado é utilizado para modificar a energia interna. Essa é a chave – que não existe nenhuma outra perda de energia –, pois então temos $P\,dV = -\,dU$. Como $U = PV/(\gamma - 1)$, podemos escrever

$$dU = (P\,dV + V\,dP)/(\gamma - 1). \tag{39.12}$$

Portanto temos $P\,dV = -(P\,dV + V\,dP)/(\gamma - 1)$, ou, rearranjando os termos, $\gamma P\,dV = -V\,dP$, ou

$$(\gamma\, dV/V) + (dP/P) = 0. \tag{39.13}$$

Felizmente, considerando que γ é constante, como é o caso em um gás monoatômico, podemos integrar, obtendo $\gamma \ln V + \ln P = \ln C$, onde $\ln C$ é a constante da integração. Se exponenciarmos ambos os lados, obteremos a lei

$$PV^\gamma = C \text{ (uma constante).} \tag{39.14}$$

Em outras palavras, em condições adiabáticas, em que a temperatura aumenta conforme comprimimos porque nenhum calor está sendo perdido, a pressão vezes o volume elevado à potência 5/3 é uma constante para um gás monoatômico! Embora tenhamos derivado teoricamente, essa *é*, de fato, a maneira como os gases monoatômicos se comportam experimentalmente.

39–3 Compressibilidade da radiação

Podemos dar um outro exemplo da teoria cinética dos gases, que não é usado tanto na química, mas é usado em astronomia. Temos um grande número de fótons em uma caixa na qual a temperatura é muito alta. (A caixa é, naturalmente, o gás de uma estrela muito quente. O sol não é quente o suficiente; em certas estrelas muito quentes existem muitos átomos com temperaturas ainda mais altas, e podemos negligenciar os átomos e supor que os únicos objetos que temos na caixa são os fótons.) Um fóton tem um certo momento **p**. (Sempre nos encontramos em uma situação terrível quando trabalhamos com teoria cinética: p é a pressão, mas p é o momento; v é o volume, mas v é a velocidade; T é a temperatura, mas T é a energia cinética ou o tempo ou o torque; temos de nos cuidar para não enlouquecermos!) Esse **p** é o momento, ele é um vetor. Fazendo a mesma análise que antes, é a componente x do vetor **p** que gera o "pontapé", e duas vezes a componente x do vetor **p** é o momento que é dado pelo pontapé. Assim, $2p_x$ substitui $2mv_x$, e ao avaliar o número de colisões, v_x é ainda v_x, assim quando terminarmos, encontramos que a pressão na Eq. (39.4) é, em vez disso,

$$P = 2np_x v_x. \tag{39.15}$$

Então, calculando a média, ela se torna n vezes a média de $p_x v_x$ (o mesmo fator 2) e, finalmente, considerando as outras duas direções, encontramos

$$PV = N\langle \mathbf{p} \cdot \mathbf{v}\rangle/3. \tag{39.16}$$

Isso está de acordo com a fórmula (39.9), porque o momento é $m\mathbf{v}$; é um pouco mais geral, só isso. A pressão vezes o volume é o número total de átomos vezes $\frac{1}{3}$ ($\mathbf{p} \cdot \mathbf{v}$), tomada a média.

Para fótons, o que é $\mathbf{p} \cdot \mathbf{v}$? O momento e a velocidade estão na mesma direção, e a velocidade é a velocidade da luz, portanto esse é o momento de cada um dos objetos vezes a velocidade da luz. O momento vezes a velocidade da luz de cada fóton é a sua energia: $E = pc$, portanto esses termos são *as energias* de cada um dos fótons, e devemos, naturalmente, considerar uma energia média vezes o número de fótons. Portanto temos $\frac{1}{3}$ da energia dentro do gás:

$$PV = U/3 \text{ (gás de fótons)}. \tag{39.17}$$

Para fótons, então, como temos $\frac{1}{3}$ na frente, $(\gamma - 1)$ em (39.11) é $\frac{1}{3}$, ou $\gamma = \frac{4}{3}$, e descobrimos que a radiação em uma caixa obedece à lei

$$PV^{4/3} = C. \tag{39.18}$$

Portanto conhecemos a compressibilidade da radiação! É o que é usado em uma análise da contribuição da pressão de radiação em uma estrela, é assim que a calculamos, e como se modifica quando comprimimos. Que coisas maravilhosas já estão em nosso poder!

39–4 Temperatura e energia cinética

Por enquanto não tratamos de *temperatura;* estivemos evitando de propósito esse tema. Conforme comprimimos um gás, sabemos que a energia das moléculas aumenta, e estamos acostumados a dizer que o gás se torna mais quente; gostaríamos de entender o que isso tem a ver com a temperatura. Se tentarmos fazer o experimento, não adiabaticamente, mas com o que chamamos de *temperatura constante,* o que estamos fazendo? Sabemos que se tomarmos duas caixas de gás e as deixarmos uma ao lado da outra por tempo suficiente, mesmo se no início elas estiverem no que chamamos de temperaturas diferentes, no final elas terão a mesma temperatura. Isso significa que elas atingem uma condição que adquiririam se as deixássemos em paz por tempo suficiente! O que queremos dizer com temperatura igual é justamente isso – a condição final quando as coisas já estão interagindo umas com as outras por um tempo suficiente.

Vamos considerar, agora, o que acontece se temos dois gases em recipientes separados por um pistão móvel como na Fig. 39–2 (somente por simplicidade, consideraremos dois gases monoatômicos, digamos hélio e néon). No recipiente (1), os átomos têm a massa m_1, velocidade v_1, e existem n_1 por unidade de volume; no outro recipiente, os átomos têm a massa m_2, velocidade v_2, existem n_2 átomos por unidade de volume. Quais são as condições para o equilíbrio?

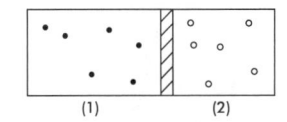

Figura 39–2 Átomos de dois gases monoatômicos separados por um pistão móvel.

Obviamente, o bombardeio do lado esquerdo deve ser tal que ele move o pistão para a direita e comprime o outro gás até que a sua pressão se acumule, e assim a coisa oscilará para a frente e para trás e irá parar gradualmente em um lugar onde as pressões são iguais dos dois lados. Portanto podemos arrumar para que as pressões sejam iguais; isso apenas significa que as energias internas por unidade de volume são iguais, ou que os números n vezes as energias cinéticas médias de cada lado são iguais. O que temos de tentar comprovar, eventualmente, é que os *próprios números* são iguais. Por enquanto, tudo que sabemos é que os números vezes as energias cinéticas são iguais,

$$n_1 \langle m_1 v_1^2/2 \rangle = n_2 \langle m_2 v_2^2/2 \rangle,$$

de (39.8), pois as pressões são iguais. Devemos perceber que essa não é a única condição no longo prazo, mas algo mais deve acontecer mais lentamente conforme se estabelece o equilíbrio completo e verdadeiro correspondente a temperaturas iguais.

Para enxergarmos a ideia, suponha que a pressão no lado esquerdo foi desenvolvida tendo uma densidade muito alta, mas uma velocidade baixa. Tendo um grande n e um pequeno v, podemos obter a mesma pressão que com um n pequeno e um grande v. Os átomos podem estar se movendo lentamente, mas serem empacotados quase como em um sólido, ou pode haver menos deles, mas estão colidindo mais fortemente. Ficará assim para sempre? Inicialmente poderíamos pensar assim, mas então pensamos novamente e vemos que esquecemos um ponto importante: que o pistão intermediário não recebe uma pressão constante; ele se mexe como o tímpano sobre o qual falamos anteriormente, porque as colisões não são de modo algum uniformes. Não há uma pressão contínua, constante, mas um tamborilar – a pressão varia e, portanto, a coisa oscila. Suponha que os átomos no lado direito não estão mexendo muito, mas aqueles à esquerda são poucos e distantes uns dos outros, porém muito enérgicos. O pistão adquirirá, de vez em quando, um grande impulso da esquerda, e será dirigido contra os átomos lentos da direita, fornecendo-lhes mais velocidade. (Conforme cada átomo colide com o pistão, ele ganha ou perde energia, dependendo de o pistão estar se movendo de um jeito ou de outro quando o átomo o atinge.) Deste modo, em consequência das colisões, o pistão oscila, oscila, oscila e isso agita o outro gás – ele fornece energia aos outros átomos, e eles adquirem movimentos mais rápidos até que equilibrem o movimento que o pistão está lhes dando. O sistema chega a algum equilíbrio quando o pistão se move com uma velocidade quadrada média tal que ele recebe energia dos átomos aproximadamente na mesma taxa com que ele repõe a energia neles. Portanto o pistão adquire uma irregularidade média na velocidade, e é nosso objetivo encontrá-la. Quando a encontrarmos, poderemos resolver melhor o nosso problema, porque os gases ajustarão a sua velocidade até que a taxa na qual eles estão tentando transferir energia uns aos outros através do pistão se torne igual.

É bastante difícil compreender os detalhes do pistão nessa circunstância em particular; embora seja idealmente simples de entender, é um pouco mais difícil de se analisar. Antes de analisarmos isso, vamos analisar outro problema no qual temos uma caixa de gás, mas agora temos duas espécies diferentes de moléculas dentro dela, tendo massas m_1 e m_2 e velocidade v_1 e v_2, e assim por diante; há agora uma relação bem mais íntima. Se todas as moléculas de nº 2 estiverem imóveis, essa condição não irá durar, porque elas serão atingidas pelas moléculas de nº 1 e assim adquirirão velocidade. Se elas estiverem indo todas muito mais rápidas do que as moléculas nº 1, então talvez isso também não dure – elas transmitirão a energia de volta às moléculas nº 1. Assim quando ambos os gases estão em uma mesma caixa, o problema é encontrar a regra que determina as velocidades relativas dos dois.

Esse é ainda um problema muito difícil, porém será resolvido conforme descrito a seguir. Primeiramente, consideramos o subproblema seguinte (novamente este é um daqueles casos em que – não importa a derivação – no final o resultado é muito simples de ser lembrado, mas a derivação é bastante engenhosa). Vamos supor que temos duas moléculas, de massas diferentes, colidindo, e que a colisão é examinada a partir do centro de massa (CM) do sistema. A fim de eliminar uma complicação, olhamos a colisão no CM. Conforme conhecemos das leis de colisões, pela conservação de momento e energia, depois que as moléculas colidem o único modo que elas podem mover-se é aquele em que cada uma mantém a sua própria velocidade original – e elas apenas modificam a sua *direção*. Portanto temos uma colisão média que parece com a da Fig. 39–3. Suponha, por um momento, que olhemos todas as colisões com o CM em repouso. Suponha que imaginemos que inicialmente todas estão se movendo na horizontal. Naturalmente, depois da primeira colisão algumas delas estão se movendo com um ângulo. Em outras palavras, se todas elas estivessem se movendo horizontalmente, então pelo menos algumas estariam se movendo verticalmente depois. Agora em alguma outra colisão, elas estariam chegando de outra direção, e logo elas ainda seriam desviadas em outro ângulo. Assim mesmo que todas estivessem completamente organizadas no começo, elas seriam espalhadas em volta por todos os ângulos, e logo as espalhadas seriam espalhadas um pouco mais, e espalhadas um pouco mais, e espalhadas um pouco mais. Enfim, qual será a distribuição? *Resposta: será igualmente provável encontrar qualquer par se movendo em qualquer direção no espaço*. Depois disso, colisões posteriores não poderão modificar a distribuição.

São igualmente prováveis de irem em todas as direções, mas como dizemos isto? Não há naturalmente *nenhuma* probabilidade delas irem em qualquer direção específica, porque uma direção específica é exata demais, portanto temos que falar por unidade de "algo". A ideia é que qualquer área em uma esfera centrada no ponto da colisão terá tantas moléculas atravessando como as que atravessam qualquer outra área igual na esfera. Portanto o resultado das colisões deverá distribuir as direções de forma que áreas iguais em uma esfera tenham probabilidades iguais.

Se queremos somente discutir a direção original e alguma outra direção a um ângulo θ dessa, uma propriedade interessante é que a área diferencial de uma esfera de raio unitário é sen $\theta\, d\theta$ vezes 2π (ver Fig. 32-1), e sen $\theta\, d\theta$ é igual à diferencial de $-\cos \theta$. Portanto isso significa que o cosseno do ângulo θ entre quaisquer duas direções provavelmente será igualmente provável de ser algo entre -1 e $+1$.

Em seguida, temos de nos preocupar com o caso real, no qual não temos a colisão no sistema de CM, mas temos dois átomos que estão vindo juntos com velocidades vetoriais $\mathbf{v}_1$ e $\mathbf{v}_2$. O que acontece agora? Podemos analisar essa colisão com as velocidades vetoriais $\mathbf{v}_1$ e $\mathbf{v}_2$ do seguinte modo: primeiro dizemos que existe um certo CM; a velocidade do CM é dada pela velocidade "média", com pesos proporcionais às massas, portanto a velocidade do CM é $\mathbf{v}_{CM} = (m_1 \mathbf{v}_1 + m_2\mathbf{v}_2) / (m_1 + m_2)$. Se observarmos essa colisão no sistema do CM, então vemos uma colisão como na Fig. 39–3, com uma certa velocidade relativa $\mathbf{w}$ de chegada. A velocidade relativa é justamente $v_1 - v_2$. Porém, a ideia é que, primeiro, o CM inteiro está se movendo, e no CM existe uma velocidade relativa $\mathbf{w}$, e as moléculas colidem e saem em alguma nova direção. Tudo isso acontece enquanto o CM se mantém em movimento, sem qualquer modificação.

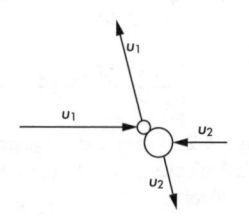

Figura 39–3 Uma colisão entre átomos diferentes vista no sistema do centro de massa. $u_1 = |\mathbf{v}_1 - \mathbf{v}_{CM}|$, $u_2 = |\mathbf{v}_2 - \mathbf{v}_{CM}|$.

Então, qual a distribuição que resulta disso? Do nosso argumento prévio concluímos que, no equilíbrio, *todas as direções para* **w** *são igualmente prováveis, relativamente à direção do movimento do CM*.[1] Não haverá uma correlação em particular, no final, entre a direção do movimento da velocidade relativa e aquela do movimento do CM. Naturalmente, se houvesse, as colisões a espalhariam, portanto são todas espalhadas. Assim, o cosseno do ângulo entre **w** e $\mathbf{v}_{CM}$ é zero em média. Isto é,

$$\langle \mathbf{w} \cdot \mathbf{v}_{CM} \rangle = 0. \qquad (39.19)$$

Também $\mathbf{w} \cdot \mathbf{v}_{CM}$ pode ser expresso em termos de $\mathbf{v}_1$ e $\mathbf{v}_2$:

$$\mathbf{w} \cdot \mathbf{v}_{CM} = \frac{(\mathbf{v}_1 - \mathbf{v}_2) \cdot (m_1\mathbf{v}_1 + m_2\mathbf{v}_2)}{m_1 + m_2}$$

$$= \frac{(m_1 v_1^2 - m_2 v_2^2) + (m_2 - m_1)(\mathbf{v}_1 \cdot \mathbf{v}_2)}{m_1 + m_2}. \qquad (39.20)$$

Primeiramente, vamos examinar $\mathbf{v}_1 \cdot \mathbf{v}_2$; qual é a média de $\mathbf{v}_1 \cdot \mathbf{v}_2$? Isto é, qual é a média da componente da velocidade de uma molécula na direção da outra? Com certeza é igualmente provável encontrarmos qualquer molécula se movendo para um lado como para o outro. *A média da velocidade* $\mathbf{v}_2$ *em qualquer direção é zero*. Certamente, então, na direção de $\mathbf{v}_1$, $\mathbf{v}_2$ tem média nula. Desse modo, a média de $\mathbf{v}_1 \cdot \mathbf{v}_2$ é zero! Por isso, concluímos que a média de $m_1 v_1^2$ deve ser igual à média de $m_2 v_2^2$. Isto é, *a energia cinética média das duas devem ser iguais:*

$$\left\langle \tfrac{1}{2} m_1 v_1^2 \right\rangle = \left\langle \tfrac{1}{2} m_2 v_2^2 \right\rangle. \qquad (39.21)$$

Se tivermos duas espécies de átomos em um gás, pode ser mostrado, e supomos tê-lo mostrado, que a média da energia cinética de cada um é a mesma que a média da energia cinética do outro, quando estão ambos no mesmo gás na mesma caixa em equilíbrio. Isso significa que os mais pesados se moverão mais devagar do que os leves; isto é facilmente mostrado por experimentos com "átomos" de massas diferentes em uma calha de ar.

Agora gostaríamos de ir um passo além, e dizer que se tivermos dois gases diferentes *separados* em uma caixa, eles também terão energia cinética média iguais quando atingirem finalmente o equilíbrio, embora eles não estejam na mesma caixa. Podemos argumentar de várias maneiras. Uma maneira é argumentar que se temos uma partição fixa com um buraco muito pequeno (Fig. 39-4), de modo que um gás possa passar pelos buracos enquanto o outro não pode, porque as moléculas são muito grandes, e estas alcançaram o equilíbrio, então sabemos que em uma parte, em que estão misturadas, elas têm a mesma energia cinética média, mas algumas passam pelo buraco sem perder energia cinética, portanto a energia cinética média no gás puro e na mistura deve ser a mesma. Isso não é muito satisfatório, porque talvez não exista nenhum buraco, para esse tipo de molécula, que separe uma espécie da outra.

Vamos agora voltar ao problema do pistão. Podemos dar um argumento que mostra que a energia cinética desse pistão também deve ser ½ $m_2 v_2^2$. De fato, essa seria a energia cinética devido ao movimento puramente horizontal do pistão, assim, esquecendo o seu movimento para cima e para baixo, ele terá de ser o mesmo que ½ $m_2 v_{2x}^2$. De mesmo modo, do equilíbrio no outro lado, podemos comprovar que a energia cinética do pistão é ½ $m_1 v_{1x}^2$. Embora isso não esteja no meio do gás, mas em um lado do gás, ainda podemos usar o argumento, embora seja um pouco mais difícil, de que a energia cinética média do pistão e das moléculas do gás são iguais em consequência de todas as colisões.

Se isso ainda não nos satisfizer, podemos considerar um exemplo artificial pelo qual o equilíbrio é gerado por um objeto que pode ser atingido de todos os lados. Suponha que temos uma vara curta com uma bola em cada extremidade atravessando o pistão,

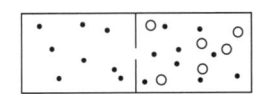

Figura 39–4 Dois gases em uma caixa com uma membrana semipermeável.

---

[1] Este argumento, o qual foi usado por Maxwell, envolve algumas sutilezas. Embora a conclusão esteja correta, o resultado *não* resulta puramente das considerações de simetria que utilizamos antes, pois, ao mudarmos para um sistema de referência que se move através do gás, podemos encontrar uma distribuição de velocidade alterada. Não encontramos uma prova simples desse resultado.

em uma articulação universal que desliza sem atrito. Cada bola é redonda, como as moléculas, e pode ser atingida por todos os lados. Esse objeto inteiro tem uma certa massa total, m. Temos as moléculas de gás com massa m_1 e massa m_2 como antes. O resultado das colisões, pela análise que foi feita antes, é que a energia cinética de m por causa das colisões com as moléculas em um lado deve ser $½\, m_1 v_1^2$ em média. Do mesmo modo, por causa das colisões com moléculas do outro lado, deve ser $½\, m_2 v_2^2$ em média. Portanto, ambos os lados têm de ter a *mesma* energia cinética quando estiverem em equilíbrio térmico. Deste modo, embora apenas tenhamos provado para uma mistura de gases, a prova é facilmente estendida para o caso em que existem dois gases separados diferentes na mesma temperatura.

Assim *quando temos dois gases na mesma temperatura, a energia cinética média dos movimentos no CM deve ser igual.*

A energia cinética molecular média é uma propriedade somente da "temperatura". Sendo uma propriedade da "temperatura", *e não do gás,* podemos usá-la como uma *definição* da temperatura. A energia cinética média de uma molécula é assim uma função da temperatura, mas qual escala devemos usar para a temperatura? Podemos *definir* arbitrariamente a escala de temperatura para que a energia média seja linearmente proporcional à temperatura. A melhor maneira seria chamar a própria energia média de "temperatura". Essa seria a função mais simples possível. Infelizmente, a escala de temperatura foi escolhida diferentemente, portanto em vez de chamá-la diretamente de temperatura, usamos um fator de conversão constante entre a energia de uma molécula e o grau da temperatura absoluta chamado grau Kelvin. A constante de proporcionalidade é $k = 1{,}38 \times 10^{-23}$ joules para cada grau Kelvin.[2] Assim se T for a temperatura absoluta, a nossa definição diz que a energia cinética molecular média é $3/2\ kT$. (O fator $3/2$ é inserido apenas por conveniência, de modo a nos livrarmos dele em outro lugar.)

Observamos que a energia cinética associada à componente do movimento em qualquer direção determinada é somente $1/2\ kT$. As três direções independentes que estão envolvidas fazem $3/2\ kT$.

39–5 A lei de gás ideal

Naturalmente, podemos inserir a nossa definição de temperatura na Eq. (39.9) e assim achar a lei da pressão dos gases como uma função da temperatura: a pressão vezes o volume é igual ao número total de átomos vezes a constante universal k vezes a temperatura:

$$PV = NkT. \tag{39.22}$$

Além disso, à mesma temperatura, pressão e volume, o *número de átomos* é determinado; e também é uma constante universal! Portanto, volumes iguais de gases diferentes, à mesma pressão e temperatura, têm o mesmo número de moléculas, por causa das leis de Newton. Essa é uma conclusão surpreendente!

Na prática, ao tratar com moléculas, como os números são tão grandes, os químicos escolheram artificialmente um número específico, um número muito grande, e chamaram-no de uma outra coisa. Eles têm um número que chamam de *mol*. Um mol é simplesmente um número útil. Por que eles não escolheram 10^{24} objetos, de forma que fosse exato, é uma pergunta histórica. Eles selecionaram, para o número conveniente de objetos a partir do qual foi padronizado, $N_0 = 6{,}02 \times 10^{23}$ objetos, e isso é chamado de um mol de objetos. Portanto, em vez de medir o número de moléculas em unidades, eles medem em termos de números de mols.[3] Em termos de N_0, podemos escrever o número de mols, vezes o número de átomos em um mol, vezes kT, e se quisermos, podemos

---

[2] A escala Celsius é justamente essa escala Kelvin com o zero escolhido em 273,15 °K, portanto $T = 273{,}15 +$ temperatura Celsius.

[3] O que os químicos chamam de pesos moleculares são as massas em gramas de um mol de uma molécula. O mol é definido de modo que a massa de um mol de átomos de carbono do isótopo 12 (isto é, tendo 6 prótons e 6 nêutrons no núcleo) seja exatamente 12 gramas.

tomar o número de átomos em um mol vezes k, que é um mol de k, e chamá-lo de outra coisa, e assim fazemos – chamando-o de R. Um mol de k é 8,317 joules: $R = N_0 k = 8{,}317 \text{ J} \cdot \text{mol}^{-1} \cdot \text{K}^{-1}$. Assim também encontramos a lei para o gás escrita em função do número de mols (também chamado de N) vezes RT, ou o número de átomos vezes kT:

$$PV = NRT. \tag{39.23}$$

É a mesma coisa, apenas uma escala diferente para medir números. Usamos 1 como a unidade, e os químicos usam 6×10^{23} como uma unidade!

Agora fazemos mais uma observação sobre a nossa lei dos gases, e isso tem a ver com a lei para objetos que não são moléculas monoatômicas. Tratamos somente com o movimento do CM dos átomos de um gás monoatômico. O que acontece se existem forças presentes? Primeiramente, considere o caso em que o pistão é mantido por uma mola horizontal, e existem forças atuando nele. A troca dos movimentos oscilantes entre os átomos e o pistão em qualquer momento não depende de onde o pistão está naquele momento, naturalmente. As condições de equilíbrio são as mesmas. Não importa onde o pistão esteja, a sua velocidade de movimento deve ser tal que ele transfira a energia às moléculas justamente da maneira correta. Portanto, a mola não faz nenhuma diferença. A *velocidade* na qual o pistão tem de se mover, em média, é a mesma. Assim o nosso teorema, segundo o qual o valor médio da energia cinética em uma direção é $1/2\ kT$, é verdadeiro se existem forças presentes ou não.

Considere, por exemplo, uma molécula diatômica composta de átomos m_A e m_B. O que provamos é que o movimento do CM da parte A e o da parte B são tais que $\langle \tfrac{1}{2} m_A v_A^2 \rangle = \langle \tfrac{1}{2} m_B v_B^2 \rangle = \tfrac{3}{2} kT$. Como pode ser, se eles foram mantidos juntos? Embora eles tenham sido mantidos juntos, quando eles estão girando e virando, quando algo os atinge, trocando energia com eles, *a única coisa que conta é quão rapidamente eles estão se movendo*. Apenas isso determina a velocidade com que eles trocam energia em colisões. Em um determinado instante, a força não é um ponto essencial. Por isso, o mesmo princípio está correto, mesmo quando existem forças.

Vamos provar, finalmente, que a lei dos gases é consistente também com desprezarmos o movimento interno. Realmente não incluímos os movimentos internos antes; somente tratamos do gás monoatômico. Agora mostraremos que um objeto inteiro, considerado como um único corpo de massa total M, tem uma velocidade do CM tal que

$$\langle \tfrac{1}{2} M v_{\text{CM}}^2 \rangle = \tfrac{3}{2} kT. \tag{39.24}$$

Em outras palavras, podemos considerar as partes separadas ou a coisa inteira! Vamos ver a razão disso: a massa da molécula diatômica é $M = m_A + m_B$, e a velocidade do centro da massa é igual a $\mathbf{v}_{\text{CM}} = (m_A \mathbf{v}_A + m_B \mathbf{v}_B)/M$. Agora precisamos de $\langle v_{\text{CM}}^2 \rangle$. Se elevarmos v_{CM}^2 ao quadrado, obtemos

$$v_{\text{CM}}^2 = \frac{m_A^2 v_A^2 + 2 m_A m_B \mathbf{v}_A \cdot \mathbf{v}_B + m_B^2 v_B^2}{M^2}.$$

Agora multiplicamos $\tfrac{1}{2} M$ e tomamos a média, portanto obtemos

$$\langle \tfrac{1}{2} M v_{\text{CM}}^2 \rangle = \frac{m_A \tfrac{3}{2} kT + m_A m_B \langle \mathbf{v}_A \cdot \mathbf{v}_B \rangle + m_B \tfrac{3}{2} kT}{M}$$

$$= \tfrac{3}{2} kT + \frac{m_A m_B \langle \mathbf{v}_A \cdot \mathbf{v}_B \rangle}{M}.$$

(Usamos o fato de que $(m_A + m_B)/M = 1$.) O que é $\langle \mathbf{v}_A \cdot \mathbf{v}_B \rangle$? (É melhor que seja zero!) Para descobrir, vamos usar a nossa suposição de que a velocidade relativa, $\mathbf{w} = \mathbf{v}_A - \mathbf{v}_B$, não tem uma maior probabilidade de apontar em uma direção do que na outra – isto é, que a sua componente média em qualquer direção é zero. Assim supomos que

$$\langle \mathbf{w} \cdot \mathbf{v}_{\text{CM}} \rangle = 0.$$

O que é $\mathbf{w} \cdot \mathbf{v}_{CM}$? É

$$\mathbf{w} \cdot \mathbf{v}_{CM} = \frac{(\mathbf{v}_A - \mathbf{v}_B) \cdot (m_A \mathbf{v}_A + m_B \mathbf{v}_B)}{M}$$

$$= \frac{m_A v_A^2 + (m_B - m_A)(\mathbf{v}_A \cdot \mathbf{v}_B) - m_B v_B^2}{M}.$$

Portanto, como $\langle m_A v_A^2 \rangle = \langle m_B v_B^2 \rangle$, o primeiro e o último termos se cancelam em média, e resta que

$$(m_B - m_A)\langle \mathbf{v}_A \cdot \mathbf{v}_B \rangle = 0.$$

Assim se $m_A \neq m_B$ encontramos que $\langle \mathbf{v}_A \cdot \mathbf{v}_B \rangle = 0$; portanto o movimento da molécula inteira, considerada como uma partícula única de massa M, tem uma energia cinética, em média, igual a $\frac{3}{2}kT$.

Incidentemente, ao mesmo tempo também provamos que a energia cinética média dos movimentos *internos* de uma molécula diatômica, desconsiderando o movimento do CM, é $3/2\ kT$! Pois, a energia cinética total das partes da molécula é $\frac{1}{2}m_A v_A^2 + \frac{1}{2}m_B v_B^2$, cuja média é $\frac{3}{2}kT + \frac{3}{2}kT$, ou $3kT$. A energia cinética do movimento do centro de massa é $3/2kT$, portanto a energia cinética média dos movimentos rotacionais e vibracionais dos dois átomos dentro da molécula é a diferença, $3/2kT$.

O teorema acerca da energia média do movimento de CM é geral: para qualquer objeto considerado como um todo, com forças presentes ou não, para cada direção independente do movimento que existe, a energia cinética média nesse movimento é $\frac{1}{2}kT$. Essas "direções independentes do movimento" são às vezes chamadas de *graus de liberdade* do sistema. O número de graus da liberdade de uma molécula composta de r átomos é $3r$, pois cada átomo precisa de três coordenadas para definir a sua posição. Toda a energia cinética da molécula pode ser expressa como a soma das energias cinéticas dos átomos isolados, ou como a soma da energia cinética do movimento do CM mais a energia cinética dos movimentos internos. Esse último pode ser às vezes expresso como uma soma da energia cinética rotacional da molécula mais a energia vibracional, mas isso é uma aproximação. O nosso teorema, aplicado à molécula com r átomos, diz que a molécula terá, em média, $3rkT/2$ joules de energia cinética, da qual $3/2\ kT$ é a energia cinética do movimento do centro de massa da molécula inteira, e o resto, $3/2(r-1)\ kT$, é a energia interna vibracional e rotacional.

40

Os Princípios da Mecânica Estatística

40–1 A atmosfera exponencial

Discutimos algumas das propriedades de grandes números de átomos que colidem entre si. O assunto é chamado teoria cinética, uma descrição da matéria do ponto da vista de colisões entre os átomos. Fundamentalmente, afirmamos que as propriedades gerais da matéria devem ser explicadas em termos do movimento das suas partes.

Limitamo-nos por enquanto às condições de equilíbrio térmico, isto é, a uma subclasse de todos os fenômenos da natureza. As leis da mecânica que se aplicam apenas ao equilíbrio térmico são chamadas de *mecânica estatística,* e nesta seção queremos nos familiarizar com alguns teoremas principais deste assunto.

Já temos um dos teoremas da mecânica estatística, a saber, o valor médio da energia cinética de qualquer movimento à temperatura absoluta T é $½kT$ para cada movimento independente, isto é, para cada grau de liberdade. Isso nos diz algo sobre a velocidade quadrada média dos átomos. O nosso objetivo agora é aprender mais sobre as posições dos átomos, descobrir quantos deles estarão em lugares diferentes no equilíbrio térmico e também entrar um pouco mais em detalhe sobre a distribuição de velocidades. Embora tenhamos a velocidade quadrada média, não sabemos como responder à pergunta: quantos deles são três vezes mais rápidos do que a raiz quadrada média, ou quantos deles têm um quarto da raiz da velocidade quadrática média. Ou todos eles têm exatamente a mesma velocidade?

Deste modo, estas são as duas perguntas que tentaremos responder: como as moléculas estão distribuídas no espaço quando existem forças atuando nelas e como elas são distribuídas em velocidade.

Acontece que as duas perguntas são completamente independentes, e a distribuição de velocidades é sempre a mesma. Já recebemos uma pista sobre esse último fato quando encontramos que a energia cinética média é a mesma, $½kT$ por grau de liberdade, não importa quais forças estão atuando nas moléculas. A distribuição de velocidade das moléculas é independente das forças, porque as taxas de colisões não dependem das forças.

Vamos começar com um exemplo: a distribuição das moléculas em uma atmosfera como a nossa, mas sem os ventos e outros tipos de perturbação. Suponha que temos uma coluna de gás que se estende por uma grande altura, e no equilíbrio térmico – diferentemente da nossa atmosfera, que como sabemos se torna mais fria com a altura. Poderíamos notar que se a temperatura fosse diferente em alturas distintas, poderíamos demonstrar a falta de equilíbrio conectando uma vara a algumas bolas embaixo (Fig. 40–1), onde elas adquiririam $½kT$ das moléculas que estão lá e sacudiriam as bolas de cima através da vara e elas sacudiriam as moléculas da parte de cima. Desse modo, naturalmente, em um campo gravitacional a temperatura se torna a mesma em todas as alturas.

Se a temperatura for a mesma em todas as alturas, o problema é descobrir qual a lei que faz com que a atmosfera fique tênue conforme subimos. Se N for o número total de moléculas em um volume V do gás na pressão P, então conhecemos $PV = NkT$, ou $P = nkT$, onde $n = N/V$ é o número de moléculas por unidade de volume. Em outras palavras, se conhecemos o número de moléculas por unidade de volume, sabemos a pressão, e vice-versa: eles são proporcionais uns aos outros, pois a temperatura é constante nesse problema. No entanto, a pressão não é constante, ela deve aumentar conforme a altitude é reduzida, porque ela tem de manter, por assim dizer, o peso de todo o gás acima dela. É a pista pela qual podemos determinar como a pressão varia com a altura. Se tomarmos uma área unitária à altura h, então a força vertical embaixo, nessa área unitária, é a pressão P. A força vertical por unidade de área que empurra para baixo na altura $h + dh$ seria a mesma, na ausência da gravidade, mas aqui não ocorre, porque a força embaixo deve exceder a força de cima pelo peso do gás na seção entre h e $h + dh$. Então, mg é a força da gravidade em cada molécula, onde g é a aceleração devido à gravidade e $n\,dh$ é o número total de moléculas na seção unitária. Portanto, isso nos dá a equação diferencial

40–1 A atmosfera exponencial
40–2 A lei Boltzmann
40–3 Evaporação de um líquido
40–4 A distribuição das velocidades moleculares
40–5 O calor específico dos gases
40–6 O fracasso da física clássica

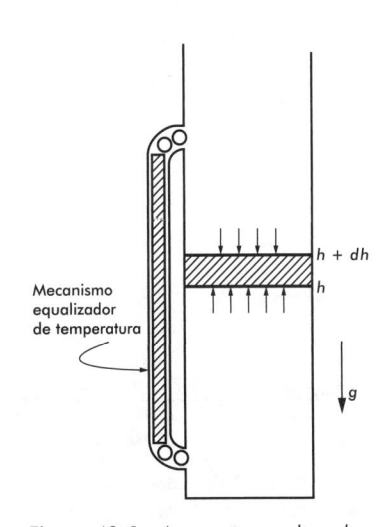

Figura 40–1 A pressão na altura h deve exceder aquela em $h + dh$ pelo peso do gás intermediário.

$P_{h+dh} - P_h = dP = -mgn\, dh$. Como $P = nkT$, e T é constante, podemos eliminar tanto P como n, digamos P, e obtemos

$$\frac{dn}{dh} = -\frac{mg}{kT} n$$

para a equação diferencial, que nos diz como a densidade diminui conforme aumentamos a energia.

Assim temos uma equação para a densidade de partículas n, que varia com a altura, mas que tem uma derivada que é proporcional a si própria. Porém uma função que tem uma derivada proporcional a si mesma é uma exponencial, e a solução dessa equação diferencial é

$$n = n_0 e^{-mgh/kT}. \tag{40.1}$$

Aqui a constante da integração, n_0, é obviamente a densidade em $h = 0$ (que pode ser escolhida em qualquer lugar), e a densidade diminui exponencialmente com a altura.

Observe que se tivermos tipos diferentes de moléculas com massas diferentes, elas diminuem com exponenciais distintas. Aquelas que forem mais pesadas diminuiriam com a altitude mais rapidamente do que as leves. Por essa razão, esperaríamos que porque o oxigênio é mais pesado do que o nitrogênio, conforme subimos mais e mais alto em uma atmosfera com nitrogênio e oxigênio, a proporção do nitrogênio aumentasse. Isso não acontece de fato na nossa própria atmosfera, pelo menos em alturas razoáveis, porque há tanta agitação que mistura os gases de volta novamente. Essa não é uma atmosfera isotérmica. Todavia, *existe* uma tendência para materiais mais leves, como hidrogênio, dominarem em alturas muito grandes na atmosfera, porque as massas mais baixas continuam existindo, enquanto todas as outras exponenciais desapareceram (Fig. 40–2).

40–2 A lei Boltzmann

Aqui notamos o fato interessante de que o numerador no expoente da Eq. (40.1) é a *energia potencial* de um átomo. Por isso, podemos também afirmar esta determinada lei como: a densidade em qualquer ponto é proporcional a

$$e^{-(\text{a energia potencial de cada átomo}/kT)}.$$

Pode ser acidental, isto é, pode ser verdadeiro somente para esse determinado caso de um campo gravitacional uniforme. Contudo, podemos mostrar que é uma proposição mais geral. Suponha que existisse um tipo de força além da gravidade atuando nas moléculas de um gás. Por exemplo, as moléculas podem estar carregadas eletricamente, e um campo elétrico pode atuar nelas ou outra carga que as atraia. Ou, por causa das atrações mútuas dos átomos uns pelos outros, ou pela parede, ou por um sólido, ou alguma coisa, existe alguma força da atração que varia com a posição e que atua em todas moléculas. Agora suponha, por simplicidade, que as moléculas são do mesmo tipo, e que a força atua em cada uma individualmente, de maneira que a força total em uma parte de gás fosse simplesmente o número de moléculas vezes a força em cada uma. Para evitar complicação desnecessária, vamos escolher um sistema de coordenada com o eixo x na direção da força, **F**.

Da mesma maneira que antes, se tomarmos dois planos paralelos no gás, separados por uma distância dx, então a força em cada átomo, vezes n os átomos por cm³ (a generalização do nmg prévio), vezes dx, devem ser equilibrados pela modificação de pressão: $Fn\, dx = dP = kT\, dn$. Ou, para colocar essa lei em uma forma que será útil mais tarde,

$$F = kT \frac{d}{dx} (\ln n). \tag{40.2}$$

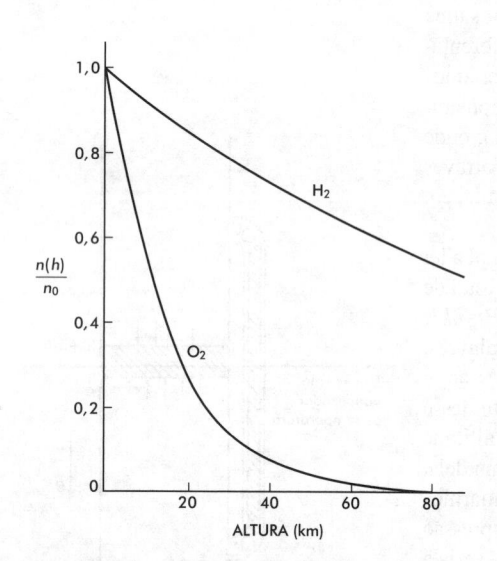

Figura 40–2 A densidade normalizada como função do peso no campo gravitacional da Terra para o oxigênio e para o hidrogênio, à temperatura constante.

Por enquanto, observe que $-F\,dx$ é o trabalho que faríamos considerando uma molécula de x até $x + dx$, e se F vier de um potencial, isto é, se o trabalho feito puder ser representado por uma energia potencial, então isso também seria a diferença na energia potencial (P.E.). O diferencial negativo da energia potencial é o trabalho realizado, $F\,dx$, e obtemos que $d(\ln n) = -d(\text{P.E.})/kT$, ou, depois da integração,

$$n = (\text{constante})e^{-\text{P.E.}/kT}. \tag{40.3}$$

Portanto, o que notamos em um caso especial se torna verdadeiro em geral. (E se F não vier de um potencial? Então (40.2) não tem nenhuma solução. A energia pode ser gerada, ou perdida pelos átomos que correm em volta em caminhos cíclicos para os quais o trabalho realizado não é o zero, e nenhum equilíbrio pode ser mantido. O equilíbrio térmico não pode existir se as forças externas sobre os átomos não forem conservativas.) A Equação (40.3), conhecida como a *lei de Boltzmann*, é outro dos princípios da mecânica estatística: a probabilidade de encontrar moléculas em um dado arranjo espacial varia exponencialmente com o negativo da energia potencial desse arranjo, dividido *por kT*.

Isto, então, pode nos dizer qual é a distribuição de moléculas: suponha que tivéssemos um íon positivo em um líquido, atraindo íons negativos em volta dele, quantos deles estariam em distâncias diferentes? Se a energia potencial for conhecida como uma função da distância, então a proporção deles em distâncias diferentes é dada por esta lei, e assim por diante, através de muitas aplicações.

40–3 Evaporação de um líquido

Na mecânica estatística mais avançada, tenta-se resolver o seguinte problema importante. Considere um conjunto de moléculas que se atraem umas às outras, e suponha que a força entre quaisquer duas, digamos i e j, só depende da sua separação r_{ij}, e pode ser representada como a derivada de uma função potencial $V(r_{ij})$. A figura 40–3 mostra a forma que tal função poderia ter. Para $r > r_0$, a energia diminui conforme as moléculas se aproximam umas das outras, porque elas se atraem, e então a energia aumenta muito rapidamente à medida que elas chegam ainda mais perto, porque elas se repelem fortemente, que é característico da maneira como as moléculas se comportam, *grosso modo*.

Agora suponha que temos uma caixa inteira cheia de tais moléculas, e gostaríamos de saber como elas se organizam em média. A resposta é $e^{-\text{P.E.}/kT}$. A energia potencial total nesse caso seria a soma sobre todos os pares, considerando que as forças são todas de pares (pode haver forças de três corpos em coisas mais complicadas, mas na eletricidade, por exemplo, a energia potencial resulta inteiramente da interação entre pares). Então a probabilidade de encontrar as moléculas em qualquer determinada combinação de r_{ij} será proporcional a

$$\exp\left[-\sum_{i,j} V(r_{ij})/kT\right].$$

Porém, se a temperatura for muito alta, de modo que $kT \gg |V(r_0)|$, o expoente é relativamente pequeno em quase todo lugar, e a probabilidade de encontrar uma molécula é quase independente da posição. Vamos tomar o caso de apenas duas moléculas: o $e^{-\text{P.E.}/kT}$ seria a probabilidade do encontrá-las em várias distâncias mútuas r. Claramente, onde o potencial se tornar mais negativo, a probabilidade é maior, e onde o potencial tender ao infinito, a probabilidade é quase zero, que ocorre para distâncias muito pequenas. Isso significa que para os átomos em um gás, não há nenhuma possibilidade de eles estarem um em cima do outro, pois eles se repelem muito fortemente. Há uma possibilidade maior de encontrá-los *por unidade de volume* no ponto r_0 do que em qualquer outro ponto. Quão maior, depende da temperatura. Se a temperatura for muito grande comparada com a diferença de energia entre $r = r_0$ e $r = \infty$, a exponencial é sempre quase igual à unidade. Nesse caso, onde a energia cinética média (aproximadamente kT) excede em muito a energia potencial, as forças não farão muita diferença. Conforme a temperatura

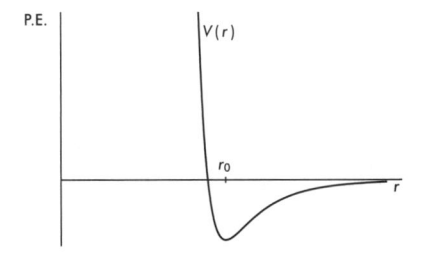

Figura 40–3 A função de energia potencial para duas moléculas, a qual depende somente da separação entre elas.

diminui, a probabilidade de encontrar as moléculas na distância preferencial r_0 aumenta gradualmente em relação à probabilidade de achá-las em outro lugar e, de fato, se kT for muito menor do que $|V(r_0)|$, teremos um expoente positivo relativamente grande naquela vizinhança. Em outras palavras, em um dado volume elas terão uma *probabilidade muito maior* de estarem na distância de mínima energia do que mais separadas. Conforme a temperatura diminui, os átomos se agrupam, juntam-se em aglomerados e reduzem-se a líquidos, sólidos e moléculas, e conforme são aquecidos, eles evaporam-se.

As exigências para a determinação exata de como as coisas se evaporam, exatamente como as coisas devem acontecer em uma dada circunstância, implicam o seguinte. Primeiramente, descobrir a lei da força molecular correta $V(r)$, que deve vir de outro lugar, da mecânica quântica, digamos, ou de experimentos. Considerando a lei da força entre as moléculas, descobrir o que um bilhão de moléculas estará fazendo simplesmente consiste em estudar a função $e^{-\sum V_{ij}/kT}$. É bastante surpreendente, pois apesar de ser uma função tão simples e uma ideia tão fácil, dado o potencial, o trabalho é *enormemente complicado*; a dificuldade reside no número enorme de variáveis.

Apesar dessas dificuldades, o assunto é bastante empolgante e interessante. Geralmente é chamado de exemplo do "problema de muitos corpos", e é de fato uma coisa muito interessante. Naquela única fórmula devem estar contidos todos os detalhes, por exemplo, sobre a solidificação do gás ou as formas cristalinas que o sólido pode adquirir, e as pessoas têm tentado extraí-los, mas as dificuldades matemáticas são muito grandes, não na formulação da lei, mas no tratamento de um número muito grande de variáveis.

Essa então é a distribuição de partículas no espaço. É o fim da mecânica estatística clássica, praticamente falando, porque se conhecermos as forças, em princípio poderemos encontrar a distribuição no espaço, e a distribuição de velocidades é algo que podemos calcular de uma vez por todas, e não é algo diferente para casos distintos. Os grandes problemas estão na obtenção de determinada informação a partir da nossa solução formal, e esse é o assunto principal da mecânica estatística clássica.

40–4 A distribuição das velocidades moleculares

Agora continuamos a discussão da distribuição de velocidades, porque às vezes é interessante ou útil saber quantas delas estão se movendo com velocidades diferentes. A fim de fazer isso, podemos fazer uso dos fatos que descobrimos com relação ao gás na atmosfera. Vamos considerar um gás perfeito, como já fizemos ao escrever a energia potencial, desprezando a energia de atração mútua dos átomos. A única energia potencial que incluímos no nosso primeiro exemplo foi a gravidade. Teríamos, naturalmente, algo mais complicado se houvesse forças entre os átomos. Assim supomos que não há nenhuma força entre os átomos e, momentaneamente, desconsideramos as colisões também; retornaremos mais tarde para justificar isso. Vimos que existem menos moléculas na altura h do que na altura 0; segundo a fórmula (40.1), elas diminuem exponencialmente com a altura. Como pode haver menos em alturas maiores? Afinal de contas, todas as moléculas na altura 0 que estão subindo não chegam em h? Não! Porque algumas das que estão subindo em 0 estão indo muito lentamente e não conseguem subir a barreira potencial até h. Com essa pista, podemos calcular quantos devem estar movendo-se com várias velocidades, porque a partir de (40.1) conhecemos *quantos* estão se movendo com velocidade menor do que a suficiente para subir uma dada distância h. Esses são justamente os responsáveis pelo fato de a densidade em h ser mais baixa do que em 0.

Vamos agora trabalhar essa ideia um pouco mais precisamente: vamos contar quantas moléculas estão cruzando de baixo para acima o plano $h = 0$ (chamando-o de altura = 0, não queremos dizer que existe um chão lá; é apenas um rótulo conveniente, e existe gás em h negativo). Essas moléculas de gás estão se movendo em todas as direções, mas algumas delas estão se movendo através do plano, e em qualquer momento um certo número delas por segundo está cruzando o plano de baixo para acima com velocidades diferentes. Observamos o seguinte: se chamarmos de u a velocidade que é justamente a necessária para se chegar até a altura h (energia cinética $mu^2/2 = mgh$), então o número de moléculas por segundo que estão atravessando de baixo para o lado superior do plano

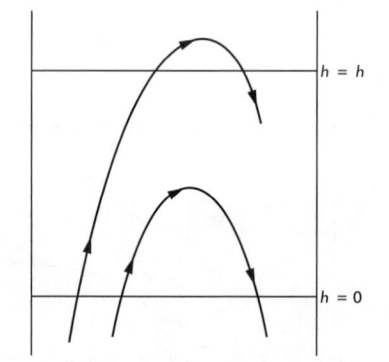

Figura 40–4 Apenas aquelas moléculas que se movem com velocidade suficiente em $h = 0$ conseguirão atingir a altura h.

em uma direção vertical com a componente da velocidade maior do que u é exatamente o mesmo que o número que atravessa para o plano superior com *qualquer* velocidade ascendente. Aquelas moléculas cuja velocidade vertical não excede u não conseguem atravessar para o plano superior. Portanto, vemos que

Número que atravessa em $h = 0$ com $v_z > u$ = número que passa em $h = h$ com $v_z > 0$.

O número que passa por h com qualquer velocidade maior do que 0 é menor do que o número que passa pela altura mais baixa com qualquer velocidade maior do que 0, porque o número de átomos é maior; isso é tudo de que precisamos. Já sabemos que a distribuição de velocidades é a mesma, após o argumento que fizemos anteriormente sobre a temperatura ser constante através de toda a atmosfera. Desse modo, como as distribuições de velocidades são as mesmas, e é somente porque existem *mais átomos* mais embaixo, claramente o número $n_{>0}(h)$ de átomos que atravessam com velocidade positiva na altura h e o número $n_{>0}(0)$, dos que atravessam com velocidade positiva na altura 0, estão na mesma proporção que as densidades nas duas alturas, que é $e^{-mgh/kT}$. Já $n_{>0}(h) = n_{>u}(0)$, e por isso encontramos que

$$\frac{n_{>u}(0)}{n_{>0}(0)} = e^{-mgh/kT} = e^{-mu^2/2kT},$$

como $\frac{1}{2}mu^2 = mgh$. Assim, em palavras, o número de moléculas por unidade de área por segundo atravessando a altura 0 com uma componente z da velocidade maior do que u é $e^{-mu^2/2kT}$ vezes o número total dos que estão passando pelo plano com velocidade maior do que zero.

Porém isso não é apenas verdadeiro para a altura arbitrariamente escolhida como sendo 0, mas naturalmente é verdade para qualquer outra altura, e assim as distribuições de velocidade *são* todas iguais! (A afirmação final não envolve a altura h, que apareceu apenas no argumento intermediário.) O resultado é uma proposição geral que nos fornece a distribuição de velocidades. Ela nos diz que se perfurarmos um pequeno buraco em um tubo de gás, um buraco muito pequeno, de maneira que as colisões sejam poucas e distantes umas das outras, isto é, estão mais separadas do que o diâmetro do buraco, então as partículas que estão saindo terão velocidades diferentes, mas a fração das partículas que saem com uma velocidade maior do que u é $e^{-mu^2/2kT}$.

Agora voltamos à pergunta sobre a omissão das colisões: por que não faz nenhuma diferença? Poderíamos ter adotado o mesmo argumento, não com uma altura finita h, mas com uma altura infinitesimal h, que é tão pequena que não haveria espaço para colisões entre 0 e h. Isso não foi necessário: o argumento é evidentemente baseado em uma análise das energias envolvidas, a conservação de energia, e há uma troca de energia entre as moléculas nas colisões que ocorrem. Contudo, realmente não nos importamos se seguimos a mesma molécula caso a energia seja simplesmente trocada com outra molécula. Portanto, mesmo que o problema seja analisado mais cuidadosamente (naturalmente é mais difícil fazer um trabalho rigoroso), ainda assim não faz nenhuma diferença para o resultado.

É interessante que a distribuição de velocidades que encontramos seja somente

$$n_{>u} \propto e^{-\text{energia cinética}/kT}. \tag{40.4}$$

Esse modo de descrever a distribuição de velocidades, computando o número de moléculas que atravessam uma dada área com uma certa componente z mínima, não é a maneira mais conveniente de apresentar a distribuição de velocidades. Por exemplo, dentro do gás, na maioria das vezes, deseja-se conhecer quantas moléculas estão se movendo com uma componente z da velocidade entre dois valores dados, e isso, é claro, não é diretamente dado pela Eq. (40.4). Gostaríamos de apresentar o nosso resultado na forma mais convencional, embora o que já temos escrito seja bastante geral. *Note que não é possível dizer que qualquer molécula tem exatamente uma determinada velocidade;* nenhuma delas tem uma velocidade *exatamente igual* a 1,7962899173 metro por segundo. Assim, para fazer uma afirmação com algum significado, temos de perguntar quantas

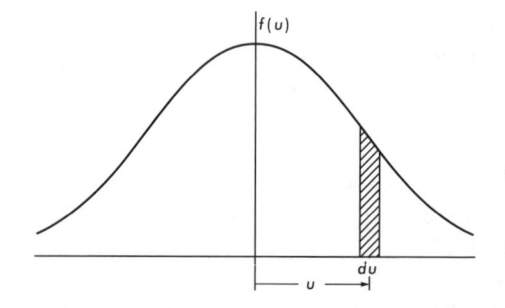

Figura 40–5 A função de distribuição de velocidades. A área hachurada é f(u) du, ou seja, a fração de partículas com velocidades dentro do intervalo du em torno de u.

devem ser encontradas em algum *intervalo* de velocidades. Devemos dizer quantas têm a velocidade entre 1,796 e 1,797, e assim por diante. Em termos matemáticos, seja $f(u)\,du$ a fração de todas as moléculas que têm a velocidade entre u e $u + du$ ou, o que é a mesma coisa (se du for infinitesimal), todas as que têm uma velocidade u com uma variação du. A Figura 40–5 mostra uma possível forma para a função $f(u)$, e a parte sombreada, de largura du e altura média $f(u)$, representa essa fração $f(u)\,du$. Isto é, a razão da área sombreada para a área total da curva é a proporção relativa de moléculas com a velocidade u dentro do intervalo du. Se definirmos $f(u)$ de modo que a fração com velocidade dentro desse intervalo seja dada diretamente pela área sombreada, então a área total deve ser 100 por cento delas, isto é,

$$\int_{-\infty}^{\infty} f(u)\,du = 1. \tag{40.5}$$

Temos apenas de obter essa distribuição comparando-a com o teorema que obtivemos antes. Primeiramente, perguntamos: qual o número de moléculas atravessando uma área por segundo com velocidade maior do que u, expresso em termos de $f(u)$? Inicialmente poderíamos pensar que ele é simplesmente a integral $\int_{u}^{\infty} f(u)\,du$, mas não é, porque queremos o número dos que estão atravessando essa área *por segundo*. Os mais rápidos passam mais frequentemente, por assim dizer, do que os mais lentos, e para exprimir quantos passam, deve-se multiplicar pela velocidade. (Discutimos isso no capítulo anterior, quando falamos sobre o número de colisões.) Em um dado tempo t, o número total que atravessa a superfície é composto por todos aqueles que foram capazes de chegar à superfície, e o número dos que chegam vem de uma distância ut. Portanto o número de moléculas que chega não é simplesmente o número das que estão lá, mas o número das que estão lá por unidade de volume multiplicado pela distância que elas varrem na corrida para a área pela qual se pressupõe que atravessem, e essa distância é proporcional a u. Portanto, necessitamos da integral de u vezes $f(u)du$, uma integral infinita com um limite inferior u, e isso deve ser igual ao que encontramos antes, a saber $e^{-mu^2/2kT}$, com uma constante de proporcionalidade que determinaremos posteriormente:

$$\int_{u}^{\infty} u f(u)\,du = \text{const} \cdot e^{-mu^2/2kT}. \tag{40.6}$$

Se diferenciarmos a integral com respeito a u, obtemos o que está dentro da integral, i.e., o integrando (com um sinal de menos, pois u é o limite inferior), e se diferenciarmos o outro lado, obtemos u vezes a mesma exponencial (e algumas constantes). Os u se cancelam, e encontramos

$$f(u)\,du = C e^{-mu^2/2kT}\,du. \tag{40.7}$$

Conservamos o du em ambos os lados para lembrar que é uma *distribuição*, que diz qual a proporção para a velocidade entre u e $u + du$.

A constante C deve ser determinada de modo que a integral seja igual à unidade, segundo a Eq. (40.5). Agora podemos provar que[1]

$$\int_{-\infty}^{\infty} e^{-x^2}\,dx = \sqrt{\pi}.$$

Usando esse fato, é fácil ver que $C = \sqrt{m/2\pi kT}$.

---

[1] Para determinarmos o valor da integral, fazemos

$$I = \int_{-\infty}^{\infty} e^{-x^2}\,dx.$$

Então

$$I^2 = \int_{-\infty}^{\infty} e^{-x^2}\,dx \cdot \int_{-\infty}^{\infty} e^{-y^2}\,dy = \int_{-\infty}^{\infty}\int_{-\infty}^{\infty} e^{-(x^2+y^2)}\,dy\,dx,$$

que é uma integral dupla sobre todo o plano xy. Isso também pode ser escrito em coordenadas polares como

$$I^2 = \int_{0}^{\infty} e^{-r^2} \cdot 2\pi r\,dr = \pi \int_{0}^{\infty} e^{-t}\,dt = \pi.$$

Como a velocidade e o momento são proporcionais, podemos dizer que a distribuição de momentos é também proporcional a $e^{-E.C./kT}$ por intervalo unitário de momento. Acontece que esse teorema é verdadeiro também para a relatividade, se for escrito em termos do momento, enquanto que não é verdadeiro se estiver em termos das velocidades, portanto é o melhor aprendê-lo em termos do momento em vez de velocidade:

$$f(p)\,dp = Ce^{-E.C./kT}\,dp. \tag{40.8}$$

Portanto encontramos que a probabilidade de diferentes condições de energia, cinética e potencial, são ambas dadas por $e^{-energia/kT}$, uma coisa muito fácil de se lembrar e uma proposição bastante bela.

Por enquanto temos, naturalmente, apenas a distribuição de velocidades "verticais". Poderíamos querer perguntar qual é a probabilidade de que uma molécula esteja se movendo em outra direção. Naturalmente essas distribuições são conectadas, e pode-se obter a distribuição completa dessa que temos, porque a distribuição completa depende somente do quadrado da magnitude da velocidade, e não da componente z. Deve ser algo que é independente da direção, e existe apenas uma função envolvida, a probabilidade de magnitudes diferentes. Temos a distribuição da componente z e, portanto, podemos determinar a distribuição da outras componentes a partir dela. O resultado é que a probabilidade é ainda proporcional a $e^{-E.C./kT}$, mas agora a energia cinética envolve três partes, $mv_x^2/2$, $mv_y^2/2$ e $mv_z^2/2$, somadas no expoente. Ou podemos escrevê-la como um produto:

$$f(v_x, v_y, v_z)\,dv_x\,dv_y\,dv_z \\ \propto e^{-mv_x^2/2kT} \cdot e^{-mv_y^2/2kT} \cdot e^{-mv_z^2/2kT}\,dv_x\,dv_y\,dv_z. \tag{40.9}$$

Você pode ver que essa fórmula deve estar correta porque, primeiro, ela é uma função somente de v^2, como necessário, e segundo, a probabilidade para os vários valores de v_z obtidos integrando-se sobre todos os v_x e v_y é justamente (40.7), mas essa única função (40.9) pode fazer ambas as coisas!

40–5 O calor específico dos gases

Veremos a seguir algumas maneiras de testar a teoria, e ver quão bem-sucedida é a teoria clássica dos gases. Vimos anteriormente que se U for a energia interna de N moléculas, então $PV = NkT = (\gamma - 1)U$ é válida, às vezes, talvez para alguns gases. Se o gás for monoatômico, sabemos que isso é também igual a 2/3 da energia cinética do movimento do centro de massa dos átomos. Se for um gás monoatômico, então a energia cinética é igual à energia interna, e por isso $\gamma - 1 = 2/3$. Suponha que se trata, digamos, de uma molécula mais complicada, que pode girar e vibrar, e vamos supor (é verdadeiro segundo a mecânica clássica) que as energias dos movimentos internos são também proporcionais a kT. Então a uma dada temperatura, além da energia cinética $3/2\,kT$, existe a vibracional interna e a energia de rotação. Assim o U total inclui não apenas a energia cinética, mas também as energias de rotação e vibracional, e obtemos um valor diferente para γ. Tecnicamente, o melhor modo de medir γ é medindo o calor específico, que é a variação da energia com a temperatura. Voltaremos a essa abordagem mais tarde. Para os nossos objetivos atuais, podemos supor que γ é encontrado experimentalmente a partir da curva PV^γ para compressão adiabática.

Vamos fazer calcular γ para alguns casos. Primeiramente, para um gás monoatômico, U é a energia total, a mesma que a energia cinética, e já sabemos que γ deve ser 5/3. Para um gás diatômico, podemos tomar como exemplo oxigênio, iodeto de hidrogênio, hidrogênio, etc., e supor que o gás diatômico pode ser representado como dois átomos unidos por um tipo de força como a da Fig. 40–3. Também podemos supor, e é razoavelmente verdadeiro, que nas temperaturas de interesse para o gás diatômico, os pares de átomos tendem fortemente a serem separados por r_0, a distância do mínimo de potencial. Se isso não fosse verdade, se a probabilidade não variasse fortemente o suficiente para fazer a

Tabela 40-1
Valores do calor específico,
γ, para vários gases

Gás	T(°C)	γ
He	–180	1,660
Kr	19	1,68
Ar	15	1,668
H_2	100	1,404
O_2	100	1,399
HI	100	1,40
Br_2	300	1,32
I_2	185	1,30
NH_3	15	1,310
C_2H_6	15	1,22

grande maioria permanecer próxima ao fundo, deveríamos lembrar que o gás oxigênio é uma mistura de O_2 com átomos isolados de oxigênio em uma proporção não trivial. Sabemos que há, de fato, muito poucos átomos isolados de oxigênio, o que significa que o mínimo de energia potencial é muito maior em magnitude do que kT, como vimos. Como eles estão agrupados fortemente em volta de r_0, a única parte da curva necessária é a parte próxima ao mínimo, a qual pode ser aproximada por uma parábola. Um potencial parabólico implica um oscilador harmônico, e de fato, como uma aproximação excelente, a molécula de oxigênio pode ser representada como dois átomos conectados por uma mola.

Porém, qual é a energia total dessa molécula na temperatura T? Sabemos que para cada um dos dois átomos, cada uma das energias cinéticas deve ser $3/2kT$, portanto a energia cinética de ambos é $3/2kT + 3/2kT$. Podemos também colocar isso de uma maneira diferente: o mesmo $3/2$ mais $3/2$ também pode ser enxergado como a energia cinética do centro da massa $(3/2)$, energia cinética de rotação $(2/2)$ e energia cinética de vibração $(1/2)$. Sabemos que a energia cinética da vibração é $1/2$, pois existe apenas uma dimensão envolvida, e cada grau da liberdade tem $½kT$. Quanto à rotação, ela pode girar em torno de qualquer dos dois eixos, assim existem dois movimentos independentes. Consideramos que os átomos são um tipo de ponto e não podem girar sobre a linha que os conecta; isso é algo para se ter em mente, porque se obtivermos uma discrepância, talvez esse seja o problema. Temos uma coisa a mais, que é a energia *potencial* da vibração; quanto é isso? Para um oscilador harmônico, a energia cinética média e a energia potencial média são iguais, portanto a energia potencial da vibração é $½kT$ também. O total de energia é $U = 7/2kT$, ou kT é $2/7U$ por átomo. Isso significa, então, que γ é $9/7$ em vez de $5/3$, isto é, $\gamma = 1,286$.

Podemos comparar esses números com os valores relevantes medidos que são mostrados na Tabela 40–1. Olhando primeiro para hélio, que é um gás monoatômico, encontramos muito aproximadamente $5/3$, e o erro é provavelmente experimental, embora nessas temperaturas tão baixas possa haver alguma força entre os átomos. Os resultados para o criptônio e o argônio, ambos monoatômicos, também concordam dentro da precisão do experimento.

Considerando os gases diatômicos, encontramos o hidrogênio com 1,404, que não concorda com a teoria, 1,286. O oxigênio, 1,399, é muito semelhante, mas novamente não está de acordo. O iodeto de hidrogênio em 1,40 também é parecido. Até parece que a resposta correta é 1,40, mas não é, porque se pesquisarmos mais além, temos para o bromo 1,32, e para o iodo temos 1,30. Então, como 1,30 está razoavelmente perto de 1,286, pode-se dizer que o iodo está de acordo, mas o oxigênio está bem distante. Assim aqui temos um dilema. Está correto para uma molécula, mas não está correto para outra molécula, e precisamos ser bastante inteligentes para explicar ambos os casos.

Vamos olhar mais além, para uma molécula ainda mais complicada com um grande número de partes, por exemplo, C_2H_6, que é o etano. Ele tem oito átomos diferentes, e estão todos vibrando e girando em várias combinações, portanto a soma total da energia interna deve ser um número enorme de kT, pelo menos $12kT$ somente para a energia cinética, e $\gamma - 1$ deve ser muito próximo de zero, ou γ quase exatamente 1. De fato, é mais baixo, mas 1,22 não é tão baixo assim, e é mais alto do que $1\,½$ calculado a partir apenas da energia cinética, e não é possível de compreender!

Ainda mais, o mistério como um todo é mais profundo, porque a molécula diatômica não pode ser feita rígida por um limite. Mesmo se fizermos as ligações indefinidamente mais rígidas, embora ela não possa vibrar muito, mesmo assim continuaria vibrando. A energia vibracional interna é ainda kT, pois não depende da força da ligação, mas se pudermos imaginar uma rigidez *absoluta*, impedindo toda a vibração para eliminar uma variável, então iríamos obter $U = 5/2kT$ e $\gamma = 1,40$ para o caso diatômico. Isso parece bom para H_2 ou O_2. Por outro lado, ainda teríamos problemas, porque γ tanto para o hidrogênio quanto para o oxigênio varia com a temperatura! Dos valores medidos mostrados na Fig. 40–6, vemos que, para H_2, γ varia de aproximadamente 1,6 em –185°C até 1,3 em 2000°C. A variação é mais substancial no caso do hidrogênio do que para o oxigênio, entretanto, mesmo para o oxigênio, definitivamente γ tende a subir conforme baixamos a temperatura.

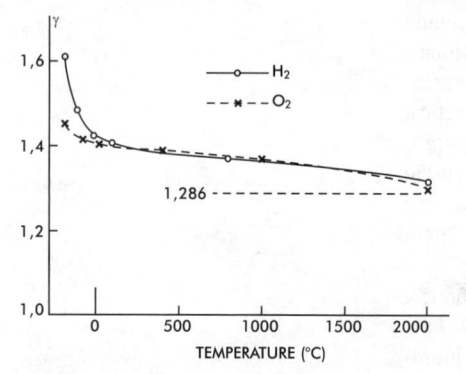

Figura 40–6 Valores experimentais de γ como função da temperatura para o hidrogênio e o oxigênio. A teoria clássica prediz $\gamma = 1,286$, independentemente da temperatura.

40–6 O fracasso da física clássica

Deste modo, considerando tudo, poderíamos dizer que temos um pouco de dificuldade. Poderíamos tentar outra lei de força que não fosse a de uma mola, mas qualquer outra coisa somente tornará γ mais alto. Se incluirmos mais formas de energia, γ se aproximará mais da unidade, contradizendo os fatos. Todas as coisas da teoria clássica em que podemos pensar apenas piorarão as coisas. O fato é que existem elétrons em cada átomo, e sabemos pelos seus espectros que há movimentos internos; cada um dos elétrons deve ter pelo menos ½kT da energia cinética, e algo mais para a energia potencial, assim quando eles são somados, γ se torna ainda menor. É ridículo. Isso está errado.

O primeiro grande artigo sobre a teoria dinâmica de gases foi escrito por Maxwell em 1859. Com base nas ideias que estivemos discutindo, ele foi capaz de explicar exatamente muitas das relações conhecidas, como a lei de Boyle, a teoria da difusão, a viscosidade dos gases e coisas sobre as quais falaremos no próximo capítulo. Ele enumerou todos esses grandes êxitos em um sumário final, e ao concluir ele disse, "Finalmente, ao estabelecer a relação necessária entre os movimentos de translação e rotação (ele está falando sobre o teorema de ½kT) de todas as partículas não esféricas, provamos que não é possível para um sistema de tais partículas satisfazer à relação conhecida entre dois calores específicos". Ele está se referindo a γ (que, como veremos depois, está relacionado a duas maneiras de medir o calor específico) e diz que sabemos que não podemos obter a resposta correta.

Dez anos depois, em uma conferência, ele disse, "coloco agora perante vocês o que considero ser a maior dificuldade ainda encontrada pela teoria molecular". Essas palavras representam a primeira descoberta de que as leis da física clássica estavam erradas. Isso foi a primeira indicação de que havia algo fundamentalmente impossível, porque um teorema rigorosamente comprovado não concordava com o experimento. Por volta de 1905, Sir James Hopwood Jeans e Lord Rayleigh (John William Strutt) discorreram sobre esse problema novamente. Muitas vezes se ouve dizer que os físicos na última parte do século XIX pensavam que conheciam todas as leis físicas importantes e que tudo o que tinham a fazer era calcular mais algarismos decimais. Alguém pode ter dito isso uma vez, e outros o copiaram. Uma leitura cuidadosa da literatura desse tempo mostra que todos eles se incomodavam com algo. Sobre esse problema, Jeans o considerava um fenômeno muito misterioso, e parecia que à medida que a temperatura diminuía, certos tipos de movimentos se "congelavam".

Se pudermos supor que o movimento vibracional, digamos, não existe em baixas temperaturas, mas existe em altas temperaturas, então podemos imaginar que para um gás existindo em uma temperatura suficientemente baixa, o movimento vibracional não ocorre, portanto $\gamma = 1,40$, ou uma temperatura mais alta na qual ele começa a contribuir, portanto γ diminui. O mesmo poderia ser argumentado para a rotação. Se pudermos eliminar a rotação, digamos que ela "congela" a temperaturas suficientemente baixas, então podemos entender o fato de que o γ do hidrogênio se aproxima de 1,66 conforme baixamos a temperatura. Como podemos entender tal fenômeno? Naturalmente que esses movimentos de "congelamento" não podem ser entendidos pela mecânica clássica. Somente foram entendidos quando a mecânica quântica foi descoberta.

Sem provar, podemos mencionar os resultados da teoria da mecânica quântica para a mecânica estatística. Lembramos que de acordo com a mecânica quântica, um sistema que é ligado por um potencial, para as vibrações, por exemplo, terá um conjunto discreto de níveis de energia, isto é, estados de energia diferentes. Porém a pergunta é: como a mecânica estatística deve ser modificada para estar de acordo com a teoria da mecânica quântica? É bastante interessante que embora a maior parte dos problemas seja mais difícil na mecânica quântica do que na mecânica clássica, os problemas de mecânica estatística sejam muito mais fáceis na teoria quântica! O simples resultado que temos na mecânica clássica, que $n = n_0 \, e^{-energia/kT}$, torna-se o seguinte teorema muito importante: sejam as energias de um conjunto de estados moleculares denominadas, digamos, $E_0, E_1, E_2,\ldots, E_i,\ldots$, então em equilíbrio térmico a probabilidade de encontrar uma molécula em um determinado estado de ter energia E_i é proporcional a $e^{-E_i/kT}$. Isso dá a probabilidade dos vários estados. Em outras palavras, a possibilidade relativa, a probabilidade, de se estar no estado E_1 relativo à possibilidade de se estar no estado E_0 é

$$\frac{P_1}{P_0} = \frac{e^{-E_1/kT}}{e^{-E_0/kT}}, \qquad (40.10)$$

que, naturalmente, é o mesmo que

$$n_1 = n_0 e^{-(E_1-E_0)/kT}, \qquad (40.11)$$

pois $P_1 = n_1/N$ e $P_0 = n_0/N$. Portanto, a probabilidade é menor de se estar em um estado de energia mais alto do que em um mais baixo. A razão entre o número de átomos no estado superior para o número no estado mais baixo é e elevado à potência (menos a diferença de energia sobre kT) – uma proposta muito simples.

Para um oscilador harmônico, os níveis de energia são igualmente espaçados. Chamando a energia mais baixa de $E_0 = 0$ (de fato não é o zero, é um pouco diferente, mas não tem importância se deslocarmos todas as energias por uma constante), o primeiro é então $E_1 = \hbar\omega$, e o segundo é $2\hbar\omega$, o terceiro é $3\hbar\omega$ e assim por diante.

Agora vejamos o que acontece. Supomos que estamos estudando as vibrações de uma molécula diatômica, a qual aproximamos como um oscilador harmônico. Vamos perguntar qual é a possibilidade relativa de encontrar uma molécula no estado E_1 ao invés do estado E_0. A resposta é que a possibilidade de encontrá-la no estado E_1, relativa a encontrá-la no estado E_0, diminui conforme $e^{-\hbar\omega/kT}$. Agora suponha que kT é muito menor do que $\hbar\omega$, e temos uma situação de temperatura baixa. Então a probabilidade de estar no estado E_1 é extremamente pequena. Praticamente todos os átomos estão no estado E_0. Se variarmos a temperatura, mas ainda a mantivermos muito pequena, então a possibilidade de estar no estado $E_1 = \hbar\omega$ permanece infinitesimal – a energia do oscilador permanece praticamente zero; ela não varia com a temperatura contanto que a temperatura seja muito menor do que $\hbar\omega$. Todos os osciladores estão no estado mais baixo, e o seu movimento é efetivamente "congelado"; *não há nenhuma contribuição disso para o calor específico*. Podemos julgar, então, a partir da Tabela 40–1, que em 100°C, que é 373 graus absolutos, o kT é muito menor do que a energia vibracional do oxigênio ou das moléculas de hidrogênio, mas não é assim para a molécula de iodo. A razão da diferença é que um átomo de iodo é muito pesado, comparado com o hidrogênio, e embora as forças possam ser comparáveis para o iodo e para o hidrogênio, a molécula de iodo é tão pesada que a frequência natural da vibração é muito baixa comparada com a frequência natural do hidrogênio. Com $\hbar\omega$ maior do que a temperatura ambiente kT para o hidrogênio, mas menor para o iodo, apenas o último, o iodo, exibe a energia vibracional clássica. Conforme aumentamos a temperatura de um gás, começando de um valor muito baixo de T, com as moléculas quase todas no seu estado mais baixo, elas gradualmente começam a ter uma probabilidade significativa de ocupar o segundo estado, e logo o estado seguinte e assim por diante. Quando a probabilidade é significativa para muitos estados, o comportamento do gás se aproxima do dado pela física clássica, porque os estados quantificados se tornam praticamente indistinguíveis de um contínuo de energias, e o sistema pode adquirir quase qualquer energia. Assim, conforme a temperatura sobe, devemos novamente obter os resultados da física clássica, como de fato parece ser o caso da Fig. 40–6. É possível mostrar, da mesma maneira, que os estados de rotação dos átomos também são quantificados, mas os estados estão bem mais próximos uns dos outros que em circunstâncias ordinárias kT é maior do que o espaçamento entre eles. Então muitos níveis são excitados, e a energia cinética rotacional do sistema contribui do modo clássico. Um exemplo no qual isso não é bem verdade ocorre para o hidrogênio à temperatura ambiente.

Essa é a primeira vez que realmente deduzimos, por comparação com o experimento, que havia algo errado com a física clássica, e procuramos por uma solução da dificuldade na mecânica quântica praticamente da maneira como foi feito originalmente. Foram necessários 30 ou 40 anos antes que a próxima dificuldade fosse descoberta, e novamente se deveu à mecânica estatística, mas dessa vez com a mecânica de um gás de fóton. Esse problema foi resolvido por Planck, nos primeiros anos do século XX.

41

O Movimento Browniano

41–1 Equipartição de energia

O movimento browniano foi descoberto em 1827 por Robert Brown, um botânico. Enquanto estudava a vida microscópica, ele notou pequenas partículas de pólen de planta que se mexiam sem parar no líquido visto ao microscópio, e ele foi bastante sábio para perceber que não eram seres vivos, mas somente pequenos pedaços de sujeira movendo-se na água. De fato, ele ajudou a demonstrar que isso não tinha nada a ver com vida ao obter um pedaço de quartzo do solo no qual havia um pouco de água aprisionada. Ela devia estar aprisionada há milhões e milhões de anos, mas no interior foi possível ver o mesmo movimento. Vê-se que as partículas muito pequenas estão se movimentando o tempo todo.

Mais tarde, isso foi comprovado como um dos efeitos do *movimento molecular*, e podemos entendê-lo qualitativamente pensando em uma bola leve bem grande, vista de uma grande distância, em um campo com muitas pessoas embaixo segurando-a e todos empurrando a bola em várias direções. Não podemos ver as pessoas porque imaginamos que estamos longe demais, mas podemos ver a bola, e notamos que ela se move um tanto irregularmente. Também sabemos, dos teoremas que discutimos nos capítulos anteriores, que a energia cinética média de uma pequena partícula suspensa em um líquido ou um gás será $3/2kT$, embora seja muito pesada comparada com uma molécula. Caso seja muito pesada, isso significa que as velocidades são relativamente lentas, mas ocorre, de fato, que a velocidade não é realmente tão lenta. De fato, não podemos ver a velocidade dessa partícula muito facilmente porque embora a energia cinética média seja $3/2kT$, que representa uma velocidade de aproximadamente um milímetro por segundo de um objeto de um ou dois mícra de diâmetro, isso é muito difícil de se enxergar mesmo em um microscópio, porque a partícula continuamente inverte a sua direção e não chega a qualquer lugar. A que distância ela realmente chega, discutiremos ao final desse capítulo. Este problema foi resolvido pela primeira vez por Einstein no início do século XX.

Incidentemente, quando dizemos que a energia cinética média desta partícula é $3/2kT$, alegamos ter conseguido esse resultado da teoria cinética, isto é, das leis de Newton. Veremos que podemos derivar todo tipo de coisas – coisas maravilhosas – da teoria cinética, e o mais interessante é que, ao que parece, podemos obter muito de muito pouco. É claro que não queremos dizer que as leis de Newton são "pouco" – elas são suficientes para fazer isso, de verdade – queremos dizer que não fizemos muito. Como conseguimos lucrar tanto? A resposta é que temos feito continuamente uma certa suposição importante, que é que se um dado sistema estiver em equilíbrio térmico a uma determinada temperatura, ele também estará em equilíbrio térmico com *qualquer outra coisa* à mesma temperatura. Por exemplo, se quiséssemos ver como uma partícula se moveria se ela realmente estivesse colidindo com a água, podíamos imaginar que havia um gás presente, composto de um outro tipo de partícula, pequenos grânulos perfeitos que (supomos) não interagem com a água, mas apenas atingem a partícula em colisões "fortes". Suponha que a partícula tenha uma ponta saliente; tudo que os nossos grânulos têm de fazer é atingir essa ponta. Conhecemos tudo sobre esse gás imaginário de grânulos à temperatura T – ele é um gás ideal. A água é complicada, mas um gás ideal é simples. Porém, *a nossa partícula tem de estar em equilíbrio com o gás de grânulos*. Portanto, o movimento médio da partícula deve ser o que obtemos para colisões gasosas, porque se ela não estiver se movendo na velocidade correta em relação à água, mas, digamos, move-se mais rapidamente, isso significa que os grânulos adquiririam energia a partir dela e se tornariam mais quentes do que a água. Porém, todos começaram na mesma temperatura, e supomos que se uma coisa estava uma vez em equilíbrio, ela permanecerá em equilíbrio – partes não se tornam mais quentes enquanto outras ficam mais frias, espontaneamente.

Essa proposição é verdadeira e pode ser provada a partir das leis da mecânica, mas a prova é muito complicada e pode ser estabelecida somente usando mecânica avançada.

41–1 Equipartição de energia
41–2 Equilíbrio térmico da radiação
41–3 Equipartição e o oscilador quântico
41–4 Passeio aleatório

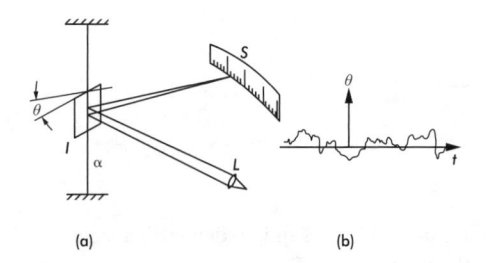

Figura 41-1 (a) Um galvanômetro sensível à luz. A luz de uma fonte L é refletida por um pequeno espelho em uma escala. (b) Registro esquemático da leitura da escala como função do tempo.

É muito mais fácil provar usando a mecânica quântica do que a mecânica clássica. Foi provado pela primeira vez por Boltzmann, mas por enquanto simplesmente adotamos como verdadeiro, e então podemos argumentar que a nossa partícula deve ter 3/2kT de energia se for atingida por grânulos artificiais, portanto ela também deve ter 3/2kT quando estiver sendo atingida pela água à mesma temperatura, e podemos dispensar os grânulos; portanto é 3/2kT. É uma linha de raciocínio estranha, mas perfeitamente válida.

Além do movimento de partículas coloidais para as quais o movimento browniano foi primeiro descoberto, há outros fenômenos, tanto no laboratório como em outras situações, nos quais se pode ver o movimento browniano. Se estivermos tentando construir um equipamento mais delicado possível, digamos um espelho muito pequeno em uma fibra de quartzo fina de um galvanômetro balístico muito sensível (Fig. 41–1), o espelho não permanece fixo, mas se mexe o tempo todo – *todo o tempo* –, de maneira que, quando incidimos uma luz sobre ele e olhamos a posição do ponto, não temos um instrumento perfeito porque o espelho está sempre se mexendo. Por quê? Porque a energia cinética média de rotação desse espelho deve ser, em média, ½kT.

Qual é o ângulo médio quadrado no qual o espelho oscilará? Suponha que determinemos o período de vibração natural do espelho tamborilando em um dos lados e vendo quanto tempo ele leva para oscilar para a frente e para trás, e também conheçamos o momento de inércia, I. Conhecemos a fórmula da energia cinética de rotação – dado pela Eq. (19.8): $T = \frac{1}{2} I\omega^2$. Essa é a energia cinética, e a energia potencial será proporcional ao quadrado do ângulo – ela é $V = \frac{1}{2}\alpha\theta^2$. Se soubermos o período t_0 e calcularmos a partir disso a frequência natural $\omega_0 = 2\pi/t_0$, então a energia potencial é $V = \frac{1}{2} I\omega_0^2 \theta^2$. Sabemos que a energia cinética média é ½kT, mas como se trata de um oscilador harmônico cuja energia potencial média é também ½kT. Então

$$\tfrac{1}{2}I\omega_0^2\langle\theta^2\rangle = \tfrac{1}{2}kT,$$

ou

$$\langle\theta^2\rangle = kT/I\omega_0^2. \tag{41.1}$$

Dessa maneira podemos calcular as oscilações de um espelho de galvanômetro, e por meio disso encontrar quais serão as limitações do nosso instrumento. Se quisermos que as oscilações sejam menores, teremos de resfriar o espelho. Uma pergunta interessante é *onde* esfriá-lo. Isso depende de onde ele se está adquirindo os seus "impulsos". Se for através da fibra, esfriamo-lo no topo – se o espelho for rodeado por um gás e estiver sendo atingido principalmente pelas colisões com o gás, é melhor resfriar o gás. Na verdade, se conhecermos de onde vem o *amortecimento* das oscilações, isso sempre é também a *fonte* das flutuações, um ponto ao qual voltaremos.

O mesmo acontece também, bastante surpreendentemente, em *circuitos elétricos*. Suponha que estamos construindo um amplificador muito sensível e preciso para uma frequência definida e temos um circuito ressonante (Fig. 41–2) na entrada para fazê-lo muito sensível a essa certa frequência, como um receptor de rádio, mas um realmente bom. Suponha que desejamos baixar ao limite mais baixo de coisas, portanto tomamos a voltagem, digamos a partir da indutância, e a enviamos para o restante do amplificador. Naturalmente, em qualquer circuito como esse, ocorre um certo montante da perda. Não é um circuito ressonante perfeito, mas ele é um muito bom e existe um pouco de resistência, digamos (colocamos o resistência de modo que possamos vê-la, mas supõe-se que ela seja pequena). Agora gostaríamos de descobrir: o quanto flutua a voltagem através da indutância? *Resposta*: sabemos que ½LI² é a "energia cinética" – a energia associada a uma espira de um circuito ressonante (Capítulo 25). Por isso, o valor médio de ½LI² é igual a ½kT – isso nos diz qual é a corrente rms e podemos calcular a voltagem rms a partir da corrente rms. Se desejarmos a voltagem através da indutância, a fórmula é $\hat{V}_L = i\omega L\hat{I}$, a voltagem quadrada absoluta média na indutância é $\langle V_L^2\rangle = L^2\omega_0^2\langle I^2\rangle$ e, substituindo em ½L⟨I²⟩ = ½kT, obtemos

$$\langle V_L^2\rangle = L\omega_0^2 kT. \tag{41.2}$$

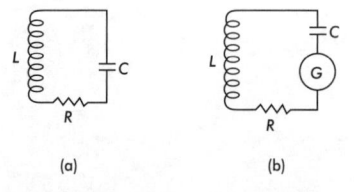

Figura 41-2 Um circuito ressonante de alto Q. (a) Circuito real, à temperatura T. (b) Circuito artificial com uma resistência ideal (sem ruído) e um "gerador de ruído" G.

Portanto agora podemos projetar circuitos e saber quando iremos obter o que é chamado de *ruído Johnson*, o ruído associado às flutuações térmicas!

Desta vez, de onde vêm as flutuações? Elas vêm novamente da *resistência* – elas vêm do fato de que os elétrons na resistência estão se mexendo porque estão em equilíbrio térmico com a matéria na resistência, e eles criam flutuações na densidade de elétrons. Assim eles geram campos elétricos muito pequenos que impulsionam o circuito ressonante.

Os engenheiros eletricistas representam a resposta de outro modo. Fisicamente, a resistência é efetivamente a fonte de ruído. Contudo, podemos substituir o verdadeiro circuito com uma resistência física verdadeira que está causando o ruído por um circuito artificial que contém um pequeno gerador que *representará* o ruído, e agora a resistência é ideal – nenhum ruído é proveniente dela. Todo o ruído está no gerador artificial. Assim, se conhecermos as características do ruído gerado por uma resistência, se tivermos a fórmula para isso, então podemos calcular o que o circuito fará em resposta a esse ruído. Deste modo, precisamos de uma fórmula para as flutuações do ruído. Porém, o ruído que é gerado pela resistência ocorre em todas as frequências, pois a resistência em si não é ressonante. Naturalmente o circuito ressonante somente "capta" a parte que está próxima da frequência correta, mas a resistência possui muitas frequências diferentes. Podemos descrever quão forte é o gerador, como a seguir. A potência média que a resistência absorveria se estivesse conectada diretamente ao gerador de ruído seria $\langle E^2 \rangle / R$, sendo E a voltagem do gerador. Gostaríamos de conhecer mais detalhadamente quanta potência existe em cada frequência. Há muito pouca potência em cada frequência; ela é uma distribuição. Seja $P(\omega)\,d\omega$ a potência que o gerador entregaria no intervalo de frequência $d\omega$ para a mesma resistência. Então podemos provar (provaremos para outro caso, mas a matemática é exatamente a mesma) que a potência que sai é

$$P(\omega)\,d\omega = (2/\pi)kT\,d\omega, \qquad (41.3)$$

e é *independente da resistência* quando colocada dessa maneira.

41–2 Equilíbrio térmico da radiação

Consideraremos agora uma proposição ainda mais avançada e interessante, descrita a seguir. Suponha que temos um oscilador carregado similar àqueles mencionados quando discutíamos a luz, digamos um elétron oscilando para cima e para baixo em um átomo. Se ele oscilar para cima e para baixo, ele irradia luz. Suponha que esse oscilador está em um gás muito rarefeito composto por outros átomos, e que de tempos em tempos os átomos colidem com ele. Então no equilíbrio, após um longo tempo, esse oscilador adquirirá energia tal que a sua energia cinética de oscilação seja ½kT, e como se trata de um oscilador harmônico, a sua energia total será kT. Esta é, naturalmente, uma descrição incorreta até o momento, porque o oscilador transporta a *carga elétrica*, e se ele tiver uma energia kT ele estará se movendo para cima e para baixo e *irradiando luz*. Portanto, é impossível obter o equilíbrio da matéria real sozinha sem as suas cargas que estão emitindo luz, e conforme a luz é emitida, a energia é perdida, o oscilador perde o seu kT conforme o tempo passa, e assim o gás como um todo que está colidindo com o oscilador gradualmente se esfria. Naturalmente, essa é a maneira como um forno aquecido esfria, irradiando luz para o céu, porque os átomos estão oscilando suas cargas, as quais irradiam constantemente, e lentamente, por causa dessa radiação, o movimento de oscilação diminui o ritmo.

Por outro lado, se encerramos tudo isso em uma caixa para que a luz não seja perdida para o infinito, então *poderemos* eventualmente obter o equilíbrio térmico. Podemos tanto colocar o gás em uma caixa em que podemos dizer que há outros irradiadores nas paredes de caixa que enviam luz de volta ou tomar um exemplo mais refinado, no qual supomos que a caixa tem paredes espelhadas. É mais fácil pensar nesse caso. Assim, supomos que toda a radiação emitida pelo oscilador continua se propagando dentro da caixa. Então, claramente, é verdade que o oscilador começa a irradiar, mas muito em breve ele manterá o seu kT de energia apesar de estar irradiando, pois está sendo iluminado, pode-se dizer, pela sua própria luz refletida nas paredes da caixa. Isto é, depois de um tempo há muita luz se propagando pela caixa, e embora o oscilador esteja irradiando um pouco, a luz retorna e devolve um pouco da energia que foi irradiada.

Determinaremos agora quanta luz deve existir em tal caixa à temperatura T para que a incidência de luz nesse oscilador gere energia suficiente para dar conta da luz que ele irradiou.

Considere que os átomos do gás são muito poucos e separados entre si, de maneira que tenhamos um oscilador ideal sem resistência exceto pela resistência da radiação. Então consideramos que no equilíbrio térmico o oscilador está fazendo duas coisas ao mesmo tempo. Primeiro, ele tem uma energia média kT, e calculamos quanta radiação ele emite. Em segundo lugar, essa radiação deve ser exatamente a quantidade que resultaria por causa do fato de que a luz incidente no oscilador se espalha. Como a energia não pode ir para outro lugar, essa radiação resultante é realmente apenas a luz espalhada a partir da luz que estava lá dentro.

Assim, primeiramente calculamos a energia que é irradiada pelo oscilador por segundo, se o oscilador tiver uma certa energia. (Utilizamos do Capítulo 32 um número de equações sobre resistência da radiação sem retomar a sua derivação.) A energia irradiada por radiano dividida pela energia do oscilador é chamada de $1/Q$ (Eq. 32.8): $1/Q = (dW/dt)/\omega_0 W$. Usando a quantidade γ, a constante de amortecimento, também podemos escrever como $1/Q = \gamma/\omega_0$, onde ω_0 é a frequência natural do oscilador – se γ for muito pequeno, Q é muito grande. A energia irradiada por segundo é então

$$\frac{dW}{dt} = \frac{\omega_0 W}{Q} = \frac{\omega_0 W \gamma}{\omega_0} = \gamma W. \tag{41.4}$$

Portanto, a energia irradiada por segundo é simplesmente gama vezes a energia do oscilador. Como o oscilador deve ter uma energia média kT, vemos que γkT é a quantidade média de energia irradiada por segundo:

$$\langle dW/dt \rangle = \gamma kT. \tag{41.5}$$

Agora apenas temos de saber o que é gama. Gama é facilmente encontrado da Eq. (32.12). Sendo

$$\gamma = \frac{\omega_0}{Q} = \frac{2}{3}\frac{r_0 \omega_0^2}{c}, \tag{41.6}$$

onde $r_0 = e^2/mc^2$ é o raio clássico do elétron, e definimos $\lambda = 2\pi c/\omega_0$.

O nosso resultado final da taxa média de radiação da luz perto da frequência ω_0 é, portanto,

$$\langle dW/dt \rangle = \frac{2}{3}\frac{r_0 \omega_0^2 kT}{c}. \tag{41.7}$$

A seguir, perguntamos quanta luz deve estar incidindo no oscilador. Deve ser o suficiente para que a energia absorvida a partir da luz (e logo após espalhada) seja justamente esse tanto. Em outras palavras, a luz emitida é tida como a luz *espalhada* da luz que está incidindo no oscilador na cavidade. Portanto devemos calcular agora quanta luz é espalhada pelo oscilador se houver uma certa quantidade – desconhecida – de radiação incidente nele. Seja $I(\omega)\,d\omega$ a quantidade de energia da luz que existe na frequência ω, dentro de um certo intervalo $d\omega$ (pois não há nenhuma luz *exatamente* em uma dada frequência; está distribuída por todo o espectro). Assim $I(\omega)$ é uma certa *distribuição espectral* a qual iremos buscar – ela é a cor que vemos quando abrimos a porta de um forno na temperatura T e espiamos pelo buraco. Agora quanta luz é absorvida? Estimamos a quantidade de radiação absorvida a partir de um dado raio de luz incidente, a qual foi calculada em termos de uma *seção de choque*. É exatamente como se disséssemos que toda a luz que incide em uma certa seção de choque é absorvida. Portanto, a soma total que é reirradiada (espalhada) é a intensidade incidente $I(\omega)\,d\omega$ multiplicada pela seção de choque σ.

A fórmula da seção de choque que derivamos (Eq. 32.19) não incluía o amortecimento. Não é difícil refazer novamente a derivação e inserir o termo de resistência negligenciado. Se fizermos isso e calcularmos a seção de choque da mesma maneira, obtemos

$$\sigma_s = \frac{8\pi r_0^2}{3}\left(\frac{\omega^4}{(\omega^2 - \omega_0^2)^2 + \gamma^2\omega^2}\right). \tag{41.8}$$

Como uma função da frequência, σ_s tem um tamanho significante apenas para ω muito perto da frequência natural ω_0. (Lembre que o Q de um oscilador radiante é aproximadamente 10^8.) O oscilador espalha muito fortemente quando ω for igual a ω_0, e muito fracamente para outros valores de ω. Portanto, podemos substituir ω por ω_0 e $\omega^2 - \omega_0^2$ por $2\omega_0(\omega - \omega_0)$, e obtemos

$$\sigma_s = \frac{2\pi r_0^2 \omega_0^2}{3[(\omega - \omega_0)^2 + \gamma^2/4]}. \tag{41.9}$$

Porém a curva inteira é localizada perto de $\omega = \omega_0$. (Realmente não precisamos fazer nenhuma aproximação, mas é muito mais fácil calcular as integrais se simplificarmos um pouco a equação.) Agora multiplicamos a intensidade em um dado intervalo de frequência pela seção de choque do espalhamento, a fim de obter a quantidade de energia espalhada no intervalo $d\omega$. A energia *total* espalhada é então a integral disso para todo ω. Assim,

$$\begin{aligned}\frac{dW_s}{dt} &= \int_0^\infty I(\omega)\sigma_s(\omega)\,d\omega \\ &= \int_0^\infty \frac{2\pi r_0^2 \omega_0^2 I(\omega)\,d\omega}{3[(\omega - \omega_0)^2 + \gamma^2/4]}.\end{aligned} \tag{41.10}$$

Fazemos agora $dW_s/dt = 3\gamma kT$. Por que três? Porque quando fizemos a análise da seção de choque no Capítulo 32, supomos que a polarização era tal que a luz poderia impulsionar o oscilador. Se usássemos um oscilador que somente podia mover-se em uma direção, e a luz, digamos, foi polarizada de modo incorreto, não obteríamos em nenhum espalhamento. Portanto, tanto podemos calcular a média da seção de choque de um oscilador que se move apenas em uma direção, sobre todas as direções de incidência e polarização da luz ou, mais facilmente, podemos imaginar um oscilador que acompanhará o campo não importando a direção na qual o campo está apontando. Tal oscilador, que pode oscilar igualmente nas três direções, teria $3kT$ de energia média porque há 3 graus da liberdade para esse oscilador. Assim devemos usar $3\gamma kT$ por causa dos 3 graus da liberdade.

Agora estimaremos a integral. Vamos supor que a distribuição espectral desconhecida $I(\omega)$ da luz é uma curva suave e não varia muito dentro da região bastante estreita de frequência onde σ_s atinge o ponto máximo (Fig. 41–3). Então a única contribuição significante ocorre quando ω está muito próximo de ω_0, dentro de uma quantia gama, que é muito pequena. Portanto, embora $I(\omega)$ possa ser uma função desconhecida e complicada, ela é importante apenas perto de $\omega = \omega_0$, e aí podemos substituir a curva suave por uma plana – uma "constante" – na mesma altura. Em outras palavras, simplesmente tiramos $I(\omega)$ para fora do sinal de integral e o chamamos de $I(\omega_0)$. Podemos também tirar o resto das constantes para fora da integral colocando-as em frente, e o que nos resta é

$$\tfrac{2}{3}\pi r_0^2 \omega_0^2 I(\omega_0)\int_0^\infty \frac{d\omega}{(\omega - \omega_0)^2 + \gamma^2/4} = 3\gamma kT. \tag{41.11}$$

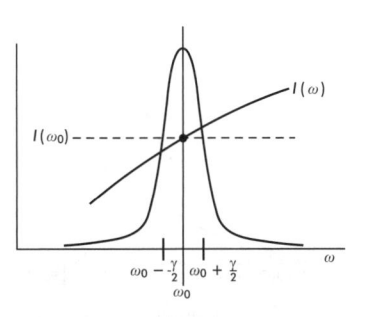

Figura 41–3 Os fatores no integrando da Eq. (41.10). O pico é a curva de ressonância $1/[(\omega - \omega_0)^2 + \gamma^2/4]$. Dentro de uma boa aproximação o fator $I(\omega)$ pode ser substituído por $I(\omega_0)$.

A integral deve ir de 0 a ∞, mas 0 está tão longe de ω_0 que a curva já terá terminado nesse tempo, portanto ao invés disso vamos até menos ∞ – não faz nenhuma diferença e é muito mais fácil fazer a integral. A integral é uma função tangente inversa da forma

$\int dx/(x^2 + a^2)$. Se procurarmos em um livro vemos que é igual a π/a. Portanto no nosso caso resulta em $2\pi/\gamma$. Portanto obtemos, com um pouco de reagrupamento,

$$I(\omega_0) = \frac{9\gamma^2 kT}{4\pi^2 r_0^2 \omega_0^2}. \quad (41.12)$$

Então substituímos a fórmula (41.6) para gama (não se importe em escrever ω_0; como é verdade para qualquer ω_0, podemos simplesmente chamá-lo de ω), e a fórmula para $I(\omega)$ resulta em

$$I(\omega) = \frac{\omega^2 kT}{\pi^2 c^2}. \quad (41.13)$$

Isso nos fornece a distribuição de luz em um forno quente. É a chamada *radiação de corpo negro*. Negro, porque o buraco no forno pelo qual olhamos é negro quando a temperatura é zero.

Dentro de uma caixa fechada à temperatura T, (41.13) é a distribuição da energia de radiação segundo a teoria clássica. Primeiramente, vamos notar uma característica notável dessa expressão. A carga do oscilador, a massa do oscilador, todas as propriedades específicas ao oscilador, *se cancelam*, porque uma vez que alcançamos o equilíbrio com um oscilador, devemos estar em equilíbrio com qualquer outro oscilador de massa diferente, ou teremos problemas. Portanto esse é um tipo importante de verificação da proposição segundo a qual o equilíbrio não depende de com quem estamos em equilíbrio, mas *apenas da temperatura*. Agora vamos traçar uma figura da curva $I(\omega)$ (Fig. 41-4). Ela nos diz quanta luz temos em frequências diferentes.

A quantidade de intensidade que há na nossa caixa, por intervalo unitário de frequência, varia, como vemos, com o quadrado da frequência, que significa que se tivermos uma caixa com qualquer temperatura e observarmos os raios X que estão saindo, haverá muitos deles!

Naturalmente sabemos que isso é falso. Quando abrimos o forno e damos uma olhada nele, não queimamos os nossos olhos com raios X de forma alguma. É completamente falso. Além disso, a *energia total* na caixa, o total de toda esta intensidade somada sobre todas as frequências, seria a área embaixo desta curva infinita. Portanto, algo está fundamental, forte e absolutamente errado.

Dessa maneira, a teoria clássica foi *absolutamente incapaz* de descrever corretamente a distribuição da luz de um corpo negro, assim como foi incapaz de descrever corretamente o calor específico dos gases. Os físicos tentaram essa derivação de muitos pontos de vista diferentes e não havia nenhuma escapatória. Essa *é* a previsão da física clássica. A Equação (41.13) é chamada de *lei de Rayleigh* e é a previsão da física clássica, que é obviamente absurda.

41–3 Equipartição e o oscilador quântico

A dificuldade acima foi outra parte do problema frequente da física clássica, que começou com a dificuldade do calor específico dos gases; agora foi enfocada a distribuição da luz em um corpo negro. Naturalmente, quando os teóricos estudaram isso, houve também muitas *medidas* da curva real, e a curva correta se parece com as curvas tracejadas da Fig. 41-4. Isto é, os raios X não estavam lá. Se abaixarmos a temperatura, a curva inteira diminui proporcionalmente a T, de acordo com a teoria clássica, mas a curva observada também termina mais cedo em uma temperatura mais baixa. Assim o lado das baixas frequências da curva está correto, mas a extremidade de altas frequências está errado. Por quê? Quando Sir James Jeans trabalhava com o calor específico dos gases, ele observou que os movimentos que têm alta frequência são "congelados" conforme a temperatura diminui demais. Isto é, se a temperatura for demasiado baixa, se a frequência for demasiado alta, os osciladores *não terão kT* de energia na média. Agora lembre como a nossa derivação de (41.13) foi feita: tudo depende

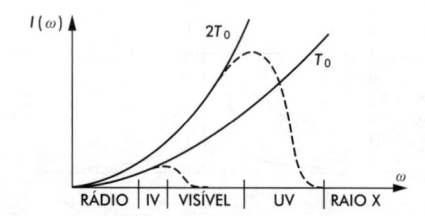

Figura 41-4 A distribuição de intensidade de um corpo negro em duas temperaturas, de acordo com a física clássica (curvas contínuas). As curvas tracejadas mostram a distribuição real.

da energia de um oscilador em equilíbrio térmico. O que o kT em (41.5) era, e que o mesmo kT em (41.13) é, é a energia média de um oscilador harmônico de frequência ω na temperatura T. Classicamente, isso é kT, mas experimentalmente, não! – não quando a temperatura é muito baixa ou a frequência de oscilador é alta demais. Portanto, a razão da diminuição da curva é a mesma razão pela qual o calor específico dos gases falham. É mais fácil estudar a curva de corpo negro do que o calor específico de gases, que são tão complicados, por isso a nossa atenção é enfocada na determinação da curva de corpo negro real, porque essa curva é uma curva que corretamente nos diz, em cada frequência, qual é de fato a energia média de osciladores harmônicos em uma função da temperatura.

Planck estudou essa curva. Ele primeiro determinou a resposta empiricamente, ajustando a curva observada com uma bela função que se ajustou muito bem. Assim ele obteve uma fórmula empírica da energia média de um oscilador harmônico como uma função da frequência. Em outras palavras, ele tinha a fórmula *correta* ao invés de kT, e logo ele encontrou uma derivação simples para ela, cuja implicação resultou de uma suposição muito peculiar. Essa suposição foi que o *oscilador harmônico pode ter energias de apenas $\hbar\omega$ por vez*. A ideia de que eles podem ter *qualquer energia* é falsa. Naturalmente, foi o começo do fim da mecânica clássica.

A primeira fórmula da mecânica quântica corretamente determinada será derivada agora. Suponha que os níveis de energia permitidos de um oscilador harmônico sejam igualmente espaçados separados por $\hbar\omega_0$, de maneira que um oscilador possa ter apenas essas diferentes energias (Fig. 41–5). O argumento proposto por Planck era um tanto mais complicado do que o apresentado aqui, pois a mecânica quântica estava começando e foi necessário provar algumas coisas. Vamos adotá-lo como um fato (o qual ele demonstrou neste caso) de que a probabilidade de ocupar um nível de energia E é $P(E) = \alpha e^{-E/kT}$. Se prosseguirmos com isso, obteremos o resultado correto.

Suponha agora que temos muitos osciladores, e cada um vibra na frequência ω_0. Alguns desses osciladores estarão no estado quântico mais baixo, outros estarão nos níveis seguintes e assim por diante. Gostaríamos de saber a energia média de todos esses osciladores. Para descobrir, vamos calcular a energia total de todos os osciladores e dividir pelo número de osciladores. Essa será a energia média por oscilador no equilíbrio térmico, e será também a energia que está em equilíbrio com a radiação de corpo negro, e isso deve entrar na Eq. (41.13) em lugar de kT. Seja N_0 o número de osciladores que estão no estado fundamental (o estado de energia mais baixo); N_1 o número de osciladores no estado E_1; N_2 o número que estão no estado E_2; e assim por diante. Segundo a hipótese (a qual não provamos) de que a probabilidade $e^{-E.P./kT}$ ou $e^{-E.C./kT}$ da mecânica clássica é substituída na mecânica quântica pela lei cuja probabilidade diminui com $e^{-\Delta E/kT}$, onde ΔE é a energia em excesso, suporemos que o número N_1 dos que estão no primeiro estado será o número N_0 dos que estão no estado fundamental vezes $e^{-\hbar\omega/kT}$. Analogamente, N_2, o número de osciladores no segundo estado, é $N_2 = N_0 e^{-2\hbar\omega/kT}$. Para simplificar a álgebra, vamos chamar $e^{-\hbar\omega/kT} = x$. Então simplesmente temos $N_1 = N_0 x$, $N_2 = N_0 x^2, \ldots, N_n = N_0 x^n$.

Primeiramente, a energia total de todos os osciladores deve ser calculada. Se um oscilador estiver no estado fundamental, não há nenhuma energia. Se ele estiver no primeiro estado, a energia é $\hbar\omega$, e existem N_1 deles. Assim $N_1 \hbar\omega$, ou $\hbar\omega N_0 x$ é quanta energia obtemos deles. Aqueles que estão no segundo estado têm $2\hbar\omega$, e existem N_2 deles, portanto $N_2 \cdot 2\hbar\omega = 2\hbar\omega N_0 x^2$ é a energia obtida, e assim por diante. Então somamos tudo para obter $E_{\text{tot}} = N_0 \hbar\omega (0 + x + 2x^2 + 3x^3 + \ldots)$.

Quantos osciladores existem? Naturalmente, N_0 é o número dos que estão no estado fundamental, N_1 no primeiro estado, e assim por diante, e somando todos juntos: $N_{\text{tot}} = N_0 (1 + x + x^2 + x^3 + \ldots)$. Assim a energia média é

$$\langle E \rangle = \frac{E_{\text{tot}}}{N_{\text{tot}}} = \frac{N_0 \hbar\omega (0 + x + 2x^2 + 3x^3 + \cdots)}{N_0 (1 + x + x^2 + \cdots)}. \quad (41.14)$$

Porém, deixaremos para o leitor se divertir um pouco com as duas somas que aparecem aqui. Quando terminarmos de somar e substituir x na soma, devemos obter – se não cometermos nenhum erro na soma –

N_4	$E_4 = 4\hbar\omega$	$P_4 = A \exp(-4\hbar\omega/kT)$
N_3	$E_3 = 3\hbar\omega$	$P_3 = A \exp(-3\hbar\omega/kT)$
N_2	$E_2 = 2\hbar\omega$	$P_2 = A \exp(-2\hbar\omega/kT)$
N_1	$E_1 = \hbar\omega$	$P_1 = A \exp(-\hbar\omega/kT)$
N_0	$E_0 = 0$	$P_0 = A$

Figura 41-5 Os níveis de energia de um oscilador harmônico são igualmente espaçados: $E_n = n\hbar\omega$.

$$\langle E \rangle = \frac{\hbar\omega}{e^{\hbar\omega/kT} - 1}. \qquad (41.15)$$

Essa, então, foi a primeira fórmula conhecida da mecânica quântica, ou discutida, a qual foi um belo clímax de décadas da perplexidade. Maxwell sabia que havia algo errado, e o problema era, o que estava correto? Aqui está a resposta quantitativa do que é correto em vez de kT. Essa expressão deve, é claro, se aproximar de kT conforme $\omega \to 0$ ou conforme $T \to \infty$. Veja se você consegue provar que isso realmente ocorre – aprenda como fazer a matemática.

Esse é o famoso fator de corte que Jeans estava procurando, e se o utilizarmos no lugar de kT em (41.13), obteremos para a distribuição de luz em uma caixa preta

$$I(\omega)\,d\omega = \frac{\hbar\omega^3\,d\omega}{\pi^2 c^2 (e^{\hbar\omega/kT} - 1)}. \qquad (41.16)$$

Vemos que para grandes ω, embora tenhamos ω^3 no numerador, existe um e elevado a uma tremenda potência no denominador, portanto a curva diminui novamente e não "explode" – não obtemos luz ultravioleta e raios X de onde não os aguardamos!

Alguém poderia se queixar de que na nossa derivação de (41.16) usamos a teoria quântica para os níveis de energia do oscilador harmônico, mas a teoria clássica na determinação da seção de choque σ_s. A teoria quântica para a luz interagindo com um oscilador harmônico fornece exatamente o mesmo resultado que aquele dado pela teoria clássica. De fato, é por isso que estávamos justificados em gastar tanto tempo em nossa análise do índice da refração e espalhamento da luz, modelando os átomos como pequenos osciladores – as fórmulas quânticas são essencialmente as mesmas.

Vamos voltar agora ao ruído Johnson em uma resistência. Já observamos que a teoria da potência desse ruído é realmente a mesma teoria da distribuição de corpo negro clássica. De fato, por divertimento, já dissemos que se a resistência em um circuito não for uma resistência real, mas for uma antena (uma antena atua como uma resistência porque ela irradia energia), uma resistência de radiação, seria fácil calcularmos qual seria a potência. Ela seria justamente a potência que entra na antena a partir de toda luz ao redor, e adquiriríamos a mesma distribuição, modificada apenas por um ou dois fatores. Podemos supor que a resistência é um gerador com um espectro de potência $P(\omega)$. O espectro é determinado pelo fato de que este mesmo gerador, conectado a um circuito ressonante de *frequência qualquer*, como na Fig. 41–2(b), gera na indutância uma voltagem de magnitude dada pela Eq. (41.2). Somos assim levados à mesma integral de (41.10), e o mesmo método funciona para fornecer a Eq. (41.3). Para temperaturas baixas, kT em (41.3) deve ser naturalmente substituído por (41.15). As duas teorias (radiação de corpo negro e ruído Johnson) também estão estreitamente relacionadas fisicamente, pois é claro que podemos conectar um circuito ressonante a uma *antena*, portanto a resistência R é uma *resistência de radiação* pura. Como (41.2) não depende da origem física da resistência, sabemos que o gerador G para uma resistência real e para a resistência de radiação é o mesmo. Qual é a origem da potência gerada $P(\omega)$ se a resistência R for apenas uma antena ideal em equilíbrio com o seu ambiente à temperatura T? Ela é a radiação $I(\omega)$ no espaço à temperatura T que incide na antena e, como "sinal recebido", resulta em um gerador efetivo. Por isso, pode-se deduzir uma relação direta entre $P(\omega)$ e $I(\omega)$, levando então de (41.13) a (41.3).

Todas as coisas sobre as quais falamos – o chamado ruído Johnson e a distribuição de Planck, e a teoria correta do movimento browniano que iremos descrever em seguida – são desenvolvimentos da primeira década ou quase do século XX. Agora com esses pontos e essa história em mente, retornamos ao movimento browniano.

41–4 Passeio aleatório

Vamos considerar como a posição de uma partícula oscilante deve se modificar com o tempo, para tempos muito longos quando comparados ao tempo entre os "pontapés".

Considere uma pequena partícula de movimento browniano que está oscilando porque é bombardeada por todos os lados por moléculas de água que oscilam irregularmente. Questão: depois de dado período de tempo, a que distância de onde começou ela estará? Esse problema foi resolvido por Einstein e Smoluchowski. Se imaginarmos que dividimos o tempo em pequenos intervalos, digamos um centésimo de segundo mais ou menos, então após o primeiro centésimo de segundo ela se move para cá, e no seguinte centésimo ela se move um pouco mais, no seguinte centésimo de segundo ela se move para outro lugar, e assim por diante. Em termos da taxa de bombardeio, um centésimo de segundo é um tempo muito longo. O leitor pode verificar facilmente que o número de choques que uma única molécula de água recebe em um segundo é aproximadamente 10^{14}, assim em um centésimo de segundo ocorrem 10^{12} colisões, o que é muito! Portanto, após um centésimo de segundo ela não se lembrará do que aconteceu antes. Em outras palavras, as colisões são todas *aleatórias*, para que um "passo" não esteja relacionado ao "passo" anterior. Parece-se com o famoso problema do marinheiro bêbado: o marinheiro sai do bar e dá uma sequência de passos, mas cada passo é dado em um ângulo arbitrário, aleatoriamente (Fig. 41-6). A pergunta é: após um longo tempo, onde estará o marinheiro? Naturalmente não sabemos! É impossível dizer. O que queremos dizer – ele estará justamente em algum lugar mais ou menos aleatório. Então, em média, onde estará ele? *Em média, a que distância do bar ele estará?* Essa pergunta já foi respondida, porque discutimos a superposição da luz de várias fontes diferentes em fases diferentes, e isso implicou em somar muitos vetores em ângulos diferentes (Capítulo 32). Lá descobrimos que o quadrado médio da distância de uma extremidade à outra da cadeia de passos aleatórios, que era a intensidade da luz, é a soma das intensidades das partes isoladas. Assim, usando o mesmo tipo de matemática, podemos comprovar imediatamente que se $\mathbf{R}_N$ for a distância vetorial da origem após N passos, o quadrado médio da distância a partir da origem é proporcional ao número de passos N. Isto é, $\langle R_N^2 \rangle = NL^2$, onde L é o comprimento de cada passo. Como o número de passos é proporcional ao tempo no nosso problema atual, *a distância quadrada média é proporcional ao tempo*:

$$\langle R^2 \rangle = \alpha t. \quad (41.17)$$

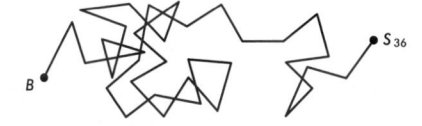

Figura 41-6 Caminho randômico de 36 passos de comprimento *l*. Qual é a distância entre S_{36} e *B*? Resposta: aproximadamente 6 *l* em média.

Isso não significa que a *distância média* seja proporcional ao tempo. Se a distância média fosse proporcional ao tempo, significaria que o deslocamento ocorre a uma velocidade uniforme. O marinheiro *está* fazendo um pouco de progresso relativamente sensato, mas apenas tal que a sua distância *quadrada* média seja proporcional ao tempo. Essa é a característica de um passeio aleatório.

Podemos mostrar muito facilmente que em cada passo sucessivo o quadrado da distância aumenta, em média, por L^2. Se escrevermos $\mathbf{R}_N = \mathbf{R}_{N-1} + \mathbf{L}$, encontramos que R_N^2 é

$$\mathbf{R}_N \cdot \mathbf{R}_N = R_N^2 = R_{N-1}^2 + 2\mathbf{R}_{N-1} \cdot \mathbf{L} + L^2,$$

e calculando a média sobre muitas tentativas, temos $\langle R_N^2 \rangle = \langle R_{N-1}^2 \rangle + L^2$, pois $\langle \mathbf{R}_{N-1} \cdot \mathbf{L} \rangle = 0$. Assim, por indução,

$$\langle R_N^2 \rangle = NL^2. \quad (41.18)$$

Agora gostaríamos de calcular o coeficiente α na Eq. (41.17), e para fazê-lo precisamos acrescentar uma característica. Iremos supor que se aplicássemos uma força nessa partícula (não tem nada a ver com o movimento browniano – estamos considerando uma questão à parte por enquanto), ela reagiria do seguinte modo contra a força. Primeiramente, haveria inércia. Seja m o coeficiente de inércia, a massa efetiva do objeto (não necessariamente a mesma que a massa real da partícula real, porque a água tem de se mover em torno da partícula se a puxarmos). Assim se falamos sobre o movimento em uma direção, existe um termo como $m(d^2x/dt^2)$ em um dos lados. A seguir, queremos também supor que se mantivermos uma força constante sobre o objeto, haverá um atrito nele por causa do fluido, proporcional à sua velocidade. Além da inércia do fluido, existe uma resistência na fluência devido à viscosidade e à complexidade do fluido. É absolutamente essencial que *ocorram* algumas perdas irreversíveis, algo como resistência, para que ocorram flutuações. Não há nenhuma maneira de produzir kT a menos que também haja perdas. A fonte das flutuações está muito estreitamente relacionada a essas perdas. Discutiremos em breve qual é o mecanismo desse atrito – falaremos sobre forças que são proporcionais à velocidade e de onde elas vêm. Vamos supor por ora que existe tal resistência. Então a fórmula do movimento sob uma força externa, quando estamos puxando de uma maneira normal, é

$$m \frac{d^2x}{dt^2} + \mu \frac{dx}{dt} = F_{\text{ext}}. \qquad (41.19)$$

A quantidade μ pode ser determinada diretamente a partir do experimento. Por exemplo, podemos olhar uma gota cair sob influência da gravidade. Então sabemos que a força é mg, e μ é mg dividido pela velocidade de queda que a gota finalmente adquire. Ou poderíamos colocar a gota em uma centrífuga e ver quão rapidamente ela sedimentaria. Ou se for carregada, poderíamos aplicar um campo elétrico. Portanto μ é uma coisa mensurável, não uma coisa artificial, e é conhecido para muitos tipos de partículas coloidais, etc.

Agora vamos usar a mesma fórmula para o caso em que a força não é externa, mas é igual às forças irregulares do movimento browniano. Tentaremos então determinar a distância quadrática média que o objeto percorre. Em vez de tomar as distâncias em três dimensões, vamos tomar somente em uma dimensão, e encontrar a média de x^2, justamente para nos preparar. (Obviamente a média de x^2 é a mesma que a média de y^2, e é a mesma que a média de z^2, por isso a média do quadrado da distância é justamente 3 vezes o que iremos calcular.) A componente x das forças irregulares é, naturalmente, tão irregular como qualquer outra componente. Qual a taxa de modificação de x^2? Ela é $d(x^2)/dt = 2x(dx/dt)$, assim o que temos de encontrar é a média da posição vezes a velocidade. Mostraremos que isso é uma constante, e que, portanto, o raio quadrado médio aumentará proporcionalmente ao tempo, e em qual taxa. Porém se multiplicamos a Eq. (41.19) por x, $mx(d^2x/dt^2) + \mu x(dx/dt) = xF_x$. Queremos a média temporal de $x(dx/dt)$, portanto vamos fazer a média da equação inteira, e estudar os três termos. E sobre x vezes a força? Se a partícula percorrer uma certa distância x, então, como a força irregular é *completamente* irregular e não tem conhecimento de onde a partícula começou, o próximo impulso pode vir de qualquer direção em relação a x. Se x for positivo, não há razão para que a força média também deva estar nessa direção. É tão provável que esteja em uma direção quanto em outra. As forças de colisão não estão dirigindo em uma direção definida. Assim o valor médio de x vezes F é zero. Por outro lado, para o termo $mx(d^2x/dt^2)$, teremos de ser um pouco sofisticados e escrever isso como

$$mx \frac{d^2x}{dt^2} = m \frac{d[x(dx/dt)]}{dt} - m \left(\frac{dx}{dt}\right)^2.$$

Logo substituímos esses dois termos e tomamos a média de ambos. Então vamos ver quanto o primeiro termo deve ser. Porém, x vezes a velocidade tem uma média que não se modifica com o tempo, porque quando chega a alguma posição não existe nenhuma lembrança de onde se estava antes, portanto as coisas não estão se modificando mais com o tempo. Então, essa quantidade, em média, é zero. Restou apenas a quantidade mv^2, e é a única coisa que conhecemos: $mv^2/2$ tem um valor médio ½kT. Por isso, encontramos que

$$\left\langle mx \frac{d^2x}{dt^2} \right\rangle + \mu \left\langle x \frac{dx}{dt} \right\rangle = \langle xF_x \rangle$$

que implica

$$-\langle mv^2 \rangle + \frac{\mu}{2} \frac{d}{dt} \langle x^2 \rangle = 0,$$

ou

$$\frac{d\langle x^2 \rangle}{dt} = 2 \frac{kT}{\mu}. \qquad (41.20)$$

Portanto, o objeto tem uma distância quadrática média $\langle R^2 \rangle$, ao final de um certo montante t, igual a

$$\langle R^2 \rangle = 6kT \frac{t}{\mu}. \qquad (41.21)$$

E, portanto, podemos determinar de fato *qual* a distância percorrida pelas partículas! Primeiramente devemos determinar como elas reagem a uma força constante, a que velocidade elas se deslocam sob a ação de uma força conhecida (para encontrar μ), e então podemos determinar a distância percorrida por elas em seus passeios aleatórios. Essa equação tem uma importância histórica considerável, pois foi uma das primeiras maneiras de se determinar a constante k. Afinal, podemos medir μ, o tempo, quão longe as partículas vão, e podemos tomar uma média. A razão pela qual a determinação de k foi importante é que na lei para um mol $PV = RT$, sabemos que R, que também pode ser medido, é igual ao número de átomos em um mol vezes k. Um mol foi originalmente definido como um tanto de gramas de oxigênio – 16 (atualmente o carbono é usado), portanto o número de *átomos* em um mol não era conhecido, originalmente. É, naturalmente, um problema muito interessante e importante. Qual o tamanho dos átomos? Quantos existem? Portanto uma das primeiras determinações do número de átomos foi feita a partir da determinação da distância percorrida por uma pequena partícula de sujeira se a observássemos pacientemente sob um microscópio durante um certo período de tempo. Assim, a constante de Boltzmann k e o número de Avogadro N_0 foram determinados porque R já tinha sido medido.

42

Aplicações da Teoria Cinética

42–1 Evaporação

Neste capítulo, discutiremos mais algumas aplicações da teoria cinética. No capítulo anterior, enfatizamos um determinado aspecto da teoria cinética: que a energia cinética média para qualquer grau da liberdade de uma molécula ou outro objeto é $\frac{1}{2}kT$. A característica central do que discutiremos agora, por outro lado, é o fato de a probabilidade de encontrar uma partícula em lugares diferentes, por unidade de volume, variar como $e^{-\text{energia potencial}/kT}$; faremos várias aplicações disso.

Os fenômenos que queremos estudar são relativamente complicados: um líquido evaporando, ou elétrons saindo da superfície de um metal ou uma reação química na qual há um grande número de átomos envolvidos. Em tais casos não é mais possível fazer qualquer afirmação simples e correta a partir da teoria cinética, pois a situação é complicada demais. Por isso, exceto quando for enfatizado, esse capítulo é bastante inexato. A ideia a ser enfatizada é que somente podemos entender, da teoria cinética, *mais ou menos* como as coisas deveriam se comportar. Usando argumentos termodinâmicos, ou algumas medidas empíricas de certas quantidades críticas, podemos adquirir uma representação mais precisa dos fenômenos.

Contudo, é muito útil saber, mesmo que mais ou menos, por que algo se comporta da maneira como o faz, para que quando uma nova situação aparecer, ou uma que ainda não começamos a analisar, podemos dizer, mais ou menos, o que deveria acontecer. Portanto essa discussão é altamente inexata, mas essencialmente correta – certa na ideia, mas um pouco simplificada, digamos, nos detalhes específicos.

O primeiro exemplo que consideraremos é a evaporação de um líquido. Suponha que temos uma caixa com um grande volume parcialmente preenchida por líquido em equilíbrio e por vapor em uma certa temperatura. Suporemos que as moléculas do vapor estão relativamente distantes umas das outras, e que, dentro do líquido, as moléculas são empacotadas próximas umas das outras. O problema é descobrir quantas moléculas existem na fase de vapor, comparadas ao número que há no líquido. Quão denso é o vapor a uma temperatura dada, e como ele depende da temperatura?

Vamos dizer que n se iguala ao número de moléculas por unidade de volume no vapor. Esse número, naturalmente, varia com a temperatura. Se acrescentamos calor, adquirimos mais evaporação. Seja outra quantidade, $1/V_a$, igual ao número de átomos por unidade de volume no líquido: supomos que cada molécula no líquido ocupa um certo volume, de maneira que se houver mais moléculas do líquido, então o conjunto de todas elas ocupa um volume maior. Assim, se V_a é o volume ocupado por uma molécula, o número de moléculas em uma unidade de volume é uma unidade de volume dividida pelo volume de cada molécula. Além disso, supomos que existe uma força de atração entre as moléculas para mantê-las juntas no líquido. Senão não poderíamos entender por que ele se condensa. Portanto suponha que existe tal força e que há uma energia da ligação das moléculas no líquido que é perdida quando elas se tornam vapor. Isto é, iremos supor que, para levar uma única molécula do estado líquido para o vapor, certa quantidade de trabalho W deve de ser feita. Há uma certa diferença, W, na energia de uma molécula no líquido do que ela teria se estivesse no vapor, porque temos de separá-la das outras moléculas que a atraem.

Usamos agora o princípio geral no qual o número de átomos por unidade de volume em duas regiões diferentes é $n_2/n_1 = e^{-(E_2-E_1)/kT}$. Portanto, o número n por unidade de volume no vapor, dividido pelo número $1/V_a$ por unidade de volume no líquido, é igual a

$$nV_a = e^{-W/kT}, \qquad (42.1)$$

porque essa é a regra geral. Parece-se com a atmosfera em equilíbrio sob a ação da gravidade, na qual o gás embaixo é mais denso do que o que está em cima por causa

42–1 Evaporação
42–2 Emissão termiônica
42–3 Ionização térmica
42–4 Cinética química
42–5 As leis da radiação de Einstein

do trabalho mgh necessário para elevar as moléculas de gás à altura h. No líquido, as moléculas são mais densas do que no vapor porque temos de arrancá-las pela energia da "barreira" W, e a razão das densidades é $e^{-W/kT}$.

Isto é o que queríamos deduzir – que a densidade do vapor varia como e elevado a menos uma certa energia sobre kT. Os fatores em frente não nos interessam realmente, pois na maioria dos casos a densidade de vapor é muito mais baixa do que a densidade do líquido. Nessas circunstâncias, nas quais não estamos próximos do ponto crítico onde elas são quase as mesmas, mas a densidade de vapor é muito mais baixa do que a densidade do líquido, então o fato de que n é muito menor do que $1/V_a$ é ocasionado pelo fato de W ser muito maior do que kT. Portanto fórmulas como (42.1) são interessantes apenas quando W for muito maior do que kT, porque, nessas circunstâncias, como estamos elevando e a menos uma quantia enorme, se modificarmos T um pouco, essa potência enorme muda um pouco, e a variação produzida no fator exponencial é muito mais importante do que qualquer modificação que poderia ocorrer nos fatores em frente. Por que deveria ocorrer alguma modificação em fatores como V_a? Porque nossa análise foi aproximada. Afinal, não existe realmente um volume definido para cada molécula; conforme modificamos a temperatura, o volume V_a não permanece constante – o líquido expande-se. Há outras pequenas características como essa e, portanto, a situação real é mais complicada. Existem fatores dependentes de temperatura que variam lentamente em toda parte. De fato, poderíamos dizer que o próprio W varia ligeiramente com a temperatura, porque em temperaturas mais altas, em um volume molecular diferente, existiriam atrações médias diferentes, e assim por diante. Deste modo, enquanto poderíamos pensar que se tivermos uma fórmula na qual tudo varia de um modo desconhecido com a temperatura, então não temos nenhuma fórmula, se percebermos que o expoente W/kT é, em geral, muito grande, vemos que a maior parte da variação da curva da densidade do vapor em função da temperatura é ocasionada pelo fator exponencial, e se tomarmos W como uma constante e o coeficiente $1/V_a$ como quase constante, é uma boa aproximação para intervalos curtos ao longo da curva. A maior parte da variação, em outras palavras, é da natureza geral $e^{-W/kT}$.

Existem muitos fenômenos na natureza que são caracterizados pela necessidade de emprestar uma energia de algum lugar, e no qual a característica central da variação de temperatura é e elevado a menos a energia sobre kT. Esse é um fato útil somente quando a energia é grande em comparação com kT, de maneira que a maior parte da variação está contida na variação de kT e não na constante e em outros fatores.

Agora vamos considerar outro modo de obter um resultado um tanto semelhante para a evaporação, porém olhando-a mais detalhadamente. Para chegar em (42.1), simplesmente aplicamos uma regra que é válida no equilíbrio, mas para entender as coisas melhor, não há nenhum mal na tentativa de olhar os detalhes do que está acontecendo. Também podemos descrever o que está acontecendo do seguinte modo: as moléculas que estão no vapor constantemente bombardeiam a superfície do líquido; quando elas o atingem, elas podem ricochetear ou podem ficar grudadas. Existe um fator desconhecido para isso – talvez 50-50, talvez 10 para 90 – não sabemos. Vamos dizer que elas sempre são aderidas – podemos analisar novamente mais tarde supondo que elas não sempre grudem. Então, em um dado momento, haverá um certo número de átomos que estão se condensando na superfície do líquido. O número de moléculas que se condensam, o número que chega em uma unidade de área por unidade de tempo, é o número n por unidade de volume vezes a velocidade v. Essa velocidade das moléculas está relacionada à temperatura, pois sabemos que $½mv^2$ é igual a $3/2kT$ em média. Portanto, v é um tipo de velocidade média. Naturalmente, devemos integrar sobre os ângulos e obter algum tipo de média, mas é aproximadamente proporcional à velocidade quadrática média, dentro de algum fator. Assim,

$$N_c = nv \qquad (42.2)$$

é a taxa na qual as moléculas chegam por unidade de área e estão se condensando.

Ao mesmo tempo, contudo, os átomos no líquido estão se mexendo, e de vez em quando um deles é jogado para fora. Agora temos de estimar quão rapidamente eles são excluídos. A ideia é que, no equilíbrio, o número dos que são excluídos por segundo e o número dos que chegam por segundo é igual.

Quantos são jogados para fora? Para ser excluída, uma determinada molécula deve ter adquirido ao acaso uma energia em excesso em relação a suas vizinhas – uma energia extra considerável, pois é atraída muito fortemente pelas outras moléculas no líquido. Geralmente ela não sai, pois é fortemente atraída, mas nas colisões às vezes uma delas adquire uma energia extra por acidente. A chance de adquirir a energia extra W da qual ela precisa no nosso caso é muito pequena se $W \gg kT$. De fato, a possibilidade de um átomo obter mais do que essa energia é $e^{-W/kT}$. Esse é o princípio geral da teoria cinética: para adquirir uma energia extra W acima da média, a probabilidade é e elevado a menos a energia que temos de emprestar sobre kT. Agora suponha que algumas moléculas obtiveram essa energia. Agora temos de estimar quantas deixam a superfície por segundo. Naturalmente, apenas porque uma molécula tem a energia necessária não significa que ela irá se evaporar de fato, pois ela pode estar enterrada muito profundamente dentro do líquido ou, mesmo se estiver perto da superfície, ela pode estar viajando na direção errada. O número das que sairão por unidade de área por segundo será algo como o número de átomos próximos à superfície, por unidade de área, dividido pelo tempo que leva para escapar, multiplicado pela probabilidade $e^{-W/kT}$ de que elas estão prontas para escapar, no sentido de que elas têm energia suficiente.

Vamos supor que cada molécula na superfície do líquido ocupa uma certa seção reta de área A. Então o número de moléculas por unidade de área da superfície do líquido será $1/A$. E agora, quanto tempo leva para uma molécula escapar? Se as moléculas tiverem certa velocidade média v e tiverem de se mover, digamos, um diâmetro molecular D, a espessura da primeira camada, então o tempo que leva para atravessar essa espessura é o tempo necessário para escapar, se a molécula tiver energia suficiente. O tempo será D/v. Assim o número que evapora deve ser aproximadamente

$$N_e = (1/A)(v/D)e^{-W/kT}. \quad (42.3)$$

Porém a área de cada átomo vezes a espessura da camada é aproximadamente o mesmo que o volume V_a ocupado por um único átomo. Assim, a fim de se obter o equilíbrio, devemos ter $N_c = N_e$, ou

$$nv = (v/V_a)e^{-W/kT}. \quad (42.4)$$

Podemos cancelar os v, dado que eles são iguais; embora um seja a velocidade de uma molécula no vapor e o outro seja a velocidade de uma molécula que se evapora, elas são as mesmas, porque sabemos que a sua energia cinética média (em uma direção) é $½kT$. Alguém pode contestar, "Não! Não! Essas são as especialmente rápidas; essas são aquelas que adquiriram energia em excesso". Na verdade não, porque no instante em que elas começam a serem puxadas para fora do líquido, elas têm de *perder* essa energia extra para a energia potencial. Desse modo, conforme elas chegam à superfície, são desaceleradas para a velocidade v! É o mesmo caso da nossa discussão sobre a distribuição de velocidade molecular na atmosfera – embaixo, as moléculas têm uma certa distribuição de energia. Aquelas que chegam ao topo têm a *mesma* distribuição de energia, porque os lentos não conseguem chegar de modo algum, e as mais rápidas foram desaceleradas. As moléculas que estão se evaporando têm a mesma distribuição de energia que aquelas no interior – um fato bastante notável. De qualquer maneira, é inútil tentar discutir tão estreitamente a nossa fórmula, em razão de outras inexatidões, como a probabilidade de ricochetear ao invés de entrar no líquido, e assim por diante. Portanto, temos uma ideia grosseira da taxa de evaporação e condensação, e vemos, naturalmente, que a densidade de vapor n varia do mesmo modo que antes, mas agora a entendemos com algum detalhe, e não como uma fórmula arbitrária.

Essa compreensão mais profunda nos permite analisar algumas coisas. Por exemplo, suponha que conseguimos bombear para longe o vapor em uma taxa tão grande que retiramos o vapor tão rapidamente quanto ele se forma (se tivermos bombas muito boas e o líquido estiver evaporando muito lentamente), quão rápida a evaporação ocorreria se mantivéssemos uma temperatura T no líquido? Suponha que já medimos experimentalmente a densidade do vapor em equilíbrio, de maneira que saibamos, à temperatura dada, quantas moléculas por unidade de volume estão em equilíbrio com o líquido. Agora gostaríamos de conhecer *quão rapidamente* ele se evaporará. Embora tenhamos usado apenas uma análise aproximada, com relação à parte da sua evaporação, o número de moléculas do vapor que *chega* não foi calculado tão mal, exceto pelo fator desconhecido do coeficiente de reflexão. Portanto, podemos usar o fato de o número de moléculas que estão partindo, em equilíbrio, ser o mesmo número de moléculas que chegam. É verdade que o vapor está sendo removido e, portanto, as moléculas apenas saem, mas se o vapor fosse deixado em paz, ele alcançaria a densidade de equilíbrio na qual o número das moléculas que retornam se igualaria ao número das que estão evaporando. Dessa maneira, podemos facilmente ver que o número das que estão saindo da superfície por segundo é igual a um menos o coeficiente de reflexão desconhecido R vezes o número das que atingiriam a superfície por segundo se o vapor ainda estivesse lá, pois esse é o número necessário para balancear a evaporação no equilíbrio:

$$N_e = nv(1 - R) = (v1 - R/V_a)e^{-W/kT}. \tag{42.5}$$

Naturalmente, é fácil calcular o número de moléculas do vapor que atingem o líquido, pois não precisamos conhecer tanto sobre as forças como quando nos preocupamos com como elas conseguem escapar da superfície líquida; é muito mais fácil argumentar da outra maneira.

42–2 Emissão termiônica

Podemos dar outro exemplo de uma situação muito prática que é semelhante à evaporação de um líquido – tão semelhante que não vale a pena fazer uma análise separada. É essencialmente o mesmo problema. Em um tubo de rádio existe uma fonte de elétrons, a saber, um filamento de tungstênio aquecido, e uma placa carregada positivamente para atrair os elétrons. Qualquer elétron que escapa da superfície do tungstênio é imediatamente varrido para a placa. Essa é a nossa "bomba" ideal, que está "bombeando" os elétrons para longe todo o tempo. Agora perguntamos: quantos elétrons por segundo podemos extrair de um pedaço de tungstênio, e como esse número varia com a temperatura? A resposta a esse problema é a mesma que (42.5), porque, em um pedaço de metal, os elétrons são atraídos aos íons, ou aos átomos, do metal. Eles são atraídos, dizendo grosseiramente, para o metal. Para arrancar um elétron de um pedaço de metal, é necessária uma certa quantidade de energia ou trabalho para arrancá-lo. Esse trabalho varia para tipos diferentes de metal. De fato, ele varia até com a característica da superfície de um dado tipo de metal, mas o trabalho total pode ser de alguns elétron-volts, que, incidentemente, é típico da energia envolvida nas reações químicas. Podemos nos lembrar disso recordando que a voltagem em uma célula química como uma bateria de lanterna elétrica, que é produzida por reações químicas, é aproximadamente um volt.

Como podemos descobrir quantos elétrons saem por segundo? Seria bastante difícil analisar os efeitos nos elétrons que estão saindo; é mais fácil analisar a situação por outro caminho. Desse modo, podemos começar imaginando que não retiramos os elétrons, e que os elétrons se parecem com um gás e poderiam retornar ao metal. Então haveria uma certa densidade de elétrons no equilíbrio que seria, naturalmente, dado exatamente pela mesma fórmula (42.1), onde V_a é o volume por elétron no metal, aproximadamente, e W é igual a $q_e\phi$, onde ϕ é chamado de *função trabalho,* ou a voltagem necessária para arrancar um elétron da superfície. Isso nos diria quantos elétrons teriam de estar no espaço circundante e atingindo o metal para equilibrar àqueles que estão saindo. Então é fácil calcular quantos estão saindo se eliminarmos todos eles, pois o número dos que estão saindo é exatamente igual ao número dos que estariam entrando com a densidade de "vapor" de elétrons mencionada acima. Em outras palavras, a resposta é que a corrente da eletricidade que entra por unidade de área é igual à carga de cada um vezes o número dos que chegam por segundo por unidade de área, que é o número por unidade de volume vezes a velocidade, como vimos muitas vezes:

$$I = q_e n v = (q_e v / V_a) e^{-q_e \phi / kT}. \qquad (42.6)$$

Porém um elétron-volt corresponde a kT para uma temperatura de 11.600 graus. O filamento do tubo pode estar funcionando em uma temperatura, digamos, de 1100 graus, portanto o fator exponencial é algo como e^{-10}; quando modificamos a temperatura um pouco, o fator exponencial modifica-se muito. Assim, novamente, a característica central da fórmula é $e^{-q_e \phi / kT}$. Na verdade, o fator que está na frente é bem errado – o comportamento dos elétrons em um metal não é descrito corretamente pela teoria clássica, mas pela mecânica quântica, mas isso apenas modifica um pouco o fator que está na frente. De fato, ninguém foi capaz de endireitar a coisa muito bem, embora muitas pessoas tenham usado a teoria da mecânica quântica de primeira qualidade para os seus cálculos. O grande problema é: W se modifica ligeiramente com a temperatura? Se ele se modificar, não é possível distinguir um W que se modifica lentamente com a temperatura de um coeficiente diferente na frente. Isto é, se W se modificou linearmente, digamos, com a temperatura, de maneira que $W = W_0 + \alpha kT$, então teríamos

$$e^{-W/kT} = e^{-(W_0 + \alpha kT)/kT} = e^{-\alpha} e^{-W_0/kT}.$$

Assim um W linearmente dependente da temperatura é equivalente a um deslocamento por uma "constante". É realmente bastante difícil e normalmente infrutífero tentar obter exatamente o coeficiente que está na frente.

42–3 Ionização térmica

Agora consideremos outro exemplo da mesma ideia; sempre a mesma ideia. Isso tem a ver com a ionização. Suponha que temos em um gás muitos átomos que estão no estado neutro, digamos, mas o gás é quente e os átomos podem ficar ionizados. Gostaríamos de saber quantos íons existem em uma dada circunstância se tivermos uma certa densidade de átomos por unidade de volume em uma determinada temperatura. Novamente consideramos uma caixa na qual existem N átomos que podem manter os elétrons. (Se um elétron tiver se soltado de um átomo, é chamado de um *íon*, e se o átomo for neutro, simplesmente o chamamos de átomo.) Então suponha, em qualquer instante, que o número de átomos neutros é n_a, o número de íons é n_i e o número de elétrons é n_e, todos por unidade de volume. O problema é: qual é a relação entre esses três números?

Em primeiro lugar, temos duas condições ou restrições para os números. Por exemplo, conforme variamos diferentes condições, como a temperatura e assim por diante, $n_a + n_i$ permaneceria constante, pois isso seria simplesmente o número N de núcleos atômicos que estão na caixa. Se mantivermos o número de núcleos por unidade de volume fixo, e mudarmos, digamos, a temperatura, então à medida que a ionização continua alguns átomos se tornariam íons, mas o número total de átomos mais íons permaneceria inalterado. Isto é, $n_a + n_i = N$. Outra condição é que se o gás inteiro deve ser eletricamente neutro (e se desprezarmos a ionização dupla ou tripla), isso significa que o número de íons será sempre igual ao número de elétrons, ou $n_i = n_e$. Essas são equações auxiliares que simplesmente exprimem a conservação da carga e a conservação dos átomos.

Essas equações são verdadeiras, e no final das contas as utilizaremos quando considerarmos um problema real, mas queremos obter outra relação entre as quantidades. Podemos fazer isso como se segue. Novamente usamos a ideia de que é necessária uma certa quantidade de energia para arrancar o elétron para fora do átomo, que chamamos de *energia de ionização,* e a escreveríamos como W, para fazer com que todas as fórmulas pareçam as mesmas. Portanto fazemos W igual à energia necessária para tirar um elétron de um átomo e criar um íon. Novamente dizemos que o número de elétrons livres por unidade de volume no "vapor" é igual ao número de elétrons ligados por unidade de volume nos átomos vezes e elevado a menos a diferença de energia entre ser ligado e ser livre sobre kT. Essa é a equação básica novamente. Como podemos escrevê-la? O número de elétrons livres por unidade de volume seria, naturalmente, n_e porque essa é a definição de n_e. E o número de elétrons por unidade de volume que são ligados aos átomos? O número total de lugares em que podemos colocar os elétrons é aparentemente $n_a + n_i$, e supomos que, quando eles estão ligados, cada um está ligado dentro de um certo volume V_a. Portanto a soma total do volume disponível para os elétrons que estariam ligados é $(n_a + n_i) V_a$, e poderíamos querer escrever a nossa fórmula como

$$n_e = \frac{n_a}{(n_a + n_i)V_a} e^{-W/kT}.$$

A fórmula está errada, contudo, devido a uma característica essencial: quando um elétron já está em um átomo, outro elétron não pode mais se aproximar daquele volume! Em outras palavras, todos os volumes de todos os sítios possíveis não estão realmente disponíveis para um elétron que está tentando se decidir entre o vapor ou a posição condensada, porque nesse problema há uma característica extra que quando um elétron estiver onde outro elétron está, não é permitido que ele vá – ele é repelido. Por essa razão, devemos apenas contar a parte do volume que está disponível para um elétron estar ou não. Isto é, aqueles que já estão ocupados não são considerados no volume total disponível, mas o único volume que é permitido é aquele dos *íons*, em que há lugares vagos para o elétron ir. Então, nessas circunstâncias, vemos que uma maneira melhor de escrever a nossa fórmula é

$$\frac{n_e n_i}{n_a} = \frac{1}{V_a} e^{-W/kT}. \tag{42.7}$$

Essa fórmula é chamada de *equação de ionização de Saha*. Vamos ver se conseguimos entender qualitativamente por que uma fórmula como essa está correta, argumentando sobre as coisas cinéticas que estão acontecendo.

Primeiramente, de vez em quando um elétron chega em um íon e eles se combinam para fazer um átomo. E também, de vez em quando, um átomo sofre uma colisão e se separa em um íon e um elétron. Porém essas duas taxas devem ser iguais. Quão rapidamente os elétrons e os íons se encontram uns aos outros? A taxa certamente aumenta se o número de elétrons por unidade de volume aumentar. Também aumenta se o número de íons por unidade de volume aumentar. Isto é, a taxa total na qual a recombinação está ocorrendo é certamente proporcional ao número de elétrons vezes o número de íons. Porém a taxa total na qual a ionização está ocorrendo devido às colisões deve depender linearmente de quantos átomos existem para se ionizar. Portanto as taxas irão se equilibrar quando houver alguma relação entre o produto $n_e n_i$ e o número de átomos, n_a. O fato de essa relação ser dada por essa determinada fórmula, onde W é a energia de ionização, é naturalmente um pouco mais de informação, mas podemos entender facilmente que a fórmula necessariamente envolveria as concentrações dos elétrons, íons e átomos na combinação $n_e n_i/n_a$ para produzir uma constante independente dos n, e dependente apenas da temperatura, das seções de choque atômicas e de outros fatores constantes.

Também podemos observar que, como a equação envolve os números *por unidade de volume*, se fizéssemos dois experimentos com um dado número total N de átomos mais íons, isto é, um certo número fixo de núcleos, mas usando caixas com volumes diferentes, os n seriam todos menores na caixa maior. Como a razão $n_e n_i/n_a$ permanece a mesma, o *número total* de elétrons e íons deve ser maior na caixa maior. Para enxergar isso, suponha que há N núcleos dentro de uma caixa de volume V, e que uma fração f deles é ionizada. Então $n_e = fN/V = n_i$ e $n_a = (1-f)N/V$. Então a nossa equação se torna

$$\frac{f^2}{1-f} \frac{N}{V} = \frac{e^{-W/kT}}{V_a}. \tag{42.8}$$

Em outras palavras, se tomarmos uma densidade cada vez menor de átomos, ou fizermos o volume do recipiente cada vez maior, a fração f de elétrons e íons deve aumentar. Essa ionização, somente da "expansão" conforme a densidade diminui, é a razão por que acreditamos que em densidades muito baixas, como no espaço frio entre as estrelas, pode haver íons presentes, embora não seja possível de entender do ponto de vista da energia disponível. Embora sejam necessários muitos e muitos kT de energia para criá--los, existem íons presentes.

Como podem os íons estarem presentes quando há tanto espaço em volta, enquanto que se aumentarmos a densidade, os íons tendem a desaparecer? *Resposta:* considere um átomo. Uma vez ou outra, a luz de um outro átomo ou de um íon, ou qualquer coisa que mantenha o equilíbrio térmico, irá atingi-lo. Muito raramente, porque é necessária uma quantidade enorme de energia em excesso, um elétron se desprende e resta um íon. Esse elétron, se o espaço for enorme, perambula e perambula e não se aproxima de nada talvez durante anos. Uma vez em um tempo muito grande, ele de fato encontra um íon e eles se combinam para fazer um átomo. Portanto a taxa na qual os elétrons estão saindo dos átomos é muito lenta, mas se o volume for enorme, um elétron que escapou leva tanto tempo para encontrar um outro íon para se recombinar que a sua probabilidade de recombinação é muito, muito pequena; então, apesar da grande energia extra necessária, pode haver um número razoável de elétrons.

42–4 Cinética química

A mesma situação que acabamos de chamar de "ionização" também é encontrada em uma reação química. Por exemplo, se dois objetos, A e B, se combinam em um composto AB, então se pensarmos algum tempo veremos que AB é o que chamamos de átomo, sendo B o que chamamos de elétron e A o que chamamos de íon. Com essas substituições, as equações de equilíbrio são exatamente as mesmas na forma:

$$\frac{n_A n_B}{n_{AB}} = c e^{-W/kT}. \tag{42.9}$$

Essa fórmula, naturalmente, não é exata, pois a "constante" c depende de quanto volume é permitido para que A e B se combinem, e assim por diante, mas por argumentos termodinâmicos pode-se identificar o significado de W no fator exponencial, e resulta que ele está muito próximo da energia necessária para a reação.

Suponha que tentemos entender essa fórmula como consequência de colisões, muito parecida com a maneira como entendemos a fórmula de evaporação, argumentando sobre quantos elétrons se desligaram e quantos deles retornaram por unidade de tempo. Suponha que A e B se combinam em uma colisão de vez em quando para formar um composto AB e que o composto AB é uma molécula complicada que se mexe bastante e é atingida por outras moléculas; de vez em quando, ela adquire energia suficiente para explodir e se dividir novamente em A e B.

Resulta que, em reações químicas, se os átomos se aproximam com uma energia pequena demais, embora energia possa ser liberada na reação $A + B \to AB$, o fato de que A e B podem se tocar um ao outro não necessariamente inicia a reação. Normalmente é necessário que o choque seja razoavelmente forte, de fato, para conseguir que a reação se inicie – uma colisão "suave" entre A e B pode não conseguir, embora energia possa ser liberada no processo. Portanto, vamos supor que é muito comum em reações químicas que, para que A e B formem AB, eles não podem simplesmente colidir um com o outro, mas têm de colidir um com o outro *com energia suficiente*. Essa energia é chamada a *energia de ativação* – a energia necessária para "ativar" a reação. Chame a energia de ativação de A^*, a energia extra necessária em uma colisão para que a reação realmente possa ocorrer. Então, a taxa R_f na qual A e B produzem AB envolveria o número de átomos A vezes o número de átomos B vezes a taxa na qual um único átomo atingiria uma certa seção de choque σ_{AB} vezes um fator $e^{-A^*/kT}$, que é a probabilidade de que eles tenham energia suficiente:

$$R_f = n_A n_B v \sigma_{AB} e^{-A^*/kT}. \tag{42.10}$$

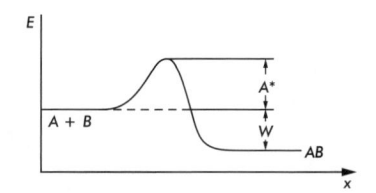

Figura 42–1 A relação de energia para a reação $A + B \rightarrow AB$.

Agora temos de encontrar a taxa oposta, R_r. Existe uma certa possibilidade de que AB se desfaça. Para se desfazer, ele não só deve ter a energia W necessária para se separar mas, da mesma maneira como foi difícil para A e B se unirem, existe uma barreira que A e B têm de vencer para se separarem novamente; eles devem ter não apenas a energia suficiente exata para se separar, mas também um certo excesso. É como subir uma colina para chegar em um vale profundo; eles precisam subir a colina na chegada e têm de subir para sair do vale e então subir a colina na volta (Fig. 42–1). Assim, a taxa na qual AB se transforma em A e B será proporcional ao número n_{AB} que está presente, vezes $e^{-(W+A^*)/kT}$:

$$R_r = c'n_{AB}e^{-(W+A^*)/kT}. \qquad (42.11)$$

Onde c' envolve o volume dos átomos e a taxa de colisões, que podemos calcular, como fizemos para o caso da evaporação, com áreas, tempos e espessuras; mas não faremos isso. A característica principal de interesse para nós é aquela quando essas duas taxas são iguais, a razão delas é igual à unidade. Isso nos diz que $n_An_B/n_{AB} = ce^{-W/kT}$, como antes, onde c envolve as seções de choque, a velocidade e outros fatores independentes dos n.

É interessante que a taxa da reação também varia com $e^{-\text{const.}/kT}$, embora a constante não seja a mesmo que governa as concentrações; a energia de ativação A^* é bastante diferente da energia W. O W governa as proporções de A, B e AB que temos no equilíbrio, mas se quisermos saber quão rapidamente $A + B$ se torna AB, essa não é uma questão de equilíbrio, e aqui uma energia diferente, *a energia de ativação*, governa a taxa da reação por meio de um fator exponencial.

Além disso, A^* não é uma constante fundamental como W. Suponha que, na superfície da parede – ou em algum outro lugar –, A e B pudessem grudar temporariamente de tal modo que pudessem se combinar mais facilmente. Em outras palavras, poderíamos encontrar um "túnel" sob a barreira, ou possivelmente uma barreira mais baixa. Pela conservação de energia, quando tivermos terminado, ainda obtivemos AB a partir de A e B, portanto a diferença de energia W será razoavelmente independente da maneira como a reação ocorreu, mas a energia de ativação A^* dependerá *muito* da maneira como a reação ocorre. É por isso que as taxas de reações químicas são muito sensíveis às condições externas. Podemos modificar a taxa considerando um tipo de superfície diferente, podemos usar um "barril diferente" e ela ocorrerá em uma taxa diferente, se depender da natureza da superfície. Ou se colocarmos uma terceira espécie do objeto ela pode modificar muito a taxa; algumas coisas produzem modificações enormes na taxa simplesmente modificando ligeiramente o A^* – são os chamados *catalisadores*. Uma reação poderia praticamente não ocorrer de modo algum porque A^* é grande demais na temperatura dada, mas quando colocamos esse material especial, o catalisador, então a reação ocorre de fato muito rapidamente, porque A^* é reduzida.

Incidentemente, existe um problema com tal reação, A mais B fazendo AB, porque não podemos conservar ambos, energia e momento, quando tentamos juntar dois objetos para fazer um que é mais estável. Por isso, precisamos pelo menos de um terceiro objeto C, portanto a reação real é muito mais complicada. A taxa direta implicaria no produto $n_A n_B n_C$, e poderia parecer que a nossa fórmula está dando errado, mas não! Quando examinamos a taxa na qual AB vai para o outro lado, encontramos que ela também deve colidir com C, assim há um $n_{AB} n_C$ na taxa inversa; os n_C se cancelam na fórmula das concentrações de equilíbrio. A lei do equilíbrio, (42.9), que primeiro escrevemos, é garantidamente verdadeira, não importa qual seja o mecanismo da reação!

42–5 As leis da radiação de Einstein

Abordamos agora uma situação interessante análoga à lei de radiação de corpo negro. No último capítulo, determinamos a lei de distribuição da radiação em uma cavidade da maneira como Planck fez, considerando a radiação de um oscilador. O oscilador deveria ter uma certa energia média, e como ele oscilava, irradiaria continuando a inserir radiação na cavidade até que o acúmulo de radiação fosse suficiente para equilibrar a absorção e a emissão. Dessa maneira, temos que a intensidade da radiação na frequência ω era dada pela fórmula

$$I(\omega)\,d\omega = \frac{\hbar\omega^3 d\omega}{\pi^2 c^2(e^{\hbar\omega/kT} - 1)}. \qquad (42.12)$$

Esse resultado envolveu a suposição de que o oscilador que estava gerando a radiação tinha níveis de energia definidos e igualmente espaçados. Não dissemos que a luz tinha de ser um fóton ou algo parecido. Não houve nenhuma discussão sobre como, quando um átomo muda de um nível para o outro, a energia deve sair como uma unidade de energia, $\hbar\omega$, na forma de luz. A ideia original de Planck foi que a matéria era quantificada, mas não a luz: os osciladores de matéria não podem adquirir qualquer energia, mas devem obtê-la em pacotes. Além disso, a preocupação com a derivação é que ela era parcialmente clássica. Calculamos a taxa de radiação de um oscilador segundo a física clássica; então mudamos de ideia e dissemos, "Não, esse oscilador tem muitos níveis de energia". Portanto, gradualmente, a fim de encontrar o resultado correto, o resultado completamente mecânico quântico, houve um lento desenvolvimento que culminou na mecânica quântica em 1927. Nesse meio tempo, houve uma tentativa por Einstein para converter o ponto de vista de Planck, em que apenas os osciladores da matéria eram quantificados, para a ideia de que a luz era realmente composta de fótons e poderia ser considerada de certa maneira como partículas com energia $\hbar\omega$. Além disso, Bohr tinha indicado que *qualquer* sistema de átomos possui níveis de energia, mas eles não são necessariamente igualmente espaçados como o oscilador de Planck. Portanto se tornou necessário rederivar ou pelo menos rediscutir a lei de radiação do ponto de vista mais completamente mecânico quântico.

Einstein supôs que a fórmula final de Planck estava correta e utilizou essa fórmula para obter alguma nova informação, anteriormente desconhecida, sobre a interação entre radiação e matéria. A sua discussão foi a seguinte: considere quaisquer dois dos muitos níveis de energia de um átomo, digamos o nível m-ésimo e o nível n-ésimo (Fig. 42–2). Einstein propôs que quando luz de frequência correta incide em tal átomo, ele pode absorver esse fóton de luz e realizar uma transição do estado n para o estado m, e que a probabilidade de que isso ocorra por segundo depende dos dois níveis, naturalmente, mas é *proporcional à intensidade da luz* que está incidindo nele. Vamos chamar a constante de proporcionalidade B_{nm}, simplesmente para lembrar que essa não é uma constante universal da natureza, mas depende do dado par de níveis: alguns níveis são fáceis de excitar; alguns níveis são difíceis de excitar. Qual será a fórmula para a taxa de emissão do m para o n? Einstein propôs que isso deve ter duas partes. Primeiro, mesmo que não houvesse nenhuma luz presente, haveria alguma possibilidade de que um átomo em um estado excitado decairia para um estado mais baixo, emitindo um fóton; isso é chamado de *emissão espontânea*. Isso é análogo à ideia de que um oscilador com uma certa quantidade de energia, mesmo na física clássica, não mantém essa energia, mas a perde por radiação. Assim o análogo da radiação espontânea de um sistema clássico é que se o átomo estiver em um estado excitado há uma certa probabilidade, A_{mn}, que depende novamente dos níveis, de ele decair de m para n, e essa probabilidade é independente de a luz estar incidindo no átomo ou não. Einstein foi mais além, e pela comparação com a teoria clássica e por outros argumentos, concluiu que a emissão também era influenciada pela presença da luz – que quando a luz da frequência certa está incidindo em um átomo, ele tem uma taxa aumentada de emitir um fóton que é proporcional à intensidade da luz, com uma constante de proporcionalidade B_{mn}. Mais tarde, se deduzirmos que esse coeficiente é zero, então teremos descoberto que Einstein esteve errado. É claro que veremos que ele tinha razão.

Assim Einstein considerou que há três tipos de processos: uma absorção proporcional à intensidade de luz, uma emissão proporcional à intensidade de luz, chamada *emissão induzida* ou às vezes *emissão estimulada,* e uma emissão espontânea independente de luz.

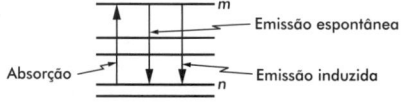

Figura 42–2 Transição entre dois níveis de energia de um átomo.

Agora suponha que temos, em equilíbrio à temperatura T, um certo número de átomos N_n no estado n e outro número N_m no estado m. Então o número total de átomos que vão de n ao m é o número que estão no estado n vezes a taxa por segundo que, se estiver em n, ele irá para m. Portanto, temos uma fórmula para o número que está indo de n para m por segundo:

$$R_{n \to m} = N_n B_{nm} I(\omega). \tag{42.13}$$

O número dos que vão de m para n é expresso na mesma maneira, como o número N_m que estão em m vezes a possibilidade por segundo que cada um baixe para n. Dessa vez, a nossa expressão é

$$R_{m \to n} = N_m[A_{mn} + B_{mn} I(\omega)]. \tag{42.14}$$

Agora suporemos que, em equilíbrio térmico, o número de átomos que sobem deve se igualar ao número dos que baixam. Essa é uma maneira, pelo menos, na qual é garantido que o número ficará constante em cada nível.[1] Portanto consideramos que essas duas taxas são iguais no equilíbrio. Temos outra parte da informação: sabemos quão grande N_m é comparado com N_n – a razão desses dois é $e^{-(E_m - E_n)/kT}$. Porém Einstein supôs que a única luz que é efetiva na criação da transição de n para m é a luz cuja frequência corresponde à diferença de energia, portanto $E_m - E_n = \hbar\omega$ em todas as nossas fórmulas. Assim

$$N_m = N_n e^{-\hbar\omega/kT}. \tag{42.15}$$

Assim, se fizermos as duas taxas iguais: $N_n B_{nm} I(\omega) = N_m[A_{mn} + B_{mn} I(\omega)]$, e dividindo por N_m, obtemos

$$B_{nm} I(\omega) e^{\hbar\omega/kT} = A_{mn} + B_{mn} I(\omega). \tag{42.16}$$

Dessa equação, podemos calcular $I(\omega)$. É simplesmente

$$I(\omega) = \frac{A_{mn}}{B_{nm} e^{\hbar\omega/kT} - B_{mn}}. \tag{42.17}$$

Planck já havia dito que a fórmula deve ser (42.12). Por isso, podemos deduzir algo. Primeiramente, que B_{nm} deve ser igual a B_{mn}, pois de outra forma não podemos obter $(e^{\hbar\omega/kT} - 1)$. Portanto, Einstein descobriu algumas coisas que ele não sabia como calcular, a saber, *que a probabilidade de emissão induzida e a probabilidade de absorção devem ser iguais*. Isso é interessante. Além disso, para que (42.17) concorde com (42.12),

$$A_{mn}/B_{mn} \quad \text{deve ser} \quad \hbar\omega^3/\pi^2 c^2. \tag{42.18}$$

Assim se conhecermos, por exemplo, a taxa de absorção de um dado nível, podemos deduzir a taxa de emissão espontânea e a taxa de emissão induzida, ou qualquer combinação.

Isso é tão longe quanto Einstein ou qualquer outro jamais conseguiu ir usando tais argumentos. Computar de fato a taxa de emissão espontânea absoluta ou as outras taxas de qualquer transição atômica específica, naturalmente, requer um conhecimento da maquinaria do átomo, chamada eletrodinâmica quântica, que só foi descoberta onze anos depois. Esse trabalho de Einstein foi feito em 1916.

A possibilidade da emissão induzida encontrou atualmente algumas aplicações interessantes. Se houver luz presente, ela tenderá a induzir a transição descendente. A transição então acrescenta o seu $\hbar\omega$ à energia da luz disponível, se houver alguns átomos no estado superior. Porém podemos arranjar, por algum método não térmico, um gás no qual o número no estado m é muito maior do que o número no estado n. Isso

---

[1] Essa não é a única maneira de arranjar para manter o número de átomos constante nos vários níveis, mas é a maneira como funciona de fato. O fato de que todo processo, em equilíbrio térmico, precisa ser equilibrado pelo seu oposto exato é chamado de *princípio do equilíbrio detalhado*.

está muito fora do equilíbrio, e assim não é dado pela fórmula $e^{-\hbar\omega/kT}$, que é válida para o equilíbrio. Podemos até arranjar para que o número no estado superior seja muito grande, enquanto que o número no estado mais baixo é praticamente zero. Então a luz, cuja frequência corresponde à diferença de energia $E_m - E_n$, não será fortemente absorvida, porque não há muitos átomos no estado n para absorvê-la. Por outro lado, quando essa luz estiver presente, ela induzirá a emissão desse estado superior! Desse modo, se tivermos muitos átomos no estado superior, haverá uma espécie de reação em cadeia, na qual, no instante em que os átomos começassem a emitir, mais seriam induzidos a emitir, e todos eles decairiam em conjunto. Isso é chamado de *laser*, ou, no caso do infravermelho distante, um *maser*.

Vários truques podem ser utilizados para se obter os átomos no estado m. Pode haver níveis mais altos nos quais os átomos podem ir se incidirmos um forte raio de luz de alta frequência. Desses altos níveis, eles podem gotejar para baixo, emitindo vários fótons, até que todos eles parem no estado m. Se eles tenderem a ficar no estado m sem emitir, o estado é chamado *metaestável*. Então são todos depositados juntos por emissões induzidas. Um ponto mais técnico – se pusermos esse sistema em uma caixa comum, ele irradiaria espontaneamente em tantas direções diferentes, comparado com o efeito induzido, que ainda teríamos um problema. Podemos aumentar o efeito induzido, aumentar a sua eficiência, colocando espelhos quase perfeitos em cada lado da caixa, de maneira que a luz emitida tenha outra possibilidade, e outra possibilidade, e outra possibilidade de induzir mais emissão. Embora os espelhos tenham quase cem por cento de reflexão, existe uma pequena quantidade de transmissão do espelho, e um pouco de luz escapa. No fim, é claro, a partir da conservação de energia, toda a luz sai em uma bonita e uniforme direção reta dos fortes raios de luz que são possíveis hoje com lasers.

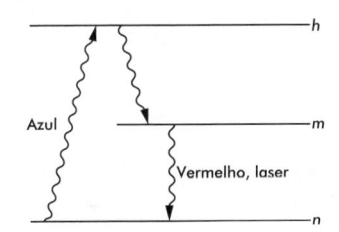

Figura 42–3 Excitando, digamos por luz azul, um nível de energia mais alto h, capaz de emitir um fóton deixando o átomo no estado m, o número de átomos nesse estado m torna-se suficientemente grande para iniciar uma ação de laser.

43

Difusão

43–1 Colisões entre moléculas

Consideramos por enquanto somente os movimentos moleculares em um gás que está em equilíbrio térmico. Queremos agora discutir o que acontece quando as coisas estão próximas, mas não exatamente, do equilíbrio. Em uma situação longe do equilíbrio, as coisas são extremamente complicadas, mas em uma situação muito perto do equilíbrio podemos facilmente calcular o que acontece. Para ver o que acontece, devemos, contudo, retornar à teoria cinética. A mecânica estatística e a termodinâmica tratam da situação de equilíbrio, mas longe do equilíbrio podemos analisar somente o que ocorre átomo a átomo, por assim dizer.

Como um exemplo simples de uma condição de não equilíbrio, consideraremos a difusão de íons em um gás. Suponha que em um gás há uma concentração relativamente pequena de íons – moléculas eletricamente carregadas. Se aplicarmos um campo elétrico no gás, então cada íon sentirá uma força que é diferente das forças nas moléculas neutras do gás. Se não houvesse nenhuma outra molécula presente, um íon teria uma aceleração constante até atingir a parede do recipiente. Por causa da presença das outras moléculas, ele não pode fazer isso; a sua velocidade aumenta somente até colidir com uma molécula e perder o seu momento. Ele começa novamente a ganhar mais velocidade, mas então perde novamente o seu momento. O efeito resultante é que um íon percorre um caminho errático, mas com um movimento resultante na direção da força elétrica. Veremos que o íon tem um "deslocamento" médio com uma velocidade média que é proporcional ao campo elétrico – quanto mais forte o campo, maior a sua velocidade. Enquanto o campo estiver ativo, e enquanto o íon estiver se movendo, naturalmente ele *não* está em equilíbrio térmico, ele está tentando entrar em equilíbrio, que é ficar quieto no final do recipiente. Por meio da teoria cinética, podemos computar a velocidade de arraste.

Acontece que com as nossas capacidades matemáticas atuais realmente não podemos calcular *precisamente* o que acontecerá, mas podemos obter resultados aproximados que exibem todas as características essenciais. Podemos descobrir como as coisas variam com a pressão, com a temperatura e assim por diante, mas não será possível obter precisamente os fatores numéricos corretos na frente de todos os termos. Por isso, nas nossas derivações, não nos importaremos com o valor exato dos fatores numéricos. Eles podem ser obtidos apenas por um tratamento matemático muito mais sofisticado.

Antes de considerarmos o que acontece em situações de não equilíbrio, teremos de olhar um pouco mais de perto o que ocorre em um gás no equilíbrio térmico. Teremos de conhecer, por exemplo, o tempo médio entre colisões sucessivas de uma molécula.

Qualquer molécula experimenta uma sequência de colisões com outras moléculas – de um modo aleatório, é claro. Uma determinada molécula, em um longo período de tempo T, receberá um certo número, N, de golpes. Se dobrarmos o período de tempo, haverá duas vezes mais colisões. Portanto, o número de colisões é proporcional ao tempo T. Gostaríamos de escrever desta maneira:

$$N = T/\tau. \tag{43.1}$$

Escrevemos a constante da proporcionalidade como $1/\tau$, onde τ terá a dimensão de um tempo. A constante τ é o tempo médio entre colisões. Suponha, por exemplo, que em uma hora ocorrem 60 colisões; então τ é um minuto. Diríamos que τ (um minuto) é o *tempo médio* entre as colisões.

Muitas vezes desejamos fazer a seguinte pergunta: "qual é *a possibilidade* de que uma molécula experimente uma colisão durante o próximo *pequeno intervalo* de tempo dt?" Podemos entender intuitivamente que a resposta é dt/τ. Vamos tentar fazer um argumento mais convincente. Suponha que haja um número muito grande de moléculas N. Quantas sofrerão colisões no próximo intervalo do tempo dt? Se existir equilíbrio, nada está se modificando *em média* com o tempo. Assim, durante o tempo dt, N moléculas sofrerão o

43–1 Colisões entre moléculas
43–2 O livre caminho médio
43–3 A velocidade de arraste
43–4 Condutividade iônica
43–5 Difusão molecular
43–6 Condutividade térmica

mesmo número de colisões que *uma* molécula durante o tempo $N\,dt$. Sabemos que esse número é $N\,dt/\tau$. Portanto o número de colisões de N moléculas é $N dt/\tau$ em um tempo dt, e a possibilidade, ou probabilidade, de uma colisão para alguma molécula é justamente $1/N$ maior, ou $(1/N)(N\,dt/\tau) = dt/\tau$, como adivinhamos acima. Isto é, a fração das moléculas que sofrerão uma colisão no tempo dt é dt/τ. Tomando um exemplo, se τ for um minuto, então em um segundo a fração de partículas que sofrerão colisões é $1/60$. O que isso significa, naturalmente, é que $1/60$ das moléculas estão próximas o suficiente de com que elas irão colidir depois que as *suas* colisões ocorrerão no segundo seguinte.

Quando dizemos que τ, o tempo médio entre colisões, é um minuto, não pensamos que todas as colisões ocorrerão em tempos separados exatamente por um minuto. Uma determinada partícula não sofre uma colisão, espera um minuto e logo tem outra colisão. Os tempos entre colisões sucessivas são bastante variáveis. Não precisaremos dele para o nosso trabalho posterior aqui, mas podemos fazer uma pequena digressão para responder à pergunta: "quais *são* os tempos entre colisões?" Sabemos que, para o caso acima, o tempo *médio* é um minuto, mas poderíamos querer conhecer, por exemplo, qual é a possibilidade de não ocorrer nenhuma colisão durante *dois* minutos.

Encontraremos a resposta para a pergunta geral: "qual é a probabilidade de uma molécula não sofrer colisão alguma durante um tempo t?" Em um instante arbitrário – que chamamos $t = 0$, começamos a observar uma determinada molécula. Qual é a possibilidade de ela não colidir em outra molécula até o tempo t? Para computar a probabilidade, observamos o que está acontecendo com todas as moléculas N_0 de um recipiente. Após esperarmos um tempo t, algumas delas terão tido colisões. Seja $N(t)$ o número das que *não* sofreram colisões até o tempo t. $N(t)$ é, naturalmente, menor do que N_0. Podemos encontrar $N(t)$ porque sabemos como ele se modifica com o tempo. Se soubermos que $N(t)$ moléculas escaparam até t, então $N(t + dt)$, o número das que não colidiram até $t + dt$, é *menor* do que $N(t)$ pelo número das que sofreram colisões em dt. O número das que colidem em dt escrevemos acima em termos do tempo médio τ como $dN = N(t)\,dt/\tau$. Temos a equação

$$N(t + dt) = N(t) - N(t)\frac{dt}{\tau}. \qquad (43.2)$$

A quantidade do lado esquerdo, $N(t + dt)$, pode ser escrita, segundo as definições do cálculo, como $N(t) + (dN/dt)\,dt$. Fazendo essa substituição, a Eq. (43.2) resulta em

$$\frac{dN(t)}{dt} = -\frac{N(t)}{\tau}. \qquad (43.3)$$

O número das que estão sendo perdidas no intervalo dt é proporcional ao número das que estão presentes e inversamente proporcional à vida média τ. A Equação (43.3) é facilmente integrada se a reescrevermos como

$$\frac{dN(t)}{N(t)} = -\frac{dt}{\tau}. \qquad (43.4)$$

Cada lado é um diferencial perfeito, portanto a integral é

$$\ln N(t) = -t/\tau + (\text{uma constante}), \qquad (43.5)$$

que é a mesma coisa que

$$N(t) = (\text{constante})e^{-t/\tau}. \qquad (43.6)$$

Sabemos que a constante deve ser justamente N_0, o número total de moléculas presentes, pois todas elas começam em $t = 0$ para esperar pela colisão "seguinte". Podemos escrever o nosso resultado como

$$N(t) = N_0 e^{-t/\tau}. \qquad (43.7)$$

Se desejarmos a *probabilidade* de que nenhuma colisão ocorra, $P(t)$, podemos obtê-la dividindo $N(t)$ por N_0, portanto

$$P(t) = e^{-t/\tau}. \tag{43.8}$$

O nosso resultado é: a probabilidade de que uma determinada molécula sobreviva a um tempo t sem uma colisão é $e^{-t/\tau}$, onde τ é o tempo médio entre colisões. A probabilidade começa com 1 (ou certeza) em $t = 0$, e diminui conforme t se torna cada vez maior. A probabilidade de que a molécula evite uma colisão durante um tempo igual a τ é $e^{-1} \approx 0{,}37\ldots$ A possibilidade é menos do que a metade de que ela tenha um tempo maior do que o tempo médio entre colisões. Tudo bem, porque existem moléculas suficientes que não sofrem colisões durante tempos *muito mais longos* do que o tempo médio antes de colidir, para que o tempo médio ainda possa ser τ.

Originalmente definimos τ como o tempo médio *entre* colisões. O resultado obtido na Eq. (43.7) também diz que o tempo médio de um instante inicial *arbitrário* até a *próxima* colisão também é τ. Podemos demonstrar esse fato um tanto surpreendente do seguinte modo. O número de moléculas que experimentam a sua colisão *seguinte* no intervalo dt no tempo t após um tempo inicial arbitrariamente escolhido é $N(t)\,dt/\tau$. O seu "tempo até a colisão seguinte" é, claro, justamente t. O "tempo médio até a colisão seguinte" é obtido do modo habitual:

$$\text{Tempo médio até a próxima colisão} = \frac{1}{N_0} \int_0^\infty t\, \frac{N(t)\,dt}{\tau}.$$

Utilizando $N(t)$ obtido em (43.7) e avaliando a integral, encontramos de fato que τ é o tempo médio a partir de *qualquer* instante até a colisão seguinte.

43–2 O livre caminho médio

Outra maneira de descrever as colisões moleculares é falar não sobre o *tempo* entre colisões, mas sobre *quão longe* a partícula se move entre colisões. Se dissermos que o tempo médio entre colisões é τ, e que as moléculas têm uma velocidade média v, podemos esperar que a *distância* média entre colisões, que chamaremos l, seja justamente o produto de τ e v. Essa distância entre colisões é normalmente chamada de *livre caminho médio*:

$$\text{Livre caminho médio } l = \tau v. \tag{43.9}$$

Neste capítulo, seremos um pouco descuidados sobre *qual tipo de média* queremos dizer em qualquer caso particular. Várias médias possíveis – a média, a raiz quadrática média, etc. – são quase iguais e se diferenciam por fatores que são próximos de um. Como precisamos de uma análise detalhada para obter os fatores numéricos corretos, de qualquer maneira, não precisamos nos incomodar com qual a média necessária em um determinado caso. Também avisamos o leitor que os símbolos algébricos que estamos usando para algumas quantidades físicas (p. ex., l para o livre caminho médio) não seguem uma convenção geralmente aceita, principalmente porque não há nenhum acordo geral.

Assim como a possibilidade de que uma molécula sofra uma colisão em um curto espaço de tempo dt é igual a dt/τ, a possibilidade de que ela tenha uma colisão ao percorrer uma distância dx é dx/l. Seguindo a mesma linha de raciocínio usada acima, o leitor pode mostrar que a probabilidade de que uma molécula percorra pelo menos a distância x antes de sofrer a sua próxima colisão é $e^{-x/l}$.

A distância média que uma molécula percorre antes de colidir com outra molécula – o livre caminho médio – dependerá de quantas moléculas existem ao redor e do "tamanho" das moléculas, isto é, de tamanho do alvo que elas representam. O "tamanho" efetivo de um alvo em uma colisão é normalmente descrito por uma "seção de choque da colisão," a mesma ideia que é usada em física nuclear ou em problemas de espalhamento de luz.

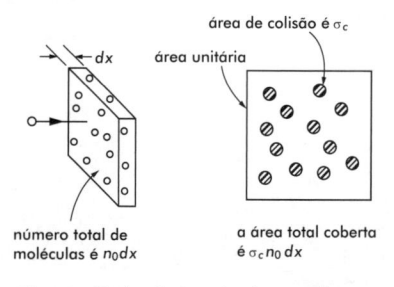

Figura 43-1 Seção de choque de colisão.

Considere uma partícula em movimento que viaja uma distância dx através de um gás que tem n_0 centros espalhadores (moléculas) por unidade de volume (Fig. 43–1). Se olharmos para cada unidade de área perpendicular à direção do movimento da nossa partícula selecionada, encontraremos $n_0 dx$ moléculas. Se cada uma apresentar uma área de colisão efetiva ou, como é normalmente chamada, "seção de choque de colisão", σ_c, então a área total coberta pelos centros espalhadores é $\sigma_c n_0 dx$.

Por "seção de choque de colisão" queremos dizer a área dentro da qual o centro da nossa partícula deve estar localizado para colidir com uma determinada molécula. Se as moléculas fossem pequenas esferas (um quadro clássico), esperaríamos que $\sigma_c = \pi (r_1 + r_2)^2$, onde r_1 e r_2 são os raios dos dois objetos que colidem. A possibilidade de que a nossa partícula sofra uma colisão é a razão da área coberta pelos centros espalhadores das moléculas pela área total, que tomamos como unitária. Assim a probabilidade de colisão ao atravessar uma distância dx é justamente $\sigma_c n_0 dx$:

$$\text{Possibilidade de uma colisão em } dx = \sigma_c n_0 \, dx. \qquad (43.10)$$

Vimos acima que a chance de ocorre uma colisão em dx também pode ser escrita em termos do caminho livre médio l como dx/l. Comparando isso com (43.10), podemos correlacionar o caminho livre médio com a seção de choque de colisão:

$$\frac{1}{l} = \sigma_c n_0, \qquad (43.11)$$

que é lembrada mais facilmente se a escrevermos como

$$\sigma_c n_0 l = 1. \qquad (43.12)$$

Podemos pensar nessa fórmula como uma afirmação de que deve haver uma colisão, em média, quando a partícula atravessar uma distância l na qual as moléculas espalhadoras *poderiam* quase que cobrir a área total. Em um volume cilíndrico de comprimento l e base de área unitária, existem $n_0 l$ centros espalhadores; se cada um tiver uma área σ_c, a área total coberta será $n_0 l \sigma_c$, que é somente uma unidade de área. A área inteira *não* é coberta, naturalmente, porque algumas moléculas são parcialmente ocultadas atrás das outras. Por isso algumas moléculas vão mais longe do que l antes de sofrer uma colisão. É apenas *em média* que as moléculas sofrem uma colisão no tempo em que elas percorrem a distância l. A partir de medidas do caminho livre médio l podemos determinar a seção de choque de espalhamento σ_c e comparar o resultado com cálculos baseados em uma teoria detalhada da estrutura atômica, mas esse é um assunto diferente! Portanto, voltemos ao problema de estados do não equilíbrio.

43–3 A velocidade de arraste

Queremos descrever o que acontece a uma molécula, ou várias moléculas, que são diferentes de algum modo da grande maioria das moléculas em um gás. Referimo-nos às moléculas da "maioria" como as moléculas "de fundo" e chamaremos as moléculas que são diferentes das moléculas de fundo de moléculas "especiais" ou, abreviadamente, as moléculas S. Uma molécula pode ser especial por várias razões: por ser mais pesada do que as moléculas de fundo, ser um elemento químico diferente, ter uma carga elétrica – isto é, ser um íon em um fundo de moléculas não carregadas. Por causa de sua massa ou carga diferentes, as moléculas S podem ter forças agindo sobre elas diferentes das forças nas moléculas de fundo. Considerando o que acontece a essas moléculas S, podemos entender os efeitos básicos que entram em jogo de uma maneira semelhante em muitos fenômenos distintos. Para enumerar alguns: difusão de gases, correntes elétricas em baterias, sedimentação, separação por centrifugação, etc.

Começamos concentrando-nos no processo básico: uma certa força específica **F** (que poderia ser, p. ex., gravitacional ou elétrica) age sobre uma molécula S em um gás de fundo, que *também* sofre a ação das forças não tão específicas devido a colisões com as moléculas de fundo. Gostaríamos de descrever o comportamento *geral* da molécula *S*. O que acontece, *detalhadamente,* é que ela se move para lá e para cá conforme colide repetidas vezes com outras moléculas. Se a observarmos cuidadosamente, veremos que ela realmente progride efetivamente na direção da força **F**. Dizemos que ocorre um *deslocamento* superposto ao seu movimento aleatório. Queremos saber a velocidade do seu deslocamento – a sua *velocidade de arraste* – devido à força **F**.

Se começarmos a observar uma molécula *S* em algum instante, podemos esperar que esteja em algum lugar entre duas colisões. Em adição à velocidade resultante da sua última colisão, ela estará adquirindo uma componente de velocidade devido à força **F**. Em um curto tempo (em média, em um tempo τ) ela sofrerá uma colisão e começará uma nova parte da sua trajetória. Ela terá uma nova velocidade inicial, mas a mesma aceleração por causa de **F**.

Para deixar as coisas simples por enquanto, suporemos que, depois de cada colisão, a nossa molécula *S* adquire um início "completamente novo". Isto é, ela não guarda nenhuma lembrança da sua aceleração passada causada por **F**. Essa seria uma suposição razoável se a nossa molécula *S* fosse muito mais leve do que as moléculas de fundo, mas isso certamente não é válido em geral. Discutiremos mais tarde uma suposição melhorada.

Por enquanto, então, a nossa suposição é de que a molécula *S* sai de cada colisão com uma velocidade que pode estar em qualquer direção com igual probabilidade. A velocidade inicial será igual em todas as direções e não contribuirá para nenhum movimento efetivo, portanto não nos preocuparemos mais com a sua velocidade inicial após uma colisão. Em adição ao seu movimento aleatório, cada molécula *S* terá, em qualquer momento, uma velocidade adicional na direção da força **F**, que ela adquiriu *desde* a sua última colisão. Qual é o valor *médio dessa* parte da velocidade? É justamente a aceleração **F**/*m* (onde *m* é a massa da molécula *S*) vezes o tempo *médio desde* a última colisão. Porém o tempo médio *desde* a *última* colisão deve ser o mesmo que o tempo médio *até a próxima* colisão, que chamamos τ, acima. A velocidade *média* decorrente de **F**, claro, é justamente a chamada velocidade de arraste, portanto temos a relação

$$v_{\text{arraste}} = \frac{F\tau}{m}. \tag{43.13}$$

Essa relação básica é a essência do nosso assunto. A determinação de τ pode ser um pouco complicada, mas o processo básico é definido pela Eq. (43.13).

Você notará que a velocidade de arraste é *proporcional* à força. Não há, infelizmente, nenhum nome geral usado para a constante de proporcionalidade. Nomes diferentes têm sido usados para cada tipo diferente de força. Em um problema, se a força elétrica for escrita como a carga vezes o campo elétrico, **F** = *q***E**, então a constante de proporcionalidade entre a velocidade e o campo elétrico **E** é normalmente chamada de "mobilidade". Apesar da possibilidade de alguma confusão, usaremos o termo *mobilidade* para a razão entre a velocidade de arraste e a força para *qualquer* força. Escrevemos

$$v_{\text{arraste}} = \mu F \tag{43.14}$$

em geral, e chamaremos a mobilidade de μ. Da Eq. (43.13) temos que

$$\mu = \tau/m. \tag{43.15}$$

A mobilidade é proporcional ao tempo médio entre colisões (existem menos colisões para desacelerar) e inversamente proporcional à massa (maior inércia significa menor velocidade adquirida entre colisões).

Para obter o coeficiente numérico correto da Eq. (43.13), que está correto como dado, é preciso um pouco de cuidado. Sem pretender confundir, ainda devemos indicar que os argumentos têm uma sutileza, capaz de ser apreciada somente por um estudo cuidadoso e detalhado. Para ilustrar que há dificuldades, apesar das aparências, retomaremos novamente o argumento que levou à Eq. (43.13) de uma maneira razoável, *porém errônea* (e a maneira encontrada em muitos livros-texto!).

Poderíamos ter dito: o tempo médio entre colisões é τ. Após uma colisão, a partícula recomeça com uma velocidade aleatória, mas adquire uma velocidade adicional entre colisões, que é igual à aceleração vezes o tempo. Como leva o tempo τ para chegar à colisão *seguinte*, ela chega com a velocidade $(F/m)\tau$. No início da colisão, ela tinha velocidade nula. Assim entre as duas colisões ela tem, em média, uma velocidade igual à metade da velocidade final, portanto a velocidade de arraste média é ½ $F\tau/m$. (Errado!) Esse resultado está errado e o resultado da Eq. (43.13) está correto, embora os argumentos possam soar igualmente satisfatórios. A razão de o segundo resultado estar errado é um tanto sutil, e tem a ver com o seguinte: o argumento é feito como se todas as colisões estivessem separadas pelo tempo médio τ. O fato é que alguns tempos são mais curtos e os outros são mais longos do que o médio. Os tempos curtos ocorrem *mais frequentemente*, mas têm uma contribuição *menor* para a velocidade de arraste porque têm menos chance de "realmente impulsionar". Se considerarmos apropriadamente a *distribuição* de tempos livres entre colisões, pode-se mostrar que não deve haver o fator ½ obtido pelo segundo argumento. O erro foi cometido na tentativa de relacionar por um simples argumento a velocidade *final média* à própria velocidade média. Essa relação não é simples, portanto é melhor nos concentrarmos no que é desejado: a própria velocidade média. O primeiro argumento dado determina a velocidade média direta – e corretamente! Agora talvez possamos ver por que em geral não tentamos obter todos os coeficientes numéricos corretos nas nossas derivações elementares!

Retornamos agora à nossa suposição simplificadora de que cada colisão elimina toda a memória do movimento passado – que um início novo é feito após cada colisão. Suponha que a nossa molécula S é um objeto pesado em um banho de moléculas mais leves. Então a nossa molécula S não perderá o seu momento "para frente" em cada colisão. Serão necessárias várias colisões antes que o seu movimento tenha se tornado "aleatório" novamente. Devemos supor, em vez disso, que em cada colisão – em média em cada tempo τ – ela perde certa fração do seu momento. Não calcularemos os detalhes, mas apenas afirmaremos que o resultado é equivalente à substituição de τ, o tempo de colisão médio, por um novo – e mais longo – τ que corresponde ao "tempo de esquecimento" médio, isto é, o tempo médio para esquecer o seu momento para frente. Com tal interpretação de τ, podemos usar a nossa fórmula (43.15) para situações que não são exatamente tão simples como supomos primeiramente.

43–4 Condutividade iônica

Aplicamos agora os nossos resultados a um caso especial. Suponha que temos um gás em um recipiente no qual há também alguns íons – átomos de ou moléculas com uma carga elétrica líquida. Mostramos a situação esquematicamente na Fig. 43–2. Se duas paredes opostas do recipiente forem placas metálicas, podemos conectá-las aos terminais de uma bateria e assim produzir um campo elétrico no gás. O campo elétrico causará uma força nos íons, fazendo-os se deslocar em direção a uma das placas. Uma corrente elétrica será induzida, e o gás com os seus íons se comportará como um resistor. Computando o fluxo de íons a partir da velocidade de arraste, podemos computar a resistência. Perguntamos, especificamente: como o fluxo da corrente elétrica depende da diferença de voltagem V que aplicamos entre as duas placas?

Consideramos o caso no qual o recipiente é uma caixa retangular de comprimento b e seção de área reta (Fig. 43–2). Se a diferença de potencial, ou a voltagem, de uma placa à outra for V, o campo elétrico E entre as placas é V/b. (O potencial elétrico é o trabalho realizado no transporte de uma carga unitária de uma placa até a outra. A força em uma carga unitária é $\mathbf{E}$. Se $\mathbf{E}$ for a mesma em todo lugar entre as placas, a qual é uma suficientemente boa por enquanto, o trabalho realizado em uma carga unitária é justamente Eb, portanto $V = Eb$.) A força especial em um íon do gás é $q\mathbf{E}$, onde q é a carga no íon. A velocidade de arraste do íon é então μ vezes essa força, ou

$$v_{\text{arraste}} = \mu F = \mu q E = \mu q \frac{V}{b}. \qquad (43.16)$$

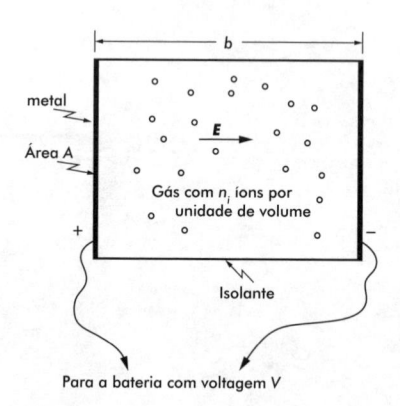

Figura 43–2 Corrente elétrica de um gás ionizado.

Uma corrente elétrica I é o fluxo de cargas em um tempo unitário. A corrente elétrica para uma das placas é dada pela carga total dos íons que chegam à placa em um tempo unitário. Se os íons se deslocarem em direção à placa com velocidade v_{arraste}, então aqueles que estiverem a menos de uma distância ($v_{\text{arraste}} \cdot T$) chegarão à placa no tempo T. Se houver n_i íons por unidade de volume, o número dos que conseguem chegar à placa no tempo T é ($n_i \cdot A \cdot v_{\text{arraste}} \cdot T$). Cada íon transporta a carga q, de maneira que temos

$$\text{Carga coletada em } T = q n_i A v_{\text{arraste}} T. \tag{43.17}$$

A corrente I é a carga coletada em T dividida por T, portanto

$$I = q n_i A v_{\text{arraste}}. \tag{43.18}$$

Substituindo v_{arraste} de (43.16), temos

$$I = \mu q^2 n_i \frac{A}{b} V. \tag{43.19}$$

Obtemos que a corrente é proporcional à voltagem, cuja forma é justamente a mesma da lei de Ohm, onde a resistência R é o inverso da constante de proporcionalidade:

$$\frac{1}{R} = \mu q^2 n_i \frac{A}{b}. \tag{43.20}$$

Temos uma relação entre a resistência e as propriedades moleculares n_i, q e μ, que depende por sua vez de m e τ. Se conhecermos n_i e q de medidas atômicas, uma medida de R pode ser usada para determinar μ, e de μ para obter também τ.

43–5 Difusão molecular

Abordemos agora um tipo diferente de problema e um tipo diferente de análise: a teoria de difusão. Considere um recipiente de gás em equilíbrio térmico, no qual introduzimos uma pequena quantidade de um tipo diferente de gás em algum lugar do recipiente. Chamaremos o gás original de o gás de "fundo" e o novo o gás de "especial". O gás especial começará a se espalhar pelo recipiente inteiro, mas se espalhará lentamente por causa da presença do gás de fundo. Esse processo de expansão lento é chamado de *difusão*. A difusão é controlada principalmente pelas moléculas do gás especial que são atingidas pelas moléculas do gás de fundo. Depois de um grande número de colisões, as moléculas especiais terminam espalhadas mais ou menos uniformemente em todas as partes do volume. Devemos tomar cuidado para *não* confundir a difusão de um gás com o transporte total que pode ocorrer devido às correntes de convecção. Mais comumente, a mistura de dois gases ocorre por uma combinação de convecção e difusão. Estamos interessados agora somente no caso em que não há *nenhuma corrente de "vento"*. O gás está se expandindo apenas por movimentos moleculares, pela difusão. Desejamos calcular quão rapidamente ocorre a difusão.

Calculamos agora o *fluxo resultante* de moléculas do gás "especial" devido aos movimentos moleculares. Haverá um fluxo efetivo apenas quando existir alguma distribuição não uniforme de moléculas; de outra maneira, todos os movimentos moleculares se cancelariam em média resultando em nenhum fluxo líquido. Vamos considerar primeiro o fluxo na direção x. Para determinar o fluxo, consideramos uma superfície plana imaginária perpendicular ao eixo x e contamos o número de moléculas especiais que cruzam este plano. Para obter o fluxo resultante, devemos contar como positivo aquelas moléculas que cruzam na direção positiva de x e *subtrair* desse número o número das que atravessam na direção negativa de x. Como vimos muitas vezes, o número das que cruzam uma área superficial em um tempo ΔT é dado pelo número das que se encontram, no intervalo ΔT, em um volume que se estende à distância $v\Delta T$ do plano. (Observe que v, aqui, é a velocidade molecular real, não a velocidade de arraste.)

Simplificaremos a nossa álgebra considerando a nossa superfície como uma área unitária. Então o número de moléculas especiais que passam da esquerda para a direita (tomando a direção do $+x$ como sendo a direita) é $n_-v\Delta T$, onde n_- é o número de moléculas especiais por unidade de volume para a esquerda (dentro de um fator de mais ou menos 2, mas estamos ignorando tais fatores!). O número das que atravessam da direita para a esquerda é, analogamente $n_+v\Delta T$, onde n_+ é a densidade do número de moléculas especiais no lado direito do plano. Se chamarmos a corrente molecular de J, significando o fluxo resultante de moléculas por unidade de área por unidade de tempo, temos

$$J = \frac{n_-v\,\Delta T - n_+v\,\Delta T}{\Delta T}, \qquad (43.21)$$

ou

$$J = (n_- - n_+)v. \qquad (43.22)$$

O que iremos usar para n_- e n_+? Quando dizemos "a densidade da esquerda", em qual *distância* à esquerda queremos dizer? Devemos escolher a densidade no local onde as moléculas começaram a sua "trajetória", porque o número das que *começaram* essas viagens é determinado pelo número presente nesse lugar. Assim, por n_- queremos dizer a densidade a uma distância à esquerda igual ao livre caminho médio l, e por n_+, a densidade na distância l à direita da nossa superfície imaginária.

É conveniente considerar que a distribuição das nossas moléculas especiais no espaço é descrita por uma função contínua de x, y e z que chamaremos n_a. Por $n_a(x, y, z)$, queremos dizer a densidade numérica de moléculas especiais em um pequeno elemento de volume centrado em (x, y, z). Podemos exprimir a diferença $(n_+ - n_-)$ em termos de n_a como

$$(n_+ - n_-) = \frac{dn_a}{dx}\Delta x = \frac{dn_a}{dx}\cdot 2l. \qquad (43.23)$$

Substituindo esse resultado na Eq. (43.22) e desprezando o fator 2, obtemos

$$J_x = -lv\frac{dn_a}{dx}. \qquad (43.24)$$

Vemos que o fluxo de moléculas especiais é proporcional à derivada da densidade, ou ao que é às vezes chamado de "gradiente" da densidade.

É claro que fizemos várias aproximações grosseiras. Além de vários fatores de dois omitidos, usamos v onde deveríamos ter usado v_x e supusemos que n_+ e n_- se referiam a lugares com distância perpendicular l da nossa superfície, enquanto que para aquelas moléculas que não viajam perpendicularmente ao elemento de superfície, l deve corresponder à distância *inclinada* a partir da superfície. Todos esses refinamentos podem ser feitos; o resultado de uma análise mais cuidadosa mostra que o lado direito da Eq. (43.24) deve ser multiplicado por 1/3. Portanto uma resposta melhor é

$$J_x = -\frac{lv}{3}\frac{dn_a}{dx}. \qquad (43.25)$$

Equações semelhantes podem ser escritas para as correntes nas direções y e z.

A corrente J_x e o gradiente de densidade dn_a/dx podem ser medidos por observação macroscópica. A sua razão determinada experimentalmente é chamada de "coeficiente de difusão", D. Isto é,

$$J_x = -D\frac{dn_a}{dx}. \qquad (43.26)$$

Fomos capazes de mostrar que para um gás esperamos

$$D = \tfrac{1}{3}lv. \qquad (43.27)$$

Por enquanto neste capítulo consideramos dois processos distintos: *mobilidade*, o deslocamento de moléculas devido a forças "externas", e *difusão*, a expansão determinada somente pelas forças internas, as colisões aleatórias. Há, contudo, uma relação entre elas, pois ambas dependem basicamente dos movimentos térmicos, e o caminho livre médio *l* aparece em ambos os cálculos.

Se, na Eq. (43.25), substituirmos $l = v\tau$ e $\tau = \mu m$, temos

$$J_x = -\tfrac{1}{3}mv^2\mu \frac{dn_a}{dx}. \tag{43.28}$$

Contudo mv^2 depende apenas da temperatura. Lembramos que

$$\tfrac{1}{2}mv^2 = \tfrac{3}{2}kT, \tag{43.29}$$

assim

$$J_x = -\mu kT \frac{dn_a}{dx}. \tag{43.30}$$

Encontramos que D, o coeficiente de *difusão*, é somente kT multiplicado por μ, o coeficiente de *mobilidade*:

$$D = \mu kT. \tag{43.31}$$

Acontece que o coeficiente numérico de (43.31) está exatamente correto – não é necessário acrescentar nenhum fator extra para ajustar as nossas suposições grosseiras. Podemos mostrar, de fato, que (43.31) deve *sempre* estar correta – mesmo em situações complicadas (por exemplo, o caso de uma suspensão em um líquido) nas quais os detalhes dos nossos cálculos simples não se aplicariam em absoluto.

Para mostrar que (43.31) deve estar correta em geral, a derivaremos de um modo diferente, usando apenas os nossos princípios básicos da mecânica estatística. Imagine uma situação na qual há um gradiente de moléculas "especiais", e temos uma corrente de difusão proporcional ao gradiente de densidade, segundo a Eq. (43.26). Agora aplicamos um campo de força na direção x, de maneira que cada molécula especial sinta a força F. De acordo com a *definição* da mobilidade μ, haverá uma velocidade de arraste dada por

$$v_{\text{arraste}} = \mu F. \tag{43.32}$$

Usando nossos argumentos habituais, a *corrente de arraste* (o número *efetivo* de moléculas que atravessam uma unidade da área em uma unidade do tempo) será

$$J_{\text{arraste}} = n_a v_{\text{arraste}}, \tag{43.33}$$

ou

$$J_{\text{arraste}} = n_a \mu F. \tag{43.34}$$

Agora *ajustamos* a força F para que a corrente de arraste devido a F justamente *equilibre* a difusão, de modo que não haja *nenhum fluxo resultante* das nossas moléculas especiais. Temos $J_x + J_{\text{arraste}} = 0$, ou

$$D \frac{dn_a}{dx} = n_a \mu F. \tag{43.35}$$

Nas condições de "equilíbrio", encontramos um gradiente de densidade constante (com o tempo) dado por

$$\frac{dn_a}{dx} = \frac{n_a \mu F}{D}. \tag{43.36}$$

Note que estamos descrevendo uma condição de *equilíbrio*, portanto as nossas leis de *equilíbrio* da mecânica estatística se aplicam. Segundo essas leis, a probabilidade de encontrar uma molécula na coordenada x é proporcional a $e^{-U/kT}$, onde U é a energia potencial. Em termos da densidade numérica n_a, isso significa que

$$n_a = n_0 e^{-U/kT}. \qquad (43.37)$$

Se diferenciarmos (43.37) com respeito a x, encontramos

$$\frac{dn_a}{dx} = -n_0 e^{-U/kT} \cdot \frac{1}{kT} \frac{dU}{dx}, \qquad (43.38)$$

ou

$$\frac{dn_a}{dx} = -\frac{n_a}{kT} \frac{dU}{dx}. \qquad (43.39)$$

Na nossa situação, como a força a F está na direção x, a energia potencial U é justamente $-Fx$, e $-dU/dx = F$. A Equação (43.39) então resulta em

$$\frac{dn_a}{dx} = \frac{n_a F}{kT}. \qquad (43.40)$$

[Isso é exatamente a Eq. (40.2), da qual deduzimos $e^{-U/kT}$ em primeiro lugar, portanto fizemos um caminho circular]. Comparando (43.40) com (43.36), obtemos exatamente a Eq. (43.31). Mostramos que a Eq. (43.31), a qual fornece a corrente de difusão em termos da mobilidade, tem o coeficiente correto e é, bem geralmente, verdadeira. A mobilidade e a difusão estão intimamente relacionadas. Essa relação foi deduzida primeiramente por Einstein.

43–6 Condutividade térmica

Os métodos da teoria cinética que estivemos usando acima podem ser usados também para computar a *condutividade térmica* de um gás. Se o gás na parte de cima de um recipiente for mais quente do que o gás no fundo, o calor fluirá do topo para o fundo. (Pensamos no topo sendo mais quente porque senão correntes de convecção se estabeleceriam, e o problema não seria mais de *condução* de calor.) A transferência de calor do gás mais quente para o gás mais frio se dá pela difusão das moléculas "quentes" – aquelas com mais energia – para baixo e a difusão das moléculas "frias" para cima. Para computar o fluxo da energia térmica, podemos indagar sobre a energia transportada para baixo através de um elemento de área pelas moléculas que se movem para baixo, e sobre a energia transportada para cima através da superfície pelas moléculas que se movem para cima. A diferença nos fornecerá o fluxo de energia resultante para baixo.

A condutividade térmica κ é definida como a razão da taxa na qual a energia térmica é transportada através de uma superfície de área unitária pelo gradiente de temperatura:

$$\frac{1}{A}\frac{dQ}{dt} = -\kappa \frac{dT}{dz}. \qquad (43.41)$$

Como os detalhes dos cálculos são bastante semelhantes àqueles que realizamos acima quando consideramos difusão molecular, deixaremos como um exercício para o leitor para mostrar que

$$\kappa = \frac{knlv}{\gamma - 1}, \qquad (43.42)$$

onde $kT/(\gamma - 1)$ é a energia média de uma molécula à temperatura T.

Se usarmos a nossa relação $nl\sigma_c = 1$, a condutividade de calor pode ser escrita como

$$\kappa = \frac{1}{\gamma - 1}\frac{kv}{\sigma_c}. \qquad (43.43)$$

Temos um resultado bastante surpreendente. Sabemos que a velocidade média das moléculas de um gás depende da temperatura, mas *não da densidade*. Esperamos que σ_c dependa apenas do *tamanho* das moléculas. Portanto, o nosso resultado simples diz que a condutividade térmica κ (e por isso a *taxa* do fluxo do calor em qualquer circunstância em particular) é independente da *densidade* do gás! A mudança no número de "transportadores" de energia com uma mudança na densidade é justamente compensada por uma maior distância que os "transportadores" podem percorrer entre colisões.

Pode-se perguntar: "O fluxo de calor é independente da densidade de gás no limite quando a densidade vai a zero? Quando não há nenhum gás?" Certamente que não! A fórmula (43.43) foi derivada, como todas as outras desse capítulo, sob a suposição que o livre caminho médio entre colisões é muito menor do que qualquer das dimensões do recipiente. Sempre que a densidade de gás for tão baixa que uma molécula tem uma possibilidade razoável de cruzar de uma parede do recipiente a outra sem sofrer uma colisão, nenhum dos cálculos deste capítulo se aplica. Em tais casos, devemos retornar à teoria cinética e calcular novamente os detalhes sobre o que ocorrerá.

44

As Leis da Termodinâmica

44–1 Máquinas de calor; a primeira lei

Por enquanto discutimos as propriedades da matéria do ponto de vista atômico, tentando entender aproximadamente o que acontecerá se considerarmos que as coisas são feitas de átomos os quais obedecem a certas leis. Contudo, há algumas relações entre as propriedades das substâncias que podem ser calculadas sem considerarmos detalhadamente a estrutura dos materiais. A determinação das relações entre as várias propriedades dos materiais, sem conhecermos a sua estrutura interna, é o assunto da *termodinâmica*. Historicamente, a termodinâmica foi desenvolvida antes que uma compreensão da estrutura interna da matéria fosse obtida.

Para dar um exemplo: sabemos, pela teoria cinética, que a pressão de um gás é causada pelo bombardeio molecular, e sabemos que se aquecermos um gás, de modo que o bombardeio aumente, a pressão deve aumentar. Por outro lado, se o pistão em um recipiente de gás for movido para dentro contra a força do bombardeio, a energia das moléculas que bombardeiam o pistão aumentará, e consequentemente a temperatura aumentará. Portanto, por um lado, se aumentamos a temperatura em um dado volume, aumentamos a pressão. Por outro lado, se comprimirmos o gás, veremos que a temperatura aumentará. Da teoria cinética, é possível derivar uma relação quantitativa entre esses dois efeitos, mas instintivamente poderíamos adivinhar que eles estão relacionados de alguma maneira inevitável a qual é independente dos detalhes das colisões.

Vamos considerar outro exemplo. Muitas pessoas têm familiaridade com esta propriedade interessante da borracha: se tomarmos um elástico de borracha e o puxarmos, ele esquenta. Se o colocarmos entre os lábios, por exemplo, e o puxarmos, pode-se sentir um aquecimento evidente, e esse aquecimento é reversível no sentido de que, se relaxarmos o elástico de borracha rapidamente enquanto estiver entre os lábios, ele claramente esfria. Isso significa que quando esticamos um elástico de borracha ele se aquece, e quando liberamos a tensão do elástico ele esfria. Nossos instintos poderiam sugerir que se aquecêssemos um elástico, ele poderia puxar: que o fato de puxar um elástico o aquece pudesse implicar que o aquecimento do elástico deveria fazê-lo se contrair. De fato, se aplicarmos uma chama de gás a um elástico de borracha o qual segura um peso, veremos que o elástico se contrai abruptamente (Fig. 44–1). Portanto é verdade que quando aquecemos um elástico de borracha ele puxa, e esse fato está definitivamente relacionado ao fato de que quando relaxamos a tensão dele, ele esfria.

A maquinaria interna da borracha que causa esses efeitos é bastante complicada. A descreveremos do ponto de vista molecular até certo ponto, embora o nosso objetivo principal neste capítulo seja entender a relação desses efeitos independentemente do modelo molecular. No entanto, podemos mostrar a partir do modelo molecular que os efeitos estão estreitamente relacionados. Um modo de entender o comportamento da borracha é reconhecer que essa substância é composta por um emaranhado enorme de longas cadeias de moléculas, uma espécie de "espaguete molecular", com uma complicação extra: entre as cadeias existem ligações cruzadas – como espaguete que às vezes fica soldado com outro quando cruza com outro pedaço de espaguete – um grande emaranhado. Quando puxamos tal emaranhado, algumas cadeias tendem a enfileirar-se ao longo da direção do puxão. Ao mesmo tempo, as cadeias estão em movimento térmico, portanto elas batem umas nas outras constantemente. Resulta que tal cadeia, se esticada, não permaneceria esticada por si mesma, porque seria atingida nos lados pelas outras cadeias e outras moléculas, e tenderia a se torcer novamente. Portanto a verdadeira razão por que um elástico de borracha tende a se contrair é esta: quando alguém o puxa, as cadeias estão na direção do comprimento, e a agitação térmica das moléculas nos lados das cadeias tende a torcer as cadeias e fazê-las se encurtar. Pode-se então perceber que se as cadeias forem mantidas esticadas e a temperatura for aumentada, de modo que o vigor do bombardeio nos lados das cadeias também seja aumentado, as cadeias tendem a puxar e são capazes de puxar um peso maior quando aquecidas. Se, após ser esticado

44–1 Máquinas de calor; a primeira lei
44–2 A segunda lei
44–3 Máquinas reversíveis
44–4 A eficiência de uma máquina ideal
44–5 A temperatura termodinâmica
44–6 Entropia

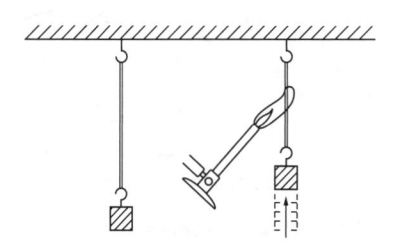

Figura 44–1 O elástico aquecido.

durante algum tempo, permitirmos que um elástico de borracha relaxe, cada cadeia se torna mais mole, e as moléculas que a atingem perdem energia à medida que colidem com a cadeia relaxada. Assim a temperatura cai.

Vimos como esses dois processos, contração quando aquecido e esfriamento durante o relaxamento, podem estar relacionados pela teoria cinética, mas seria um desafio tremendo determinar a partir da teoria a relação exata entre os dois. Teríamos de conhecer quantas colisões ocorrem a cada segundo e como são as cadeias, e teríamos de considerar todo tipo de outras complicações. O mecanismo detalhado é tão complexo que não podemos, pela teoria cinética, realmente determinar exatamente o que acontece; entretanto, uma relação definida entre os dois efeitos que observamos pode ser calculada sem se conhecer qualquer coisa sobre a maquinaria interna!

O assunto de toda a termodinâmica depende essencialmente do seguinte tipo de consideração: como um elástico de borracha é "mais forte" a temperaturas mais altas do que quando está a temperaturas mais baixas, deveria ser possível levantar pesos e movê-los, realizando assim trabalho com calor. De fato, já vimos experimentalmente que um elástico de borracha aquecido pode levantar um peso. O estudo da maneira como se realiza trabalho com calor é o começo da ciência da termodinâmica. Podemos construir uma máquina que utiliza o efeito de aquecimento de um elástico de borracha para realizar trabalho? Pode-se fazer uma máquina de aparência boba que faz justamente isso. Ela consiste em uma roda de bicicleta na qual todos os raios são elásticos de borracha (Fig. 44–2). Se aquecermos os elásticos de borracha em um lado da roda com um par de lâmpadas de calor, eles ficam "mais fortes" do que os elásticos de borracha do outro lado. O centro de gravidade da roda será puxado para um dos lados, longe do mancal, de modo que a roda vire. Conforme ela vira, os elásticos de borracha frios se movem em direção ao calor, e os elásticos aquecidos afastam-se do calor e se esfriam, portanto a roda vira lentamente contanto que o calor seja aplicado. A eficiência dessa máquina é extremamente baixa. Quatrocentos watts de potência fluem nas duas lâmpadas, mas é somente possível levantar uma mosca com tal máquina! Uma pergunta interessante, contudo, é se conseguimos fazer com que o calor realize trabalho de maneiras mais eficientes.

De fato, a ciência da termodinâmica começou com uma análise, pelo grande engenheiro Sadi Carnot, do problema de como construir a melhor e mais eficiente máquina, e isso constitui um dos poucos casos famosos nos quais a engenharia contribuiu fundamentalmente para a teoria física. Outro exemplo que vem à memória é a análise mais recente da teoria de informação por Claude Shannon. Essas duas análises, incidentemente, estão estreitamente relacionadas.

A maneira como uma máquina a vapor ordinariamente funciona consiste em que o calor de um fogo ferve um pouco de água, e o vapor assim formado expande-se e empurra um pistão que faz uma roda girar. Portanto o vapor empurra o pistão – e então? Alguém precisa terminar o trabalho: um modo estúpido de concluir o ciclo seria deixar o vapor escapar para o ar, sendo necessário continuar fornecendo água. É mais barato – mais eficiente – deixar o vapor entrar em outra caixa, na qual é condensado por água fria, e então bombear a água de volta para a caldeira, de modo que ela circule continuamente. O calor é assim fornecido à máquina e convertido em trabalho. Seria melhor usar álcool? Que propriedade uma substância deveria ter a fim de fazer o motor o melhor possível? Essa foi a pergunta feita por Carnot a si próprio, e um dos subprodutos foi a descoberta do tipo da relação que acabamos de explicar acima.

Os resultados da termodinâmica estão todos contidos implicitamente em certas afirmações aparentemente simples chamadas de *leis da termodinâmica*. No tempo em que Carnot viveu, a primeira lei da termodinâmica, a conservação da energia, não era conhecida. Os argumentos de Carnot foram tão cuidadosamente traçados, contudo, que eles são válidos mesmo embora a primeira lei não fosse conhecida naquele tempo! Algum tempo depois, Clapeyron fez uma derivação mais simples que pode ser entendida mais facilmente do que o raciocínio muito sutil de Carnot, mas Clapeyron considerou não a conservação de energia em geral, mas que o *calor* era conservado segundo a teoria calórica, que posteriormente foi mostrada ser falsa. Portanto, dizia-se várias vezes que a lógica de Carnot

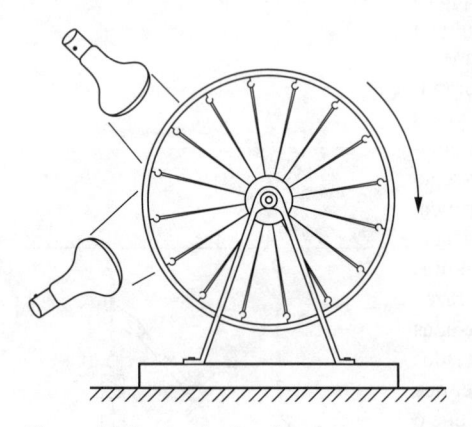

Figura 44–2 A máquina de calor com elásticos.

estava errada, mas a sua lógica era bastante correta. Somente a versão simplificada de Clapeyron, que todo o mundo lia, estava incorreta.

A assim chamada segunda lei da termodinâmica foi, portanto, descoberta por Carnot antes da primeira lei! Seria interessante seguir o argumento de Carnot, o qual não usou a primeira lei, mas não faremos assim porque queremos aprender física, e não história. Usaremos a primeira lei desde o começo, apesar de que muito possa ser feito sem ela.

Vamos começar descrevendo a primeira lei, a da conservação de energia: se tivermos um sistema e pusermos calor nele e realizarmos trabalho sobre ele, então a sua energia será aumentada pelo calor adicionado nele e pelo trabalho realizado. Podemos escrever isso como se segue: o calor Q inserido no sistema, mais o trabalho W realizado no sistema, é o aumento de energia U do sistema; a última energia é às vezes chamada de energia interna:

$$\text{Variação em } U = Q + W. \tag{44.1}$$

A variação em U pode ser representada como soma de um pouco de calor ΔQ mais a soma de um pouco de trabalho ΔW:

$$\Delta U = \Delta Q + \Delta W, \tag{44.2}$$

que é uma forma diferencial da mesma lei. Sabemos isso muito bem, de um capítulo anterior.

44–2 A segunda lei

Agora, que tal a segunda lei de termodinâmica? Sabemos que se realmente realizarmos trabalho contra o atrito, digamos, o trabalho perdido para nós é igual ao calor produzido. Se realmente realizarmos trabalho em uma sala à temperatura T, e fizermos o trabalho lento o suficiente, a temperatura da sala não se modifica muito, e convertemos trabalho em calor em uma dada temperatura. Que tal a possibilidade inversa? É possível converter o calor de volta em trabalho em uma dada temperatura? A segunda lei da termodinâmica afirma que não. Seria muito conveniente ser capaz de converter calor em trabalho simplesmente invertendo um processo como atrito. Se considerarmos apenas a conservação de energia, poderíamos pensar que a energia do calor, como a dos movimentos vibracionais de moléculas, poderia fornecer um suprimento razoável de energia útil. No entanto, Carnot supôs que é impossível extrair energia do calor em uma única temperatura. Em outras palavras, se o mundo inteiro estivesse à mesma temperatura, não seria possível converter nada de sua energia de calor em trabalho: enquanto o processo de fazer com que o trabalho seja transferido em calor pode acontecer em uma dada temperatura, não é possível invertê-lo para recobrar o trabalho novamente. Especificamente, Carnot supôs que o calor não pode ser recebido em uma certa temperatura e convertido em trabalho *sem qualquer modificação* no sistema ou no meio.

Essa última frase é muito importante. Suponha que temos uma lata de ar comprimido a uma certa temperatura e deixamos o ar expandir-se. Ele pode realizar trabalho; pode movimentar martelos, por exemplo. Ele esfria um pouco com a expansão, mas se tivermos um grande mar, como o oceano, a uma dada temperatura – um reservatório de calor – poderíamos aquecê-lo novamente. Portanto, retiramos calor do mar e realizamos trabalho com o ar comprimido. Carnot não estava errado, porque *não deixamos tudo como era.* Se recomprimirmos o ar que deixamos expandir-se, vemos que estamos realizando trabalho extra, e no final descobriremos que não só não extraímos nenhum trabalho do sistema à temperatura T, como de fato realizamos algum trabalho. Devemos mencionar apenas as situações nas quais o *resultado efetivo* do processo como um todo é retirar calor e convertê-lo em trabalho, justamente como o resultado efetivo do processo de realizar trabalho contra o atrito é tomar o trabalho e convertê-lo em calor. Se nos movermos em um círculo, podemos retornar o sistema precisamente ao seu ponto de partida, com o resultado efetivo de que realizamos trabalhamos contra o atrito e produzimos o calor. Podemos inverter o processo? Apertar um interruptor, para que tudo volte atrás, de modo que o atrito realize trabalho contra nós e esfrie o mar? Segundo Carnot: não! Portanto, vamos supor que isso seja impossível.

Se fosse possível, isso significaria, entre outras coisas, que podemos extrair calor de um corpo frio e adicioná-lo a um corpo quente sem qualquer custo, se fosse assim. Porém sabemos que é natural que uma coisa quente possa aquecer uma coisa fria; basta simplesmente colocar um corpo quente e um frio juntos, e não modificarmos mais nada, e nossa experiência assegura-nos que não vai acontecer do quente se tornar mais quente, e o frio tornar-se mais frio! Se pudéssemos obter trabalho extraindo calor do oceano, digamos, ou de qualquer outra coisa em uma única temperatura, então esse trabalho poderia ser convertido de volta em calor pelo atrito em alguma outra temperatura. Por exemplo, outro braço de uma máquina em funcionamento poderia estar esfregando algo que já é quente. O resultado efetivo seria retirar calor de um corpo "frio", o oceano, e adicioná-lo a um corpo quente. Porém, a hipótese de Carnot, a segunda lei da termodinâmica, é algumas vezes afirmada como se segue: o calor não pode, por si mesmo, fluir de um objeto frio para um quente. Como acabamos de ver, essas duas afirmações são equivalentes: primeiro, que não é possível inventar um processo cujo único resultado seja converter calor em trabalho a uma única temperatura; segundo, que não é possível fazer o calor fluir por si mesmo de um lugar frio para um quente. Usaremos na maioria das vezes a primeira forma.

A análise de Carnot para máquinas de calor é bastante semelhante ao argumento que demos sobre máquinas de levantamento de pesos na nossa discussão da conservação de energia no Capítulo 4. De fato, aquele argumento foi modelado no argumento de Carnot sobre máquinas de calor e, portanto, o tratamento presente soará muito parecido.

Suponha que construímos um motor de calor que tem uma "caldeira" em algum lugar a uma temperatura T_1. Certo calor Q_1 é extraído da caldeira, o motor a vapor realiza algum trabalho W e então entrega algum calor Q_2 para um "condensador" a outra temperatura T_2 (Fig. 44–3). Carnot não disse quanto calor, pois ele não conhecia a primeira lei, e não usou a lei segundo a qual Q_2 era igual a Q_1 porque ele não acreditava. Embora todos pensassem que, segundo a teoria calórica, os calores Q_1 e Q_2 deveriam ser os mesmos, Carnot não disse que eles eram os mesmos – essa é parte da inteligência do seu argumento. Se utilizarmos a primeira lei, encontramos que o calor fornecido, Q_2, é o calor Q_1 que foi adicionado menos o trabalho W realizado:

$$Q_2 = Q_1 - W. \qquad (44.3)$$

(Se tivermos um tipo de processo cíclico no qual a água é bombeada de volta para a caldeira após ser condensada, diremos que temos o calor Q_1 absorvido e o trabalho W realizado, durante cada ciclo, para uma certa quantidade de água que circula durante o ciclo.)

Agora construiremos outra máquina e veremos se não é possível obter mais trabalho a partir da mesma quantidade de calor que é entregue à temperatura T_1 com o condensador ainda à temperatura T_2. Usaremos a mesma quantidade de calor Q_1 da caldeira, e tentaremos obter mais trabalho do que conseguimos da máquina a vapor, talvez usando outro fluido, como álcool.

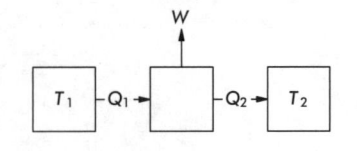

Figura 44–3 Máquina de calor.

44–3 Máquinas reversíveis

Agora devemos analisar as nossas máquinas. Uma coisa é clara: perderemos algo se as máquinas contiverem dispositivos nos quais há fricção. O melhor motor será um motor sem atrito. Suporemos, então, a mesma idealização que fizemos quando estudamos a conservação de energia; isto é, uma máquina perfeita sem atrito.

Também devemos considerar o análogo do movimento sem atrito, transferência de calor "sem atrito". Se pusermos um objeto quente a uma alta temperatura contra um objeto frio, para que o calor flua, então não é possível fazer esse calor fluir na direção inversa por uma modificação muito pequena na temperatura de ambos os objetos. Quando temos uma máquina praticamente sem atrito, se

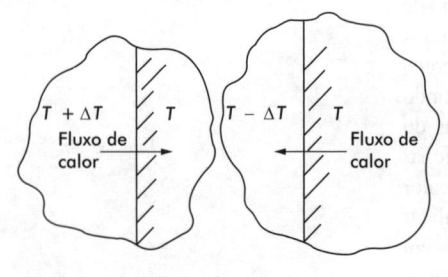

Figura 44–4 Transferência de calor reversível.

aplicarmos um pouco de força em uma direção, ela irá naquela direção, e se a empurrarmos com um pouco de força em outra direção, ela seguirá outra direção. Temos de encontrar o análogo do movimento sem atrito: transferência de calor cuja direção podemos inverter apenas com uma ligeira modificação. Se a diferença na temperatura for finita, isso é impossível, mas se pudermos garantir que o calor flua sempre entre duas coisas essencialmente à mesma temperatura, com somente uma diferença infinitesimal para fazê-lo fluir na direção desejada, diz-se que o fluxo é reversível (Fig. 44–4). Se aquecermos o objeto da esquerda um pouco, o calor fluirá para a direita; se o resfriarmos um pouco, o calor fluirá para a esquerda. Portanto, vemos que a máquina ideal é a chamada máquina *reversível*, na qual todo processo é reversível no sentido de que, por meio de pequenas variações, variações infinitesimais, podemos fazer o motor se mover no sentido contrário. Isso significa que em nenhum lugar na máquina deve haver qualquer atrito significativo, e em nenhum lugar na máquina deve haver qualquer lugar onde o calor dos reservatórios, ou a chama da caldeira, esteja em contato direto com algo definitivamente mais frio ou mais quente.

Vamos agora considerar um motor idealizado no qual todos os processos são reversíveis. Para mostrar que tal coisa é possível em princípio, daremos um exemplo de um ciclo de motor que pode ou não ser prático, mas que é pelo menos reversível, no tocante à ideia de Carnot. Suponha que temos um gás em um cilindro equipado com um pistão sem atrito. O gás é não necessariamente um gás perfeito. O fluido nem precisa ser um gás, mas para sermos específicos vamos dizer que realmente temos um gás perfeito. Também, suponha que temos dois reservatórios de calor, T_1 e T_2 – grandes coisas que têm temperaturas definidas, T_1 e T_2. Suporemos neste caso que T_1 é mais alto do que T_2. Vamos primeiro aquecer o gás e ao mesmo tempo deixá-lo se expandir, enquanto ele está no contato com o reservatório de calor em T_1. Conforme fazemos isso, puxando o pistão muito lentamente enquanto o calor flui para dentro do gás, vamos nos assegurar de que a temperatura do gás nunca se distancia muito de T_1. Se puxarmos o pistão rápido demais, a temperatura do gás cairá muito abaixo de T_1, e então o processo não será completamente reversível, mas se o puxarmos bem lentamente, a temperatura do gás nunca se afastará muito de T_1. Por outro lado, se empurramos o pistão de volta lentamente, a temperatura seria apenas infinitesimalmente mais alta do que T_1, e o calor fluiria de volta. Vemos que essa expansão isotérmica (de temperatura constante), feita bastante lenta e suavemente, é um processo reversível.

Para entender o que estamos fazendo, usaremos um gráfico (Fig. 44–6) da pressão do gás contra o seu volume. Conforme o gás expande-se, a pressão cai. A curva marcada como (1) nos diz como a pressão e o volume se modificam se a temperatura for mantida fixa no valor T_1. Para um gás ideal, essa curva seria $PV = NkT_1$. Durante uma expansão isotérmica, a pressão cai à medida que o volume aumenta, até que paremos no ponto b. Ao mesmo tempo, um certo calor Q_1 deve fluir do reservatório para o gás, pois se o gás se expandisse sem estar em contato com o reservatório ele se esfriaria, como já sabemos. Tendo concluído a expansão isotérmica, parando no ponto b, vamos retirar o cilindro do reservatório e continuar a expansão. Dessa vez não permitiremos que nenhum calor seja introduzido no cilindro. Novamente executamos a expansão lentamente, assim não há nenhuma razão pela qual não podemos revertê-la, e novamente supomos que não há nenhum atrito. O gás continua a se expandir e a temperatura cai, pois não há mais nenhum calor entrando no cilindro.

Deixamos o gás expandir-se, acompanhando a curva (2), até que a temperatura caia para T_2, no ponto marcado c. Esse tipo de expansão, feita sem acrescentar calor, é chamada de expansão *adiabática*. Para um gás ideal, já sabemos que a curva (2) tem a forma $PV^\gamma = $ constante, onde γ é uma constante maior do que 1, de modo que a curva adiabática tem uma inclinação mais negativa do que a curva isotérmica. O cilindro de gás atingiu agora a temperatura T_2, de maneira que se o pusermos no reservatório de calor à temperatura T_2, não haverá nenhuma variação irreversível. Agora comprimimos o gás lentamente enquanto ele está em contato com o reservatório a T_2, seguindo a curva (3)

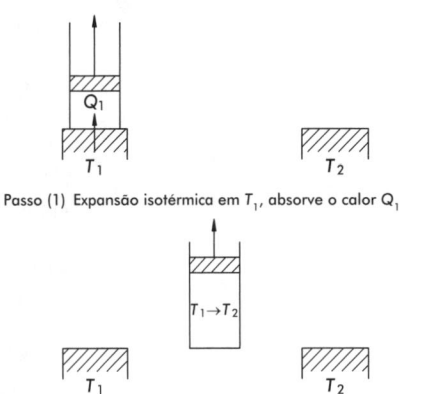

Passo (1) Expansão isotérmica em T_1, absorve o calor Q_1

Passo (2) Expansão adiabática, temperatura diminui de T_1 para T_2

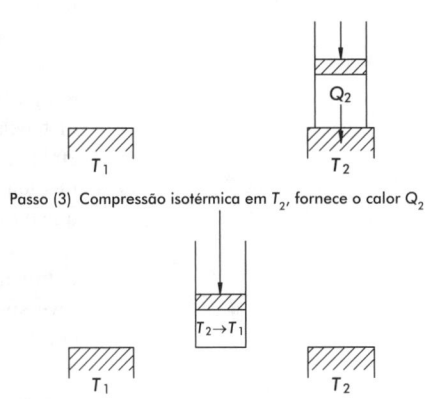

Passo (3) Compressão isotérmica em T_2, fornece o calor Q_2

Passo (4) Compressão adiabática, a temperatura aumenta de T_2 para T_1

Figura 44–5 Passos no ciclo de Carnot.

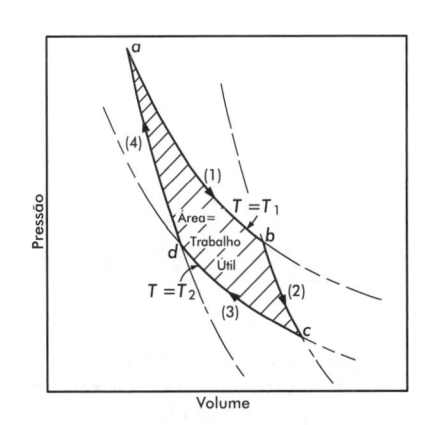

Figura 44–6 O ciclo de Carnot.

(Fig. 44–5, Passo 3). Porque o cilindro está em contato com o reservatório, a temperatura não aumenta, mas calor Q_2 flui do cilindro para o reservatório a temperatura T_2. Tendo comprimido o gás isotermicamente ao longo da curva (3) até o ponto d, retiramos o cilindro do reservatório de calor a temperatura T_2 e o comprimimos ainda mais, sem deixar qualquer calor escapar. A temperatura aumentará, e a pressão seguirá a curva marcada (4). Se executarmos cada passo corretamente, podemos voltar ao ponto a na temperatura T_1 onde começamos, e repetir o ciclo.

Vemos que nesse diagrama levamos o gás em torno de um ciclo completo, e durante um ciclo acrescentamos Q_1 na temperatura T_1 e retiramos Q_2 na temperatura T_2. Porém, o caso é que esse ciclo é reversível, de maneira que podemos representar todos os passos no outro sentido. Poderíamos ter ido para trás em vez de para frente: poderíamos ter iniciado no ponto a, à temperatura T_1, expandido ao longo da curva (4), expandido ainda mais à temperatura T_2 absorvendo o calor Q_2 e assim por diante, completando o ciclo no sentido oposto. Se completarmos uma volta do ciclo em uma direção, devemos realizar trabalho no gás; se formos na outra direção, o gás realiza trabalho sobre nós.

Incidentemente, é fácil descobrir qual é a soma total do trabalho, pois o trabalho durante qualquer expansão é a pressão vezes a variação do volume, $\int P\, dV$. Nesse diagrama em particular, traçamos P verticalmente e V horizontalmente. Assim, se chamarmos a distância vertical y e a distância horizontal x, isso é $\int y\, dx$ – em outras palavras, a área embaixo da curva. Portanto a área embaixo de cada uma das curvas numeradas é uma medida do trabalho realizado pelo ou sobre o gás, no passo correspondente. É fácil ver que o trabalho realizado resultante é a área sombreada da figura.

Agora que demos um único exemplo de uma máquina reversível, suporemos que outras máquinas similares também são possíveis. Vamos supor que temos um motor reversível A que absorve Q_1 em T_1, realiza o trabalho W e fornece um pouco de calor em T_2. Vamos considerar que temos qualquer outro motor B, feito pelo ser humano, já projetado ou que ainda não foi inventado, feito de elásticos de borracha, vapor ou qualquer coisa, reversível ou não, que é projetado para que consuma a mesma quantidade de calor Q_1 em T_1 e expulse o calor na temperatura mais baixa T_2 (Fig. 44–7). Suponha que o motor B realiza um pouco de trabalho, W'. A seguir mostraremos que W' não é maior do que W – que nenhum motor pode realizar mais trabalho do que um que seja reversível. Por quê? Suponha que, de fato, W' fosse maior do que W. Então poderíamos retirar o calor Q_1 do reservatório a T_1 e, com o motor B, poderíamos realizar o trabalho W' e fornecer um pouco de calor ao reservatório em T_2; não nos importa quanto. Isso feito, podemos guardar um pouco do trabalho W', que supostamente é maior do que W; poderíamos usar uma parte dele, W, e guardar o resto, $W' - W$, para trabalho útil. Com o trabalho W poderíamos fazer funcionar o motor A no sentido contrário *pois é um motor reversível*. Ele absorverá um pouco de calor do reservatório em T_2 e entregará Q_1 de volta ao reservatório em T_1. Após esse ciclo duplo, o resultado efetivo seria que teríamos retornado tudo de volta ao modo como era antes, e teríamos realizado algum trabalho em excesso, a saber $W' - W$, e *tudo* que teríamos feito seria extrair energia do reservatório em T_2! Tivemos o cuidado de restituir o calor Q_1 ao reservatório em T_1, de maneira que o reservatório possa ser pequeno e estar "dentro" da nossa máquina combinada $A + B$, cujo efeito resultante, por isso, é extrair um calor efetivo $W' - W$ do reservatório em T_2 e convertê-lo em trabalho. Segundo o postulado de Carnot, é impossível obter trabalho útil de um reservatório em uma única temperatura *sem que haja outras modificações*; isso não pode ser feito. Por isso, nenhum motor que absorve uma dada quantidade de calor de uma temperatura mais alta T_1 e o fornece a temperatura T_2 pode realizar mais trabalho do que um motor reversível funcionando nas mesmas condições de temperatura.

Suponha que o motor B também seja reversível. Então, é claro, que W' não só não deve ser maior do que W, mas agora podemos inverter o argumento e mostrar que W não pode ser maior do que W'. Deste modo, se ambas as máquinas forem reversíveis, elas devem realizar a mesma quantidade de trabalho, e assim chegamos à conclusão brilhante de Carnot, de que, se um motor for reversível, não faz nenhuma diferença como ele é projetado, porque a quantidade de trabalho obtida se o motor absorve uma dada quantidade de calor à temperatura T_1 e fornece calor em outra temperatura T_2 *não*

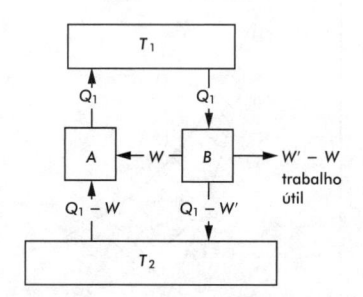

Figura 44–7 Motor reversível A sendo forçado a funcionar de maneira reversa pela máquina B.

depende do modelo do motor. É uma propriedade do mundo, não uma propriedade de um determinado motor.

Se pudéssemos descobrir qual a lei que determina quanto trabalho obtemos quando absorvemos o calor Q_1 em T_1 e fornecemos calor em T_2, essa quantidade seria universal, independente da substância. Naturalmente se conhecêssemos as propriedades de uma determinada substância, poderíamos calculá-lo e assim dizer que todas as outras substâncias devem fornecer a mesma quantidade de trabalho em um motor reversível. Essa é a ideia-chave, a pista pela qual podemos encontrar a relação, por exemplo, entre quanto um elástico de borracha se contrai quando o aquecemos e quanto ele esfria quando o deixamos contrair-se. Imagine que colocamos esse elástico de borracha em uma máquina reversível e que o fazemos dar a volta em um ciclo reversível. O resultado líquido, a soma total do trabalho realizado, é aquela função universal, a formidável função que é independente da substância. Portanto, vemos que as propriedades de uma substância devem ser limitadas de um certo modo; não é possível inventar qualquer coisa que se queira, senão seria possível inventar uma substância que seria usada para produzir mais trabalho do que o máximo admissível ao percorrer um ciclo reversível. Esse princípio, essa limitação, é a única verdadeira regra que resulta da termodinâmica.

44-4 A eficiência de uma máquina ideal

Agora tentaremos encontrar a lei que determina o trabalho W como uma função de Q_1, T_1 e T_2. Claro que W é proporcional a Q_1, pois se considerarmos duas máquinas reversíveis em paralelo, ambas trabalhando juntas e ambas máquinas duplas, a combinação é também um motor reversível. Se cada uma absorver o calor Q_1, as duas juntas absorvem $2Q_1$, e o trabalho realizado é $2W$, e assim por diante. Portanto é bastante razoável que W seja proporcional a Q_1.

Porém o próximo passo importante é encontrar essa lei universal. Faremos isso estudando um motor reversível com uma determinada substância cujas leis conhecemos, um gás perfeito. Também é possível obter a regra por meio de um argumento puramente lógico, sem usar nenhuma determinada substância. Isso é uma das partes mais belas do raciocínio na física, e somos relutantes em não mostrá-lo aqui, portanto para aqueles que gostariam de vê-lo, iremos discuti-lo em apenas um momento. Primeiramente, usaremos o método bem menos abstrato e mais simples do cálculo direto de um gás perfeito.

Temos somente de obter as fórmulas para Q_1 e Q_2 (pois W é justamente $Q_1 - Q_2$), o calor trocado com os reservatórios durante a expansão isotérmica ou a contração. Por exemplo, quanto calor Q_1 é absorvido do reservatório na temperatura T_1 durante a expansão isotérmica [(1) na Fig. 44–6] do ponto a, na pressão P_a, volume V_a, temperatura T_1 para o ponto b com pressão P_b, volume V_b e a mesma temperatura T_1? Para um gás perfeito, cada molécula tem uma energia que depende somente da temperatura, e desde que a temperatura e o número de moléculas sejam os mesmos em a e em b, a energia interna é a mesma. *Não há nenhuma variação em U;* todo o trabalho realizado pelo gás,

$$W = \int_a^b p\, dV,$$

durante a expansão é a energia Q_1 adquirida do reservatório. Durante a expansão, $pV = NkT_1$ ou

$$p = \frac{NkT_1}{V}$$

ou

$$Q_1 = \int_a^b p\, dV = \int_a^b NkT_1 \frac{dV}{V} \qquad (44.4)$$

ou

$$Q_1 = NkT_1 \ln \frac{V_b}{V_a}$$

é o calor obtido do reservatório a T_1. Do mesmo modo, para a compressão em T_2 [curva (3) da Fig. 44–6], o calor entregue ao reservatório em T_2 é

$$Q_2 = NkT_2 \ln \frac{V_c}{V_d}. \qquad (44.5)$$

Para terminar a nossa análise, precisamos apenas encontrar uma relação entre V_c/V_d e V_b/V_a. Fazemos isso observando que (2) é uma expansão adiabática de b a c, durante a qual pV^γ é uma constante. Como $pV = NkT$, podemos escrever isso como $(pV)V^{\gamma-1}$ = const ou, em termos de T e V, como $TV^{\gamma-1}$ = const, ou

$$T_1 V_b^{\gamma-1} = T_2 V_c^{\gamma-1}. \qquad (44.6)$$

Igualmente, como (4), a compreenssão de d para a, é também adiabática, encontramos

$$T_1 V_a^{\gamma-1} = T_2 V_d^{\gamma-1}. \qquad (44.6a)$$

Se dividirmos esta equação pela anterior, encontramos que V_b/V_a deve ser igual a V_c/V_d, portanto os ln em (44.4) e (44.5) são iguais, e

$$\frac{Q_1}{T_1} = \frac{Q_2}{T_2}. \qquad (44.7)$$

Essa é a relação que procurávamos. Embora comprovada para um motor de gás perfeito, sabemos que deve ser verdadeira *para qualquer outro motor reversível*.

Agora veremos como esta lei universal também pode ser obtida por argumento lógico, sem conhecer as propriedades de qualquer substância específica, como se segue. Suponha que temos três máquinas e três temperaturas, digamos T_1, T_2 e T_3. Considere que um dos motores absorve o calor Q_1 da temperatura T_1 e realiza uma certa quantidade de trabalho W_{13}, e entrega o calor Q_3 para a temperatura T_3 (Fig. 44–8). Por outro lado, o outro motor funciona ao contrário entre T_2 e T_3. Suponha que o segundo motor tem um tamanho tal que ele absorverá o mesmo calor Q_3 e fornecerá o calor Q_2. Teremos de adicionar um certo montante de trabalho, W_{32}, a ele – negativo porque o motor está funcionando de trás para diante. Quando a primeira máquina completa um ciclo, ela absorve o calor Q_1 e fornece Q_3 na temperatura T_3; então a segunda máquina adquire o mesmo calor Q_3 do reservatório à temperatura T_3 e entrega-o para o reservatório à temperatura T_2. Portanto, o resultado líquido das duas máquinas funcionando juntas é obter o calor Q_1 de T_1 e entregar Q_2 em T_2. As duas máquinas são, assim, equivalentes a uma terceira, que absorve Q_1 em T_1 realizando o trabalho W_{12} e fornece o calor Q_2 em T_2, pois $W_{12} = W_{13} - W_{32}$, como pode ser mostrado imediatamente da primeira lei, como se segue:

$$W_{13} - W_{32} = (Q_1 - Q_3) - (Q_2 - Q_3) = Q_1 - Q_2 = W_{12}. \qquad (44.8)$$

Podemos obter agora as leis que relacionam as eficiências das máquinas, porque claramente deve existir uma espécie de relação entre as eficiências das máquinas que funcionam entre as temperaturas T_1 e T_3, entre T_2 e T_3 e entre T_1 e T_2.

Podemos expressar o argumento muito claramente da seguinte maneira: acabamos de ver que sempre é possível relacionar o calor absorvido em T_1 ao calor entregue em T_2 encontrando o calor fornecido em uma dada outra temperatura T_3. Desse modo, podemos obter todas as propriedades das máquinas se introduzirmos uma temperatura padrão, analisando tudo com essa temperatura padrão. Em outras palavras, se conhecemos a eficiência de um motor funcionando entre uma certa temperatura T e uma certa temperatura padrão arbitrária, então podemos calcular a eficiência para qualquer outra diferença em temperatura. Uma vez que supomos que estamos usando apenas máquinas reversíveis, podemos partir da temperatura inicial até a temperatura padrão e de volta à

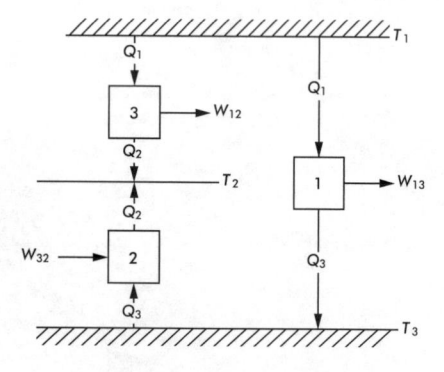

Figura 44–8 Os motores 1 e 2 juntos são equivalentes ao motor 3.

temperatura final novamente. Definiremos a temperatura padrão arbitrariamente como *um grau*. Também adotaremos um símbolo especial para o calor que é fornecido nesta temperatura padrão, chamando-o de Q_S. Em outras palavras, quando um motor reversível absorve o calor Q na temperatura T, ele entregará, à temperatura unitária, um calor Q_S. Se um motor, absorvendo calor Q_1 em T_1 fornecer o calor Q_S em um grau, e se um motor absorvendo o calor Q_2 na temperatura T_2 também entregar o mesmo calor Q_S em um grau, então se conclui que um motor que absorve o calor Q_1 na temperatura T_1 entregará o calor Q_2 se ele funcionar entre T_1 e T_2, como já comprovamos considerando máquinas funcionando entre três temperaturas. Portanto, tudo que realmente temos de fazer é determinar quanto calor Q_1 temos de adicionar à temperatura T_1 para fornecer certo montante de calor Q_S à temperatura unitária. Se descobrirmos isso, então teremos tudo. O calor Q, naturalmente, é uma função da temperatura T. É fácil ver que o calor deve aumentar conforme a temperatura aumenta, pois sabemos que é necessário trabalho para fazer funcionar um motor ao contrário e entregar calor em uma temperatura mais alta. É também fácil ver que o calor Q_1 deve ser proporcional a Q_S. Portanto, a lei importante é algo como o seguinte: para uma dada quantidade de calor Q_S fornecida em um grau de um motor funcionando na temperatura T graus, o calor Q absorvido deve ser essa quantidade Q_S vezes uma certa função crescente da temperatura:

$$Q = Q_S f(T). \tag{44.9}$$

44–5 A temperatura termodinâmica

Nesta etapa, não tentaremos encontrar a fórmula da acima mencionada função crescente da temperatura em termos da nossa familiar escala de temperatura de mercúrio, mas em vez disso *definiremos a temperatura por uma nova escala*. Um dia "a temperatura" foi definida arbitrariamente dividindo-se a expansão da água em graus uniformes de um certo tamanho. No entanto, quando se mede a temperatura com um termômetro de mercúrio, encontramos que os graus não são mais uniformes. *Agora podemos definir a temperatura independentemente de qualquer substância determinada*. Podemos usar aquela função $f(T)$, que não depende de qual dispositivo usamos, pois a eficiência dessas máquinas reversíveis é independente das suas substâncias de funcionamento. Como a função que encontramos aumenta com a temperatura, definiremos *a própria função* como a temperatura, medida em unidades da temperatura de um grau padrão, como se segue:

$$Q = ST, \tag{44.10}$$

onde

$$Q_S = S \cdot 1°. \tag{44.11}$$

Isso significa que podemos dizer quão quente um objeto é descobrindo quanto calor é absorvido por um motor reversível funcionando entre a temperatura do objeto e a temperatura unitária (Fig. 44–9). Se sete vezes mais calor é extraído de uma caldeira do que é fornecido para um condensador a um grau, a temperatura da caldeira será denominada sete graus, e assim por diante. Desse modo, medindo quanto calor é absorvido em temperaturas diferentes, determinamos a temperatura. A temperatura definida dessa forma é chamada de *temperatura termodinâmica absoluta* e é independente da substância. Usaremos exclusivamente essa definição de agora em diante.[1]

Agora vemos que quando temos duas máquinas, uma funcionando entre T_1 e um grau, e a outra funcionando entre T_2 e um grau, fornecendo o mesmo calor à temperatura unitária, então o calor absorvido deve ser relacionado por

---

[1] Definimos anteriormente nossa escala de temperatura de um modo diferente, a saber, afirmando que a energia cinética média de uma molécula em um gás perfeito é proporcional à temperatura, ou que a lei do gás perfeito diz que pV é proporcional a T. Essa nova definição é equivalente? Sim, pois o resultado final (44.7) derivado a partir da lei do gás perfeito é o mesmo que o derivado aqui. Discutiremos este ponto novamente no próximo capítulo.

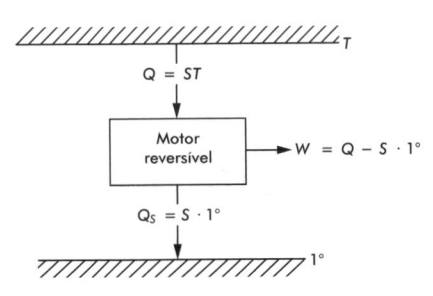

Figura 44–9 Temperatura termodinâmica absoluta.

$$\frac{Q_1}{T_1} = S = \frac{Q_2}{T_2}. \qquad (44.12)$$

Isso significa que se tivermos um motor único funcionando entre T_1 e T_2, então o resultado de toda a análise, o *grand finale*, é que Q_1 está para T_1 como Q_2 está para T_2, se o motor absorver a energia Q_1 na temperatura T_1 e entregar o calor Q_2 na temperatura T_2. Sempre que o motor for reversível, essa relação entre os calores deve ser obedecida. Esse é o centro do universo da termodinâmica.

Se isso é tudo que há para a termodinâmica, por que ela é considerada um assunto tão difícil? Ao resolver um problema envolvendo uma dada massa de uma certa substância, a condição da substância em qualquer momento pode ser descrita dizendo qual a sua temperatura e qual o seu volume. Se conhecermos a temperatura e o volume de uma substância, e que a pressão é uma certa função da temperatura e do volume, então determinaremos a energia interna. Alguém pode dizer, "não quero fazer desse modo. Diga-me a temperatura e a pressão, e lhe direi o volume. Posso pensar no volume como uma função da temperatura e da pressão, e na energia interna como uma função da temperatura e da pressão, e assim por diante". Por isso a termodinâmica é difícil, porque todo mundo usa uma abordagem diferente. Se ao menos pudéssemos parar uma vez e decidir as nossas variáveis, e mantê-las, seria razoavelmente fácil.

Agora começamos a fazer deduções. Tal como $F = ma$ é o centro do universo em mecânica, a qual continua sem parar depois disso, do mesmo modo o princípio que acabamos de encontrar é tudo que há na termodinâmica. É possível tirar conclusões a partir dele?

Vamos começar. Para obter a nossa primeira conclusão, combinaremos ambas as leis, a lei da conservação de energia e esta lei que relaciona os calores Q_2 e Q_1, e podemos obter facilmente *a eficiência de um motor reversível*. Da primeira lei, temos $W = Q_1 - Q_2$. Segundo o nosso novo princípio,

$$Q_2 = \frac{T_2}{T_1} Q_1,$$

portanto o trabalho se torna

$$W = Q_1 \left(1 - \frac{T_2}{T_1}\right) = Q_1 \frac{T_1 - T_2}{T_1}, \qquad (44.13)$$

que nos diz a eficiência do motor – quanto trabalho extraímos de um dado calor. A eficiência de um motor é proporcional à diferença das temperaturas entre as quais funciona o motor, dividida pela temperatura mais alta:

$$\text{Eficiência} = \frac{W}{Q_1} = \frac{T_1 - T_2}{T_1}. \qquad (44.14)$$

A eficiência não pode ser maior do que a unidade e a temperatura absoluta não pode ser menor do que zero, o zero absoluto. Desse modo, como T_2 deve ser positiva, a eficiência é sempre menor do que a unidade. Essa é a nossa primeira conclusão.

44–6 Entropia

As Equações (44.7) ou (44.12) podem ser interpretadas de uma maneira especial. Sempre trabalhando com máquinas reversíveis, um calor Q_1 na temperatura T_1 é "equivalente" a Q_2 em T_2 se $Q_1/T_1 = Q_2/T_2$, no sentido que conforme um é absorvido, o outro é fornecido. Isso sugere que se chamarmos Q/T de algo, podemos dizer: em um processo reversível, o mesmo tanto de Q/T que é absorvido é liberado; não há nenhum ganho ou a perda de Q/T. Esse Q/T é chamado de *entropia*, e dizemos que "não há nenhuma variação efetiva na entropia em um ciclo reversível". Se T for 1°, então a entropia é $Q_S/1°$ ou, utilizando o simbolizado, $Q_S/1° = S$. De fato, S é a letra normalmente usada para a entropia, e é numericamente igual ao calor (o qual chamamos de Q_S) fornecido a um reservatório a 1° (a entropia não é um calor em si, ela é o calor dividido por uma temperatura, portanto é medida em *joules por grau*).

É interessante que além da pressão, que é uma função da temperatura, do volume e da energia interna, que é uma função da temperatura e volume, tenhamos encontrado outra quantidade que é uma função da condição, isto é, a entropia da substância. Vamos tentar explicar como a calculamos e o que queremos dizer quando a chamamos de "uma função da condição". Considere o sistema em duas condições diferentes, assim como tínhamos quando fizemos expansões adiabáticas e isotérmicas. (Consequentemente, não há necessidade de que uma máquina de calor tenha apenas dois reservatórios, ela pode ter três ou quatro temperaturas diferentes nas quais ela recebe e fornece calor, e assim por diante.) Podemos nos mover por todas as partes de um diagrama pV e passar de uma condição a outra. Em outras palavras, poderíamos dizer que o gás está em uma certa condição a, e então ele passa para alguma outra condição, b, e iremos exigir que esta transição, feita de a para b, seja reversível. Agora suponha que em todo caminho de a para b temos pequenos reservatórios em temperaturas diferentes, de maneira que o calor dQ removido da substância em cada pequeno passo seja fornecido para cada reservatório com temperatura correspondente àquele ponto no caminho. Então vamos conectar todos esses reservatórios, por meio de máquinas de calor reversíveis, a um único reservatório à temperatura unitária. Quando terminamos de transportar a substância de a para b, devolvemos todos os reservatórios à sua condição original. Qualquer calor dQ que foi absorvido da substância na temperatura T foi convertido agora por uma máquina reversível, e uma certa quantidade de entropia dS foi fornecida à temperatura unitária como se segue:

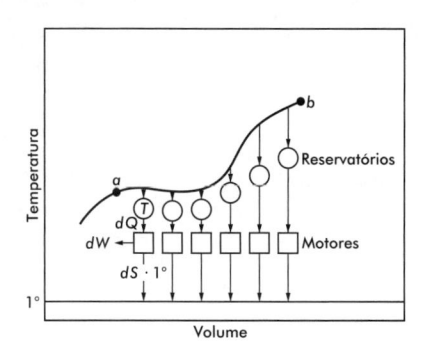

$$dS = dQ/T. \qquad (44.15)$$

Figura 44-10 Variação da entropia durante uma transformação reversível.

Vamos computar a quantidade total de entropia que foi distribuída. A diferença de entropia, ou a entropia necessária para ir de a para b por esta dada transformação reversível, é a entropia total, o total da entropia retirada dos pequenos reservatórios, e distribuída na temperatura unitária:

$$S_b - S_a = \int_a^b \frac{dQ}{T}. \qquad (44.16)$$

A questão é se a diferença de entropia depende do caminho escolhido. Há mais de um modo de ir de a para b. Lembre que no ciclo de Carnot podíamos ir de a para c na Fig. 44-6 primeiramente por uma expansão isotérmica e depois adiabaticamente; ou podíamos primeiro expandir adiabaticamente e depois isotermicamente. Portanto a questão é se a variação da entropia que ocorre quando vamos de a para b na Fig. 44-10 é a mesma em um caminho como no outro. *Ela deve ser a mesma*, porque se completarmos todo o ciclo, avançando em um caminho e ao contrário no outro, teríamos uma máquina reversível, e não haveria nenhuma perda de calor para o reservatório à temperatura unitária. Em um ciclo totalmente reversível, nenhum calor deve ser retirado do reservatório à temperatura unitária, portanto a entropia necessária para se ir de a para b é a mesma ao longo de um caminho como no outro. Ela é *independente do caminho*, e depende somente dos pontos finais. Portanto, podemos dizer que existe uma certa função, que chamamos de entropia da substância, que depende apenas da condição, i.e., somente do volume e da temperatura.

Podemos encontrar uma função $S(V,T)$ que tem a propriedade de que se computarmos a variação na entropia, conforme a substância é movida ao longo de qualquer caminho reversível, em termos do calor rejeitado à temperatura unitária, então

$$\Delta S = \int \frac{dQ}{T}, \qquad (44.17)$$

onde dQ é o calor retirado da substância à temperatura T. Essa variação da entropia total é a diferença entre a entropia calculada nos pontos inicial e final:

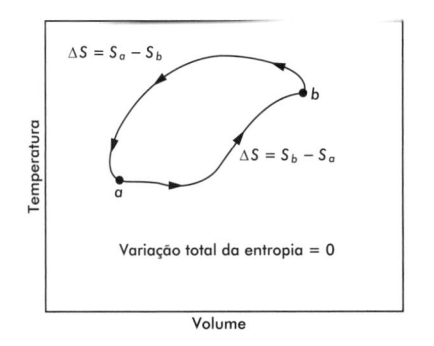

Figura 44-11 Variação da entropia em um ciclo completamente reversível.

$$\Delta S = S(V_b, T_b) - S(V_a, T_a) = \int_a^b \frac{dQ}{T}. \qquad (44.18)$$

Essa expressão não define completamente a entropia, mas propriamente apenas a *diferença* da entropia entre duas condições diferentes. Somente se podemos estimar a entropia para uma condição especial podemos realmente definir S absolutamente.

Durante um longo tempo acreditou-se que a entropia absoluta não significava nada – que apenas as diferenças podiam ser definidas – mas finalmente Nernst propôs o que ele chamou de *teorema do calor,* que também é chamado de terceira lei da termodinâmica. Ela é muito simples. Diremos o que é, mas não explicaremos por que é verdadeira. O postulado de Nernst afirma simplesmente que a entropia de qualquer objeto no zero absoluto é zero. Sabemos de um caso de T e V, a saber $T = 0$, onde S é zero; portanto podemos obter a entropia em qualquer outro ponto.

Para ilustrar essas ideias, vamos calcular a entropia de um gás perfeito. Em uma expansão isotérmica (e por isso reversível), $\int dQ/T$ é Q/T, pois T é constante. Por isso (de 44.4) a mudança na entropia é

$$S(V_a, T) - S(V_b, T) = Nk \ln \frac{V_a}{V_b},$$

assim $S(V, T) = Nk \ln V$ mais alguma função somente de T. Como S depende de T? Sabemos que, para uma expansão adiabática reversível, *não há troca de calor*. Portanto, a entropia não varia mesmo que V se modifique, contanto que T varie também, tal que $TV^{\gamma-1}$ = constante. Você pode ver que isso implica

$$S(V, T) = Nk \left[\ln V + \frac{1}{\gamma - 1} \ln T \right] + a,$$

onde a é alguma constante independente de *ambos, V* e *T?* [a é chamada de constante química. Ela depende do gás em questão e pode ser determinada experimentalmente a partir do teorema de Nernst medindo-se o calor liberado no esfriamento e condensação do gás até que seja transformado em sólido (ou para o hélio, um líquido) a 0°, integrando-se $\int dQ/T$. Também pode ser determinada teoricamente por meio da constante de Planck e da mecânica quântica, mas não a estudaremos neste curso.]

Agora abordaremos algumas propriedades da entropia das coisas. Primeiramente lembramos que seguirmos ao longo de um ciclo reversível de a para b, então a entropia da substância se modificará de $S_b - S_a$. Lembramos que conforme seguimos ao longo do caminho, a entropia – o calor fornecido na temperatura unitária – aumenta segundo a regra $dS = dQ/T$, onde dQ é o calor que retiramos da substância quando a sua temperatura é T.

Já sabemos que se tivermos um *ciclo* reversível, a entropia total global não será modificada, porque o calor Q_1 absorvido em T_1 e o calor Q_2 fornecido em T_2 correspondem a variações iguais e opostas na entropia, de maneira que a variação efetiva na entropia seja zero. Assim, para um ciclo reversível, não há nenhuma modificação na entropia de qualquer coisa, incluindo os reservatórios. Essa regra pode parecer novamente com a conservação de energia, mas não é; ela se aplica somente para ciclos reversíveis. Se incluirmos ciclos irreversíveis, não existe nenhuma lei de conservação da entropia.

Daremos dois exemplos. Primeiro, suponha que realizamos trabalho irreversível em um objeto por meio do atrito, gerando um calor Q em algum objeto na temperatura T. A entropia aumenta de Q/T. O calor Q é igual ao trabalho, e assim quando realizamos uma certa quantidade de trabalho por atrito contra um objeto cuja temperatura é T, a entropia do mundo todo aumenta de W/T.

Outro exemplo da irreversibilidade é o seguinte: se juntarmos dois objetos que estão em temperaturas diferentes, digamos T_1 e T_2, uma certa quantidade de calor fluirá de um para o outro por si próprio. Suponha, por exemplo, que colocamos uma pedra quente na água fria. Então quando um certo calor ΔQ for transferido de T_1 para T_2, em quanto varia a entropia da pedra quente? Ela diminui de $\Delta Q/T_1$. Em quanto se modifica a entropia da água? Ela aumenta em $\Delta Q/T_2$. O calor fluirá, naturalmente, somente da temperatura mais alta T_1 para a temperatura mais baixa T_2, de modo que ΔQ seja positivo se T_1 for maior do que T_2. Portanto, a variação na entropia do mundo inteiro é positiva, sendo a diferença das duas frações:

$$\Delta S = \frac{\Delta Q}{T_2} - \frac{\Delta Q}{T_1}. \qquad (44.19)$$

Portanto a afirmação seguinte é verdadeira: em qualquer processo que seja irreversível, a entropia do mundo inteiro aumenta. Apenas em processos reversíveis é que a entropia permanece constante. Como nenhum processo é completamente reversível, existe sempre pelo menos um pequeno ganho na entropia; um processo reversível é uma idealização na qual fizemos o ganho da entropia ser mínimo.

Infelizmente, não entraremos muito longe no campo da termodinâmica. O nosso objetivo é somente ilustrar as ideias principais envolvidas e as razões do por que é possível fazer tais afirmações, mas não usaremos muito a termodinâmica neste curso. A termodinâmica é usada muito frequentemente por engenheiros e, particularmente, por químicos. Portanto devemos aprender a termodinâmica na prática em química ou engenharia. Como não vale a pena duplicar tudo, somente discutiremos um pouco a origem da teoria em vez de dar muitos detalhes das aplicações especiais.

As duas leis da termodinâmica muitas vezes são descritas desta maneira:

Primeira lei: a energia do universo é sempre constante.
Segunda lei: a entropia do universo está sempre aumentando.

Essa não é uma afirmação muito boa da segunda lei; ela não diz, por exemplo, que em um ciclo reversível a entropia permanece a mesma, e não diz exatamente o que é a entropia. É somente um modo inteligente de se lembrar das duas leis, mas realmente não nos diz exatamente onde estamos. Resumimos as leis discutidas neste capítulo na Tabela 44–1. No próximo capítulo, aplicaremos essas leis para descobrir a relação entre o calor gerado na expansão de um elástico de borracha e a tensão extra quando ele é aquecido.

Tabela 44–1
Resumo das leis de termodinâmica

Primeira lei:
  Calor colocado em um sistema + Trabalho realizado em um sistema = Aumento na energia interna do sistema:
$$dQ + dW = dU.$$

Segunda lei:
  Um processo, cujo *único* resultado efetivo é retirar calor de um reservatório e convertê-lo em trabalho, é impossível.
  Nenhuma máquina de calor retirando calor Q_1 de T_1 e entregando calor Q_2 em T_2 pode realizar mais trabalho do que uma máquina reversível, para a qual
$$W = Q_1 - Q_2 = Q_1\left(\frac{T_1 - T_2}{T_1}\right).$$

A entropia de um sistema é definida desta maneira:
  (a) Se o calor ΔQ é acrescentado reversivelmente a um sistema à temperatura T, o aumento na entropia do sistema é $\Delta S = \Delta Q/T$.
  (b) Em $T = 0$, $S = 0$ (*terceira lei*).
  Em uma *variação reversível*, a entropia total de todas as partes do sistema (incluindo os reservatórios) não se modifica.
  Na *variação irreversível*, a entropia total do sistema sempre aumenta.

45

Exemplos da Termodinâmica

45–1 Energia interna

A termodinâmica é um assunto bastante difícil e complexo quando temos de aplicá-la, e não é apropriado ir muito longe nas aplicações neste curso. O assunto é de uma importância muito grande, naturalmente, para engenheiros e químicos, e aqueles que estão interessados no assunto podem aprender sobre as aplicações na físico-química ou na termodinâmica de engenharia. Existem também bons livros de referência, como o do Zemansky, *Calor e Termodinâmica,* no qual se pode ler mais sobre o tema. Na Enciclopédia Britânica, décima quarta edição, é possível encontrar artigos excelentes de termodinâmica e termoquímica, e no artigo sobre química, as seções em físico-química, vaporização, liquefação de gases, e assim por diante.

O assunto da termodinâmica é complicado porque há muitos modos diferentes de descrever a mesma coisa. Se desejarmos descrever o comportamento de um gás, podemos dizer que a pressão depende da temperatura e do volume, ou podemos dizer que o volume depende da temperatura e da pressão. Com relação à energia interna U, poderíamos dizer que depende da temperatura e do volume, se estes forem as variáveis selecionadas – mas também poderíamos dizer que depende da temperatura e da pressão, ou da pressão e do volume, e assim por diante. No último capítulo, discutimos outra função da temperatura e do volume, chamada de entropia S, e podemos naturalmente construir tantas outras funções dessas variáveis quanto quisermos: $U - TS$ é uma função da temperatura e do volume. Portanto temos um grande número de quantidades diferentes que podem ser funções de muitas combinações diferentes de variáveis.

Para manter o assunto simples neste capítulo, decidimos de início usar a *temperatura* e o *volume* como as variáveis independentes. Os químicos usam a temperatura e a pressão, porque elas são mais fáceis de medir e controlar em experimentos químicos, mas usaremos a temperatura e o volume em todo este capítulo, exceto em pontos nos quais veremos como fazer a transformação para o sistema de variáveis dos químicos.

Consideraremos primeiro somente um sistema de variáveis independentes: temperatura e volume. Em segundo lugar, discutiremos apenas duas funções dependentes: a energia interna e a pressão. Todas as outras funções podem ser derivadas a partir delas, portanto não é necessário discuti-las. Com essas limitações, a termodinâmica é ainda um assunto razoavelmente difícil, mas não é tão impossível!

Primeiramente revisaremos um pouco de matemática. Se uma quantidade for uma função de duas variáveis, a ideia da derivada dessa quantidade necessita de um pouco mais de cuidado do que no caso em que existe apenas uma variável. O que queremos dizer com a derivada da pressão com relação à temperatura? A modificação da pressão que acompanha uma variação da temperatura depende em parte, é claro, do que acontece ao *volume* enquanto T está variando. Devemos especificar a variação em V antes que o conceito de uma derivada com relação a T tenha algum significado preciso. Poderíamos perguntar, por exemplo, se para a taxa de modificação de P com relação a T, V é mantido constante. Essa razão é justamente a derivada ordinária que normalmente escrevemos como dP/dT. Geralmente usamos um símbolo especial, $\partial P/\partial T$, para lembrar que P depende de outra variável V assim como de T, e que essa outra variável é mantida constante. Usaremos o símbolo ∂ tanto para chamar a atenção ao fato de que outra variável é mantida constante, mas também escreveremos a variável que é mantida constante como um subscrito, $(\partial P/\partial T)_V$. Como temos somente duas variáveis independentes, essa notação é redundante, mas ela nos ajudará a manter a sanidade na confusão termodinâmica de derivadas parciais.

Vamos supor que a função $f(x, y)$ dependa de duas variáveis independentes x e y. Por $(\partial f/\partial x)_y$ queremos simplesmente dizer a derivada ordinária, obtida da maneira habitual, se tratarmos y como uma constante:

45–1	Energia interna
45–2	Aplicações
45–3	A equação Clausius-Clapeyron

$$\left(\frac{\partial f}{\partial x}\right)_y = \lim_{\Delta x \to 0} \frac{f(x + \Delta x, y) - f(x, y)}{\Delta x}.$$

Analogamente, definimos

$$\left(\frac{\partial f}{\partial y}\right)_x = \lim_{\Delta y \to 0} \frac{f(x, y + \Delta y) - f(x, y)}{\Delta y}.$$

Por exemplo, se $f(x, y) = x^2 + yx$, então $(\partial f/\partial x)_y = 2x + y$ e $(\partial f/\partial y)_x = x$. Podemos estender esta ideia para derivadas mais altas: $\partial^2 f/\partial y^2$ ou $\partial^2 f/\partial y \partial x$. O último símbolo indica que primeiro diferenciamos f com relação a x, tratando y como uma constante, e então diferenciamos o resultado com relação a y, tratando x como uma constante. A ordem real da diferenciação é irrelevante: $\partial^2 f/\partial y \partial x = \partial^2 f/\partial x \partial y$.

Será necessário computar a variação Δf em $f(x, y)$ quando x muda para $x + \Delta x$ e y se modifica para $y + \Delta y$. Vamos supor que Δx e Δy sejam infinitesimamente pequenos:

$$\begin{aligned}\Delta f &= f(x + \Delta x, y + \Delta y) - f(x, y) \\ &= \underbrace{f(x + \Delta x, y + \Delta y) - f(x, y + \Delta y)}_{\Delta x \left(\frac{\partial f}{\partial x}\right)_y} + \underbrace{f(x, y + \Delta y) - f(x, y)}_{\Delta y \left(\frac{\partial f}{\partial y}\right)_x}.\end{aligned} \quad (45.1)$$

A última equação é a relação fundamental que exprime Δf em termos de Δx e Δy.

Como um exemplo do uso dessa relação, vamos calcular a variação da energia interna $U(T, V)$ quando a temperatura se modifica de T para $T + \Delta T$ e o volume varia de V para $V + \Delta V$. Utilizando a Eq. (45.1), escrevemos

$$\Delta U = \Delta T \left(\frac{\partial U}{\partial T}\right)_V + \Delta V \left(\frac{\partial U}{\partial V}\right)_T. \quad (45.2)$$

No último capítulo, encontramos outra expressão para a variação ΔU da energia interna quando uma quantidade de calor ΔQ era acrescentada ao gás:

$$\Delta U = \Delta Q - P \Delta V. \quad (45.3)$$

Comparando as Eqs. (45.2) e (45.3), pode-se pensar inicialmente que $P = -(\partial U/\partial V)_T$, mas isso não é correto. Para obter a relação correta, vamos primeiro supor que acrescentamos uma quantidade do calor ΔQ ao gás mantendo o volume constante, de maneira que $\Delta V = 0$. Com $\Delta V = 0$, a Eq. (45.3) nos diz que $\Delta U = \Delta Q$ e a Eq. (45.2) nos diz que $\Delta U = (\partial U/\partial T)_V \Delta T$, tal que $(\partial U/\partial T)_V = \Delta Q/\Delta T$. A razão $\Delta Q/\Delta T$, a quantidade de calor que devemos adicionar a uma substância para modificar a sua temperatura por um grau com o volume mantido constante, é chamada de *calor específico no volume constante* e indicada pelo símbolo C_V. Com essa argumentação, mostramos que

$$\left(\frac{\partial U}{\partial T}\right)_V = C_V. \quad (45.4)$$

Agora vamos novamente acrescentar uma quantidade de calor ΔQ ao gás, mas dessa vez manteremos T constante e permitiremos que o volume se modifique por ΔV. A análise nesse caso é mais complexa, mas podemos calcular ΔU utilizando o argumento de Carnot, fazendo uso do ciclo de Carnot que introduzimos no capítulo anterior.

O diagrama de volume e pressão para o ciclo de Carnot é mostrado na Figura 45–1. Como já mostramos, a quantidade total de trabalho realizada pelo gás em um ciclo reversível é $\Delta Q (\Delta T/T)$, onde ΔQ é a quantidade de energia do calor adicionada ao gás conforme ele se expande isotermicamente à temperatura T do volume V até $V + \Delta V$, e $T - \Delta T$ é a temperatura final atingida pelo gás conforme ele se expande adiabaticamente na segunda parte do ciclo. Agora mostraremos que esse trabalho realizado é também dado pela área sombreada da Figura 45–1. Em qualquer circunstância, o trabalho realizado pelo gás é $\int P dV$ e é positivo quando o gás se expande e negativo quando o gás é comprimido. Se traçarmos P em relação a V, a variação de P e V é representada por uma curva que dá o valor de P

correspondente a um determinado valor de *V*. Como o volume varia de um valor para o outro, o trabalho realizado pelo gás, a integral ∫*PdV*, é a área embaixo da curva que conecta os valores inicial e final de *V*. Quando aplicamos essa ideia ao ciclo de Carnot, vemos que conforme damos a volta no ciclo, dando atenção ao sinal do trabalho realizado pelo gás, o trabalho efetivo realizado pelo gás é justamente a área sombreada da Figura 45–1.

Agora queremos avaliar a área sombreada geometricamente. O ciclo que usamos da Figura 45–1 é diferente do usado no capítulo anterior, pois agora supomos que ΔT e ΔQ são infinitesimamente pequenos. Estamos trabalhando entre linhas adiabáticas e linhas isotérmicas que são muito próximas uma da outra, e a figura descrita pelas linhas grossas da Figura 45–1 se aproximará de um paralelogramo conforme os incrementos ΔT e ΔQ se aproximem de zero. A área desse paralelogramo é justamente $\Delta V \Delta P$, onde ΔV é a modificação do volume conforme a energia ΔQ é acrescentada ao gás a temperatura constante, e ΔP é a variação na pressão conforme a temperatura varia de ΔT a volume constante. Pode-se mostrar facilmente que a área sombreada da Figura 45–1 é dada por $\Delta V \Delta P$ reconhecendo-se que a área sombreada é igual à área circundada pelas linhas pontilhadas da Figura 45–2, que por sua vez diferencia-se do retângulo limitado por ΔP e ΔV somente pela adição e subtração das áreas triangulares iguais da Figura 45–2.

Vamos então resumir os resultados da argumentação desenvolvida por enquanto:

$$\left.\begin{array}{l}\text{Trabalho realizado pelo gás} = \text{área sombreada} = \Delta V \, \Delta P = \Delta Q \left(\dfrac{\Delta T}{T}\right) \\[1em] \text{ou} \\[0.5em] \dfrac{\Delta T}{T} \cdot (\text{trabalho necessário para modificar } V \text{ por } \Delta V)_{T \, \text{constante}} \\[1em] = \Delta V \cdot (\text{variação em } P \text{ quando } T \text{ varia em } \Delta T)_{V \, \text{constante}} \\[1em] \text{ou} \\[0.5em] \dfrac{1}{\Delta V} \cdot (\text{calor necessário para modificar } V \text{ por } \Delta V)_T = T(\partial P/\partial T)_V \end{array}\right\} \quad (45.5)$$

A Equação (45.5) exprime o resultado essencial da argumentação de Carnot. Toda a termodinâmica pode ser deduzida da Eq. (45.5) e da primeira lei, que é dada na Eq. (45.3). A Equação (45.5) é essencialmente a segunda lei, embora tivesse sido originalmente deduzida por Carnot de uma forma ligeiramente diferente, pois ele não usou a nossa definição de temperatura.

Agora podemos calcular $(\partial U/\partial V)_T$. De quanto se modifica a energia interna *U* se modificarmos o volume ΔV? Primeiramente, *U* modifica-se porque calor é adicionado, e em segundo lugar, *U* varia porque trabalho é realizado. O calor acrescentado é

$$\Delta Q = T \left(\frac{\partial P}{\partial T}\right)_V \Delta V,$$

de acordo com a Eq. (45.5), e o trabalho realizado na substância é $-P\Delta V$. Portanto, a variação ΔU da energia interna tem duas partes:

$$\Delta U = T \left(\frac{\partial P}{\partial T}\right)_V \Delta V - P \, \Delta V. \quad (45.6)$$

Dividindo os dois lados por ΔV, encontramos para a taxa de variação de *U* com *V* a *T* constante

$$\left(\frac{\partial U}{\partial V}\right)_T = T \left(\frac{\partial P}{\partial T}\right)_V - P. \quad (45.7)$$

Na nossa termodinâmica, na qual *T* e *V* são as únicas variáveis e *P* e *U* são as únicas funções, as Eqs. (45.3) e (45.7) são as equações básicas das quais todos os resultados desse assunto podem ser deduzidos.

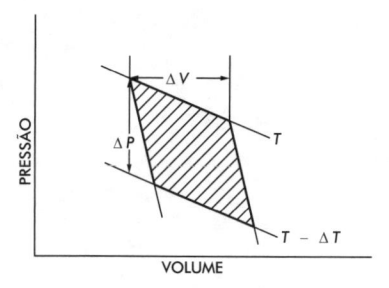

Figura 45-1 Diagrama de pressão–volume para o ciclo de Carnot. As curvas indicadas por *T* e *T – ΔT* são linhas isotérmicas; as curvas mais inclinadas são curvas adiabáticas. Δ*V* é a variação do volume conforme o calor ΔQ é adicionado ao gás à temperatura constante *T*. Δ*P* é a variação de pressão a volume constante conforme a temperatura do gás varia de *T* para *T – ΔT*.

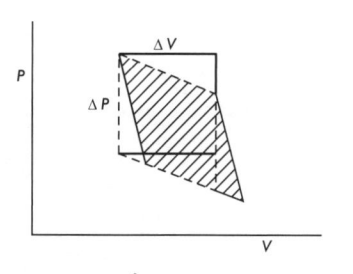

Figura 45-2 Área hachurada = área circundada por linhas tracejadas = área do retângulo = Δ*P* Δ*V*.

45–2 Aplicações

Agora vamos discutir o significado da Eq. (45.7) e enxergar por que ela responde às perguntas que propusemos no último capítulo. Consideramos o seguinte problema: na teoria cinética, é óbvio que um aumento na temperatura acarreta um aumento na pressão, por causa das colisões dos átomos em um pistão. Pela mesma razão física, quando deixamos o pistão se mover, calor é retirado do gás e, a fim de manter a temperatura constante, calor deverá ser reposto. O gás esfria quando ele se expande, e a pressão aumenta quando é aquecido. Deve haver alguma conexão entre esses dois fenômenos, e essa conexão é dada explicitamente pela Eq. (45.7). Se mantivermos o volume fixo e aumentarmos a temperatura, a pressão aumenta a uma taxa $(\partial P/\partial T)_V$. O seguinte está relacionado àquele fato: se aumentarmos o volume, o gás esfriará, a menos que adicionemos algum calor para manter a temperatura constante, e $(\partial U/\partial V)_T$ nos diz qual a quantidade de calor necessária para manter a temperatura. A Equação (45.7) exprime a relação fundamental entre esses dois efeitos. Isso foi o que prometemos encontrar quando víssemos as leis da termodinâmica. Sem conhecer o mecanismo interno do gás, e sabendo apenas que não podemos ter um movimento perpétuo do segundo tipo, podemos deduzir a relação entre a quantidade de calor necessária para manter a temperatura constante quando o gás se expande e a modificação da pressão quando o gás é aquecido a um volume constante!

Agora que temos o resultado desejado para um gás, vamos considerar o elástico de borracha. Quando esticamos um elástico de borracha, vemos que a sua temperatura diminui, e quando aquecemos um elástico de borracha, vemos que ele se contrai. Qual a equação que fornece a mesma relação para um elástico de borracha que a Eq. (45.3) para um gás? Para um elástico de borracha, a situação será algo assim: quando um calor ΔQ é acrescentado, a energia interna varia de ΔU e um pouco de trabalho é realizado. A única diferença será que o trabalho realizado pelo elástico de borracha é $-F\Delta L$ em vez de $P\Delta V$, onde F é a força no elástico e L é o comprimento do elástico. A força F é uma função da temperatura e do comprimento do elástico. Substituindo $P\Delta V$ na Eq. (45.3) por $-F\Delta L$, obtemos

$$\Delta U = \Delta Q + F\Delta L. \qquad (45.8)$$

Comparando as Eqs. (45.3) e (45.8), vemos que a equação para o elástico de borracha é obtida por uma mera substituição de uma letra por outra. Além disso, se substituímos L por V, e $-F$ por P, toda a nossa discussão sobre o ciclo de Carnot se aplica ao elástico de borracha. Podemos deduzir imediatamente, por exemplo, que o calor ΔQ necessário para modificar o comprimento de ΔL é dado pelo análogo da Eq. (45.5): $\Delta Q = -T(\partial F/\partial T)_L \Delta L$. Essa equação nos diz que se mantivermos fixo o comprimento de um elástico de borracha e aquecermos o elástico, podemos calcular quanto a força aumentará em termos do calor necessário para manter a temperatura constante quando o elástico é esticado um pouquinho. Portanto, vemos que a mesma equação se aplica tanto ao gás como a um elástico de borracha. De fato, se é possível escrever $\Delta U = \Delta Q + A \Delta B$, onde A e B representam quantidades diferentes, força e comprimento, pressão e volume, etc., também é possível aplicar os resultados obtidos para um gás substituindo A e B por $-P$ e V. Por exemplo, considere a diferença de potencial elétrico, ou a "voltagem", E em uma bateria e a carga ΔZ que se move pela bateria. Sabemos que o trabalho realizado em uma célula elétrica reversível, como uma bateria, é $E\Delta Z$. (Como não incluímos nenhum termo $P\Delta V$ no trabalho, necessitamos que a nossa bateria mantenha um volume constante.) Vamos ver o que a termodinâmica pode nos dizer sobre o desempenho de uma bateria. Se substituirmos E por P e Z por V na Eq. (45.6), obtemos

$$\frac{\Delta U}{\Delta Z} = T\left(\frac{\partial E}{\partial T}\right)_Z - E. \qquad (45.9)$$

A Equação (45.9) diz que a energia interna U é modificada quando uma carga ΔZ move-se pela célula. Por que $\Delta U/\Delta Z$ não é simplesmente a voltagem E da bateria? (A resposta é que uma bateria de verdade se aquece quando a carga se move pela célula. A energia interna da bateria varia, primeiramente, porque a bateria realiza um pouco de trabalho no circuito externo e, segundo, porque a bateria é aquecida.) O ponto notável é que a segunda parte pode ser novamente expressa em termos da maneira pela qual a voltagem da bateria se modifica com a temperatura. Consequentemente, quando a carga se move pela célula, ocorrem reações químicas, e a Eq. (45.9) sugere um modo elegante de medir a quantidade de energia necessária para produzir uma reação química. Tudo o que temos de fazer é construir uma célula que realiza trabalho na reação, medir a voltagem e medir quanto a voltagem varia com a temperatura quando não extraímos nenhuma carga da bateria!

Porém supomos que o volume da bateria pode ser mantido constante, pois omitimos o termo $P\Delta V$ quando estabelecemos que o trabalho realizado pela bateria era igual a $E\Delta Z$. Manter o volume constante é tecnicamente bastante difícil, é muito mais fácil manter a célula com pressão atmosférica constante. Por essa razão, os químicos não gostam de nenhuma das equações que escrevemos acima: eles preferem equações que descrevem o desempenho sob *pressão* constante. Decidimos no início deste capítulo usar V e T como variáveis independentes. Os químicos preferem P e T, e consideraremos agora como os resultados que obtivemos até o momento podem ser transformados no sistema de variáveis dos químicos. Lembre-se de que pode facilmente haver confusão no tratamento que se segue, pois estamos trocando de T e V para T e P.

Iniciamos a Eq. (45.3) com $\Delta U = \Delta Q - P\Delta V$; $P\Delta V$ pode ser substituído por $E\Delta Z$ ou $A\Delta B$. Se pudermos, de alguma maneira, substituir o último termo, $P\Delta V$, por $V\Delta P$, então teríamos permutado V e P, e os químicos estariam felizes. Bem, alguém inteligente notou que o diferencial do produto PV é $d(PV) = PdV + VdP$, e adicionando essa igualdade à Eq. (45.3), obtém-se

$$\Delta(PV) = P\Delta V + V\Delta P$$
$$\Delta U = \Delta Q - P\Delta V$$
$$\overline{\Delta(U + PV) = \Delta Q + V\Delta P}$$

Para que o resultado se pareça com a Eq. (45.3), definimos $U + PV$ como algo novo, chamado *entalpia, H*, e escrevemos $\Delta H = \Delta Q + V\Delta P$.

Agora estamos prontos para transformar os nossos resultados para a língua dos químicos com as seguintes regras: $U \to H$, $P \to -V$, $V \to P$. Por exemplo, a relação fundamental que os químicos usariam no lugar da Eq. (45.7) é

$$\left(\frac{\partial H}{\partial P}\right)_T = -T\left(\frac{\partial V}{\partial T}\right)_P + V.$$

Deve estar claro agora como transformar para as variáveis dos químicos, T e P. Retornemos às nossas variáveis originais: no resto deste capítulo, T e V são as variáveis independentes.

A seguir, vamos aplicar os resultados que obtivemos para várias situações físicas. Considere primeiramente o gás ideal. Da teoria cinética, sabemos que a energia interna de um gás depende somente do movimento das moléculas e do número de moléculas. A energia interna depende de T, mas não de V. Se variarmos V, mas mantivermos T constante, U não será modificado. Portanto $(\partial U/\partial V)_T = 0$, e a Eq. (45.7) nos diz que para um gás ideal

$$T\left(\frac{\partial P}{\partial T}\right)_V - P = 0. \quad (45.10)$$

A Equação (45.10) é uma equação diferencial que pode nos dizer algo sobre P. Calculamos as derivadas parciais do seguinte modo: como a derivada parcial é feita mantendo-se V constante, substituiremos a derivada parcial por uma derivada ordinária e escreveremos explicitamente "V constante" para não esquecer. Logo, a Equação (45.10) fica

$$T\frac{\Delta P}{\Delta T} - P = 0; \qquad \text{const } V, \quad (45.11)$$

que podemos integrar para obter

$$\ln P = \ln T + \text{const}; \qquad \text{const } V,$$
$$P = \text{const} \times T; \qquad \text{const } V. \qquad (45.12)$$

Sabemos que para um gás ideal a pressão por mol é igual a

$$P = \frac{RT}{V}, \qquad (45.13)$$

que é consistente com (45.12), pois V e R são constantes. Por que nos incomodamos em fazer esse cálculo se já conhecíamos o resultado? Porque temos usado *duas definições independentes da temperatura!* Em um primeiro momento, supomos que a energia cinética das moléculas era proporcional à temperatura, uma suposição que define uma escala da temperatura que chamaremos de escala do gás ideal. T na Eq. (45.13) é baseado nessa escala do gás. Também denominamos as temperaturas medidas por essa escala do gás de temperaturas *cinéticas*. Mais tarde, definimos a temperatura de uma segunda maneira completamente independente de qualquer substância. A partir de uma argumentação baseada na segunda lei definimos o que poderíamos chamar de "grande temperatura absoluta termodinâmica" T, o T que aparece na Eq. (45.12). O que comprovamos aqui é que a pressão de um gás ideal (definida tal que a energia interna não depende do volume) é proporcional à grande temperatura absoluta termodinâmica. Também sabemos que a pressão é proporcional à temperatura medida na escala do gás. Portanto, podemos deduzir que a temperatura cinética é proporcional à "grande temperatura absoluta termodinâmica". Isso significa, naturalmente, que se tivermos bom senso podemos fazer com que as duas escalas concordem entre si. Nesse caso, pelo menos, as duas escalas foram escolhidas tal que elas coincidissem; a constante de proporcionalidade foi escolhida como sendo 1. Na maior parte do tempo, as pessoas arrumam problemas para si, mas nesse caso definiu-se que elas eram iguais!

45–3 A equação Clausius-Clapeyron

A vaporização de um líquido é outra aplicação dos resultados que derivamos. Suponha que temos um pouco de líquido em um cilindro, tal que podemos comprimi-lo ao empurrar um pistão, e nos perguntamos, "Se mantivermos a temperatura constante, como a pressão irá varia com o volume?" Em outras palavras, queremos traçar uma curva isotérmica no diagrama P–V. A substância no cilindro não é o gás ideal que consideramos anteriormente; agora ela pode estar na fase líquida ou de vapor, ou ambos podem estar presentes. Se aplicarmos uma pressão suficiente, a substância irá se condensar em um líquido. Porém se comprimirmos ainda mais, o volume mudará muito pouco, e nossa curva isotérmica subirá rapidamente com a diminuição do volume, como mostrado na Figura 45–3.

Se aumentarmos o volume puxando o pistão para fora, a pressão cai até atingirmos um ponto no qual o líquido começa a ferver, e então vapor começa a se formar. Se puxarmos o pistão mais longe, tudo o que ocorre é que mais líquido se vaporiza. Quando existe uma parte de líquido e uma parte de vapor no cilindro, as duas fases estão em equilíbrio – o líquido está evaporando e o vapor está condensando à mesma taxa. Se criarmos mais espaço para o vapor, mais vapor será necessário para manter a pressão, portanto um pouco mais de líquido irá evaporar, mas a pressão permanece constante. Na parte plana da curva da Figura 45–3, a pressão não se modifica, e o valor da pressão aqui é chamado de *pressão de vapor na temperatura T*. Conforme continuamos aumentando o volume, atingimos um ponto no qual não há mais líquido para se evaporar. Nesse ponto, se expandirmos o volume ainda mais, a pressão cairá como a de um gás ordinário, conforme mostrado no lado direito do diagrama P–V. A curva mais baixa da Figura 45–3 é a curva isotérmica para uma temperatura ligeiramente mais baixa, $T - \Delta T$. A pressão na fase líquida é ligeiramente reduzida porque o líquido se expande com um aumento da temperatura (para a maior parte de substâncias, exceto para a água

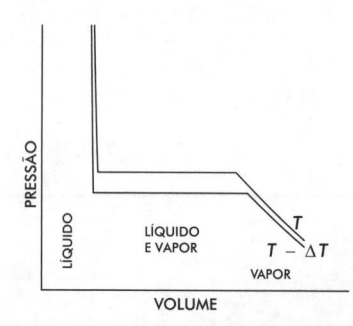

Figura 45–3 Linhas isotérmicas para um vapor condensável comprimido em um cilindro. À esquerda, a substância está na fase líquida. À direita, a substância se evaporou. No centro, tanto líquido quanto vapor estão presentes no cilindro.

perto do ponto de congelamento) e, naturalmente, a pressão de vapor é mais baixa para a temperatura mais baixa.

Criaremos agora um ciclo a partir das duas linhas isotérmicas unindo-as (digamos por linhas adiabáticas) ao final das seções planas superiores, como mostrado na Figura 45–4. Usaremos a argumentação de Carnot, que nos diz que o calor acrescentado à substância ao mudar de um líquido para um vapor está relacionado ao trabalho realizado pela substância conforme ela dá a volta no ciclo. Vamos chamar de L o calor necessário para vaporizar a substância dentro do cilindro. Da mesma maneira que na argumentação precedendo imediatamente a Eq. (45.5), sabemos que $L(\Delta T/T) =$ trabalho realizado pela substância. Do mesmo modo que anteriormente, o trabalho realizado pela substância é a área sombreada, que é aproximadamente $\Delta P\,(V_G - V_L)$, onde ΔP é a diferença na pressão de vapor nas duas temperaturas T e $T - \Delta T$, V_G é o volume do gás, e V_L é o volume do líquido, ambos os volumes medidos na pressão de vapor à temperatura T. Igualando essas duas expressões para a área, obtemos $L\Delta T/T = \Delta P\,(V_G - V_L)$, ou

$$\frac{L}{T(V_G - V_L)} = (\partial P_{\text{vap}}/\partial T). \qquad (45.14)$$

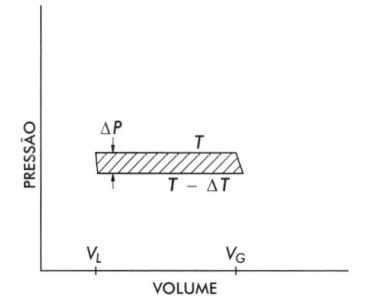

Figura 45–4 Diagrama pressão-volume do ciclo de Carnot para um vapor condensável no cilindro. À esquerda, a substância está no estado líquido. Uma quantidade de calor L é adicionada à temperatura T para vaporizar o líquido. O vapor expande adiabaticamente conforme T muda para $T - \Delta T$.

A Equação (45.14) fornece a relação entre a taxa da variação da pressão de vapor com a temperatura e a quantidade de calor necessária para evaporar o líquido. Essa relação foi deduzida por Carnot, mas é chamada a equação de Clausius-Clapeyron.

Agora vamos comparar a Eq. (45.14) com os resultados deduzidos da teoria cinética. Geralmente V_G é muito maior do que V_L. Assim $V_G - V_L \approx V_G = RT/P$ por mol. Se além disso considerarmos que L é uma constante, independente da temperatura – uma aproximação não muito boa – então teríamos $\partial P/\partial T = L/(RT^2/P)$. A solução dessa equação diferencial é

$$P = \text{const}\, e^{-L/RT}. \qquad (45.15)$$

Vamos comparar isso com a variação de pressão com a temperatura que deduzimos anteriormente da teoria cinética. A teoria cinética indicou a possibilidade, pelo menos grosseiramente, que o número de moléculas por unidade de volume do vapor acima de um líquido seria

$$n = \left(\frac{1}{V_a}\right) e^{-(U_G - U_L)/RT}, \qquad (45.16)$$

onde $U_G - U_L$ é a energia interna por mol no gás menos a energia interna por mol no líquido, isto é, a energia necessária para vaporizar um mol de líquido. A Equação (45.15) da termodinâmica e a Eq. (45.16) da teoria cinética estão muito estreitamente relacionadas porque a pressão é nkT, mas elas não são exatamente as mesmas. Contudo, elas serão exatamente as mesmas se considerarmos $U_G - U_L = \text{const}$ em vez de $L = \text{const}$. Se supusermos $U_G - U_L = \text{const}$, independentemente da temperatura, então o argumento que leva à Eq. (45.15) produzirá a Eq. (45.16). Como a pressão permanece constante enquanto o volume está variando, a mudança na energia interna $U_G - U_L$ é igual ao calor acrescentado L menos o trabalho realizado $P(V_G - V_L)$, então $L = (U_G + PV_G) - (U_L + PV_L)$.

Essa comparação mostra as vantagens e desvantagens da termodinâmica sobre a teoria cinética: em primeiro lugar, a Eq. (45.14) obtida pela termodinâmica é exata, enquanto a Eq. (45.16) somente pode ser aproximada, por exemplo, se U for praticamente constante e se o modelo estiver correto. Em segundo lugar, podemos não entender corretamente como o gás se torna líquido; entretanto, a Eq. (45.14) é correta, enquanto (45.16) é apenas aproximada. Em terceiro lugar, embora o nosso tratamento se aplique a um gás que se condensa em um líquido, o argumento é verdadeiro para qualquer outra mudança de estado. Por exemplo, a transição sólido-líquido tem o mesmo tipo de curva como as mostradas nas Figs. 45-3 e 45-4. Introduzindo o calor latente para a fusão, M/mol, a fórmula análoga à Eq. (45.14) então é $(\partial P_{\text{fusão}}/\partial T)_V = M/[T(V_{\text{liq}} - V_{\text{sólido}})]$. Embora possamos não entender a teoria cinética do processo de fusão, no entanto, temos uma equação correta. Contudo, quando *conseguimos* entender a teoria cinética, temos outra vantagem. A Equação (45.14) é apenas uma relação diferencial, e não temos nenhuma maneira de obter as constantes de integração. Na teoria cinética, podemos obter também as constantes caso tenhamos um bom modelo que descreva o fenômeno completamente. Assim existem vantagens e desvantagens em cada um. Quando o conhecimento é pouco e a situação é complicada, as relações termodinâmicas são realmente as mais poderosas. Quando a situação é muito simples e uma análise teórica pode ser feita, então é melhor tentar adquirir mais informação a partir da análise teórica.

Outro exemplo: radiação de corpo negro. Discutimos uma caixa contendo radiação e nada mais. Falamos sobre o equilíbrio entre o oscilador e a radiação. Também vimos que os fótons atingindo a parede da caixa exerceriam a pressão P, e encontramos $PV = U/3$, onde U é a energia total de todos os fótons e V é o volume da caixa. Se substituirmos $V = 3PV$ na equação básica (45.7), encontramos[1]

$$\left(\frac{\partial U}{\partial V}\right)_T = 3P = T\left(\frac{\partial P}{\partial T}\right)_V - P. \tag{45.17}$$

Como o volume da nossa caixa é constante, podemos substituir $(\partial P/\partial T)_V$ por dP/dT para obter uma equação diferencial ordinária a qual podemos integrar: $\ln P = 4 \ln T + \text{const}$, ou $P = \text{const} \times T^4$. A pressão de radiação varia como a quarta potência da temperatura, e a densidade de energia total de radiação, $U/V = 3P$, também varia com T^4. É usual escrever $U/V = (4\sigma/c)T^4$, onde c é a velocidade da luz e σ é a *constante de Stefan-Boltzmann*. Não é possível obter σ apenas da termodinâmica. Aqui está um bom exemplo do seu poder e das suas limitações. Saber que U/V varia com T^4 é um feito considerável, mas saber quão grande U/V é de fato em qualquer temperatura requer que entremos no tipo de detalhamento que apenas uma teoria completa pode fornecer. Para a radiação de corpo negro, temos tal teoria e podemos derivar uma expressão para a constante σ da seguinte maneira.

Seja $I(\omega)d\omega$ a distribuição de intensidade, o fluxo de energia através de 1 m² em um segundo com a frequência entre ω e $\omega + d\omega$. A distribuição de densidade de energia = energia/volume = $I(\omega)d\omega/c$ é

$$\frac{U}{V} = \text{Densidade de energia total}$$
$$= \int_{\omega=0}^{\infty} \text{densidade de energia entre } \omega \text{ e } \omega + d\omega$$
$$= \int_0^{\infty} \frac{I(\omega)\, d\omega}{c}.$$

Das nossas discussões anteriores, sabemos que

$$I(\omega) = \frac{\hbar\omega^3}{\pi^2 c^2(e^{\hbar\omega/kT} - 1)}.$$

Substituindo essa expressão para $I(\omega)$ na nossa equação para U/V, obtemos

$$\frac{U}{V} = \frac{1}{\pi^2 c^3} \int_0^{\infty} \frac{\hbar\omega^3\, d\omega}{e^{\hbar\omega/kT} - 1}.$$

---

[1] No caso $(\partial P/\partial V)_T = 0$, uma vez que para manter o oscilador em equilíbrio a uma determinada temperatura, a radiação na vizinhança do oscilador deve ser a mesma, independentemente do volume da caixa. A quantidade total de fótons dentro da caixa deve, portanto, ser proporcional ao seu volume, de modo que a energia interna por unidade de volume e, portanto, a pressão, dependam apenas da temperatura.

Se substituirmos $x = \hbar\omega/kT$, a expressão se torna

$$\frac{U}{V} = \frac{(kT)^4}{\hbar^3 \pi^2 c^3} \int_0^\infty \frac{x^3\, dx}{e^x - 1}.$$

Essa integral é somente algum número que podemos obter, aproximadamente, traçando uma curva e calculando a área contando quadrados. É aproximadamente 6,5. Os matemáticos entre nós podem mostrar que a integral é exatamente, $\pi^4/15$.[1] Comparando essa expressão com $U/V = (4\sigma/c)T^4$, encontramos que

$$\sigma = \frac{k^4 \pi^2}{60 \hbar^3 c^2} = 5{,}67 \times 10^{-8} \frac{\text{watts}}{(\text{metros})^2\,(\text{graus})^4}.$$

Se fizermos um pequeno buraco na nossa caixa, quanta energia fluirá por segundo pelo buraco de área unitária? Para mudar de densidade de energia para fluxo de energia, multiplicamos a densidade de energia U/V por c. Também multiplicamos por $1/4$, que aparece como se segue: primeiro, um fator $1/2$, porque somente a energia que está fluindo *para fora* escapa; e segundo, o outro fator $1/2$, porque a energia que se aproxima do buraco em um ângulo com relação à normal é menos eficaz em entrar no buraco por um fator cosseno. O valor médio do cosseno é $1/2$. Fica claro agora porque escrevemos $U/V = (4\sigma/c)T^4$: para que possamos dizer por fim que o fluxo oriundo de um pequeno buraco é σT^4 por área de unidade.

---

[2] Como $(e^x - 1)^{-1} = e^{-x} + e^{-2x} + \ldots$, a integral é

$$\sum_{n=1}^\infty \int_0^\infty e^{-nx} x^3\, dx.$$

Porém $\int_0 e^{-nx} dx = 1/n$, e diferenciando três vezes com respeito a n obtém-se $\int_0^\infty x^3 e^{-nx} dx = 6/n^4$, portanto a integral é $6(1 + 1/16 + 1/81 + \ldots)$, e uma boa estimativa é obtida somando-se os primeiros termos. No Capítulo 50 veremos um modo de mostrar que a soma das quartas potências dos recíprocos dos números inteiros é, de fato, $\pi^4/90$.

46

Catraca e Lingueta[1]

46–1 Como funciona uma catraca

Neste capítulo, discutimos a catraca e a lingueta, um dispositivo muito simples que permite que um cabo vire somente em uma direção. A possibilidade de ter algo virando apenas de uma maneira necessita de alguma análise detalhada e cuidadosa, e há algumas consequências muito interessantes.

O plano da discussão derivou da tentativa de inventar uma explicação elementar, a partir do ponto de vista molecular ou cinético, para o fato de que existe uma quantidade máxima de trabalho capaz de ser extraído de uma máquina de calor. Naturalmente vimos a essência da argumentação de Carnot, mas seria bom encontrar uma explicação que é elementar no sentido de que podemos ver o que está acontecendo fisicamente. Existem demonstrações matemáticas complicadas derivadas das leis de Newton para demonstrar que podemos obter apenas uma certa quantidade de trabalho quando o calor flui de um lugar ao outro, mas há uma grande dificuldade em converter isso em uma demonstração elementar. Em resumo, não entendemos isso, embora possamos acompanhar a matemática.

Na argumentação de Carnot, o fato de que mais do que uma certa quantidade de trabalho não pode ser extraída ao passarmos de uma temperatura para outra é deduzido de outro axioma, que é que se tudo estiver à mesma temperatura, o calor não pode ser convertido em trabalho por meio de um processo cíclico. Primeiro, vamos retroceder um pouco e tentar ver, pelo menos em um exemplo elementar, por que essa afirmação mais simples é verdadeira.

Vamos tentar inventar um dispositivo que violará a Segunda Lei da Termodinâmica, isto é, um aparelho que gerará trabalho a partir de um reservatório de calor com tudo à mesma temperatura. Vamos dizer que temos uma caixa de gás a uma certa temperatura, e no interior há um eixo de roda com dentes. (Veja a Figura 46-1, mas considere $T_1 = T_2 = T$, digamos.) Por causa do bombardeamento das moléculas de gás nos dentes, o dente oscila e se mexe. Tudo o que temos de fazer é encaixar, na outra extremidade do eixo da roda, uma roda que pode virar apenas para um lado – a catraca e a lingueta. Logo, quando o cabo tentar se mexer para um lado, ele não virará, e quando ele se mexe para o outro, ele irá virar. Então a roda girará lentamente, e possivelmente poderíamos até prender uma pulga por um barbante a uma polia do cabo e levantar a pulga! Agora vamos perguntar se isso é possível. De acordo com a hipótese de Carnot, é impossível. Se simplesmente olharmos, vemos *à primeira vista* que parece bastante possível. Portanto devemos olhar mais cuidadosamente. De fato, se vemos a catraca e a lingueta, vemos várias complicações.

Primeiramente, a nossa catraca idealizada é tão simples quanto possível, mas mesmo assim, há uma lingueta, e deve haver uma mola na lingueta. A lingueta deve retornar após sair de um dente, portanto a mola é necessária.

Outra característica dessa catraca e lingueta, não mostrada na figura, é bastante essencial. Suponha que o dispositivo seja constituído de partes perfeitamente elásticas. Após a lingueta ser levantada da extremidade do dente e empurrada de volta pela mola, ela baterá contra a roda e continuará batendo. Então, quando outra flutuação acontecer, a roda poderia virar para o outro lado, porque o dente poderia estar embaixo durante o momento quando a lingueta estava para cima! Portanto, uma parte essencial da irreversibilidade da nossa roda é um mecanismo de amortecimento que para as batidas. Quando o amortecimento acontece, é claro, a energia que estava na lingueta vai para a roda e aparece como calor. Desse modo, conforme ela vira, a roda se torna mais e mais quente. Para tornar a coisa mais simples, podemos colocar um gás em volta da roda para absorver um pouco do calor. De qualquer maneira, vamos dizer que o gás continua aumentando sua temperatura, juntamente à roda. Isso continuará para sempre? Não! A lingueta e a roda, ambas a uma dada temperatura T, também têm um movimento Browniano. Esse movimento é tal que,

46–1 Como funciona uma catraca
46–2 A catraca como um motor
46–3 Reversibilidade em mecânica
46–4 Irreversibilidade
46–5 Ordem e entropia

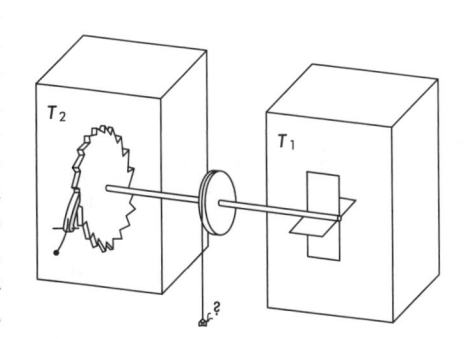

Figura 46–1 O motor de catraca e lingueta.

---
[1] Ver Parrondo and Español, Am. J. Phys. **64**, 1125 (1996) para uma análise crítica deste capítulo.

de vez em quando, por acaso, a lingueta se levanta por cima de um dente justamente no momento quando o movimento browniano dos dentes está tentando virar o eixo de roda para trás. Conforme as coisas tornam-se mais quentes, isso acontece mais frequentemente.

Portanto, essa é a razão por que esse dispositivo não funciona em movimento perpétuo. Quando os dentes são atingidos, às vezes a lingueta se levanta e passa por cima da extremidade, mas às vezes, quando ela tenta virar para o outro lado, a lingueta já levantou devido às flutuações dos movimentos no lado de roda, e a roda retorna para o outro lado! O resultado efetivo é que nada acontece. Não é difícil demonstrar que quando a temperatura nos dois lados é igual, não haverá nenhum movimento médio efetivo da roda. Naturalmente, a roda oscilará muito para lá e para cá, mas ela não fará o que nós gostaríamos, que seria virar somente para uma direção.

Vamos ver a razão. É necessário realizar trabalho contra a mola para levantar a lingueta para o topo de um dente. Vamos chamar essa energia de ϵ, e chamar de θ do ângulo entre os dentes. A probabilidade de que o sistema acumule energia suficiente, ϵ, para trazer a lingueta para cima do dente é $e^{-\epsilon/kT}$, mas a probabilidade de que a lingueta esteja acidentalmente levantada é também $e^{-\epsilon/kT}$. Portanto o número de vezes que a lingueta está levantada e que a roda pode virar livremente para trás é igual ao número de vezes que temos energia suficiente para virá-la para a frente quando a lingueta está abaixada. Assim obtemos um "equilíbrio", e a roda não girará.

46–2 A catraca como um motor

Vamos agora mais adiante. Tomemos o exemplo no qual a temperatura dos dentes é T_1 e a temperatura da roda, ou catraca, é T_2, e T_2 é menor do que T_1. Como a roda está fria e as flutuações da lingueta são relativamente raras, será muito difícil para a lingueta alcançar uma energia ϵ. Por causa da alta temperatura T_1, os dentes muitas vezes alcançaram a energia ϵ, portanto o nosso aparelho irá em uma direção, como projetado.

Gostaríamos agora de ver se ele consegue levantar peso. Amarramos um barbante na polia, no meio, e colocamos um peso, como a nossa pulga, no barbante. Seja L o torque devido ao peso. Se L não for grande demais, a nossa máquina levantará o peso porque as flutuações brownianas fazem com que seja mais provável se mover em uma direção do que na outra. Queremos saber quanto peso ela pode levantar, com que velocidade ela gira e assim por diante.

Primeiramente consideraremos um movimento para frente, a maneira usual projetada para o funcionamento de uma catraca. Para dar um passo para a frente, quanta energia tem de ser emprestada da extremidade do dente? Devemos emprestar uma energia ϵ para levantar a lingueta. A roda gira em um ângulo θ contra um torque L, portanto também precisamos da energia $L\theta$. A quantidade total de energia que temos de tomar emprestada é, portanto, $\epsilon + L\theta$. A probabilidade de obter essa energia é proporcional a $e^{-(\epsilon+L\theta)/kT_1}$. Realmente, não é apenas o problema de adquirir a energia, mas também gostaríamos de saber o número de vezes por segundo ela tem esta energia. A probabilidade por segundo é proporcional a $e^{-(\epsilon+L\theta)/kT_1}$ e chamaremos a constante de proporcionalidade $1/\tau$. Ela se cancelará no final, de qualquer maneira. Quando um passo para a frente ocorre, o trabalho realizado no peso é $L\theta$. A energia retirada do dente é $\epsilon + L\theta$. A mola é enrolada com a energia ϵ, e aí essa energia é convertida em calor. Toda a energia extraída é usada para levantar o peso e movimentar a lingueta, que então cai de volta e fornece calor para o outro lado.

Tomemos agora o caso oposto, que é o movimento para trás. O que acontece aqui? Para conseguir fazer a roda girar para trás, tudo o que temos de fazer é a fornecer energia para levantar a lingueta alto o suficiente para que a catraca deslize. Essa é também a energia ϵ. A probabilidade por segundo para levantar a lingueta alto o bastante é agora $(1/\tau)e^{-\epsilon/kT_2}$. A nossa constante de proporcionalidade é a mesma, mas desta vez kT_2 aparece por causa da temperatura diferente. Quando isso acontece, o trabalho é liberado porque a roda desliza para trás. Ela pula um chanfro e portanto libera o trabalho $L\theta$. A energia extraída do sistema de catraca é ϵ, e a energia fornecida ao gás em T_1 para os dentes é $L\theta + \epsilon$. É necessário um pouco de raciocínio para entender a razão disso. Suponha que a lingueta se levantou acidentalmente devido a uma flutuação. Então quando ela retornar

Tabela 46–1
Resumo da operação da catraca e lingueta

Para frente: Energia necessária $\epsilon + L\theta$ do dente. $\therefore$ Taxa $= \dfrac{1}{\tau} e^{-(L\theta+\epsilon)/kT_1}$

Extrai do dente $L\theta + \epsilon$

Realiza trabalho $L\theta$

Fornece à catraca ϵ

Para trás: Energia necessária ϵ para a lingueta. $\therefore$ Taxa $= \dfrac{1}{\tau} e^{-\epsilon/kT_2}$

Extrai da catraca ϵ

Trabalho liberado $L\theta$ } mesmo que acima com o sinal revertido.

Fornece ao dente $L\theta + \epsilon$

Se o sistema é reversível, as taxas são iguais, portanto $\dfrac{\epsilon + L\theta}{T_1} = \dfrac{\epsilon}{T_2}$.

$\dfrac{\text{Calor para a catraca}}{\text{calor do dente}} = \dfrac{\epsilon}{L\theta + \epsilon}$. Consequentemente, $\dfrac{Q_2}{Q_1} = \dfrac{T_2}{T_1}$.

---

e a mola empurrá-la contra o dente, existe uma força tentando virar a roda, porque o dente está empurrando em um plano inclinado. Essa força está realizando trabalho, assim como também está a força devido aos pesos. Portanto, ambas, juntas, constituem a força total, e toda a energia que é lentamente liberada aparece no lado dos dentes como calor. (É claro que deve ser assim, por conservação da energia, mas é preciso pensar cuidadosamente na coisa até o final.) Notamos que todas essas energias são exatamente as mesmas, mas invertidas. Dessa maneira, dependendo de qual dessas duas taxas é maior, o peso é lentamente levantado ou lentamente liberado. Naturalmente, ele está constantemente oscilando, subindo durante um tempo e abaixando durante um tempo, mas estamos falando sobre o comportamento médio.

Suponha que para um determinado peso as taxas são iguais. Então acrescentamos um peso infinitesimal à polia. O peso baixará lentamente, e trabalho será realizado na máquina. Energia será extraída da roda e fornecida aos dentes. Se ao invés disso retirarmos um pouquinho de peso, então o desequilíbrio ocorre na outra direção. O peso é levantado, e o calor é extraído do dente e adicionado à roda. Portanto temos as condições do ciclo reversível de Carnot, contanto que o peso seja justamente tal que essas duas são iguais. Essa condição é, evidentemente, $(\epsilon + L\theta)/T_1 = \epsilon/T_2$. Vamos dizer que a máquina está levantando lentamente o peso. A energia Q_1 é extraída dos dentes, e a energia Q_2 é entregue à roda, e essas energias estão na razão $(\epsilon + L\theta)/\epsilon$. Se estivermos abaixando o peso, também temos $Q_1/Q_2 = (\epsilon + L\theta)/\epsilon$. Assim, na Tabela (46-1), temos

$$Q_1/Q_2 = T_1/T_2.$$

Além disso, o trabalho que extraímos está para a energia obtida do dente como $L\theta$ está para $L\theta + \epsilon$, logo como $(T_1 - T_2)/T_1$. Vemos que o nosso dispositivo não pode extrair mais trabalho do que isso, funcionando reversivelmente. Esse é o resultado que esperávamos do argumento de Carnot, e o resultado principal desta aula. Contudo, podemos usar o nosso dispositivo para entender alguns outros fenômenos, mesmo fora do equilíbrio e, portanto, além do alcance da termodinâmica.

Vamos agora calcular *quão rapidamente* o nosso dispositivo unidirecional giraria se tudo estivesse à mesma temperatura e suspendêssemos um peso pela polia. Se puxarmos de maneira muito, muito forte, naturalmente ocorre todo tipo de complicações. A lingueta desliza por cima da catraca, ou o barbante arrebenta, etc. Suponha que puxemos bem suavemente, de modo que tudo funcione bem. Nessas circunstâncias, a análise mencio-

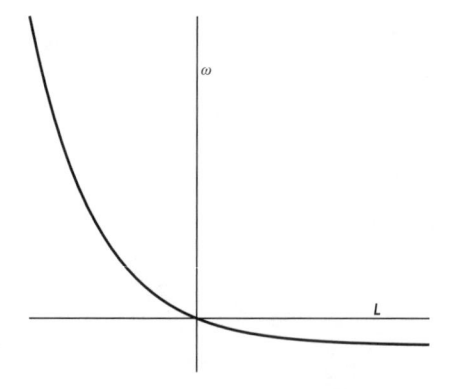

Figura 46-2 Velocidade angular da catraca como função do torque.

nada acima está correta para a probabilidade de a roda ir para frente e para trás, se lembrarmos que as duas temperaturas são iguais. Em cada passo, um ângulo θ é obtido, portanto a velocidade angular é θ vezes a probabilidade de um desses passos por segundo. Ela gira para a frente com a probabilidade $(1/\tau)e^{-(\epsilon+L\theta)/kT}$ e para trás com a probabilidade $(1/\tau)e^{-\epsilon/kT}$, portanto, para a velocidade angular, temos

$$\omega = (\theta/\tau)(e^{-(\epsilon+L\theta)/kT} - e^{-\epsilon/kT})$$
$$= (\theta/\tau)e^{-\epsilon/kT}(e^{-L\theta/kT} - 1). \quad (46.1)$$

Se traçarmos ω contra L, obtemos a curva mostrada na Figura 46-2. Vemos que faz uma grande diferença se L é positivo ou negativo. Se L aumenta no intervalo positivo, o que ocorre quando tentamos impulsionar a roda para trás, a velocidade para trás se aproxima de uma constante. Conforme L fica negativo, ω realmente "dispara" para a frente, pois e elevado a uma potência enorme é muito grande!

A velocidade angular obtida a partir de diferentes forças é, portanto, muito assimétrica. Girar em uma direção é fácil: adquirimos muita velocidade angular de uma força pequena. Para o outro lado, podemos pôr muita força, e mesmo assim a roda quase não vira.

Encontramos a mesma coisa em um *retificador elétrico*. Em vez da força, temos o campo elétrico, e no lugar da velocidade angular, temos a corrente elétrica. No caso de um retificador, a voltagem não é proporcional à resistência, e a situação é assimétrica. A mesma análise que fizemos para o retificador mecânico também funcionará para um retificador elétrico. De fato, o tipo de fórmula que obtivemos acima é típico das capacidades de transportar corrente de retificadores em função das suas voltagens.

Agora vamos retirar todos os pesos e examinar a máquina original. Se T_2 fosse menor do que T_1, a catraca iria para frente, como qualquer um acreditaria. O que é difícil de se acreditar, à primeira vista, é o contrário. Se T_2 for maior do que T_1, a catraca gira para o lado oposto! Uma catraca dinâmica com muito calor gira para trás, porque a lingueta da catraca está balançando. Se a lingueta, durante um momento, estiver em alguma inclinação, ela empurra o plano inclinado para o lado. Ela está *sempre* empurrando em um plano inclinado, porque se acontecer de ela levantar alto o suficiente para passar a ponta de um dente, então o plano inclinado desliza sob ela, e ela baixa novamente em um plano inclinado. Assim, uma catraca quente e uma lingueta são idealmente construídas para girar em uma direção exatamente oposta à qual foram originalmente projetadas!

Apesar de toda a nossa inteligência no desenho assimétrico, se as duas temperaturas forem exatamente iguais, não há uma propensão maior para girar de uma maneira do que da outra. No momento em que olhamos, pode estar girando de um jeito ou de outro, mas no final, não vai a lugar algum. O fato de não chegar a nenhum lugar é realmente o princípio fundamental no qual toda a termodinâmica é baseada.

46-3 Reversibilidade em mecânica

Qual princípio mecânico fundamental nos diz que, com o tempo, se a temperatura for mantida a mesma em todo lugar, o nosso aparelho não girará nem para a direita nem para a esquerda? Evidentemente temos uma proposição fundamental de que não há nenhum modo de projetar uma máquina que, deixada sozinha, será mais provável estar virando para um lado do que para o outro depois de um tempo suficientemente longo. Devemos tentar ver como isso deriva das leis da mecânica.

As leis da mecânica são algo como: a massa vezes a aceleração é a força, e a força em cada partícula é uma certa função complicada das posições de todas as outras partículas. Há outras situações nas quais as forças dependem da velocidade, como no magnetismo, mas não vamos considerar isso agora. Consideremos um caso simples, como a gravidade, em que as forças dependem somente da posição. Agora suponha que resolvemos o nosso conjunto de equações e temos um dado movimento $x(t)$ para cada partícula. Em um sistema bastante complicado, as soluções são muito complicadas, e o que acontece com o tempo acaba sendo muito surpreendente. Se escrevermos qualquer arranjo que desejarmos para as partículas, veremos que esse arranjo de fato ocorre se esperarmos um tempo muito longo! Se acompanharmos a nossa solução por um tempo longo o suficiente, ela tenta tudo o que é possível, por assim dizer. Isso não é absolutamente necessário nos dispositivos mais simples, mas quando os sistemas são bem complicados, com muitos átomos, isso acontece. Porém existe algo mais que a solução pode fazer. Se resolvermos as equações de movimento, podemos obter certas funções como $t + t^2 + t^3$. Afirmamos que outra solução seria $-t + t^2 - t^3$. Em outras palavras, se substituirmos $-t$ por t na solução inteira, obteremos novamente uma solução para a mesma equação. Isso resulta do fato de que se substituirmos $-t$ por t na equação diferencial original, nada é modificado, pois apenas as derivadas segundas com respeito a t aparecem, o que significa que se tivermos um certo movimento, então o exato movimento oposto também é possível. Na completa confusão que ocorre se esperarmos um tempo longo o suficiente, ora ela se encontra indo em uma direção, ora ela se encontra indo na outra direção. Não há nada melhor em um dos movimentos do que no outro. Portanto, é impossível projetar uma máquina que, no final, tenha maior probabilidade de estar indo em uma direção do que na outra, se a máquina for suficientemente complicada.

Pode-se inventar um exemplo para o qual isso é obviamente falso. Se tomarmos uma roda, por exemplo, e a girarmos no espaço vazio, ela girará na mesma direção para sempre. Portanto, existem algumas condições, como a conservação do momento angular, que violam o argumento mencionado acima. Isso apenas necessita que a argumentação seja feita com um pouco mais de cuidado. Talvez as paredes absorvam o momento angular, ou algo assim, para que não tenhamos nenhuma lei de conservação especial. Então, se o sistema é complicado o suficiente, o argumento é verdadeiro, baseado no fato de que as leis da mecânica são reversíveis.

Devido a um interesse histórico, gostaríamos de comentar sobre um dispositivo inventado por Maxwell, quem primeiro desenvolveu a teoria dinâmica dos gases. Ele supôs a seguinte situação: temos duas caixas de gás à mesma temperatura, com um pequeno orifício entre elas. No orifício está sentado um pequeno demônio (que pode ser uma máquina, naturalmente!). Há uma porta no orifício, que pode ser aberta ou fechada pelo demônio. Ele observa as moléculas que vêm da esquerda. Sempre que ele vê uma molécula rápida, ele abre a porta. Quando ele vê uma lenta, ele a deixa fechada. Se quisermos que ele seja um demônio super especial, ele pode ter olhos na parte de trás da sua cabeça e fazer o oposto com as moléculas do outro lado. Ele deixa as lentas atravessarem para a esquerda, e as rápidas para a direita. Logo, o lado esquerdo estará frio e o lado direito estará quente. Então, as ideias da termodinâmica são violadas porque podíamos ter tal demônio?

Se construirmos um demônio de tamanho finito, o próprio demônio se tornará tão quente que ele não consegue enxergar muito bem depois de um tempo. O demônio mais simples possível, por exemplo, seria uma porta tipo alçapão presa sobre o orifício por uma mola. Uma molécula rápida consegue atravessar, porque é capaz levantar o alçapão. A molécula lenta não consegue atravessar e ricocheteia de volta. Essa coisa nada mais é do que nossa catraca e a lingueta em outra forma, e por fim o mecanismo irá se esquentar. Se supusermos que o calor específico do demônio não é infinito, ele deve esquentar-se. Ele tem um número finito de engrenagens internas e rodas, portanto não consegue se livrar do calor extra que adquire ao observar as moléculas. Logo ele estará tremendo tanto por causa do movimento browniano que não conseguirá mais saber se está vindo ou indo, muito menos se as moléculas estão vindo ou indo, portanto ele não trabalha mais.

46–4 Irreversibilidade

Todas as leis da física são reversíveis? Evidentemente que não! Tente "des-mexer" um ovo! Passe um filme de trás para diante, e levará apenas alguns minutos para todos começarem a rir. A característica mais natural de todos os fenômenos é a sua irreversibilidade óbvia.

De onde vem a irreversibilidade? Ela não vem das leis de Newton. Se afirmarmos que o comportamento de todas as coisas deve ser finalmente entendido em termos das leis da física, e se também resultar que todas as equações têm a propriedade fantástica de que se fizermos $t = -t$ obteremos outra solução, então todo fenômeno é reversível. Como então se sucede que as coisas não são reversíveis na natureza em grande escala? Obviamente deve haver alguma lei, alguma equação obscura mas fundamental, talvez em eletricidade, talvez na física de neutrinos, na qual a direção do tempo é *realmente* importante.

Vamos discutir essa pergunta agora. Já conhecemos uma dessas leis, que diz que a entropia sempre aumenta. Se tivermos uma coisa quente e uma coisa fria, o calor vai da quente para a fria. Portanto, a lei da entropia é uma dessas leis. Presumimos entender a lei da entropia do ponto de vista da mecânica. De fato, acabamos de ter sucesso ao obter todas as consequências do raciocínio segundo o qual o calor não pode fluir inversamente por si mesmo a partir de apenas argumentos mecânicos, e por meio disso obtivemos uma compreensão da Segunda Lei. Aparentemente, podemos obter a irreversibilidade de equações reversíveis, mas utilizamos *somente* um argumento mecânico? Vamos investigá-lo mais cuidadosamente.

Como a nossa pergunta tem a ver com a entropia, nosso problema é tentar encontrar uma descrição microscópica da entropia. Se dissermos que algo tem uma certa quantidade de energia, como um gás, então podemos obter um quadro microscópico dele e dizer que cada átomo tem uma certa energia. Todas essas energias somadas em conjunto nos dão a energia total. Analogamente talvez cada átomo tenha uma certa entropia. Se somarmos tudo, teríamos a entropia total. Não funciona tão bem, mas vamos ver o que acontece.

Como um exemplo, calculamos a diferença de entropia entre um gás a uma certa temperatura em um volume e um gás à mesma temperatura em outro volume. Lembramos, do Capítulo 44, que obtivemos para a variação da entropia

$$\Delta S = \int \frac{dQ}{T}.$$

No presente caso, a energia do gás é a mesma antes e depois da expansão, pois a temperatura não se modifica. Portanto temos de acrescentar calor suficiente para igualar o trabalho realizado pelo gás ou, para cada pequena variação do volume,

$$dQ = P\, dV.$$

Substituindo isso em dQ, obtemos

$$\Delta S = \int_{V_1}^{V_2} P \frac{dV}{T} = \int_{V_1}^{V_2} \frac{NkT}{V} \frac{dV}{T}$$
$$= Nk \ln \frac{V_2}{V_1},$$

como obtivemos no Capítulo 44. Por exemplo, se expandirmos o volume por um fator 2, a entropia varia em $Nk \ln 2$.

Vamos agora considerar outro exemplo interessante. Suponha que temos uma caixa com uma divisória no meio. Em um lado temos o néon (moléculas "pretas"), e no outro, o argônio (moléculas "brancas"). Então retiramos a divisória e deixamos os gases se misturarem. Em quanto variou a entropia? É possível imaginar que em vez da divisória temos um pistão com buracos que deixam as brancas passarem, mas não as pretas, e outro tipo de pistão que funciona de maneira contrária. Se movermos um pistão para cada extremidade, vemos que, para cada gás, o problema se parece com aquele que acabamos de resolver. Portanto, obtemos uma variação de entropia de $Nk \ln 2$, o que significa que a entropia aumentou em $k \ln 2$ por molécula. O 2 tem a ver com o volume extra que cada molécula tem, o que é um tanto peculiar. Não é uma propriedade da própria molécula, mas *de quanto espaço* a molécula tem para se mover. Essa é uma situação estranha, na qual a entropia aumenta, mas tudo tem a mesma temperatura e a mesma energia! A única coisa que muda é que as moléculas são distribuídas diferentemente.

Sabemos muito bem que se apenas retirarmos a divisória, tudo estará misturado após um longo tempo, devido as colisões, oscilações, choques e assim por diante. De vez em quando, uma molécula branca se move em direção a uma preta, e uma preta vai em direção a uma branca, e talvez elas passem. Gradualmente as brancas conseguem se infiltrar, por acaso, no espaço das pretas, e as pretas se infiltram, por acaso, no espaço das brancas. Se esperarmos um tempo longo o suficiente, obteremos uma mistura. Claramente, esse é um processo irreversível no mundo real, e deveria implicar um aumento da entropia.

Aqui temos um exemplo simples de um processo irreversível que é completamente constituído de eventos reversíveis. Cada vez que há uma colisão entre quaisquer duas moléculas, elas saem em determinadas direções. Se passássemos um filme de uma colisão ao contrário, não haveria nada de errado com o quadro. De fato, um tipo de colisão é tão provável quanto o outro. Portanto a mistura é completamente reversível, e, no entanto, é irreversível. Todos sabemos que se começamos com branco e com preto, separados, obteremos uma mistura dentro de alguns minutos. Se pararmos e ficarmos observando por mais vários minutos, elas não se separariam novamente, mas permaneceriam misturadas. Portanto, temos uma irreversibilidade que é baseada em situações reversíveis. No entanto, entendemos a *razão* agora. Começamos com um arranjo que era, em algum sentido, *ordenado*. Devido ao caos das colisões, ele se torna desordenado. *É a mudança de um arranjo ordenado para um arranjo desordenado a fonte da irreversibilidade.*

É verdade que se filmarmos isto e passarmos o filme de trás para diante, o veríamos gradualmente se tornar ordenado. Alguém diria, "Isso está contra as leis da física!" Portanto passaríamos novamente o filme, e veríamos cada colisão. Cada uma seria perfeita, e todas estariam obedecendo às leis da física. A razão, naturalmente, é que a velocidade de cada molécula é justamente a correta, assim se os caminhos forem todos revertidos, elas regressam à sua condição original, mas é uma circunstância muito improvável de ocorrer. Se começarmos com o gás sem nenhuma organização em especial, somente brancas e pretas, ele nunca retornará ao estado inicial.

46–5 Ordem e entropia

Portanto, agora temos de falar sobre que queremos dizer com desordem e o que queremos dizer com ordem. Não é uma questão de ordem agradável ou desordem desagradável. O que é diferente nos nossos casos misturados e não misturados é o seguinte. Suponha que dividimos o espaço em pequenos elementos de volume. Se temos moléculas brancas e pretas, de quantas maneiras podemos distribui-las entre os elementos de volume para que as brancas estejam em um lado e as pretas do outro? De outro modo, de quantas maneiras podemos distribui-las sem a restrição de quem vai onde? Claramente, há muito mais maneiras de arranjá-las no último caso. Medimos a "desordem" pelo número de maneiras em que o interior pode ser arrumado, para que o exterior se pareça o mesmo. *O logaritmo desse número de maneiras é a entropia.* O número de maneiras no caso das moléculas separadas é menor, portanto a entropia é menor, ou a "desordem" é menor.

Assim, com a definição técnica de desordem mencionada acima, podemos entender a proposição. Primeiramente, a entropia mede a desordem. Em segundo lugar, o universo sempre vai de "ordem" para "desordem", portanto a entropia sempre aumenta. A ordem não é a ordem no sentido de que gostamos do arranjo, mas no sentido de que o número de maneiras diferentes em que podemos arrumá-lo, tal que ele ainda pareça o mesmo no exterior, é relativamente restrito. No caso em que invertemos o nosso filme da mistura de gás, não houve tanta desordem como pensamos. Cada átomo tinha exatamente a velocidade e a direção corretas para dar certo! A entropia não era alta afinal, embora parecesse assim.

E sobre a reversibilidade das outras leis físicas? Quando falamos sobre o campo elétrico criado por uma carga acelerada, dissemos que devemos tomar o campo retardado. No tempo t e a uma distância r da carga, tomamos o campo devido à aceleração no tempo $t - r/c$, não $t + r/c$. Portanto parece, a princípio, como se a lei da eletricidade não fosse reversível. Muito estranhamente, contudo, as leis que usamos vêm de um conjunto de equações chamadas de equações de Maxwell, que são, de fato, reversíveis. Além disso, é possível argumentar que se devemos usar somente o campo avançado, o campo devido ao estado das coisas em $t + r/c$, e fazê-lo de forma absolutamente consistente em um espaço completamente fechado, tudo acontece exatamente da mesma maneira como se usássemos campos retardados! Esta aparente irreversibilidade na eletricidade, pelo menos em um sistema fechado, não é, portanto, uma irreversibilidade de maneira alguma. Já temos um pouco de noção disso, porque sabemos que quando temos uma carga oscilando que gera campos que são refletidos nas paredes de um recipiente, finalmente obtemos um equilíbrio no qual não há nenhuma unilateralidade. A aproximação de campo retardado é apenas uma conveniência do método de solução.

Tanto quanto sabemos, todas as leis fundamentais da física, como as equações de Newton, são reversíveis. Então de onde vem a irreversibilidade? Ela vem de ordem se tornando desordem, mas não entenderemos isso até conhecermos a origem da ordem. Por que as situações que encontramos todos os dias estão sempre fora do equilíbrio? Uma possível explicação é a seguinte. Olhe novamente para a nossa caixa de moléculas brancas e pretas misturadas. É possível, se esperarmos um tempo suficientemente longo – por pura obra do acaso, altamente improvável, mas possível, acidente –, que a distribuição de moléculas se torne a maioria das brancas em um lado e a maioria das pretas no outro. Depois disso, conforme o tempo passa e os acidentes continuam, elas se tornam mais misturadas novamente.

Assim uma explicação possível para o alto grau de ordem do mundo atual consiste em que é justamente uma questão da sorte. Talvez tenha acontecido de o nosso universo ter algum tipo de flutuação no passado, no qual as coisas ficaram um tanto separadas, e agora elas estão se reunindo novamente. Esse tipo de teoria não é assimétrico, porque podemos perguntar com o que o gás separado se parece um pouco no futuro ou um pouco no passado. Em ambos os casos, vemos um borrão cinzento na interface, porque as moléculas estão se misturando novamente. Não importa em que direção fazemos o tempo correr, o gás se mistura. Portanto, essa teoria diria que a irreversibilidade é apenas um dos acidentes da vida.

Gostaríamos de argumentar que esse não é o caso. Suponha que não olhemos a caixa inteira ao mesmo tempo, mas apenas uma parte dela. Então, em certo momento, suponha que descobrimos um certo montante de ordem. Nessa pequena parte, as brancas e as pretas estão separadas. O que devemos deduzir sobre a condição nos lugares onde ainda não olhamos? Se realmente acreditamos que a ordem resultou da desordem completa por uma flutuação, seguramente devemos tomar a flutuação mais provável capaz de produzi-la, e a condição mais provável *não* é que o resto da caixa também ficou "desmisturada"! Portanto, a partir da hipótese de que o mundo é uma flutuação, todas as previsões são que se virmos uma parte do mundo a qual nunca vimos antes, a encontraremos misturada, e não como a parte que acabamos de ver. Se a nossa ordem fosse decorrente de uma flutuação, não esperaríamos a ordem em qualquer outro lugar além de onde acabamos de notar.

Considere que a separação é porque o passado do universo foi realmente ordenado. Não devido a uma flutuação, mas tudo era branco e preto. Essa teoria prediz que haverá ordem em outros lugares – a ordem não é decorrente de uma flutuação, mas de uma ordenação muito maior no início dos tempos. Então esperaríamos encontrar ordem em lugares onde ainda não procuramos.

Os astrônomos, por exemplo, somente observaram algumas estrelas. Cada dia eles apontam os seus telescópios para outras estrelas, e as novas estrelas estão fazendo a mesma coisa que outras estrelas. Portanto, concluímos que o universo *não* é uma flutuação, e que a ordem é uma memória das condições de quando as coisas começaram. Isso não quer dizer que entendemos sua lógica. Por alguma razão, o universo um dia teve uma entropia muito baixa para a sua densidade de energia, e desde então a entropia tem aumentado. Portanto esse é o caminho em direção ao futuro. Essa é a origem de toda a irreversibilidade, é o que cria os processos de crescimento e decaimento, que nos faz lembrar do passado e não do futuro, lembrar das coisas que estão mais próximas àquele momento na história do universo quando a ordem era maior do que agora, e pela qual não somos capazes de nos lembrar das coisas onde a desordem é mais alta do que agora, que chamamos o futuro. Deste modo, como comentamos em um capítulo anterior, o universo inteiro está em um copo de vinho, se o olharmos com cuidado suficiente. Neste caso, a taça de vinho é complexa, porque existe água, vidro, luz e tudo mais.

Outro prazer do nosso assunto da física consiste em que até mesmo as coisas simples e idealizadas, como a catraca e a lingueta, funcionam somente porque fazem parte do universo. A catraca e a lingueta funcionam apenas em uma direção porque elas têm finalmente um pouco de contato com o resto do universo. Se a catraca e a lingueta estivessem em uma caixa e isoladas durante um tempo suficiente, a roda não teria maior probabilidade de girar de uma maneira do que da outra. No entanto, uma vez que levantamos a cortina e deixamos a luz sair, porque esfriamos na Terra e adquirimos calor do Sol, as catracas e as linguetas que construímos podem virar para um lado. Essa unidirecionalidade está relacionada com o fato de que a catraca é parte do universo. Ela é parte do universo não apenas no sentido de que ela obedece às leis físicas do universo, mas o seu comportamento unidirecional está atrelado ao comportamento unidirecional do universo inteiro. Isso não poderá ser completamente entendido até que a especulação sobre o mistério do início da história do universo seja reduzida ainda mais em direção à compreensão científica.

47

Som. A Equação de Onda

47–1 Ondas

Neste capítulo, discutiremos o fenômeno de *ondas*, o qual aparece em muitos contextos em todas as áreas da física. Por isso, devemos concentrar nossa atenção nele não somente por causa do exemplo em particular considerado aqui, que é o som, mas também por causa da aplicação muito mais ampla das ideias em todos os ramos da física.

Quando estudamos o oscilador harmônico, apontamos que não há somente os exemplos mecânicos de sistemas oscilantes, mas elétricos também. As ondas estão relacionadas aos sistemas oscilantes, exceto que as oscilações de onda aparecem não apenas como oscilações do tempo em um lugar, mas se propagam no espaço também.

Realmente já estudamos ondas. Quando estudamos a luz, aprendendo sobre as propriedades de ondas naquele assunto, prestamos especial atenção à interferência no espaço de ondas de várias fontes em posições diferentes e todas na mesma frequência. Existem dois fenômenos de onda importantes que ainda não discutimos os quais ocorrem na luz, isto é, em ondas eletromagnéticas, bem como em qualquer outra forma de onda. O primeiro desses é o fenômeno de *interferência no tempo*, e não interferência no espaço. Se tivermos duas fontes de som com frequências ligeiramente diferentes e se escutarmos ambas ao mesmo tempo, então às vezes as ondas vêm com as cristas juntas e às vezes com a crista e o vale juntos (ver a Figura 47–1). A resultante subida e queda do som é o fenômeno de *batimento* ou, em outras palavras, da interferência no tempo. O segundo fenômeno envolve os padrões de onda resultantes quando as ondas são confinadas dentro de um dado volume e são refletidas para lá e para cá nas paredes.

Esses efeitos poderiam ter sido discutidos, é claro, para o caso de ondas eletromagnéticas. A razão de não termos feito isso é que ao usar um exemplo não criaríamos a noção de que estamos aprendendo de fato sobre muitos assuntos diferentes ao mesmo tempo. Para enfatizar a aplicabilidade geral de ondas além da eletrodinâmica, consideramos aqui um exemplo diferente, em particular ondas sonoras.

Outros exemplos de ondas são ondas de água compostas de elevações longas que vemos chegar à beira-mar, ou as menores ondas de água compostas de ondulações de tensão superficiais. Como outro exemplo, há duas espécies de ondas elásticas em sólidos; uma onda compressional (ou longitudinal), na qual as partículas do sólido oscilam para a frente e para trás ao longo da direção de propagação da onda (as ondas sonoras em um gás são desta espécie), e uma onda transversal, na qual as partículas do sólido oscilam na direção perpendicular à direção da propagação. As ondas de terremotos contêm ondas elásticas de ambos os tipos, geradas por um movimento em algum lugar da crosta terrestre.

Ainda outro exemplo de ondas é encontrado na física moderna: ondas que fornecem a amplitude da probabilidade de encontrar uma partícula em um dado lugar – as "ondas de matéria" que já discutimos. A sua frequência é proporcional à energia e o seu número de onda é proporcional ao momento. Elas são as ondas da mecânica quântica.

Neste capítulo, consideraremos somente ondas para as quais a velocidade é independente do comprimento de onda. Esse é, por exemplo, o caso da luz no vácuo. A velocidade da luz é então a mesma para ondas de rádio, luz azul, luz verde ou para qualquer outro comprimento de onda. Por causa desse comportamento, quando começamos a descrever o fenômeno de onda não notamos inicialmente que tínhamos propagação de onda. Em vez disso, dissemos que se uma carga se movimentar em um lugar, o campo elétrico a uma distância x era proporcional à aceleração, não no tempo t, mas em um tempo anterior $t - x/c$. Portanto, se quiséssemos conhecer o campo elétrico no espaço em algum instante de tempo, como na Figura 47–2, o campo elétrico em um tempo t posterior teria se movido a distância ct, como indicado na figura. Matematicamente, podemos dizer que no

47–1	Ondas
47–2	A propagação do som
47–3	A equação de onda
47–4	Soluções da equação de onda
47–5	A velocidade do som

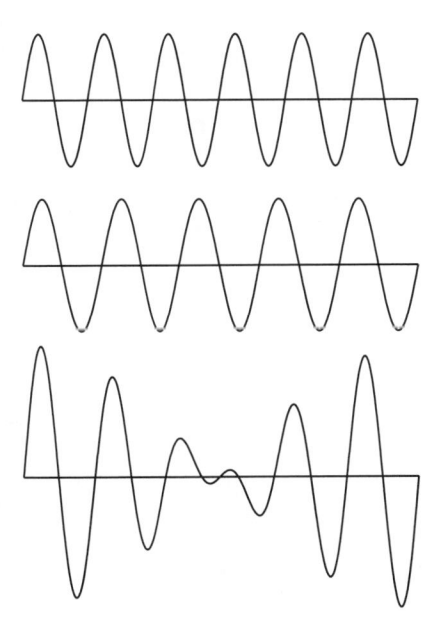

Figura 47–1 Interferência no tempo de duas fontes de som com frequências ligeiramente diferentes, resultando em batimentos.

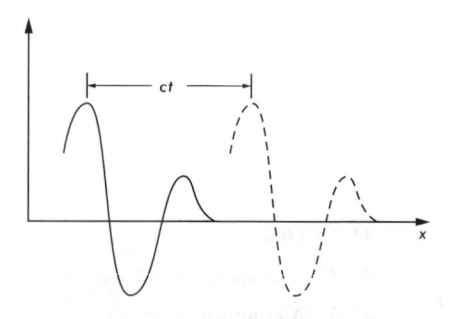

Figura 47-2 A curva contínua mostra como pode ser o campo elétrico em um instante de tempo, e a curva tracejada mostra o campo elétrico em um tempo posterior t.

exemplo unidimensional considerado, o campo elétrico é uma função de $x - ct$. Vemos que, em $t = 0$, ele é uma certa função de x. Se considerarmos um tempo posterior, temos apenas que aumentar x um pouco para adquirir o mesmo valor do campo elétrico. Por exemplo, se o campo máximo ocorreu em $x = 3$ no tempo zero, então para encontrar a nova posição do campo máximo no tempo t precisamos de

$$x - ct = 3 \quad \text{ou} \quad x = 3 + ct.$$

Vemos que esse tipo de função representa a propagação de uma onda.

Tal função, $f(x - ct)$, então representa uma onda. Podemos resumir essa descrição de uma onda dizendo simplesmente que

$$f(x - ct) = f(x + \Delta x - c(t + \Delta t)),$$

quando $\Delta x = c\Delta t$. Existe, naturalmente, outra possibilidade, isto é, que ao invés de uma fonte à esquerda como indicado na Figura 47-2, tenhamos uma fonte à direita, para que a onda se propague na direção do x negativo. Então a onda seria descrita por $g(x + ct)$.

Há a possibilidade adicional da existência de mais de uma onda no espaço ao mesmo tempo e, portanto, o campo elétrico é a soma dos dois campos, cada um se propagando independentemente. Esse comportamento de campos elétricos pode ser descrito dizendo que se $f_1(x - ct)$ for uma onda, e se $f_2(x - ct)$ for outra onda, então a sua soma é também uma onda. Isso é chamado de princípio da superposição. O mesmo princípio é válido para o som.

Estamos familiarizados com o fato de que se um som for produzido, ouvimos com fidelidade total a mesma sequência de sons que foi gerada. Se tivéssemos altas frequências viajando mais rapidamente do que as frequências baixas, um ruído curto e agudo seria ouvido como uma sucessão de sons musicais. Semelhantemente, se a luz vermelha viajasse mais rapidamente do que a luz azul, um raio de luz branca seria visto primeiro como vermelho, então como branco e finalmente como azul. Sabemos que esse não é o caso. Tanto o som como a luz viajam com uma velocidade no ar que é quase independente da frequência. Os exemplos de propagação de onda em que essa independência não é verdadeira serão considerados no Capítulo 48.

No caso da luz (ondas eletromagnéticas), fornecemos uma regra para determinar o campo elétrico em um ponto como resultado da aceleração de uma carga. Poderia-se esperar agora que o que deveríamos fazer é fornecer uma regra pela qual alguma qualidade do ar, digamos a pressão, é determinada a uma dada distância da fonte em termos do movimento da fonte, atrasada pelo tempo de propagação do som. No caso da luz, esse procedimento era aceitável porque tudo o que sabíamos era que uma carga em um lugar exerce uma força em outra carga em outro lugar. Os detalhes da propagação de um lugar ao outro não eram essenciais de modo algum. No caso do som, contudo, sabemos que ele se propaga pelo ar entre a fonte e o ouvinte, e é certamente natural perguntar, em qualquer momento determinado, qual é a pressão do ar. Gostaríamos, além do mais, de saber exatamente como o ar se move. No caso da eletricidade, podíamos aceitar uma regra, pois podíamos dizer que ainda não conhecíamos as leis da eletricidade, mas não podemos fazer o mesmo comentário com relação ao som. Não estaríamos satisfeitos com uma regra que diz como a pressão sonora se move pelo ar, porque o processo deveria ser entendido como uma consequência das leis da mecânica. Resumindo, o som é um ramo da mecânica e, portanto, deve ser entendido em termos das leis de Newton. A propagação do som de um lugar a outro é meramente uma consequência da mecânica e das propriedades dos gases, se ele se propagar em um gás, ou das propriedades de líquidos ou sólidos, se ele se propagar através de tais meios. Mais tarde, derivaremos as propriedades da luz e a sua propagação ondulatória de um modo semelhante às leis da eletrodinâmica.

47-2 A propagação do som

Derivaremos as propriedades da propagação do som *entre* a fonte e o receptor como consequência das leis de Newton, e não iremos considerar a interação com a fonte e o receptor. Ordinariamente enfatizamos um resultado em vez de uma particular derivação de tal resultado. Neste capítulo, escolhemos o ponto de vista oposto. O principal aqui, em um certo sentido, é a própria derivação. Esse problema de explicar novos fenômenos em termos dos velhos, quando conhecemos as leis dos velhos, é possivelmente a maior arte da física matemática. O físico matemático tem dois problemas: um é encontrar as soluções, dadas as equações, e o outro é encontrar as equações que descrevem um novo fenômeno. A derivação aqui é um exemplo do segundo tipo de problema.

Tomaremos aqui o exemplo mais simples – a propagação do som em uma dimensão. Para executar tal dedução, é necessário primeiro ter uma certa compreensão do que está acontecendo. Fundamentalmente o que está sendo considerado é que se um objeto for movido em algum lugar no ar, observamos que ocorre uma perturbação que viaja pelo ar. Se perguntarmos que tipo de perturbação, diríamos que esperaríamos que o movimento do objeto produzisse uma modificação na pressão. Naturalmente, se o objeto for movido suavemente, o ar simplesmente flui em torno dele, mas o que nos interessa é um movimento rápido, de modo que não haja tempo suficiente para tal fluxo. Então, com o movimento, o ar é comprimido e uma variação da pressão é produzida que empurra ainda mais ar. Esse ar é por sua vez comprimido, o que produz novamente uma pressão extra, e uma onda é propagada.

Agora queremos formular tal processo. Temos de decidir de quais variáveis precisaremos. Em nosso problema em particular, teríamos de conhecer em quanto o ar se moveu, de maneira que o *deslocamento* do ar na onda sonora é certamente uma variável relevante. Além do mais, gostaríamos de descrever como a *densidade* do ar se modifica conforme ele é deslocado. A *pressão* do ar também varia, portanto essa é outra variável de interesse. Naturalmente, o ar tem uma *velocidade,* portanto temos de descrever a velocidade das partículas do ar. As partículas do ar também têm *aceleração* – porém conforme listamos essas muitas variáveis, logo percebemos que a velocidade e a aceleração seriam conhecidas se soubéssemos como o *deslocamento* do ar varia com o tempo.

Como dissemos, consideraremos a onda em uma dimensão. Podemos fazer isso se estivermos suficientemente distantes da fonte de maneira que o que chamamos de *frentes de onda* são quase planos. Assim simplificamos o nosso argumento tomando o exemplo menos complicado. Então seremos capazes de dizer que o deslocamento, χ, depende somente de x e t, e não de y ou z. Portanto, a descrição do ar é dada por $\chi(x, t)$.

Essa descrição é completa? Pareceria estar longe de ser completa, já que não conhecemos nenhum dos detalhes de como as moléculas do ar se movem. Elas estão se movendo em todas as direções, e este estado das coisas certamente não é descrito por meio dessa função $\chi(x, t)$. Do ponto da visão da teoria cinética, se tivermos uma densidade mais alta de moléculas em um lugar e uma densidade mais baixa adjacente àquele lugar, as moléculas iriam se afastar da região da mais alta densidade para aquela de densidade mais baixa, a fim de igualar essa diferença. Aparentemente, não obteríamos uma oscilação, e não haveria nenhum som. A situação necessária para se obter a onda sonora é a seguinte: conforme as moléculas saem da região de mais alta densidade e mais alta pressão, elas transferem o momento às moléculas na região adjacente de densidade mais baixa. Para gerar o som, as regiões onde a densidade e a pressão variam devem ser muito maiores do que a distância percorrida pelas moléculas antes de colidir com outras moléculas. Essa distância é o livre caminho médio, e a distância entre as cristas e os vales de pressão deve ser muito maior do que isso. De outra maneira, as moléculas iriam se mover livremente da crista para o vale e imediatamente estragariam a onda.

É claro que iremos descrever o comportamento do gás em uma escala grande comparada com o livre caminho médio e, portanto, as propriedades do gás não serão descritas em termos das moléculas individuais. O deslocamento, por exemplo, será o deslocamento do centro da massa de um pequeno elemento de gás, e a pressão ou a densidade serão a pressão ou a densidade nesta região. Chamaremos a pressão P e a densidade ρ, e elas serão funções de x e t. Devemos ter em mente que essa descrição é uma aproximação válida somente quando essas propriedades do gás não variarem rapidamente demais com a distância.

47–3 A equação de onda

A física do fenômeno de ondas sonoras, portanto, envolve três características:

I. O gás se move e modifica a densidade.

II. A variação da densidade corresponde a uma variação da pressão.

III. Desigualdades em pressão geram o movimento do gás.

Vamos considerar o item II primeiramente. Para um gás, um líquido ou um sólido, a pressão é uma certa função da densidade. Antes da onda sonora chegar, temos o equilíbrio, com uma pressão P_0 e uma densidade correspondente ρ_0. Uma pressão P no meio está correlacionada à densidade por alguma relação característica $P = f(\rho)$ e, em particular, a pressão de equilíbrio P_0 é dada por $P_0 = f(\rho_0)$. As variações de pressão no som em relação ao valor de equilíbrio são extremamente pequenas. Uma unidade conveniente para medir pressão é *bar*, onde 1 bar = 10^5 n/m². A pressão de uma atmosfera padrão é muito próxima de 1 bar: 1 atm = 1,0133 bar. No caso do som, usamos uma escala logarítmica de intensidades, pois a sensibilidade do ouvido é aproximadamente logarítmica. Essa escala é a escala de decibel, na qual o nível de pressão acústica da amplitude de pressão P é definido como

$$I \text{ (nível de pressão acústica)} = 20 \log 10(P/P_{\text{ref}}) \text{ em db,} \quad (47.1)$$

onde a pressão de referência $P_{\text{ref}} = 2 \times 10^{-10}$ bar. Uma amplitude de pressão de $P = 10^3 P_{\text{ref}}$ = 2×10^{-7} bar[1] corresponde a um som moderadamente intenso de 60 decibéis. Vemos que as variações de pressão no som são extremamente pequenas comparadas com a pressão de equilíbrio, ou média, de 1 atm. Os deslocamentos e as variações de densidade são correspondentemente extremamente pequenas. Em explosões não temos modificações tão pequenas; os excessos de pressão produzidos podem ser maiores do que 1 atm. Essas grandes variações de pressão levam a novos efeitos que consideraremos mais tarde. Em som geralmente não consideramos níveis de intensidade acústica maiores do que 100 db; 120 db é um nível doloroso para o ouvido. Por isso, para o som, se escrevermos

$$P = P_0 + P_e, \quad \rho = \rho_0 + \rho_e, \quad (47.2)$$

sempre teremos que a variação de pressão P_e é muito pequena comparada com P_0 e a mudança da densidade ρ_e muito pequena comparada com ρ_0. Então

$$P_0 + P_e = f(\rho_0 + \rho_e) = f(\rho_0) + \rho_e f'(\rho_0), \quad (47.3)$$

onde $P_0 = f(\rho_0)$ e $f'(\rho_0)$ significa a derivada de $f(\rho)$ tomada em $\rho = \rho_0$. Podemos fazer o segundo passo nessa igualdade apenas porque ρ_e é muito pequeno. Dessa maneira, encontramos que o excesso de pressão P_e é proporcional ao excesso de densidade ρ_e, e podemos chamar o fator de proporcionalidade κ:

$$P_e = \kappa \rho_e, \quad \text{onde } \kappa = f'(\rho_0) = (dP/d\rho)_0. \quad \text{(II)} \quad (47.4)$$

Essa relação muito simples é a que precisamos para II.

Vamos agora considerar o item I. Iremos considerar que a posição de uma porção do ar não perturbado pela onda sonora é x e o deslocamento no tempo t devido ao som é $\chi(x, t)$, de modo que a sua nova posição seja $x + \chi(x, t)$, como na Figura 47-3. Agora a posição não perturbada de uma porção próxima do ar é $x + \Delta x$, e a sua nova posição é $x + \Delta x + \chi(x + \Delta x, t)$. Podemos encontrar agora as variações de densidade da seguinte maneira. Como estamos considerando apenas ondas planas, podemos tomar uma área unitária perpendicular à direção x, que é a direção de propagação da onda sonora.

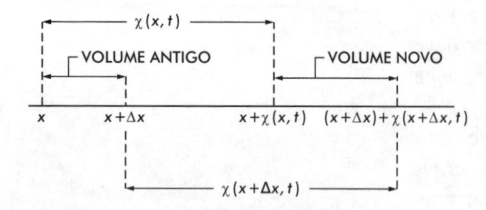

Figura 47–3 O deslocamento do ar em x é $\chi(x,t)$, e em $x + \Delta x$ é $\chi(x+\Delta x, t)$. O volume original do ar para uma área unitária da onda plana é Δx; o novo volume é $\Delta x + \chi(x+\Delta x, t) - \chi(x,t)$.

---
[1] Com esta escolha de P_{ref}, P não é a pressão máxima na onda sonora, mas a pressão "quadrática média", que é $1/(2)^{1/2}$ vezes a pressão do pico.

A quantidade de ar, por unidade de área, em Δx é então $\rho_0 \Delta x$, onde ρ_0 é a densidade do ar não perturbada, ou valor de equilíbrio. Esse ar, quando deslocado pela onda sonora, agora se encontra entre $x + \chi(x, t)$ e $x + \Delta x + \chi(x + \Delta x, t)$, para que tenhamos a mesma quantidade de matéria nesse intervalo que tínhamos em Δx no caso não perturbado. Se ρ for a nova densidade, então

$$\rho_0 \Delta x = \rho[x + \Delta x + \chi(x + \Delta x, t) - x - \chi(x, t)]. \qquad (47.5)$$

Como Δx é pequeno, podemos escrever $\chi(x + \Delta x, t) - \chi(x, t) = (\partial \chi/\partial x)\Delta x$. Essa derivada é uma derivada parcial, pois χ depende tanto do tempo quanto de x. A nossa equação então é

$$\rho_0 \Delta x = \rho \left(\frac{\partial \chi}{\partial x} \Delta x + \Delta x \right) \qquad (47.6)$$

ou

$$\rho_0 = (\rho_0 + \rho_e) \frac{\partial \chi}{\partial x} + \rho_0 + \rho_e. \qquad (47.7)$$

Porém todas as variações em ondas sonoras são pequenas, tanto que ρ_e é pequeno, χ é pequeno e $\partial \chi/\partial x$ também é pequeno. Por isso, na relação que acabamos de encontrar,

$$\rho_e = -\rho_0 \frac{\partial \chi}{\partial x} - \rho_e \frac{\partial \chi}{\partial x}, \qquad (47.8)$$

podemos desprezar $\rho_e \partial \chi/\partial x$ quando comparado $\rho_0 \partial \chi/\partial x$. Assim obtemos a relação que precisamos para I:

$$\rho_e = -\rho_0 \frac{\partial \chi}{\partial x}. \qquad \text{(I)} \qquad (47.9)$$

Essa equação é o que esperaríamos fisicamente. Se os deslocamentos variarem com x, então haverá modificações de densidade. O sinal também está correto: se o deslocamento χ aumenta com x, de maneira que o ar seja expandido, a densidade deve diminuir.

Agora precisamos da terceira equação, que é a equação do movimento produzido pela pressão. Se soubermos a relação entre a força e a pressão, podemos então obter a equação do movimento. Se tomarmos uma fina camada de ar de comprimento Δx e área unitária perpendicular a x, então a massa do ar nessa camada será $\rho_0 \Delta x$ e ela possui aceleração $\partial^2\chi/\partial t^2$, assim a massa vezes a aceleração dessa camada de matéria é $\rho_0 \Delta x\, (\partial^2\chi/\partial t^2)$. (Não faz nenhuma diferença para Δx pequeno se a aceleração $\partial^2\chi/\partial t^2$ é tomada em uma borda da placa ou em alguma posição intermediária.) Se agora encontrarmos a força nesse elemento de matéria para uma área unitária perpendicular a x, então ela será igual $\rho_0 \Delta x$ $(\partial^2\chi/\partial t^2)$. Temos a força na direção $+x$, em x, no valor $P(x, t)$ por unidade de área, e temos a força no sentido contrário, em $x + \Delta x$, no valor $P(x + \Delta x, t)$ por unidade de área (Figura 47–4):

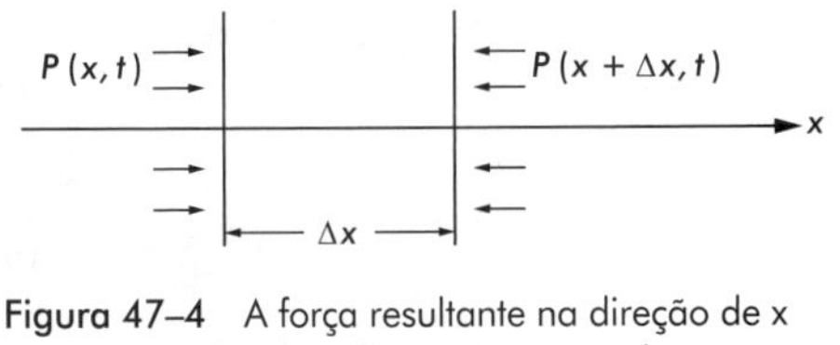

Figura 47–4 A força resultante na direção de x positivo, produzida pela pressão atuando em uma área unitária perpendicular a x, é $-(\partial P/\partial x)\, \Delta x$.

$$P(x, t) - P(x + \Delta x, t) = -\frac{\partial P}{\partial x} \Delta x = -\frac{\partial P_e}{\partial x} \Delta x, \qquad (47.10)$$

Uma vez que Δx é pequeno e a única parte de P que varia é o excesso da pressão P_e. Agora temos III:

$$\rho_0 \frac{\partial^2 \chi}{\partial t^2} = -\frac{\partial P_e}{\partial x}, \qquad \text{(III)} \qquad (47.11)$$

e portanto temos equações suficientes para interligar coisas e reduzir para uma única variável, digamos χ. Podemos eliminar P_e de III usando II, portanto obtemos

$$\rho_0 \frac{\partial^2 \chi}{\partial t^2} = -\kappa \frac{\partial \rho_e}{\partial x}, \qquad (47.12)$$

e então podemos usar I para eliminar ρ_e. Desse modo, descobrimos que ρ_0 se cancela, e resulta que

$$\frac{\partial^2 \chi}{\partial t^2} = \kappa \frac{\partial^2 \chi}{\partial x^2}. \qquad (47.13)$$

Chamaremos $c_s^2 = \kappa$, logo podemos escrever

$$\frac{\partial^2 \chi}{\partial x^2} = \frac{1}{c_s^2} \frac{\partial^2 \chi}{\partial t^2}. \qquad (47.14)$$

Essa é a equação de onda que descreve o comportamento do som na matéria.

47–4 Soluções da equação de onda

Agora podemos ver se essa equação realmente descreve as propriedades essenciais de ondas sonoras na matéria. Queremos deduzir que um pulso de som, ou perturbação, se moverá com uma velocidade constante. Queremos verificar que dois pulsos diferentes podem se mover um através do outro – o princípio da superposição. Também queremos verificar que o som pode ir tanto para a direita ou para a esquerda. Todas essas propriedades devem estar contidas nessa equação.

Afirmamos que qualquer perturbação de onda plana que se move com uma velocidade constante v tem a forma $f(x - vt)$. Agora verificaremos se $\chi(x, t) = f(x - vt)$ é uma solução da equação de onda. Quando calculamos $\partial\chi/\partial x$ obtemos a derivada da função, $\partial\chi/\partial x = f'(x - vt)$. Diferenciando mais uma vez, encontramos

$$\frac{\partial^2 \chi}{\partial x^2} = f''(x - vt). \qquad (47.15)$$

A diferenciação dessa mesma função com respeito a t fornece $-v$ vezes a derivada da função, ou $\partial\chi/\partial t = -vf'(x - vt)$, e a segunda derivada no tempo é

$$\frac{\partial^2 \chi}{\partial t^2} = v^2 f''(x - vt). \qquad (47.16)$$

É evidente que $f(x - vt)$ satisfará à equação de onda desde que a velocidade da onda v seja igual a c_s.

Encontramos, portanto, a partir das *leis da mecânica*, que qualquer perturbação sonora se propaga com a velocidade c_s e além do mais encontramos que

$$c_s = \kappa^{1/2} = (dP/d\rho)_0^{1/2},$$

portanto *relacionamos a velocidade da onda com uma propriedade do meio*.

Se considerarmos uma onda se propagando no sentido contrário, de modo que $\chi(x, t) = g(x + vt)$, é fácil ver que tal perturbação também satisfaz à equação de onda. A única diferença entre tal onda e uma viajando da esquerda para a direita está no sinal de v, mas se temos $x + vt$ ou $x - vt$ como a variável na função, isso não afeta o sinal de $\partial^2\chi/\partial t^2$, pois envolve somente v^2. Resulta que temos uma solução de ondas se propagando em qualquer direção com a velocidade c_s.

Uma pergunta extremamente interessante é aquela sobre superposição. Suponha que uma solução da equação de onda foi encontrada, digamos χ_1. Isso significa que a segunda derivada de χ_1 com respeito a x é igual a $1/c_s^2$ vezes a segunda derivada de χ_1 com relação a t. Qualquer outra solução χ_2 tem essa mesma propriedade. Se sobrepusermos essas duas soluções, temos

$$\chi(x, t) = \chi_1(x, t) + \chi_2(x, t), \qquad (47.17)$$

e desejamos verificar que $\chi(x, t)$ também é uma onda, isto é, que χ satisfaz à equação de onda. Podemos comprovar facilmente esse resultado, pois temos

$$\frac{\partial^2 \chi}{\partial x^2} = \frac{\partial^2 \chi_1}{\partial x^2} + \frac{\partial^2 \chi_2}{\partial x^2} \qquad (47.18)$$

e, além disso,

$$\frac{\partial^2 \chi}{\partial t^2} = \frac{\partial^2 \chi_1}{\partial t^2} + \frac{\partial^2 \chi_2}{\partial t^2}. \qquad (47.19)$$

Resulta que $\partial^2\chi/\partial x^2 = (1/c_s^2)\, \partial^2\chi/\partial t^2$, portanto verificamos o princípio da superposição. A prova do princípio da superposição acarreta do fato de que a equação de onda é *linear* em χ.

Podemos esperar agora que uma onda de luz plana propagando na direção x, polarizada de tal maneira que o campo elétrico esteja na direção y, satisfará à equação de onda

$$\frac{\partial^2 E_y}{\partial x^2} = \frac{1}{c^2} \frac{\partial^2 E_y}{\partial t^2}, \qquad (47.20)$$

onde c é a velocidade da luz. Essa equação de onda é uma das consequências das equações de Maxwell. As equações da eletrodinâmica levarão à equação de onda para a luz da mesma maneira que as equações da mecânica levaram à equação de onda para o som.

47–5 A velocidade do som

A nossa dedução da equação de onda para o som forneceu-nos uma *fórmula* que conecta a velocidade de onda com a taxa de variação da pressão com a densidade à pressão normal:

$$c_s^2 = \left(\frac{dP}{d\rho}\right)_0. \qquad (47.21)$$

Ao avaliar essa taxa de variação, é essencial conhecer como a temperatura varia. Em uma onda sonora, esperaríamos que na região da compressão a temperatura seria aumentada, e que na região da rarefação a temperatura seria diminuída. Newton foi o primeiro a calcular a taxa de variação da pressão com a densidade, e ele supôs que a temperatura permaneceu inalterada. Ele argumentou que o calor era conduzido de uma região para outra tão rapidamente que a temperatura não poderia aumentar ou diminuir. Essa argumentação provém a velocidade isotérmica do som, e ela está errada. A dedução correta foi dada posteriormente por Laplace, quem propôs a ideia oposta – de que a pressão e a temperatura se modificam adiabaticamente em uma onda sonora. O fluxo de calor da região comprimida para a região rarefeita é desprezível contanto que o comprimento de onda seja longo comparado ao livre caminho médio. Nessa condição, a pequena quantidade de fluxo de calor em uma onda sonora não afeta a velocidade, embora cause uma pequena absorção da energia sonora. Podemos esperar corretamente que essa absorção aumente conforme o comprimento de onda se aproxima do livre caminho médio, mas esses comprimentos de onda são menores do que os comprimentos de onda do som audível por fatores de aproximadamente um milhão.

A variação real da pressão com a densidade em uma onda sonora é aquela que não permite nenhum fluxo de calor. Isso corresponde à variação adiabática, que encontramos ser PV^γ = const, onde V era o volume. Como a densidade ρ varia inversamente com V, a conexão adiabática entre P e ρ é

$$P = \text{const } \rho^\gamma, \qquad (47.22)$$

da qual obtemos $dP/d\rho = \gamma P/\rho$. Temos então, para a velocidade do som, a relação

$$c_s^2 = \frac{\gamma P}{\rho}. \qquad (47.23)$$

Também podemos escrever $c_s^2 = \gamma PV/\rho V$ e utilizar a relação $PV = NkT$. Além disso, vemos que ρV é a massa do gás, que também pode ser expressa como Nm, ou como μ por mol, onde m é a massa de uma molécula e μ é o peso molecular. Desse modo encontramos que

$$c_s^2 = \frac{\gamma kT}{m} = \frac{\gamma RT}{\mu}, \qquad (47.24)$$

do qual é evidente que a velocidade do som depende somente da temperatura do gás e não da pressão ou da densidade. Também observamos que

$$kT = \tfrac{1}{3} m \langle v^2 \rangle, \qquad (47.25)$$

onde $\langle v^2 \rangle$ é a velocidade quadrática média das moléculas. Resulta que $c_s^2 = (\gamma/3) \langle v^2 \rangle$, ou

$$c_s = \left(\frac{\gamma}{3}\right)^{1/2} v_{\text{méd}}. \qquad (47.26)$$

Essa equação afirma que a velocidade do som é algum número que é aproximadamente $1/(3)^{1/2}$ vezes alguma velocidade média, $v_{\text{méd}}$, das moléculas (a raiz quadrada da velocidade quadrática média). Em outras palavras, a velocidade do som é da mesma ordem de magnitude que a velocidade das moléculas e é de fato um tanto menor do que essa velocidade média.

Naturalmente poderíamos esperar tal resultado, porque uma perturbação como uma variação de pressão é, afinal, propagada pelo movimento das moléculas. Contudo, tal argumentação não nos diz a velocidade de propagação exata; poderia ocorrer que o som fosse transportado principalmente pelas moléculas mais rápidas, ou pelas moléculas mais lentas. É razoável e gratificante que a velocidade do som seja aproximadamente 1/2 da velocidade molecular média $v_{\text{méd}}$.

48

Batimento

48–1 Soma de duas ondas

Tempos atrás discutimos com detalhe considerável as propriedades de ondas de luz e sua interferência – isto é, os efeitos da superposição de duas ondas de fontes diferentes. Em todas essas análises, supusemos que as frequências das fontes eram as mesmas. Neste capítulo, discutiremos alguns fenômenos que resultam da interferência de duas fontes com frequências *diferentes*.

É fácil adivinhar o que irá acontecer. Continuando da mesma maneira como fizemos anteriormente, suponha que temos duas fontes iguais que oscilam com a mesma frequência cujas fases são ajustadas de modo que, digamos, os sinais cheguem em fase em algum ponto P. Nesse ponto, em se tratando de luz, a luz é muito forte; se for som, é muito alto; ou se forem elétrons, chegam muitos deles. Por outro lado, se os sinais que chegam estiverem 180° fora da fase, não obteremos nenhum sinal em P, porque a amplitude resultante nesse ponto será então um mínimo. Porém suponha que alguém gire o "botão de fase" de uma das fontes e modifique a fase em P para frente e para trás, digamos, primeiro fazendo-a ser 0°, depois 180° e assim por diante. Naturalmente, encontraríamos variações na intensidade resultante do sinal. Também vemos que se a fase de uma fonte está se modificando lentamente com relação à da outra fonte de uma maneira gradual, uniforme, começando em zero, aumentando para dez, vinte, trinta, quarenta graus e assim por diante; então, o que mediríamos em P seria uma série de "pulsações" fortes e fracas, porque quando a fase varia em 360° a amplitude torna a ser um máximo. Naturalmente, dizer que uma fonte está deslocando a sua fase com relação a outra em uma taxa uniforme é o mesmo que dizer que o número de oscilações por segundo é ligeiramente diferente para as duas.

Portanto sabemos a resposta: se tivermos duas fontes com frequências ligeiramente diferentes devemos encontrar, como resultado efetivo, uma oscilação com uma intensidade que varia lentamente. Realmente isso é tudo o que há sobre o assunto!

É muito fácil formular esse resultado matematicamente também. Suponha, por exemplo, que temos duas ondas, e que não nos preocupamos por enquanto com todas as relações espaciais, mas vamos simplesmente analisar o que chega em P. De uma fonte, digamos, teríamos $\cos\omega_1 t$, e da outra fonte, $\cos\omega_2 t$, onde os dois ω não são exatamente os mesmos. Naturalmente as amplitudes podem não ser as mesmas, também, mas podemos resolver o problema geral depois; vamos primeiro considerar o caso em que as amplitudes são iguais. Logo a amplitude total em P é a soma desses dois cossenos. Se traçarmos as amplitudes das ondas em função do tempo, como na Figura 48–1, veremos que onde as cristas coincidem, obtemos uma onda intensa, e onde um vale e uma crista

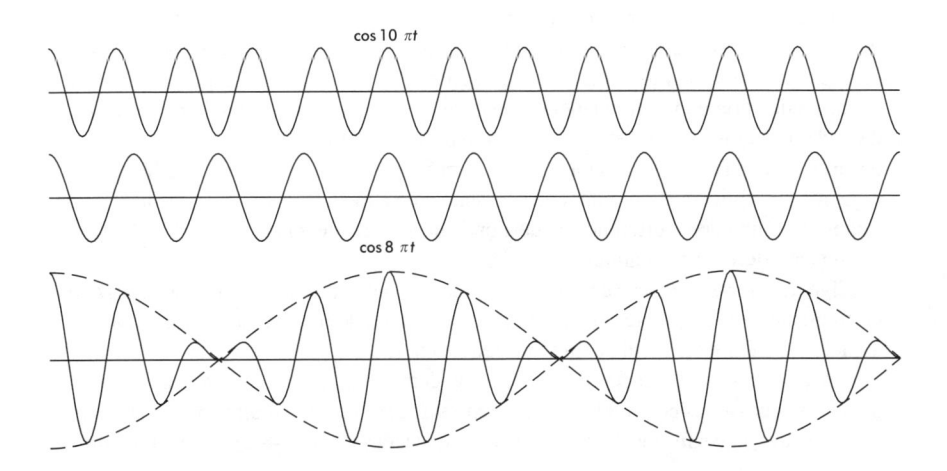

48–1	Soma de duas ondas
48–2	Notas de batimento e modulação
48–3	Bandas laterais
48–4	Trens de onda localizados
48–5	Amplitude de probabilidade para partículas
48–6	Ondas em três dimensões
48–7	Modos normais

Figura 48–1 A superposição de duas ondas cossenos com frequências na razão 8:10. A repetição precisa do padrão dentro de cada "batimento" não é típica do caso geral.

coincidem obtemos praticamente zero, então quando as cristas coincidem novamente, obtemos uma onda intensa novamente.

Matematicamente, apenas temos de somar dois cossenos e reajustar o resultado de alguma maneira. Existe um número de relações úteis entre cossenos que não são difíceis de derivar. Naturalmente sabemos que

$$e^{i(a+b)} = e^{ia}e^{ib}, \tag{48.1}$$

e que e^{ia} tem uma parte real, cos a, e uma parte imaginária, sen a. Se tomarmos a parte real de $e^{i(a+b)}$, obtemos $\cos(a + b)$. Se multiplicarmos individualmente:

$$e^{ia}e^{ib} = (\cos a + i \operatorname{sen} a)(\cos b + i \operatorname{sen} b),$$

obtemos $\cos a \cos b - \operatorname{sen} a \operatorname{sen} b$, mais algumas partes imaginárias. Agora precisamos somente da parte real, portanto temos

$$\cos (a + b) = \cos a \cos b - \operatorname{sen} a \operatorname{sen} b. \tag{48.2}$$

Porém se mudarmos o sinal de b, como o cosseno não muda o sinal enquanto o seno o faz, a mesma equação, para b negativo, é

$$\cos (a - b) = \cos a \cos b + \operatorname{sen} a \operatorname{sen} b. \tag{48.3}$$

Se adicionarmos essas duas equações, eliminaremos os senos e aprendemos que o produto de dois cossenos é a metade do cosseno da soma, mais a metade do cosseno da diferença:

$$\cos a \cos b = \tfrac{1}{2} \cos (a + b) + \tfrac{1}{2} \cos (a - b). \tag{48.4}$$

Agora também podemos inverter a fórmula e encontrar uma fórmula para $\cos\alpha + \cos\beta$ se simplesmente fizermos $\alpha = a + b$ e $\beta = a - b$. Isto é, $a = \tfrac{1}{2}(\alpha + \beta)$ e $b = \tfrac{1}{2}(\alpha - \beta)$, tal que

$$\cos \alpha + \cos \beta = 2 \cos \tfrac{1}{2}(\alpha + \beta) \cos \tfrac{1}{2}(\alpha - \beta). \tag{48.5}$$

Agora podemos analisar o nosso problema. A soma de $\cos\omega_1 t$ e $\cos\omega_2 t$ é

$$\cos \omega_1 t + \cos \omega_2 t = 2 \cos \tfrac{1}{2}(\omega_1 + \omega_2)t \cos \tfrac{1}{2}(\omega_1 - \omega_2)t. \tag{48.6}$$

Vamos supor agora que as duas frequências são quase iguais, tal que $\tfrac{1}{2}(\omega_1 + \omega_2)$ é a frequência média, e é mais ou menos igual a ambas. Mas $\omega_1 - \omega_2$ é *muito menor* do que ω_1 ou ω_2, porque, como supusemos, ω_1 e ω_2 são quase iguais. Isto significa que podemos representar a solução dizendo que há uma onda cosseno de alta frequência mais ou menos como aquelas com as quais começamos, mas que o seu "tamanho" está variando lentamente – o seu "tamanho" está oscilando com uma frequência que parece ser $\tfrac{1}{2}(\omega_1 - \omega_2)$. No entanto é essa a frequência na qual os batimentos são ouvidos? Embora (48.6) evidencie que a amplitude varia como $\cos\tfrac{1}{2}(\omega_1 - \omega_2)t$, o que essa equação realmente está nos dizendo é que as oscilações de alta frequência estão contidas entre duas curvas de cosseno opostas (mostradas como pontilhadas na Figura 48–1). Baseado nisso pode-se dizer que a amplitude varia com a frequência $\tfrac{1}{2}(\omega_1 - \omega_2)$, mas se estamos falando da *intensidade* da onda devemos pensar nela como tendo o dobro essa frequência. Isto é, a modulação da amplitude, no tocante à sua intensidade, tem frequência $\omega_1 - \omega_2$, embora a fórmula nos diga que multiplicamos por uma onda cosseno com a metade dessa frequência. O embasamento técnico dessa diferença é que a onda de alta frequência possui a relação de fase um pouco diferente no segundo meio-ciclo.

Ignorando essa pequena complicação, podemos concluir que se somarmos duas ondas de frequência ω_1 e ω_2, obteremos uma onda resultante de frequência média $\tfrac{1}{2}(\omega_1 + \omega_2)$, a qual oscila em intensidade com uma frequência $\omega_1 - \omega_2$.

Se as duas amplitudes forem diferentes, podemos refazer o cálculo novamente multiplicando os cossenos por amplitudes diferentes A_1 e A_2, fazendo muita conta matemática, rearranjando, e assim por diante, utilizando equações como (48.2) a (48.5). Contudo, existem outros modos mais fáceis de fazer a mesma análise. Por exemplo, sabemos que é muito mais fácil trabalhar com exponenciais do que com senos e cossenos e que podemos representar um $A_1 \cos \omega_1 t$ como a parte real de $A_1 e^{i\omega_1 t}$. A outra onda seria, da mesma maneira, a parte real de $A_2 e^{i\omega_2 t}$. Se somarmos as duas, obtemos $A_1 e^{i\omega_1 t} + A_2 e^{i\omega_2 t}$. Se então colocarmos em evidência a frequência média, temos

$$A_1 e^{i\omega_1 t} + A_2 e^{i\omega_2 t} = e^{i(\omega_1+\omega_2)t/2}[A_1 e^{i(\omega_1-\omega_2)t/2} + A_2 e^{-i(\omega_1-\omega_2)t/2}]. \qquad (48.7)$$

Novamente temos a onda de alta frequência com uma modulação de frequência mais baixa.

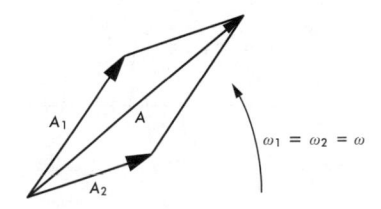

Figura 48–2 A resultante de dois vetores complexos de igual frequência.

48–2 Notas de batimento e modulação

Se desejarmos agora a intensidade da onda da Eq. (48.7), podemos tanto tomar o quadrado absoluto do lado esquerdo quanto do lado direito. Vamos tomar o lado esquerdo. A intensidade então é

$$I = A_1^2 + A_2^2 + 2A_1 A_2 \cos(\omega_1 - \omega_2)t. \qquad (48.8)$$

Vemos que a intensidade aumenta e diminui com uma frequência $\omega_1 - \omega_2$, variando entre os limites $(A_1 + A_2)^2$ e $(A_1 - A_2)^2$. Se $A_1 \neq A_2$, a intensidade mínima não é zero.

Outro modo de representar essa ideia é por meio de um desenho, como a Figura 48–2. Desenhamos um vetor de comprimento A_1, girando com uma frequência ω_1 para representar uma das ondas no plano complexo. Desenhamos outro vetor de comprimento A_2 girando com uma frequência ω_2, representando a segunda onda. Se as duas frequências forem exatamente iguais, a resultante tem comprimento fixo conforme continua girando, e obtemos uma intensidade definida e fixa a partir dos dois vetores. Se as frequências são ligeiramente diferentes, os dois vetores complexos têm velocidades diferentes. A Figura 48–3 mostra como a situação se parece relativamente com o vetor $A_1 e^{i\omega_1 t}$. Vemos que A_2 está girando lentamente se afastando de A_1 e, portanto, a amplitude que obtemos somando os dois é primeiramente alta, e então, conforme eles se separam, quando a posição relativa chega em 180°, a resultante torna-se particularmente fraca, e assim por diante. Conforme os vetores giram, a amplitude do vetor soma torna-se maior e menor, e assim a intensidade oscila. Essa é uma ideia relativamente simples, e existem muitas maneiras diferentes de representar a mesma coisa.

O efeito é muito fácil de ser observado experimentalmente. No caso da acústica, podemos arranjar dois alto-falantes acionados por dois osciladores separados, um para cada alto-falante, de modo que cada um emita um tom. Assim recebemos uma nota de uma fonte e uma nota diferente da outra fonte. Se fizermos as frequências exatamente as mesmas, o efeito resultante terá uma intensidade definida em uma determinada posição espacial. Se então os dessintonizarmos um pouco, ouviremos algumas variações da intensidade. Quanto mais eles estejam dessintonizados, mais rápidas serão as variações do som. O ouvido tem problemas em perceber variações mais rápidas do que aproximadamente dez vezes por segundo.

Também podemos ver o efeito em um osciloscópio o qual simplesmente mostra a soma das correntes dos dois falantes. Se a frequência de pulsação for relativamente baixa, simplesmente vemos um trem de onda senoidal cuja amplitude pulsa, mas conforme fazemos as pulsações serem mais rápidas, vemos o tipo da onda mostrada na Figura 48–1. Conforme atingimos diferenças maiores de frequência, os "máximos" aproximam-se uns dos outros. Além disso, se as amplitudes não forem iguais e fizermos um sinal mais forte do que o outro, então obteremos uma onda cuja amplitude nunca chega a zero, assim como esperávamos. Tudo funciona do modo como deveria, tanto acústica como eletricamente.

O fenômeno oposto também ocorre! Na transmissão de rádio usando a assim chamada *amplitude modulada* (AM), o som é transmitido pela estação de rádio da seguinte forma: o transmissor de rádio tem uma oscilação elétrica AC em uma frequência muito alta, por exemplo 800 quilociclos por segundo, na banda de transmissão. Se esse *sinal da portadora* for ligado, a estação de rádio emite uma onda de amplitude uniforme com

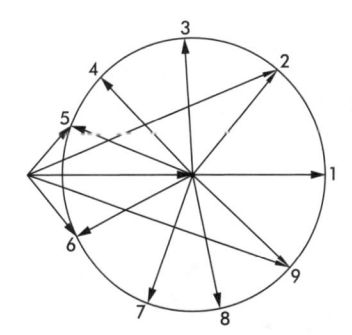

Figura 48–3 A resultante de dois vetores complexos de frequências diferentes, como visto no sistema de referência em rotação de um dos vetores. São mostradas nove posições sucessivas de um vetor com rotação lenta.

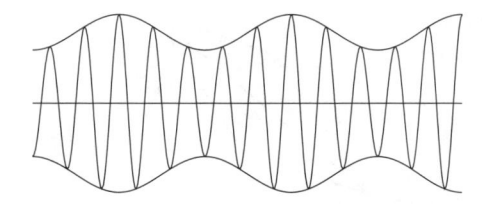

Figura 48–4 Onda modulada da portadora. Neste esboço esquemático, $\omega_p/\omega_m = 5$. Para uma verdadeira onda de rádio, $\omega_p/\omega_m \sim 100$.

800.000 oscilações por segundo. A "informação" é transmitida, o tipo de informação inútil como que tipo de carro comprar, de maneira que quando alguém fala em um microfone, a amplitude do sinal da portadora é modificada em compasso com as vibrações do som entrando no microfone.

Se tomarmos como o caso matemático mais simples a situação em que uma soprano está cantando uma nota perfeita, com oscilações senoidais perfeitas das suas cordas vocais, então obteremos um sinal cuja intensidade está alternando como mostrado na Figura 48–4. A alternância da frequência auditiva então é recuperada no receptor; livramo-nos da onda da portadora e somente vemos o envelope que representa as oscilações das cordas vocais, ou o som da cantora. O alto-falante então faz vibrações correspondentes na mesma frequência no ar, e o ouvinte é então essencialmente incapaz de notar a diferença, ou assim o dizem. Por causa de um número de distorções e outros efeitos sutis, é, de fato, possível dizer se estamos escutando um rádio ou uma soprano verdadeira; de outra forma, a ideia é como mencionada acima.

48–3 Bandas laterais

Matematicamente, a onda modulada descrita acima seria expressa como

$$S = (1 + b \cos \omega_m t) \cos \omega_p t, \tag{48.9}$$

onde ω_p representa a frequência da portadora e ω_m é a frequência do sinal de áudio. Novamente usamos todos aqueles teoremas sobre cossenos, ou podemos usar $e^{i\theta}$; não faz nenhuma diferença – é mais fácil com $e^{i\theta}$, no entanto é a mesma coisa. Então obtemos

$$S = \cos \omega_p t + \tfrac{1}{2} b \cos (\omega_p + \omega_m) t + \tfrac{1}{2} b \cos (\omega_p - \omega_m) t. \tag{48.10}$$

Portanto, de outro ponto de vista, podemos dizer que a onda de saída do sistema é composta por três ondas adicionadas em superposição: primeiro, a onda regular na frequência ω_p, isto é, na frequência da portadora, e então duas novas ondas com duas novas frequências. Uma delas é a frequência da portadora mais a frequência de modulação, e a outra é a frequência da portadora menos a frequência de modulação. Se, portanto, fizermos algum tipo de gráfico da intensidade gerada pelo gerador em função da frequência, encontraríamos, naturalmente, muita intensidade na frequência da portadora, mas quando um cantor começasse a cantar, de repente também encontraríamos a intensidade proporcional à força do cantor, b^2, na frequência $\omega_p + \omega_m$ e $\omega_p - \omega_m$, conforme mostrado na Figura 48–5. Essas são as chamadas *bandas laterais*; quando existe um sinal de modulação do transmissor, existem bandas laterais. Se houver mais de uma nota ao mesmo tempo, digamos ω_m e $\omega_{m'}$, existem dois instrumentos tocando; ou se houver qualquer outra onda cosseno complicada, então, naturalmente, podemos ver da matemática que obteremos mais algumas ondas correspondentes às frequências $\omega_p \pm \omega_{m'}$.

Figura 48–5 O espectro de frequência da onda portadora ω_p modulada pela onda cossenoidal ω_m.

Por isso, quando houver uma modulação complicada possível de ser representada como a soma de muitos cossenos,[1] vemos que o transmissor real está transmitindo ao longo de uma variedade de frequências, a saber, a frequência da portadora mais ou menos a frequência máxima que o sinal de modulação contém.

Embora inicialmente pudéssemos acreditar que um transmissor de rádio transmite somente na frequência nominal da portadora, pois existem osciladores cristalinos gran-

---

[1] Um comentário paralelo: em que circunstâncias uma curva pode ser representada como uma soma de muitos cossenos? *Resposta:* em todas as circunstâncias ordinárias, exceto para certos casos que podem ser inventados pelos matemáticos. Naturalmente, a curva deve ter somente um valor em um dado ponto, e não deve ser uma curva louca que pula um número infinito de vezes em uma distância infinitesimal, ou algo assim. Além dessas restrições, qualquer curva razoável (aquela que uma cantora conseguirá produzir vibrando as suas cordas vocais) sempre pode ser composta adicionando-se ondas cossenos.

des e superestáveis, e tudo é ajustado para se estar precisamente em 800 quilociclos, no momento em que alguém *anuncia* que estão em 800 quilociclos, ele modula os 800 quilociclos, e portanto não se está mais exatamente em 800 quilociclos! Suponha que os ampliadores são construídos de modo que sejam capazes de transmitir sobre um grande intervalo da sensibilidade do ouvido (o ouvido consegue ouvir até 20.000 ciclos por segundo, mas normalmente os transmissores de rádio e os receptores não funcionam além 10.000, portanto não ouvimos as partes mais altas); então, quando um homem fala, a sua voz pode conter frequências que alcançam acima de, digamos, 10.000 ciclos, portanto o transmissor está transmitindo frequências no intervalo de 790 a 810 quilociclos por segundo. Contudo se houvesse outra estação em 795 kc/s, haveria muita confusão. Além disso, se fizéssemos o nosso receptor tão sensível que apenas detectasse 800, e não detectasse os 10 quilociclos em ambos os lados, não ouviríamos o que o homem disse, porque a informação estaria nessas outras frequências! Por isso, é absolutamente essencial manter as estações separadas por uma certa distância, para que as suas bandas laterais não fiquem sobrepostas; além disso, o receptor não deve ser tão seletivo que não permita a recepção das bandas laterais assim como da frequência nominal principal. No caso do som, esse problema realmente não causa muita preocupação. Podemos ouvir em um intervalo de ±20 kc/s e, normalmente, temos entre 500 e 1500 kc/s na banda de transmissão, assim existe bastante espaço para muitas estações.

O problema da televisão é mais difícil. Conforme o feixe de elétrons varre a tela do tubo de imagem, existem vários pontos pequenos de claro e escuro. Esses "claro" e "escuro" são o "sinal". Ordinariamente o feixe varre a tela inteira, 500 linhas, aproximadamente, em um trigésimo de segundo. Vamos considerar que as resoluções vertical e horizontal do quadro são praticamente as mesmas, para que haja o mesmo número de pontos por polegada ao longo de uma linha de varredura. Queremos ser capazes de distinguir os pontos escuros dos de luz, digamos, ao longo das 500 linhas. A fim de sermos capazes de fazer isso com ondas cossenos, o comprimento de onda mais curto necessário corresponde a um comprimento de onda, de máximo a máximo, de 1/250 do tamanho de tela. Portanto, temos $250 \times 500 \times 30$ pedaços da informação por segundo. A frequência mais alta que iremos transportar, dessa maneira, está próxima de 4 megaciclos por segundo. De fato, para mantermos as estações de televisão à parte, temos de usar um pouco mais do que isso, aproximadamente 6 mc/s; parte disso é usada para transportar o sinal sonoro e outras informações. Portanto, os canais de televisão têm uma largura de banda de 6 megaciclos por segundo. Certamente não seria possível transmitir um sinal de TV com uma portadora de 800 kc/s, uma vez que não podemos modular um sinal com uma frequência mais alta do que a portadora.

De qualquer forma, a banda de televisão começa em 54 megaciclos. O primeiro canal de transmissão, que é o canal 2 (!), tem um intervalo de frequência entre 54 e 60 mc/s, cuja largura é 6 mc/s. Alguém poderia dizer "Mas, acabamos de comprovar que existem bandas laterais em ambos os lados, e por isso a largura deveria ser o dobro". Acontece que os engenheiros de rádio são bastante inteligentes. Se analisarmos a modulação do sinal utilizando não apenas termos de cosseno, mas cossenos e termos de senos, a fim de permitir diferenças de fase, vemos então que há uma relação definida e invariante entre a banda lateral no lado de alta frequência e a banda lateral no lado de baixa frequência. O que queremos dizer é que não há nenhuma nova informação naquela outra banda lateral. Portanto, uma banda lateral é suprimida e o receptor é conectado internamente tal que a informação que está faltando é reconstituída a partir da única banda lateral e a portadora. A transmissão de banda lateral única é um esquema inteligente para diminuir as larguras de banda necessárias para transmitir a informação.

48-4 Trens de onda localizados

O próximo assunto a ser discutido é a interferência de ondas tanto no espaço como no tempo. Suponha que temos duas ondas se propagando no espaço. Sabemos, naturalmente, que podemos representar uma onda que se propaga no espaço por $e^{i(\omega t - kx)}$. Isso poderia ser, por exemplo, o deslocamento de uma onda sonora. Essa é uma solução da equação de onda contanto que $\omega^2 = k^2 c^2$, onde c é a velocidade de propagação da onda. Nesse caso podemos escrevê-la como $e^{-ik(x-ct)}$, que tem a forma geral $f(x - ct)$. Portanto, essa deve ser uma onda que está se propagando na velocidade ω/k, que é c e então está tudo bem.

Agora queremos somar duas dessas ondas. Suponha que temos uma onda que está se propagando com uma frequência, e outra onda que se propaga com outra frequência. Deixamos para o leitor considerar o caso no qual as amplitudes são diferentes; não há nenhuma diferença verdadeira. Logo queremos adicionar $e^{i(\omega_1 t - k_1 x)} + e^{i(\omega_2 t - k_2 x)}$. Podemos somá-las usando o mesmo tipo de matemática que usamos quando adicionamos sinais ondulatórios. Naturalmente, se c for o mesmo para ambos, isso é fácil, pois é igual ao que fizemos antes:

$$e^{i\omega_1(t-x/c)} + e^{i\omega_2(t-x/c)} = e^{i\omega_1 t'} + e^{i\omega_2 t'}, \quad (48.11)$$

exceto que $t' = t - x/c$ é a variável em vez de t. Portanto obtemos o mesmo tipo de modulação, naturalmente, mas vemos, é claro, que essas modulações estão se movendo junto com a onda. Em outras palavras, se somássemos duas ondas, mas essas ondas não estivessem apenas oscilando, mas também se movendo no espaço, então a onda resultante também se moveria, na mesma velocidade.

Agora gostaríamos de generalizar isso para o caso de ondas nas quais a relação entre a frequência e o número de onda k não é tão simples. Exemplo: material com um índice de refração. Já estudamos a teoria do índice da refração no Capítulo 31, no qual encontramos que podemos escrever $k = n\omega/c$, onde n é o índice da refração. Como um exemplo interessante, para raios X encontramos que o índice n é

$$n = 1 - \frac{N q_e^2}{2\epsilon_0 m \omega^2}. \quad (48.12)$$

Na realidade derivamos uma fórmula mais complicada no Capítulo 31, mas essa é tão boa quanto, como um exemplo.

Incidentemente, sabemos que mesmo quando ω e k não são linearmente proporcionais, a razão ω/k é certamente a velocidade da propagação para a frequência e o número de onda dados. Chamamos essa razão de *velocidade de fase;* ela é a velocidade com a qual a fase, ou os nodos de uma única onda, se moveriam:

$$v_p = \frac{\omega}{k}. \quad (48.13)$$

Essa velocidade de fase, para o caso de raios X em vidro, é maior do que a velocidade da luz no vácuo (desde que n da Eq. 48.12 seja menor do que 1), e isso é um tanto incômodo, porque achamos que não podemos enviar sinais mais rápidos do que a velocidade da luz!

O que iremos discutir agora é a interferência de duas ondas nas quais ω e k estão relacionados por uma fórmula definida. A fórmula acima para n diz que k é dado como uma função definida de ω. Para ser específico, neste determinado problema, a fórmula de k em termos de ω é

$$k = \frac{\omega}{c} - \frac{a}{\omega c}, \quad (48.14)$$

onde $a = N q_e^2 / 2\epsilon_0 m$ é uma constante. De qualquer forma, para cada frequência há um número de onda definido, e queremos somar duas dessas ondas.

Vamos fazê-lo assim como fizemos na Eq. (48.7):

$$e^{i(\omega_1 t - k_1 x)} + e^{i(\omega_2 t - k_2 x)} = e^{i[(\omega_1 + \omega_2)t - (k_1 + k_2)x]/2}$$
$$\times \left\{ e^{i[(\omega_1 - \omega_2)t - (k_1 - k_2)x]/2} + e^{-i[(\omega_1 - \omega_2)t - (k_1 - k_2)x]/2} \right\}. \quad (48.15)$$

Portanto temos uma onda modulada novamente, uma onda que se propaga com a frequência média e o número de onda médio, mas cuja intensidade está variando com uma forma que depende da diferença em frequência e da diferença no número de onda.

Agora vamos considerar o caso no qual a diferença entre as duas ondas é relativamente pequena. Vamos supor que estamos adicionando duas ondas cujas frequências são quase iguais; então $(\omega_1 + \omega_2)/2$ é praticamente igual a qualquer um dos ω, e do mesmo modo para $(k_1 + k_2)/2$. Assim a velocidade da onda, as oscilações rápidas, os nodos, é ainda essencialmente ω/k. Note que a velocidade de propagação da modulação não é a mesma! Em quanto temos que variar x para corresponder a uma certa quantidade de t? A velocidade dessa onda de modulação é a razão

$$v_M = \frac{\omega_1 - \omega_2}{k_1 - k_2}. \qquad (48.16)$$

A velocidade da modulação é às vezes chamada de *velocidade de grupo*. Se tomarmos o caso no qual a diferença em frequência é relativamente pequena e, portanto, a diferença no número de onda é também relativamente pequena, então esta expressão, no limite, se aproxima de

$$v_g = \frac{d\omega}{dk}. \qquad (48.17)$$

Em outras palavras, para a modulação mais lenta, os batimentos mais lentos, existe uma velocidade definida na qual elas se propagam que não é a mesma que a velocidade de fase das ondas – que coisa misteriosa!

A velocidade de grupo é a derivada de ω com respeito a k, e a velocidade de fase é ω/k.

Vamos ver se podemos entender o porquê. Considere duas ondas, novamente com comprimento de onda ligeiramente diferentes, como na Figura 48–1. Elas estão fora de fase, em fase, fora de fase e assim por diante. Essas ondas representam, de fato, ondas no espaço que se propagam também com frequências ligeiramente diferentes. Porém, como a velocidade de fase, a velocidade dos nodos dessas duas ondas, não é exatamente a mesma, algo novo acontece. Suponha que viajemos junto com uma das ondas e olhamos a outra; se ambas estiverem na mesma velocidade, então a outra onda permaneceria onde ela estava com relação a nós, conforme viajamos juntos nessa crista. Viajamos em uma crista e logo ao nosso lado vemos uma crista; se a duas velocidades são iguais, as cristas permanecem uma em cima da outra, mas as duas velocidades *não* são realmente iguais. Existe apenas uma pequena diferença em frequência e portanto apenas uma pequena diferença em velocidade, mas por causa dessa diferença em velocidade, conforme viajamos, a outra onda se move lentamente para a frente, digamos, ou para atrás, relativamente à nossa onda. Portanto, conforme o tempo passa, o que acontece ao nodo? Se movermos um trem de onda somente um pouquinho para a frente, o nodo se move para frente (ou para trás) uma distância considerável. Isto é, a soma dessas duas ondas tem um envelope, e conforme as ondas se propagam, o envelope se propaga com uma velocidade diferente. A *velocidade de grupo* é a velocidade na qual os sinais modulados seriam transmitidos.

Se criarmos um sinal, isto é, uma espécie de modificação da onda que pudesse ser reconhecida quando a escutássemos, um tipo de modulação, então essa modulação se propagaria com a velocidade de grupo, contanto que as modulações fossem relativamente lentas. (Quando elas são rápidas, é muito mais difícil de se analisar.)

Agora podemos mostrar (finalmente) que a velocidade de propagação de raios X em um bloco de carbono não é maior do que a velocidade da luz, embora a velocidade de fase *seja* maior do que a velocidade da luz. Para fazer isso, devemos determinar $d\omega/dk$, o qual obtemos diferenciando (48.14): $dk/d\omega = 1/c + a/\omega^2 c$. A velocidade de grupo, portanto, é o recíproco disso, a saber,

$$v_g = \frac{c}{1 + a/\omega^2}, \qquad (48.18)$$

que é menor do que c! Assim, embora as fases possam se propagar mais rapidamente do que a velocidade da luz, os sinais de modulação se propagam de forma mais devagar, essa é a solução do aparente paradoxo! Naturalmente, se tivermos o caso simples no qual $\omega = kc$, então $d\omega/dk$ também é c. Assim quando todas as fases têm a mesma velocidade, e naturalmente o grupo tem a mesma velocidade.

48–5 Amplitude de probabilidade para partículas

Vamos agora considerar outro exemplo da velocidade de fase que é extremamente interessante, o qual tem a ver com a mecânica quântica. Sabemos que a amplitude para encontrar uma partícula em um lugar, em algumas circunstâncias, pode variar no espaço e no tempo, vamos dizer em uma dimensão, desta maneira:

$$\psi = Ae^{i(\omega t - kx)}, \qquad (48.19)$$

onde ω é a frequência, a qual está relacionada à ideia clássica da energia por $E = \hbar\omega$, e k é o número de onda, que está relacionado ao momento por $p = \hbar k$. Diríamos que a partícula tem um momento definido p se o número de onda for exatamente k, isto é, uma onda perfeita com a mesma amplitude em todo lugar. A Equação (48.19) fornece a amplitude, e se tomarmos o seu quadrado absoluto, obtemos a probabilidade relativa de encontrar a partícula em função da posição e do tempo. Isso é uma *constante,* o que significa que a probabilidade de encontrar uma partícula em qualquer lugar é a mesma. Agora suponha, em vez disso, que temos uma situação na qual sabemos que a partícula tem uma maior probabilidade de estar em um lugar do que no outro. Gostaríamos de representar tal situação por uma onda que tem um máximo e decai para ambos os lados (Figura 48–6). (Não é exatamente igual a uma onda como (48.1), que tem uma série de máximos, mas é possível, somando várias ondas com quase os mesmos ω e k, nos livrarmos de todos os máximos exceto um.)

Nessas circunstâncias, como o quadrado de (48.19) representa a possibilidade de encontrar uma partícula em algum lugar, sabemos que em um dado instante é mais provável de a partícula estar perto do "calombo", no qual a amplitude da onda é máxima. Se agora esperarmos alguns momentos, as ondas irão se mover, e depois de algum tempo o "calombo" estará em outro lugar. Se soubéssemos o lugar onde a partícula originalmente estava situada, classicamente, *esperaríamos* que mais tarde ela estaria em outro lugar de fato, porque ela tem *uma velocidade,* afinal, e um momento. A teoria quântica, então, tenderá à teoria clássica correta para a relação do momento, energia e velocidade somente se a velocidade de grupo, a velocidade da modulação, for igual à velocidade que obteríamos classicamente para uma partícula com o mesmo momento.

É necessário agora demonstrar que esse é, ou não, o caso. Segundo a teoria clássica, a energia está relacionada à velocidade por uma equação como

$$E = \frac{mc^2}{\sqrt{1 - v^2/c^2}}. \qquad (48.20)$$

Analogamente, o momento é

$$p = \frac{mv}{\sqrt{1 - v^2/c^2}}. \qquad (48.21)$$

Essa é a teoria clássica, e como consequência da teoria clássica, eliminando v, podemos mostrar que

$$E^2 - p^2c^2 = m^2c^4.$$

Esse é o grande resultado quadri-dimensional sobre o qual falamos muito, que $p_\mu p_\mu = m^2$; essa é a relação entre energia e momento na teoria clássica. Isso significa que, como esses E e p irão se tornar os ω e k pela substituição de $E = \hbar\omega$ e $p = \hbar k$, para a mecânica quântica é necessário que

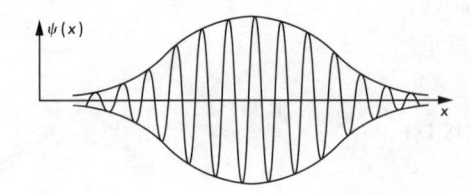

Figura 48–6 Um trem de onda localizado.

$$\frac{\hbar^2 \omega^2}{c^2} - \hbar^2 k^2 = m^2 c^2. \qquad (48.22)$$

Essa, então, é a relação entre a frequência e o número de onda de uma amplitude de onda quanto-mecânica que representa uma partícula de massa m. Dessa equação, podemos deduzir que ω é

$$\omega = c\sqrt{k^2 + m^2 c^2/\hbar^2}.$$

A velocidade de fase, ω/k, aqui é novamente mais rápida do que a velocidade da luz!

Agora vamos ver a velocidade de grupo. A velocidade de grupo deve ser $d\omega/dk$, a velocidade com a qual a modulação se move. Temos de derivar uma raiz quadrada, o que não é muito difícil. A derivada é

$$\frac{d\omega}{dk} = \frac{kc}{\sqrt{k^2 + m^2 c^2/\hbar^2}}.$$

A raiz quadrada é, afinal, ωc, portanto podemos escrever isso como $d\omega/dk = c^2 k/\omega$. Além disso, k/ω é p/E, portanto

$$v_g = \frac{c^2 p}{E}.$$

De (48.20) e (48.21), $c^2 p/E = v$, a velocidade da partícula, segundo a mecânica clássica. Portanto vemos que enquanto a relação fundamental da mecânica quântica $E = \hbar\omega$ e $p = \hbar k$, para a identificação de ω e k com os E e p clássicos, somente produz a equação $\omega^2 - k^2 c^2 = m^2 c^4/\hbar^2$, agora também entendemos as relações (48.20) e (48.21) que conectam E e p à velocidade. Naturalmente a velocidade de grupo deve ser a velocidade da partícula para que a interpretação faça algum sentido. Se pensarmos que a partícula está aqui um tempo, e logo dez minutos depois pensarmos que está lá adiante, como a mecânica quântica diz, a distância percorrida pelo "calombo", dividida pelo intervalo de tempo, deve ser, classicamente, a velocidade da partícula.

48–6 Ondas em três dimensões

Finalizaremos agora a nossa discussão sobre ondas com algumas observações gerais sobre a equação de onda. Esses comentários pretendem dar uma visão do futuro – não que consigamos entender tudo exatamente agora, mas mais para enxergar como as coisas se parecerão quando estudarmos ondas um pouco mais. Em primeiro lugar, a equação de onda do som em uma dimensão era

$$\frac{\partial^2 \chi}{\partial x^2} = \frac{1}{c^2} \frac{\partial^2 \chi}{\partial t^2},$$

onde c é a velocidade de qualquer onda – no caso do som, ela é a velocidade do som; no caso da luz, ela é a velocidade da luz. Mostramos que, para uma onda sonora, os deslocamentos se propagariam com uma certa velocidade. No entanto, o excesso de pressão também se propaga com uma certa velocidade, assim como o excesso de densidade. Portanto esperaríamos que a pressão fosse satisfazer a mesma equação, como de fato ela faz, o que deixaremos para o leitor comprovar. *Dica:* ρ_e é proporcional à taxa de variação de χ com respeito a x. Dessa maneira, se diferenciarmos a equação de onda com respeito a x, descobriremos imediatamente que $\partial \chi/\partial x$ satisfaz à mesma equação. Isto é, ρ_e satisfaz à mesma equação. Contudo, P_e é proporcional a ρ_e, portanto P_e também satisfaz. Assim a pressão, os deslocamentos, tudo, satisfazem à mesma equação de onda.

Normalmente vê-se a equação de onda do som escrita em termos da pressão em vez do deslocamento, porque a pressão é um escalar e não possui direção. O deslocamento é um vetor e possui direção, logo é mais fácil analisar a pressão.

O próximo assunto a ser discutido trata da equação de onda em três dimensões. Sabemos que a solução de onda sonora em uma dimensão é $e^{i(\omega t - kx)}$, com $\omega = kc_s$, mas também sabemos que, em três dimensões, uma onda seria representada por $e^{i(\omega t - k_x x - k_y y - k_z z)}$, onde, nesse caso, $\omega^2 = k^2 c_s^2$, que é, naturalmente, $(k_x^2 + k_y^2 + k_z^2) c_s^2$. Agora queremos adivinhar qual é a equação de onda correta em três dimensões. É claro, para o caso do som isso pode ser deduzido utilizando o mesmo argumento dinâmico, que usamos em uma dimensão, para três dimensões, mas não faremos isso; escreveremos apenas o que resulta: a equação da pressão (ou deslocamento, ou qualquer coisa) é

$$\frac{\partial^2 P_e}{\partial x^2} + \frac{\partial^2 P_e}{\partial y^2} + \frac{\partial^2 P_e}{\partial z^2} = \frac{1}{c_s^2} \frac{\partial^2 P_e}{\partial t^2}. \tag{48.23}$$

Pode ser verificado que isso é verdadeiro substituindo-se em $e^{i(\omega t - \mathbf{k} \cdot \mathbf{r})}$. Claramente, cada vez que diferenciamos com respeito a x, multiplicamos por $-ik_x$. Diferenciar duas vezes é equivalente a multiplicar por $-k_x^2$, portanto o primeiro termo ficaria $-k_x^2 P_e$ para essa onda. Analogamente o segundo termo se torna $-k_y^2 P_e$ e o terceiro termo, $-k_z^2 P_e$. No lado direito, obtemos $-(\omega^2/c_s^2) P_e$. Então, se eliminarmos os P_e e mudarmos o sinal, veremos que a relação entre k e ω é aquela que desejamos.

Trabalhando no sentido reverso novamente, não resistimos em escrever a grande equação que corresponde à equação de dispersão (48.22) para ondas da mecânica quântica. Se ϕ representa a amplitude de encontrar uma partícula na posição x, y, z, no tempo t, então a grande equação da mecânica quântica de partículas livres é:

$$\frac{\partial^2 \phi}{\partial x^2} + \frac{\partial^2 \phi}{\partial y^2} + \frac{\partial^2 \phi}{\partial z^2} - \frac{1}{c^2} \frac{\partial^2 \phi}{\partial t^2} = \frac{m^2 c^2}{\hbar^2} \phi. \tag{48.24}$$

Em primeiro lugar, o caráter de relatividade dessa expressão é sugerido pela aparência de x, y, z e t de bela combinação normalmente implicada pela relatividade. Em segundo lugar, ela é uma equação de onda na qual, se usarmos uma onda plana, teríamos como consequência $-k^2 + \omega^2/c^2 = m^2 c^2/\hbar^2$, que é a relação correta para a mecânica quântica. Existe ainda outra coisa formidável contida na equação de onda: o fato de que qualquer superposição de ondas é também uma solução. Portanto essa equação contém toda mecânica quântica e relatividade que discutimos até o momento, pelo menos contanto que se trate de uma única partícula no espaço vazio sem potenciais externos ou forças!

48-7 Modos normais

Agora consideraremos outro exemplo do fenômeno de batimento o qual é um tanto curioso e um pouco diferente. Imagine dois pêndulos iguais que têm, entre eles, uma conexão por mola bastante fraca. Eles possuem o mesmo comprimento, tão quanto é possível. Se puxarmos um para fora e o soltarmos, ele move-se para a frente e para trás, e ele puxa a mola que os une conforme ele se move para a frente e para trás. Portanto ele realmente é uma máquina para gerar uma força com a frequência natural de outro pêndulo. Por isso, como consequência da teoria de ressonância, estudada anteriormente, quando aplicamos uma força em algo justamente na frequência correta, ela o impulsionará. Dessa maneira, seguramente, um pêndulo se movendo para a frente e para trás irá impulsionar o outro. Contudo, nessa circunstância há uma coisa nova acontecendo, porque a energia total do sistema é finita, assim quando um pêndulo transfere a sua energia para o outro ao impulsioná-lo, ele se encontra perdendo energia gradualmente, até que, se a sincronia do tempo for justamente certa junto com a velocidade, ele perde toda a sua energia e é reduzido a uma condição estacionária! Então, naturalmente, é o outro pêndulo que possui toda a energia enquanto o primeiro não possui nenhuma, e conforme o tempo passa vemos que isso também funciona no sentido contrário, quando a energia é transferida de volta para o primeiro pêndulo; esse é um fenômeno muito interessante e divertido. Dissemos, contudo, que isso está relacionado à teoria de batimento, e devemos explicar agora como podemos analisar esse movimento do ponto da vista da teoria de batimento.

Notamos que o movimento de qualquer dos dois pêndulos é uma oscilação com uma amplitude que se modifica ciclicamente. Portanto, o movimento de um dos pêndulos presumivelmente pode ser analisado de uma maneira diferente, como a soma de duas oscilações, presentes no mesmo tempo, mas com duas frequências ligeiramente diferentes. Assim, deveria ser possível encontrar outros dois movimentos nesse sistema e alegar que o que vimos foi uma superposição das duas soluções, pois esse é naturalmente um sistema linear. De fato, é fácil encontrar duas maneiras com as quais poderíamos iniciar o movimento, cada uma sendo perfeita, um movimento de frequência única – absolutamente periódico. O movimento com o qual começamos anteriormente não era estritamente periódico, pois não durou; logo um pêndulo transferia a energia para o outro modificando assim a sua amplitude; mas há maneiras de se iniciar o movimento de modo que nada se modifique e, é claro, tão logo o analisemos, entenderemos o porquê. Por exemplo, se fizemos ambos os pêndulos se moverem em conjunto, então, como eles têm o mesmo comprimento e a mola então não está fazendo nada, eles continuarão naturalmente a se balançar assim para sempre, supondo que não há atrito e que tudo é perfeito. Por outro lado, existe outro movimento possível que também tem uma frequência definida: isto é, se movermos os pêndulos contrariamente, puxando-os à parte exatamente de distâncias iguais, então novamente eles estariam com um movimento absolutamente periódico. Podemos perceber que a mola somente acrescenta um pouco à força restauradora que a gravidade provê, isto é tudo, e o sistema apenas continua oscilando em uma frequência ligeiramente mais alta do que no primeiro caso. Por que mais alta? Como a mola está puxando, somada à gravitação, isso torna o sistema um pouco mais "rijo", de modo que a frequência desse movimento é somente um pouquinho mais alta do que a do outro.

Assim esse sistema tem duas maneiras em que ele pode oscilar com amplitude constante: ele pode oscilar da maneira na qual ambos os pêndulos vão na mesma direção e oscilam todo o tempo com uma frequência, ou eles podem se mover em direções opostas com uma frequência ligeiramente mais alta.

Porém o movimento real da coisa, uma vez que o sistema é linear, pode ser representado como uma superposição das duas. (O assunto deste capítulo, lembre, trata sobre os efeitos de se somar dois movimentos com frequências diferentes.) Portanto pense no que aconteceria se combinarmos essas duas soluções. Se em $t = 0$ os dois movimentos forem iniciados com amplitudes iguais e na mesma fase, a soma dos dois movimentos significa que um pêndulo, tendo sido impulsionado em uma direção pelo primeiro movimento e na outra direção pelo segundo movimento, estará em zero, enquanto o outro pêndulo, tendo sido deslocado na mesma direção por ambos os movimentos, tem uma amplitude grande. Conforme o tempo passa, contudo, os dois *movimentos* básicos prosseguem independentemente, portanto a fase de um em relação ao outro está se deslocando lentamente. Isso significa, então, que depois de um tempo suficientemente longo, quando o tempo é suficiente para que um movimento tenha feito "900½" oscilações, enquanto o outro teve somente "900", a fase relativa seria justamente invertida com respeito ao que era antes. Isto é, o movimento de grande amplitude terá caído a zero, e enquanto isso, é claro, o pêndulo inicialmente imóvel terá alcançado a força total!

Portanto vemos que poderíamos analisar esse movimento complicado tanto partindo da ideia de que há uma ressonância e que cada um passa a energia ao outro, ou então pela superposição de dois movimentos de amplitude constante em duas frequências diferentes.

49

Modos

49–1 A reflexão de ondas

Este capítulo irá considerar certos fenômenos notáveis que resultam do confinamento de ondas em uma região finita. Primeiramente seremos guiados a descobrir alguns fatos particulares sobre cordas vibrando, por exemplo, e então a generalização desses fatos nos fornecerá um princípio que é provavelmente o princípio de mais longo alcance da física matemática.

O nosso primeiro exemplo de confinamento de ondas será confinar uma onda em uma extremidade. Vamos tomar o exemplo simples de uma onda unidimensional em uma corda. Também se poderia considerar igualmente bem o som em uma dimensão contra uma parede, ou outras situações de natureza semelhante, mas o exemplo de uma corda será suficiente para os nossos objetivos atuais. Suponha que a corda está segura em uma extremidade, por exemplo, fixando-a a uma parede "infinitamente sólida". Isso pode ser expresso matematicamente dizendo que o deslocamento y da corda na posição $x = 0$ deve ser zero, pois a extremidade não se move. Porém, a não ser pela parede, sabemos que a solução geral do movimento é a soma de duas funções, $F(x - ct)$ e $G(x + ct)$, a primeira representando uma onda se propagando em uma direção na corda e a segunda, uma onda se propagando na outra direção na corda:

$$y = F(x - ct) + G(x + ct) \tag{49.1}$$

49–1 A reflexão de ondas
49–2 Ondas confinadas, com frequências naturais
49–3 Modos em duas dimensões
49–4 Pêndulos acoplados
49–5 Sistemas lineares

é a solução geral para qualquer corda. A seguir, temos que satisfazer à condição que a corda não move em uma extremidade. Fazendo $x = 0$ na Eq. (49.1) e examinando y para qualquer valor de t, obtemos que $y = F(-ct) + G(+ct)$. Porém se isso deve ser zero sempre, significa que a função $G(ct)$ deve ser $-F(-ct)$. Em outras palavras, G de qualquer coisa deve ser $-F$ de menos aquela mesma coisa. Se esse resultado for substituído na Eq. (49.1), encontramos que a solução do problema é

$$y = F(x - ct) - F(-x - ct). \tag{49.2}$$

É fácil verificar que teremos $y = 0$ se fizermos $x = 0$.

A Figura 49–1 mostra uma onda se propagando na direção x negativa próximo de $x = 0$, e uma onda hipotética se propagando na outra direção com sinal invertido e do outro lado da origem. Dizemos hipotética porque, naturalmente, não há uma corda vibrando daquele lado da origem. O movimento total da corda deve ser considerado como a soma dessas duas ondas na região de x positivo. Conforme elas atingem a origem, elas sempre se cancelarão em $x = 0$, e finalmente a segunda onda (refletida) será a única a existir em x positivo e estará naturalmente se propagando no sentido contrário. Esses resultados são equivalentes à seguinte afirmação: se uma onda atinge a extremidade fixa de uma corda, será refletida com uma modificação do sinal. Tal reflexão sempre pode ser entendida imaginando-se que o que está chegando na extremidade da corda sai de ponta-cabeça de trás da parede. Em resumo, se supusermos que a corda é infinita e que sempre que temos uma onda se propagando em uma direção temos uma outra que se propagando na outra direção com a simetria mencionada, o deslocamento em $x = 0$ sempre será zero, e não faz nenhuma diferença fixarmos a corda nessa posição.

O seguinte ponto a ser discutido é a reflexão de uma onda periódica. Suponha que a onda representada por $F(x - ct)$ é uma onda seno e foi refletida; então a onda refletida $-F(-x - ct)$ é também uma onda seno com a mesma frequência, mas se propagando no sentido contrário. Essa situação pode ser descrita mais simplesmente utilizando-se a notação de função complexa: $F(x - ct) = e^{i\omega(t-x/c)}$ e $F(-x - ct) = e^{i\omega(t+x/c)}$. Pode-se ver que se essas funções forem substituídas em (49.2) e se fizermos x igual a 0, então $y = 0$ para

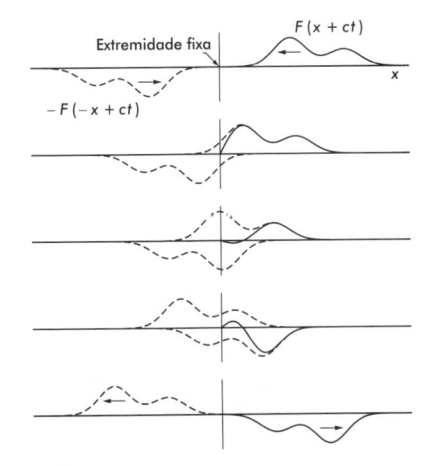

Figura 49–1 Reflexão de uma onda como uma superposição de duas ondas que se propagam.

todos os valores de t, portanto a condição necessária é satisfeita. Devido às propriedades de exponenciais, isso pode ser escrito de uma forma mais simples:

$$y = e^{i\omega t}(e^{-i\omega x/c} - e^{i\omega x/c}) = -2i e^{i\omega t} \operatorname{sen}(\omega x/c). \tag{49.3}$$

Existe algo interessante e novo aqui, pois essa solução nos diz que se olharmos em qualquer x fixo, a corda oscila na frequência ω. Não importa onde este ponto está, a frequência é a mesma! Contudo, existem alguns lugares, especialmente onde quer que sen$(\omega x/c) = 0$, onde não há qualquer deslocamento em absoluto. Além disso, se em qualquer tempo t tirarmos uma foto instantânea da corda vibrando, o retrato será uma onda seno. No entanto, o deslocamento dessa onda seno dependerá do tempo t. Inspecionando-se a Eq. (49.3), podemos ver que o comprimento de um ciclo da onda seno é igual ao comprimento de onda de qualquer uma das ondas sobrepostas:

$$\lambda = 2\pi c/\omega. \tag{49.4}$$

Os pontos nos quais não há nenhum movimento satisfazem à condição sen$(\omega x/c) = 0$, o que significa que $(\omega x/c) = 0, \pi, 2\pi..., n\pi...$ Esses pontos são chamados de *nodos*. Entre quaisquer dois nodos sucessivos, todo ponto se movimenta para cima e para baixo de forma senoidal, mas o padrão do movimento permanece fixo no espaço. Essa é a característica fundamental do que chamamos um *modo*. Se for possível encontrar um padrão de movimento cuja propriedade seja que em qualquer ponto o objeto se move de maneira perfeitamente senoidal, e que todos os pontos se movem com a mesma frequência (embora alguns vão se mover mais do que outros), então temos o que é chamado de modo.

49–2 Ondas confinadas, com frequências naturais

O próximo interessante problema é considerar o que acontece se a corda é mantida fixa em ambos as extremidades, digamos em $x = 0$ e $x = L$. Podemos iniciar com a ideia de reflexão de ondas, começando com um tipo de pulso que se move em uma direção. Conforme o tempo passa, esperaríamos que o pulso se aproximasse de uma extremidade, e conforme o tempo passasse ainda mais ele oscilaria um pouco, pois ele está se combinando com o pulso-imagem invertido proveniente do outro lado. Finalmente o pulso original desaparecerá, e o pulso-imagem se moverá na outra direção para repetir o processo na outra extremidade. Esse problema tem uma solução fácil, mas a pergunta interessante é se podemos ter um movimento senoidal (a solução descrita acima é *periódica*, mas naturalmente não é periódica de maneira *senoidal*). Vamos tentar fazer uma onda periódica senoidal em uma corda. Se a corda for atada em uma ponta, sabemos que ela deve se parecer com a nossa solução anterior (49.3). Se for fixada na outra ponta, ela tem de parecer a mesma da outra extremidade. Portanto, a única possibilidade para o movimento senoidal periódico consiste em que a onda seno deve ajustar-se precisamente no comprimento da corda. Se ela não se ajustar no comprimento de corda, então ela não será uma frequência natural na qual a corda pode continuar oscilando. Em resumo, se iniciarmos a corda com uma forma de onda seno que se ajusta precisamente, então ela continuará mantendo essa forma perfeita de uma onda seno e oscilará harmonicamente em uma certa frequência.

Matematicamente, podemos escrever senkx para a forma, onde k é igual ao fator (ω/c) nas Eqs. (49.3) e (49.4), e essa função será zero em $x = 0$. Contudo, ela também deve ser zero na outra extremidade. O significado disso é que k não é mais arbitrário, como era no caso da corda semifixa. Com a corda presa em ambas as pontas, a única possibilidade consiste no sen$(kL) = 0$, pois essa é a única condição que manterá ambas as extremidades fixas. Porém para um seno ser zero, o ângulo deve ser $0, \pi, 2\pi$ ou qualquer outro múltiplo inteiro de π. Portanto, a equação

$$kL = n\pi \tag{49.5}$$

fornecerá qualquer um dos possíveis k, dependendo do número inteiro que for utilizado. Para cada um dos k, há certa frequência ω que de acordo com (49.3), é simplesmente

$$\omega = kc = n\pi c/L. \qquad (49.6)$$

Portanto encontramos o seguinte: que uma corda tem a propriedade de que ela pode ter movimentos senoidais, *mas apenas em certas frequências*. Essa é a característica mais importante de ondas confinadas. Não importa quão complicado seja o sistema, sempre ocorre que há certos padrões de movimento que têm uma dependência temporal como uma senoidal perfeita, mas com frequências que são propriedades do sistema em particular e da natureza das suas extremidades. No caso da corda, temos muitas frequências diferentes possíveis, cada uma, por definição, correspondente a um modo, porque um modo é um padrão de movimento que se repete de forma senoidal. A Figura 49–2 mostra os três primeiros modos de uma corda. Para o primeiro modo, o comprimento de onda λ é $2L$. Isso pode ser visto se extrapolarmos a onda até $x = 2L$ a fim de obter um ciclo completo da onda seno. A frequência angular ω é $2\pi c$ dividido pelo comprimento de onda, em geral, e nesse caso, como λ é $2L$, a frequência é $\pi c/L$, o que está de acordo com (49.6) para $n = 1$. Vamos chamar a primeira frequência do modo de ω_1. O próximo modo mostra dois ciclos com um nodo no meio. Para esse modo, o comprimento de onda, então, é simplesmente L. O valor correspondente de k e a frequência são, cada um, duas vezes maior; sendo $2\omega_1$. Para o terceiro modo, a frequência é $3\omega_1$, e assim por diante. Portanto todas as frequências diferentes da corda são múltiplos, 1, 2, 3, 4 e assim por diante, da frequência mais baixa ω_1.

Retornando agora ao movimento geral da corda, qualquer movimento possível sempre pode ser analisado afirmando-se que mais de um modo está operando ao mesmo tempo. De fato, um número infinito de modos deve ser excitado ao mesmo tempo para o movimento geral. Para termos uma ideia disso, vamos ilustrar o que acontece quando existem dois modos oscilando ao mesmo tempo: suponha que temos o primeiro modo oscilando conforme mostrado pela sequência de quadros da Figura 49–3, que ilustra a deflexão da corda para intervalos de tempo igualmente espaçados que se estendem ao longo de meio ciclo da frequência mais baixa.

Ao mesmo tempo, suponha que existe também uma oscilação do segundo modo. A Figura 49–3 também mostra uma sequência de quadros desse modo, que no início está 90° fora da fase com o primeiro modo. Isso significa que, inicialmente, não há nenhum deslocamento, mas as duas metades da corda possuem velocidades com direções opostas. Agora invocamos um princípio geral com relação a sistemas lineares: se houver duas soluções, então a sua soma também é uma solução. Portanto, um possível terceiro movimento da corda seria um deslocamento obtido somando-se as duas soluções mostradas na Figura 49–3. O resultado, também mostrado na figura, começa a sugerir a ideia de um pulso que corre para frente e para trás entre as extremidades da corda, embora somente com dois modos não possamos ter uma visão muito boa dele; são necessários mais modos. Esse resultado é, de fato, um caso especial de um importante princípio de sistemas lineares:

Qualquer movimento pode ser analisado supondo-se que ele é a soma dos movimentos de todos os diferentes modos, combinados com amplitudes e fases apropriadas.

A importância do princípio deriva do fato de que cada modo é muito simples – nada mais é do que um movimento senoidal no tempo. É verdade que até o movimento geral de uma corda realmente não é muito complicado, mas há outros sistemas, por exemplo, o vibrar de uma asa de avião, no qual o movimento é muito mais complicado. No entanto, mesmo com uma asa de avião, vemos que existe um determinado tipo de torção com uma frequência e outros modos de torção que possuem outras frequências. Se esses modos puderem ser encontrados, então o movimento completo sempre pode ser analisado como uma superposição de oscilações harmônicas (exceto quando a vibração tiver tal grau que o sistema não pode mais ser considerado linear).

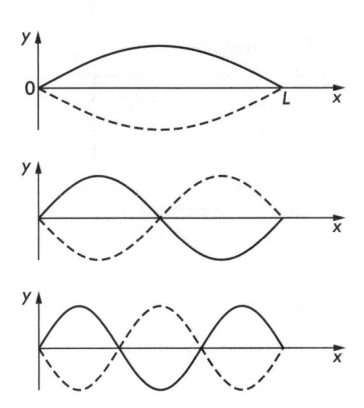

Figura 49-2 Os três primeiros modos de uma corda vibrante.

— PRIMEIRO MODO   — ONDA COMPOSTA
-- SEGUNDO MODO

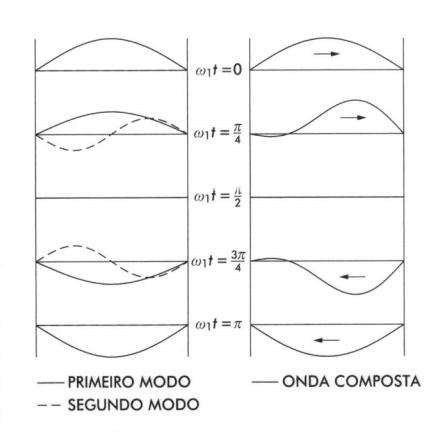

Figura 49-3 Dois modos se combinam para formar uma onda que se propaga.

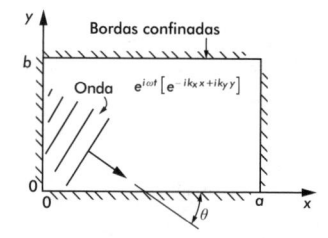

Figura 49–4 Uma placa retangular vibrante.

49–3 Modos em duas dimensões

O próximo exemplo a ser considerado é a interessante situação de modos em duas dimensões. Até este ponto, falamos somente sobre situações unidimensionais – a corda esticada ou ondas sonoras em um tubo. Ao final, devemos considerar três dimensões, mas um passo mais fácil será o de duas dimensões. Considere uma membrana de tambor de borracha retangular que é confinada de maneira que não tenha nenhum deslocamento em qualquer lugar da borda retangular, e sejam as dimensões do retângulo a e b, como mostrado na Figura 49–4. A pergunta é, quais são as características do possível movimento? Podemos começar com o mesmo procedimento usado para a corda. Se não tivéssemos nenhum confinamento, esperaríamos ondas se propagando com um tipo de movimento ondulatório. Por exemplo, $(e^{i\omega t})(e^{-ik_x x + ik_y y})$ representaria uma onda seno se propagando em alguma direção que depende dos valores relativos de k_x e k_y. Porém como podemos fazer do eixo x, isto é, a linha $y = 0$, um nodo? Usando as ideias desenvolvidas para a corda unidimensional, podemos imaginar outra onda representada pela função complexa $(-e^{i\omega t})(e^{-ik_x x - ik_y y})$. A superposição dessas ondas resultará em deslocamento nulo em $y = 0$ independentemente dos valores de x e t. (Embora essas funções sejam definidas para y negativo onde não há nenhuma membrana de tambor para vibrar, isso pode ser ignorado, desde que o deslocamento seja realmente zero em $y = 0$.) Nesse caso, podemos considerar a segunda função como a onda refletida.

Contudo, queremos uma linha nodal em $y = b$ assim como em $y = 0$. Como fazemos isso? A solução está relacionada a algo que fizemos quando estudamos a reflexão de cristais. Essas ondas que se cancelam umas às outras em $y = 0$ farão o mesmo em $y = b$ somente se $2b\,\text{sen}\,\theta$ for um múltiplo inteiro de λ, onde θ é o ângulo mostrado na Figura 49–4:

$$m\lambda = 2b\,\text{sen}\,\theta, \qquad m = 0, 1, 2, \ldots \tag{49.7}$$

Então, do mesmo modo, podemos tornar o eixo y uma linha nodal somando mais duas funções, $-(e^{i\omega t})(e^{+ik_x x + ik_y y})$ e $+(e^{i\omega t})(e^{+ik_x x - ik_y y})$, cada uma representando uma reflexão de uma das duas outras ondas da linha $x = 0$. A condição de uma linha nodal em $x = a$ é semelhante àquela para $y = b$, pois $2a\cos\theta$ também deve ser um múltiplo inteiro de λ:

$$n\lambda = 2a\cos\theta. \tag{49.8}$$

Então o resultado final é que ondas oscilando dentro de uma caixa produzem um padrão de onda estacionária, isto é, um modo definido.

Portanto devemos satisfazer às duas condições acima para termos um modo. Vamos primeiro encontrar o comprimento de onda. Isso pode ser obtido eliminando-se o ângulo θ de (49.7) e (49.8) para obter o comprimento de onda em termos de a, b, n e m. A maneira mais fácil de fazer isso é dividir ambos os lados das respectivas equações por $2b$ e $2a$, elevá-las ao quadrado e somar as duas equações. O resultado é o $\text{sen}^2\theta + \cos^2\theta = 1 = (n\lambda/2a)^2 + (m\lambda/2b)^2$, que pode ser resolvido para λ:

$$\frac{1}{\lambda^2} = \frac{n^2}{4a^2} + \frac{m^2}{4b^2}. \tag{49.9}$$

Dessa maneira, determinamos o comprimento de onda em termos de dois números inteiros, e do comprimento de onda imediatamente obtemos a frequência ω, porque, como sabemos, a frequência é igual a $2\pi c$ dividido pelo comprimento de onda.

Esse resultado é interessante e importante o bastante para que seja deduzido por meio de uma análise puramente matemática ao invés de uma argumentação sobre reflexões. Vamos representar a vibração por uma superposição de quatro ondas escolhidas tal que as quatro linhas $x = 0$, $x = a$, $y = 0$ e $y = b$ sejam nodos. Além disso, exigiremos que todas as ondas tenham a mesma frequência, para que o movimento resultante represente um modo. Do nosso tratamento anterior da reflexão da luz sabemos que $(e^{i\omega t})(e^{-ik_x x + ik_y y})$ representa uma onda se propagando na direção indicada na Figura 49–4. A Equação (49.6), isto é, $k = \omega/c$, ainda vale, desde que

$$k^2 = k_x^2 + k_y^2. \tag{49.10}$$

É claro a partir da figura que $k_x = k\cos\theta$ e $k_y = k\,\text{sen}\,\theta$.

Agora a nossa equação do deslocamento, digamos ϕ, da membrana do tambor retangular toma a grande forma de

$$\phi = [e^{i\omega t}][e^{(-ik_x x + ik_y y)} - e^{(+ik_x x + ik_y y)} - e^{(-ik_x x - ik_y y)} + e^{(+ik_x x - ik_y y)}]. \tag{49.11a}$$

Embora isso pareça uma bagunça, a soma dessas coisas agora não é muito difícil.

As exponenciais podem ser combinadas para resultar em funções seno, de maneira que o deslocamento resulte em

$$\phi = [4\,\text{sen}\,k_x x\,\text{sen}\,k_y y][e^{i\omega t}]. \tag{49.11b}$$

Em outras palavras, é uma oscilação senoidal, tudo bem, com um padrão que também é senoidal tanto na direção x como em y. As nossas condições de contorno são naturalmente satisfeitas em $x = 0$ e $y = 0$. Também queremos que ϕ seja zero quando $x = a$ e quando $y = b$. Portanto, devemos acrescentar duas outras condições: $k_x a$ dever ser um múltiplo inteiro de π, e $k_y b$ deve ser outro múltiplo inteiro de π. Como vimos que $k_x = k\cos\theta$ e $k_y = k\,\text{sen}\,\theta$, imediatamente obtemos as Equações (49.7) e (49.8) e, a partir delas, o resultado final (49.9).

Agora vamos tomar como um exemplo um retângulo cuja largura é duas vezes a altura. Se tomarmos $a = 2b$ e usarmos as Eqs. (49.4) e (49.9), podemos calcular as frequências de todos os modos:

$$\omega^2 = \left(\frac{\pi c}{b}\right)^2 \frac{4m^2 + n^2}{4}. \tag{49.12}$$

A Tabela 49-1 lista alguns dos modos mais simples e também mostra a sua forma de uma maneira qualitativa.

O ponto mais importante a ser enfatizado sobre esse caso em particular é que as frequências não são múltiplos umas das outras, nem são múltiplos de qualquer número. A ideia de que as frequências naturais estão harmonicamente relacionadas não é geralmente verdadeira. Não é verdadeira para um sistema de mais de uma dimensão, nem é verdadeira para sistemas unidimensionais que são mais complicados do que uma corda com densidade e tensão uniformes. Um exemplo simples deste último é uma corda pendente na qual a tensão é mais alta em cima do que embaixo. Se tal corda for posta em oscilação harmônica, há vários modos e frequências, mas as frequências não são múltiplos simples de nenhum número, tampouco as formas dos modos são senoidais.

Os modos de sistemas mais complicados são ainda mais complexos. Por exemplo, dentro da boca temos uma cavidade acima das cordas vocais, e ao mover a língua e os lábios, fazemos um tubo de extremidade aberta ou um tubo de extremidade fechada de diâmetros e formas diferentes; ele é um ressonador terrivelmente complicado, mas sem dúvida é um ressonador. Quando falamos com as cordas vocais, fazemos com que elas produzam uma espécie de tom. Esse tom é um tanto complicado e há muitos sons saindo, mas a cavidade da boca modifica ainda mais esse tom por causa das várias frequências ressoantes da cavidade. Por exemplo, uma cantora pode cantar várias vogais, a, o ou u, e assim por diante, no mesmo tom, mas elas soam diferentes porque os vários harmônicos estão em ressonância nessa cavidade em graus distintos. A importância muito grande das frequências ressoantes de uma cavidade em modificar os sons da voz pode ser demonstrada por um experimento simples. Como a velocidade do som varia como o inverso da raiz quadrada da densidade, a velocidade do som pode ser variada utilizando-se diferentes gases. Se usarmos o hélio ao invés do ar, para que a densidade seja mais baixa, a velocidade do som é muito mais alta, e todas as frequências de uma cavidade serão aumentadas. Consequentemente, se alguém encher os pulmões de hélio antes de falar, o caráter da sua voz será drasticamente alterado, embora as cordas vocais ainda possam estar vibrando na mesma frequência.

Tabela 49–1

Forma do modo	m	n	$(\omega/\omega_0)^2$	ω/ω_0
[+]	1	1	1,25	1,12
[+ | −]	1	2	2,00	1,41
[+ | − | +]	1	3	3,25	1,80
[− / +]	2	1	4,25	2,06
[− + / + −]	2	2	5,00	2,24

49–4 Pêndulos acoplados

Finalmente, deveríamos enfatizar que não apenas os modos existem para sistemas contínuos complicados, mas também para sistemas mecânicos muito simples. Um bom exemplo é o sistema de dois pêndulos acoplados discutido no capítulo anterior. Naquele capítulo, foi mostrado que o movimento pode ser analisado como uma superposição de dois movimentos harmônicos com diferentes frequências. Portanto até esse sistema pode ser analisado em termos dos movimentos harmônicos ou modos. A corda tem um número infinito de modos, e uma superfície bidimensional também tem um número infinito de modos. De certa forma é um infinito duplo, se soubermos como contar infinitos, mas uma coisa mecânica simples com apenas dois graus de liberdade, e que necessita somente de duas variáveis para descrevê-la, tem somente dois modos.

Vamos fazer uma análise matemática desses dois modos para o caso no qual os pêndulos têm comprimento igual. Seja o deslocamento de um deles x e o deslocamento do outro y, como mostrado na Figura 49–5. Sem a mola, a força na primeira massa é proporcional ao deslocamento daquela massa, por causa da gravidade. Se não houvesse nenhuma mola, existiria uma certa frequência natural ω_0 para o pêndulo sozinho. A equação de movimento sem uma mola seria

$$m \frac{d^2x}{dt^2} = -m\omega_0^2 x. \tag{49.13}$$

O outro pêndulo balançaria da mesma maneira se não houvesse nenhuma mola. Além da força restauradora devido à gravitação, existe uma força adicional puxando a primeira massa. Essa força depende da distância em excesso de x sobre y e é proporcional a essa diferença, portanto ela é alguma constante que depende da geometria, vezes $(x - y)$. A mesma força no sentido contrário atua na segunda massa. Dessa maneira, as equações de movimento que têm de ser resolvidas são

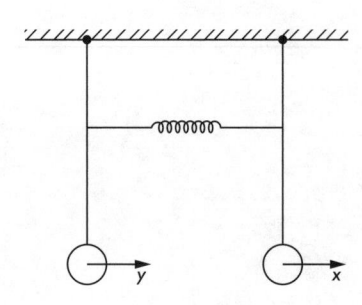

Figura 49–5 Dois pêndulos acoplados.

$$m\frac{d^2x}{dt^2} = -m\omega_0^2 x - k(x-y), \quad m\frac{d^2y}{dt^2} = -m\omega_0^2 y - k(y-x). \quad (49.14)$$

Para encontrar um movimento no qual ambas as massas se movem na mesma frequência, devemos determinar quanto cada massa se move. Em outras palavras, o pêndulo x e o pêndulo y oscilarão na mesma frequência, mas as suas amplitudes devem ter certos valores, A e B, cuja relação é fixa. Vamos tentar esta solução:

$$x = Ae^{i\omega t}, \quad y = Be^{i\omega t}. \quad (49.15)$$

Se essas soluções forem substituídas nas Eqs. (49.14) e os termos semelhantes forem agrupados, os resultados serão

$$\left(\omega^2 - \omega_0^2 - \frac{k}{m}\right)A = -\frac{k}{m}B,$$
$$\left(\omega^2 - \omega_0^2 - \frac{k}{m}\right)B = -\frac{k}{m}A. \quad (49.16)$$

As equações como escritas acima tiveram o fator comum $e^{i\omega t}$ retirado e foram divididas por m.

Vemos que temos duas equações para o que parecem ser duas incógnitas, mas na realidade não existem *duas* incógnitas, pois o tamanho total do movimento é algo que não podemos determinar a partir dessas equações. As equações acima podem determinar somente a *razão* de A e B, *mas ambas devem dar a mesma razão*. A necessidade de que ambas as equações sejam consistentes é uma exigência de que a frequência seja algo muito especial.

Nesse caso em particular isso pode ser calculado muito facilmente. Se as duas equações forem multiplicadas uma pela outra, o resultado é

$$\left(\omega^2 - \omega_0^2 - \frac{k}{m}\right)^2 AB = \left(\frac{k}{m}\right)^2 AB. \quad (49.17)$$

O termo AB pode ser removido dos dois lados a menos que A e B sejam zero, o que significa que não há movimento. Se houver movimento, então os outros termos devem ser iguais, resultando em uma equação quadrática para ser resolvida. O resultado é que existem duas frequências possíveis:

$$\omega_1^2 = \omega_0^2, \quad \omega_2^2 = \omega_0^2 + \frac{2k}{m}. \quad (49.18)$$

Além disso, se esses valores para a frequência forem substituídos de volta na Eq. (49.16), encontramos que para a primeira frequência $A = B$ e para a segunda frequência $A = -B$. Essas são as "formas do modo", como pode ser prontamente verificado pelo experimento.

É claro que no primeiro modo, no qual $A = B$, a mola nunca está esticada, e ambas as massas oscilam na frequência ω_0, como se a mola não estivesse presente. Na outra solução, em que $A = -B$, a mola contribui uma força restauradora e aumenta a frequência. Um caso mais interessante ocorre se os pêndulos tiverem comprimentos diferentes. A análise é muito semelhante à dada acima, e a deixamos como um exercício para o leitor.

49-5 Sistemas lineares

Vamos então resumir as ideias discutidas acima, que constituem todos os aspectos do que é provavelmente o princípio mais geral e maravilhoso da física matemática. Se tivermos um sistema linear cuja característica é independente do tempo, então o movimento não deve ter nenhuma simplicidade em particular, e de fato pode ser excessivamente complexo, mas há movimentos muito especiais, geralmente uma série de movimentos especiais, nos quais o padrão inteiro do movimento varia exponencialmente com o tempo. Para os sistemas vibrantes sobre os quais estamos falando agora, a exponencial é imaginária, e em vez de dizer "exponencialmente", poderíamos preferir dizer "senoidal" com o tempo. Contudo, pode-ser ser mais geral e dizer que os movimentos irão variar exponencialmente com o tempo em modos muito especiais, com formas muito especiais. O movimento mais geral do sistema pode sempre ser representado como uma superposição de movimentos envolvendo cada uma das diferentes exponenciais.

Vale a pena afirmar isso novamente para o caso do movimento senoidal: um sistema linear não precisa estar se movendo de uma maneira puramente senoidal, isto é, com uma única frequência definida, mas não importa como ele realmente se move, esse movimento pode ser representado como uma superposição de movimentos senoidais puros. A frequência de cada um desses movimentos é uma característica do sistema, e o padrão ou a forma de onda de cada movimento é também uma característica do sistema. O movimento geral em qualquer sistema desse tipo pode ser caracterizado fornecendo-se a amplitude e a fase de cada um desses modos e somando-se todos eles. Outro modo de dizer isso consiste em que qualquer sistema linear vibrante é equivalente a um conjunto de osciladores harmônicos independentes, com as frequências naturais correspondendo aos modos.

Concluímos este capítulo analisando a conexão dos modos com a mecânica quântica. Na mecânica quântica, o objeto que vibra, ou a coisa que varia no espaço, é a amplitude de uma função de probabilidade que fornece a probabilidade de encontrarmos um elétron, ou sistema de elétrons, em uma dada configuração. Essa função de amplitude pode variar no espaço e no tempo, e satisfaz, de fato, uma equação linear. Na mecânica quântica, há uma transformação, na qual o que chamamos de frequência da amplitude de probabilidade é igual, classicamente, à energia. Por isso, podemos traduzir o princípio mencionado acima para esse caso, tomando a palavra *frequência* e substituindo-a por *energia*. O resultado é algo assim: um sistema quanto-mecânico, por exemplo um átomo, não precisa ter uma energia definida, assim como um sistema mecânico simples não precisa ter uma frequência definida; mas, independentemente de como o sistema se comporta, o seu comportamento sempre pode ser representado como uma superposição de estados com energia definida. A energia de cada estado é uma característica do átomo, assim como também o é o padrão da amplitude que determina a probabilidade de encontrar as partículas em diferentes lugares. O movimento geral pode ser descrito fornecendo-se a amplitude de cada um desses estados de diferentes energias. Essa é a origem dos níveis de energia da mecânica quântica. Como a mecânica quântica é representada por ondas, no caso em que o elétron não tem energia suficiente para escapar de vez do próton, elas são *ondas confinadas*. Da mesma maneira que para as ondas confinadas de uma corda, existem frequências definidas para a solução da equação de onda da mecânica quântica. A interpretação quanto-mecânica é que elas são *energias* definidas. Portanto, um sistema quanto-mecânico pode possuir estados definidos com energia fixa, pois é representado por ondas; exemplos disso são os níveis de energia dos vários átomos.

50

Harmônicos

50–1 Tons musicais

Diz-se que Pitágoras descobriu o fato de que duas cordas semelhantes sujeitas à mesma tensão e diferindo apenas em comprimento, quando tocadas juntas, criam um efeito que é agradável ao ouvido *se* os comprimentos das cordas tiverem como razão dois números inteiros pequenos. Se a razão dos comprimentos for de 1 para 2, então eles correspondem a uma oitava da música. Se a razão dos comprimentos for dois para três, eles correspondem ao intervalo entre *C* e *G*, que é chamado de uma quinta. Esses intervalos são geralmente aceitos como acordes que soam "agradavelmente".

Pitágoras ficou tão impressionado por essa descoberta que a tornou a base de uma escola – para os chamados Pitagóricos – que mantinham crenças místicas no grande poder de números. Acreditava-se que algo semelhante seria descoberto sobre os planetas – ou "esferas". Às vezes, ouvimos a expressão: "a música das esferas". A ideia era que haveria algumas relações numéricas entre as órbitas dos planetas ou entre outras coisas na natureza. As pessoas normalmente pensam que isso é somente uma espécie de superstição mantida pelos gregos, mas isso é tão diferente do nosso próprio interesse científico sobre relações quantitativas? A descoberta de Pitágoras foi o primeiro exemplo, fora da geometria, de qualquer relação numérica na natureza. Deve ter sido muito surpreendente descobrir repentinamente que existia um *fato* da natureza que envolvia uma relação numérica simples. Medidas simples de comprimentos forneceram uma previsão sobre algo sem nenhuma conexão evidente com a geometria – a produção de sons agradáveis. Essa descoberta levou à extensão de que talvez um bom instrumento para se entender a natureza seria a análise aritmética e matemática. Os resultados da ciência moderna justificam aquele ponto da vista.

Pitágoras somente poderia ter feito a sua descoberta por meio de uma observação experimental. Porém esse aspecto importante não parece tê-lo impressionado. Caso tivesse, a física poderia ter iniciado bem antes. (É sempre fácil lembrar o que outra pessoa fez e decidir o que ela *deveria* ter feito!)

Poderíamos comentar um terceiro aspecto dessa descoberta bastante interessante: que a descoberta tem a ver com duas notas que *soam agradáveis* ao ouvido. Podemos questionar se estamos um pouco melhor do que Pitágoras sobre a compreensão do *porquê* de apenas certos sons serem agradáveis ao nosso ouvido. A teoria geral da estética provavelmente não está mais desenvolvida agora do que no tempo de Pitágoras. Nessa descoberta dos gregos, há três aspectos: experimento, relações matemáticas e estética. A física fez grande progresso somente nas duas primeiras partes. Este capítulo tratará da nossa compreensão atual da descoberta de Pitágoras.

Entre os sons que ouvimos, há um tipo que chamamos de *ruído*. O ruído corresponde a uma espécie de vibração irregular do tímpano que é produzida pela vibração irregular de algum objeto na vizinhança. Se fizermos um diagrama para indicar a pressão do ar no tímpano (e, portanto, o deslocamento do tímpano) como uma função do tempo, o gráfico correspondente a um ruído poderia se parecer com o mostrado na Figura 50–1(a). (Tal ruído poderia corresponder aproximadamente ao som de passadas fortes.) O som de *música* tem um caráter diferente. A música é caracterizada pela presença de *tons* mais ou menos *sustentados* – ou "notas" musicais. (Os instrumentos musicais também podem produzir ruídos!) O tom pode durar um tempo relativamente curto, como quando uma tecla de piano é pressionada, ou pode ser sustentado quase indefinidamente, como quando um flautista mantém uma nota longa.

Qual é a característica especial de uma nota musical do ponto de vista da pressão no ar? Uma nota musical diferencia-se de um ruído pela periodicidade existente em seu gráfico. Existe uma certa forma irregular para a variação da pressão do ar com o tempo, e a forma se repete novamente muitas vezes. Um exemplo de uma função temporal da pressão que corresponderia a uma nota musical é mostrado na Figura 50–1(b).

50–1 Tons musicais
50–2 A série de Fourier
50–3 Qualidade e consonância
50–4 Os coeficientes de Fourier
50–5 O teorema da energia
50–6 Respostas não lineares

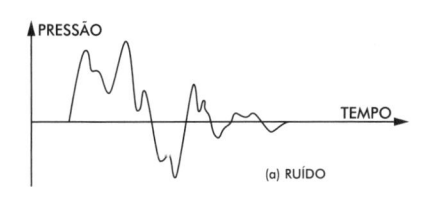

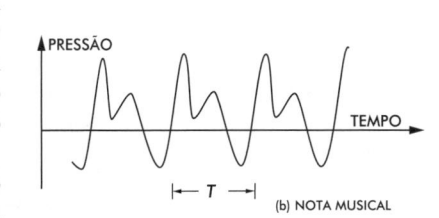

Figura 50–1 Pressão como função do tempo para (a) um ruído e (b) uma nota musical.

Os músicos normalmente falam de um tom musical em termos de três características: a sonoridade, a afinação e a "qualidade". A "sonoridade" corresponde à magnitude das variações de pressão. A "afinação" corresponde ao período de tempo de uma repetição da função básica de pressão. (As notas "baixas" têm períodos mais longos do que notas "altas".) A "qualidade" de um tom está relacionada com as diferenças que ainda podemos ser capazes de ouvir entre duas notas da mesma sonoridade e afinação. Um oboé, um violino ou uma soprano ainda são distinguíveis mesmo quando produzem notas com a mesma afinação. A qualidade tem a ver com a estrutura do padrão que se repete.

Vamos considerar, por um momento, o som produzido por uma corda vibrante. Se tangermos a corda, puxando-a para o lado e depois soltando-a, o movimento subsequente será determinado pelos movimentos das ondas que produzimos. Sabemos que essas ondas se propagarão em ambas as direções, e serão refletidas nas extremidades. Elas irão balançar para frente e para trás durante um longo tempo. Não importa quão complicada seja a onda, entretanto, ela irá se repetir. O período da repetição é justamente o tempo T necessário para a onda transcorrer dois comprimentos inteiros da corda, uma vez que esse é justamente o tempo necessário para qualquer onda, uma vez iniciada, refletir em cada ponta e voltar à sua posição inicial, e estar prosseguindo na direção original. O tempo é o mesmo para ondas que iniciam em qualquer direção. Cada ponto na corda, então, retornará à sua posição inicial depois de um período, e novamente um período depois, etc. A onda sonora produzida também deve ter a mesma repetição. Vemos por que uma corda tangida produz um tom musical.

50–2 A série de Fourier

Discutimos no capítulo anterior outra maneira de enxergamos o movimento de um sistema vibrante. Vimos que uma corda, tem vários modos naturais de oscilação, e que qualquer tipo de vibração em particular criada pelas condições iniciais pode ser considerada como uma combinação – em proporções adequadas – de vários modos naturais, oscilando em conjunto. Para uma corda, concluímos que os modos normais de oscilação tinham as frequências $\omega_0, 2\omega_0, 3\omega_0\ldots$ O movimento mais geral de uma corda tangida, portanto, é composto pela soma de uma oscilação senoidal na frequência fundamental ω_0, outra na segunda frequência harmônica $2\omega_0$, outra no terceiro harmônico $3\omega_0$, etc. O modo fundamental repete-se a cada período $T_1 = 2\pi/\omega_0$. O segundo modo harmônico repete-se a cada $T_2 = 2\pi/2\omega_0$. Ele *também* se repete a cada $T_1 = 2T_2$, após *dois* dos seus períodos. Analogamente, o terceiro modo harmônico repete-se depois de um tempo T_1 que é 3 dos seus períodos. Vemos novamente por que uma corda tangida repete o seu padrão completo com uma periodicidade de T_1. Ela produz um tom musical.

Falamos sobre o movimento da corda, mas o *som*, que é o movimento do ar, é produzido pelo movimento da corda, portanto as suas vibrações também devem ser compostas pelos mesmos harmônicos – embora não estejamos mais pensando nos modos normais do ar. Além disso, a intensidade relativa dos harmônicos pode ser diferente no ar do que na corda, em particular se a corda estiver "acoplada" ao ar via uma caixa de ressonância. A eficiência do acoplamento com o ar é diferente para harmônicos distintos.

Se fizermos $f(t)$ representar a pressão do ar em função do tempo para um tom musical [como na Figura 50–1(b)], então esperamos que $f(t)$ possa ser escrito como a soma de um número de funções harmônicas simples do tempo – como $\cos\omega t$ – para cada uma de várias frequências harmônicas. Se o período de vibração for T, a frequência angular fundamental será $\omega = 2\pi/T$ e os harmônicos serão $2\omega, 3\omega$, etc.

Existe uma pequena complicação. Para cada frequência, pode acontecer de as fases iniciais não serem necessariamente as mesmas para todas as frequências. Deveríamos, então, utilizar funções como $\cos(\omega t + \phi)$. No entanto, é mais simples utilizar, no lugar disso, tanto as funções seno como cosseno para *cada* frequência. Lembramos que

$$\cos(\omega t + \phi) = (\cos\phi\cos\omega t - \sen\phi\sen\omega t) \tag{50.1}$$

e como ϕ é uma constante, *qualquer* oscilação senoidal na frequência ω pode ser escrita como a soma de um termo com $\cos\omega t$ e outro termo com o $\sin\omega t$.

Concluímos, então, que *qualquer* função $f(t)$ periódica com período T pode ser escrita matematicamente como

$$\begin{aligned} f(t) = \ & a_0 \\ & + a_1 \cos \omega t + b_1 \sin \omega t \\ & + a_2 \cos 2\omega t + b_2 \sin 2\omega t \\ & + a_3 \cos 3\omega t + b_3 \sin 3\omega t \\ & + \ldots \qquad + \ldots \end{aligned} \qquad (50.2)$$

onde $\omega = 2\pi/T$ e os a e b são constantes numéricas que nos dizem quanto de cada componente de oscilação está presente na oscilação $f(t)$. Adicionamos o termo de "frequência nula" denominado a_0 para que a nossa fórmula seja totalmente geral, embora ele seja normalmente zero para um tom musical. Ele representa um deslocamento do valor médio (isto é, o nível "zero") da pressão sonora. Com ele, a nossa fórmula pode valerá para qualquer caso. A igualdade da Eq. (50.2) é representada esquematicamente na Figura 50–2. (As amplitudes, a_n e b_n, das funções harmônicas devem ser escolhidas apropriadamente. Elas são mostras esquematicamente e sem qualquer escala em particular na figura.) A série (50.2) é chamada de *série de Fourier* para $f(t)$.

Dissemos que *qualquer* função periódica pode ser construída dessa maneira. Devemos corrigir isso e dizer que qualquer onda sonora, ou qualquer função que geralmente encontramos na física, pode ser compostas por tal soma. Os matemáticos podem inventar funções que não podem ser constituídas a partir de funções harmônicas simples – por exemplo, uma função que tem uma "volta" tal que ela tenha dois valores para algum valor de t! Não precisamos nos importar com tais funções aqui.

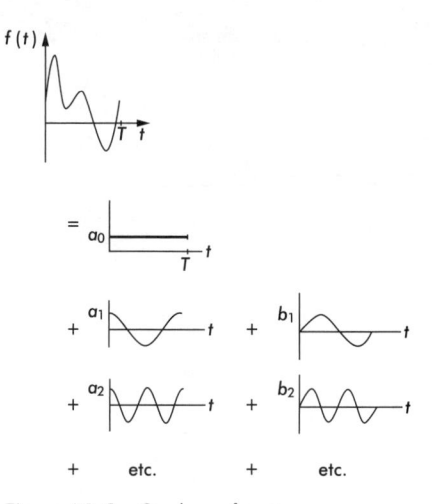

Figura 50–2 Qualquer função periódica $f(t)$ é igual à soma de funções harmônicas simples.

50–3 Qualidade e consonância

Agora somos capazes de descrever o que determina a "qualidade" de um tom musical. É a quantidade relativa dos vários harmônicos – os valores dos a e b. Um tom com apenas o primeiro harmônico é um tom "puro". Um tom com muitos harmônicos fortes é um tom "rico". Um violino produz uma proporção diferente de harmônicos do que um oboé.

Podemos "manufaturar" vários tons musicais se conectarmos vários "osciladores" a um alto-falante. (Um oscilador normalmente produz uma função harmônica simples quase pura.) Devemos escolher as frequências dos osciladores para ser ω, 2ω, 3ω etc. Então, ajustando o controle do volume em cada oscilador, podemos somar qualquer quantidade que desejarmos de cada harmônico – produzindo assim tons de qualidade diferente. Um órgão elétrico funciona de forma bem parecida com essa. As "teclas" selecionam a frequência do oscilador fundamental e os "controles de registro" são chaves que controlam as proporções relativas dos harmônicos. Acionando esses controles, pode-se fazer o órgão soar como uma flauta, um oboé ou um violino.

É interessante que para produzir esses tons "artificiais" precisamos apenas de um oscilador para cada frequência – não precisamos de osciladores separados para as componentes seno e cosseno. O ouvido não é muito sensível às fases relativas dos harmônicos, ele presta atenção principalmente às partes *totais* do seno e cosseno de cada frequência. A nossa análise é mais precisa do que é necessário para explicar o aspecto *subjetivo* da música. Contudo, a resposta de um microfone ou outro instrumento físico realmente depende das fases, e para tratar de tais casos a nossa análise completa pode ser necessária.

A "qualidade" de um som falado também determina os sons de vogal que reconhecemos na fala. A forma da boca determina as frequências dos modos naturais de vibração do ar na boca. Alguns desses modos são postos em vibração pelas ondas sonoras das cordas vocais. Dessa maneira, as amplitudes de certos harmônicos do som são aumentadas com relação aos outros. Quando modificamos a forma da nossa boca, harmônicos de frequências diferentes têm preferência. Esses efeitos são responsáveis pela diferença entre um som "e-e-e" e um som "a-a-a".

Sabemos que o som de uma determinada vogal – digamos "e-e-e" – ainda irá "soar" como a mesma vogal se falarmos (ou cantarmos) com uma afinação baixa ou alta. A partir do mecanismo descrito, esperaríamos que *determinadas* frequências fossem enfatizadas quando adaptamos a nossa boca para um "e-e-e" e que elas *não* mudassem conforme modificarmos a afinação da nossa voz. Assim a relação dos harmônicos importantes para o fundamental – isto é, a "qualidade" – varia conforme modificamos a afinação. Aparentemente, o mecanismo pelo qual reconhecemos a fala não se baseia em relações harmônicas específicas.

O que deveríamos dizer agora sobre a descoberta de Pitágoras? Entendemos que duas cordas semelhantes com comprimentos na proporção de 2 para 3 terão frequências fundamentais na proporção de 3 a 2. Por que elas deveriam "soar de forma agradável" juntas? Talvez devêssemos obter a nossa pista das frequências dos harmônicos. O segundo harmônico da corda mais curta mais baixa terá a *mesma* frequência que o terceiro harmônico da corda mais longa. (É fácil mostrar – ou acreditar – que uma corda tangida produz fortemente os vários harmônicos mais baixos.)

Talvez devêssemos estabelecer as regras seguintes. As notas soam consonantes quando têm harmônicos com a mesma frequência. As notas soam dissonantes se os seus harmônicos superiores tiverem frequências perto umas das outras, mas separadas o suficiente para que exista um rápido batimento entre as duas. Por que os batimentos não soam agradáveis, e por que a unissonância dos harmônicos superiores realmente soa agradável, é algo que não sabemos como definir ou descrever. Não é possível dizer desse conhecimento sobre o que *soa* bem, o que deveria, por exemplo, *cheirar* bem. Em outras palavras, a nossa compreensão disso não é nada mais geral do que a afirmação de que quando elas estão em unissonância, elas soam bem. Não é possível deduzir nada mais do que as propriedades da harmonia da música.

É fácil verificar as relações harmônicas que descrevemos por meio de alguns experimentos simples com um piano. Vamos etiquetar 3 Cs sucessivos próximos ao meio do teclado por C, C' e C", e G logo acima por G, G' e G". Então os harmônicos fundamentais terão frequências relativas como se segue:

$$\begin{array}{ll} C-2 & G-3 \\ C'-4 & G'-6 \\ C''-8 & G''-12 \end{array}$$

Essas relações harmônicas podem ser demonstradas da seguinte maneira: suponha que pressionemos C' *lentamente* – de modo que não toque, mas fazemos com que o abafador seja levantado. Se então tocarmos C, ele produzirá o seu próprio fundamental *e* um pouco do segundo harmônico. O segundo harmônico induzirá vibração nas cordas de C'. Se agora soltarmos C (mantendo C' pressionado), o abafador parará a vibração da corda C, e ouviremos (suavemente) a nota C' conforme ela se extingue lentamente. De uma maneira semelhante, o terceiro harmônico de C pode causar uma vibração de G'. Ou a sexta de C (agora se tornando bem mais fraca) pode gerar uma vibração no fundamental de G".

Um resultado um tanto diferente é obtido se pressionarmos G silenciosamente e então tocarmos C'. O terceiro harmônico de C' corresponderá ao quarto harmônico de G, portanto *somente* o quarto harmônico de G será excitado. Podemos ouvir (se escutarmos cuidadosamente) o som de G", que é duas oitava acima do G que pressionamos! É fácil inventar muito mais combinações a partir dessa brincadeira.

Podemos notar de passagem que a escala principal pode ser definida somente pela condição de que os três acordes principais (F-A-C), (C-E-G) e (G-B-D) representem, *cada um*, sequências de tom com a frequência na razão (4: 5: 6). Essas razões – mais o fato de que uma oitava (C-C', B-B', etc.) tem a proporção 1: 2 – determinam a escala inteira do caso "ideal", ou do que é chamada "entoação justa". Os instrumentos de teclado como o piano normalmente *não* são afinados dessa maneira, mas uma certa "trapaça" está presente para que as frequências sejam *aproximadamente* corretas para todos os possíveis tons iniciais. Para essa afinação, que é chamada "temperada", a oitava (ainda

1 : 2) é dividida em 12 intervalos iguais para os quais a razão de frequência é $(2)^{1/12}$. Uma quinta não possui mais a razão de frequência 3/2, mas $2^{7/12} = 1,499$, o que é aparentemente próximo o suficiente para a maior parte dos ouvidos.

Expusemos uma regra para a consonância em termos da coincidência dos harmônicos. Será essa coincidência talvez a *razão* pela qual duas notas são consoantes? Um pesquisador afirmou que dois tons *puros* – tons cuidadosamente fabricados para serem livres de harmônicos – não produzem as *sensações* de consonância ou dissonância conforme as frequências relativas são colocadas próximas ou exatamente nas proporções esperadas. (Tais experimentos são difíceis porque é difícil criar tons puros, pelas razões que veremos adiante.) Ainda não podemos estar certos sobre se o ouvido combina harmônicos ou faz a aritmética quando decidimos que gostamos de um som.

50–4 Os coeficientes de Fourier

Vamos agora retomar a ideia de que qualquer nota – isto é, um som *periódico* – pode ser representada por uma combinação adequada de harmônicos. Gostaríamos de mostrar como podemos descobrir a quantidade necessária para cada harmônico. Naturalmente, é fácil computar $f(t)$, usando a Eq. (50.2), se todos os coeficientes a e b forem *dados*. A pergunta agora é, se nos derem $f(t)$ como podemos determinar quais devem ser os coeficientes dos vários termos harmônicos? (É fácil fazer um bolo a partir de uma receita; mas é possível escrever a receita se nos derem um bolo?)

Fourier descobriu que não era realmente muito difícil. O termo a_0 é seguramente fácil. Já dissemos que ele é justamente o valor médio de $f(t)$ sobre um período (de $t = 0$ até $t = T$). Podemos ver facilmente que é de fato assim. O valor médio de uma função seno ou cosseno sobre um período é zero. Sobre dois, ou três, ou qualquer número inteiro de períodos, também é zero. Portanto, o valor médio de todos dos termos do lado direito da Eq. (50.2) é zero, exceto para a_0. (Lembre-se de que devemos escolher $\omega = 2\pi/T$.)

A média de uma soma é a soma das médias. Portanto, a média de $f(t)$ é justamente a média de a_0. Entretanto a_0 é uma *constante,* portanto a sua média é justamente o mesmo que seu valor. Lembrando a definição de média, temos

$$a_0 = \frac{1}{T} \int_0^T f(t)\, dt. \qquad (50.3)$$

Os outros coeficientes são só um pouco mais difíceis. Para calculá-los, podemos usar um truque descoberto por Fourier. Suponha que multipliquemos ambos os lados da Eq. (50.2) por alguma função harmônica – digamos $\cos 7\omega t$. Temos então

$$\begin{aligned} f(t) \cdot \cos 7\omega t = {}& a_0 \cdot \cos 7\omega t \\ & + a_1 \cos \omega t \cdot \cos 7\omega t + b_1 \operatorname{sen} \omega t \cdot \cos 7\omega t \\ & + a_2 \cos 2\omega t \cdot \cos 7\omega t + b_2 \operatorname{sen} 2\omega t \cdot \cos 7\omega t \\ & + \cdots \qquad\qquad\qquad\quad + \cdots \\ & + a_7 \cos 7\omega t \cdot \cos 7\omega t + b_7 \operatorname{sen} 7\omega t \cdot \cos 7\omega t \\ & + \cdots \qquad\qquad\qquad\quad + \cdots \end{aligned} \qquad (50.4)$$

Agora vamos calcular a média de ambos os lados. A média de $a_0 \cos 7\omega t$ no tempo T é proporcional à média de cosseno sobre 7 períodos inteiros, mas isso é justamente zero. A média de *quase todos* os termos restantes *também* é zero. Vamos considerar o termo a_1. Sabemos, em geral, que

$$\cos A \cos B = \tfrac{1}{2} \cos(A + B) + \tfrac{1}{2} \cos(A - B). \qquad (50.5)$$

O termo a_1 se torna

$$\tfrac{1}{2} a_1 (\cos 8\omega t + \cos 6\omega t). \qquad (50.6)$$

Assim temos dois termos cosseno, um com 8 períodos inteiros em T e outro com 6. *A média de ambos é zero.* A média do termo a_1 é, portanto, zero.

Para o termo a_2, encontraríamos $a_2 \cos 9\omega t$ e $a_2 \cos 5\omega t$, cuja média de cada um também é zero. Para o termo a_9, teríamos $\cos 16\omega t$ e $\cos (-2\omega t)$, mas $\cos (-2\omega t)$ é o mesmo que $\cos 2\omega t$, portanto ambos têm médias zero. É claro que *todos* os termos a terão média nula *exceto* um. E esse é o termo a_7, para o qual temos

$$\tfrac{1}{2}a_7(\cos 14\omega t + \cos 0). \tag{50.7}$$

O cosseno de zero é um, e a sua média, naturalmente, é um. Portanto temos o resultado que a média de todos os termos da Eq. (50.4) é igual a $\tfrac{1}{2}a_7$.

Os termos b são ainda mais fáceis. Quando multiplicamos por qualquer termo de cosseno como $\cos n\omega t$, podemos mostrar pelo mesmo método que *todos* os termos b têm média zero.

Vemos que o "truque" de Fourier funcionou como uma peneira. Quando multiplicamos por $\cos 7\omega t$ e fizemos a média, todos os termos desapareceram exceto a_7, e encontramos que

$$\text{média } [f(t) \cdot \cos 7\omega t] = a_7/2, \tag{50.8}$$

ou

$$a_7 = \frac{2}{T} \int_0^T f(t) \cdot \cos 7\omega t\, dt. \tag{50.9}$$

Deixaremos para o leitor mostrar que o coeficiente b_7 pode ser obtido multiplicando-se a Eq. (50.2) por sen $7\omega t$ e calculando a média de ambos os lados. O resultado é

$$b_7 = \frac{2}{T} \int_0^T f(t) \cdot \text{sen } 7\omega t\, dt. \tag{50.10}$$

Esperamos que o que é verdadeiro para 7 seja também verdadeiro para qualquer número inteiro. Portanto, podemos resumir a nossa prova na seguinte forma matemática mais elegante. Se m e n são números inteiros distintos de zero, e se $\omega = 2\pi/T$, então

$$\text{I.} \quad \int_0^T \text{sen } n\omega t \cos m\omega t\, dt = 0. \tag{50.11}$$

$$\text{II.} \quad \int_0^T \cos n\omega t \cos m\omega t\, dt = \begin{cases} 0 & \text{se } n \neq m. \\ T/2 & \text{se } n = m. \end{cases}$$
$$\text{III.} \quad \int_0^T \text{sen } n\omega t \text{ sen } m\omega t\, dt = \tag{50.12}$$

$$\text{IV.} \quad f(t) = a_0 + \sum_{n=1}^{\infty} a_n \cos n\omega t + \sum_{n=1}^{\infty} b_n \text{ sen } n\omega t. \tag{50.13}$$

$$\text{V.} \quad a_0 = \frac{1}{T} \int_0^T f(t)\, dt. \tag{50.14}$$

$$a_n = \frac{2}{T} \int_0^T f(t) \cdot \cos n\omega t\, dt. \tag{50.15}$$

$$b_n = \frac{2}{T} \int_0^T f(t) \cdot \text{sen } n\omega t\, dt. \tag{50.16}$$

Em capítulos anteriores, era conveniente usar a notação exponencial para representar o movimento harmônico simples. Em vez de $\cos \omega t$, usamos Re $e^{i\omega t}$, a parte real da função exponencial. Usamos funções seno e cosseno neste capítulo porque talvez isso tenha tornado as derivações um pouco mais claras. O nosso resultado final da Eq. (50.13) pode, contudo, ser escrito na forma compacta

$$f(t) = \text{Re} \sum_{n=0}^{\infty} \hat{a}_n e^{in\omega t}, \qquad (50.17)$$

onde $\hat{a}_n$ é o número complexo $a_n - ib_n$ (com $b_0 = 0$). Se desejarmos usar a mesma notação em todas as partes, também podemos escrever

$$\hat{a}_n = \frac{2}{T} \int_0^T f(t) e^{-in\omega t} \, dt \qquad (n \geq 1). \qquad (50.18)$$

Agora sabemos como "analisar" uma onda periódica nas suas componentes harmônicas. Esse procedimento é chamado de *análise de Fourier*, e os termos isolados são chamados de componentes de Fourier. Entretanto, *não* mostramos que, uma vez achadas todas as componentes de Fourier e somadas todas elas, de fato obtemos novamente $f(t)$. Os matemáticos mostraram, para uma vasta classe de função, na verdade para todas que são interessantes para físicos, que se pudermos fazer as integrais, obteremos novamente $f(t)$. Existe uma pequena exceção. Se a função $f(t)$ for descontínua, i.e., se ela pular repentinamente de um valor para outro, a soma de Fourier dará um valor na descontinuidade que está na metade do caminho entre os valores superior e inferior da descontinuidade. Portanto, se tivermos a estanha função $f(t) = 0$, $0 \leq t < t_0$, e $f(t) = 1$ para $t_0 \leq t < T$, a soma de Fourier terá o valor correto em todo lugar *exceto* em t_0, onde ela terá o valor ½ em vez de 1. De qualquer maneira, é meio "não físico" insistir que uma função deva ser zero *até* t_0, mas 1 *exatamente* em t_0. Talvez devêssemos estabelecer a "regra" para físicos de que qualquer função descontínua (a qual somente pode ser uma simplificação de uma função física *real*) deveria ser definida com valores intermediários, mas descontinuidades. Então, qualquer função desse tipo – com um número finito de tais pulos, assim como todas as funções fisicamente interessantes, são dadas corretamente pela soma de Fourier.

Como um exercício, sugerimos que o leitor determine a série de Fourier para a função mostrada na Figura 50–3. Como a função não pode ser escrita de uma forma algébrica explícita, você não será capaz de fazer as integrais de zero até T da maneira comum. Porém, as integrais se tornam fáceis se as separarmos em duas partes: a integral de zero a $T/2$ (onde $f(t) = 1$) e a integral de $T/2$ até T (onde $f(t) = -1$). O resultado deve ser

$$f(t) = \frac{4}{\pi} (\text{sen } \omega t + \tfrac{1}{3} \text{sen } 3\omega t + \tfrac{1}{5} \text{sen } 5\omega t + \cdots), \qquad (50.19)$$

onde $\omega = 2\pi/T$. Então, vemos que a nossa onda quadrada (com a fase em particular escolhida) tem apenas harmônicos ímpares, e suas amplitudes estão na proporção inversa com relação às suas frequências.

Vamos verificar que a Eq. (50.19) de fato recupera $f(t)$ para alguns valores de t. Vamos escolher $t = T/4$, ou $\omega t = \pi/2$. Temos

$$f(t) = \frac{4}{\pi} \left(\text{sen } \frac{\pi}{2} + \frac{1}{3} \text{sen } \frac{3\pi}{2} + \frac{1}{5} \text{sen } \frac{5\pi}{2} + \cdots \right) \qquad (50.20)$$

$$= \frac{4}{\pi} \left(1 - \frac{1}{3} + \frac{1}{5} - \frac{1}{7} + \cdots \right). \qquad (50.21)$$

A série[1] tem o valor $\pi/4$, e encontramos que $f(t) = 1$.

---

[1] A série pode ser estimada da seguinte maneira. Primeiramente, notamos que $\int_0^x [dx/(1+x^2)] = \text{tg}^{-1} x$. Em segundo lugar, expandimos o integrando em uma série $1/(1+x^2) = 1 - x^2 + x^4 - x^6 \pm \ldots$ Integramos a série termo a termo (de zero a x) a fim de obter $\text{tg}^{-1} x = x - x^3/3 + x^5/5 - x^7/7 + \ldots$ Fazendo $x = 1$, temos o resultado mencionado, pois $\text{tg}^{-1} 1 = \pi/4$.

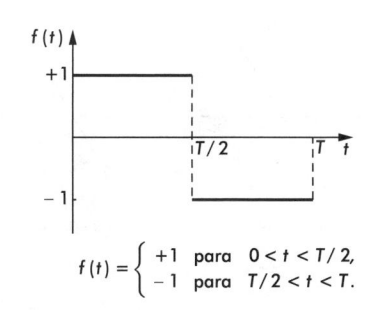

Figura 50–3 Função de onda quadrada.

$$f(t) = \begin{cases} +1 & \text{para } 0 < t < T/2, \\ -1 & \text{para } T/2 < t < T. \end{cases}$$

50–5 O teorema da energia

A energia em uma onda é proporcional ao quadrado de sua amplitude. Para uma onda de forma complicada, a energia em um período será proporcional a $\int_0^T f^2(t)\,dt$. Também podemos relacionar essa energia aos coeficientes de Fourier. Escrevemos

$$\int_0^T f^2(t)\,dt = \int_0^T \left[a_0 + \sum_{n=1}^\infty a_n \cos n\omega t + \sum_{n=1}^\infty b_n \operatorname{sen} n\omega t \right]^2 dt. \qquad (50.22)$$

Quando expandirmos o quadrado do termo dentro dos colchetes, obteremos todos os possíveis termos cruzados, como $a_5 \cos 5\omega t \cdot a_7 \cos 7\omega t$ e $a_5 \cos 5\omega t \cdot b_7 \operatorname{sen} 7\omega t$. Mostramos acima, contudo [Eqs. (50.11) e (50.12)], que as integrais de todos esses termos sobre um período são iguais a zero. Deixamos apenas os termos quadrados como $a_5^2 \cos^2 5\omega t$. A integral de qualquer cosseno ao quadrado ou seno ao quadrado sobre um período é igual a $T/2$, portanto obtemos

$$\int_0^T f^2(t)\,dt = Ta_0^2 + \frac{T}{2}(a_1^2 + a_2^2 + \cdots + b_1^2 + b_2^2 + \cdots)$$

$$= Ta_0^2 + \frac{T}{2} \sum_{n=1}^\infty (a_n^2 + b_n^2). \qquad (50.23)$$

Essa equação é chamada de "teorema da energia" e diz que a energia total em uma onda é justamente a soma das energias de todas as componentes de Fourier. Por exemplo, aplicando esse teorema à série (50.19), como então $[f(t)]^2 = 1$, obtemos

$$T = \frac{T}{2} \cdot \left(\frac{4}{\pi}\right)^2 \left(1 + \frac{1}{3^2} + \frac{1}{5^2} + \frac{1}{7^2} \cdots \right),$$

portanto, aprendemos que a soma dos quadrados dos recíprocos dos números inteiros ímpares é $\pi^2/8$. De maneira análoga, obtendo primeiramente a série Fourier da função $f(t) = (t - T/2)^2$ e utilizando o teorema da energia, podemos comprovar que $1 + 1/2^4 + 1/3^4 + \ldots$ é $\pi^4/90$, um resultado do qual precisamos no Capítulo 45.

50–6 Respostas não lineares

Finalmente, na teoria de harmônicos existe um importante fenômeno que deve ser comentado por causa da sua importância prática – o de efeitos não lineares. Em todos os sistemas que consideramos por enquanto, supusemos que tudo era linear, que as respostas às forças, digamos os deslocamentos ou as acelerações, sempre eram proporcionais às forças, ou que as correntes nos circuitos eram proporcionais às voltagens, e assim por diante. Agora desejamos considerar os casos em que não existe uma proporcionalidade exata. Pensamos, no momento, em algum dispositivo no qual a resposta, que chamaremos x_{res} no tempo t, é determinada pela entrada x_{ent} no tempo t. Por exemplo, x_{ent} poderia ser a força e x_{res} poderia ser o deslocamento, ou x_{ent} poderia ser a corrente e x_{res}, a voltagem. Se o dispositivo for linear, teríamos

$$x_{\text{res}}(t) = Kx_{\text{ent}}(t), \qquad (50.24)$$

onde K é uma constante independente de t e de x_{ent}. Suponha, contudo, que o dispositivo seja quase, mas não exatamente, linear, para que possamos escrever

$$x_{\text{res}}(t) = K[x_{\text{ent}}(t) + \epsilon x_{\text{ent}}^2(t)], \qquad (50.25)$$

onde ϵ é pequeno em comparação com a unidade. Tais respostas lineares e não lineares são mostradas nos gráficos da Figura 50–4.

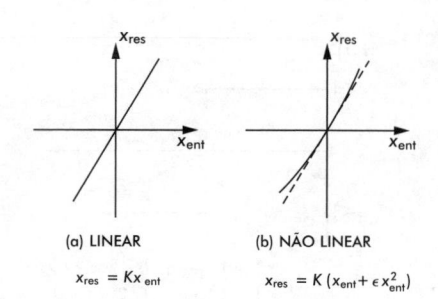

Figura 50–4 Respostas lineares e não lineares.

(a) LINEAR $x_{\text{res}} = Kx_{\text{ent}}$

(b) NÃO LINEAR $x_{\text{res}} = K(x_{\text{ent}} + \epsilon x_{\text{ent}}^2)$

As respostas não lineares têm várias consequências práticas importantes. Discutiremos alguns delas agora. Primeiramente consideramos o que acontece se aplicamos um tom puro na entrada. Fazemos $x_{ent} = \cos \omega t$. Se traçarmos x_{res} como uma função do tempo, obtemos a curva sólida da Figura 50–5. A curva tracejada mostra, para comparação, a resposta de um sistema linear. Vemos que a resposta não é mais uma função cosseno. Tem um pico mais pronunciado no máximo e é mais achatada embaixo. Dizemos que a resposta é *alterada*. Sabemos, porém, que tal onda não é mais um tom puro, que ela possuirá harmônicos. Podemos encontrar quais são os harmônicos. Utilizando $x_{ent} = \cos \omega t$ na Eq. (50.25), obtemos

$$x_{res}(t) = K(\cos \omega t + \epsilon \cos^2 \omega t). \quad (50.26)$$

Da igualdade $\cos^2 \theta = \frac{1}{2}(1 + \cos 2\theta)$, temos

$$x_{res}(t) = K\left(\cos \omega t + \frac{\epsilon}{2} + \frac{\epsilon}{2} \cos 2\omega t\right). \quad (50.27)$$

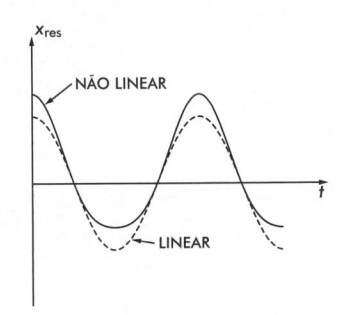

Figura 50–5 Resposta de um dispositivo não linear para a entrada $\cos \omega t$. Uma resposta linear é também mostrada a título de comparação.

A resposta tem não somente uma componente na frequência fundamental, que estava presente na entrada, mas tem também um pouco do seu segundo harmônico. Na resposta também apareceu um termo constante $K(\epsilon/2)$, que corresponde ao deslocamento do valor médio, mostrado na Figura 50–5. O processo de produzir um deslocamento no valor médio é chamado de *retificação*.

Uma resposta não linear será retificada e produzirá harmônicos das frequências de sua entrada. Embora a não linearidade que consideramos tenha produzido apenas segundos harmônicos, não linearidades de ordens mais altas – aquelas com termos como x_{ent}^3 e x_{ent}^4, por exemplo – produzirão harmônicos mais altos do que o segundo.

Outro efeito resultante de uma resposta não linear é a *modulação*. Se a nossa função de entrada possuir dois (ou mais) tons puros, a resposta terá não somente os seus harmônicos, mas também outras componentes de frequência. Seja $x_{ent} = A \cos \omega_1 t + B \cos \omega_2 t$, onde ω_1 e ω_2 agora *não* são arranjados para terem uma relação harmônica. Além do termo linear (que é K vezes a entrada), teremos um componente na resposta dada por

$$x_{res} = K\epsilon(A \cos \omega_1 t + B \cos \omega_2 t)^2 \quad (50.28)$$
$$= K\epsilon(A^2 \cos^2 \omega_1 t + B^2 \cos^2 \omega_2 t + 2AB \cos \omega_1 t \cos \omega_2 t). \quad (50.29)$$

Os dois primeiros termos nos parênteses da Eq. (50.29) são justamente aqueles que forneceram os termos constantes e os termos dos segundos harmônicos que encontramos acima. O último termo é novo.

Podemos examinar este novo "termo cruzado" $AB \cos \omega_1 t \cos \omega_2 t$ de duas maneiras. Primeiramente, se as duas frequências são muito diferentes (por exemplo, se ω_1 for muito maior do que ω_2), podemos considerar que o termo cruzado representa uma oscilação de cosseno com amplitude variável. Isto é, podemos pensar nos fatores deste modo:

$$AB \cos \omega_1 t \cos \omega_2 t = C(t) \cos \omega_1 t, \quad (50.30)$$

com

$$C(t) = AB \cos \omega_2 t. \quad (50.31)$$

Dizemos que a amplitude de $\cos \omega_1 t$ é *modulada* com a frequência ω_2.

Alternativamente, podemos escrever o termo cruzado de outra maneira:

$$AB \cos \omega_1 t \cos \omega_2 t = \frac{AB}{2}[\cos(\omega_1 + \omega_2)t + \cos(\omega_1 - \omega_2)t]. \quad (50.32)$$

Diríamos agora que as duas *novas* componentes foram produzidas, uma na frequência da *soma* ($\omega_1 + \omega_2$) e a outra na frequência da *diferença* ($\omega_1 - \omega_2$).

Temos duas maneiras diferentes, mas equivalentes, de enxergar o mesmo resultado. No caso especial em que $\omega_1 \gg \omega_2$, podemos relacionar essas duas visões diferentes notando que como ($\omega_1 + \omega_2$) e ($\omega_1 - \omega_2$) são próximas uma da outra, esperaríamos observar batimento entre elas. No entanto, esses batimentos têm justamente o efeito de *modular* a amplitude da frequência *média* ω_1 pela metade da frequência da diferença $2\omega_2$. Vemos, então, por que as duas descrições são equivalentes.

Em resumo, vemos que uma resposta não linear produz vários efeitos: retificação, geração de harmônicos e modulação, ou a geração de componentes com frequências da soma e da diferença.

Deveríamos notar que todos esses efeitos (Eq. 50.29) são proporcionais não apenas ao coeficiente de não linearidade ϵ, mas também ao produto das duas amplitudes – tanto A^2, B^2 ou AB. Esperamos que esses efeitos sejam muito mais importantes para sinais *fortes* do que para os fracos.

Os efeitos que descrevemos têm muitas aplicações práticas. Primeiro, quanto ao som, acredita-se que o ouvido é não linear. Acredita-se que isso explica o fato de que para sons barulhentos temos a sensação de que *ouvimos* harmônicos e também as frequências da soma e da diferença mesmo que as ondas sonoras contenham apenas tons puros.

As componentes que são usadas em equipamento que reproduzem o som, alto-falantes, etc. – sempre têm um pouco de não linearidade. Elas produzem distorções no som – gerando harmônicos, etc. – que não estavam presentes no som original. Essas novas componentes são ouvidas pelo ouvido e são aparentemente abjetas. É por essa razão que o equipamento "Hi-Fi" é projetado para ser tão linear quanto possível. (Não é claro por que as não linearidades do *ouvido* não são "abjetas" da mesma forma, ou até como sabemos que a não linearidade está no *alto-falante* e não no *ouvido*!)

As não linearidades são razoavelmente *necessárias,* e são, de fato, intencionalmente aumentadas em certas partes do equipamento de transmissão e recepção de rádio. Em um transmissor AM, o sinal "de voz" (com frequências de alguns quilociclos por segundo) é combinado com o sinal da "portadora" (com uma frequência de alguns megaciclos por segundo) em um circuito não linear denominado *modulador*, a fim de produzir a oscilação modulada que é transmitida. No receptor, as componentes do sinal recebido são alimentadas em um circuito não linear que combina as frequências da soma e da diferença da portadora modulada para gerar novamente o sinal de voz.

Quando discutimos a transmissão da luz, consideramos que as oscilações induzidas das cargas eram proporcionais ao campo elétrico da luz – que a resposta era linear. Essa é de fato uma aproximação muito boa. Foi somente nos últimos anos que foram inventadas fontes de luz (raios laser) as quais produzem uma intensidade de luz bastante forte tal que os efeitos não lineares possam ser observados. É possível agora gerar harmônicos de frequências da luz. Quando uma luz vermelha intensa passa por um pedaço de vidro, sai um pouco de luz azul – o segundo harmônico!

51

Ondas

51–1 Ondas de proa

Embora tenhamos terminado nossas análises quantitativas sobre ondas, este capítulo adicional sobre o assunto pretende fornecer alguma avaliação, qualitativamente, para vários fenômenos associados a ondas, que são demasiadamente complicados para serem analisados em detalhes aqui. Como estivemos tratando com ondas por vários capítulos, o assunto poderia mais propriamente ser chamado de "alguns dos fenômenos mais complexos associados a ondas".

O primeiro tópico a ser discutido diz respeito aos efeitos que são produzidos por uma fonte de ondas que se está se movendo mais rapidamente do que a velocidade de onda, ou a velocidade de fase. Vamos primeiramente considerar ondas que têm uma velocidade definida, como o som e a luz. Se tivermos uma fonte de som que está se movendo mais rapidamente do que a velocidade do som, então acontece o seguinte: suponha em um dado momento uma onda sonora é gerada pela fonte no ponto x_1 da Figura 51–1; então, no momento seguinte, conforme a fonte move-se para x_2, a onda de x_1 expande-se por um raio r_1 menor do que a distância percorrida pela fonte; e, é claro, outra onda tem início em x_2. Quando a fonte sonora se move para mais longe ainda, para x_3, e uma onda tem início lá, a onda de x_2 se expande agora para r_2, e aquela de x_1 expande-se para r_3. Naturalmente a coisa é feita continuamente, e não em etapas, e por isso, temos uma série de círculos de onda com uma linha de tangente comum que atravessa o centro da fonte. Vemos que em vez de uma fonte geradora de ondas esféricas, como seria se ela permanecesse imóvel, ela gera uma frente de onda que forma um cone em três dimensões, ou um par de retas em duas dimensões. O ângulo do cone é muito fácil de se calcular. Em um dado intervalo de tempo, a fonte move uma distância, digamos $x_3 - x_1$, proporcional a v, a velocidade da fonte. Enquanto isso, a frente de onda se move uma distância, r_3, proporcional a c_w, a velocidade da onda. Por isso, é claro que a metade do ângulo de abertura possui um seno igual à razão da velocidade das ondas, dividida pela velocidade da fonte, e esse seno tem uma solução somente se c_w for menor do que v, ou seja, a velocidade do objeto é mais rápida do que a velocidade da onda:

$$\text{sen } \theta = \frac{c_w}{v}. \tag{51.1}$$

Incidentemente, embora inferíssemos que é necessário ter uma *fonte* do som, acontece, de maneira muito interessante, que uma vez que o objeto esteja se movendo mais rapidamente do que a velocidade do som, ele *gerará* o som. Isto é, não é necessário que ele tenha certo tom vibracional característico. Qualquer objeto que se move através de um meio mais rápido do que a velocidade na qual o meio transporta ondas gerará ondas em cada lado, automaticamente, justamente pelo próprio movimento. Isso é simples no caso do som, mas também ocorre no caso da luz. À primeira vista, seria possível pensar que nada pode mover-se mais rapidamente do que a velocidade da luz. Contudo, a luz no vidro tem uma velocidade de fase menor do que a velocidade da luz no vácuo, e é possível disparar uma partícula carregada da energia muito alta através de um bloco do vidro tal que a velocidade de partícula é próxima da velocidade da luz no vácuo, enquanto a velocidade da luz no vidro pode ser apenas 2/3 da velocidade da luz no vácuo. Uma partícula que se move mais rapidamente do que a velocidade da luz no meio produzirá uma onda cônica de luz com o seu ápice na fonte, como o rasto da onda de um barco (proveniente do mesmo efeito, na verdade). Medindo o ângulo do cone, podemos determinar a velocidade da partícula, o que é usado tecnicamente para determinar as velocidades de partículas como um dos métodos para determinar a sua energia em pesquisas de alta energia. A direção da luz é tudo que precisa ser medido.

Essa luz é chamada às vezes de radiação de Cherenkov, pois foi observada pela primeira vez por Cherenkov. Já Frank e Tamm analisaram teoricamente quão intensa

51–1 Ondas de proa
51–2 Ondas de choque
51–3 Ondas em sólidos
51–4 Ondas de superfície

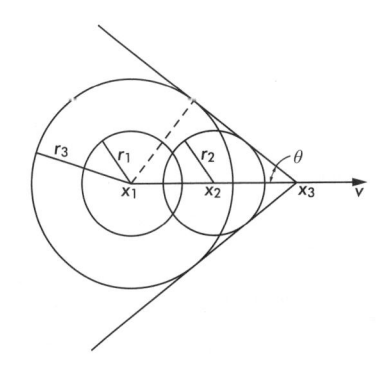

Figura 51–1 A frente da onda de choque situa-se em um cone com vértice na fonte e um ângulo de abertura $\theta = \text{sen}^{-1} c_w/v$.

deve ser essa luz. O Prêmio Nobel de 1958 de física foi concedido conjuntamente a todos os três por esse trabalho.

As circunstâncias correspondentes ao caso do som são ilustradas na Figura 51–2, que é uma fotografia de um objeto que se move através de um gás em uma velocidade maior do que a velocidade do som. As variações na pressão produzem uma mudança no índice de refração, e com um sistema ótico adequado pode tornar visíveis as bordas das ondas. Vemos que o objeto que se move mais rapidamente do que a velocidade do som, de fato, produz uma onda cônica, mas uma inspeção mais detalhada revela que a superfície é de fato curvada. Ela é reta assintoticamente, mas é curvada perto do ápice, e iremos discutir agora como isso pode ser, o que nos leva ao segundo tópico deste capítulo.

51–2 Ondas de choque

A velocidade da onda muitas vezes depende da amplitude; no caso do som, a velocidade depende da amplitude da seguinte maneira. Um objeto se movendo pelo ar tem de retirar o ar do caminho, portanto a perturbação produzida nesse caso é um tipo de degrau da pressão, com a pressão mais alta atrás da frente de onda do que na região não perturbada a qual ainda não foi alcançada pela onda (se movendo na velocidade normal, digamos). O ar que é deixado para trás, depois que a frente de onda passa, foi comprimido adiabaticamente, e por isso a temperatura é aumentada. Porém a velocidade do som aumenta com a temperatura, portanto a velocidade na região atrás do degrau é mais rápida do que no ar na frente. Isso significa que qualquer outra perturbação criada atrás desse degrau, digamos pelo empurrar contínuo do corpo, ou qualquer outra perturbação, se propagará mais rapidamente do que a frente, pois a velocidade aumenta com a pressão mais alta. A Figura 51–3 ilustra a situação, com algumas pequenas ondulações da pressão adicionadas ao contorno de pressão para ajudar na visualização. Vemos que as regiões de pressão mais alta na parte posterior ultrapassam a frente conforme o tempo passa, até finalmente a onda compressional desenvolver uma frente bem definida. Se a intensidade for muito alta, "finalmente" significa imediatamente; se for bastante fraca, levará um longo tempo; pode ser, de fato, que o som se espalhe e desapareça antes que ele tenha tempo para fazer isso.

Os sons que produzimos ao falar são extremamente fracos em relação à pressão atmosférica – apenas uma parte em milhão, mais ou menos. Para variações de pressão da ordem de 1 atmosfera, a velocidade de onda aumenta aproximadamente em vinte por cento, e a frente de onda se torna bem definida a uma taxa correspondentemente alta. Na natureza, nada acontece *infinitamente* rápido, provavelmente, e o que chamamos de uma frente "bem definida" possui, na verdade, uma espessura muito fina; ela não é infinitamente íngreme. As distâncias nas quais ela está variando são da ordem de um livre caminho médio, no qual a teoria da equação de onda começa a falhar porque não consideramos a estrutura do gás.

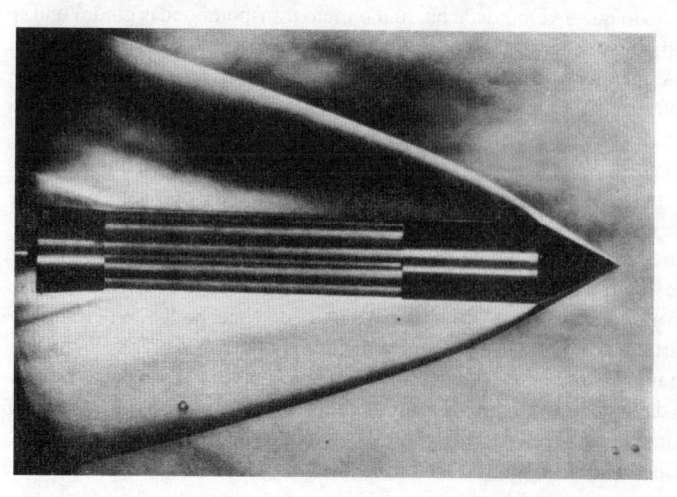

Figura 51–2 Uma onda de choque induzida em um gás por um projétil se movendo mais rapidamente do que o som.

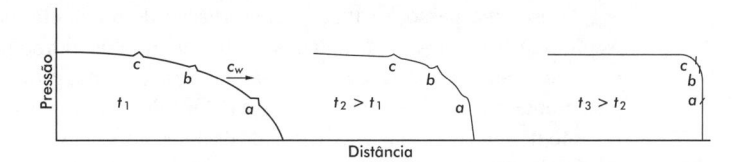

Figura 51-3 "Instantâneos" da frente de onda em instantes de tempo sucessivos.

Porém, referindo-nos novamente à Figura 51–2, vemos que a curvatura pode ser entendida se reconhecermos que as pressões próximas ao ápice são mais altas do que as que estão mais atrás e, portanto, o ângulo θ é maior. Isto é, a curva é o resultado do fato de que a velocidade depende da intensidade da onda. Por isso, a onda de uma explosão de bomba atômica se propaga muito mais rapidamente do que a velocidade do som durante algum tempo, até que ela fique tão distante que seja enfraquecida a tal ponto pela expansão que o pulso de pressão é pequeno comparado à pressão atmosférica. A velocidade do pulso então se aproxima da velocidade do som no gás no qual ele está se propagando. (Incidentemente, sempre ocorre que a velocidade do choque é mais alta do que a velocidade do som no gás adiante, mas mais baixa do que a velocidade do som no gás atrás. Isto é, os impulsos de trás chegarão na frente, mas a frente viaja no meio mais rapidamente do que a velocidade normal dos sinais. Portanto não é possível dizer, acusticamente, que o choque está vindo até que seja tarde demais. A luz da bomba chega primeiro, mas não se pode dizer que o choque está vindo até que ele chegue, porque não há nenhum sinal sonoro vindo antes dele.)

Esse é um fenômeno muito interessante, esse empilhamento de ondas, e o ponto principal disso é que depois que uma onda está presente, a velocidade da onda resultante deve ser mais alta. Outro exemplo do mesmo fenômeno é o seguinte. Considere a água fluindo em um longo canal com largura finita e profundidade finita. Se um pistão, ou uma parede no canal, for movido ao longo do canal rapidamente o suficiente, a água se acumula, como neve na frente de uma máquina para limpar neve. Agora suponha que a situação é como mostrada na Figura 51–4, com um degrau abrupto na altura da água em algum lugar do canal. Pode ser demonstrado que ondas longas em um canal se propagam mais rapidamente em águas mais profundas do que em água mais rasa. Portanto, quaisquer novos pulsos ou irregularidades na energia fornecida pelo pistão se propagam adiante e acumulam-se na frente. Novamente, no final o que temos é somente água com uma frente bem definida, teoricamente. Contudo, como a Figura 51–4 mostra, existem complicações. É mostrada uma onda vindo ao longo de um canal; o pistão se encontra na extremidade direita do canal. Inicialmente poderia ter aparecido uma onda bem-comportada, como seria de se esperar, mas mais longe ao longo do canal, ela se tornou cada vez mais bem definida até que os eventos mostrados ocorreram. Há um terrível turbilhão na superfície, conforme as partes de água caem, mas é essencialmente uma subida muito abrupta sem nenhuma perturbação na água adiante.

De fato, a água é muito mais complicada do que o som. Contudo, somente para ilustrar um ponto, tentaremos analisar a velocidade da chamada *onda de maré, em um canal*. O ponto aqui não é que isso tenha qualquer importância básica para os nossos objetivos – não é uma grande generalização –, é apenas para ilustrar que as leis da mecânica as quais já conhecemos são capazes de explicar o fenômeno.

Imagine, por um momento, que a água realmente se pareça um pouco com o mostrado na Figura 51–5(a), que a água na altura mais alta h_2 está movendo-se com uma velocidade v, e que a frente está se movendo com a velocidade u na água não perturbada que está na altura h_1. Gostaríamos de determinar a velocidade na qual a frente se move. Em um tempo Δt, um plano vertical inicialmente em x_1 percorre uma distância $v\Delta t$ até x_2, enquanto a frente da onda se moveu $u\Delta t$.

Agora aplicamos as equações da conservação de matéria e momento. Primeiramente, a anterior: por unidade de largura do canal, vemos que a quantidade $h_2 v \Delta t$ de matéria que passou por x_1 (mostrado pelo sombreado) é compensada pela outra região sombreada, que totaliza $(h_2 - h_1)u\Delta t$. Desse modo, dividindo por Δt, $vh_2 = u(h_2 - h_1)$. Isso ainda não nos fornece o suficiente, porque embora tenhamos h_2 e h_1, não conhecemos tanto u quanto v; estamos tentando obter ambos.

Figura 51-4

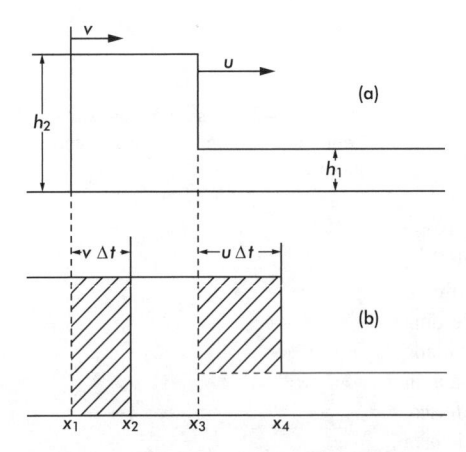

Figura 51–5 Duas seções de choque de uma onda de maré em um canal, com (b) em um intervalo de tempo Δt posterior a (a).

O próximo passo é utilizar a conservação do momento. Não discutimos os problemas da pressão de água, ou qualquer coisa de hidrodinâmica, mas de qualquer maneira é claro que a pressão da água em uma profundidade dada é justamente o suficiente para sustentar a coluna de água acima dela. Portanto, a pressão de água é igual a ρ, a densidade da água, vezes g, vezes a profundidade abaixo da superfície. Como a pressão aumenta linearmente com a profundidade, a pressão média sobre o plano em x_1, digamos, é $\frac{1}{2}\rho g h_2$, que é também a força média por unidade de largura e por unidade de altura empurrando o plano em direção a x_2. Portanto, multiplicamos por outro h_2 para obter a força total atuando na água empurrando pela esquerda. Por outro lado, existe pressão na água pela direita também, exercendo uma força oposta na região em questão, que é, pelo mesmo tipo de análise, $\frac{1}{2}\rho g h_1^2$. Agora devemos equilibrar as forças contra a taxa de variação do momento. Portanto temos de calcular quanto mais momento existe na situação (b) da Figura 51–5 do que existia em (a). Vemos que a massa adicional que adquiriu a velocidade v é justamente $\rho h_2 u \Delta t - \rho h_2 v \Delta t$ (por unidade de largura), e multiplicando isso por v obtemos o momento adicional que deve ser igualado ao impulso $F\Delta t$:

$$(\rho h_2 u \, \Delta t - \rho h_2 v \, \Delta t)v = (\tfrac{1}{2}\rho g h_2^2 - \tfrac{1}{2}\rho g h_1^2)\Delta t.$$

Se eliminarmos v desta equação substituindo $vh_2 = u(h_2 - h_1)$, encontrado anteriormente, e simplificarmos, obtemos finalmente que $u^2 = g h_2 (h_1 + h_2)/2h_1$.

Se a diferença de altura for muito pequena, para que h_1 e h_2 sejam quase iguais, isso implica que a velocidade $= \sqrt{gh}$. Como veremos mais tarde, isso somente é verdadeiro se o comprimento de onda da onda for mais longo do que a profundidade do canal.

Também podemos considerar o análogo para ondas sonoras – incluindo a conservação da energia interna, não a conservação da entropia, porque o choque é irreversível. De fato, se verificarmos a conservação da energia no problema da onda de maré, encontramos que a energia não é conservada. Se a diferença de altura for pequena, ela é quase exatamente conservada, mas tão logo a diferença de altura se torne apreciável, há uma perda efetiva de energia. Isso é manifestado na forma de água caindo e o turbilhão mostrados na Figura 51–4.

Em ondas de choque há uma correspondente perda aparente de energia, do ponto da vista de reações adiabáticas. A energia da onda sonora, atrás do choque, é usada no aquecimento do gás após a passagem do choque, correspondente à agitação da água na onda de maré. No cálculo, são necessárias três equações para a solução no caso do som, e a temperatura atrás do choque não é a mesma temperatura que na frente, conforme vimos.

Se tentarmos fazer uma onda de maré de cabeça para baixo ($h_2 < h_1$), então encontramos que a perda de energia por segundo é negativa. Como não há energia disponível de qualquer lugar, então essa onda de maré não poderá manter-se; é instável. Se fôssemos iniciar uma onda desse tipo, ela se achataria, porque a dependência da velocidade na altura que causou a definição aguda no caso que discutimos teria agora o efeito oposto.

51–3 Ondas em sólidos

O próximo tipo de ondas a serem discutidas são ondas em sólidos, que são mais complicadas. Já discutimos ondas sonoras em um gás e em um líquido, e existe uma analogia direta com uma onda sonora em um sólido. Se um impulso súbito for aplicado a um sólido, ele é comprimido. Ele resiste à compressão, e uma onda análoga à do som é produzida. Contudo há outro tipo de onda possível em um sólido, o qual não é possível de ocorrer em um fluido. Se um sólido for distorcido tencionando-o lateralmente (o que é chamado de *cisalhamento*), então ele tenta se recuperar. Isso, por definição, é o que distingue um sólido de um líquido: se distorcermos um líquido (interiormente), mantendo-o por um minuto para que se acalme, e então o liberarmos, ele se manterá dessa maneira, mas se pegarmos um sólido e o comprimirmos, por exemplo, cisalhando um pedaço de "gelatina", e então a liberarmos, ela rapidamente volta e inicia uma onda de *cisalhamento*, que se propaga na mesma direção que a onda de compressão se propaga. Em todos os casos, a velocidade da onda de cisalhamento é menor do que a velocidade de ondas longitudinais. As ondas de cisalhamento são um tanto mais semelhantes às ondas de luz, com relação à sua polarização. O som não tem nenhuma polarização, ele é somente uma onda de pressão. A luz possui a característica de ser perpendicular à orientação de sua direção de propagação.

Em um sólido, as ondas são de ambos os tipos. Primeiramente, há uma onda de compressão, análoga ao som, que viaja em uma velocidade. Se o sólido não for cristalino, então uma onda de cisalhamento polarizada em qualquer direção se propagará com uma velocidade característica. (Naturalmente, todos os sólidos são cristalinos, mas se usarmos um bloco composto de microcristais com todas as orientações, as anisotropias do cristal se cancelam em média.)

Outra pergunta interessante acerca de ondas sonoras é a seguinte: o que ocorre se o comprimento de onda em um sólido se torna cada vez mais curto? Quão curto pode tornar-se? É interessante que ele não possa se tornar mais curto do que o espaço entre os átomos, porque supõe-se que exista uma onda na qual um ponto sobe e o seguinte desce, etc., o comprimento de onda mais curto possível é claramente o espaçamento entre os átomos. Em termos dos modos de oscilação, dizemos que há modos longitudinais e modos transversais, modos longos de onda e modos curtos de onda. Como consideramos comprimentos de onda comparáveis ao espaçamento entre os átomos, então as velocidades não são mais constantes; existe um efeito de dispersão no qual a velocidade não é mais independente do número de onda. Ao final, o modo mais alto de ondas transversais seria aquele no qual cada átomo está fazendo o contrário dos átomos vizinhos.

Porém do ponto de vista dos átomos, a situação parece-se com a dos dois pêndulos sobre a qual falamos, para a qual há dois modos, aquele no qual ambos se movem juntos e outro no qual eles se movem separados. É possível analisar as ondas nos sólidos de outra maneira, em termos de um sistema de osciladores harmônicos acoplados, como um número enorme de pêndulos, com o modo mais alto tal que eles oscilam contrariamente, e modos mais baixos com relações diferentes da marcação do tempo.

Os comprimentos de onda mais curtos são tão curtos que eles não são normalmente disponíveis tecnicamente. Contudo eles são bastante interessantes porque, na teoria termodinâmica de um sólido, as propriedades de calor de um sólido, por exemplo calor específico, podem ser analisadas em termos das propriedades das ondas sonoras curtas. Considerando o caso extremo de ondas sonoras de comprimento de onda cada vez mais curto, atingimos necessariamente os movimentos individuais dos átomos; as duas coisas são as mesmas finalmente.

Um exemplo muito interessante de ondas sonoras em um sólido, tanto longitudinal quanto transversal, são as ondas na Terra sólida. Não conhecemos quem produz os barulhos, mas dentro da Terra, de vez em quando, há terremotos – uma rocha escorrega em alguma outra rocha. Isso se parece com um pequeno ruído. Portanto ondas como as ondas sonoras se iniciam de uma fonte com comprimento de onda muito mais longo do que estamos acostumados a considerar em ondas sonoras, mas em todo o caso elas ainda são ondas sonoras e viajam em volta na Terra. A Terra não é homogênea, no entanto, e as propriedades de pressão, densidade, compressibilidade e assim por diante se modificam com a profundidade e, portanto, a velocidade varia com a profundidade. Então as ondas não viajam em linhas retas – existe um tipo de índice de refração e elas fazem curvas. As ondas longitudinais e as ondas transversais têm velocidades diferentes, assim há soluções diferentes para as velocidades diferentes. Dessa maneira, se colocarmos um sismógrafo em alguma posição e olharmos a maneira como as coisas se sacodem depois da ocorrência de um terremoto em um outro lugar, então não obtemos somente uma oscilação irregular. Poderíamos medir uma oscilação, então um período calmo, e logo o outro chacoalhar – o que acontece depende da posição. Se fosse bastante perto, receberíamos primeiro as ondas longitudinais da perturbação, e então, alguns momentos depois, as ondas transversais, porque elas viajam mais lentamente. Medindo a diferença de tempo entre as duas, podemos dizer qual é a distância do terremoto, se conhecermos o suficiente sobre as velocidades e a composição das regiões interiores envolvidas.

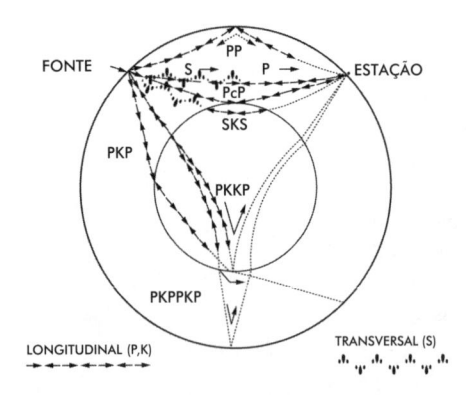

Figura 51-6 Diagrama da Terra mostrando os caminhos das ondas de som longitudinais e transversais.

Um exemplo do padrão do comportamento de ondas na Terra é mostrado na Figura 51–6. Os dois tipos de ondas estão representados por símbolos diferentes. Se houvesse um terremoto no lugar marcado "fonte", as ondas transversais e as ondas longitudinais chegariam em tempos diferentes à estação pelas vias mais diretas, e também haveria reflexões em descontinuidades, resultando em outros caminhos e tempos. A Terra possui um núcleo que não transporta ondas transversais. Se a estação se localiza na posição oposta da fonte, as ondas transversais ainda chegam, mas o tempo de chegada não é correto. O que acontece é que a onda transversal chega no núcleo, e sempre que ondas transversais atinjam uma superfície oblíqua, entre dois materiais, duas novas ondas são geradas, uma transversal e uma longitudinal. Contudo, dentro do núcleo da Terra, uma onda transversal não se propaga (ou pelo menos, não há evidência para isso, apenas para onda longitudinais); ela sai novamente com ambos os tipos e chega à estação.

A partir do comportamento dessas ondas de terremoto é que se determinou que as ondas transversais não podem se propagar dentro do círculo interior. Isso significa que o centro da Terra é líquido no sentido de que ele não consegue propagar ondas transversais. A única maneira de conhecermos o que está dentro da Terra é estudando os terremotos. Desse modo, utilizando um grande número de observações de muitos terremotos por diferentes estações, os detalhes foram calculados – a velocidade, as curvas, etc., todos são conhecidos. Sabemos quais são as velocidades dos vários tipos de ondas em cada profundidade. Conhecendo isso, portanto, é possível descobrir quais são os modos normais da Terra, porque conhecemos a velocidade de propagação de ondas sonoras – em outras palavras, as propriedades elásticas de ambos os tipos de ondas em cada profundidade. Suponha que a Terra foi distorcida em um elipsoide e liberada. Para se determinar o período e as formas do modo livre basta considerar a superposição de ondas que se propagam em volta no elipsoide. Descobrimos que se houver uma perturbação, existem muitos modos, do mais baixo, que é elipsoidal, até modos mais altos com mais estrutura.

O terremoto chileno de maio de 1960 fez um "ruído" barulhento o suficiente para que os sinais dessem muitas voltas em volta da Terra. Novos sismógrafos de grande sensibilidade foram construídos justamente a tempo para se determinar as frequências dos modos fundamentais da Terra e compará-los aos valores calculados pela teoria do som com as velocidades conhecidas, conforme medidas de terremotos independentes. O resultado desse experimento é ilustrado na Figura 51–7, que é um gráfico da intensidade do sinal em função da frequência de oscilação (uma *análise de Fourier*). Note que em certas frequências particulares recebe-se muito mais sinal do que em outras frequências; existem máximos muito bem definidos. Essas são as frequências naturais da Terra, porque são as frequências principais nas quais a Terra pode oscilar. Em outras palavras, se o movimento inteiro da Terra for composto por muitos modos diferentes, esperaríamos obter, em cada estação, oscilações irregulares que indicam uma superposição de muitas frequências. Se analisarmos isso em termos das frequências, devemos ser capazes de encontrar as frequências características da Terra. As linhas escuras verticais da figura são

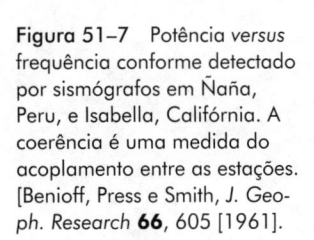

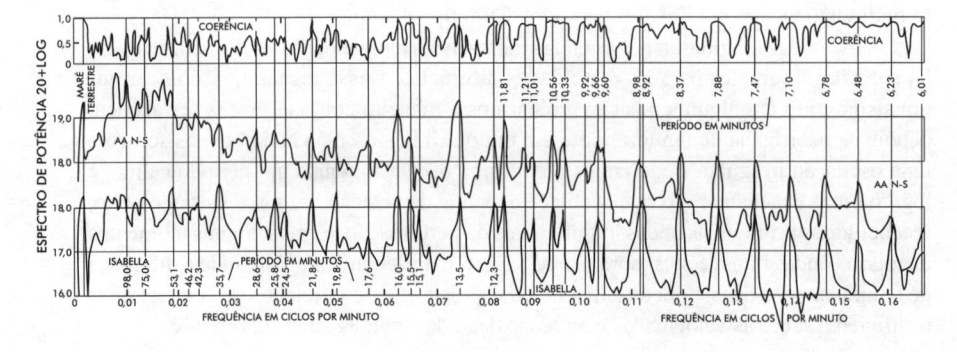

Figura 51-7 Potência *versus* frequência conforme detectado por sismógrafos em Ñaña, Peru, e Isabella, Califórnia. A coerência é uma medida do acoplamento entre as estações. [Benioff, Press e Smith, *J. Geoph. Research* **66**, 605 [1961].

as frequências calculadas, e encontramos um acordo notável, uma concordância devido ao fato de que a teoria do som está correta para o interior da Terra.

Um ponto muito curioso é revelado na Figura 51-8, que mostra uma medida muito cuidadosa, com melhor resolução no modo mais baixo, o modo elipsoidal da Terra. Observe que ele não é um máximo único, mas um duplo, 54,7 minutos e 53,1 minutos – ligeiramente diferentes. A razão para essas duas frequências diferentes não era conhecida no tempo em que foram medidas, embora possa ter sido descoberta nesse tempo. Há pelo menos duas explicações possíveis: uma seria que pode haver assimetria na distribuição da Terra, que resultaria em dois modos similares. Outra possibilidade, que é ainda mais interessante, é esta: imagine as ondas se propagando em volta da Terra em duas direções a partir da fonte. As velocidades não serão iguais por causa dos efeitos da rotação da Terra nas equações de movimento, que não foram levadas em consideração ao fazermos a análise. O movimento de um sistema em rotação é modificado pelas forças de Coriolis, e elas podem causar a divisão observada.

Com relação ao método pelo qual esses tremores foram analisados, o que é obtido no sismógrafo não é uma curva da amplitude como uma função da frequência, mas deslocamento como uma função do tempo, sempre um traçado muito irregular. Para encontrar a quantidade de todas as ondas seno diferentes para todas as frequências diferentes, sabemos que o truque é multiplicar os dados por uma onda seno de uma dada frequência e integrar, isto é, fazer a média, e na média todas as outras frequências desaparecem. As figuras eram, assim, gráficos das integrais encontradas quando os dados foram multiplicados por ondas seno de diferentes ciclos por minuto e, então, integrados.

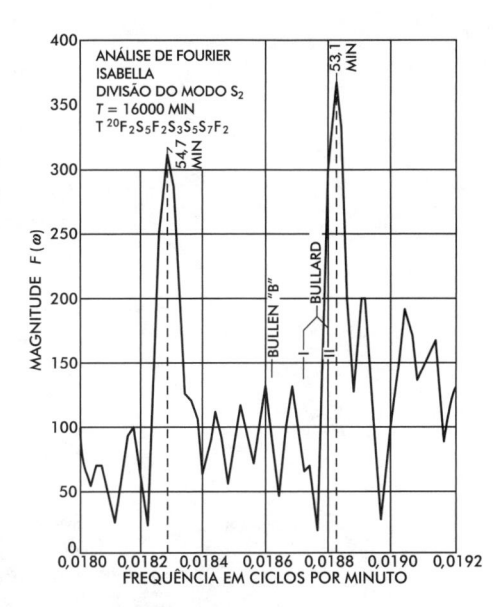

Figura 51-8 Análise de alta resolução de um registro sismográfico, mostrando um dubleto espectral.

51-4 Ondas de superfície

As próximas ondas de interesse, que são facilmente vistas por todos e são normalmente usadas como um exemplo de ondas em cursos elementares, são as ondas de água. Como veremos logo, elas são o pior exemplo possível, porque não são em nenhum aspecto como o som e a luz; elas possuem todas as complicações que as ondas podem ter. Vamos começar com longas ondas de água na água profunda. Se o oceano for considerado infinitamente profundo, e uma perturbação for criada na superfície, ondas são geradas. Todo tipo de movimentos irregulares ocorrem, mas o movimento de tipo senoidal, com uma perturbação muito pequena, poderia se parecer com as suaves ondas comuns do oceano que chegam à costa. Porém com tal onda, a água, naturalmente, em média, permanece imóvel, mas a onda se move. O movimento é transversal ou longitudinal? Não deve ser nenhum: nem transversal, nem longitudinal. Embora a água em um dado lugar esteja alternando entre um vale ou um máximo, ela não pode estar movendo-se simplesmente para cima e para baixo, pela conservação de água. Isto é, se ela baixar, onde estará indo a água? A água é essencialmente incompressível. A velocidade de compressão de ondas – isto é, do som na água – é muito, muito mais alta, e não consideraremos isso agora. Como a água é incompressível nessa escala, conforme um máximo abaixa, a água deve afastar-se da região. O que de fato acontece é que as partículas da água próximas à superfície movem-se aproximadamente em círculos. Quando marolas suaves estão chegando, uma pessoa flutuando em uma boia pode observar um objeto próximo e vê-lo fazer um círculo. Portanto é uma mistura de longitudinal e transversal, para aumentar a confusão. Em profundidades maiores da água, os movimentos são círculos menores até que, razoavelmente mais embaixo, não há mais nenhum movimento (Figura 51-9).

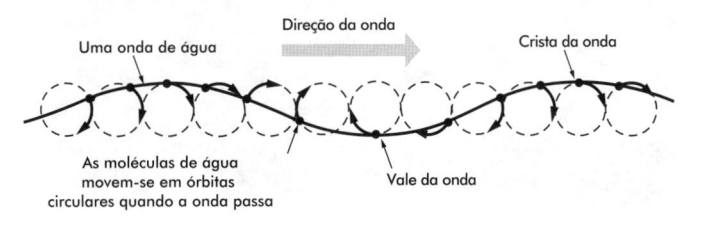

Figura 51-9 Ondas de água profunda são formadas a partir de partículas que se movem em círculos. Notem os deslocamentos de fase sistemáticos de círculo para círculo. Como se moveria um objeto flutuante?

Encontrar a velocidade de tais ondas é um problema interessante: ela deve ser alguma combinação da densidade da água, da aceleração da gravidade, que é a força restauradora que gera as ondas, e possivelmente do comprimento de onda e da profundidade. Se tomarmos o caso em que a profundidade vai a infinito, ela não mais dependerá da profundidade. Qualquer que seja a fórmula que iremos obter para a velocidade das fases das ondas, ela deve combinar os vários fatores para obter as dimensões apropriadas, e se tentarmos isso de várias maneiras, encontramos apenas uma maneira de combinar a densidade, g, e λ para criar uma velocidade, a saber, $\sqrt{gh}$, que não inclui a densidade de maneira alguma. De fato, essa fórmula para a velocidade de fase não é exatamente correta, mas uma análise completa da dinâmica, na qual não entraremos, mostra que os fatores são esses mesmo, exceto por $\sqrt{2\pi}$:

$$v_{\text{fase}} = \sqrt{g\lambda/2\pi} \text{ (para ondas gravitacionais).}$$

É interessante que as ondas longas se propagam mais rapidamente do que as ondas curtas. Assim, se um barco produz ondas bem longe, porque algum motorista de carro esporte está viajando em uma lancha por ali, então daqui a pouco as ondas chegam à costa inicialmente com ondulações lentas e, logo, com ondulações cada vez mais rápidas, porque as primeiras ondas que chegam são longas. As ondas tornam-se mais e mais curtas conforme o tempo passa, porque as velocidades variam com a raiz quadrada do comprimento de onda.

Pode-se contestar, "isso não é correto, devemos analisar a velocidade de *grupo* para calculá-lo!" Naturalmente isso é verdade. A fórmula da velocidade de fase não nos diz qual chegará primeiro; quem nos diz é a velocidade de grupo. Portanto, temos de calcular a velocidade de grupo, e é deixado como um problema mostrar que ela é metade da velocidade de fase, supondo que a velocidade varie com a raiz quadrada do comprimento de onda, que é tudo o que é necessário. A velocidade de grupo também varia com a raiz quadrada do comprimento de onda. Como pode a velocidade de grupo se propagar com a metade da velocidade de fase? Se olharmos o monte de ondas que são produzidas por um barco navegando, ao acompanhar uma determinada crista, encontramos que ela se move adiante no grupo e gradualmente se torna mais fraca e desaparece mais na frente, e que mística e misteriosamente uma onda fraca na parte posterior força o seu movimento para frente e torna-se mais forte. Resumindo, as ondas estão movendo-se pelo grupo enquanto o grupo somente está se movendo com metade da velocidade com que as ondas estão se movendo.

Como a velocidade de grupo e a velocidade de fase não são iguais, então as ondas que são produzidas por um objeto que se move não são mais simplesmente um cone, mas é muito mais interessante. Podemos ver isso na Figura 51–10, que mostra as ondas

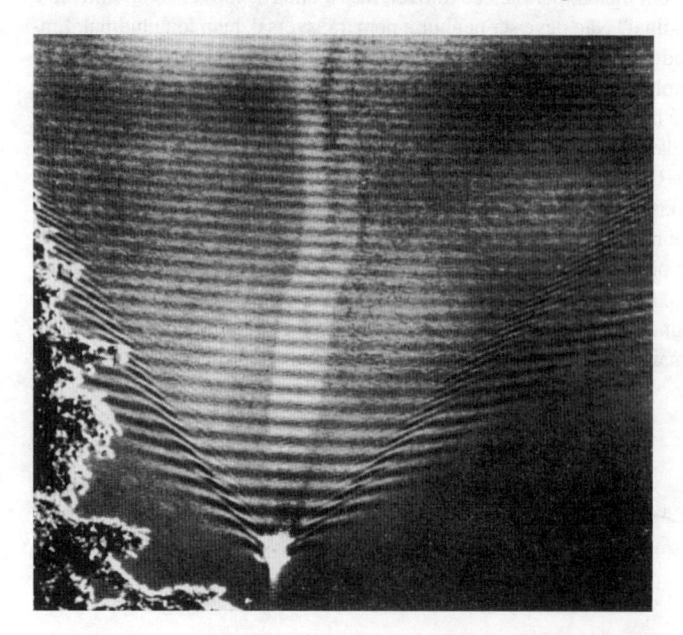

Figura 51–10 O rastro de um barco.

produzidas por um objeto que se move através da água. Note que é bem diferente do que teríamos para o som, no qual a velocidade é independente do comprimento de onda, onde teríamos frentes de onda somente ao longo de um cone, propagando-se para fora. Ao invés disso, temos ondas na parte posterior com frentes que se movem paralelamente ao movimento do barco, e então temos pequenas ondas laterais com outros ângulos. Esse padrão inteiro de ondas pode, com inventividade, ser analisado conhecendo somente isto: que a velocidade de fase é proporcional à raiz quadrada do comprimento de onda. O truque é que o padrão de ondas é estacionário com relação ao barco (com velocidade constante); qualquer outro padrão seria perdido do barco.

As ondas de água que estivemos considerando por enquanto eram ondas longas nas quais a força restauradora é decorrente da gravitação. Quando as ondas se tornam muito curtas na água, a principal força restauradora é a atração capilar, isto é, a energia da superfície, a tensão superficial. Para ondas de tensão superficial, resulta que a velocidade de fase é

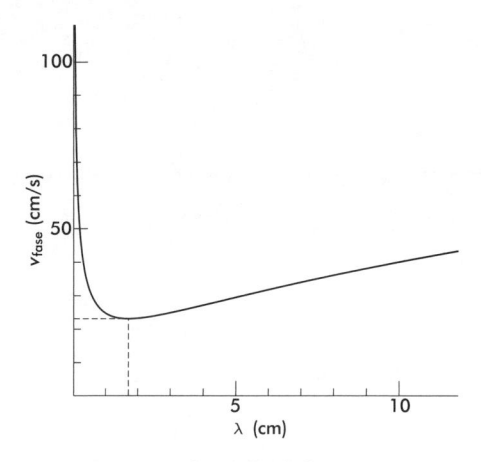

$$v_{\text{fase}} = \sqrt{2\pi T/\lambda \rho} \text{ (para as ondulações),}$$

Figura 51–11 Velocidade de fase *versus* comprimento de onda para a água.

onde T é a tensão superficial e ρ é a densidade. É exatamente o contrário: a velocidade de fase é *mais alta,* quanto mais curto o comprimento de onda, quando o comprimento de onda se torna muito pequeno. Quando temos tanto gravidade quanto ação capilar, como sempre ocorre, adquirimos a combinação desses dois juntos:

$$v_{\text{fase}} = \sqrt{Tk/\rho + g/k},$$

onde $k = 2\pi/\lambda$ é o número de onda. Portanto a velocidade das ondas de água realmente é bastante complicada. A velocidade de fase como uma função do comprimento de onda é mostrada na Figura 51–11; para ondas muito curtas, ela é rápida, para ondas muito longas, ela é rápida, e há uma velocidade mínima na qual as ondas podem se propagar. A velocidade de grupo pode ser calculada com a fórmula: ela varia com 3/2 da velocidade de fase para as ondulações e ½ da velocidade de fase para ondas de gravidade. À esquerda do mínimo, a velocidade de grupo é mais alta do que a velocidade de fase; à direita, a velocidade de grupo é menor do que a velocidade de fase. Existe um número de fenômenos interessantes associados a esses fatos. Em primeiro lugar, como a velocidade de grupo está aumentando tão rapidamente conforme o comprimento de onda diminui, se criarmos uma perturbação haverá uma extremidade mais lenta da perturbação que se propaga na velocidade mínima com o comprimento de onda correspondente, e logo na frente, viajando com velocidades mais altas, estarão uma onda curta e uma onda muito longa. É muito difícil ver as longas, mas é fácil ver as ondas curtas em um tanque de água.

Portanto vemos que as ondulações muitas vezes usadas para ilustrar ondas simples são bastante interessantes e complicadas; elas não têm uma frente de onda bem definida de maneira alguma, como é o caso de ondas simples como o som e a luz. A onda principal tem pequenas ondulações que saem correndo adiante. Uma perturbação bem definida na água não produz uma onda bem definida por causa da dispersão. Primeiro vêm as ondas muito finas. Incidentemente, se um objeto se move através da água com uma certa velocidade, um padrão um tanto complicado é produzido, porque todas as ondas diferentes estão viajando com velocidades diferentes. Pode-se demonstrar isso com uma bandeja d'água e ver que as mais rápidas são as ondas capilares finas. Existem ondas mais lentas, de um certo tipo, que seguem atrás. Inclinando o fundo, vê-se que onde a profundidade é mais baixa, a velocidade é mais baixa. Se uma onda entrar em um ângulo em relação à linha de inclinação máxima, ela curva-se e tende a seguir aquela linha. Dessa maneira, é possível mostrar várias coisas, e concluímos que as ondas são mais complicadas na água do que no ar.

A velocidade das ondas longas na água com movimentos circulares é mais lenta quando a profundidade é menor, e mais rápida em água profunda. Assim, conforme a água vem em direção à praia onde a profundidade diminui, as ondas viajarão mais devagar. Onde a água é mais profunda, as ondas são mais rápidas, portanto obtemos os efeitos de ondas de choque. Dessa vez, como a onda não é tão simples, os choques são muitos mais

Figura 51–12 Uma onda de água.

contorcidos, e a onda curva-se sobre si mesma, da maneira familiar mostrada na Figura 51–12. Isto é o que acontece quando as ondas chegam na beira-mar, e as complexidades reais da natureza são completamente reveladas nessas circunstâncias. Ninguém ainda foi capaz de calcular a forma que a onda deve ter conforme ela arrebenta. É bastante fácil quando as ondas são pequenas, mas quando ela se torna grande e arrebenta, é muito mais complicado.

Uma característica interessante sobre ondas capilares pode ser vista nas perturbações produzidas por um objeto se movendo através da água. Do ponto da vista do próprio objeto, a água está fluindo por ele, e as ondas que finalmente permanecem ao redor são sempre as ondas que têm justamente a velocidade correta para permanecerem paradas com o objeto na água. Semelhantemente, em volta de um objeto em uma correnteza, com a correnteza fluindo ao redor, o padrão de ondas é estacionário, e exatamente nos comprimentos de onda corretos para se propagarem com a mesma velocidade que a água que passa. Se a velocidade de grupo for menor do que a velocidade de fase, então as perturbações se propagam para trás na correnteza, porque a velocidade de grupo não é suficiente para acompanhar a correnteza. Se a velocidade de grupo for mais rápida do que a velocidade da fase, o padrão de ondas aparecerá na frente do objeto. Se olharmos cuidadosamente para objetos em uma correnteza, pode-se ver que há pequenas ondulações na frente e grandes "ondas" atrás.

Outra característica interessante desse tipo pode ser observada em líquidos sendo vertidos. Se o leite for entornado rápido o suficiente de uma garrafa, por exemplo, um grande número de linhas pode ser visto cruzando o jorro de saída em ambas as direções. Elas são ondas iniciadas pelos distúrbios nas bordas e fluem, de forma muito semelhante às ondas em torno de um objeto em uma correnteza. Há efeitos de ambos os lados, o que produz o padrão cruzado.

Investigamos algumas propriedades interessantes de ondas e várias complicações da dependência da velocidade de fase com o comprimento de onda, a velocidade das ondas com a profundidade e assim por diante, que produzem os realmente complexos, e por isso interessantes, fenômenos da natureza.

52

Simetria nas Leis Físicas

52–1 Operações de simetria

Podemos chamar o assunto deste capítulo de *simetria nas leis físicas*. Já discutimos certas características de simetria em leis físicas em conexão com análise vetorial (Capítulo 11), teoria da relatividade (Capítulo 16) e rotação (Capítulo 20).

Por que devemos nos preocupar com simetria? Em primeiro lugar, a simetria é fascinante para a mente humana, e todos gostam de objetos ou padrões que são de alguma maneira simétricos. É um fato interessante que a natureza muitas vezes exiba certos tipos de simetria em objetos que encontramos no mundo à nossa volta. Possivelmente o objeto mais simétrico imaginável seja uma esfera, e a natureza é cheia de esferas – estrelas, planetas, gotículas de água em nuvens. Os cristais encontrados nas rochas exibem muitos tipos diferentes de simetria, cujo estudo nos diz algumas coisas importantes sobre a estrutura dos sólidos. Mesmo os mundos animal e vegetal mostram algum grau da simetria, embora a simetria de uma flor ou de uma abelha não seja tão perfeita ou tão fundamental como aquela de um cristal.

Nosso principal interesse aqui não é com o fato de que os *objetos* da natureza são frequentemente simétricos. Preferivelmente, desejamos examinar algumas das simetrias mais notáveis do universo – as simetrias que existem nas *próprias leis básicas* que governam o funcionamento do mundo físico.

Primeiramente, o que *é* simetria? Como uma *lei* física pode ser "simétrica"? O problema de definir simetria é interessante, e já mencionamos que Weyl forneceu uma boa definição, cuja essência é que uma coisa é simétrica se houver algo que possamos fazer a ela tal que depois que o fizermos, ela pareça a mesma que antes. Por exemplo, um vaso simétrico é de tal forma que se o refletirmos ou virarmos, ele parecerá o mesmo que antes. A pergunta que desejamos considerar aqui é o que podemos fazer para fenômenos físicos, ou para uma situação física em um experimento, e mesmo assim não alterar o resultado. Uma lista das operações conhecidas pelas quais vários fenômenos físicos permanecem invariantes é mostrada na Tabela 52-1.

52–2 Simetria no espaço e no tempo

A primeira coisa que poderíamos tentar fazer, por exemplo, é *transladar* o fenômeno no espaço. Se fizermos um experimento em uma certa região, e então construirmos outro aparelho em outro lugar no espaço (ou mover o original para lá) então, independentemente do que ocorreu em um aparelho, com uma certa ordem no tempo, ocorrerá do mesmo modo se tivermos arranjado as mesmas condições, prestando a atenção devida às restrições que mencionamos anteriormente: que todas as características do ambiente responsáveis pelo seu comportamento diferente também foram movidas para o outro local – já falamos sobre como definir quanto devemos incluir nessas circunstâncias, e não entraremos nesses detalhes novamente.

Do mesmo modo, também acreditamos hoje que o *deslocamento no tempo* também não terá efeito nas leis físicas. (*Conforme o que conhecemos hoje* – todas essas coisas baseiam-se no que conhecemos hoje!) Isso significa que se construirmos um certo aparato e o iniciarmos em um certo tempo, digamos quinta-feira às 10h00, e então construirmos o mesmo instrumento e o iniciarmos, digamos, três dias depois nas mesmas condições, os dois instrumentos passarão pelos mesmos movimentos exatamente da mesma maneira em função do tempo independente do tempo inicial, contanto que novamente, é claro, as características relevantes do ambiente também se modifiquem adequadamente no *tempo*. Essa simetria significa, naturalmente, que se alguém comprasse ações da General Motors três meses atrás, a mesma coisa aconteceria a elas se fossem compradas agora!

52–1 Operações de simetria
52–2 Simetria no espaço e no tempo
52–3 Simetria e as leis de conservação
52–4 Reflexões de espelho
52–5 Vetores polares e axiais
52–6 Qual é a mão direita?
52–7 A paridade não é conservada!
52–8 Antimatéria
52–9 Quebra de simetrias

Tabela 52-1
Operações de simetria

Translação no espaço
Translação no tempo
Rotação por um ângulo fixo
Velocidade uniforme em uma linha reta (transformação de Lorentz)
Reversão do tempo
Reflexão no espaço
Permutação de átomos idênticos ou partículas idênticas
Fase quanto-mecânica
Matéria-antimatéria (conjugação de carga)

Temos de ter cuidado com as diferenças geográficas também, uma vez que existem, naturalmente, variações nas características da superfície da Terra. Portanto, por exemplo, se medimos o campo magnético em uma certa região e movemos o instrumento para alguma outra região, ele pode não funcionar exatamente do mesmo modo porque o campo magnético é diferente, mas dizemos que é porque o campo magnético está associado com a Terra. Podemos imaginar que se movermos a Terra inteira e o equipamento, não haveria nenhuma diferença no funcionamento do aparelho.

Outra coisa que discutimos com detalhe considerável foi a rotação no espaço: se girarmos um aparelho em um ângulo, ele funciona tão bem quanto, desde que giremos todo o resto que for relevante juntamente com ele. De fato, discutimos o problema da simetria na rotação no espaço em algum detalhe no Capítulo 11, e inventamos um sistema matemático chamado de *análise vetorial* para trabalhá-lo tão cuidadosamente quanto possível.

Em um nível mais avançado, obtivemos outra simetria – a simetria da velocidade uniforme em uma linha reta. Quer dizer – um efeito bastante notável – que se tivermos uma parte do instrumento funcionando de uma certa maneira e então tomarmos o mesmo instrumento e o pusermos em um carro, e movermos o carro inteiro, mais toda a vizinhança relevante, com uma velocidade uniforme em uma linha reta, então com relação aos fenômenos dentro do carro não haverá nenhuma diferença: todas as leis da física parecem ser as mesmas. Até sabemos como exprimir isso mais tecnicamente, dizendo que as equações matemáticas das leis físicas devem permanecer inalteradas para uma *transformação de Lorentz*. Na verdade, foi o estudo do problema da relatividade que focou a atenção de físicos mais atentamente na simetria das leis físicas.

As simetrias citadas acima eram todas de natureza geométrica, sendo o tempo e o espaço mais ou menos a mesma coisa, mas existem outras simetrias de tipos diferentes. Por exemplo, há uma simetria que descreve o fato de que podemos substituir um átomo por outro do mesmo tipo; colocando de outra maneira, *existem* átomos do mesmo tipo. É possível encontrar grupos de átomos tal que se trocarmos um par, não faz nenhuma diferença – os átomos são idênticos. Tudo o que um átomo de oxigênio de um certo tipo fizer, outro átomo de oxigênio daquele tipo fará igual. Pode-se dizer, "Isso é ridículo, essa é a *definição* de tipos iguais!" Pode ser meramente a definição, mas então ainda não sabemos se *há* algum "átomo do mesmo tipo"; o *fato* é que há muitos, muitos átomos do mesmo tipo. Assim, realmente significa algo dizer que não faz nenhuma diferença se trocarmos um átomo por outro do mesmo tipo. As assim chamadas partículas elementares do qual os átomos são constituídos também são partículas idênticas no sentido mencionado acima – todos os elétrons são os mesmos; todos os prótons são os mesmos; todos os pions positivos são os mesmos; e assim por diante.

Após uma lista tão longa de coisas que podem ser feitas sem alterar os fenômenos, poderia-se pensar que podemos fazer praticamente qualquer coisa; portanto vamos dar alguns exemplos do contrário, justamente para ver a diferença. Suponha que perguntamos: "as leis físicas são simétricas em relação a uma mudança de escala?" Suponha que construímos uma certa parte de um instrumento e então construímos outro instrumento com cada parte cinco vezes maior; ele funcionará exatamente da mesma maneira? A resposta, nesse caso, é *não!* O comprimento de onda da luz emitida, por exemplo, pelos átomos dentro de uma caixa de átomos de sódio e o comprimento de onda da luz emitida por um gás de átomos de sódio cinco vezes em volume não é cinco vezes mais longo, mas é de fato exatamente o mesmo que o outro. Portanto a razão entre o comprimento de onda e o tamanho do emissor irá se modificar.

Outro exemplo: vemos no jornal, de vez em quando, fotografia de uma grande catedral feita com pequenos palitos-de-fósforo – uma obra de arte tremenda feita por algum aposentado que passa os dias colando palitos de fósforo. É muito mais elaborado e maravilhoso do que qualquer catedral verdadeira. Se imaginarmos que essa catedral de madeira fosse de fato construída na escala de uma catedral real, veríamos onde está o problema; ela não duraria – ela colapsaria inteira porque palitos de fósforo aumentados simplesmente não são fortes o suficiente. "Sim", poderia ser dito, "mas também sabemos que quando há uma influência externa, ela também deve ser modificada em proporção!" Estamos falando sobre a capacidade do objeto de resistir à gravitação. Portanto o que devemos fazer é primeiro tomar a catedral modelo de palitos de fósforo reais e a Terra real, e então saberemos que é estável. Então devemos tomar a catedral maior e considerar uma Terra maior. Contudo, assim fica ainda pior, porque a gravitação aumenta ainda mais!

Hoje, naturalmente, entendemos o fato de os fenômenos dependerem da escala pela razão que a matéria é atômica por natureza, e certamente se construímos um instrumento tão pequeno que tivesse somente cinco átomos, seria claramente algo que não poderíamos aumentar ou diminuir arbitrariamente. A escala de um átomo individual não é de modo algum arbitrária – é bem definida.

O fato de que as leis da física não são inalteradas por uma mudança de escala foi descoberto por Galileu. Ele percebeu que as forças dos materiais não estavam exatamente em proporção direita com os seus tamanhos e ilustrou essa propriedade que estávamos discutindo, sobre a catedral de palitos de fósforo, desenhando dois ossos, o osso de um cão, na proporção correta para suportar o seu peso, e o osso imaginário de um "super cão" que seria, digamos, dez ou cem vezes maior – esse osso era uma coisa grande, sólida com proporções bastante diferentes. Não sabemos se ele alguma vez continuou a argumentação até concluir que as leis da natureza precisam ter uma escala definida, mas ele ficou tão impressionado com essa descoberta que a considerou tão importante quanto a descoberta das leis do movimento, pois ele publicou ambas no mesmo volume, chamado "Sobre Duas Novas Ciências".

Outro exemplo no qual as leis não são simétricas, que conhecemos muito bem, é um sistema em rotação com uma velocidade angular uniforme não apresentar as mesmas leis aparentes que um que não está girando. Se realizarmos um experimento e então pusermos tudo em uma nave espacial e fizermos a nave espacial girar no espaço, completamente sozinha com uma velocidade angular constante, o instrumento não funcionará da mesma maneira porque, como sabemos, as coisas dentro do equipamento serão lançadas para fora, e assim por diante, pelas forças centrífuga ou de Coriolis, etc. De fato, podemos dizer que a Terra está girando usando o chamado pêndulo de Foucault, sem olharmos para fora.

A seguir, mencionamos uma simetria muito interessante que é obviamente falsa, isto é, a *reversibilidade do tempo*. As leis físicas aparentemente não podem ser reversíveis no tempo, porque, como sabemos, todos os fenômenos óbvios são irreversíveis em grande escala: "A mão escreve, e tendo escrito, segue em frente"*. Pelo que podemos perceber, essa irreversibilidade é decorrente do número muito grande de partículas envolvidas, e se pudéssemos ver as moléculas individuais, não seríamos capazes de discernir se a maquinaria está funcionando para frente ou para trás. Tornando mais preciso: construímos um pequeno aparelho no qual sabemos o que todos os átomos estão fazendo, no qual podemos vê-los oscilar. Então, construímos outro aparelho como esse, mas que inicia o seu movimento na condição final do outro, com todas as velocidades exatamente invertidas. *Ele então passará pelos mesmos movimentos, mas exatamente ao contrário.* Colocando de outra maneira: se tomarmos um filme cinematográfico, com detalhe suficiente, do funcionamento interno de todos os pedaços do material e o projetarmos em uma tela e o passarmos de trás para diante, nenhum físico será capaz de dizer, "Isto está contra as leis da física, isso está fazendo algo errado!" Se não virmos todos os detalhes, naturalmente, a situação será perfeitamente clara. Se virmos o ovo quebrando na calçada e a casca se rompendo, e assim por diante, então diremos com segurança, "Isso é irreversível, porque se rodarmos o filme ao contrário o ovo se juntará e a casca se refará novamente, e isso é obviamente ridículo!" Se olharmos os próprios átomos individuais, as leis parecem completamente reversíveis. Isto é, naturalmente, uma descoberta muito mais difícil de ser feita, mas aparentemente é verdade que as leis fundamentais da física, em um nível microscópico e fundamental, são completamente reversíveis no tempo!

---

* N. de T.: Tradução do poema Rubaiyat do poeta persa Omar Khayyam (1044-1123). Feynman cita a tradução de Edward Fitzgerald *"The moving fingers write, and having writ, moves on"*.

52–3 Simetria e as leis de conservação

As simetrias das leis físicas são muito interessantes nesse nível, mas ocorre de serem ainda mais interessantes e excitantes para a mecânica quântica. Por uma razão que não podemos explicar no nível da presente discussão – um fato que a maioria dos físicos ainda acha um tanto confuso, a coisa mais profunda e bela, é que, na mecânica quântica, *para cada uma das regras de simetria corresponde uma lei de conservação;* há uma conexão definida entre as leis de conservação e as simetrias das leis físicas. Podemos apenas afirmar isso no momento, sem qualquer tentativa de explicação.

O fato, por exemplo, de que as leis são simétricas para a translação no espaço quando acrescentamos os princípios da mecânica quântica significa que *o momento é conservado.*

Que as leis sejam simétricas sob translação no tempo significa na mecânica quântica que a *energia é conservada.*

Invariância sob rotação de um ângulo fixo no espaço corresponde à *conservação do momento angular.* Essas conexões são coisas muito interessantes e belas, entre as coisas mais belas e profundas da física.

Incidentemente, existem várias simetrias que aparecem na mecânica quântica que não têm nenhum análogo clássico; não há nenhum método de descrição na física clássica. Uma delas é a seguinte: se ψ for a amplitude de um certo processo, sabemos que o módulo quadrado de ψ é a probabilidade de que o processo irá ocorrer. Porém se outra pessoa fosse fazer os seus cálculos, não com essa ψ, mas com ψ' que difere simplesmente por uma mudança na fase (seja Δ alguma constante, e multiplicamos $e^{i\Delta}$ vezes o velho ψ), o módulo quadrado de ψ', que é a probabilidade do evento, é então igual ao quadrado absoluto de ψ:

$$\psi' = \psi e^{i\Delta}; \quad |\psi'|^2 = |\psi|^2. \tag{52.1}$$

Por isso, as leis físicas permanecem inalteradas se a fase da função de onda for deslocada por uma constante arbitrária. Essa é outra simetria. As leis físicas devem ser de tal natureza que um deslocamento na fase quanto-mecânica não faça nenhuma diferença. Como acabamos de mencionar, na mecânica quântica existe uma lei de conservação para cada simetria. A lei da conservação relacionada com a fase quanto-mecânica parece ser a *conservação da carga elétrica.* Esse é globalmente um assunto muito interessante!

52–4 Reflexões de espelho

A próxima pergunta, que iremos considerar na maior parte do restante deste capítulo, é o problema da simetria para uma *reflexão no espaço.* O problema é: as leis físicas são simétricas para uma reflexão? Podemos colocá-lo desta maneira: suponha que construímos uma parte do equipamento, digamos um relógio, com muitas engrenagens, ponteiros e números; ele marca, ele funciona e ele possui coisas enroladas no interior. Olhamos o relógio no espelho. A pergunta não é como ele se *parece* no espelho. Vamos de fato *construir* outro relógio que é exatamente como o primeiro relógio se parece no espelho – cada vez que há um parafuso com uma rosca à direita em um relógio, usamos um parafuso com uma rosca à esquerda no lugar correspondente do outro; onde um está marcado "2" no mostrador, marcamos um "S" na face do outro; cada espira é enrolada para um lado em um relógio e para o outro na imagem espelhada do relógio; quando terminarmos tudo, teremos dois relógios, ambos físicos, que mantém entre si uma relação de um objeto com a sua imagem de espelho, embora enfatizemos que ambos sejam objetos reais, objetos materiais. Porém a pergunta é: se os dois relógios forem iniciados com a mesma condição, as cordas giradas na mesma tensão correspondente, os dois relógios irão marcar o tempo e funcionar como imagens de espelho exatas para sempre depois disso? (Essa é uma pergunta física, não uma pergunta filosófica.) A nossa intuição sobre as leis da física sugeriria que *sim.*

Suspeitaríamos que, pelo menos no caso desses relógios, a reflexão no espaço é uma das simetrias das leis físicas, que se mudarmos tudo da "direita" para a "esquerda" e mantivermos tudo o resto da mesma maneira, não poderemos notar a diferença. Vamos, então, supor por um momento que isso é verdadeiro. Se for verdadeiro, então seria impossível distinguir "direita" e "esquerda" por qualquer fenômeno físico, como é, por exemplo, impossível de definir uma determinada velocidade absoluta por um fenômeno físico. Portanto deveria ser impossível, por qualquer fenômeno físico, definir absolutamente o que queremos dizer por "direita" contrariamente a "esquerda", porque as leis físicas deveriam ser simétricas.

Naturalmente, o mundo não *tem* de ser simétrico. Por exemplo, utilizando o que podemos chamar de "geografia", certamente a "direita" pode ser definida. Por exemplo, estamos em Nova Orleans e olhamos para Chicago, a Flórida está à nossa direita (quando os nossos pés estão na Terra). Portanto podemos definir "direita" e "esquerda" pela geografia. Naturalmente, a situação real em qualquer sistema não precisa ter a simetria sobre a qual estamos falando; é uma questão de se as *leis* são simétricas – em outras palavras, se é *contra as leis da física* termos uma esfera como a Terra com "poeira levógira" e uma pessoa como nós parada olhando uma cidade como Chicago de um lugar como Nova Orleans, mas com tudo virado ao contrário, de maneira que a Flórida esteja do outro lado. Claramente não parece ser impossível, não será contra as leis físicas, ter tudo mudado da esquerda para a direita.

Outro ponto é que a nossa definição de "direita" não deveria depender da história. Um modo fácil de distinguir direta de esquerda é ir a uma oficina e pegar aleatoriamente um parafuso. Provavelmente ele terá uma rosca à direita – não necessariamente, mas a probabilidade é muito maior de ele ter uma rosca à direita do que à esquerda. Essa é uma questão histórica ou de convenção, ou da maneira como as coisas são, e novamente não é um problema das leis fundamentais. Como podemos perceber bem, todos poderiam ter começado fazendo parafusos com rosca à esquerda!

Portanto devemos tentar encontrar algum fenômeno no qual a "direita" está envolvida fundamentalmente. A próxima possibilidade que discutimos é o fato de a luz polarizada girar o seu plano de polarização conforme ela atravessa, digamos, água com açúcar. Como vimos no Capítulo 33, ela rotaciona, digamos, para a direita em uma certa solução de açúcar. Esse é uma maneira de definir "direita", porque podemos dissolver um pouco de açúcar na água e então a polarização gira para direita. Contudo, o açúcar se origina de seres vivos, e se tentarmos produzir açúcar artificialmente, descobrimos que ele não faz o plano da polarização girar! Se então tomarmos aquele mesmo açúcar produzido artificialmente e que não gira o plano de polarização, e adicionarmos bactérias (elas comem um pouco do açúcar) e então filtrar as bactérias, vemos que ainda sobrou algum açúcar (quase metade do tanto que tínhamos antes), e dessa vez ele realmente gira o plano de polarização, mas *para a outra direção!* Parece muito confuso, mas é facilmente explicado.

Tomemos outro exemplo: uma das substâncias comum a todos os seres vivos e que é fundamental para a vida é a proteína. A proteína consiste em cadeias de aminoácidos. A Figura 52–1 mostra um modelo de um aminoácido obtido de uma proteína. Esse aminoácido é chamado de alanina, e o arranjo molecular se parece com o da Fig. 52-1(a) se fosse de uma proteína de um verdadeiro ser vivo. Por outro lado, se tentarmos fazer alanina de dióxido de carbono, etano e amônia (e *podemos* fazê-lo, não é uma molécula

Figura 52–1 (a) *L*-alanina (esquerda) e (b) *D*-alanina (direita).

complicada), descobrimos que estamos produzindo quantidades iguais dessa molécula e daquela mostrada na Fig. 52-1(b)! A primeira molécula, aquela proveniente do ser vivo, é chamada de *L-alanina*. A outra, que é a mesma quimicamente, pois tem os mesmos tipos de átomos e as mesmas ligações dos átomos, é uma molécula "dextrógira", comparada com a L-alanina "levógira", e é chamada de *D-alanina*. O interessante é que quando fazemos alanina em casa em um laboratório a partir de gases simples, obtemos uma mistura igual de ambos os tipos. No entanto, a vida utiliza apenas a L-alanina. (Isso não é completamente verdadeiro. Esporadicamente em criações vivas há um uso especial para D-alanina, mas é muito raro. Todas as proteínas usam exclusivamente a L-alanina.) Se produzirmos ambos os tipos e dermos essa mistura de comer para algum animal que gosta de "comer", ou usar, a alanina, ele não poderá usar a D-alanina, portanto ele apenas utilizará a L-alanina; é o que aconteceu ao nosso açúcar – após as bactérias comerem o açúcar que funciona bem para eles, sobra somente o tipo "errado"! (O açúcar levógiro tem gosto doce, mas não é o mesmo do açúcar dextrógiro.)

Portanto parece que os fenômenos da vida permitem uma distinção entre "dextrógiro" e "levógiro", ou a química permite a distinção, porque as duas moléculas são quimicamente diferentes, mas não, ela não permite! No que tange às medidas físicas que podem ser feitas, como da energia, das taxas de reações químicas e assim por diante, os dois tipos funcionam exatamente da mesma maneira se transformarmos todo o resto em uma imagem de espelho também. Uma molécula girará a luz para a direita, e a outra girará para a esquerda precisamente da mesma quantidade, através da mesma quantidade de fluido. Assim, no que diz respeito à física, esses dois aminoácidos são igualmente satisfatórios. Do que entendemos das coisas hoje, os fundamentos da equação Schrödinger são tais que as duas moléculas devem comportar-se de maneiras exatamente correspondentes, de modo que uma seja à direita assim como a outra é para a esquerda. Todavia, na vida todas têm uma única direção!

Presume-se que a razão disso é a seguinte. Vamos supor, por exemplo, que em um momento a vida está de uma maneira em uma certa condição na qual todas as proteínas de algumas criaturas têm aminoácidos levógiros, e todas as enzimas são assimétricas – toda substância das criaturas vivas é assimétrica –, não são simétricos. Portanto, quando as enzimas digestivas tentam modificar os produtos químicos da comida de uma espécie para outra, um tipo do produto químico "encaixa" na enzima, mas outro tipo não (como a Cinderela e o sapatinho, exceto que estamos testando o "pé esquerdo"). Do que conhecemos, em princípio, poderíamos construir um sapo, por exemplo, no qual cada molécula fosse invertida, tudo se parece com a imagem de espelho "canhota" de um sapo verdadeiro; temos um sapo levógiro. Esse sapo levógiro ficaria muito bem durante algum tempo, mas ele não encontraria nada para comer, porque se ele engolisse uma mosca, as suas enzimas não teriam sido construídas para digeri-la. A mosca tem o "tipo" errado de aminoácido (a menos que lhe déssemos uma mosca levógira). Tanto quanto sabemos, os produtos químicos e os processos de vida permaneceriam na mesma maneira se tudo fosse invertido.

Se a vida for inteiramente um fenômeno físico e químico, então podemos entender que as proteínas são todas feitas na mesma quiralidade apenas a partir da ideia de que bem no começo algumas moléculas vivas, por acaso, se iniciaram e algumas ganharam. Em algum lugar, uma vez, uma molécula orgânica era assimétrica de certo modo, e a partir dessa determinada coisa resultou que o "direito" se desenvolveu na nossa geografia particular; um determinado acidente histórico foi unilateral, e desde então a assimetria tem se propagado. Uma vez tendo chegado ao estado de agora, naturalmente, sempre continuará – todas as enzimas digerem as coisas certas, manufaturam as coisas certas: quando o dióxido de carbono e o vapor de água, e assim por diante, entram nas folhas das plantas, as enzimas que fazem o açúcar o fazem assimétricos porque as enzimas são assimétricas. Se alguma nova espécie de vírus ou ser vivo se originasse em um tempo posterior, ela sobreviveria somente se pudesse "comer" o tipo de matéria viva já presente. Portanto, ela também deve ser do mesmo tipo.

Não existe nenhuma conservação do número de moléculas dextrógiras. Uma vez iniciadas, podemos continuar aumentando o número de moléculas dextrógiras. A suposição é, então, de que para o caso da vida os fenômenos não mostram uma falta da simetria das leis físicas, mas realmente mostram, ao contrário, a natureza universal e principalmente a origem comum de todas as criações na Terra, no sentido descrito acima.

52–5 Vetores polares e axiais

Agora iremos mais a fundo. Observamos que em física existem vários outros lugares onde temos regras da mão "direita" e "esquerda". Na verdade, quando aprendemos sobre análise vetorial, aprendemos sobre a regra da mão direita, que temos de usar para obter momento angular, torque, campo magnético, e assim por diante, para dar certo. A força em uma carga que se move em um campo magnético, por exemplo, é $\mathbf{F} = q\mathbf{v} \times \mathbf{B}$. Em uma dada situação, na qual conhecemos $\mathbf{F}$, $\mathbf{v}$ e $\mathbf{B}$, essa equação não será suficiente para definir direita? Na verdade, se retornarmos e olharmos de onde os vetores vieram, sabemos que a "regra da mão direita" era simplesmente uma convenção; era um truque. As quantidades originais, como momentos angulares e velocidades angulares, e coisas desse tipo, não eram realmente vetores! Eles estão todos relacionados de alguma maneira com um certo plano, e é somente porque existem três dimensões no espaço que podemos associar essas quantidades a uma direção perpendicular a esse plano. Das duas direções possíveis, escolhemos a direção "direita".

Assim, se as leis da física forem simétricas, devemos ver que se algum demônio andou furtivamente por todos os laboratórios de física e trocou a palavra "direita" por "esquerda" em todo livro no qual as "regras da mão direita" são dadas, e ao invés disso tivéssemos de usar apenas "regras da mão esquerda", uniformemente, então não deveria fazer nenhuma diferença para as leis da física.

Vamos fazer uma ilustração. Existem dois tipos de vetores. Há vetores "honestos", por exemplo, um deslocamento $\mathbf{r}$ no espaço. Se no nosso aparelho houver um pedaço aqui e outra coisa mais adiante, então em um aparelho-espelho haverá a imagem do pedaço e a imagem da outra coisa, e se desenharmos um vetor do "pedaço" até a "coisa", um vetor é a imagem espelho do outro (Fig. 52-2). A flecha do vetor muda a sua ponta, conforme o espaço inteiro vira pelo avesso; esse vetor é chamado de *vetor polar*.

Outro tipo de vetor associado com rotações é de uma natureza diferente. Por exemplo, suponha que algo está girando em três dimensões como mostrado na Fig. 52-3. Então se o virmos em um espelho, ele estará girando como indicado, a saber, como a imagem de espelho da rotação original. Porém, havíamos aceitado representar a rotação de espelho pela mesma regra, ele é "um vetor" o qual, quando refletido, *não* se modifica da maneira como o vetor polar faz, mas é invertido em relação aos vetores polares e à geometria do espaço; tal vetor é chamado de *vetor axial*.

Se a lei da simetria de reflexão está correta em física, então deve ser verdadeiro que as equações devem ser construídas de tal maneira que se trocarmos o sinal de cada vetor axial e cada produto vetorial de vetores, que seria o que corresponde à reflexão, nada acontecerá. Por exemplo, quando escrevemos uma fórmula que diz que o momento angular é $\mathbf{L} = \mathbf{r} \times \mathbf{p}$, essa equação é correta, porque se nos mudarmos de um sistema de coordenada levógiro, trocamos o sinal de $\mathbf{L}$, mas $\mathbf{p}$ e $\mathbf{r}$ não mudam; o sinal do produto vetorial é modificado, pois devemos mudar da uma regra da mão direita para uma regra da mão esquerda. Como outro exemplo, sabemos que a força em uma carga em movimento em um campo magnético é $\mathbf{F} = q\mathbf{v} \times \mathbf{B}$, mas se mudarmos de um sistema dextrógiro para um sistema levógiro, como se sabe que $\mathbf{F}$ e $\mathbf{v}$ são vetores polares, a mudança de sinal requerida pelo produto vetorial deve ser cancelada por uma modificação do sinal de $\mathbf{B}$, o que significa que $\mathbf{B}$ deve ser um vetor axial. Em outras palavras, se fizermos tal reflexão, $\mathbf{B}$ deve mudar para $-\mathbf{B}$. Assim se trocarmos as nossas coordenadas de direita para esquerda, também devemos modificar os polos de magnetos de norte para sul.

Vamos ver como isso funciona em um exemplo. Suponha que temos dois ímãs, como na Fig. 52-4. Um ímã tem as espiras enroladas de uma certa maneira, e com a corrente em uma dada direção. O outro ímã parece a reflexão do primeiro ímã em um espelho – as espiras estão enroladas para o outro lado, tudo que acontece dentro da espira é exatamente invertido e a corrente é como mostrada na figura. Porém, a partir das leis da produção de campos magnéticos, as quais ainda não conhecemos oficialmente, mas

Figura 52-2 Um passo no espaço e sua imagem especular.

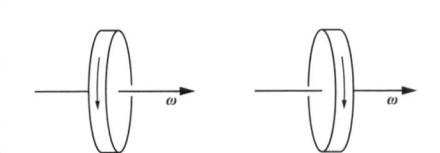

Figura 52-3 Uma roda girante e sua imagem especular. Notem que o "vetor" velocidade angular não tem sua direção revertida.

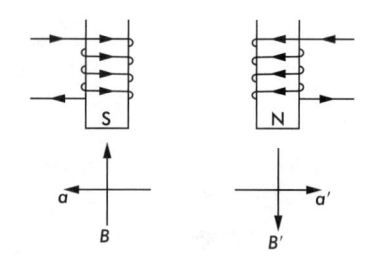

Figura 52–4 Um ímã e sua imagem espetacular.

que muito provavelmente aprendemos no ensino médio, resulta que o campo magnético é como mostrado na figura. Em um caso, o polo é um polo magnético sul, enquanto no outro ímã a corrente está na outra direção e o campo magnético é invertido – ele é um polo magnético norte. Portanto vemos que quando vamos da direita para a esquerda de fato devemos mudar de norte para sul!

Não importa se mudarmos de norte para sul; essas também são meras convenções. Vamos falar sobre *fenômenos*. Suponha, agora, que temos um elétron que se move em um campo entrando na página. Então, se usamos a fórmula para a força, $\mathbf{v} \times \mathbf{B}$ (lembre que a carga é negativa), encontramos que o elétron se desviará na direção indicada segundo a lei física. Portanto o fenômeno é que temos uma espira com uma corrente em um sentido especificado e o elétron se curva de um certo modo – essa é a física –, não importa como tudo é rotulado.

Agora vamos fazer o mesmo experimento com um espelho: enviamos um elétron em uma direção correspondente e, se a calcularmos usando a mesma regra, agora a força é invertida, e está tudo bem porque os *movimentos* correspondentes são então imagens de espelho!

52–6 Qual é a mão direita?

Dessa forma, o principal é que ao estudar qualquer fenômeno sempre existem duas regras da mão direita, ou um número par delas, e o resultado efetivo é que os fenômenos sempre parecem simétricos. Resumindo, por isso não podemos dizer qual é a direita e qual é a esquerda se também não formos capazes de distinguir o norte do sul. Contudo, pode parecer que *podemos* reconhecer o polo norte de um ímã. O polo norte da agulha de uma bússola, por exemplo, é aquela que aponta para o norte. É claro que essa é novamente uma propriedade local relacionada à geografia da Terra, como a conversa sobre a direção de Chicago, e portanto não conta. Se já vimos agulhas de bússola, podemos ter notado que o polo norte tem uma espécie de cor azulada, mas é somente devido à pessoa que pintou o ímã. São todos critérios locais convencionais.

Contudo, se um magneto tivesse a propriedade que se o olhássemos com bastante cuidado veríamos pequenos pelos crescendo no seu polo norte, mas não no seu polo sul, se essa fosse a regra geral, ou se houvesse *alguma* única maneira de distinguir o polo norte do sul de um ímã, então poderíamos reconhecer qual dos dois casos de fato tínhamos, e *seria o fim da lei da simetria de reflexão*.

Para ilustrar o problema completo ainda mais claramente, imagine que estamos falando com um Marciano, ou com alguém de muito longe, por telefone. Não é permitido enviarmos a ele qualquer amostra real para inspeção; por exemplo, se pudéssemos enviar luz, poderíamos enviar-lhe a luz circularmente polarizada à direita e dizer, "Essa é luz polarizada à direita – olhe a maneira como ela se propaga". No entanto, não podemos *dar*-lhe nada, apenas podemos falar com ele. Ele está muito distante, ou em alguma localização estranha, e não pode ver nada do que podemos ver. Por exemplo, não podemos dizer, "Veja a Ursa Maior; vejamos como essas estrelas são dispostas. O que queremos dizer 'com direita' é…" Só é permitido telefonar para ele.

Agora queremos lhe contar tudo sobre nós. Naturalmente, começamos a definir os números dizendo "tic, tic, *dois,* tic, tic, tic, *três...*," para que gradualmente ele possa entender algumas palavras, e assim por diante. Após um tempo podemos nos tornar amigos desse camarada, e ele diz, "Com o que vocês se parecem?" Começamos a nos descrever dizendo, "Bem, temos seis pés de altura". Ele diz, "Espere um pouco, o que são seis pés?" É possível dizer-lhe o que são seis pés? Certamente! Dizemos, "Você conhece o diâmetro dos átomos de hidrogênio – nossa altura é igual a 17.000.000.000 átomos de hidrogênio!" Isso é possível porque as leis da física não são invariantes com relação à mudança de escala e, portanto, *podemos* definir um comprimento absoluto. E assim definimos o tamanho do corpo, e lhe dizemos como é a forma geral – temos duas estruturas compridas com cinco alongamentos saindo das pontas, e assim por diante, e ele nos acompanha, e terminamos descrevendo como nos parecemos no exterior, presumivelmente sem encontrar qualquer dificuldade em particular. Ele até está fazendo um desenho nosso conforme prosseguimos. Ele diz, "É, vocês são certamente muito bonitos; porém e o interior?" Portanto começamos a descrever vários órgãos internos, e chegamos ao coração, e cuidadosamente descrevemos sua forma dizendo "Agora ponha o coração no lado esquerdo". Ele diz "Ãh – o lado esquerdo?" Agora o nosso problema é descrever-lhe de que lado está coração sem que ele veja qualquer coisa que vemos, e sem enviarmos qualquer amostra para ele do que queremos dizer com "direita" – nenhum objeto padrão destro. Podemos fazê-lo?

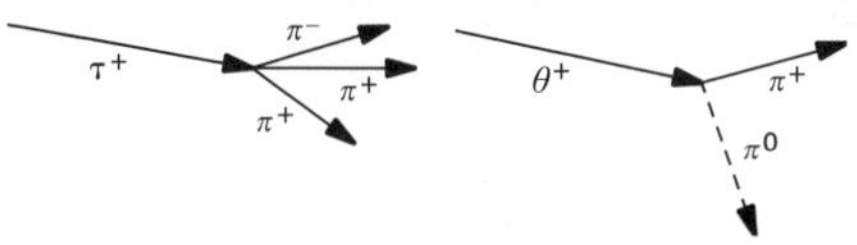

Figura 52-5 Um diagrama esquemático da desintegração das partículas τ^+ e θ^+.

52–7 A paridade não é conservada!

As leis da gravitação, as leis da eletricidade e magnetismo, as forças nucleares, todas satisfazem ao princípio da simetria de reflexão, portanto essas leis, ou algo obtido a partir delas, não podem ser usadas. Contudo, associado a muitas partículas que são encontradas na natureza há um fenômeno chamado de *decaimento beta,* ou *decaimento fraco.* Um dos exemplos do decaimento fraco, com relação a uma partícula descoberta aproximadamente em 1954, gerou um estranho quebra-cabeça. Havia uma certa partícula carregada que se desintegrava em três mésons-pi, como mostrado esquematicamente na Fig. 52-5. Essa partícula foi chamada, durante algum tempo, de méson-tau. Porém na Fig. 52-5 também vemos outra partícula que se desintegra em *dois* mésons; um deve ser neutro, pela conservação de carga. Essa partícula foi chamada de méson-θ. Portanto de um lado temos uma partícula chamada τ, que se desintegra em três mésons-pi, e um θ, que se desintegra em dois mésons-pi. Logo foi descoberto que τ e θ possuem massas quase iguais; de fato, dentro do erro experimental, elas são iguais. A seguir, descobriu-se que a duração que elas levavam para se desintegrar em três π e dois π era quase exatamente a mesma; elas sobrevivem o mesmo intervalo de tempo. Então, sempre que elas fossem criadas, eram criadas nas mesmas proporções, digamos, 14 por cento de τ e 86 por cento de θ.

Qualquer um em sã consciência percebe imediatamente que elas devem ser a mesma partícula, que simplesmente produzimos um objeto que tem dois modos diferentes de desintegrar-se – não duas partículas diferentes. Esse objeto que pode se desintegrar de duas maneiras diferentes tem, por isso, o mesmo tempo de vida e a mesma razão de produção (porque isso é simplesmente a razão da probabilidade com a qual ele se desintegra nesses dois tipos).

Contudo, foi possível comprovar (e não podemos aqui explicar *como*), a partir do princípio da simetria de reflexão na mecânica quântica, que era *impossível* fazer com que ambos viessem da mesma partícula – a mesma partícula *não poderia* desintegrar-se desses dois modos. A lei de conservação correspondente ao princípio da simetria de reflexão é algo que não tem nenhum análogo clássico, portanto esse tipo de conservação quanto-mecânica foi chamado de *conservação da paridade*. Desse modo, foi um resultado da conservação da paridade ou, mais precisamente, da simetria das equações da mecânica quântica dos decaimentos fracos sob reflexão, que a mesma partícula não pode decair em ambos, portanto deve ser uma espécie de coincidência de massas, tempos de vida e assim por diante. Porém quanto mais se estudava, mais notável era a coincidência, e isso gradualmente aumentou a suspeita de que talvez a lei profunda da simetria de reflexão da natureza pudesse ser falsa.

Em consequência desse fracasso aparente, os físicos Lee e Yang sugeriram que outros experimentos fossem realizados em decaimentos relacionados para tentar testar se a lei estava correta em outros casos. O primeiro experimento foi executado pela senhorita Wu da Colômbia, e foi realizado da seguinte maneira. Usando um ímã muito forte a uma temperatura muito baixa, ocorre que um certo isótopo do cobalto, que se desintegra emitindo um elétron, é magnetizado, e se a temperatura for baixa o suficiente tal que as oscilações térmicas não balancem demais os ímãs atômicos, eles se alinham ao campo magnético. Portanto os átomos de cobalto ficarão todos alinhados nesse campo forte. Eles então se desintegram, emitindo um elétron, e descobriu-se que quando os átomos estavam alinhados a um campo cujo vetor **B** aponta para cima, a maioria dos elétrons era emitida com uma direção para baixo.

Se alguém não for realmente "antenado" ao mundo, tal observação não parece ter nenhum significado, mas se esse alguém aprecia os problemas e as coisas interessantes do mundo, então ele vê que essa é a maior descoberta dramática: quando colocamos átomos de cobalto em um campo magnético extremamente forte, mais elétrons de desintegração vão para baixo do que para cima. Portanto, se os colocássemos em um experimento correspondente em um "espelho", no qual os átomos de cobalto seriam alinhados no sentido contrário, os seus elétrons seriam expelidos para *cima*, não para *baixo;* a ação é *assimétrica. O ímã criou pelos!* O polo sul de um ímã é de tal tipo que os elétrons em uma desintegração β tendem a ir na direção oposta; isso distingue, de uma maneira física, o polo norte do polo sul.

Depois disso, muitos outros experimentos foram realizados: a desintegração do π em μ e v; μ em um elétron e dois neutrinos; atualmente, o Λ em um próton e π; desintegração de Σs; e muitas outras desintegrações. De fato, em quase todos os casos em que pudesse ser esperado, todos mostraram *não* obedecer à simetria de reflexão! Fundamentalmente, a lei da simetria de reflexão, nesse nível da física, é incorreta.

Em resumo, podemos dizer a um Marciano onde posicionar o coração: dizemos, "Escute, construa você mesmo um ímã, coloque as espiras, ligue a corrente e então pegue um pouco de cobalto e abaixe a temperatura. Arranje o experimento de maneira que os elétrons vão dos pés à cabeça, então a direção na qual a corrente atravessa as espiras é a direção que entra no que chamamos direita e a que sai é a esquerda." Portanto é possível definir direita e esquerda, agora, realizando um experimento desse tipo.

Existem muitas outras características que foram previstas. Por exemplo, acontece que o spin, o momento angular, do núcleo de cobalto antes da desintegração, é 5 unidades de $\hbar$, e depois da desintegração ele é 4 unidades. O elétron transporta momento angular de spin, e há também um neutrino envolvido. A partir disso, é possível ver que o elétron deve transportar o seu momento angular de spin alinhado ao longo da sua direção de movimento, do mesmo modo para o neutrino. Portanto parece que o elétron está girando para a esquerda, e isso também foi comprovado. De fato, foi comprovado diretamente aqui no Caltech, por Boehm e Wapstra, que os elétrons giram na maioria das vezes para a esquerda. (Houve alguns outros experimentos que deram a resposta oposta, mas estavam errados!)

O próximo problema, naturalmente, foi encontrar a lei do fracasso da conservação de paridade. Qual é a regra que nos diz quão forte será o fracasso? A regra é: ele ocorre somente nessas reações muito lentas, chamadas decaimentos fracos, e quando ocorre, a regra é que as partículas que transportam o spin, como o elétron, o neutrino e assim por diante, saem com o spin tendendo para a esquerda. É uma regra assimétrica; ela conecta uma velocidade vetorial polar e um momento angular vetorial axial e diz que é mais provável que o momento angular seja oposto à velocidade do que na mesma direção.

Atualmente essa é a regra, mas hoje realmente não entendemos os porquês e as razões disso. *Por que* essa é a regra correta, qual é a razão fundamental para isso e como isso se relaciona com tudo mais? No momento, estamos tão surpresos pelo fato de que essa coisa não é simétrica que não fomos capazes de nos recuperarmos o suficiente para entender o que ela significa com relação a todas as outras regras. Contudo, o assunto é interessante, moderno e ainda não resolvido, portanto parece apropriado que discutamos algumas das perguntas associadas a ele.

52–8 Antimatéria

A primeira coisa a fazer quando uma das simetrias é perdida é voltar imediatamente para a lista das simetrias conhecidas ou presumidas e perguntar se alguma das outras foi perdida. Porém não mencionamos uma operação da nossa lista, que deve ser necessariamente questionada: a relação entre matéria e antimatéria. Dirac previu que além dos elétrons deve haver outra partícula, chamada de pósitron (descoberto no Caltech por Anderson), que está necessariamente relacionada ao elétron. Todas as propriedades dessas duas partículas obedecem a certas regras de correspondência: as energias são iguais; as massas são iguais; as cargas são invertidas; entretanto, o mais importante, as duas, quando entram em contato, podem aniquilar-se e liberar a sua massa inteira na forma da energia, digamos raios gama. O pósitron é chamado de *antipartícula* do elétron, e essas são as características de uma partícula e sua antipartícula. Era claro da argumentação de Dirac que todas as outras partículas no mundo também deveriam ter antipartículas correspondentes. Por exemplo, para o próton deve haver um antipróton, que é simbolizado agora por $\bar{p}$. O $\bar{p}$ teria uma carga elétrica negativa e a mesma massa que um próton, e assim por diante. A característica mais importante, de qualquer modo, é que um próton e um antipróton, ao entrar em contato, podem aniquilar um ao outro. A razão de enfatizarmos isso é que as pessoas não entendem quando dizemos que existe um nêutron e também um antinêutron, porque elas dizem, "Um nêutron é neutro, portanto como ele *pode* ter uma carga oposta?" A regra do "anti" não é somente que este tem a carga oposta, mas possui um certo conjunto de propriedades, o conjunto inteiro das quais são opostas. O antinêutron se distingue do nêutron da seguinte maneira: se aproximarmos dois nêutrons, eles simplesmente permanecem como dois nêutrons, mas se aproximarmos um nêutron e um antinêutron, eles se aniquilam um ao outro com uma grande explosão da energia liberada, com vários mésons-pi, raios gama e tudo mais.

Agora se tivermos antinêutrons, antiprótons e antielétrons, podemos fazer antiátomos, em princípio. Eles ainda não foram feitos, mas é possível em princípio. Por exemplo, um átomo de hidrogênio tem um próton no centro com um elétron girando em volta. Agora imagine que em algum lugar podemos fazer um antipróton com um pósitron girando, ele giraria em volta? Bem, em primeiro lugar, o antipróton é eletricamente negativo, e o antielétron é eletricamente positivo, portanto eles se atraem um ao outro em uma maneira correspondente – as massas são as mesmas; tudo é igual. É um dos princípios da simetria da física, as equações parecem mostrar que se um relógio, digamos, for feito de matéria por um lado, e então fizermos o mesmo relógio de antimatéria, ele funcionaria dessa maneira. (Naturalmente, se juntamos os relógios, eles se aniquilariam um ao outro, mas isso é diferente.)

Surge então uma pergunta imediata. Podemos construir dois relógios de matéria, aquele que é "levógiro" e outro que é "dextrógiro". Por exemplo, poderíamos construir um relógio que não fosse construído de um modo simples, mas com cobalto, ímãs e detectores de elétrons que detectam a presença de elétrons do decaimento beta e os contam. Cada vez que um é detectado, os ponteiro de minutos se move. Então o relógio espelhado, recebendo menos elétrons, não funcionará na mesma taxa. Portanto, evidentemente, podemos fazer dois relógios tais que o relógio levógiro não concorda com o dextrógiro. Vamos construir, a partir da matéria, um relógio que chamamos de relógio padrão ou dextrógiro. Agora vamos fazer, também de matéria, um relógio que chamamos o relógio levógiro. Acabamos de descobrir que, em geral, esses dois *não* funcionarão da mesma maneira; antes dessa descoberta física famosa, pensava-se que eles iriam. Porém também se supunha que a matéria e a antimatéria fossem equivalentes. Isto é, se fizéssemos um relógio de antimatéria, dextrógiro, da mesma forma, então ele funcionaria igual ao relógio dextrógiro de matéria, e se fizéssemos o mesmo relógio levógiro ele funcionaria da mesma forma. Em outras palavras, inicialmente acreditava-se que *todos esses quatro* relógios eram os mesmos; porém naturalmente sabemos que a matéria dextrógira e levógira não são as mesmas. Presumivelmente, portanto, a antimatéria dextrógira e a antimatéria levógira não são as mesmas.

Portanto a pergunta óbvia é, qual corresponde a qual, se é que algum corresponde? Em outras palavras, a matéria dextrógira comporta-se da mesma maneira que a antimatéria dxtrógira? Ou a matéria dextrógira comporta-se como a antimatéria levógira? Os experimentos de decaimento β, usando decaimento de pósitron ao invés do decaimento de elétrons, indicam que a relação é: a matéria dextrógira funciona da mesma maneira que a matéria levógira.

Portanto, finalmente, é realmente verdade que a simetria à direita e à esquerda ainda são mantidas! Se fizéssemos um relógio levógiro, mas o fizéssemos do outro tipo de matéria, antimatéria ao invés de matéria, ele funcionaria de mesmo modo. Portanto, o que ocorre é que em vez de existirem duas regras independentes na nossa lista de simetrias, duas dessas regras se juntam para criar uma nova regra, que diz que a matéria à direita é simétrica com a antimatéria à esquerda.

Assim se o nosso Marciano for composto de antimatéria e lhe fornecermos instruções para fazer o modelo "direito" de nós, ele resultará, naturalmente, da outra maneira. O que aconteceria quando, depois de muita conversa, cada um de nós ensinasse o outro a construir naves espaciais e nos encontrássemos no meio do caminho no espaço? Ensinamos um ao outro as nossas tradições, e assim por diante, e nos apressamos os dois para um aperto de mão. Bem, se ele oferecer sua mão esquerda, cuidado!

52–9 Quebra de simetrias

A próxima pergunta é, o que podemos concluir das leis que são *quase* simétricas? O ponto maravilhoso sobre tudo isso é que, para uma gama tão variada de fenômenos importantes e fortes – forças nucleares, fenômenos elétricos e até alguns fracos, como a gravitação – sobre um alcance tremendo da física, todas as leis parecem ser simétricas. Por outro lado, essa pequena seção extra diz, "Não, as leis não são simétricas!" Como pode ser que a natureza pode ser quase simétrica, mas não perfeitamente simétrica? O que concluímos disso? Primeiramente, temos algum outro exemplo? A resposta é, de fato, que realmente temos alguns outros exemplos. Por exemplo, parte nuclear da força entre próton e próton, entre nêutron e nêutron e entre nêutron e próton são todas exatamente iguais – existe uma simetria para forças nucleares, uma nova, que podemos permutar entre o nêutron e o próton – mas evidentemente não é uma simetria geral, pois a repulsão elétrica entre dois prótons a uma distância não existe para nêutrons. Portanto, não é geralmente verdade que *sempre* podemos trocar um próton por um nêutron, mas é a uma boa aproximação. Por que *boa?* Porque as forças nucleares são muito mais fortes do que o forças elétricas. Portanto essa é uma "quase" simetria também. Logo, realmente temos exemplos de outras coisas.

Temos, em nossas mentes, uma tendência a aceitar a simetria como uma espécie de perfeição. De fato ela parece-se com a velha ideia dos gregos de que os círculos eram perfeitos, e foi bem horrível acreditar que as órbitas planetárias não eram círculos, mas somente quase círculos. A diferença entre ser um círculo e ser quase um círculo não é uma pequena diferença, ele é uma mudança fundamental com relação ao que importa para a mente. Há um sinal de perfeição e simetria em um círculo que não existe mais no momento em que o círculo é ligeiramente deformado – isso é o fim dele: ele não é mais simétrico. Então a pergunta é por que ele é somente *quase* um círculo – que é uma pergunta muito mais difícil. O movimento real dos planetas, em geral, deve ser uma elipse, mas através dos tempos, por causa das forças de maré, e assim por diante, eles se tornaram quase simétricos. Porém a pergunta é se temos um problema semelhante aqui. O problema do ponto da vista dos círculos é que se eles fossem círculos perfeitos não haveria nada para explicar, isso é claramente simples. No entanto, como eles são somente quase círculos, há muito para explicar, e o resultado mostrou ser um grande problema dinâmico: agora o nosso problema é explicar por que eles são quase simétricos olhando as forças da maré e assim por diante.

Portanto o nosso problema é explicar de onde vem a simetria. Por que a natureza é tão quase simétrica? Ninguém tem qualquer ideia sobre o porquê. A única coisa que poderíamos sugerir é algo assim: há um portal no Japão, um portal em Neiko, que é às vezes chamado pelos japoneses de o portal mais belo em todo o Japão; foi construído em um tempo quando havia uma grande influência da arte chinesa. Esse portal é muito intrincado, com muitas arestas, belos entalhos, muitas colunas e cabeças de dragão e príncipes esculpidos nos pilares. Contudo, quando olhamos cuidadosamente, vemos que no desenho intrincado e complexo ao longo de um dos pilares, um dos pequenos elementos do desenho está esculpido de ponta cabeça; exceto por isso a coisa é completamente simétrica. Se perguntarmos por que ele é assim, a história é que foi esculpido de ponta cabeça para que os deuses não ficassem ciumentos com a perfeição do homem. Portanto eles inseriram propositalmente um erro lá, para que os deuses não tivessem ciúmes e se zangassem com os seres humanos.

Poderíamos virar a ideia ao contrário e pensar que a explicação verdadeira da quase simetria da natureza é essa: que Deus fez as leis apenas quase simétricas para que não tivéssemos ciúmes da Sua perfeição!

Índice

Aberração 27-7, 27-8, 34-10, 34-11
Absorção 31-8 ff
Ação capilar 51-8, 51-9
Aceleração 8-8, 8-9 ff
   componentes da, 9-3, 9-4
   da gravidade, 9-4, 9-5
Adams, J. C. 7-5
Álgebra 22-1 ff
Álgebra vetorial 11-6, 11-7 f
Amortecimento de radiação 32-3, 32-4 f
Ampliação 27-5, 27-6
Amplitudes de oscilação 21-3, 21-4
Análise numérica 9-6, 9-7
Análise vetorial 11-5, 11-6, 52-2, 52-3
Anderson, C. D. 52-10, 52-11
Ângstrom (unidade) 1-3, 1-4
Ângulo, de incidência 26-3
   de reflexão 26-3
Ângulo de Brewster 33-5, 33-6
Antena parabólica 30-6 f
Antimatéria 52-10, 52-11 f
Antipartícula 2-8, 2-9
Aquecimento Joule 24-2, 24-3
Aristóteles 5-1
Atenuação 31-8
Atmosfera exponencial 40-1 f
Atmosfera isotérmica 40-1, 40-2
Átomo 1-2
   metaestável 42-10, 42-11
Atração molecular 1-3, 1-4, 12-6, 12-7 f
Atrito 10-5, 12-3 ff
   coeficiente de 12-4
Avogadro A. 39-2

Bandas laterais 48-4, 48-5 f
Bastonetes 35-1, 36-6
Becquerel, A. H. 28-3, 28-4
Birefringência 33-2, 33-3 ff
Boehm 52-10, 52-11
Bohr, N. 38-6, 38-7
Boltzmann 41-2, 41-3
Born, M. 37-1, 38-9, 38-10
Bremsstrahlung 34-5, 34-6, 34-7 f
Briggs, H. 22-6
Brown, R. 41-1

Cálculo diferencial 8-4, 8-5
Calor 1-3, 1-4, 13-3
Calor específico 40-7, 40-8 f, 45-1, 45-2
Caminho aleatório 6-5, 6-6 ff, 41-8, 41-9 ff
Caminho livre médio 43-3, 43-4 f
Campo elétrico 2-3, 2-4, 12-7, 12-8 f,
Campo eletromagnético 2-1, 2-2, 2-5, 2-6, 10-9

Campo gravitacional 12-8, 12-9 ff, 13-8, 13-9 f
Campo magnético 12-9, 12-10
Campos 2-1, 2-2, 2-3, 2-4, 2-5, 2-6, 10-9, 12-7, 12-8 ff, 13-8, 13-9 f, 14-7, 14-8 ff
   superposição de 12-9, 12-10
Capacitância 23-5, 23-6
Capacitor 14-9, 14-10, 23-5, 23-6
Capacitor de placas paralelas 14-9, 14-10
Carga, conservação 4-7, 4-8
   do elétron 12-7, 12-8
Carnot, S. 4-2, 44-2 ff
Carregador de sinal 48-3, 48-4
Catalisador 42-8, 42-9
Cavendish, H. 7-8, 7-9, 7-10
Célula de Kerr 33-4, 33-5
Célula unitária 38-5, 38-6
Centro de massa 18-1 f, 19-1 ff
Cerenkov, P. A. 51-2
Ciclo de Carnot 44-5, 44-6 f, 45-1, 45-2
Cinemática química 42-7, 42-8 f
Clausius, R. 44-2, 44-3
Coeficiente de atrito 12-4
Coeficiente gravitacional 7-8, 7-9, 7-10
Colisão 16-6, 16-7
   elástica 10-7, 10-8
Compressão adiabática 39-5, 39-6
   isotérmica 44-5, 44-6
Comprimento de onda 19-3, 19-4, 26-1
Comprimento focal 27-1 ff
Computador analógico 25-8, 25-9
Condutividade iônica 43-6, 43-7 f
Condutividade térmica de um gás 43-9, 43-10 f
Cones 35-1
Conservação do momento angular 4-7, 4-8, 18-6, 18-7 ff, 20-5, 20-6
   da carga 4-7, 4-8
   da energia 3-2, 4-1 ff
Conservação do momento linear 4-7, 4-8, 10-1 ff
Constante de Planck 5-10, 5-11, 6-10, 6-11, 17-8, 17-9, 37-11, 37-12
Contração de Lorentz 15-7, 15-8
Copérnico 7-1
Cor, visão 35-1 ff
   fisioquímica da 35-8, 35-9, 35-10 f
Córnea 35-1
Corpo rígido 18-1
   momeno angular do 20-8, 20-9
   rotação do 18-2 ff
Córtex visual 36-4
Critério de Rayleigh 30-6
Cromaticidade 35-6, 35-7 f

Dedekind, R. 22-4
Densidade 1-4, 1-5
Densidade de probabilidade 6-8, 6-9 f
Derivada 8-5, 8-6 ff
   parcial 14-9, 14-10
Desvio padrão 6-9, 6-10
Dicke, R. H. 7-11, 7-12
Difração 30-1 ff
   por um anteparo 31-10 f
Difração por cristais 38-4 f
Difusão 43-1 ff
Difusão molecular 43-7, 43-8 ff
Dinâmica 7-2 f, 9-1 ff
   relativística 15-9, 15-10 f
Dirac, P. 52-10, 52-11
Dispersão 31-6, 31-7 ff
Distância 5-5, 5-6 ff
Distância quadrática média 6-5, 6-6, 41-9, 41-10, 6-6, 6-7
Distribuição de probabilidade 6-7, 6-8 ff

Efeito Doppler 17-8, 17-9, 23-9, 23-10, 34-7, 34-8 f, 38-6, 38-7
Efeito Purkinje 35-1, 35-2
Eficiência de uma máquina ideal 44-7, 44-8 f
Einstein, A. 2-6, 2-7, 7-11, 7-12, 12-12, 12-13, 15-1, 16-1, 41-8, 41-9, 42-8, 42-9, 42-10
Eixo óptico 33-2, 33-3
Eletrodinâmica quântica 2-7, 2-8, 28-3, 28-4
Elétron 2-3, 2-4, 37-1, 37-4, 37-5 ff
   carga do 12-7, 12-8
   raio clássico 32-4, 32-5
Elétron-volt (unidade) 34-4, 34-5
Elipse 7-1
Emissão espontânea 42-9, 42-10
Energia
   calor 4-2, 4-6, 4-7, 10-7, 10-8, 10-9
   cinética 1-7, 1-8, 4-2, 4-5, 4-6 f, 39-3, 39-4
   conservação da 3-2, 4-1 ff
   elástica 4-2, 4-6, 4-7
   elétrica 4-2
   eletromagnética 29-2, 29-3
   gravitacional 4-2 ff
   massa 4-2, 4-7, 4-8
   nuclear 4-2
   potencial 4-4, 4-5, 13-1 ff, 14-1 ff
   química 4-2
   radiante 4-2
   relativística 16-1 ff
   térmica 4-2, 4-6, 4-7, 10-7, 10-8, 10-9
   rotacional 19-7, 19-8 ff

Energia de ativação 42-7, 42-8
Energia de ionização 42-5, 42-6
Entalpia 45-5, 45-6
Entropia 44-10, 44-11 ff, 46-7, 46-8 ff
Eötvös, L. 7-11, 7-12
Equação de Clausius-Clapeyron 45-6, 45-7 ff
Equação de Dirac 20-6, 20-7
Equação de onda 47-1 ff
Equações de Maxwell 15-2, 25-3, 25-4, 47-7, 47-8
Equilíbrio 1-6, 1-7
Equilíbrio térmico 41-3, 41-4 ff
Equivalência massa energia 15-10, 15-11 f
Escalar 11-5, 11-6
Espaço 8-2
Espaço-tempo 2-6, 2-7, 17-1 ff
Estrelas duplas 7-6, 7-7
Euclides 5-6, 5-7
Evaporação 1-5, 1-6 f
    de um líquido 40-3 f, 42-1 ff
Expansão adiabática 44-5, 44-6
    isotérmica 44-5, 44-6
Experiência de Cavendish 7-8, 7-9, 7-10
Experiência de Michelson e Morley 15-3 ff

Farad (unidade) 25-7, 25-8
Fase de oscilação 21-3, 21-4
Fermat, P. 26-3
Fermi (unidade) 5-10, 5-11
Fermi, E. 5-10, 5-11
Fisioquímica da visão de cor 35-8, 35-9, 35-10 f
Flutuação estatística 6-3, 6-4 ff
Foco 26-5, 26-6
Força centrífuga 7-5, 12-11, 12-12
    componentes da 9-3, 9-4
    conservativa 14-3 ff
    de Coriolis 19-8, 19-9 f
    elétrica 2-2, 2-3 ff
    gravitacional 2-2, 2-3
    molecular 1-3, 1-4, 12-6, 12-7 f
    momento de 18-5, 18-6
    não conservativa 14-6, 14-7 f
    nuclear 12-12, 12-13
    pseudo 12-10, 12-11 ff
Fórmula de Lenz 27-6, 27-7
Fórmulas de reflexão de Fresnel 33-8
Fóton 2-7, 2-8, 26-1, 37-8, 37-9
Fourier, J. 50-1, 50-2 ff
    transformada de 25-4, 25-5
Fóvea 35-1
Frank 51-2
Frente de onda 47-2, 47-3
Frequência angular 21-3, 21-4, 29-2, 29-3
    de oscilação 2-5, 2-6
Função de Green 25-4, 25-5
Futuro afetivo 17-4, 17-5

Galileu 5-1, 7-2, 9-1, 52-3, 52-4
Gás monoatômico 39-5, 39-6

Gauss (unidade) 34-4, 34-5
Gell-Mann, M. 2-9, 2-10
Geometria euclidiana 12-3
Giroscópio 20-5, 20-6 ff
Grade de difração 29-5, 29-6, 30-3 ff
Graus de liberdade 25-2, 25-3, 39-12
Gravidade 13-3 ff
Gravitação 2-2, 2-3, 7-1 ff, 12-2

Harmônicos 50-1 ff
Heisenberg, W. 6-10, 6-11, 37-1, 37-9, 37-10, 37-11, 37-12, 38-9, 38-10
Helmholtz, H. 35-7, 35-8
Henry (unidade) 25-7, 25-8
Hipocicloide 34-3, 34-4
Hipótese atômica 1-2
Hipótese de contração 15-3
Huygens, C. 15-2, 26-2

Impedância 25-8, 25-9 f
    complexa 23-7, 23-8
Índice de refração 31-1 ff
Indução magnética 12-10, 12-11
Indutância 23-6, 23-7
Indutor 23-6, 23-7
Inércia 2-2, 2-3, 7-11, 7-12
    momento de 18-7, 18-8, 19-5, 19-6 ff
    princípio de 9-1
Integral 8-7, 8-8 f
Interação ressonante 2-9, 2-10
Interferência 28-6, 28-7, 29-1 ff
Interferência de ondas 37-4, 37-5
Interferômetro 15-5, 15-6
Íon 1-6, 1-7
Ionização térmica 42-5, 42-6 ff
Isótopos 3-4 ff

Jeans, J. 40-9, 40-10, 41-6, 41-7 f
Joule (unidade) 13-3

Kepler, J. 7-1

Laplace, P. 47-7, 47-8
Laser 32-6, 32-7, 42-10, 42-11
Lei de Boltzmann 40-1, 40-2 f
Lei de Boyle 40-8, 40-9
Lei de Coulomb 28-2
Lei de Hooke 12-6, 12-7
Lei de Ohm 25-7, 25-8, 43-7, 43-8
Lei de Rayleigh 41-6, 41-7
Lei de Snell 26-3, 31-2
Lei do gás ideal 39-10, 39-11 ff
Leibnitz, G. W. 8-4, 8-5
Leis de Kepler 7-1 f, 9-1, 18-6, 18-7
Leis de Kirchhoff 25-9
Leis de Newton 2-6, 2-7, 7-3 ff, 7-11, 7-12, 9-1 ff, 10-1 ff, 11-7, 11-8 f, 12-1, 39-2, 41-1, 46-1
Leverrier, U. 7-5
Logaritmos 22-4
Lorentz, H. A. 15-3

Luz
    espalhamento de 32-5, 32-6 ff
    momento da 34-10, 34-11 f
    polarizada 32-9, 32-10
    velocidade da 15-1

Macaco de rosca 4-5, 4-6
Magnetismo 2-3, 2-4
Máquina de catraca e lingueta 46-1 ff
Máquinas de calor 44-1 ff
Marés 7-4 f
Maser 42-10, 42-11
Massa 9-1, 15-1
    centro de 18-1 f, 19-1 ff
    relativística 16-6, 16-1, 16-7 ff
Massa energia 4-2, 4-7, 4-8
Massa zero 2-10, 2-11
Maxwell, J. C. 6-1, 6-9, 6-10, 28-1, 40-8, 40-9, 41-7, 41-8, 46-5
Mayer, J. R. 3-2
Mecânica estatística 3-1, 40-1 ff
Mecânica quântica 2-1, 2-2-, 2-6, 2-7 ff, 6-10, 6-11, 10-9, 37-1 ff, 38-1 ff
Medida de distância, brilho da cor 5-6, 5-7
    triangulação 5-6, 5-7
Mendeleev 2-9, 2-10
Método científico 2-1 f
Metro (unidade) 5-10, 5-11
Mev (unidade) 2-9, 2-10
Miller, W. C. 35-1, 35-2
Minkowiski 17-8, 17-9
Modos 49-1 ff
Modulação de amplitude 48-3, 48-4
Mol (unidade) 39-10, 39-11
Molécula 1-3, 1-4
Momento 9-1 f, 38-2 ff
    da luz 34-10, 34-11 f
    linear 4-7, 4-8, 10-1 ff
    relativístico 10-8, 10-9 f, 16-1 ff
Momento angular 7-7, 7-8, 18-5, 18-6 f, 20-1, 20-5, 20-6
    conservação do 4-7, 4-8, 18-6, 18-7 ff, 20-5, 20-6
    de corpos rígidos 20-8, 20-9
Momento de dipolo 12-6, 12-7
    de força 18-5, 18-6
    de inércia 18-7, 18-8, 19-5, 19-6 ff
Mössbauer 23-9, 23-10
Movimento 5-1, 8-1 ff
    circular 21-4, 21-5
    harmônico 21-4, 21-5, 23-1 ff
    parabólico 8-10, 8-11
    planetário 7-1 ff, 9-6, 9-7 f, 13-5, 13-6
    restrito 14-3
Movimento browniano 1-8, 1-9, 6-5, 6-6, 41-1 ff
Mudança de fase 21-3, 21-4
Músculo estriado 14-2
Músculo liso 14-2
Música 50-1

Nervo óptico 35-1, 35-2
Nêutrons 2-3, 2-4
Newton, I. 8-4, 8-5, 15-1, 37-1
Newton metros (unidade) 13-3
Nishijima 2-9, 2-10
Níveis de energia 38-7, 38-8 f
Nodos 49-1, 49-2
Núcleo 2-3, 2-4, 2-8, 2-9 ff
Número de Avogadro 41-10, 41-11
Número de estranheza 2-9, 2-10
Número de onda 29-2, 29-3
Números complexos 22-7 ff, 23-1 ff
Nutação 20-7, 20-8
Nuvem eletrônica 6-11

Ohm (unidade) 25-7, 25-8
Olho composto 36-6 ff
   humano 35-1 f, 36-3 ff
Onda 51-1 ff
   de cisalhamento 51-4, 51-5
   de luz 48-1
   senoidal 29-2, 29-3 f
Ondas eletromagnéticas
   luz 2-5, 2-6
   no infravermelho 2-5, 2-6, 23-8, 23-9, 26-1
   no ultravioleta 2-5, 2-6, 26-1
   raios cósmicos 2-5, 2-6
   raios gama 2-5, 2-6
   raios X 2-5, 2-6, 26-1
Óptica 26-1 ff
   geométrica 26-1, 27-1 ff
Oscilação, amplitude de 21-3, 21-4
   amortecida 24-3, 24-4, 24-5 f
   fase de 21-3, 21-4
   frequência de 2-5, 2-6
   periódica 9-4, 9-5
   período de 21-3, 21-4
Oscilador 5-2
Oscilador harmônico 10-1, 21-1 ff
   forçado 21-5, 21-6 f, 23-3 ff

Pappus, teorema de 19-4, 19-5
Paradoxo dos gêmeos 16-3 f
Partículas atômicas 2-9, 2-10 f
Pêndulo 49-5, 49-6 f
Pitágoras 50-1
Planck, M. 41-6, 41-7, 42-8, 42-9, 42-10
Plano inclinado 4-4, 4-5
Poder de resolução 27-7, 27-8 f, 30-5 f
Poincaré, H. 15-3, 15-5, 15-6, 16-1
Polarização 33-1 ff, I32-1 ff
Potência 13-2
Pressão 1-3, 1-4
Princípio da incerteza 2-6, 2-7, 6-10, 6-11 f, 37-9, 37-10, 37-11, 37-12, 38-8, 38-9 f
Princípio de combinação de Ritz 38-8, 38-9
Princípio de reciprocidade 30-7
Princípio de tempo mínimo 26-3 ff, 26-8, 26-9

Princípio do trabalho virtual 4-5, 4-6
Probabilidade 6-1 ff
Problema dos três corpos 10-1
Processos atômicos 1-5, 1-6 f
Produto vetorial 20-4, 20-5
Próton 2-3, 2-4
Pseudoforça 12-10, 12-11 ff
Ptolomeu 26-2
Púrpura visual 35-8, 35-9, 35-10

Quadrivetores 15-8, 15-9 f, 17-5, 17-6 ff, 25-1 ff

Radiação, infravermelho 23-8, 23-9, 26-1
   efeitos relativísticos 35-1 ff
   síncrotron 34-3, 34-4 ff, 34-5, 34-6, 34-7
   ultravioleta 26-1
Radiação de Cerenkov 51-2
Radiação do corpo negro 41-5, 41-6 f
Radiação eletromagnética 26-1, 28-1 ff
Radiação ultravioleta 26-1
Radiador dipolar 28-5, 28-6 f, 29-3, 29-4 ff
Raio de Bohr 38-6, 38-7
Raio do elétron 32-4, 32-5
Raios para-axiais 27-2
Raios X 2-5, 2-6, 26-1
Ramsey, N. 5-5, 5-6
Reação química 1-6, 1-7 ff
Reflexão 26-2 f
Refração 26-2 f
   anômala 33-9 f
Relatividade, teoria especial da 15-1 ff
   de Galileu 10-2, 10-3
   teoria da 7-11, 7-12, 17-1
Relógio atômico 5-5, 5-6
Relógio de pêndulo 5-2
Relógio radioativo 5-3 ff
Resistência 23-5, 23-6
Resistência à radiação 32-1 ff
Resistor 23-5, 23-6
Resposta transiente 21-6, 21-7
Ressonância 23-1 ff
   elétrica 23-5, 23-6 ff
   na natureza 23-7, 23-8 ff
Retificação 50-9, 50-10
Retina 35-1
Roemer, O. 7-5
Rotação, de eixos 11-3, 11-4 f
   de um corpo rígido 18-2 ff
   em duas dimensões 18-1 ff
   no espaço 20-1 ff
   plano de 18-1
Ruído 50-1
Ruído Johnson 41-2, 41-3, 41-8, 41-9
Rushton 358, 35-9, 35-10
Rydberg (unidade) 38-6, 38-7

Schrödinger, E. 35-6, 35-7, 37-1, 38-9, 38-10
Seção de choque de espalhamento 32-7, 32-8

Seção de choque de espalhamento de Thompson 32-8, 32-9
Seção de choque nuclear 5-9, 5-10
Segundo (unidade) 5-5, 5-6
Shannon, C. 44-2
Simetria 1-4, 1-5, 11-1 ff
   das leis físicas 16-3, 52-1 ff
Simultaneidade 15-7, 15-8 f
Síncroton 2-5, 2-6, 15-9, 15-10, 34-3, 34-4 ff, 34-5, 34-6, 34-7
Sismógrafo 51-5, 51-6
Sistemas lineares 25-1 ff
Smoluchowski 41-8, 41-9
Snell, W. 26-3
Som 2-2, 2-3, 47-1 ff, 50-1
   velocidade do 47-7, 47-8 f
Stevinus, S. 4-5, 4-6
Superposição
   de campos 12-9, 12-10
   princípio de 25-2, 25-3 ff

Tamm, I. 51-2
Temperatura 39-6, 39-7 ff
Tempo 2-2, 2-3, 5-1 ff, 8-1, 8-2
   padrão de 5-5, 5-6
   retardado 28-2
   transformação do 15-5, 15-6 ff
Tempo periódico 5-1 f
Teorema de energia 50-7, 50-8 f
Teorema do calor de Nernst 44-11, 44-12
Teorema do eixo paralelo 19-6, 19-7
Teoria cinética 42-1 ff
   dos gases 39-1 ff
Teoria especial da relatividade 15-1 ff
Termodinâmica 39-2, 45-1 ff
   leis da 44-1 ff
Torque 18-4, 18-5, 20-1 ff
Trabalho 13-1 ff, 14-1 ff
Transformação
   da velocidade 26-4, 26-5 ff
   de Fourier 25-4, 25-5
   de Galileu 12-11, 12-12
   de Lorentz 15-3, 17-1, 34-8, 34-9, 52-2, 52-3
   do tempo 15-5, 15-6 ff
   linear 11-6, 11-7
Transiente 24-1 ff
   elétrico 24-5, 24-6 f
Translação de eixos 11-1 ff
Triângulo de Pascal 6-4, 6-5
Tubo de raios eletrônicos 12-9, 12-10
Tycho Brahe 7-1

Vala de ar 10-5
Velocidade 8-3, 9-2, 9-3 f
   componentes da 9-3, 9-4
   transformação da 16-4 ff
Velocidade da luz 15-1
Velocidade de fase 48-6, 48-7
Velocidade do som 47-7, 47-8 f
Vetor 11-5, 11-6 ff

Vetor axial 52-6, 52-7 f
Vetor unitário 11-10, 11-11
Vinci, Leonardo da 36-2
Visão 36-1 ff
   binocular 36-4
   de cor 35-1 ff

Wapstra 52-10, 52-11
Watt (unidade) 13-3
Weyl, H. 11-1

Young 35-7, 35-8
Yukawa, H. 2-8, 2-9
Yustova 35-8, 35-9

Zeno 8-3
Zero absoluto 1-5, 1-6

Índice de Nomes

A
Adams, John C. (1819–92), I-7-5
Aharonov, Yakir (1932–), II-15-12
Ampère, André-Marie (1775–1836), II-13-3, II-18-9, II-20-10
Anderson, Carl D. (1905–91), I-52-10
Aristotle (384–322 BC), I-5-1
Avogadro, L. R. Amedeo C. (1776–1856), I-39-2

B
Becquerel, Antoine Henri (1852–1908), I-28-3
Bell, Alexander G. (1847–1922), II-16-3
Bessel, Friedrich W. (1784–1846), II-23-6
Boehm, Felix H. (1924–), I-52-10
Bohm, David (1917–92), II-7-7, II-15-12
Bohr, Niels (1885–1962), I-42-9, II-5-3, III-16-13, III-19-5
Boltzmann, Ludwig (1844–1906), I-41-2
Bopp, Friedrich A. (1909–87), II-28-8 ff
Born, Max (1882–1970), I-37-1, I-38-9, II-28-7, II-28-10, III-1-1, III-2-9, III-3-1, III-21-6
Bragg, William Lawrence (1890–1971), II-30-9
Brewster, David (1781–1868), I-33-5
Briggs, Henry (1561–1630), I-22-6 f
Brown, Robert (1773–1858), I-41-1

C
Carnot, N. L. Sadi (1796–1832), I-4-2, I-44-2 ff, I-45-3, I-45-7
Cavendish, Henry (1731–1810), I-7-9
Cherenkov, Pavel A. (1908–90), I-51-2
Clapeyron, Benoît Paul Émile (1799–1864), I-44-2 f
Copernicus, Nicolaus (1473–1543), I-7-1
Coulomb, Charles-Augustin de (1736–1806), II-5-6

D
Dedekind, J. W. Richard (1831–1916), I-22-4
Dicke, Robert H. (1916–97), I-7-11
Dirac, Paul A. M. (1902–84), I-52-10, II-2-1, II-28-7 f, II-28-10, III-3-1 f, III-8-2, III-8-4, III-12-6 f, III-16-10, III-16-14

E
Einstein, Albert (1879–1955), I-2-6, I-4-7, I-6-10, I-7-11, I-12-9, I-12-11 f, I-15-1, I-15-3, I-15-9 f, I-16-1, I-16-5, I-16-9, I-41-1, I-41-8, I-42-9 f, I-43-9, II-13-6, II-25-11, II-26-12, II-27-10, II-28-4, II-42-1, II-42-5 f, II-42-8 f, II-42-11, II-42-13 f, III-4-8, III-18-8
Eötvös, Roland von (1848–1919), I-7-11
Euclid (c. 300 BC), I-2-3, I-5-6, I-12-3, II-42-3

F
Faraday, Michael (1791–1867), II-10-1 f, II-16-1 ff, II-16-8, II-16-10, II-17-1 f, II-18-9, II-20-10
Fermat, Pierre de (1601–65), I-26-3, I-26-7
Fermi, Enrico (1901–54), I-5-10
Feynman, Richard P. (1918–88), II-21-5, II-28-8, II-28-10
Fourier, J. B. Joseph (1768–1830), I-50-5 f
Frank, Ilya M. (1908–90), I-51-2
Franklin, Benjamin (1706–90), II-5-6

G
Galileo Galilei (1564–1642), I-5-1 f, I-7-2, I-9-1, I-10-5, I-52-3
Gauss, J. Carl F. (1777–1855), II-3-5, II-16-2, II-36-6
Geiger, Johann W. (1882–1945), II-5-3
Gell-Mann, Murray (1929–), I-2-9, III-11-12 f, III-11-16 ff
Gerlach, Walther (1889–1979), II-35-3 f, III-35-3 f
Goeppert-Mayer, Maria (1906–72), III-15-13

H
Hamilton, William Rowan (1805–65), III-8-10
Heaviside, Oliver (1850–1925), II-21-5
Heisenberg, Werner K. (1901–76), I-37-1, I-37-9, I-37-11 f, I-38-9, II-19-9, III-1-1, III-1-9, III-1-11, III-2-9, III-16-9, III-20-17
Helmholtz, Hermann von (1821–94), I-35-7, II-40-10 f
Hess, Victor F. (1883–1964), II-9-2
Huygens, Christiaan (1629–95), I-15-2, I-26-2, I-33-9

I
Infeld, Leopold (1898–1968), II-28-7, II-28-10

J
Jeans, James H. (1877–1946), I-40-9, I-41-6 f, II-2-6
Jensen, J. Hans D. (1907–73), III-15-13
Josephson, Brian D. (1940–), III-21-14

K
Kepler, Johannes (1571–1630), I-7-1 f

L
Lamb, Willis E. (1913–2008), II-5-6
Laplace, Pierre-Simon de (1749–1827), I-47-7
Lawton, Willard E. (1899–1946), II-5-6 f
Leibniz, Gottfried Willhelm (1646–1716), I-8-4
Le Verrier, Urbain (1811–77), I-7-5 f
Liénard, Alfred-Marie (1869–1958), II-21-11
Lorentz, Hendrik Antoon (1853–1928), I-15-3, I-15-5, I-21-12 f, II-25-11, II-28-3, II-28-7, II-28-12

M
MacCullagh, James (1809–47), II-1-9
Marsden, Ernest (1889–1970), II-5-3
Maxwell, James Clerk (1831–79), I-6-1, I-6-9, I-28-1, I-28-3, I-40-8, I-41-7, I-46-5, II-1-8, II-1-11, II-5-6 f, II-17-2, II-18-1 ff, II-18-8 f, II-18-11, II-20-10, II-21-5, II-28-3, II-32-3 f
Mayer, Julius R. von (1814–78), I-3-2
Mendeleev, Dmitri I. (1834–1907), I-2-9
Michelson, Albert A. (1852–1931), I-15-3, I-15-5
Miller, William C. (1910–81), I-35-2
Minkowski, Hermann (1864–1909), I-17-8
Mössbauer, Rudolf L. (1929–2011), I-23-9
Morley, Edward W. (1838–1923), I-15-3, I-15-5

N
Nernst, Walter H. (1864–1941), I-44-11
Newton, Isaac (1643–1727), I-7-2 ff, I-7-9, I-7-11, I-8-4, I-9-1 f, I-9-4, I-10-2, I-10-9, I-11-2, I-12-1 f, I-12-9, I-14-6, I-15-1, I-16-2, I-16-6, I-18-7, I-37-1, I-47-7, II-4-10 f, II-19-7, II-42-1, III-1-1
Nishijima, Kazuhiko (1926–2009), I-2-9, III-11-12 f
Nye, John F. (1923–), II-30-9

O
Oersted, Hans C. (1777–1851), II-18-9, II-36-6

P

Pais, Abraham (Bram) (1918–2000), III-11-12, III-11-16 ff
Pasteur, Louis (1822–95), I-3-10
Pauli, Wolfgang E. (1900–58), III-4-3, III-11-2
Pines, David (1924–), II-7-7
Planck, Max (1858–1947), I-40-10, I-41-6 f, I-42-8 ff, III-4-12
Plimpton, Samuel J. (1883–1948), II-5-6 f
Poincaré, J. Henri (1854–1912), I-15-3, I-15-5, I-16-1, II-28-4
Poynting, John Henry (1852–1914), II-27-3, II-28-3
Priestley, Joseph (1733–1804), II-5-6
Ptolemy, Claudius (c. 2nd cent.), I-26-2 f
Pythagoras (c. 6th cent. BC), I-50-1

R

Rabi, Isidor I. (1898–1988), II-35-4, III-35-4
Ramsey, Norman F. (1915–2011), I-5-5
Retherford, Robert C. (1912–81), II-5-6
Rømer, Ole (1644–1710), I-7-5
Rushton, William A. H. (1901–80), I-35-9
Rutherford, Ernest (1871–1937), II-5-3

S

Schrödinger, Erwin (1887–1961), I-35-6, I-37-1, I-38-9, II-19-9, III-1-1, III-2-9, III-3-1, III-16-4, III-16-12 ff, III-20-17, III-21-6
Shannon, Claude E. (1916–2001), I-44-2
Smoluchowski, Marian (1872–1917), I-41-8
Snell(ius), Willebrord (1580–1626), I-26-3
Stern, Otto (1888–1969), II-35-3 f, III-35-3 f
Stevin(us), Simon (1548/49–1620), I-4-5

T

Tamm, Igor Y. (1895–1971), I-51-2
Thomson, Joseph John (1856–1940), II-5-3
Tycho Brahe (1546–1601), I-7-1

V

Vinci, Leonardo da (1452–1519), I-36-2

von Neumann, John (1903–57), II-12-9, II-40-3

W

Wapstra, Aaldert Hendrik (1922–2006), I-52-10
Weber, Wilhelm E. (1804–91), II-16-2
Weyl, Hermann (1885–1955), I-11-1, I-52-1
Wheeler, John A. (1911–2008), II-28-8, II-28-10
Wiechert, Emil Johann (1861–1928), II-21-11
Wilson, Charles T. R. (1869–1959), II-9-9

Y

Young, Thomas (1773–1829), I-35-7
Yukawa, Hideki (1907–81), I-2-8, II-28-13, III-10-6
Yustova, Elizaveta N. (1910–2008), I-35-9

Z

Zeno of Elea (c. 5th cent. BC), I-8-3

Lista de símbolos

$\lvert\ \rvert$	valor absoluto, I-6-5
$\binom{n}{k}$	coeficiente binomial, n sobre k, I-6-4
a^*	complexo conjugado de a, I-23-1
$\Box^2$	D'Alembertiano $\Box^2 = \dfrac{\partial^2}{\partial t^2} - \nabla^2$, II-25-7
$\langle\ \rangle$	valor esperado, I-6-5
∇^2	Laplaciano $\nabla^2 = \dfrac{\partial^2}{\partial x^2} + \dfrac{\partial^2}{\partial y^2} + \dfrac{\partial^2}{\partial z^2}$, II-2-10
$\boldsymbol{\nabla}$	nabla $\boldsymbol{\nabla} = (\partial/\partial x, \partial/\partial y, \partial/\partial z)$, I-14-9
$\lvert 1\rangle, \lvert 2\rangle$	escolha específica de vetores de base para um sistema de dois estados, III-9-1
$\lvert I\rangle, \lvert II\rangle$	escolha específica de vetores de base para um sistema de dois estados, III-9-2
$\langle \phi \rvert$	estado ϕ representado como um vetor *bra*, III-8-2
$\langle f \lvert s\rangle$	amplitude para um sistema que parte do estado inicial $\lvert s\rangle$ e chega ao estado final $\lvert f\rangle$, III-3-2
$\lvert \phi\rangle$	estado ϕ representado como um vetor *ket*, III-8-2
$\approx$	aproximadamente, I-6-9
$\sim$	da ordem de, I-2-10
$\propto$	proporcional a, I-5-1
α	aceleração angular, I-18-3
γ	coeficiente de expansão adiabática, I-39-5
ϵ_0	permissividade do vácuo, $\epsilon_0 = 8{,}854187817 \times 10^{-12}$ F/m, I-12-7
κ	constante de Boltzmann, $\kappa = 1{,}3806504 \times 10^{-23}$ J/K, III-14-3
κ	permissividade relativa, II-10-4
κ	condutividade térmica, I-43-10
λ	comprimento de onda, I-17-8
$\lambdabar$	comprimento de onda reduzido, $\lambdabar = \lambda/2\pi$, II-15-9
μ	coeficiente de atrito, I-12-4
μ	momento magnético, II-14-8
$\boldsymbol{\mu}$	momento magnético, vetor, II-14-8
μ	módulo de cisalhamento, II-38-4
ν	frequência, I-17-8
ρ	densidade, I-47-3
ρ	densidade de carga elétrica, II-2-8
σ	seção de choque, I-5-9
$\boldsymbol{\sigma}$	matrizes de spin de Pauli, vetor sigma, III-11-4
$\sigma_x, \sigma_y, \sigma_z$	matrizes de spin de Pauli, III-11-2
σ	relação de Poisson, II-38-2
σ	constante de Stefan-Boltzmann, $\sigma = 5{,}6704 \times 10^{-8}$ W/m^{2}K^4, I-45-8
τ	torque, I-18-4
$\boldsymbol{\tau}$	torque, vetor, I-20-4
ϕ	potencial eletrostático, II-4-5
Φ_0	fluxo unitário básico, III-21-12
χ	suscetibilidade elétrica, II-10-4
ω	velocidade angular, I-18-3
$\boldsymbol{\omega}$	velocidade angular, vetor, I-20-4
Ω	vorticidade, II-40-5
$\boldsymbol{a}$	aceleração, vetor, I-19-2
a_x, a_y, a_z	aceleração, componentes cartesianas do vetor, I-8-10
a	aceleração, magnitude ou componente do vetor, I-8-8
A	área, I-5-9
$A_\mu = (\phi, \boldsymbol{A})$	quadripotencial, II-25-8

$\boldsymbol{A}$	potencial vetor, II-14-1
A_x, A_y, A_z	potencial vetor, componentes cartesianas, II-14-1
$\boldsymbol{B}$	campo magnético (indução magnética), vetor, I-12-10
B_x, B_y, B_z	campo magnético, componentes cartesianas do vetor, I-12-10
c	velocidade da luz, $c = 2{,}99792458 \times 10^8$ m/s, I-4-7
C	capacitância, I-23-5
C	coeficientes de Clebsch-Gordan, III-18-19
C_V	calor específico no volume constante, I-45-2
d	distância, I-12-6
$\boldsymbol{D}$	deslocamento elétrico, vetor, II-10-6
$\boldsymbol{e}_r$	vetor unitário na direção r, I-28-2
$\boldsymbol{E}$	campo elétrico, vetor, I-12-8
E_x, E_y, E_z	campo elétrico, componentes cartesianas do vetor, I-12-10
E	energia, I-4-7
E_{gap}	energia do "gap", III-14-3
$\boldsymbol{\mathcal{E}}_{\text{tr}}$	campo elétrico transversal, vetor, III-14-7
$\boldsymbol{\mathcal{E}}$	campo elétrico, vetor, III-9-5
$\mathcal{E}$	força eletromotriz, II-17-1
$\mathcal{E}$	energia, I-33-10
f	distância focal, I-27-3
$F_{\mu\nu}$	tensor eletromagnético, II-26-6
$\boldsymbol{F}$	força, vetor, I-11-5
F_x, F_y, F_z	força, componentes cartesianas do vetor, I-9-3
F	força, magnitude ou componente do vetor, I-7-1
g	aceleração da gravidade, I-9-4
G	constante gravitacional, I-7-1
$\boldsymbol{h}$	fluxo de calor, vetor, II-2-3
h	constante de Planck, $h = 6{,}62606896 \times 10^{-34}$ Js, I-17-8
$\hbar$	constante de Planck reduzida, $\hbar = h/2\pi$, I-2-6
$\boldsymbol{H}$	campo de magnetização, vetor, II-32-4
i	unidade imaginária, I-22-7
$\boldsymbol{i}$	vetor unitário na direção x, I-11-10
I	corrente elétrica, I-23-5
I	intensidade, I-30-1
I	momento de inércia, I-18-7
I_{ij}	tensor de inércia, II-31-7
$\mathfrak{I}$	intensidade, III-9-14
$\boldsymbol{j}$	densidade de corrente elétrica, vetor, II-2-8
j_x, j_y, j_z	densidade de corrente elétrica, componentes cartesianas do vetor, II-13-11
$\boldsymbol{j}$	vetor unitário na direção y, I-11-10
$\boldsymbol{J}$	momento angular da órbita de um elétron, vetor, II-34-3
$J_0(x)$	função de Bessel de primeira espécie, II-23-6
k	constante de Boltzmann, $k = 1{,}3806504 \times 10^{-23}$ J/K, I-39-10
$k_\mu = (\omega, \boldsymbol{k})$	quadrivetor de onda, I-34-9
$\boldsymbol{k}$	vetor unitário na direção z, I-11-10
$\boldsymbol{k}$	vetor de onda, I-34-9
k_x, k_y, k_z	vetor de onda, componentes cartesianas, I-34-9
k	número de onda, magnitude ou componente do vetor de onda, I-29-3
K	módulo volumétrico, II-38-3
$\boldsymbol{L}$	momento angular, vetor, I-20-4
L	momento angular, magnitude ou componente do vetor, I-18-5
L	autoindutância, I-23-6

$\mathcal{L}$	Lagrangiana, II-19-8	
$\mathcal{L}$	autoindutância, II-17-11	
$|L\rangle$	estado do fóton circularmente polarizado à esquerda, III-11-11	

m	massa, I-4-7
m_{eff}	massa efetiva do elétron em rede cristalina, III-13-7
m_0	massa de repouso, I-10-8
$\boldsymbol{M}$	magnetização, vetor, II-35-7
M	indutância mútua, II-22-16
$\mathfrak{M}$	indutância mútua, II-17-9
$\mathfrak{M}$	momento de curvatura, II-38-9

n	índice de refração, I-26-4
n	n-ésimo número romano, para que **n** tome os valores *I*, *II*,…, **N**, III-11-22
$\boldsymbol{n}$	vetor unitário normal, II-2-4
N_n	número de elétrons por unidade de volume, III-14-3
N_p	número de buracos por unidade de volume, III-14-3

$\boldsymbol{p}$	momento de dipolo, vetor, II-6-3
p	momento de dipolo, magnitude ou componente do vetor, II-6-3
$p_\mu = (E, \boldsymbol{p})$	quadrivetor do momento, I-17-7
$\boldsymbol{p}$	momento, vetor, I-15-9
p_x, p_y, p_z	momento, componentes cartesianas do vetor, I-10-8
p	momento, magnitude ou componente do vetor, I-2-6
p	pressão, II-40-1
$P_{\text{troca de spin}}$	operador de troca de spin de Pauli, III-12-7
$\boldsymbol{P}$	polarização, vetor, II-10-3
P	polarização, magnitude ou componente do vetor, II-10-4
P	potência, I-24-1
P	pressão, I-39-3
$P(k, n)$	probabilidade de Bernoulli ou binomial, I-6-5
$P(A)$	probabilidade de observar o evento A, I-6-1

q	carga elétrica, I-12-7
Q	calor, I-44-3

$\boldsymbol{r}$	vetor posição, I-11-5
r	raio ou distância, I-5-9
R	resistência, I-23-5
$\mathcal{R}$	número de Reynolds, II-41-6
$|R\rangle$	estado do fóton circularmente polarizado à direita, III-11-11

s	distância, I-8-1
S	ação, II-19-3
S	entropia, I-44-10
$\boldsymbol{S}$	vetor de Poynting, II-27-2
S	"estranheza", I-2-9
S_{ij}	tensor de tensões, II-31-9

t	tempo, I-5-1
T	temperatura absoluta, I-39-10
T	meia-vida, I-5-3
T	energia cinética, I-13-1

u	velocidade, I-15-2
U	energia interna, I-39-5
$U(t_2, t_1)$	operador da espera de t_1 a t_2, III-8-7
U	energia potencial, I-13-1
U	inverossimilhança, II-25-10

$\boldsymbol{v}$	velocidade, vetor, I-11-7
v_x, v_y, v_z	velocidade, componentes cartesianas do vetor, I-8-9

v	velocidade, magnitude ou componente do vetor, I-8-4
V	velocidade, I-4-6
V	voltagem, I-23-5
V	volume, I-39-3
$\mathcal{V}$	voltagem, II-17-12
W	peso, I-4-4
W	trabalho, I-14-2
x	coordenada cartesiana, I-1-6
$x_\mu = (t, \boldsymbol{r})$	quadrivetor de posição, I-34-9
y	coordenada cartesiana, I-1-6
$Y_{l,m}(\theta, \phi)$	harmônicos esféricos, III-19-7
Y	módulo de Young, II-38-2
z	coordenada cartesiana, I-1-6
Z	impedância complexa, I-23-7